DER WUNDERBEGRIFF
IM NEUEN TESTAMENT

WEGE DER FORSCHUNG

BAND CCXCV

1980

WISSENSCHAFTLICHE BUCHGESELLSCHAFT

DARMSTADT

DER WUNDERBEGRIFF
IM NEUEN TESTAMENT

Herausgegeben von
ALFRED SUHL

1980

WISSENSCHAFTLICHE BUCHGESELLSCHAFT

DARMSTADT

CIP-Kurztitelaufnahme der Deutschen Bibliothek

Der Wunderbegriff im Neuen Testament / hrsg.
von Alfred Suhl. — Darmstadt: Wissenschaftliche
Buchgesellschaft, 1980.
  (Wege der Forschung; Bd. 295)
  ISBN 3-534-05666-3

NE: Suhl, Alfred [Hrsg.]

1 2 3 4 5

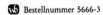 Bestellnummer 5666-3

© 1980 by Wissenschaftliche Buchgesellschaft, Darmstadt
Satz: Roddert Fotosatz, Mainz
Druck und Einband: Wissenschaftliche Buchgesellschaft, Darmstadt
Printed in Germany
Schrift: Compugraphic Garamond, 9/11

ISBN 3-534-05666-3

INHALT

EINLEITUNG

Die Erörterung des Wunderproblems stellt sich jeder Zeit neu und ist darum nie zur Ruhe gekommen. Über ihre Geschichte und insbesondere die Verschärfung des Problems in der Neuzeit informiert neben der mehr populärwissenschaftlichen Darstellung von E. und M.-L. Keller[1] die Dissertation von B. Bron[2]. In dieser Arbeit wird nach einem ausführlichen Bericht über die Geschichte des Wunderbegriffs freilich vorwiegend auf die systematisch-theologischen Fragestellungen eingegangen, während der Begriff des Wunders im Neuen Testament nur in einem knappen Schlußteil über die theologische Bedeutung des biblischen Wunderbegriffs mitbehandelt wird. — Unter einem ganz anderen Aspekt wird diese Geschichte dargestellt von U. Forell[3]. Er bringt jedoch von den Begriffsbildungen nur eine Auswahl, und zwar nicht nur in konfessioneller und zeitlicher Hinsicht, sondern auch insofern, als nur für die logische Analyse besonders repräsentative Beispiele mit dem Instrumentarium der auf der mathematischen Logik fußenden analytischen Philosophie untersucht werden. Nicht der neutestamentliche Wunderbegriff selbst ist hier Gegenstand der Untersuchung; analysiert werden vielmehr die Begriffsbestimmungen der Sekundärliteratur, und der neutestamentliche Wunderbegriff spielt hier nur dann eine Rolle, wenn er von den untersuchten Veröffentlichungen ausdrücklich oder implizit bei der Begriffsbildung herangezogen worden ist.

Was den Wunderbegriff im Neuen Testament selbst anbelangt, so erweist es sich angesichts des heutigen Forschungsstandes als ausgesprochen schwierig, über ihn in einem knapp bemessenen Band zu informieren.

[1] Keller, E. und M.-L., Der Streit um die Wunder. Kritik und Auslegung des Übernatürlichen in der Neuzeit, Gütersloh 1968.

[2] Bron, B., Das Wunder. Das theologische Wunderverständnis im Horizont des neuzeitlichen Natur- und Geschichtsbegriffs, Göttingen 1975.

[3] Forell, U., Wunderbegriffe und logische Analyse. Logisch-philosophische Analyse von Begriffen und Begriffsbildungen aus der deutschen protestantischen Theologie des 20. Jahrhunderts, Göttingen 1967.

Das soll in einem kurzen Überblick über die gegenwärtige Forschungslage skizziert werden[4].

I

Die Problematik der Auswahl zeigt sich schon darin, daß allein die Geschichte der Erforschung des johanneischen Zeichenbegriffes leicht einen ganzen Band füllen könnte. Hinzu kommt, daß sich bei der redaktionsgeschichtlichen Betrachtungsweise der synoptischen Evangelien jeder der drei ersten Evangelisten als ein Theologe von ganz besonderer Eigenart erwiesen hat. Ihr jeweiliges theologisches Profil prägt nicht zuletzt auch ihre je spezifische Verarbeitung der Wunderüberlieferung.

1. Für Matthäus wurde dies umfassend nachgewiesen in der schon klassisch zu nennenden Dissertation von H. J. Held[5]. Was G. Bornkamm[6] bereits im Jahre 1948 an der Perikope von der Sturmstillung und H. Greeven[7] im Jahre 1955 an der Heilung des Gelähmten nach Matthäus demonstriert hatten, wird hier für die gesamte Wunderüberlieferung bei Matthäus gezeigt. Danach ist Matthäus keineswegs nur Tradent, sondern in sehr viel höherem Maße, als man bis dahin anzunehmen bereit war, auch Interpret der Wundergeschichten. Keine der zahlreichen Kürzungen und gelegentlichen Erweiterungen der Markus-Vorlage läßt sich als Belanglosigkeit abtun, vielmehr steht jede scheinbar noch so geringfügige Veränderung der Vorlage im Dienste einer sehr zielstrebigen Interpretation. Dabei werden die Wundergeschichten vornehmlich Zeugnisse für die Christologie. Im Zusammenhang mit dem Schriftbeweis erweisen sie Jesus als Erfüller des Alten Testaments, als den Knecht Gottes, der für die Hilflosen eintritt; durchgehend werden die irdisch-menschlichen Züge

---

[4] Vgl. hierzu Kümmel, W. G., Jesusforschung seit 1965. IV. Bergpredigt — Gleichnisse — Wunderberichte (mit Nachträgen), ThR 43 (1978), S. 105—161, bes. S. 142ff.

[5] Held, H. J., Matthäus als Interpret der Wundergeschichten, in: Bornkamm, G., Barth, G., Held, H. J., Überlieferung und Auslegung im Matthäus-Evangelium, Neukirchen, Kreis Moers 1960, S. 155—287.

[6] Bornkamm, G., Die Sturmstillung im Matthäusevangelium, WuD NF 1 (1948), S. 49—54. Abgedruckt in: s. Anm. 5, S. 48—53.

[7] Greeven, H., Die Heilung des Gelähmten nach Matthäus, WuD NF 4 (1955), S. 65—78.

im Bild Jesu zurückgedrängt, und dieser erscheint ganz als der erhöhte Herr, wie ihn die nachösterliche Gemeinde kennt. Eng mit dieser Tendenz verknüpft ist die andere, das Gespräch zwischen Jesus und den Heilungsuchenden in den Mittelpunkt treten zu lassen und den Glauben der Bittsteller als Gebetsglauben zu verstehen, so daß die Wundergeschichten in ihrer Stilisierung durch Matthäus geradezu Paradigmen für die Zuverlässigkeit der Verheißung Jesu für das Gebet werden. Die durch den Schriftbeweis heilsgeschichtlich bedeutsame Jesus-Vergangenheit bekommt so durch ihren exemplarisch-paradigmatischen Charakter unmittelbare Relevanz für die Gegenwart[8].

2. Für das Lukas-Evangelium führte neuerdings U. Busse[9] den Nachweis, daß Lukas keineswegs, wie gern angenommen wird, der ursprünglichen Intention der volkstümlichen Wunderüberlieferung von allen drei Synoptikern am nächsten geblieben ist und sich bei seiner redaktionellen Bearbeitung auf stilistische Verbesserungen und seine allseits bekannte Historisierungstendenz beschränkt. Vielmehr zeigt sich auch bei der lukanischen Interpretation der Wunder ein sehr viel engerer Zusammenhang mit der Intention des Gesamtwerkes. Wie Busse zeigt, will Lukas mit seiner heilsgeschichtlichen Ausdeutung der Vergangenheit die Leser zu einem aktiv geführten, christlichen Leben motivieren. Die Wunder haben dabei eine doppelte Funktion: einmal veranschaulichen sie das zur Zeit Jesu präsente Heil und qualifizieren das von ihm verkündigte Reich Gottes als gnädige Heimsuchung, zum anderen geben sie modellhaft Handlungsanweisungen, die der Leser als christlichen Anspruch auch für seine Zeit akzeptieren kann.

3. Ungleich schwieriger ist es, demgegenüber die spezielle Bedeutung der Wundergeschichten im Markus-Evangelium zu erfassen. So ist es nicht verwunderlich, daß hier gleich drei umfangreiche Monographien aus jüngster Zeit zu nennen sind, die sich dieser Aufgabe in unterschiedlicher Weise stellen.

[8] Obwohl insbesondere der Aufsatz von G. Bornkamm einen einschneidenden Wendepunkt für das Verständnis der Wunder im Neuen Testament bedeutet, konnten die beiden zuvor genannten Arbeiten nicht in diesen Band aufgenommen werden, weil sie für den WdF-Band über das Matthäus-Evangelium vorgesehen sind.

[9] Busse, U., Die Wunder des Propheten Jesu. Die Rezeption, Komposition und Interpretation der Wundertradition im Evangelium des Lukas, Stuttgart 1977.

a) Nach K. Kertelge[10] verarbeitet Markus seine Wundergeschichten unter katechetischen Gesichtspunkten. Dabei unterscheidet er sich aber von Matthäus, indem er sie nicht wie dieser paradigmatisch für ganz bestimmte Themen auswertet; Markus kommt es vielmehr auf die theologisch-kerygmatische Einordnung der Wunder Jesu in ein Gesamtbild seiner Geschichte an. Die vielen Wunderberichte lassen, wie insbesondere durch Sammelberichte unterstrichen wird, das gesamte Wirken Jesu als wunderbar erscheinen, wobei es freilich vom Geheimnis umwoben bleibt, und jede einzelne Wundererzählung zeigt, wie schon in der Geschichte Jesu das Reich Gottes anbricht, das von Jesus Mk 1,14 f. angekündigt wird. Nach Kertelge wäre es aber falsch, wegen der Historisierungstendenz des Markus von einer Enteschatologisierung der Wunder zu sprechen. Sie bleiben als die dargestellte „Geschichte" Jesu nicht einfach Vergangenheit, sondern kommen in der Verkündigung der Kirche erst zu ihrer eigentlichen Bedeutung. Möglicherweise sind die Wunder in der vormarkinischen Überlieferung „hellenistisch" als Auswirkung einer besonderen Kraft verstanden worden; nach Markus aber kommt es zu einem Verständnis der Wunder erst vom Osterglauben her. Sie sind nur vor-läufige Offenbarungen und haben die Tendenz, sich selber überflüssig zu machen. Man kann nicht von einem allgemeinen und eindeutigen Wunderbegriff bei Markus sprechen, da für ihn die Taten Jesu nur äußerlich denen der hellenistischen ϑεῖοι ἄνδρες (göttlichen Menschen) gleichen, ihr rechtes Verständnis aber wesentlich von der Beziehung auf den sich in ihnen offenbarenden Gottessohn abhängt.

b) D. A. Koch[11] hebt demgegenüber besonders hervor, daß Markus über eine Vielfalt von Interpretationsmomenten verfügt, mit denen er die Wunderüberlieferung seiner Konzeption dienstbar macht. Dabei unterscheidet Koch eine kritisch-restriktive von einer positiv die Bedeutung der Wunder betonenden Tendenz. Erstere zeige sich darin, daß (1) Wunder bei Markus nur noch der Illustration der Vollmacht der Lehre Jesu dienen Mk 1,21—28, (2) die häufigen Schweigegebote übertreten werden und dadurch den anschließenden Ruhm des Wundertäters als etwas

---

[10] Kertelge, K., Die Wunder Jesu im Markusevangelium. Eine redaktionsgeschichtliche Untersuchung, München 1977.

[11] Koch, D. A., Die Bedeutung der Wundererzählungen für die Christologie des Markusevangeliums, Berlin 1975.

Zweideutiges erscheinen lassen, (3) Jesus in den Summarien lediglich als bloßer Wundertäter gesucht wird und sich (darum) regelmäßig von der Menge zurückzieht, (4) in den Naturwundern, die Jesu Taten in besonderer Weise als direkte Epiphanien darstellen, redaktionell das Motiv des Jüngerunverstandes eingebracht wird, um so auf das schärfste zu betonen, daß die Machttaten des Irdischen Verstehen gerade nicht ermöglichen, und (5) nach Mk 3,20—35; 6,1—6a; 8,11—13 Jesus nicht trotz, sondern gerade wegen seiner Wundertaten durch Gegner, Verwandte und Heimatstadt abgelehnt wird. Andererseits werden die Wunder bei Markus betont dadurch, daß (1) gerade sie es sind, durch die Jesus bekannt wird, (2) trotz der Ablehnung Jesu wegen der Wunder in den Summarien immerhin nachdrücklich die umfassende Wunderkraft Jesu hervorgehoben wird, und (3) trotz des Jüngerunverstandes das Epiphaniemoment der Wundererzählungen ja gerade nicht aufgehoben wird. Diese beiden Tendenzen divergieren nun aber nach Kochs Deutung nur scheinbar. Markus hat nämlich ein positives Interesse an den Wundergeschichten, weil er nicht nur die Passion des Gottessohnes, sondern auch das irdische Wirken Jesu als des Gottessohnes darstellen will. Es geht ihm um die Würde Jesu, die sich auch in seinen Taten zeigt. Diese ist nun aber nicht die Würde des Wundertäters und Exorzisten; die Wundergeschichten werden vielmehr von Kreuz und Auferstehung her ganz neu gefüllt.

c) Auch nach L. Schenke[12] werden die Wunder Jesu erst von Kreuz und Auferstehung her recht verstanden. Aber er setzt doch ganz andere Akzente als die beiden zuvor genannten Autoren, indem er zum einen viel stärker nach der Situation der Gemeinde des Markus fragt, den Evangelisten also nicht als isolierten „Schreibtischtheologen", sondern in seinen lebendigen Bezügen in den Blick zu bekommen trachtet, und zum anderen nicht nur die bloße Tatsache feststellt, daß Markus Traditionen verarbeitet hat, sondern auch nach deren Bedeutung für die Gemeinde des Markus fragt.

Schenke unterscheidet zwei Gruppen von Wundergeschichten im Markus-Evangelium, die unterschiedliche Aussageabsichten verfolgen. Die im palästinensisch-galiläischen Judenchristentum entstandenen

---

[12] Schenke, L., Die Wundererzählungen des Markusevangeliums, Stuttgart 1974.

Wundererzählungen zeigen eine bemerkenswerte christologische Zurückhaltung und sind primär daran interessiert, die besondere eschatologische Qualität des Tuns des irdischen Jesus herauszustellen. Die im hellenistischen Judenchristentum entstandenen Erzählungen dagegen haben eine dezidiert christologische Pointe und wollen das göttliche Wesen der Person Jesu kennzeichnen. Deutlich ist hier ein Einfluß der ϑεῖος-ἀνήρ-Vorstellung zu erkennen. Wollten die Erzählungen der ersten Gruppe in der Judenmission argumentativ den Nachweis führen, daß in Jesu Wirken die erwartete Heilszeit schon angebrochen und Jesus ihr Bringer ist, so wird in den Erzählungen der zweiten Gruppe gezeigt, daß im irdischen Wirken Jesu göttliches Heil sichtbar auf Erden erschienen ist, dieses sich aber in der Gemeinde durch seine Nachfolger weiterhin fortsetzt. Als Trägergruppe dieser Wundererzählungen sind darum hellenistisch-judenchristliche Missionare anzunehmen, deren Mission ähnlich wie die der Gegner des Paulus in Korinth von pneumatischen Machterweisen begleitet war.

Nach Schenke hat Markus die von ihm verarbeiteten Wundergeschichten nicht etwa selber einzeln gesammelt, sondern sie als einen relativ geschlossenen Traditionsblock vorgefunden. Die Traditionen hatten ursprünglich ihren Sitz im Leben in der Mission, lösten sich aber davon und wurden von der Gemeinde als innergemeindliche Erbauung und Ermahnung rezipiert. Eine von dieser Wunderüberlieferung geprägte Gemeinde ist nun auch das unmittelbare Gegenüber des Evangelisten Markus. Er hatte es mit einer Gemeinde zu tun, die in Jesus den epiphanen Gottessohn sah, dessen göttliche Kraft sich in den Wundertaten offenbart hatte, die darum auch als Gemeinde dieses wundermächtigen Gottessohnes in ihrer Gegenwart pneumatische Demonstrationen für die Gegenwärtigkeit des in Jesus gekommenen Heils erlebte und für die ursprünglich nahe bevorstehend geglaubte Parusie erhoffte. Eben diese Erwartung war nun aber durch die Parusieverzögerung und die Ernüchterung, die sich insbesondere nach der Zerstörung des Tempels von Jerusalem im Jahre 70 breitgemacht hatte (nachdem im Zusammenhang mit dem jüdischen Krieg 66—70 die Naherwartung des Endes noch einmal neu belebt worden war), in eine tiefe Krise geraten. Die Gemeinde sah sich jetzt zudem in einer Verfolgungssituation, die Mk 13 von Jesus angekündigt wird, aber genau die Gegenwart der Gemeinde des Markus beschreibt, und die gar nicht zu dem Herrlichkeitsweg paßte, der sich eigentlich für ihr Selbstverständnis aus ihrer Christologie ergeben mußte. Die „wunderlos" gewordene Gegenwart machte den Ruf nach einem eindeutigen Zeichen des Kommens des Herrn immer verzweifelter, sein Ausbleiben gefährdete den Glauben. Diese Krise war die fast zwangsläufige Folge der ϑεῖος-ἀνήρ-Christologie und des daraus abgeleiteten Selbstverständnisses der Gemeinde in einer Zeit enttäuschter Naherwartung, nachlassender pneumatischer Erfahrungen und wachsenden äußeren Druckes und Mißerfolges. Der Evangelist Markus sucht diesem Glaubensverfall zu begegnen. Er polemisiert gegen die Wundertheologie, indem er die Wunder zu bloßen Episoden der auf das Kreuz zulaufenden Geschichte Jesu macht. Da die einzelnen Wundergeschichten ohnehin schon am irdischen Jesus orientiert waren, liegt seine theologische Leistung nicht darin, daß er überhaupt als erster eine Geschichte Jesu geschrieben hätte. Seine Leistung liegt vielmehr darin, daß er die Epiphanie des Gottessohnes nicht mehr in den einzelnen Wundergeschichten sieht, sondern im Kreuz. Er konfrontiert seine Gemeinde so mit einem völlig andersgearteten Orientierungsmodell, indem er sie auf den Weg der Leidensnachfolge weist. Die Wunder, die zu bloßen Episoden auf dem Weg des Gottessohnes zum Kreuz degradiert worden sind, haben ihre ursprüngliche Bedeutung für den Glauben an den Gottessohn und für die christliche Existenz verloren, sie wurden zur Illustration des Heilsgeschehens, das sich für den Glaubenden hinter der Niedrigkeit des Kreuzesgeschehens verbirgt.

4. Die Wunderüberlieferung der synoptischen Evangelien erscheint nun nicht nur durch die eben skizzierten redaktionsgeschichtlichen Untersuchungen in einer neuen Perspektive. Auch die formgeschichtliche Fragestellung, welche die im wesentlichen vormarkinische Traditionsschicht der mündlichen Überlieferung zu erhellen versucht, wurde durch die Habilitationsschrift von G. Theißen[13] weitergeführt, indem er die formgeschichtliche Analyse von Gattungen, Kompositionen und Motiven durch die Aufnahme strukturalistischer Verfahren am Beispiel der Wundererzählungen vertieft. Er unterscheidet dabei drei Aspekte formgeschichtlicher Fragestellung, nämlich die synchronische, die diachronische und die funktionale Betrachtungsweise, wobei unter der ersten die Struktur der Gattung, unter der zweiten ihre Geschiche und unter der dritten ihr „Sitz im Leben" analysiert wird.

---

[13] Theißen, G., Urchristliche Wundergeschichten. Ein Beitrag zur formgeschichtlichen Erforschung der synoptischen Evangelien, Gütersloh 1974.

a) Wichtig ist bei der synchronischen Betrachtungsweise, daß Theißen zwischen Personen, Motiven und Themen unterscheidet und ihre Beziehungen zueinander nun nicht nur (kompositionell) innerhalb eines bestimmten Textes, sondern auch (paradigmatisch) im Nebeneinander von verschiedenen Texten der gleichen Gattung untersucht. Dabei wird davon ausgegangen, daß es sich auch bei den Strukturen der Wundergeschichten um unbewußte Normen des Erzählens handelt, nach denen die Geschichten erzählt wurden, wobei die vorgegebenen Möglichkeiten der Gattung jeweils verschieden realisiert wurden. Wenn dann aber bei jeder Realisierung im konkreten Einzelfall alle Möglichkeiten der Gattung virtuell gegenwärtig sind, ist sofort deutlich, daß die Geschichten in einem völlig neuen Licht erscheinen. b) Diese Erkenntnis einer virtuellen Gattungsstruktur wirkt sich dann auch bei der diachronischen Betrachtungsweise aus, insofern nachgewiesen wird, daß diachrone Abänderungen im zeitlichen Nacheinander der Texte sich meist im Rahmen der vorgegebenen Gattungsstruktur halten, Redaktion also ebenso wie Tradition wenigstens zumeist Reproduktion derselben Struktur ist. c) Bei der funktionalen Betrachtungsweise schließlich werden die Texte als Moment eines übergreifenden Lebenszusammenhanges von Bedingungen, Intentionen und Wirkungen betrachtet. Dadurch wird ein völlig neuer Weg für das Verständnis der Wunderüberlieferung eröffnet. Fragt man einseitig nach ihren historisch-sozialen Bedingungen, muß man sie als Projektion sozialer, historischer und psychischer Faktoren ansehen. Fragt man dagegen einseitig nach ihrer Intention, hat man sie als Zeugnis von göttlicher Offenbarung hinzunehmen. In beiden Fällen ist nicht die menschliche Subjektivität das eigentliche Sinnzentrum der Texte, sondern etwas, das außerhalb ihrer liegt, sei es eine soziale, historische oder psychische Dynamik, für die sie nur der Exponent ist, sei es eine unbedingte Offenbarung, die ihr von außen begegnet. Dem entspricht, daß die reduzierende Hermeneutik in den Wundertexten nur Widerspiegelung menschlich-allzumenschlicher Wirklichkeit sieht, die restaurative dagegen Offenbarung. In diesem hermeneutischen Konflikt führt die funktionale Betrachtungsweise mit ihrer literatursoziologischen Fragestellung weiter. Sie versteht die Wundergeschichten als menschliche symbolische Handlungen. Diese können ebenso wie praktische Eingriffe Veränderungen herbeiführen, indem sie ein neues Daseinsverständnis erschließen. Da die Wundergeschichten sich mit Grenzsituationen menschlicher Aussichtslosigkeit auseinandersetzen, geht es ihnen konkret um die Beseitigung wirklicher Not. Sie rebellieren gegen die Realität in ihrer Negativität und wünschen ihre Beseitigung. Dabei handelt es sich aber nicht nur um Wunschdenken; denn diese konkrete Negativität menschlichen Daseins wird ja in den Wundergeschichten durch die Berufung auf eine Offenbarung des Heiligen überwunden. Es wird zwar im Vollzug der Wundergeschichten die Grenze des menschlich Möglichen überschritten, aber eben nur unter Berufung auf den historischen Wundercharismatiker Jesus. Dieser erscheint dabei freilich in symbolischer Steigerung als göttlicher Wundertäter. Dieser Steigerung entspricht auf der anderen Seite jedoch eine Steigerung auch der „normalen" Aussichtslosigkeit des Menschen, die als Werk dämonischer Mächte verstanden wird. Nicht die Intensität des menschlichen Wunsches überwindet die Negativität dieses Lebens, sondern die Erfahrung des Heiligen in Jesus. Die Gattung der urchristlichen Wundergeschichten ergibt sich nicht allein aus dem menschlichen Wunsch, so gewiß dieser auch in ihnen lebendig ist; hinzu kommt hier vielmehr, daß sie eher aller bisherigen Erfahrung ihre Gültigkeit absprechen als der menschlichen Not das Recht, beseitigt zu werden. Die Unbedingtheit des Protestes, der aus der vorhandenen und erfahrbaren Welt allein nicht zu legitimieren ist, läßt die Wundergeschichten nicht nur menschliche Handlungen sein, sondern verleiht ihnen ihre symbolische Dimension, die über jede menschliche Daseinsbewältigung hinausweist.

II

Schon diese grobe Übersicht, die sich nur auf die wichtigsten Monographien stützt und zudem noch unvollständig ist, insofern z. B. das besondere Problem der Wunder in der Apostelgeschichte oder bei Paulus noch nicht einmal berührt wurde, zeigt, unter welcher Bandbreite von unterschiedlichen Aspekten die Wunderproblematik im Neuen Testament heute gewürdigt werden will. Angesichts der Vielfalt von Fragehinsichten, zu der auch noch die komplexe religionsgeschichtliche Problematik hinzukommt, kann man sich nun nicht auf das Problem des Wunderbegriffs als solchen beschränken und lediglich danach fragen, wie dieser inhaltlich bestimmt wird; denn dabei würde gerade das Spezifische der Wunderproblematik in den verschiedenen

Schriften des Neuen Testaments überhaupt nicht in den Blick kommen.

Angesichts dieses Forschungsstandes versucht die vorliegende Sammlung nicht, was ein leichtes gewesen wäre, aus den Beiträgen der letzten
10—15 Jahre eine Art Lehrbuch zusammenzustellen. Die Absicht ist vielmehr, wirklich den Gang der Forschung seit dem Beginn dieses Jahrhunderts an einigen ausgewählten Beispielen zu dokumentieren. Freilich
mußten auch dabei einige Lücken offenbleiben. Am leichtesten zu vertreten ist angesichts der weiten Verbreitung der formgeschichtlichen Arbeiten von R. Bultmann[14] und M. Dibelius[15] noch das Fehlen eines formgeschichtlichen Beitrages[16]. Aus Raumgründen entfallen mußten ferner
die einschlägigen Beiträge von W. Soltau[17] und R. Jelke[18]. Bedauerlicher
ist schon, daß der berühmte Vortrag von W. Herrmann[19] sowie die Beiträge von R. Bultmann[20] und G. Klein[21] nicht aufgenommen werden
konnten, da sich gerade im Nacheinander dieser drei Arbeiten eine überaus interessante Entwicklung verfolgen läßt. — Gar nicht fehlen dürfte

[14] Bultmann, R., Die Geschichte der synoptischen Tradition, 3. durchges.
Aufl. mit Ergänzungsheft (4. Aufl. bearbeitet von G. Theißen und Ph. Vielhauer
1971), Göttingen 1957; ders., Die Erforschung der synoptischen Evangelien, Berlin 1925; 3., verb. Aufl. Berlin 1960; 4. Aufl. Berlin 1961, abgedruckt in: Glauben und Verstehen IV, Tübingen 1965, S. 1—41.

[15] Dibelius, M., Die Formgeschichte des Evangeliums, 5. Aufl. Tübingen 1966.

[16] Etwa Dibelius, M., Artikel „Wunder" III. Im NT, in: RGG V, 2., völlig neu
bearb. Aufl. Tübingen 1931, S. 2040—2043.

[17] Soltau, W., Hat Jesus Wunder getan? Eine biblische Widerlegung kirchlichen Aberglaubens, Leipzig 1903.

[18] Jelke, R., Die Wunder Jesu, Leipzig-Erlangen [1922].

[19] Herrmann, W., Der Christ und das Wunder. Vortrag, gehalten auf der theo-
logischen Konferenz zu Gießen am 18. Juni 1908, in: ders., Offenbarung und
Wunder. Vorträge der theologischen Konferenz zu Gießen, 28. Folge, Gießen
1908, S. 27—71. Wieder abgedruckt in: ders., Schriften zur Grundlegung der
Theologie, Teil II, mit Anmerkungen und Register hrsg. von P. Fischer-Apelt,
München 1967, S. 170—205.

[20] Bultmann, R., Zur Frage des Wunders, in: Glauben und Verstehen I, Tübingen 1933, S. 214—228.

[21] Klein, G., Wunderglaube und Neues Testament, Wuppertal-Barmen 1960.
Wieder abgedruckt in: ders., Ärgernisse. Konfrontationen mit dem Neuen Testament, München 1970, S. 13—57.

eigentlich die wichtige Arbeit von A. Fridrichsen[22]. Das wäre aber nur bei erheblichen Kürzungen möglich gewesen. Da ich darauf bei allen Beiträgen grundsätzlich verzichten wollte, habe ich Fridrichsen mit einem Aufsatz zu Wort kommen lassen, der zwar keine Zusammenfassung seiner Monographie darstellt, aber doch Wichtiges daraus enthält und der theologischen Debatte in Skandinavien entscheidende Impulse gab[23]. Der leidigen Umfangsbegrenzung zum Opfer fallen mußten auch der Aufsatz von O. Weinreich[24], der einen knappen Überblick über die Vorstellung vom θεῖος ἀνήρ seit dem 6. vorchristlichen Jahrhundert gibt, sowie die Untersuchungen von R. Hanslik[25] und H. J. Rose[26], die einen Einblick vermitteln sollten in die ältere Diskussion über die Frage, ob Jesus nach dem Modell des θεῖος ἀνήρ dargestellt wurde[27].

III

Aus Raumgründen gestrichen werden mußten schließlich auch alle Beiträge seit 1970, zumal hier eine Auswahl aus der in Gang befindlichen Diskussion nur schwer zu begründen gewesen wäre. Diese Diskussion soll im folgenden dargestellt werden. Es geht mir dabei nicht um einen auf Vollständigkeit bedachten Literaturbericht. Es sollen vielmehr Forschungsschwerpunkte an ausgewählten Beispielen vorgestellt werden, um die Fragestellungen und Argumentationsweisen zu verdeutlichen. Exegetische Einzelfragen bleiben dabei unberücksichtigt.

[22] Fridrichsen, A., Le Problème du Miracle dans le Christianisme primitif, Strasbourg/Paris 1925. Eine englische Übersetzung durch Roy A. Harrisville und John S. Hanson erschien unter dem Titel ›The Problem of Miracle in Primitive Christianity‹, Minneapolis 1972.

[23] Diesen freundlichen Hinweis verdanke ich B. Gerhardsson, Lund.

[24] Weinreich, O., Antikes Gottmenschentum, Neue Jahrbücher für Wissenschaft und Jugendbildung 2 (1926), S. 633—651.

[25] Hanslik, R., Christus und die hellenistischen Gottesmänner bis zu ihrer Lehr- und Wundertätigkeit, Theologie der Zeit 1 (1936), S. 203—214.

[26] Rose, H. J., Herakles and the Gospels, HThR 31 (1938), S. 113—142.

[27] Die Geschichte dieser Debatte wird sehr sorgfältig nachgezeichnet von Smith, M., Prolegomena to a Discussion of Aretalogies, Divine Men, the Gospels and Jesus, JBL 90 (1971), S. 174—199.

1. Einen wesentlichen Schwerpunkt bildet die Debatte über die methodischen Probleme der historischen Rückfrage.

a) Im Jahre 1970 führte R. Pesch[28] die Methoden der modernen Exegese beispielhaft an der Heilung der Aussätzigen vor. Er setzte sich dabei vornehmlich mit F. Mußner[29] auseinander, der u. a. eben diese Heilungen von Aussätzigen als „ipsissima facta" Jesu in Anspruch genommen hatte. Mußner versteht darunter Taten, die für Jesus bezeichnend sind, die nur er getan haben kann. Nach Mußner hat man es mit solchen Taten vor allem dort zu tun, wo es keine „analogen" Situationen im Sinne der Religionsgeschichte gibt, wo vielmehr die einmalige und unwiederholbare Situation Jesu in seinem Kampf mit den religiösen Führern seines Volkes vorliegt. Nicht in der Topik, also dem typischen Aufbau der Wundergeschichten, sondern in der Front, gegen die sich die Heilungen Jesu richten, liegt das für Jesus Bezeichnende. Dieser Sinn der Bezeichnung, die Mußner zudem nur als Frage formuliert, verschiebt sich, wenn Pesch in der Übersetzung von „ureigenen Taten" Jesu spricht[30] und die Aussätzigenheilungen als solche ureigenen Taten Jesu nur dann gelten lassen will, wenn sie durch historisch-konkret einmalige Geschehnisse, also durch Beispiele zu belegen und nicht nur allgemein zu sichern sind. Das nötigt Pesch zu einer sehr eingehenden Analyse der zur Debatte stehenden Überlieferungen, wobei er das methodische Instrumentarium in vorbildlicher Klarheit vorführt. Die Frage der Historizität aber entscheidet er dann allein aufgrund formgeschichtlicher Argumente. Weil z. B. bei der Erzählung von der Aussätzigenheilung Mk 1,40—45 kein Zug unverwechselbar und individuell ist, alle Einzelheiten vielmehr gattungsspezifisch sind und sich darüber hinaus Einwirkungen alttestamentlicher Vorbilder nachweisen lassen, hält er die Geschichte selbst für ein Produkt der nachösterlichen Christologie. Diese setzt zwar historisch glaubwürdige Machttaten Jesu voraus, aber nicht unbedingt auch Aussätzigenheilungen. Die Geschichte von der Heilung des Aussätzigen erlaubt darum keine Schlüsse auf eine konkret-einmalige Heilungstat Jesu.

---

[28] Pesch, R., Jesu ureigene Taten? Ein Beitrag zur Wunderfrage, Freiburg/Basel/Wien 1970.

[29] Mußner, F., Die Wunder Jesu. Eine Hinführung, München 1967.

[30] Vgl. hierzu Mußner, F., Ipsissima facta Jesu?, ThRev 68 (1972), S. 177—185, wo er sich mit Pesch auseinandersetzt.

b) Eben hiergegen polemisiert nun Mußner[31] in seiner Entgegnung mit dem Vorwurf, Pesch komme durch die monomanische Handhabung der Formgeschichte einfach nicht mehr dazu, der Geschichte selbst ansichtig zu werden. Die Verwendung traditioneller Topoi und Termini, die Ausformung einer Überlieferung nach den Gesetzen einer bestimmten Gattung ist nun in der Tat kein Beweis dafür, daß der in solche Sprache gefaßte Vorgang unhistorisch sein müsse. Hier läge derselbe Fehler vor, der Bultmann[32] dazu verleitet hat, eine „ideale Szene", die eine Idee bildhaft veranschaulichen soll, allein schon deswegen für nicht historisch zu halten, weil sie der Absicht des Erzählers in vollkommener Weise Genüge tut. Übersehen ist dabei, daß die den Interessen der Gemeinde dienende Ausgestaltung der Erzählung streng zu unterscheiden ist von der Frage der Historizität des geschilderten Geschehens, die allein aufgrund formaler Kriterien nicht zu beurteilen ist, und zwar weder positiv noch negativ[33]. Mußner sucht diesem „vitiosen Zirkel" bloß formgeschichtlicher Analyse zu entkommen, indem er Kriterien anderer Art heranzieht. Er spricht hier von der „Umweltreferenz" und meint damit einmal die konkreten zeitgeschichtlichen Umstände des Auftretens Jesu, wozu eben auch die Aussätzigen und eine auf sie bezogene Theologie gehörten, vor allem aber Jesu Predigt von der Gottesherrschaft. Hier taucht nun aber die Frage auf, ob tatsächlich die Historizität der Aussätzigenheilungen allein dadurch zureichend gesichert werden kann, daß die Aussätzigen als Unfromme galten, die für ihre Sünden bestraft werden, die Aussätzigenheilungen Jesu sich also gut in den Kontext seiner Hinwendung zu den Ausgestoßenen und Verlorenen fügen. Und diese Frage wird um so dringender, als es für die Fragestellung von Mußner, die ausschließlich historisch ist, gar nicht relevant zu sein scheint, wie auf der literarischen Ebene die Unterscheidung von Tradition und Redaktion vorzunehmen ist, inwieweit man also alte, ursprüngliche Überlieferung von jüngeren Zusätzen

---

[31] Siehe vorige Anm.

[32] Geschichte, S. 48, Anm. 3.

[33] Leider hat Pesch (Zur theologischen Bedeutung der „Machttaten" Jesu. Reflexionen eines Exegeten, ThQ 152 [1972], S. 203—213, S. 211 Anm. 21) in seiner teilweise berechtigten Entgegnung auf Mußner diesen entscheidenden Kern seiner Argumentation überhaupt nicht aufgegriffen.

trennen muß[34]. Er kann mit diesem Verfahren immer nur bestenfalls zu
dem Ergebnis kommen, daß eine grundsätzliche Übereinstimmung zwischen Evangelienerzählung und historischer Faktizität besteht; und die
bleibt immer unbezweifelbar, wenn man sie nur grundsätzlich und allgemein genug nimmt, liefert sich damit aber auch immer wieder der Kritik
von Pesch aus, der nach konkreten Beweisen verlangt.

c) An dieser Stelle setzt K. Kertelge[35] ein. Er will die Probleme auf der
literarischen Ebene nicht einfach überspringen, aber doch die bewährten
Methoden der historisch-kritischen Exegese durch weitere geeignete Gesichtspunkte ergänzen, um so nicht nur mit Mußner lediglich eine grundsätzliche Übereinstimmung zwischen Evangelienerzählung und faktisch
Geschehenem festzustellen, sondern im Sinne von Pesch zu konkreten
Fakten vorzudringen. Kriterium ist ihm dabei, was sich nach der form-
und traditionsgeschichtlichen Analyse als „konkrete Erinnerung" an das
ursprüngliche Lebensbild Jesu herausstellt. Er geht dabei davon aus, daß
trotz aller christologisch-kerygmatischen Deutung der Gestalt und Geschichte Jesu die urchristliche Verkündigung nicht nur an ihre eigenen
Interessen und Zielsetzungen und damit an sich selbst, sondern vor allem
auch an Jesus und sein irdisches Wirken gebunden war. Eben diese geschichtliche Erinnerung aber sei in jedem einzelnen Fall zu erheben und
nicht nur zu postulieren. Er zeigt das am Beispiel der Täuferanfrage Mt
11,2—6par und an der Heilung des Besessenen in Kapernaum Mk
1,21—28. Da er bei der Aufzählung der Machttaten Jesu Mt 11,5 insbesondere die Erwähnung der Aussätzigenheilungen mit der lebendigen Erinnerung an die Wirksamkeit Jesu erklärt, wäre von daher möglicherweise
ein Indiz für die Historizität der von Pesch bestrittenen Aussätzigenheilungen zu gewinnen — allerdings nur dann, wenn Mt 11,5par tatsächlich
unmittelbar auf Jesu Machttaten selbst zurückblickt und nicht auf eine

[34] ThRev 68 (1972), S. 180 heißt es ausdrücklich: „Aber ob markinisch oder
vormarkinisch, ist für unsere Fragestellung (ipsissima facta Jesu) gänzlich ohne Be-
lang. Das Entscheidende ist vielmehr dies, ob Mk oder sein Gewährsmann überhaupt etwas erzählt, was im Leben Jesu vorgekommen ist, oder ob es sich nur um
eine nachösterlich erfundene Illustration im Dienste einer bestimmten Christologie ... handelt."

[35] Kertelge, K., Die Überlieferung der Wunder Jesu und die Frage nach dem
historischen Jesus, in: K. Kertelge (Hrsg.), Rückfrage nach Jesus, Freiburg/
Basel/Wien 1974, S. 174—193.

bereits vorhandene christliche Wundertradition. Steht nämlich eine christologische Tradition zwischen dem Leben Jesu und der Aufzählung der Taten des Endzeitpropheten Jesus in Mt 11,5par, dann handelt es sich bei letzterer um einen Wunderkatalog, der eine Reihe von bekannten Wundererzählungen aufzählt oder nur an sie erinnert. Ist das aber der Fall, dann könnte dieser Katalog auch eine Tradition wie die Aussätzigenheilung Mk 1,40—45 voraussetzen und dürfte folglich nicht seinerseits als Beweis für die Historizität des von ihm Vorausgesetzten herangezogen werden[36].

d) Von einer ganz anderen Seite nähert sich G. Petzke[37] der historischen Problematik der Wunder Jesu. Er wendet gegen Kertelge ein, dessen Rückschluß auf den historischen Jesus über die lebendige Erinnerung werde der Problematik der Wundertexte und insbesondere ihrer Entstehung nicht gerecht. Trotz der Verfeinerung der Kriterien, die in der neueren Forschung entwickelt wurden, hält er es für ausgeschlossen, eine bestimmte Aussage oder Erzählung mit absoluter Sicherheit auf den historischen Jesus zurückzuführen. Erreichbar seien immer nur Wahrscheinlichkeitsurteile, mit denen man sich in der Theologie aber nicht begnügen dürfe. Es sei vielleicht möglich, in allgemeinen Zügen ein Bild des historischen Jesus zu umreißen, mit einiger Sicherheit erkennbar seien aber nur Jesusbilder von verschiedenen Trägerkreisen. Und auf diese Trägerkreise der Jesusüberlieferung kommt es ihm an.

In einem Überblick über die Wundertraditionen im Neuen Testament zeigt er, wie unterschiedlich Jesus in ihnen dargestellt wird. Eine vormarkinische Tradition der synoptischen Evangelien ist bemüht, die Wundermacht des Wundertäters herauszustellen, wobei Jesus hier ebenso wie in der vorjohanneischen Semeia-Quelle als der epiphane Gottessohn gezeichnet wird, der wie ein θεῖος ἀνήρ mit der ihm eigenen Kraft seine Wunder vollbringt. Die Logienquelle ist demgegenüber wesentlich zurückhaltender, da sie nur das Interesse verfolgt, die Zeit Jesu und seiner exorzisierenden Jünger als Endzeit zu charakterisieren und die Versuchungsgeschichte möglicherweise gar als Korrektur einer θεῖος-ἀνήρ-Christologie entworfen ist. Paulus dagegen steht in schärfstem Gegensatz

---

[36] Vgl. Pesch, Ureigene Taten, S. 36ff., bes. S. 43f.

[37] Petzke, G., Die historische Frage nach den Wundertaten Jesu. Dargestellt am Beispiel des Exorzismus Mark. IX. 14—29par., NTS 22 (1975/76), S. 180—204.

zu diesen Traditionen, indem er im 2 Kor die Niedrigkeit des irdischen Jesus gegen eine Irrlehre betont, deren Theologie der der vormarkinischen Texte ähnelt. Kritisiert wird die Wunderüberlieferung aber auch durch die Redaktion sowohl des Johannes-Evangeliums als auch der synoptischen Evangelien, wobei Lukas angeblich der Theologie der ursprünglichen Wundertexte noch am nächsten stehen soll.

Da neben Jesus auch die Jünger als Wundertäter gezeichnet werden, und zwar sowohl in der Logienquelle[38] als auch in der vormarkinischen Tradition[39], vor allem aber die Gegner des Paulus im 2 Kor sich ihrer Wundertaten rühmen konnten[40], folgert Petzke zu Recht, daß offenbar die verschiedenen Bilder von Jesus dem Wundertäter nach dem Selbstverständnis der Trägergruppen dieser Überlieferungen geprägt wurden und dieses Selbstverständnis legitimieren sollten. Keine Überlieferung, und sei sie die älteste, ist frei von einer ganz bestimmten Tendenz und darf darum nicht mit der authentischen Überlieferung des irdischen Jesus gleichgesetzt werden. Die Wundertaten des Gottesmannes Jesus sind Propagandamittel, um in der religiösen Auseinandersetzung der hellenistischen Welt bestehen zu können. Dabei ist insbesondere die anfangs in der Minderheit befindliche Gruppe der Christen auf die Wunder als Propagandamittel angewiesen. Auf diese kann erst verzichtet werden, wenn entweder die Wunder dysfunktional werden, d. h. wenn alle Parteien — also Christen wie Heiden — die gleichen Wunder propagieren, oder aber wenn die propagandistische Funktion der Wunder nicht mehr gebraucht wird, weil sich die Minderheit in der Gesellschaft etabliert hat. Ein Beweis dafür ist das Abklingen der charismatischen Momente beim Entstehen der Großkirche.

Für Petzke folgt daraus, daß man heute auf die Wunder zu verzichten habe. Die Möglichkeit, daß Jesus und seine Jünger als charismatische Persönlichkeiten in einem charismatischen Milieu psycho-somatisch erkrankten Menschen geholfen haben, sei nicht auszuschließen. Das lasse sich aber natürlich erklären. Die Charakterisierung Jesu als göttlicher Wundertäter erfordere jedoch die Übernahme eines dämonistischen Welt-

---

[38] Lk 12,3—13par.

[39] Mk 6,7 ff.; Mk 9,14—29 ist durch das als Ausnahme geschilderte Versagen der Jünger nur um so nachdrücklicher die Vorstellung vom Wundertun der Jünger vorausgesetzt.

[40] 2 Kor 12,12.

bildes und sei daher nicht in die gegenwärtige modernwissenschaftliche Welt übertragbar[41].

2. Mit den zuletzt genannten Andeutungen von Petzke klingt bereits ein zweiter Schwerpunkt der Diskussion seit 1970 an, nämlich die Frage nach der (fundamental-)theologischen Relevanz der Wunder.

a) R. Pesch hatte sein Buch über die ureigenen Taten Jesu mit der erklärten Absicht geschrieben, die Fundamentaltheologie zu einer Revision ihrer Behandlung der Wunderfrage zu nötigen[42]. Dazu unterscheidet er zwischen Machttaten und Wundergeschichten, wobei erstere die historische und letztere die literarische Ebene meinen. Auf der literarischen Ebene kann es (1) um protokollartig erzählte, tatsächlich passierte, (2) um wie auch immer reflektierte oder (3) um gar nicht als tatsächlich vorausgesetzte historische Wirklichkeit gehen. Es wird also streng unterschieden zwischen der historischen und der literarischen Frage. Für die Fundamentaltheologie relevant ist die historische Ebene, insofern hier nach der alten Apologetik die Wunder als göttliche Taten die vernünftige Glaubwürdigkeit der Offenbarung erweisen. Dabei ist der Wunderbegriff eindeutig naturwissenschaftlich definiert als natürlicherweise nicht zu erklärendes Phänomen, das darum eine übernatürliche Kausalität voraussetzt. Eben diese Assoziation aber sucht Pesch sorgfältig zu vermeiden, indem er zum einen in diesem Zusammenhang konsequent nur noch von „Machttaten" Jesu spricht und sich zum anderen ausdrücklich dagegen verwahrt, daß deren fundamental-theologische Bedeutung durch einen Wunderbegriff festgestellt werden könne; diese sei vielmehr nur in einer Auslegung der durch Jesus selbst gedeuteten Machttaten zu erheben. Fest steht, daß Jesus sich durch Machttaten auszeichnete. Was aber diesen Machttaten ihre unverwechselbare Eigenart aufprägte, läßt sich nicht unmittelbar aus den schematisch-topisch erzählten Wundergeschichten ablesen, da diese erst durch den Glauben der Gemeinde eindeutig christologisch geprägt sind. Hinsichtlich der davon zu unterscheidenden Machttaten läßt sich nur ganz allgemein feststellen, daß Jesus einerseits keine

---

[41] Dies wird wissenssoziologisch mit der Veränderung des Verständnisses von Realität begründet; hierzu s. u. (2. f).

[42] Pesch, R., Jesu ureigene Taten?, S. 11—13; die eigentlichen Anstöße aus dem zuvor exegetisch entwickelten Problem werden S. 135 ff. in Kap. 5 (Jesu Machttaten und sein deutendes Wort) und hier vor allem im 3. Abschnitt (Zur fundamental-theologischen Bedeutung der Machttaten Jesu), S. 148 ff. gegeben.

Belohnungs-, Honorar-, Profit-, Straf- oder Schauwunder wirkte, andererseits mit seinen unbezweifelbaren Heilungen und Exorzismen aber
auch nicht gerade den gängigen messianischen Erwartungen des Judentums entsprach. Weil Jesu Wirken sich weder in geläufige Erwartungen
einordnen noch mit anderen Praktiken gleichsetzen läßt, kommt es für
seine Machttaten entscheidend auf sein deutendes Wort an, und danach
handelt es sich bei ihnen um kraftvolle Zeichen, die Jesu Botschaft illustrieren. Die von Jesus verkündigte Gottesherrschaft erweist sich in ihnen
als die der Satansherrschaft entgegenstehende Kraft, die Machttaten sind
der leibhafte Ausdruck der Gottesherrschaft. „In den Machttaten Jesu
zeigt sich die Gottesherrschaft, dieses sphärenhaft dynamische Geschehen, die Erlösung aus der Herrschaft des Satans, und damit von Sünde,
Besessenheit und Krankheit, als leibhafte Realität."[43] Insofern Jesus sein
Wirken als Anbruch der Gottesherrschaft versteht, ist der soteriologische
Anspruch unüberhörbar, ebenso aber auch ein impliziter christologischer
Anspruch. Dieser christologische Anspruch drückt sich jedoch nicht titu-
lar aus, weil jeder der möglichen Titel dem tatsächlich von Jesus erhobe-
nen Anspruch nicht gerecht wird.

   b) Mit diesem fundamental-theologischen Versuch ist Pesch auf ent-
schiedenen Widerspruch gestoßen. M. Seckler[44] bezeugt Pesch zwar
hohen Respekt für seine exegetischen Darlegungen, ist jedoch enttäuscht
über dessen systematisch-theologische Leistung. Da Pesch offenbar jeden
Wunderbegriff für ungeeignet hält, die Sache Jesu speziell in den Machttaten zu erfassen, hätte er eine dementsprechende, auch *sachlich* auf
jeden Wunderbegriff verzichtende Interpretation vorlegen müssen, anstatt
es nur bei einem sprachlichen Tabu zu belassen. Einen Satz wie den
oben zitierten hätte er sich dann nicht leisten dürfen. Insgesamt sei seine
Theologie der Machttaten Jesu nur als „wundertheologisches Kryptogramm" zu bezeichnen. Für Seckler stellt sich nur die Alternative,
entweder trotz der Tabuisierung des Wunderbegriffs weiterhin mit
„Eingriffen" Gottes Ernst zu machen oder aber den Realitätsmodus
des biblischen Offenbarungsgeschehens anders zu denken und zu
fassen.

---

[43] A. a. O., S. 153.

[44] Seckler, M., Plädoyer für Ehrlichkeit im Umgang mit Wundern, ThQ 151
(1971), S. 337—345, bes. S. 341 ff.

c) Dieser Herausforderung hat sich R. Pesch[45] gestellt, indem er nach der Bedeutung sowohl der Wundergeschichten wie auch der Machttaten Jesu fragt, wenn der Realitätsmodus des göttlichen Offenbarungsgeschehens nicht mehr als Eingriff in eine präsupponierte Natur zu denken und zu fassen ist. Dazu geht er davon aus, daß der Historiker die Tatsache, daß Jesus exorzistisch gewirkt und Kranke geheilt hat, nicht bestreiten kann; einzigartig ist daran aber nur die Art, wie Jesus diese Taten verstanden hat. Für den Theologen folgt daraus, daß den Machttaten Jesu als solchen keine besondere Dignität eignet, die sie in besonderer Weise für die Glaubensbegründung geeignet erscheinen lassen. Nicht einmal das Verständnis, das Jesus von seinen Machttaten hatte, erfaßt zureichend deren theologische Bedeutung[46]. Diese ergibt sich erst, wenn wahrgenommen und reflektiert wird, daß Jesus nicht nur durch seine Machttaten, sondern ebenso durch seine Predigt und seine provokativen Zeichenhandlungen seinen Volksgenossen neuen Glauben anbietet, um ihnen neues Zutrauen abzugewinnen für den Gott, der nicht ein Gott des Gesetzes ist, sondern für die Sünder da sein will. Jesu Glaubensforderung wird mittels der Machttaten insbesondere als Glaubensangebot formuliert. Faszinierendes Glaubensangebot sind sie aber nicht als solche, sondern nur als integrale Bestandteile seines insgesamt faszinierenden Wirkens. Wer sich sowohl seiner Gesetzeskritik als auch seinem provokativen Handeln ungläubig verschließt, führt auch seine Machttaten nicht auf die Kraft Gottes, sondern auf den Obersten der Dämonen zurück. Darum gilt aber auch umgekehrt: Bekehrung und Heil anbietende und fordernde Aktionen sind Jesu Machttaten nicht als solche, sondern nur innerhalb der Sendung Jesu als ganzer. Erst durch ihre Bindung an den „authentisch" glaubenden Jesus sind sie „Zeichen" der Offenbarung, insofern sie Glauben an den Gott wecken, als dessen Gesandter Jesus gerade dort auftritt, wo nach zeitgenössischer Anschauung Satansherrschaft existiert.

[45] Pesch, R., Zur theologischen Bedeutung der „Machttaten" Jesu. Reflexionen eines Exegeten, ThQ 152 (1972), S. 203—213.

[46] Hier zeigt sich eine Verschiebung gegenüber den Gedanken in ›Jesu ureigene Taten?‹ S. 148ff., insofern dort Jesu Deutung in ein zuvor gezeichnetes Bild von der Art seines Auftretens eingetragen wird, während Pesch jetzt andersherum verfährt und die theologische Relevanz von der durch die Art seines ganzen Auftretens legitimierten Deutung der Machttaten Jesu abhängig macht.

d) Unabhängig von Pesch äußerte sich auch H. Küng[47], will aber in einem Zusatz seine Ausführungen ausdrücklich als Bestätigung des Exegeten durch den Systematiker verstanden wissen. Er lehnt eine pantheistische Aufweichung und damit Entleerung des Wunderbegriffs ab, um die eigentliche Problematik des neutestamentlichen Wunders nicht zu verschleiern, ob es nämlich gegen die Naturgesetze verstoßende Wunder Jesu gegeben hat, die als solche geglaubt werden müssen. Da aber das Glauben-„Müssen" bei einer guten Botschaft von vornherein problematisch ist, ergibt sich für Küng die Frage nach der rechten Beurteilung. Dabei ist (1) sowohl der Unterschied zwischen dem modernen und dem antiken Wunderbegriff, der nicht auf das Aufheben von Naturgesetzen, sondern auf das Wirken Gottes abhebt, als auch (2) die Aussageabsicht der Überlieferung, die nicht erklären, sondern verklären will, zu beachten. Nach einem Überblick über die Ergebnisse der historischen Kritik kommt Küng zu dem Schluß, daß Wunder im streng neuzeitlichen Sinn einer Durchbrechung von Naturgesetzen historisch nicht zu erweisen sind, der Ausdruck „Wunder" folglich besser vermieden wird. Da sich Jesu „Zeichentaten" religionsgeschichtlich nicht als analogielos beweisen lassen, sind sie keine eindeutigen Argumente der Glaubwürdigkeit, die aus sich allein Glauben begründen könnten, sondern nur Hinweise, die von Jesus selber her glaubwürdig werden. Das eigentliche Übel bei der Erklärung sowohl des supranaturalistischen Wunderverständnisses als auch der allgemein religiösen Interpretation ist nach Küng die Ablösung der Wunderaussagen von Jesus und seinem Wort; nur von seinem Wort her erhalten seine charismatischen Taten ihren eindeutigen Sinn. Sie zeigen, daß Jesus mit seiner Botschaft vom Reich den ganzen Menschen — eben auch in seiner Leiblichkeit — meint und daß seine Botschaft allen Menschen — eben auch den Ausgestoßenen und Kranken und Schwachen — gilt.

e) Bereits im Jahre 1971 hatte K. Kertelge[48] sich mit einem stärker dogmatisch geprägten Beitrag zu demselben Problem zu Wort gemeldet. Gegen die alte Apologetik wendet er ein, sie habe einmal übersehen, daß

---

[47] Küng, H., Die Gretchenfrage des christlichen Glaubens? Systematische Überlegungen zum neutestamentlichen Wunder, ThQ 152 (1972), S. 214—223.

[48] Kertelge, K., Begründen die Wunder Jesu den Glauben?, TThZ 80 (1971), S. 129—140.

die Offenbarungswahrheit nur aus sich selbst begründet werden kann und eine Begründung durch äußere Zeugnisse wie die beglaubigenden Wunder unmöglich ist, und sie habe zum anderen die literarische Eigenart der Evangelienberichte als Berichterstattung verkannt. Vom naturwissenschaftlich definierten Wunderbegriff dieser Apologetik muß man den ganz anders gearteten biblischen Wunderbegriff unterscheiden, der nicht von einem bestimmten Begriff von der Naturwirklichkeit her zu bestimmen ist, sondern von der Erfahrung der Geschichte Gottes mit dem Menschen. Gottes Handeln mit und an den Menschen ist von seinem tiefsten Grund her Heilshandeln, das er in den Wundern zeichenhaft erfahren läßt, wobei die biblischen Wunderberichte an der naturwissenschaftlichen Möglichkeit und der Art und Weise des Ablaufs von Wundern kein Interesse zeigen. — Nach einem Überblick über die Wunderproblematik im Neuen Testament kommt auch Kertelge zu dem Ergebnis, daß die Wunder nur im Zusammenhang mit der gesamten Verkündigung Jesu zu verstehen sind und hieraus nicht ohne weiteres gelöst werden dürfen.

f) An dieser eindeutigen Zuordnung der Wunder Jesu zu seiner gesamten Verkündigung und Geschichte übt G. Petzke[49] indirekt Kritik. Streng zu unterscheiden ist nach Petzke zwischen (1) der Frage nach der Möglichkeit von Wundern, also der Frage der Historizität, einerseits und (2) der Frage nach der Bedeutsamkeit der Wunderberichte, wobei es um das Verhältnis von Wunder und Lehre geht, andererseits. Bei der Verbindung von Wunder und Lehre handelt es sich nämlich um eine spätere Stufe der Überlieferung. Eine Vermengung der beiden Fragen nach der Historizität und nach der Bedeutsamkeit verleitet dazu, daß man den religionsgeschichtlichen Parallelen der neutestamentlichen Wunder zwar Beachtung schenkt, ihre Historizität jedoch zumeist bestreitet, während man für die neutestamentlichen Wunder dogmatische Gesichtspunkte ins Spiel bringt und ihnen damit eine nicht genauer definierte Realität zugesteht, die sie angeblich von außerneutestamentlichen unterscheidet.

---

[49] Petzke, G., Historizität und Bedeutsamkeit von Wunderberichten. Möglichkeiten und Grenzen des religionsgeschichtlichen Vergleichs, in: H. D. Betz und L. Schottroff (Hrsg.), Neues Testament und christliche Existenz. Festschrift H. Braun, Tübingen 1973, S 367—385.

An Hand einer exemplarischen Gegenüberstellung der Totenauferweckung in Lk 7,11ff. und in Philostrats Vita Apollonii IV, 45 zeigt Petzke, daß die Geschichten zwar zwei verschiedenen Traditionskreisen entstammen, aber prinzipiell austauschbar sind. In beiden Traditionskreisen
wurden sie offensichtlich in einem frühen Stadium jeweils als Einzeler-
zählungen ohne redaktionellen Rahmen und weiteren Kontext als einfache Wundergeschichten überliefert. (1) In diesem frühen Stadium der
Volksüberlieferung steht in beiden Traditionskreisen der Wundertäter im
Mittelpunkt. In beiden hat die Erzählung eine Hinweisfunktion auf ihn;
in beiden liegt (noch) keine explizite Verbindung mit seiner Lehre vor.
Die Frage der Historizität der Einzelerzählung muß für beide Traditionskreise gleich beantwortet werden, und zwar in beiden Fällen mit historischen und nicht mit theologischen Argumenten. Dabei ist die natur-
wissenschaftliche Frage nach der Möglichkeit von Wundern für den reli-
gionswissenschaftlichen Vergleich völlig irrelevant, denn sie kann für
beide Traditionskreise nur einheitlich negativ ausfallen. Außerdem aber
führt die grundsätzliche Verneinung der Möglichkeit von Wundern zu
der Schwierigkeit, daß man den Verfassern von Wundergeschichten Un-
wahrhaftigkeit oder Unzuverlässigkeit vorwerfen oder aber für die Antike
andere Maßstäbe als für die Moderne anlegen muß. Diesem Dilemma
entkommt man, wenn man die Probleme unter wissenssoziologischem
Aspekt betrachtet. Dann geht es nämlich ausschließlich nur darum, was
jeweils von der Gesellschaft als Realität anerkannt wird, und es zeigt sich
ein eindeutiger Unterschied zwischen der Antike und der Moderne: War
in der Antike der Wunderglaube Bestandteil des alltäglichen Realitäts-
verständnisses und die Wunderkritik die Ausnahme, so ist es heute genau
umgekehrt, insofern nämlich der Glaube an das Wunder nur noch dort
auftaucht, wo menschliche Berechnung und Planung versagt haben oder
gar (oft wider besseres Wissen) bewußt eine Glaubensleistung erbracht
werden soll. — Wendet man diese Überlegungen auf die antiken Wundererzählungen an, so muß man zwar die größte Zahl der berichteten
Wunder für unhistorisch halten (a) wegen der Art ihrer Darstellung, deren Topik die Formgeschichte herausgearbeitet hat, und (b) wegen der
Art des Geschehens, das nach den Erkenntnissen der modernen Naturwissenschaften unmöglich ist. Dennoch behalten die Wunderberichte als
solche, wenn man sie unter wissenssoziologischem Aspekt würdigt, ihre
Relevanz, da sie der allgemeinen Glaubenserwartung entsprachen. — (2)

Im Rahmen dieser allgemeinen Glaubenserwartung, in welcher der Wunderglaube im Gegensatz zur Moderne eine vorgegebene Voraussetzung war, nicht aber eine zu erbringende Glaubensleistung, hatten die Wunder die Funktion, nicht nur (als Einzelerzählung) auf den Wundertäter (und seine Lehre) hinzuweisen, sondern darüber hinaus (auf der Stufe der redaktionellen Sammlung) auch noch als Beweis für seine Lehre zu dienen. Diese allgemeine antike Anschauung darf nicht dadurch ausgeblendet werden, daß man beim religionsgeschichtlichen Vergleich außerneutestamentliche Wunderberichte nur isoliert betrachtet, die neutestamentlichen dagegen in ihrem Kontext würdigt und dann darüber hinaus auch noch den Fehler begeht, das Begründungsverhältnis von Wunder und Lehre umzukehren und jetzt die Wunder aus der Lehre zu begründen.

Angesichts des veränderten Stellenwertes des Wunderglaubens im antiken und im modernen Verständnis von Realität hält Petzke es für zumindest fraglich, ob den Wundern, die im Gegensatz zur allgemeinen Glaubenserwartung der Antike keine Legitimation mehr sein können, sondern eine dem heutigen Weltverständnis widersprechende Belastung geworden sind, heute noch eine spezielle theologische Relevanz beigemessen werden müsse.

3. Einen weiteren Schwerpunkt bildet die religionsgeschichtliche Frage, deren grundsätzliche Methodenprobleme eben schon im Beitrag von Petzke erörtert wurden. Sie dreht sich in inhaltlicher Hinsicht im wesentlichen um die Frage, wieweit der Jesus der Wundergeschichten nach dem Bilde des antiken θεῖος ἀνήρ gezeichnet wurde[50].

a) L. Schenke[51] meint, es sei in der heutigen Forschung längst anerkannt, daß bei der Ausformung der Wundererzählungen des hellenistischen Judenchristentums die Vorstellung vom „göttlichen Menschen" (θεῖος ἀνήρ) sich ausgewirkt habe, und zwar sei sie nicht unmittelbar

---

[50] Über die Einbettung dieser speziellen Vorstellung vom θεῖος ἀνήρ in den Rahmen der gesamthellenistischen Denkvoraussetzungen informiert sehr instruktiv M. Smith (Prolegomena to a Discussion of Aretalogies, Divine Men, the Gospels and Jesus, JBL 90 [1971], S. 174—199, bes. S. 174—188), wenn auch seine speziellen Thesen über die literarischen Vorbilder der kanonischen Evangelien auf die berechtigte Kritik von H. C. Kee (Aretalogy and Gospel, JBL 92 [1973], S. 402—422) gestoßen sind.

[51] Wundererzählungen, S. 376 ff.

aus dem heidnischen Hellenismus übernommen worden, vielmehr habe man auf einen schon lange in Gang befindlichen Prozeß der Rezeption dieser Vorstellung durch das hellenistische Judentum zurückgreifen können[52]. Er formuliert damit zutreffend einen weitverbreiteten Konsens in der neueren Forschung; jedoch sind bei genauerem Zusehen einige Differenzierungen anzubringen.

H. Köster[53] geht in der Tat einfach davon aus, daß es auch für die Wunderüberlieferung in den synoptischen Evangelien eine Quelle gegeben haben muß, die mit der für das Johannes-Evangelium sicher nachweisbaren Semeia-Quelle zwar nicht identisch, aber doch eng verwandt war. Nicht deren Nachweis interessiert ihn, sondern lediglich die Frage nach ihrer theologischen Grundeinsicht, die sowohl für ihre Abfassung als auch für ihre inhaltliche Ausrichtung verantwortlich war. Es gibt für ihn keine Frage, daß Jesus in ihren Wunderberichten als ein mit göttlicher Kraft ausgestatteter Mensch vorgestellt wurde, der durch machtvolle Taten und Wunder seine göttlichen Eigenschaften und Fähigkeiten unter Beweis stellte. Ihre theologische Tendenz wird durch den vermutlich ursprünglichen Schluß der vorjohanneischen Semeia-Quelle treffend formuliert Joh 20, 30f.: „Nun hat Jesus noch viele andere Zeichen vor seinen Jüngern getan, die nicht in diesem Buch aufgeschrieben sind; diese aber sind geschrieben worden, damit ihr glaubt, daß Jesus der Christus ist, der Sohn Gottes ..." Diesen Schlußsatz hält Köster für typisch für eine ganze Gattung vergleichbarer Überlieferungen, die er „Aretalogien" nennt

---

[52] Er beruft sich dazu (S. 377 Anm. 1101 [vgl. auch die Literatur bei R. Pesch, Das Markusevangelium I. Teil, Freiburg/Basel/Wien 1976, S. 281]) auf zahlreiche Autoren, deren Werke z. T. schon vor 1970 erschienen sind und deshalb in diesem Überblick nicht berücksichtigt werden, weil es hier nicht darum gehen kann, die überaus verwickelte und kontroverse Forschungsgeschichte als ganze nachzuzeichnen, sondern nur einen Überblick über die Diskussion seit 1970 zu geben.

[53] Köster, H., One Jesus and four Primitive Gospels, HThR 61 (1968), S. 203—247. Abgedruckt in deutscher Sprache: Ein Jesus und vier ursprüngliche Evangeliengattungen, in: Köster, H., und J. M. Robinson, Entwicklungslinien durch die Welt des frühen Christentums, Tübingen 1971, S. 147—190, hier bes. Abschn. III ›Jesus als göttlicher Mensch (Aretalogien)‹, S. 173—179; vgl. auch ders.: Grundtypen und Kriterien christlicher Glaubensbekenntnisse, in: Ebd., S. 191—215, bes. Abschn. IV ›Jesus als göttlicher Mensch‹, S. 201—204.

und die meist zum Zweck religiöser Propaganda verfaßt wurden[54]. An ein
Evangelium in Form einer solchen Aretalogie zu glauben, „bedeutet Zugang zu den Segnungen dieser wunderbaren Krafttaten, oder es impliziert sogar die Fähigkeit, diese Taten in der religiösen Erfahrung des
Glaubenden zu wiederholen. Jesus ist der ‚göttliche Mensch' (ϑεῖος
ἀνήρ); sein Apostel vergegenwärtigt die Offenbarung in seinem missionarischen Wirken dadurch, daß er Jesus nachahmt."[55] Zwar ist dieses
Verständnis weder identisch mit Jesu eigenem von seinen Machttaten,
noch wird es von den Redaktoren der kanonischen Evangelien geteilt, es
leidet aber keinen Zweifel, daß es diese Christologie in einer vormarkinischen (und vorjohanneischen) Traditionsschicht gegeben hat[56].

b) O. Betz[57] bestreitet demgegenüber entschieden, daß es eine solche
ϑεῖος-ἀνήρ-Christologie gab. Er setzt sich dabei insbesondere mit L. E.
Keck[58] auseinander. Dieser hatte in einer literarkritischen Analyse von
Mk 3,7—12 den Nachweis zu führen versucht, daß der Evangelist Markus
in diesem Abschnitt eine Vorlage redaktionell überarbeitet habe. Das
vormarkinische Summarium sei die Einleitung zu einem Zyklus von
Wundergeschichten gewesen, der Mk 4,35—5,43; 6,31—52 umfaßte
und in einem abschließenden Summarium 6,53—56 endete. Inhaltlich
sei dieser Abschnitt geprägt von der hellenistischen Vorstellung vom
ϑεῖος ἀνήρ und deutlich von den übrigen Materialien des Markus-
Evangeliums zu unterscheiden[59]. O. Betz setzt sich hiergegen ab, indem

---

[54] Zu dieser Gattungsbestimmung nimmt sehr detailliert und kritisch Stellung:
Kee, H. C., Aretalogy and Gospel, JBL 92 (1973), S. 402—422, bes. S. 411f.

[55] Entwicklungslinien, S. 175.

[56] Übernommen wurde diese These von H. W. Kuhn., Der irdische Jesus bei
Paulus als traditionsgeschichtliches und theologisches Problem, ZThK 67 (1970),
S. 295—320, bes. S. 302ff.; vgl. ders., Ältere Sammlungen im Markusevange-
lium, Göttingen 1971, passim, bes. S. 193—213 u.v.a.

[57] Betz, O., The Concept of the so-called "Divine Man" in Mark's Christology,
in: Studies in New Testament and Early Christian Literature, Festschrift A. P.
Wikgren, Leiden 1972, S. 229—240.

[58] Keck, L. E., Mark 3,7—12 and Mark's Christology, JBL 84 (1965),
S. 341—358.

[59] Vgl. hierzu schon die kritische Entgegnung von T. A. Burkill (Mark 3,7—12
and the Alleged Dualism in the Evangelist's Miracle Material, JBL 87 [1968],
S. 409—417), der sowohl die Gründe für eine literarkritische Aufteilung des

er zunächst einmal grundsätzliche Zweifel gegen den Begriff als solchen erhebt. Der Titel „Sohn Gottes" bei Markus sei kein Beleg für eine θεῖος-ἀνήρ-Christologie, da er nicht in diesem Vorstellungshorizont verwurzelt ist, vielmehr aus alten christologischen Glaubensformeln wie etwa Rm 1,3f. stammt, die ihrerseits mit 2 Sam 7 zusammenhängen, mit dem θεῖος ἀνήρ aber gar nichts zu tun haben. Hinzu komme, daß im Hellenismus das Adjektiv θεῖος zwar weit verbreitet war und oft gebraucht wurde, aber dennoch kein fester Begriff eines θεῖος ἀνήρ geprägt worden sei oder gar eine fest umrissene Vorstellung von ihm als Typ bestanden habe. Und wenn auch bei den jüdischen Schriftstellern Philo und Josephus die unbestreitbare Tendenz vorliege, Mose, Elia und Elisa als Manifestationen des Göttlichen erscheinen zu lassen, so sei dies doch nicht auf den Einfluß einer hellenistischen Vorstellung vom θεῖος ἀνήρ zurückzuführen. Dagegen spreche einmal, daß in der LXX der hebräische Ausdruck „Mann Gottes" nie mit θεῖος ἀνήρ wiedergegeben werde, was doch zu erwarten wäre, wenn es sich hierbei um einen im Hellenismus bekannten Begriff gehandelt haben sollte; dagegen spreche ferner, daß das Fehlen dieses Begriffes bei Paulus verwunderlich wäre, wenn es sich bei seinen Gegnern im 2 Kor tatsächlich um Menschen gehandelt haben sollte, die diesen Anspruch erhoben[60]. Außerdem bemängelt Betz, daß der Begriff so vage sei, daß er in der Forschung mit den entgegengesetztesten Inhalten gefüllt werden könne. Und schließlich sei es methodisch bedenklich, von der Annahme auszugehen, daß ein θεῖος ἀνήρ sich in der Aktivität seiner Jünger weiterhin manifestieren könne, wie es mit dem θεῖος-ἀνήρ-Christus der Gegner des Paulus im 2 Kor der Fall sein soll, wenn es als Grundlage für diese Hypothese nur den zu erklärenden Text selber gibt, während andere Erklärungsmöglichkeiten viel näher liegen, wie z. B. die alttestamentliche Anschauung von Gottes Geist, der die Schüler eines Mose oder Elia zu denselben Taten befähigte wie ihre

Abschnitts Mk 3,7—12 und dessen Interpretation kritisch überprüft als auch die Argumente für die Abgrenzung des angeblichen Wunderzyklus als wenig stichhaltig erweist, vor allem aber auch eine Reihe von Einwänden gegen die eindeutige Zuweisung dieser angeblich abgrenzbaren Wunder zur θεῖος-ἀνήρ-Christologie beisteuert, auf die O. Betz freilich nicht nachweisbar eingeht.

[60] Vgl. hierzu die weithin anerkannte und auch von Köster bereits vorausgesetzte Dissertation von D. Georgi, Die Gegner des Paulus im 2. Korintherbrief, Neukirchen 1964.

Meister, oder die paulinische Anschauung vom Heiligen Geist als dem Christus praesens oder auch nur die hebräische Rechtsvorstellung vom Gesandten.

Von diesen Voraussetzungen her ist nun einsichtig, daß O. Betz die Wunder, die L. E. Keck als Beispiel der ϑεῖος-ἀνήρ-Christologie anführt, von jüdischen Voraussetzungen her erklären muß. Er führt das exemplarisch vor an der Sturmstillung und der Heilung des besessenen Geraseners, während er sich bei den Geschichten von der Speisung und dem Seewandel mit Andeutungen begnügt, wobei er insbesondere auf die Entsprechung zu den Exodus-Wundern, dem Schilfmeer-Wunder und der Mannaspeisung, hinweist. So nimmt es im ganzen nicht wunder, daß für ihn das AT und das Milieu der jüdischen Auslegung des AT der beste Verstehenshintergrund für die Wunder ist. Vor allem muß dabei jede Nähe zu einem hellenistischen Judentum, wie es von Philo und Josephus repräsentiert wird und das die Assoziation der ϑεῖος-ἀνήρ-Vorstellung allenfalls begünstigen könnte, ausgeschlossen werden. Dort gebe es weder eschatologische Erwartungen noch apokalyptische Gedanken. Für die Wunder schlechthin (und nicht etwa nur im ursprünglichen Verständnis Jesu selbst) aber gelte, daß sie als Ausprägung apokalyptischer Mentalität als Vorzeichen der nahe bevorstehenden Offenbarung der Gerechtigkeit verstanden wurden. Die Zeichnung Jesu als Wundertäter ziele nicht darauf ab, ihn zu einem erfolgreichen Konkurrenten der hellenistischen ϑεῖοι ἄνδρες zu machen, sondern führe den Nachweis, daß er die der jüdischen messianischen Erwartung entsprechenden Rettungswunder vollbracht habe. Von einer dualistischen Christologie im Markus-Evangelium könne keine Rede sein. Auch die angeblich einer häretischen Christologie zuzuschreibenden Wunder sind bei Markus nicht Gegenstand der Polemik, sondern dienen dem Nachweis, daß Jesus trotz des Kreuzestodes der Messias war.

c) Für P. J. Achtemeier[61] steht hingegen ebenso wie für H. Köster und viele andere fest, daß es den Titel ϑεῖος ἀνήρ gegeben hat, der zwar eine gewisse Bedeutungsbreite hatte, aber doch eine recht weitverbreitete Deutungskategorie war. Im Gegensatz zu O. Betz nimmt Achtemeier an, daß auch das hellenistische Judentum die Großen seiner Vergangenheit

---

[61] Achtemeier, P. J., Gospel Miracle Tradition and the Divine Man, Interpretation 26 (1972), S. 174—197.

in diesem Lichte zeichnen mußte, um im religiösen Wettstreit der Zeit bestehen zu können. Die Frage, ob diese Kategorie auch auf Jesus angewendet wurde, ist für ihn eindeutig positiv zu entscheiden[62]. Er erkennt freilich an, daß diese Frage nach wie vor strittig ist, und sucht zu einer Lösung beizutragen, indem er die Entwicklungslinien der nachkanonischen Literatur verfolgt, um von da aus im Rückschluß Kriterien für die Beurteilung der noch undeutlichen und strittigen Ansätze in der kanonischen Literatur zu gewinnen. Der Befund sei folgender: (1) Es werden gelegentlich einzelne Wunder Jesu (a) in mehr oder weniger strenger Entsprechung zur kanonischen Überlieferung, (b) ganz selten aber auch ohne jede Grundlage in den kanonischen Evangelien erzählt. (2) Verbreiteter sind summarische Bezugnahmen auf Jesu Wunder, wiederum (a) z. T. mit deutlicher Bezugnahme auf die kanonische Überlieferung, sei es im Wortlaut oder in der Erwähnung bestimmter Wunder, (b) öfter aber in so freier Form, daß die erwähnten Wunder nicht mit Sicherheit aus den kanonischen Evangelien abzuleiten sind. Daneben gibt es Summarien, die weniger auf bestimmte Wunder abheben als auf die Tatsache, daß sich in Jesu Wunderwirken Jes 35,5 f. erfüllt; außerdem wird gelegentlich in allegorischer oder spiritualisierender Weise auf Jesu Wunder angespielt, um die den Glaubenden gegenwärtig widerfahrende Hilfe anzudeuten. Achtemeier folgert daraus, daß sich eine bemerkenswerte Zurückhaltung bei der Ausgestaltung der Wunder aus der Zeit der öffent-

---

[62] Er hat (Toward the Isolation of Pre-Markan Miracle Catenae, JBL 89 [1970], S. 265—291) den im ganzen nicht überzeugenden Nachweis zu führen versucht, daß Markus in seinem Evangelium zwei Wunderkatenen verarbeite, die inhaltlich zwar verschieden, formal aber gleich aufgebaut waren und jeweils mit einem Seewunder (Sturmstillung Mk 4,35 ff. / Seewandel Mk 6,45 ff.) begannen, dem drei Heilungen (der Besessene von Gerasa, die blutflüssige Frau, Jairi Tochter / der Blinde von Bethsaida, die Tochter der Syrophönizierin, der Taubstumme) sowie abschließend jeweils ein Speisungswunder folgten. Diese Katenen führte er dann (The Origin and Function of the Pre-Marcan Miracle Catenae, JBL 91 [1972], S. 198—221) auf ein hellenistisch-judenchristliches Milieu zurück, in dem Mose, Elia und Elisa als θεῖοι ἄνδρες bekannt waren. In Entsprechung zu ihnen wurde auch Jesus als θεῖος ἀνήρ gezeichnet, dessen Epiphanie als deus praesens in den beiden Katenen, die als Liturgie einer Mahlfeier dienten, geschildert wird. Markus polemisiert gegen dieses Verständnis durch die Art, wie er die Katenen zerschlägt und das Abendmahl betont in der Nacht des Verrats verankert.

lichen Wirksamkeit Jesu zeigt, die von den kanonischen Evangelien abgedeckt wird. Es liegen keine Versuche vor, die in den Evangelien selbst erkennbaren Ansätze zu einer Darstellung Jesu als ϑεῖος ἀνήρ weiter auszubauen. In dem Bereich dagegen, der nicht von der kanonischen Überlieferung abgedeckt wird, zeigt sich eine starke Neigung, Jesus in den der hellenistischen Welt vertrauten Farben zu malen, und zwar besonders deutlich in den Kindheitsevangelien, die Jesus ganz ohne christliche oder überhaupt irgendwelche religiösen Motive als hellenistischen Wundertäter schildern. Dieselbe Tendenz zeigt sich auch in den Apostelakten, in denen häufig die traditionellen Elemente des hellenistischen Romans begegnen; hier werden die Wunder der einzelnen Apostel vermehrt und dabei die gängigen Topoi der hellenistischen Wundererzählungen verarbeitet, da sie völlig frei sind von der kanonischen Vorlage. Daß demgegenüber der erwachsene Jesus so ganz anders bedacht wird, kann nach Achtemeier nun aber nicht damit erklärt werden, daß es die Vorstellung vom ϑεῖος ἀνήρ gar nicht gab. Die Gründe dafür lägen auch weniger in der Person Jesu selbst als vielmehr in der Tatsache, daß bereits feste Überlieferungen über ihn vorlagen. Diese aber seien dadurch geprägt, daß eine frühe Stufe in der Tat Jesus als ϑεῖος ἀνήρ gezeichnet hatte, die kanonischen Evangelien jedoch dieses Bild zu korrigieren suchten, so daß der eigenartig ambivalente Charakter der Christologie der Wunderüberlieferung sich aus diesen gegenläufigen Tendenzen erklärt.

d) Sehr viel differenzierter urteilt U. Luz[63] bei seinem Versuch, die theologische Eigenart des Jesusbildes der vormarkinischen Tradition herauszuarbeiten[64]. Er hebt den grundlegenden Unterschied zwischen dem Wunderverständnis der Logienquelle und des Markus-Evangeliums hervor. In der Logienquelle werden, wie schon das vermutlich authentische Jesuswort Lk 11,20 zeigt, die Wunder Jesu (Lk 10,13; 11,14) wie die seiner Boten (Lk 10,9) als Zeichen des anbrechenden Gottesreiches verstanden. Die markinischen Wunder dagegen sind Teil der Wirksamkeit des irdischen Jesus, nicht aber mehr Anbruch des kommenden Reiches.

---

[63] Luz, U., Das Jesusbild der vormarkinischen Tradition, in: G. Strecker (Hrsg.), Jesus Christus in Historie und Theologie. Festschrift H. Conzelmann, Tübingen 1975, S. 347—374, bes. S. 355 ff., S. 369—376.

[64] Hier bleibt freilich im einzelnen zu prüfen, ob nicht das, was Luz der vormarkinischen Tradition zuschreibt, eher gerade die theologische Leistung des Redaktors Markus ausmacht; doch das zu erörtern, ist hier nicht der Ort.

Hinzu kommt, daß viele der Wunder bei Markus durch alttestamentliches Material gespeist sind, und zwar durch Übernahme von Motiven aus
dem Elia-Elisa-Zyklus und der Wüstenzeit[65]. Durch sie wird die Gegenwart Jesu als eschatologische Heilszeit charakterisiert; aber es fehlt der
apokalyptische Kontext. Im Gegensatz zur Anschauung der Logienquelle
wird die Gegenwart Jesu nicht als Anbruch des noch ausstehenden Heils,
sondern als Heilszeit selbst verstanden.

Während in der Logienquelle (außer Lk 7,1—10par) fast nur in der
Wortüberlieferung auf Jesu Wunder Bezug genommen wird, dominieren
bei Markus die Wundergeschichten. Ihre Funktion ist, auf den Wundertäter aufmerksam zu machen, so daß Luz lieber von „Wundertäter-
geschichten" sprechen möchte. Das Bild Jesu ist in ihnen von göttlichen
Zügen geprägt, so daß dieser Jesus sich von den Patriarchengestalten des
hellenistischen Judentums gerade unterscheidet, die zwar in Annäherung
an den θεῖος ἀνήρ interpretiert wurden, aber von Gott unterschieden
blieben. Der Jesus dieser Geschichten der vormarkinischen Tradition aber
gleicht viel mehr den θεῖοι ἄνδρες, für die gerade die Vermischung von
Göttlichem und Menschlichem charakteristisch ist. Darum sind die
nächstliegenden Analogien zu diesen Wundertätergeschichten des
Markus-Evangeliums wohl im hellenistischen Bereich zu suchen. Dennoch darf nicht durch unkritische Übernahme des θεῖος-ἀνήρ-Titels die
spezifische Eigenart der markinischen Wundergeschichten gegenüber
ihren heidnischen Parallelen verschüttet werden. Nach Luz erweist sich der
Wundertäter Jesus der markinischen Wundertäter-Geschichten nämlich
insofern als ein Spezialfall des θεῖος ἀνήρ, als seine Bedeutung durch
Titel unterstrichen wird, die nicht darauf abzielen, ihn als Vertreter einer
den gewöhnlichen Sterblichen unzugänglichen Kategorie des Gottmen-
schen auszuweisen, sondern seine Einzigartigkeit herausstellen sollen.
Und das geschieht nun auffallenderweise durch Titel, die einen
alttestamentlich-jüdischen Hintergrund haben. Hinzu kommen die bereits erwähnten Reminiszenzen an die alttestamentlichen Wundermän-
ner. Man darf darum bei den markinischen Wundergeschichten nicht
vorschnell nur von einer θεῖος-ἀνήρ-Christologie sprechen, ohne gleich-

---

[65] Hierüber informiert genauer: Martucci, J., Les Récits de miracle: influence
des récits de l'Ancien Testament sur ceux du Nouveau, Science et Esprit 27 (1975),
S. 133—146.

zeitig zu betonen, daß diese Kategorie in ganz bestimmter Weise überhöht und durchbrochen wurde.

Ein zweites Charakteristikum dieser Geschichten ist nach Luz, daß sie für den Glauben und die Existenz der Gemeinde grundlegende Bedeutung hatten. Zwar hatten sie ihren Sitz im Leben in der Missionspredigt. Im Unterschied jedoch zu den in der Apostelgeschichte berichteten Wundern der Verkündiger, die deren Verkündigung unterstützten, sind bei den Wundern Jesu diese selbst zentraler Verkündigungsinhalt. Daneben sind die Wunder Jesu für das Leben der Gemeinde grundlegend, da auch sie Wundertaten vollbringt (Mk 6,7.13; 9,28f. 38ff.); sie tut das aber im Namen und in der Vollmacht Jesu. Insofern konstituieren die Taten des Irdischen die eigene Wirklichkeit der Gemeinde, und dem entspricht, daß Jesu Bedeutung die Dimension des θεῖος ἀνήρ sprengt.

4. Abschließend sind nun noch zwei Arbeiten vorzustellen, die unabhängig voneinander das gängige Verfahren beim Umgang mit Wundergeschichten kritisch in Frage stellen und neue Impulse zu vermitteln suchen.

a) D. Schellong[66] will als Systematiker die vielfältigen Informationen und Gesichtspunkte zum Thema der Wunder Jesu ordnen, vor allem aber geläufige Entschärfungen der uns fremd anmutenden Wundererzählungen erneut zur Diskussion stellen. So wendet er sich dagegen, die Wundererzählungen Jesu in den Rahmen antiker Wundergläubigkeit einzuebnen mit dem formalen Argument, hier wie dort liege der gleiche schematische Aufbau vor; dieser Aufbau ist nämlich nicht auf ein antikes Formular zurückzuführen, sondern ergibt sich bei Heilungen aus der Sache und ist bis heute im Grunde genommen gleich, so daß die Ähnlichkeit im Aufbau zwischen neutestamentlichen und heidnischen Wundererzählungen weniger besagt, als man oft meint.

Ungenügend ist nach Schellong auch der summarische Hinweis auf eine allgemein verbreitete Wundergläubigkeit der Antike schlechthin. Tatsächlich vollzog sich nämlich zur Zeit Jesu insofern ein Umschwung, als

[66] Schellong, D., Hinweis und Widerspruch. Zum Verständnis der Wunder Jesu, Zeitwende 45 (1974), S. 390—407; im selben Heft finden sich noch zwei weitere Beiträge zum Wunderthema von Karin Bornkamm (Zur Geschichte des Wunderverständnisses, S. 361—378) und von Ed. Schweizer (Die Wunder und das Wunder. Zur Wunderfrage im Neuen Testament, S. 378—390).

der Glaube an die klassischen Götter, bei denen man wenig an Wundern orientiert war, an Lebendigkeit verlor und sich statt dessen in der griechischen Religiosität unter dem Einfluß ägyptischer und orientalischer Kulte eine Hinwendung zu einem „Kraftglauben" vollzog. In diesem Kontext steht der Wunderglaube. Er ist der Ausdruck für die Nähe der Gottheiten, die den Wundertäter zu seinen Wundern befähigten oder den Heilungsuchenden im Traum heilten, oft unter therapeutischer Anweisung, die im Traum wahrgenommen wurde.

Schellong hebt hiervon das moderne Weltbild ab. Für dieses stellt die Nähe des Göttlichen keine Realität mehr dar. Vor allem aber vollzog sich eine entscheidende Wandlung im Hinblick auf die Wertung des Außerordentlichen. Wenn überhaupt, wird Gott nicht mit dem Außerordentlichen, sondern allenfalls mit dem Ordentlichen und Regelmäßigen in Verbindung gebracht. Das ist jedoch keineswegs ein Ausdruck für Bescheidenheit, vielmehr zeigt sich hier die eigentliche Ursache dafür, daß die Wunder dem modernen Menschen ein Problem sind. Gott im Ordentlichen finden heißt nämlich, Gott in dem zu finden, das erkannt, in Regeln gefaßt und somit beherrschbar gemacht ist. Darum ist der Gott, der Außerordentliches tut, unbequem. Unter diesem Gesichtspunkt handelt es sich bei der Wandlung von der antiken zur modernen Mentalität, welcher die Wundererzählungen fremd geworden sind, weniger um eine Erkenntnisfrage als vielmehr um eine Machtfrage.

Bei den Wundererzählungen von Jesus hebt Schellong hervor, daß Jesus in ihrer Mehrzahl nicht entsprechend der Anschauung des antiken Judentums als Beter erscheint, dessen Gebet erhört wird, oder als mit Macht begabt, weil er in besonderer Weise gesetzesfromm ist, sondern einfach als Täter, der durch einen Machtspruch etwas erreicht. Dies entspricht ganz der Art, wie Jesus auch etwa bei Jüngerberufungen und Exorzismen, ebenso aber auch bei Gesetzesdebatten oder in den Nachfolgesprüchen einen persönlichen Anspruch sondergleichen praktiziert. Der Vorwurf aus dem Kreis seiner Zeitgenossen, er beeinträchtige Gottes Autorität, er lästere Gott, ist somit nur zu verständlich. Im Blick auf die gesamte Wirksamkeit Jesu ist der Beelzebul-Vorwurf aus jüdischer Frömmigkeit heraus die nächstliegende Deutung und verständlichste Reaktion angesichts seiner Wunder. Diese Wunder erscheinen nun aber nach der Darstellung der Evangelien als etwas Unzusammenhängendes, eher Zufälliges und Punktuelles. Dasselbe gilt aber nicht nur von Jesu Wun-

dern, sondern von allem, was er sagte und tat. (Schellong geht hier auf
die traditionsgeschichtlichen Fragen der Jesusüberlieferung gar nicht ein,
sondern urteilt unmittelbar historisch auf der Grundlage der Evangelien
in ihrer Endgestalt.) Das führt zu der Frage nach der Konzeption, die
hinter Jesu Leben stand. Offenbar hat er gar nicht etwas Ganzes erreichen
wollen, sondern sein ganzes Tun als Hinweis auf die Nähe der Gottesherrschaft verstanden. Nur so ist erklärlich, daß es ihm offenbar nicht auf
einen systematischen Erfolg ankam, sondern er nur zeichenhaft auftrat in
der Erwartung, daß das Entscheidende, das Zusammenhängende und
Ganze von Gott getan werden würde — und es doch schon mit seinem
Auftreten und Wirken begann.

Bei der Frage nach der historischen Wahrscheinlichkeit der Wunder
hält Schellong für entscheidend, ob man Jesu Vollmacht anerkennt. Gewiß ist nicht alles über Jesus Erzählte gleichartig. Die Frage aber, ob er
überhaupt Wunder getan habe, hängt mit der Gesamtfrage der Historizität seiner vollmächtigen Verkündigung der nahenden Gottesherrschaft
zusammen. Die Wunder müssen in ihrer sachlichen Zugehörigkeit zu
dieser gesehen werden. Sie besagen, daß zu der kommenden Gottesherrschaft auch die Heilung des Leibes gehört. Bei den Wundern Jesu geht es
um den Kampf gegen das, was Menschen leiden macht und Gottes
Schöpfung zerstört. Am deutlichsten wird das bei den Exorzismen. Dabei
ist die wenn auch begrenzte Ähnlichkeit zu anderen Exorzismen keine
Schande. Das Auftreten Jesu samt dem, was darauf praktisch und literarisch folgte, gehört in die Reihe der vielen Hilfsbewegungen angesichts
letzter Bedrohung hinein, in die Welt der Religionen, wenn es auch das
Besondere an Jesus ist, daß hier der Gott Israels es ist, der sich zur Hilfe
aufmacht und gerade durch Jesus der leidenden Welt näherückt.

Primär legen die Wundererzählungen der Evangelien Zeugnis ab von
Hilfe in aktueller Not, darüber hinaus aber wollen sie den Hörer oder
Leser auch mit entscheidenden Glaubenswahrheiten konfrontieren und
Anlaß zur Hoffnung auf eigene Erfahrung mit dem Nahen Gottes geben.
Wegen dieser Hinweisfunktion eignet ihnen von Anfang an auch ein
Gleichnischarakter. Als Gleichnishandlungen sind sie Aktionen Jesu, die
darauf hinweisen, daß Gottes Nahen sich als besonderes Ereignis voll-
zieht. Jesus war als Apokalyptiker nicht an der immer vorhandenen Nähe
Gottes orientiert, sondern erwartete eine besondere Aktion des weltver-
wandelnden Kommens Gottes. Sinn seiner Wunder ist es, das ganz

bestimmt qualifizierte Kommen Gottes anzuzeigen und nicht seine immer allgemein vorhandene Nähe. Hier liegt nicht nur der entscheidende Unterschied zu den nichtchristlichen Wundergeschichten jener Zeit, sondern überhaupt das eigentlich Ärgerliche an Jesu Auftreten, daß es nicht um Gott als allgemein und überall vorhandenen geht, sondern daß eine konkrete Person und daß konkrete Ereignisse Gottes Kommen zum Antritt seiner Herrschaft proklamieren sollen. Die Wunder sind im Zusammenhang der Verkündigung Jesu von der andringenden Gottesherrschaft nur Zeichen und Hinweise; aber dieses „nur" ist eine Funktionsbezeichnung und keineswegs eine Entwertung. Wenn nämlich die Wundererzählungen nicht mehr als Hinweise auf das Eigentliche der Jesusbotschaft, sondern womöglich gar als Fremdkörper darin angesehen werden, bleibt gemäß einer langen abendländischen Tradition für das Eigentliche der Botschaft Jesu nur noch die Dimension der Innerlichkeit. Tatsächlich sind die Wunder Jesu aber Hinweise darauf, daß zur Gottesherrschaft gehört, daß alle Tränen abgewischt werden. In dieser ihrer Funktion als Widerspruch gegen eine Realität, die sich nicht mit der Herrschaft Gottes verträgt, sind die Wunder unentbehrlich. Wer Gott nicht im Außerordentlichen erwartet, sondern im Regelmäßigen verehrt, schließt seinen Frieden mit der schlechten Realität. Die Wunder Jesu aber sind eine Kampfansage gegen sie.

b) G. Theißen[67] hat Ansätze aus seiner Habilitationsschrift in einem kurzen Referat unter einer etwas anderen Fragestellung noch einmal zusammengefaßt und weitergeführt. Er geht hier davon aus, daß die Wundergeschichten Verlegenheit schaffen, weil sie zum einen überhaupt unwahrscheinliche Ereignisse erzählen, weil aber zum anderen auch das, was wahrscheinlich ist an ihnen, nämlich die Dämonenaustreibungen und vormedizinische Heilpraktiken, uns fremd geworden ist. Darum weicht man vor diesem (semantischen) Inhalt der Texte aus und wendet sich anderen Dimensionen derselben zu, nämlich (1) entweder ihrer pragmatischen Dimension, ihrem Lebenszusammenhang, indem man nach der Aussageabsicht der Autoren fragt, oder aber (2) der strukturalen Dimension, indem man nur noch nach ihrer Erzählsprache fragt. Beide

---

[67] Theißen, G., Synoptische Wundergeschichten im Lichte unseres Sprachverhältnisses. Hermeneutische und didaktische Überlegungen, WPKG 65 (1976), S. 289—301.

Fragehinsichten ermöglichen, die Texte zu verstehen, aber zu (3) einem
Einverständnis mit ihnen kommt man nur, wenn man ihrem semantischen Gehalt, ihrer sachlichen Aussage ganz oder doch wenigstens teilweise zustimmen kann. Dieser semantische Gehalt ist aber nicht einfach
nur die von ihnen gemeinte außersprachliche Wirklichkeit, sondern er
besteht auch in der spezifischen Art und Weise, wie diese Geschichten
die Wirklichkeit zur Sprache bringen und somit erhellen.

1. Die Hinwendung zur pragmatischen Dimension der synoptischen
Wundergeschichten wird durch ein personalistisches Sprachverständnis
begünstigt, das sich in dreifacher Hinsicht explizieren und kritisieren
läßt. Danach hat Sprache (a) appellative Funktion. Die Wundergeschichten werden kerygmatisch interpretiert, als wirkendes Sprachgeschehen
verstanden. Zwar fehlen den Wundergeschichten als Erzählungen die
formalen Charakteristika einer Botschaft; dennoch ist es legitim, sie zu
interpretieren, als seien sie Anrede in der zweiten Person. Das ist das Berechtigte an der Interpretation auf der Grundlage des personalistischen
Sprachverständnisses. Der kerygmatische Gehalt der Wundergeschichten
besteht jedoch nicht nur darin, daß sie für ihren Glauben werben wollen,
weil das eine Selbstverständlichkeit ist für einen religiösen Text. Sie reden
aber auch nicht, und hier liegt der Fehler dieser Interpretation, von der
Sündenvergebung als dem eigentlichen Wunder, wie im Gefolge von
Bultmann oft angenommen wird, was sich aber weder exegetisch noch
systematisch-theologisch begründen läßt. Tatsächlich verkünden die
Wundergeschichten Rettung aus konkreter Not. — Nach personalisti-
schem Sprachverständnis hat die Sprache ferner (b) eine expressive Funktion, insofern sie den Sprechenden vergegenwärtigt. In den Wundergeschichten sucht man bei deren kerygmatischer Interpretation die Präsenz
Christi nachzuweisen. Tatsächlich ist in ihnen aber gar nicht das ganze
nachösterliche Kerygma enthalten, da jeder Hinweis auf die Niedrigkeit
des Kreuzes fehlt. Sprachlich vergegenwärtigt wird nicht der kerygmatische Christus, sondern der Glaube urchristlicher Gruppen, in denen Jesus
zum überdimensionalen Wundertäter erhöht wurde. — Nach personali-
stischem Sprachverständnis ist Sprache schließlich (c) auf menschliches
Selbstverständnis bezogen, indem sie es expressiv zum Ausdruck bringt
und appellativ auf menschliches Selbstverständnis einwirkt. Dieses
Selbstverständnis erweist sich bei literatursoziologischer Analyse der
Wundergeschichten als Resultat eines außerordentlich komplexen Bedin-

gungsgefüges, so daß man die Wundergeschichten nicht einfach im Sinne der kerygmatischen Interpretation als Zeugnis göttlicher Offenbarung deuten kann; vielmehr „offenbaren" sich in ihnen auch die Probleme der sozialen Schichten, in denen diese Geschichten erzählt wurden. Gerade weil die Wundergeschichten in mannigfacher Weise bedingt sind, tritt in ihnen die Sehnsucht nach Unbedingtheit nur um so klarer hervor.

2. Für das strukturalistische Sprachverständnis ist der pragmatische Lebenszusammenhang irrelevant. Hier geht es vielmehr zunächst darum, (a) die Struktur der Gattung zu erheben, indem man ihre Motive, Personen und Themen herausarbeitet, die die Realisierung der einzelnen Wundergeschichten steuern. (b) Die Strukturelemente der Gattung werden sowohl synchron als auch diachron betrachtet. Bei den Wundergeschichten verbietet sich bei dieser Betrachtungsweise in jedem Fall eine Relativierung des Wunderhaften. (α) Die synchrone Betrachtungsweise widersetzt sich der Tendenz der bisherigen Exegese, die weitgehend auf die Erforschung der Diachronie der Texte ausgerichtet war, indem sie Schichten voneinander abhob und dabei gern die typisch wunderhaften Züge für traditionell, die das Wunderhafte spiritualisierenden Elemente dagegen für redaktionell erklärte und die redaktionelle Tendenz dann als die eigentliche ausgab. Für die strukturalistische Betrachtungsweise aber ist allein das vorliegende Beziehungsgefüge eines Textes wichtig unabhängig von der Herkunft der einzelnen Momente. (β) Auch die diachronische Betrachtungsweise verbietet eine Relativierung des Wunderhaften, insofern 1. das Urchristentum selbst für die Zunahme der Wundergläubigkeit in der Spätantike mitverantwortlich war, da 2. von keinem antiken Wundertäter so viele Wunder überliefert werden wie von Jesus und 3. nirgendwo die Wunder so wunderhaft sind wie im Christentum. (c) Zum Instrumentarium der strukturalistischen Betrachtungsweise gehört schließlich noch die Unterscheidung von Syntagmatik und Paradigmatik, wobei letztere die Ausdehnung der Betrachtungsweise auf alle Exemplare einer Gattung im Unterschied zur Analyse nur eines konkret vorgegebenen Textes meint. Nach Theißen ergeben sich bei der Analyse der Motive der Wundergeschichten sachliche Gegensatzpaare wie z. B. skeptische Kritik am Wundertäter einerseits und gläubiges Vertrauen in ihn andererseits. Theißen faßt sie verallgemeinernd zusammen als grenzbetonende und grenzüberschreitende Motive. Diese Gegensatzpaare sind auch dann virtuell gegenwärtig, wenn nur eines der in Opposition

stehenden Motive im Text realisiert ist. Darum kann man als die Grundstruktur aller Wundergeschichten angeben, daß in ihnen Grenzsituationen menschlicher Aussichtslosigkeit dargestellt und ihre Überwindung
durch das Wunder geschildert werden.

3. Die Kritik an den beiden Versuchen, vor dem semantischen Inhalt
der Wundertexte auszuweichen, bringt zwar ein besseres Verstehen der
Texte mit sich, rückt aber zugleich das Wunderhafte in ihnen so sehr in
den Mittelpunkt, daß die Frage um so dringender wird, wie jetzt noch ein
(wenn auch partielles) Einverständnis mit solchen Wundertexten möglich
sein soll. Das leistet nach Theißen das „energetische" Sprachverständnis.
Danach bildet Sprache vogegebene Wirklichkeit nicht nur ab, sondern
erschließt, ordnet und gliedert sie, um sie menschlichem Begreifen zu as-
similieren. Das wird für die Wundergeschichten am Beispiel der Dämonen gezeigt. Hierbei handelt es sich um eine mythische Redeweise. Aber
wenn auch die Dämonen nach heutigem Verständnis keine objektive
Wirklichkeit darstellen, bleibt doch die Frage, welche Wirklichkeit durch
die Rede von den Dämonen erschlossen wurde. Nach Theißen handelt es
sich hierbei um das psychopathologische Phänomen des Persönlichkeits-
verlustes. Aber dieses Phänomen wird nun nicht nur nachträglich gedeutet; die Deutung bestimmt vielmehr das Phänomen auch vorgreifend. Ist
nämlich „Besessenheit" eine sozial akzeptierte Deutung für einen Kom-
plex auffälliger Verhaltensweisen, werden mehr Menschen ihre Konflikte
in dieser „Sprache" zum Ausdruck bringen, als das in einer Gesellschaft
der Fall ist, für deren Wirklichkeitsverständnis es nur Psychotiker gibt,
aber keine Besessenen. Die Besessenheit wird so verstanden als eine unbewußt gelernte Sprache des Körpers, zu der Menschen in ausweglosen
Konfliktsituationen Zuflucht nahmen. Sie zeigt, wie mythische Sprache,
wenn sie in einer Gesellschaft fraglose Gültigkeit besitzt, bis in den Organismus hinein wirkt.

Was am Beispiel der Dämonen deutlich wird, läßt sich auf die Wundergeschichten insgesamt ausdehnen. In ihnen wird die traumatische
Erfahrung menschlicher Ausweglosigkeit verarbeitet. Grenzsituationen
menschlichen Leides werden hier in die Sprache des Wunderglaubens
transformiert, in der es keine radikale Ausweglosigkeit mehr gibt. Den
Anstoß zu dieser Bewältigung menschlicher Grenzsituationen gaben neben Heilungen und Exorzismen Jesu die Ostervisionen. Diese mythische
Sprache des Wunderglaubens kann auch heute noch unmittelbar wahr-

genommen werden als ein unbedingter Protest gegen konkretes menschliches Leid, gegen das Leid der Kranken, Verstümmelten und Isolierten.
Liest man diese Geschichten als Glaubensgeschichten, auf deren krasse
Leibhaftigkeit es wegen der religionsgeschichtlichen Parallelen nicht so
sehr ankommt, kann man sich dazu zwar auf eine lange Auslegungs-
geschichte berufen, die schon im Neuen Testament — etwa mit der
Deutung der Wunder durch Matthäus — beginnt, trifft damit aber
schwerlich den ursprünglichen Sinn dieser Geschichten.

Münster, Ostern 1979   Alfred Suhl

Eugène Ménégoz, Der biblische Wunderbegriff. Mit Nachträgen deutsch hrsg. von A. Baur. Freiburg i. Br. und Leipzig: Akademische Verlagsbuchhandlung von J. C. B. Mohr (Paul Siebeck) 1895, S. 1—59.

DER BIBLISCHE WUNDERBEGRIFF

Von Eugène Ménégoz

Die Schriften des Alten und Neuen Testaments berichten eine große Anzahl von Wundern, Zeichen und außerordentlichen Erscheinungen, welche dem natürlichen Lauf der Dinge widersprechen. Ich möchte in dieser Vorlesung die Vorstellungen untersuchen, welche die hl. Schriftsteller mit diesen wunderbaren Tatsachen verbunden haben, und erforschen, welche Belehrungen sich daraus für unser religiöses Leben ergeben.

Es versteht sich von selber, daß ich hier keine, wenn auch noch so kurzgefaßte Aufzählung dieser Wunder geben kann; ich muß sie als bekannt voraussetzen. Ich werde auch nicht versuchen, dieselben zu klassifizieren; denn der Begriff des Wunders ist stets derselbe, ob es sich um die Stillung eines Sturmes, die Heilung eines Kranken, einen wunderbaren Fischzug oder um die Ausrottung eines feindlichen Heeres handle. Alle diese Ereignisse gehören in dieselbe Reihe von Vorstellungen; die hl. Schriftsteller unterscheiden keine verschiedenen Arten von Wundern, und ich glaube auch nicht, daß es für unsere Untersuchung zweckdienlich sei, irgendeine Unterscheidung zu machen. Im Grund sind alle biblischen Wunder Naturwunder[1].

Wir können ferner die *chronologischen* Fragen über die Zeit der Abfassung der biblischen Schriften beiseite lassen; denn die Vorstellung vom Wunder bleibt sich gleich vom ersten Blatt der Genesis bis zum letzten Blatt der Apokalypse. In dieser Hinsicht ist der Glaube der Apostel ganz derselbe gewesen wie der des Moses und der Propheten.

Endlich haben wir uns nicht mit der *Geschichtlichkeit* dieser Erzählungen zu beschäftigen. Ich weiß nicht, ob die Mauern Jerichos unter dem Schall der Trompeten der Israeliten eingestürzt sind; aber das ist gewiß, daß der biblische Erzähler an dieses wunderbare Ereignis geglaubt hat;

---

[1] Man könnte höchstens einen Unterschied zwischen kosmologischen und physiologischen Wundern machen; aber die Hl. Schrift macht denselben nicht.

und gerade *sein* Begriff vom Wunder, *seine* Vorstellung ist es, was wir zu studieren haben.

Ich sehe mich außerdem genötigt, meinen Gegenstand noch etwas genauer zu begrenzen und zu bestimmen. Wenn ich eine vollständige Arbeit über das Wunder in der Hl. Schrift zu geben hätte, so würde ich die Bedingungen untersuchen, denen die verschiedenen Wunder ihren Ursprung verdanken, die sehr mannigfaltigen Ursachen, welche sie hervorgerufen, und die Wirkungen, welche sie herbeiführen sollten; ich würde mich bemühen, in denselben das zu ergründen, was man deren psychologische und physiologische Gesetze nennen könnte. Aber eine solche Studie würde den Rahmen einer Vorlesung weit überschreiten. Ich muß mich daher auf die Untersuchung der ganz speziellen, aber höchst wichtigen Frage beschränken: *Was ist nach der Bibel das Wunder?* Wie haben die hl. Schriftsteller es sich vorgestellt? Welchen Begriff haben sie damit verbunden?[2]

Um uns unsere Arbeit zu erleichtern, wollen wir mit der Untersuchung einiger Wundererzählungen beginnen. Ich könnte nötigenfalls mich mit einer einzigen begnügen; denn wenn man *eine* richtig aufgefaßt hat, kennt man sie alle. Ein Unterschied besteht bei ihnen nur in kleineren Nebendingen. Der Grundbegriff bleibt derselbe. Dennoch glaube ich, daß es für uns von Nutzen ist, eine ganze Gruppe zu untersuchen, und dies um so mehr, da einer der Schriftsteller uns dazu veranlaßt.

Matthäus hat vermöge seines eigentümlichen Redaktionsverfahrens die Gewohnheit, gleichartige Gegenstände zusammenzustellen und sie gruppenweise zu ordnen. Nach den Berichten über die Geburt Jesu und die Wirksamkeit Johannes des Täufers stellt er in der Bergpredigt die Reden Jesu zu einer Gruppe zusammen; dann geht er zu den Wundern über und bringt ihrer eine ganze Reihe. Das 8. und 9. Kapitel seines Evangeliums sind diesem Berichte gewidmet. Der Verfasser erzählt zwölf Wunder und zahlreiche Heilungen, von denen er nur im allgemeinen redet. Jesus, sagt er, zog umher in allen Städten und Dörfern und predigte

---

[2] Da ich die sich auf die Ursachen und Wirkungen der Wunder beziehenden Fragen von der Behandlung meines Gegenstandes ausschließe, so habe ich mich weder mit dem Verhältnis der Sünde noch mit dem der göttlichen Gnade zum Wunder, noch auch mit dem apologetischen Wert der Wunder und Wunderberichte zu befassen.

das Evangelium vom Reich und heilte alle Kranken, die man zu ihm brachte[3].

Eine kurze Aufzählung wird genügen, uns diese Erzählungen ins Gedächtnis zurückzurufen. Jesus heilt ohne Anwendung eines Mittels bloß durch die Macht seines Wortes einen Aussätzigen, zwei Gichtbrüchige, zwei Blinde, zwei Besessene, einen Stummen, eine Fieberkranke, ein blutflüssiges Weib; er stillt einen Sturm und erweckt eine Tote zum Leben. Da haben wir auf wenigen Seiten eine Anhäufung von Wundern, welche sozusagen absichtlich unsere Aufmerksamkeit auf sich ziehen und sich unwillkürlich für unsere Studie darbieten. Was ist auf diesen Seiten der Wunderbegriff?

Wir finden in der Geschichte des Hauptmanns von Capernaum eine ganz bezeichnende, lehrhafte Darstellung. Der Knecht des Hauptmanns ist krank, und dieser begibt sich zu Jesus, um ihn um Hilfe anzuflehen. „Ich will kommen", sagt Jesus, „und ihn gesund machen." „Herr", antwortet der Hauptmann, „ich bin nicht würdig, daß du unter mein Dach gehest. Sprich nur ein Wort, so wird mein Knecht gesund." Und um seine Rede zu rechtfertigen, fügt er hinzu: „Denn auch ich bin ein Mensch, meinen Oberen untertan und habe unter mir Kriegsknechte; und wenn ich zu einem sage: gehe hin, so geht er, und zum andern: komm her, so kommt er, und zu meinem Knecht: tue das, so tut er's." Die Vergleichung ist klar und einfach. Der Hauptmann will sagen: gerade wie ich meinen Vorgesetzten untergeordnet bin, so auch du deinem Vorgesetzten, nämlich Gott; und gerade so, wie meine Soldaten meinen Befehlen gehorchen, so gehorcht dir die Natur, die Krankheit, befiehl, sprich nur ein Wort, so wird mein Knecht geheilt sein. Jesus bestätigt dieses Urteil: mit einem Wort heilt er den Kranken und rühmt den Glauben des Hauptmanns[4].

Aus dieser Erzählung geht klar hervor, daß der Verfasser die Macht Jesu über die Natur beweisen wollte. Die Krankheit gehorcht ihm.

Wir finden die Bestätigung dieser Auffassung in dem Munde Jesu selber. „Man brachte", erzählt Matthäus, „zu Jesu einen Gichtbrüchigen, der lag auf seinem Bette. Da nun Jesus den Glauben der Leute sah, sprach er zu dem Gichtbrüchigen: Sei getrost, mein Sohn, deine Sünden

---

[3] Matth. 8,16; 9,35.
[4] Matth. 8,5 ff.

sind dir vergeben. Und siehe, einige Schriftgelehrte sprachen bei sich selber: Dieser lästert Gott. Da aber Jesus ihre Gedanken sah, sprach er: Was
denket ihr Arges in euren Herzen? Was ist leichter zu sagen: Dir sind deine
Sünden vergeben, oder zu sagen: Stehe auf und wandle? Auf daß ihr
aber wisset, daß der Menschensohn Macht habe auf Erden die Sünden zu
vergeben, sprach er zu dem Gichtbrüchigen: Steh' auf, nimm dein Bett
und geh' heim. Und er stand auf und ging heim. Da das Volk das sahe,
verwunderte es sich und pries Gott, der solche Macht den Menschen
gegeben hat."[5]

Die von Gott verliehene Macht, Wunder zu tun, besteht in der Herrschaft über die Naturkräfte. „Ich wills tun", spricht Jesus zu dem Aussätzigen, „sei gereinigt." Und alsobald ist er von seinem Aussatz rein. Er
berührt die Hand der Schwiegermutter des Petrus, und das Fieber verläßt
sie. Er berührt die Augen der zwei Blinden, und ihre Augen öffnen sich.
Er befiehlt dem Sturm, und Wellen und Winde beruhigen sich. „Was ist
das für ein Mann", sprachen die Leute verwundert, „daß ihm Wind und
Meer gehorsam ist?" Die Herrschaft Jesu erstreckt sich auch über die Welt
der Geister. „Fahret aus", ruft er den Teufeln zu und die Teufel verlassen die Besessenen. Selbst der Tod weicht seinem Willen. Die Tochter des
Jairus ist gestorben. Jesus nimmt ihre Hand und das junge Mädchen
kehrt ins Leben zürück[6].

Die Naturordnung beugt sich vor einem überlegenen Willen und dieser Wille ist im letzten Grunde der Wille Gottes. Dies ist der Wunderbegriff, der sich klar aus diesen Erzählungen ergibt.

Habe ich noch nötig zu beweisen, daß dieser Begriff sich durch die
ganze Bibel hindurchzieht? Mose reckt seine Hand aus, und die Wasser
des Roten Meeres teilen sich und bilden auf beiden Seiten Mauern, um
die Israeliten hindurchziehen zu lassen. Dann reckt er aufs neue seine
Hand aus, und die aufgetürmten Wogen stürzen ein und vereinigen sich
wieder, um das Heer Pharaos zu verschlingen. In der Wüste fehlt es dem
Volk an Wasser, und es ist in Gefahr zu verdursten; Mose schlägt mit seinem Stab an einen Felsen, und es sprudelt eine Quelle lebendigen Wassers hervor. Josua verfolgt siegreich das Heer der Amoriter. Um die Nacht
zu verhindern, ihn hierin zu unterbrechen, gebietet er der Sonne Halt;

---

[5] Matth. 9,2ff.
[6] Matth. 8,3; 8,14.15; 9,27—30; 8,24—27; 8,28—32; 9,18—25 u. Parallelen.

die Sonne steht still und gestattet dem Eroberer, die Niederlage des Feindes zu vollenden. Der Prophet Elia wird zur Zeit einer großen Hungersnot zu Sarepta von einer Witwe und ihrem Sohn aufgenommen. Diese armen Leute haben nichts mehr als ein wenig Öl und Mehl für eine letzte Mahlzeit; sie teilen diesen Rest ihrer Nahrung mit dem Propheten und, dank der Wundermacht des Gottesmannes, vermindert sich das Öl nicht im Krug noch das Mehl im Topf bis zum Ende der Hungersnot. Bald darauf wird der Sohn der Witwe krank und stirbt; Elia erweckt ihn wieder zum Leben. Er selber fährt in seinem feurigen Wagen mit feurigen Rossen zum Himmel[7].

Ich könnte diese Aufzählung fortsetzen. Die Geschichte Israels ist reich an Wundern. Die Evangelien haben deren in Fülle. Jesus verwandelt das Wasser in Wein. Er speist mehr als fünftausend Menschen mit fünf Broten und zwei Fischen und man füllt noch zwölf Körbe mit den Brocken. Er wandelt auf dem Wasser des Sees Genezaret und Petrus, sein Jünger, geht ihm, ebenfalls auf dem Wasser wandelnd, entgegen. Er befiehlt dem Petrus, welcher die ganze Nacht beim Fischfang gearbeitet und nichts gefangen hatte, seine Netze auszuwerfen; der Jünger gehorcht ihm und fängt eine solche Menge Fische, daß er zwei Schiffe bis zur Gefahr des Untersinkens damit füllt. Als man Jesus vorzuwerfen scheint, daß er die Zahlung der Steuer versäume, heißt er den Petrus einen Fisch fangen; der Jünger geht und fängt einen Fisch, in dessen Munde er das zur Bezahlung der gesetzlichen Steuer notwendige Geldstück findet. Als Jesus an einem Feigenbaum vorbeigeht, will er von demselben Feigen pflücken; als er keine findet, verflucht er den Feigenbaum, welcher sogleich verdorrt. Seine augenblicklichen Krankenheilungen sind unzählig. Den Lazarus, dessen Leichnam schon in Verwesung überging, erweckt er aus dem Grabe. Er selbst nach seiner Kreuzigung steht am dritten Tage wieder von den Toten auf und am vierzigsten Tage fährt er auf gen Himmel. Und seiner Verheißung gemäß tun seine Jünger gleichfalls Wunder: sie heilen Kranke und wecken Tote auf[8].

---

[7] Exod. 14,21 ff.; 17,6; Num. 20,11; Josua 10,12 f.; I Kön. 17; II Kön. 2,11.

[8] Joh. 2,1—11; Matth. 14,14 ff.; 15,32 ff.; Mark. 6,34 ff.; 8,1 ff.; Luk. 9,12 ff.; Joh. 6,5 ff.; Matth. 14,22 ff.; Mark. 6,48; Joh. 6,19; Luk. 5,1 ff.; Matth. 17,24 ff.; Luk. 23,2; Matth. 21,9; Mark. 11,12 ff.; Joh. 11,1 ff.; Mark. 16,17 f.; Joh. 14,12; Akt. 2,43; 5,12.

In allen diesen Erzählungen wird durchweg das Wunder als eine der Naturordnung entgegengesetzte Erscheinung angesehen. Dies gibt ihm eben seinen eigentümlichen Charakter, den Charakter eines *Wunders*. Ich will keineswegs behaupten, daß diese Ereignisse, insoweit sie geschichtlich begründet sind, im Widerspruch mit den Naturgesetzen geschehen seien. Diese Frage werden wir später besprechen. Was ich sagen will, ist bloß dies, daß die biblischen Schriftsteller in den Wundern, die sie berichten, keine natürlichen, einfach überraschende, in Erstaunen setzende, außerordentliche Ereignisse gesehen haben, sondern Ereignisse, die dem natürlichen Gang der Dinge zuwiderlaufen, wir sagen heutzutage: die den Naturgesetzen widersprechen.

Ausgezeichnete Theologen haben diesem Wunderbegriff entgegengehalten, daß man zu den Zeiten der Propheten, Jesu Christi und der Apostel die modernen Vorstellungen von den Naturgesetzen gar nicht gehabt, daß man unsere heutigen Unterscheidungen zwischen natürlich und übernatürlich gar nicht gemacht habe, daß es also ein Anachronismus sei, zu sagen, die Wunder seien nach der Vorstellung der biblischen Schriftsteller den Naturgesetzen widersprechende Tatsachen.

Bisher, meine Herrn, habe ich, um mich nicht dem Vorwurf auszusetzen, einen unpassenden Ausdruck zu gebrauchen, absichtlich die Wunder nicht Tatsachen, „die den Gesetzen der Natur widersprechen", sondern „die dem natürlichen Gang der Dinge zuwiderlaufen", genannt. Mancher möchte wohl diese Unterscheidung sehr subtil finden. Ich bin völlig seiner Ansicht. Auch habe ich mich des Gebrauchs des Ausdrucks „Gesetze" nur deshalb enthalten, um nicht einen voreiligen Widerspruch hervorzurufen.

Es ist ja unstreitig, daß unsere heutige Wissenschaft den Begriff der Naturgesetze in einem viel strengeren Sinn faßt, als dies zur Zeit der Abfassung der Bücher der Hl. Schrift geschah. Aber man würde sich täuschen, wenn man daraus schließen wollte, daß man damals überhaupt keine Vorstellung von einem Naturgesetz gehabt und ohne weiteres das Natürliche und das Übernatürliche vereinerlei hätte. Ich glaube unter Berücksichtigung der so grundverschiedenen damaligen Verhältnisse, daß die alten Israeliten ebenso gut wie wir zwischen dem, was den Naturgesetzen entspricht oder nicht, zu unterscheiden wußten und daß sie mindestens eine noch nicht zu klarem Bewußtsein gekommene Ahnung von dem Unterschied hatten. Es besteht zwischen ihrer Anschauungsweise und der unsrigen kein wesentlicher, sondern nur ein freilich sehr bedeutender *Grad*unterschied.

Nehmen wir ein Beispiel. Nach dem Naturgesetz befindet sich der Schatten eines Körpers stets in der dem Licht entgegengesetzten Richtung. Das ist ein einfaches, unwandelbares Naturgesetz, daß auch in dem frühesten Altertum seine Anerkennung hat finden müssen. Wenn nun im Buch der Könige uns erzählt wird[9], daß auf der Sonnenuhr des Hiskia der Schatten, anstatt normal vorwärts zu gehen, rückwärts ging, so hat der Verfasser dieser Schrift, auch ohne unsere modernen wissenschaftlichen Begriffe zu haben, doch sicherlich in dieser Erscheinung ein den Naturgesetzen widersprechendes Ereignis gesehen. Dasselbe gilt von den wissenschaftlichen Vorstellungen zur Zeit Jesu und der Apostel. Die vier Evangelisten, die uns das Wunder der Brotvermehrung erzählen, wußten sehr wohl, daß die Natur nicht also verfahre und daß man, um Brot zu bekommen, die Erde bebauen und das Getreide einernten müsse[10].

Sie lassen sich auch auf die zahlreichen Wunder anwenden, die uns in den apokryphischen Schriften des Alten Testaments und der ältesten christlichen Kirche erzählt werden. Man werfe uns da nicht etwa ein, daß die Erzählungen der apokryphischen Bücher legendenhaft sind. Die Legende entsteht nur aufgrund eines Glaubens. Nun ist aber im vorliegenden Fall dieser Legenden schaffende Glaube gerade der Glaube an das Wunder, wie ich es beschrieben habe. Ohne diesen Glauben würde sich die Entstehung einer Mythe oder einer Legende gar nicht erklären lassen: Der hl. Dionysius von Paris würde nach seiner Enthauptung sonst seinen Kopf nicht noch haben forttragen können. Anstatt meine Auffassung abzuschwächen, bestätigen die Legenden vielmehr dieselbe. Niemals hat ein Schriftsteller des Altertums zwischen dem Wunderbegriff in den

---

[9] II Kön. 20,9—11. Des Hiskia Sonnenuhr nannte man die Sonnenuhr Ahas'.

[10] Die biblischen Schriftsteller erzählen auch von wunderbaren Ereignissen, die nicht in die Kategorie der Wunder im eigentlichen Sinne gehören und mit denen wir uns hier nicht zu beschäftigen haben. Die Grenzen lassen sich auf diesem Gebiet nicht klar bestimmen. In Ermangelung eines genauen Begriffs der Naturgesetze übersahen Gläubige und Ungläubige häufig die Mittelursachen, um in den Erscheinungen nur die erste, verschieden aufgefaßte Ursache zu erkennen. Die Unterscheidung zwischen Wunder und Wunderbarem war natürlich schwankend. Wir reden hier nur von solchen Ereignissen, deren wunderbarer Charakter außer Zweifel steht.

kanonischen Büchern der Schrift und dem in den außerkanonischen unterschieden. Ich bin zu der Überzeugung gelangt, daß der biblische Begriff
in nichts von dem uns geläufigen, volkstümlichen, altherkömmlichen
Begriff sich unterscheidet, welcher in dem Wunder eine Verletzung der
Naturgesetze oder, wenn Sie den Ausdruck vorziehen, eine Aufhebung
derselben oder eine Abweichung von denselben sieht. Für mich drücken
die Worte Verletzung, Aufhebung und Abweichung ganz denselben
Gedanken aus. Das Wunder wird stets als ein übernatürliches Eingreifen
Gottes in die natürliche Ordnung der Dinge angesehen.

Diese Auffassung der Schriftsteller des Alten und Neuen Testaments
teilt auch Jesus Christus. Das zeigt uns das zwar symbolische, aber sehr
charakteristische Wort Jesu an seine Jünger: „Wenn ihr Glauben hättet
wie ein Senfkorn, würdet ihr zu diesem Berge sprechen: hebe dich von
dannen und wirf dich ins Meer, und er würde sich heben."[11] Man könnte
es nicht deutlicher ausdrücken, daß das Wunder der Naturordnung entgegengesetzt ist. Und ich füge hinzu, daß ich dessen gewiß bin, Jesus und
die Apostel haben fest an die Wahrheit aller im Alten Testament erzählten Wunder geglaubt, ebenso wie die Schriftsteller des Neuen Testaments
keinen Augenblick an der Wahrheit der Wunder gezweifelt haben,
welche sie in ihren Schriften erzählen.

Ich untersuche hier nicht, ob wir als Christen gehalten sind, an die
Wahrheit aller dieser Erzählungen zu glauben. Was mich anbelangt, so
bin ich nicht dieser Ansicht. Es gibt ja biblische Wunder, von welchen
wir gar keine Kenntnis haben sollten. Matthäus erzählt zum Beispiel, daß
Jesus nach der wunderbaren Heilung der zwei Blinden sie bedräute und
sprach: „Sehet zu, daß es niemand erfahre." Aber, fügt der Evangelist
hinzu, sie gingen aus und verkündigten sein Lob im ganzen Lande. Dasselbe Verbot erteilte Jesus dem Aussätzigen; er hat es in anderen ähnlichen Fällen wiederholt. Hier also haben wir Wunder, von denen wir nur
durch Indiskretionen Kenntnis erhalten haben, sowohl von seiten der geheilten Personen als auch der Evangelisten selber, die sich nicht für verpflichtet hielten, den Befehl ihres Meisters zu befolgen. Aber wenn Jesus,
wie wir sehen, keine Heilsbedingung aus der Kenntnis seiner Wunder

---

[11] Matth. 17,20; 21,21; Mark. 11,23; Luk. 17,6. — Dem Worte: „Bist du Gottes Sohn, so sprich, daß diese Steine Brot werden", liegt derselbe zeitgeschicht-
liche Wunderbegriff zugrunde (Matth.4,3).

gemacht hat, so hat er sicherlich noch weniger eine Heilsbedingung aus dem Glauben an die anderen Wundererzählungen gemacht[12].

Man ist um so weniger im Recht, einen solchen Glauben von uns zu fordern, als wir nicht bloß wissenschaftliche, sondern auch sehr ernste literarische und geschichtliche Gründe haben können, um an der Wirklichkeit gewisser, uns als Wunder berichteter Ereignisse zu zweifeln. Mehr als *eine* biblische Erzählung ist erst fünfzig, hundert, vielleicht sogar erst fünfhundert Jahre nach dem Ereignis schriftlich aufgezeichnet worden, und man weiß oft nicht durch wen. Kann man nun billigerweise von uns verlangen, wir sollen unerschütterlich davon überzeugt sein, daß alle diese Erzählungen während eines so langen Zeitraums sich unverändert erhalten haben, daß keine einzige durch die mündliche Überlieferung entstellt worden sei? War die Geschichte von der Himmelfahrt des Elias nicht schon stark erweitert und übertrieben, als sie zur Kenntnis des unbekannten Schriftstellers kam, der sie uns erzählt? Es ist unzulässig, einen solchen Glauben zur Heilsbedingung zu machen[13].

[12] Die Hl. Schrift schreibt überhaupt dem Wunderglauben keine Heilskraft zu. Da damals alle Welt an die Wunder glaubte, so konnte es niemand einfallen, in solch einem Glauben eine Gott wohlgefällige Herzensbeschaffenheit zu sehen. Und da der Wunderglaube solch eine Heilskraft sicherlich nicht im Lauf der Jahrhunderte gewonnen hat, so hat er sie auch heute nicht.

[13] Soweit mir bekannt ist, gibt es in Frankreich keinen einzigen protestantischen Theologen mehr, der die alte orthodoxe Lehre von der Inspiration der Bibel in ihrer ganzen Strenge vertritt. Nun kann man aber mit dieser Lehre *allein* die Bibel dem Urteil der historischen Kritik entziehen. Sobald man sie verläßt, stellt man die Urkunden des Alten und Neuen Testaments mit ihren geschichtlichen Angaben unter die Kontrolle der Gesetze, welche für alle literarischen Erzeugnisse gelten. In diesem Fall befragt man sie über ihren Ursprung, über ihre Integrität und verlangt von ihren Verfassern die Rechtfertigung ihres Anspruchs an unser Vertrauen. Nur infolge einer den traditionellen Gewohnheiten zuzuschreibenden Inkonsequenz verwerfen zahlreiche Pastoren in der Theorie die Lehre von der buchstäblichen Inspiration und fahren nichtsdestoweniger fort, sie in ihren biblischen Studien festzuhalten. Sie scheuen sich sogar nicht, ein sehr strenges Urteil über solche zu fällen, welche in der Redlichkeit ihres Gewissens nicht nur die Freiheit, sondern auch die Pflicht in sich fühlen, solch ein Verfahren zu meiden. Gewiß gehört es sich, daß man die Schwachen schone; es ist dies eine Sache des pädagogischen Taktes. Aber daß man aus Rücksicht auf die Schwachen den Starken eine kräftige Speise verweigere, das ist ein verhängnisvoller Fehler, der dem Gedeihen der Kirche unberechenbaren Schaden bringt.

Aber auf diese Frage habe ich jetzt näher nicht einzugehen. Man kann uns ja gestatten, diejenigen Wunder auszuscheiden, deren Geschichtlichkeit uns zweifelhaft erscheint, und dennoch von uns verlangen, anzuerkennen, daß Jesus, die Apostel und die Propheten Wunder in dem Sinn, wie ihre Zeitgenossen und sie selber die Wunder auffaßten, gewirkt haben; mit anderen Worten: man kann uns die Freiheit der geschichtlichen Forschung lassen und doch uns im Namen des Evangeliums die Pflicht auflegen wollen, den Wunderbegriff so anzunehmen, wie er sich uns in seinem zeitgeschichtlichen Gewand aus den biblischen Schriften ergeben hat. Ist eine solche Forderung zulässig? Hier, meine Herren, liegt eine Frage vor, welche sich vor unser christliches Gewissen stellt und auf die wir eine Antwort schuldig sind. Ehe wir aber an diese Untersuchung gehen, wollen wir noch auf einige, nach unserem Erachten irrtümliche Auffassungen des biblischen Wunders und auf die Gefahren einer Apologetik aufmerksam machen, die ihrem Ziel gerade zuwiderläuft.

Wenn ich unsere heutige landläufige Orthodoxie prüfe, die Orthodoxie der alten Schule, welche sich zum Glauben an alle in der Bibel erzählten Wunder bekennt, und wenn ich mich nach den Gründen ihrer offenbaren Mißerfolge, ihres mehr und mehr sich einschränkenden Einflusses, ihres schmerzlich von ihr empfundenen Rückschritts erkundige, so glaube ich mich nicht zu täuschen, wenn ich diese verhältnismäßige Ohnmacht einem verborgenen Skeptizismus zuschreibe, welcher die Anstrengungen der Besten ihrer Vertreter lähmt. Ihre Verteidigung des Wunders schlägt in dessen Verneinung um.

Treten wir an einen dieser Apologeten heran. Alle seine Anstrengungen sind darauf gerichtet, die Wahrheit, die Geschichtlichkeit der in der Bibel erzählten Wunder zu beweisen, und er stimmt einen Siegesgesang an, wenn die Fortschritte der modernen Wissenschaft die Möglichkeit der Heilung auch einer solchen Krankheit beweisen, die bisher als unheilbar galt und wovon die Hl. Schrift eine wunderbare Heilung berichtet. Die Evangelien erzählen uns z. B. die Heilung von mehreren Blindgeborenen. Die rationalistischen Theologen stützten sich einst auf das Urteil der Ärzte, um solche Erzählungen als Mythen anzusehen. Heutzutage ist es der Chirurgie gelungen, blindgeborene Kinder zu operieren und ihnen das Gesicht zu geben. Unser Apologet triumphiert. Ihr sehet, sagt er, daß es möglich ist, selbst einem Blindgeborenen die Augen zu öffnen; das

bestätigt die Wahrheit der Erzählungen des Neuen Testaments; wir
brauchen bloß anzunehmen, daß Jesus diese Heilungen durch uns noch
unbekannte Mittel vollbracht hat.

Zu ähnlichen Schlußfolgerungen veranlassen ihn die merkwürdigen
Heilungen von Gichtbrüchigen, von Hysterischen, von Personen, die von
allerlei Nervenkrankheiten und sogar von Hautkrankheiten befallen
waren, Heilungen, welche heutzutage erfahrungsmäßig durch Suggestion,
durch Berührung, durch ein Wort, durch einen Blick bewirkt werden.
Eingehend entwickelt er die Ergebnisse der modernen Heilkunst und un-
ternimmt es, von hier aus zu beweisen, daß die Wunder den Naturgesetzen durchaus nicht widersprechen, sondern einfach natürliche Vorgänge
seien, von denen uns die Gesetze noch unbekannt sind.

Der Unglückliche sieht nicht, daß dieser Triumph seine Niederlage ist,
daß die natürliche Erklärung einer Tatsache ihren Charakter als Wunder
zerstört, daß seine Behauptung den Lebensnerv des Wunders trifft, ihm
alle religiöse Bedeutung nimmt und seinen Daseinsgrund aufhebt.
Wenn Jesus im Grunde nichts anderes getan hat, als was die Ärzte der
Salpetrière auch leisten, warum sollten seine Heilungen eine andere
Bedeutung, als die unserer Doktoren haben?

Man sieht: wenn man das Wunder auf ein natürliches Geschehen zurückführt, das nach unwandelbaren Gesetzen verläuft, die uns heute
noch unbekannt sind, aber morgen entdeckt werden können, so zerstört
man den biblischen Wunderbegriff, und, indem man wähnt, den Glauben an das Wunder zu befestigen, erschüttert man ihn gerade. Hier liegt
einer der geheimen Gründe der Schwäche einer Apologetik, welche sich
zwar auf die Orthodoxie beruft, aber mehr oder weniger unbewußt ihre
Lehre verleugnet.

Im Gegensatz zu den Aposteln, welche den Wundercharakter der
Werke Jesu scharf betonen, um die Größe seiner Person dadurch hervorzuheben, bemühen sich diese Apologeten, um bei den Zeitgenossen die
Wahrheit der evangelischen Erzählungen zur Anerkennung zu bringen,
den Wundercharakter *abzuschwächen* und ihn soviel wie möglich zu beseitigen. Dieses Streben möchte genügen, um uns den Unterschied zwischen
ihren Begriffen und denen der biblischen Schriftsteller zu enthüllen[14].

---

[14] Diesen Gesichtspunkt hat Herr Professor *Karl Bois,* eines der einflußreichsten
Häupter unserer Orthodoxie, in glänzender Weise vertreten. Er hat indes doch

Demselben Vorwurf setzt sich eine andere Form der Apologetik aus. Die Wissenschaft, sagt man, schiebt die Fragen nur zurück, sie ist aber unvermögend, sie aufzulösen; sie gelangt an einen Punkt, wo sie nicht mehr weiter kann und genötigt ist, ihre gänzliche Unwissenheit zu bekennen, sie befindet sich vor einem Mysterium. An dieser Stelle nun, fährt man fort, tritt eine göttliche, unmittelbare, freie und übernatürliche Tätigkeit ein; das ist das Gebiet des Wunders. Man glaubt die Wunderleugner zu überwinden; indem man ihnen beweist, daß, wie sie es selber zugeben müssen, wir überhaupt nichts seinem inneren Wesen nach erklären können, daß das Mysterium überall vorhanden ist, daß das Wunder die ganze Natur durchdringt.

Wenn man sich einbildet, auf diese Weise das biblische Wunder bewiesen zu haben, so ist man doch sehr naiv! Vor allem decken sich der Begriff des Mysteriums und der des Wunders keineswegs. Sodann führt uns diese Beweisführung nur zur vorhergehenden Argumentation zurück,

über die Wahrheit gewisser biblischer Erzählungen Vorbehalte machen zu müssen geglaubt. — „Ich möchte, sagt er, die Tatsächlichkeit aller in der Bibel erzählten Wunder nicht gerade festhalten, auch nicht behaupten, daß alle Wunderberichte der Hl. Schrift wirklich angenommen werden müssen." (›Le miracle et les lois de la nature‹, p. 266, öffentlicher Vortrag in der Sammlung: ›La verité chrétienne et le doute moderne‹, Paris 1879). Sein Sohn, *Heinrich Bois,* hat dieselben Anschauungen in seinem Buch „Le dogme grec" (Paris 1893, S. 271—287) vorgebracht. Man findet sie ebenfalls mit ähnlichen Vorbehalten in den ebenso interessanten als unzutreffenden apologetischen Artikeln, welche Herr Professor E. *Doumergue,* ein orthodoxer Polemiker, in den letzten Jahren unter verschiedenen Titeln im ›Christianisme au XIXe siècle‹ veröffentlicht hat. „Das Wunder der Aufhebung oder Umkehrung der Naturgesetze", sagt er, „lassen wir nicht zu" (Nummer vom 27. April 1894). — Herr Dr. *Gibert* schreibt in der ›Revue chrétienne‹ (Nummer vom 1. Mai 1894, S. 369): „In der Tat, diese zwei Worte, Wunder und Übernatürliches, rühren nur von unserer Unkenntnis der höheren Gesetze her, die wir später erkennen werden und von welchen wir jetzt kaum eine Ahnung haben. Ich möchte nachweisen, daß im Leben Jesu wie in dem des hl. Franziskus das Wunder nur als Ausübung einer natürlichen Funktion erscheint, welche nirgends die Forderungen unserer Vernunft überschreitet." — Ich erinnere gelegentlich daran, daß die alten Rationalisten, vertreten vor allem durch den berühmten Exegeten *Paulus,* eine rationelle Erklärung der biblischen Wunder zu geben versucht haben. Ihre Methode stand weit unter der der obengenannten Theologen, aber ihre apologetische Tendenz war dieselbe.

mit der man sie übrigens häufig verbindet. Wenn alles ein Wunder ist, so ist nichts ein Wunder. Es handelt sich ja hier gar nicht darum, den geheimnisvollen Charakter des Ursprungs der Dinge, ihres Wesens und der Naturgesetze selber festzustellen. Kein Denker hat je daran gezweifelt. Der Apologet der alten Schule ist verbunden, zu beweisen oder wenigstens mit Gründen, die er für beweiskräftig hält, zu behaupten, daß die Wunder der Schrift im Gegensatz zu den Naturgesetzen durch ein unmittelbares und ausnahmsweises Eingreifen des göttlichen Willens geschehen sind. Wenn er sich darauf beschränkt, zu zeigen — was übrigens niemand bestreitet —, daß die letzte Erklärung der Dinge uns entgeht, oder wenn er nur in theoretischer und abstrakter Art und Weise von der *Möglichkeit* des Wunders redet, ohne seine Grundsätze auf die bestimmten Sätze der Bibel anzuwenden, dann macht er damit ein Geständnis der Ohnmacht, über welche die Wunderleugner sich vollständig Rechenschaft geben und in der sie nicht ohne Grund eine Niederlage der Orthodoxie sehen[15].

Die Unzulänglichkeit und die Gefahr einer solchen Apologetik hat eine große Zahl orthodoxer Theologen bedenklich gemacht. Sie haben daher unter grundsätzlicher Verzichtleistung auf jeden Versuch eines wissenschaftlichen Wunderbeweises sich auf einen anderen, nach ihrer Meinung für die Verteidigung der biblischen Wahrheit günstigeren Boden

---

[15] Ein deutscher Theologe, Herr *Steude,* hat vor kurzem einen gelehrten Artikel unter dem Titel ›Zur Apologie des Wunders‹ der Auseinandersetzung dieser Auffassung im ›Beweis des Glaubens‹ (Mai, Juni und Juli 1894) gewidmet. Dieser Schriftsteller demonstriert mit großem Nachdruck, daß das eigentliche Wunder das Schöpfungswunder sei, die Herrschertat, womit der Allmächtige die Welt ins Dasein gerufen hat; und er sucht mit seltener dialektischer Kraft festzustellen, daß die Schöpfertätigkeit Gottes unter einer anderen Form in ununterbrochener Weise sich fortsetze. Wir treten völlig dieser Ansicht bei, und wir sprechen mit voller Überzeugung mit dem Kleinen Katechismus Luthers: „Ich glaube, daß mich Gott geschaffen hat samt allen Kreaturen, mir Leib und Seele, Augen, Ohren und alle Glieder, Vernunft und alle Sinne gegeben hat und noch erhält." Aber es ist nicht diese regelmäßige und ununterbrochene Schöpfertätigkeit Gottes, welche die biblischen Schriftsteller mit den Worten Wunder, Zeichen etc. bezeichnen. Die Beweisführung des Herrn *Steude* bleibt bei der *Möglichkeit* eines unmittelbaren Eingreifens Gottes in den Lauf der Dinge stehen, beweist aber keineswegs die *Wirklichkeit* der in der Bibel erzählten Wundertaten.

gestellt. Nicht wissenschaftliche Erörterungen, sagen sie, haben den Triumph des Evangeliums herbeigeführt, sondern ein tatkräftiges Zeugnis, nämlich das mutvolle Bekenntnis der Wahrheit. Und so bekennen sie, ohne sich um die wissenschaftlichen Einwürfe zu kümmern, ohne weiteres ihren Glauben an das Wunder. Wir müssen anerkennen, daß es wirklich das Wunder im eigentlichen historischen Sinne, daß es das biblische Wunder ist, für welches sie einzutreten gesonnen sind. Sie erklären frischweg, an eine ausnahmsweise, den Naturgesetzen widersprechende Tätigkeit Gottes zu glauben.

Einige unter ihnen erlauben sich zwar, eine Auswahl unter den von der Bibel erzählten Wundern zu treffen. Vielleicht tun es sogar alle; denn ich zweifle stark daran, daß es heutzutage noch einen Theologen gibt, der mit *ganzer Überzeugung* daran glaubt, daß Josua die Sonne zum Stillstand gebracht habe. Man kann sogar bei den Vertretern dieser Richtung interessante Abstufungen bemerken, von demjenigen, der beinahe an allen biblischen Wundern festhält, bis zu dem, der sich begnügt, nachdrücklich die Auferweckung Jesu Christi zu behaupten und daraus die Wahrheit einer mehr oder weniger begrenzten Anzahl von Wundern abzuleiten[16].

Es liegt gewiß in dem einfachen und tapferen Bekenntnis eines Gläubigen eine große Kraft. Dieses Wirkungsmittel hat von seiner Macht nichts verloren. Noch heute, wie ehemals, macht sich der Einfluß der Christen wesentlich durch das Zeugnis geltend, das sie von ihrem Glauben ablegen. Aber zur wirksamen Kraft dieses Zeugnisses reicht es nicht aus, nur kategorische Behauptungen aufzustellen. Den Worten müssen auch die Taten, die Handlungsweise, das ganze Benehmen entsprechen. Nur unter dieser Bedingung wird das Zeugnis seinen vollen Erfolg haben. Aber gerade in dieser Beziehung scheinen mir die Theologen, von denen ich rede, sich in sonderbarer Weise zu täuschen.

Schon seit vielen Jahren beobachte ich sie mit der größten Aufmerksamkeit. Ihre Aufrichtigkeit und ihre Frömmigkeit steht für mich außer Zweifel. Sie machen lobenswerte Anstrengungen, um den überlieferten

---

[16] Wer irgendeine Auswahl unter den Wundern und überhaupt unter den Erzählungen des Alten Testaments vornimmt, weicht, bewußt oder unbewußt, von dem Glauben Jesu und der Apostel ab. Niemals ist ihnen der Gedanke einer Auswahl in den Sinn gekommen.

biblischen Wunderbegriff festzuhalten. Und wenn ihnen dies nur un-
vollkommen gelingt, so kommt es daher, daß auch sie unter dem Einfluß
unserer modernen Bildung stehen. Man mag auch noch so wacker wider
den Zeitgeist streiten — man atmet doch stets die Luft ein, die einen umgibt, und ist nach irgendeiner Seite hin ein Kind seines Jahrhunderts.

Bemerken Sie, mit welcher Sorgfalt sie es vermeiden, über gewisse
Wunder, die auch ihnen ein wenig unbequem sind, zu sprechen. Sie
werden sich zum Beispiel hüten, von den Teufeln zu reden, welche nach
Matthäus, Markus und Lukas gebeten haben, in die Leiber der Schweine
fahren zu dürfen[17]. Und wenn man sie über diesen Gegenstand befragt,
wenn man ohne allen rednerischen Vorbehalt sie um Auskunft darüber
bittet, wie sie sich diese Teufel vorstellen, die zuerst an wüsten Örtern
umherstreifen, dann scharenweise in dem Leib eines Menschen Quartier
nehmen und hierauf nach ihrer Vertreibung in den Leib der Schweine
fahren und die unglücklichen Tiere gegen die Felsenküste drängen, um
sie ins Meer zu stürzen — wenn man sie so befragt, so wird es leicht vorkommen, daß diese etwas derbe Redeweise Anstoß bei ihnen erregt. Sie
sind nicht weit davon entfernt, darin etwas wie einen Mangel an Zurückhaltung, an Zartgefühl, an Achtung gegen das Wort Gottes zu sehen.
Und doch erzählen die drei Evangelisten diese Geschichten mit der größten Unbefangenheit und mit völligem Glauben; und sie haben dieselben
gewiß nicht dazu niedergeschrieben, daß man sie verschleiere oder mit
Stillschweigen übergehe. Unsere orthodoxesten Theologen haben eben
nicht mehr den Glauben eines Matthäus, eines Markus und Lukas. Und
wenn sie zur Beruhigung ihres Gewissens es laut und energisch ausgesprochen haben, daß Jesus die Teufel ausgetrieben habe, so lassen sie es
bei dieser allgemeinen Erklärung bewenden und hüten sich wohl, auf die
Einzelheiten einzugehen. Wenn sie bei der öffentlichen Vorlesung der
Schrift nicht einfach diese Erzählungen übergehen zu dürfen glauben, so
beeilen sie sich doch, über die Zeilen, die ihnen am meisten Verlegenheit
bereiten, hinwegzugleiten, und man merkt, daß es ihnen wohl ist, wenn
sie darüber hinausgekommen sind. Das ist kein Zeichen einer sehr tiefen
Überzeugung.

Übrigens bestätigt die Praxis dieses Urteil. Kennen Sie Pastoren, welche
den Exorzismus ausüben? Ich meinesteils kenne keinen. Es gibt Theolo-

---

[17] Matth. 8,28—32 u. Parall. Vgl. Matth. 12,43 f.; Luk. 11,24 f.

gen, welche offen ihren Glauben an Besessenheit bekennen und welche in der Erinnerung daran, daß Jesus bei seinem letzten Abschied zu seinen Jüngern gesagt hat, sie werden Teufel austreiben, erklären, daß die Christen auch heute noch die Macht zum Exorzismus der Dämonischen besitzen[18]. Aber nachdem sie sich durch dieses Zeugnis mit ihrem Gewissen abgefunden und diese Verbeugung vor dem biblischen Text gemacht haben, machen sie es sich bequem und handeln, als ob es weder Dämonen noch Dämonische in der Welt gebe. Niemals habe ich einen zugleich grelleren und naiveren Widerspruch zwischen Worten und Taten gesehen.

Als voriges Jahr ein Priester der Diözese Versailles den Exorzismus an einem hysterischen Mädchen auszuüben versuchte, haben unsere kirchlichen Blätter nicht scharfe Worte genug gefunden, um diesen Aberglauben zu rügen. Und doch hat dieser Priester weiter nichts getan, als daß er mit den in ihrem buchstäblichen, geschichtlichen Sinn verstandenen Worten Jesu Ernst gemacht hat. Dasselbe gilt von dem verächtlichen Urteil unserer Blätter in bezug auf die Wunder von Lourdes, Trier, Argenteuil und anderen katholischen Pilgerorten[19].

[18] „Wenn ich im einzelnen die Gegenstände auseinanderzusetzen hätte, von denen nur die Grundzüge zu zeichnen ich mich jetzt begnügen muß ... so würde ich, wenn ich auf die Seelsorge zu sprechen käme, die Praxis des Exorzismus erörtern, die mit gutem Recht in einigen christlichen Kreisen sich erhalten hat." (E. Vaucher, de la théologie pratique, p. 79, Paris 1893.)

[19] Bei den heidnischen Völkern kommt der Glaube an Besessenheit und Teufelsaustreibung noch häufig vor. So schreibt z.B. ein französischer Beamter aus Kambodscha: „Die Teufel dringen in den Leib der Leute ein und machen sie krank. Man muß dann diejenigen herbeirufen, die das Teufelsaustreiben verstehen. Manchmal fahren die Teufel aus; mitunter widerstehen sie mehrere Tage lang. Es kommt auch vor, daß sie sich weigern, auszufahren, und daß sie die Leute totquälen... Der Mensch, der von einem Teufel besessen ist, ist nicht mehr sein eigener Herr, sein Leib gehorcht ihm nicht mehr; er gehört und gehorcht dem Teufel, den er im Leib hat... Seitdem ich in Kambodscha bin, habe ich mehrere Besessene gesehen. Sie sind wie rasend, reden ohne Zusammenhang oder schweigen und geben durch Zeichen zu verstehen, daß sie nicht sprechen können. Ich habe einen gesehen, der sich stöhnend auf der Erde wälzte. Es sind Hysterische, welche wie unsere Besessenen vom 16. und 17. Jahrh. selber glauben, daß sie von einem Teufel besessen sind." (La sorcellerie chez les Cambodgiens, par A. Leclère, Revue scientifique 5,1895.)

Man hört in unserer protestantischen Gesellschaft niemals von Wundern nach Art der biblischen reden. Fällt Ihnen das nicht auf? Nachdem unsere Theologen ihren Glauben an die Wundererzählungen der Bibel bekannt und theoretisch erklärt haben, daß Gott noch fortfahre, Wunder zu tun, leben sie, als ob die Periode der Wunder schon seit achtzehn Jahrhunderten geschlossen sei. Ist es darum auffallend, daß dem Zeugnis dieser Apologeten trotz seiner tadellosen Orthodoxie alle Kraft fehlt und es über die Köpfe hingeht, ohne die Herzen zu ergreifen? Es ist ein rein platonisches Zeugnis[20].

Mancher bildet sich ein, die Sachlage durch ein Wortspiel retten zu können. Man spricht von der Austreibung des Hochmutsteufels, des Geiz-, Neid- und Zwietrachtsteufels und anderer schlimmen Leidenschaften. Das ist sogar eine der geläufigsten Ausflüchte. Ich habe nicht nötig, ihre Nichtigkeit nachzuweisen. Die Besessenen des neuen Testaments sind arme Kranke, besessen von bösen Geistern, die sie quälen. Jesus gibt ihnen durch Vertreibung der bösen Geister die Gesundheit. Er hat keinen Augenblick daran gedacht, die Schriftgelehrten und Pharisäer zu exorzisieren, um sie von ihrem Hochmut und und ihrer Habsucht zu befreien. Sein Kampf gegen das sittliche Übel gehört einem ganz ande-

---

[20] Es scheint, daß zur Zeit Ciceros die Wunder in den gebildeten Kreisen des Römischen Reiches schon anfingen, sich rar zu machen. Man sehe, was dieser Philosoph in seiner interessanten Abhandlung › de divinatione‹ (Buch II, p. 57) in bezug auf das Orakel von Delphi sagt: „Warum gibt es nicht erst in unseren Tagen, sondern schon seit langer Zeit keine solchen Orakel in Delphi mehr? Wenn wir in unsere Gegner dringen, so können sie uns nur antworten, daß die Zeit die Kraft der Stätte zerstört habe, wo sonst die Dünste emporstiegen, welche das Orakel eingaben. Möchte man nicht meinen, daß es sich um Weine oder Gesalzenes handle, die durch das Alter schlechter werden? Es handelt sich aber nicht um eine natürliche, sondern um eine göttliche Kraft. Wie konnte diese verschwinden? Ihr führet das Alter an. Aber welcher Zeitraum könnte doch eine göttliche Kraft vernichten?... Wann ist denn diese Kraft aufgelöst worden? Wäre es nicht, seitdem die Menschen weniger abergläubisch geworden sind?" Cicero gibt eine sehr treffende literarische und historische Kritik der in den alten heidnischen Urkunden erzählten Wunderberichte. Die Verteidiger der Überlieferung antworteten auf diese Einwürfe: „Nichts ist bei Gott unmöglich" (Nihil est, inquiunt, quod Deus efficere non possit. II 41). Das ist die alte und bequeme Antwort populärer Apologetik. „O die gewandten Leute", ruft Cicero ein wenig weiter unten aus, „und wie wenig Worte brauchen sie, um einen Beweis loszubekommen!" (II 49.)

ren Gebiet an. Die an der Sünde leidenden Seelen sucht er durch die Predigt der Buße und des Glaubens zu heilen und sie also für das Reich Gottes zu gewinnen. Die Besessenheit der Dämonischen dagegen ist ein dem Aussatz und der Blindheit vergleichbares physisches Übel. Und diese Kranken heilt Jesus augenblicklich in wunderbarer Weise durch ein Wort. Niemals hat er zu einem Hochmütigen oder Heuchler gesagt: „Sei geheilt!" Er hat sie nicht als Besessene angesehen, aus denen er die bösen Geister durch ein Wort hätte austreiben können. Wenn man die sittlichen Heilungen an die Stelle der Exorzismen setzt, so mag man sich wohl einbilden und andere glauben machen, man befinde sich in der biblischen Wahrheit. Tatsächlich aber bedient man sich eines Auswegs von zweifelhaftem Geschmack, über den eine ernste Kritik alsbald ihr Urteil sprechen wird und der die ganze Schwäche dieser Apologetik den Augen des Denkers enthüllt[21].

[21] Man sehe z. B. die verlegenen Bemerkungen von Herrn E. *Röhrich* im ›témoignage‹ vom 16. Sept. 1893 (Nr. 37) S. 291: „Gewiß befand sich Jesus Besessenen gegenüber. Aber es ist wohl eine schwierige Sache, feststellen zu wollen, daß ein Irrer in unseren Hospitälern von einem Dämon besessen ist... Die Geschichte ist da, um zu beweisen, daß man sich irren kann... Es ist von seiten eines armen Sterblichen sehr unbesonnen, sich einen Scharfblick gleich dem des Sohnes Gottes anzumaßen. Zweitens stellt sich uns die Heilung der Besessenen im Evangelium als ein Wunder, d. h. als ein Werk außerordentlicher Art dar. Gewiß, es ist nicht gesagt, daß kein Wunder mehr geschehen könne. Alle, welche beten, wissen, daß die allmächtige Hand Gottes immer noch in die Geschicke der Menschen, besonders in ihren Nöten und Krankheiten, eingreift. Aber man sollte sich auch Rechenschaft geben über den Gang, den solche Wunderheilungen befolgen. Herr von B ... und seine Freunde werden sagen: Jesus hat zuerst die Seele geheilt und durch die Seele den Leib.' Indessen könnte man auch das Gegenteil behaupten und sich denken, daß Jesus den Leib entlastet und so die Seele von den zu Boden drückenden Ketten befreit habe ... Aber, wendet man ein: was machen Sie mit der Verheißung Jesu an seine Jünger: ‚Ihr werdet Teufel austreiben?' Diese Verheißung halten wir in ihrer vollen Kraft fest. Aber es wäre leicht, aus den Worten Christi selbst zu zeigen, daß es eine Klasse von Teufeln gibt, die nicht in den Narrenhäusern wohnen, sondern die sehr vernünftige Leute heimsuchen und gegen welche die Ärzte ihre Machtlosigkeit sehr offen erklären, nämlich den Hochmutsteufel, den Teufel der Gottlosigkeit, der Unzucht. Im Kampf gegen diese gehört notwendig der erste Platz dem Amt des Wortes Gottes."

Diese Beobachtungen passen, wenn auch nicht durchweg, doch wenigstens einigermaßen auf jeden Versuch, die biblischen Wundererzählungen in rein allegorische Geschichten umzudeuten. Der Blinde wird zu einem geistlich Blinden, der Gichtbrüchige zu einem sittlich schwachen Menschen, der Aussätzige zu einem Mann, der mit dem Aussatz der Sünde bedeckt ist, und die Geschichte von dem Propheten Jonas, der, nachdem er drei Tage und drei Nächte in dem Bauch des Walfisches zugebracht, auf das Land geworfen wurde, wird zur Geschichte eines Mannes, der aus einem großen und plötzlichen Mißgeschick oder vielleicht aus dem Schiffbruch des Glaubens gerettet worden ist. Die Allegorie, welche ja freilich eine gewisse Berechtigung hat, ist seit den Zeiten der berühmten alexandrinischen Schule eines der bequemsten Mittel geworden, um sich des Wunders zu entledigen.

Aber, möchte jemand uns einwerfen, ist die Bekehrung einer Seele nicht ein wahres Wunder, viel größer als alle physischen Wunder? Dies, meine Herren, ist eine letzte Verschanzung, hinter welcher die orthodoxe Apologetik, nachdem sie aus ihren Stellungen verdrängt ist, eine sichere Zuflucht zu finden meint. Sie wird sich daselbst nur behaupten können, wenn sie sich in seltsamer Weise über die Bedeutung der Worte täuscht. Man kann ja gewiß die Bekehrung einer Seele ein Wunder nennen; das ist rein eine Sache des Sprachgebrauchs. Aber man wird wohl anerkennen, daß, wenn die Bibel von Wundern redet, sie unter diesem Ausdruck niemals die Bekehrung der Sünder versteht. Johannes der Täufer hat viele Sünder bekehrt; aber, erzählt der Evangelist, „Wunder hat er keine getan."[22] Die Bekehrungen werden nicht unter die Wunder klassifiziert. Es handelt sich ja hier um den *biblischen* Wunderbegriff. Der Apologet, der diese Frage zu lösen sucht, indem er unbemerkt den Begriff der Bekehrung dem des Wunders unterschiebt, bringt damit nur seine vielleicht unbewußte Abweichung vom Glauben der biblischen Schriftsteller an den Tag. Ich sage, daß diese Abweichung vielleicht unbewußt sei; denn ich habe bemerkt, daß unsere orthodoxen Theologen in bezug auf Beweise nicht sehr anspruchsvoll sind und eine außerordentliche Gefälligkeit aufwenden, um sich selber die süße Täuschung der Orthodoxie zu verschaffen.

---

[22] Joh. 16,41. Dieselben Bemerkungen lassen sich auch auf Christi Versöhnungswerk anführen.

In Wahrheit, meine Herren, gibt es heutzutage keinen einzigen protestantischen Theologen mehr, welcher mit voller Überzeugung die Anschauungen Moses, der Propheten, Jesu Christi, der Apostel, der Theologen des Mittelalters und selbst der Reformatoren über das Wunder teilt.
Der gläubigste Christ, wenn er sein Kind den letzten Atemzug hat tun
sehen, ist fest überzeugt, daß nun für diese Erde alles aus ist, und er versucht nicht, den Leichnam wieder zu erwecken, den man in das Grab
versenkt[23]. Es fällt ihm nicht ein in der Zeit der Dürre an einen Felsen zu
schlagen, um Wasser daraus fließen zu lassen. Und obwohl Christus gesagt hat, seine Jünger werden noch größere Wunder tun als er, hofft er
nicht, einige Tausende von Hungernden mit fünf oder sechs Broten spei-
sen zu können. Er bittet in seinen Gebeten Gott nur um das, von dem er
weiß, daß es den Gesetzen der Natur gemäß ist; und wenn er sich einmal
klar Rechenschaft darüber gegeben hat, daß diese Gesetze einem seiner
Wünsche zweifellos widersprechen, so erwartet er nicht, daß Gott durch
eine außerordentliche Gunsterweisung ihm seine Bitte unter Verletzung
dieser Gesetze bewilligen werde. Keiner bittet Gott, einem Krüppel die
Arme wachsen zu lassen oder einem Menschen, dem man die Augen aus-
gestochen hat, das Gesicht wieder zu geben.

Wenn wir von den mannigfachen Urteilen unserer Theologen über die
Ereignisse der Vergangenheit und die mehr als achtzehn Jahrhunderte
alten Berichte absehen — und man kann sagen, daß die Meinungen von

---

[23] Ich glaube nicht, daß die Auferstehung der Toten gegen die Naturgesetze
sei, weil ich nicht glaube, daß alles mit dem Menschen hienieden stirbt. Gerade
wie im Korn, das man in die Erde legt und das zu verwesen scheint, ein neuer
Lebenskeim enthalten ist, so ist auch im Organismus des Menschen der Keim eines
neuen Lebens, das Gott erwecken kann, wann und wie es ihm gefällt. Das hat
Paulus wundervoll 1 Kor. 15 entwickelt. Ich sage mit ihm: „Christus ist der Erst-
ling worden unter denen, die entschlafen sind." Und weil ich mit Jesus Christus
glaube, daß „Gott nicht ein Gott der Toten, sondern der Lebendigen ist", so sehe
ich mit Ruhe meinen letzten Tag herannahen und bekenne mit Freuden: „Ich
glaube an das ewige Leben." Aber in der Ordnung der irdischen Dinge und nach
dem gegenwärtigen Stand der Gesetze, welche unser Dasein regieren, bezeichnet
der Tod einen so charakteristischen und bestimmten Abschluß, daß niemand
hofft, auf sein Gebet hin ein geliebtes Wesen, das in den letzten Schlaf versunken
ist, wieder auferstehen zu sehen. Das ist nicht Unglaube, sondern ein fester Glaube an den in den unveränderlichen Naturgesetzen geoffenbarten Willen Gottes.

einem Theologen zum andern verschieden sind —, so bemerken wir einerseits eine große Übereinstimmung in ihrem Glauben an die allmächtige und barmherzige Wirksamkeit Gottes in der Gegenwart und in unserem täglichen Leben. Hier besteht eine vollständige Einigkeit unter den Gläubigen. Es tut not, daß sie sich dessen mehr bewußt werden, als es bisher geschehen ist, und daß die Verschiedenheit ihrer Urteile in bezug auf geschichtliche Begebenheiten ihre Herzen, die in demselben Glauben einig sind, nicht trennen. Andererseits bemerken wir ebenfalls bei allen Christen eine vollständige Einigkeit in ihren wissenschaftlichen Überzeugungen. Welcher theologischen Richtung wir nun auch angehören mögen, so glauben wir doch fest an die Naturgesetze. Und wenn wir auch in der Theorie die Möglichkeit von Modifikationen bei scheinbar regelmäßigen und unveränderlichen Erscheinungen zugeben, so tun wir es doch nur unter Beziehung dieser eventuellen Modifikationen auf uns bisher noch unbekannte Gesetze und nicht auf eine augenblickliche Aufhebung der Tätigkeit der von der Wissenschaft sicher und widerspruchslos festgestellten Gesetze. Wir glauben nicht mehr an das Wunder im Sinn einer Abweichung von den Naturgesetzen. Dies frei und offen anzuerkennen, verpflichtet uns die Aufrichtigkeit.

Hat denn nun das biblische Wunder keine Bedeutung mehr für uns? Hier, meine Herren, bin ich es Ihnen und mir selbst schuldig, Ihnen meine Überzeugung offen und klar darzulegen.

Die Prinzipien meiner Theologie sind Ihnen nicht unbekannt. Ich habe schon zum öftern Gelegenheit gehabt, sie öffentlich zu entwickeln. Eine kirchliche Zeitung hat unlängst die Richtung unserer *Pariser Schule* als „Symbolo-fideismus" bezeichnet. Sie hat den ersten Ausdruck aus einer Veröffentlichung meines lieben und geehrten Kollegen, Professor *Sabatier,* genommen und den zweiten aus meinen Schriften und hat eine hinlänglich genaue Zusammenstellung unserer Ansichten gegeben[24]. Ich

---

[24] L'église libre, 3. u. 17. Aug. 1894 (Nr. 31 u. 33). — Sabatier nennt seine Erkenntnistheorie «la théorie du symbolisme critique» (Essai d'une théorie critique de la connaissance religieuse, Lausanne 1893. Extrait de la Revue de théologie et de philosophie, juin 1893, p. 238. Revue chrétienne 1893, p. 346). Und ich habe meine Auffassung von der Rechtfertigung durch den Glauben «le fidéisme» (sola fide) genannt (Réflexions sur l'Evangile, Paris 1879, p. 47. La théologie de l'Epître aux Hébreux, Paris 1894, p. 288), «Le symbolisme» bezieht sich auf das *Formalprinzip*, und *«le fidéisme»* auf das Materialprinzip der Theologie.

weise diese Benennung nicht zurück, kann aber nur in meinem persönlichen Namen hier reden. Ich werde mich frei über die Dinge so aussprechen, wie sie mir erscheinen und wie ich sie in den hl. Schriften begründet finde.

Wenn wir die Wunder der Bibel untersuchen, müssen wir, wie in jeder historischen Untersuchung, die zugrundliegende Idee und die zufällige und zeitliche Form unterscheiden, in welche diese Idee sich gekleidet hat. Es ist nicht allzu schwer, die Idee, welche den Kern der Wundererzählungen des Alten und Neuen Testaments bildet, herauszuschälen. Es ist der Glaube, daß Gott unter gewissen Umständen unmittelbar in den Lauf der Dinge eingreift. Er stillt einen Sturm, er heilt einen Kranken, er ernährt Verhungerte, er befreit Gefangene, er weckt Tote auf. Dies ist der religiöse Glaube, die innerste Überzeugung der hl. Schriftsteller.

Diese Überzeugung findet ihren Ausdruck in der konkreten Form der Zeitbildung, nämlich im Wunderglauben. Bei der damals sehr großen Unkenntnis der Naturgesetze sah man in jeder außerordentlichen, auffallenden Erscheinung, in jedem „miraculum" ein Wunder, ein spezielles Eingreifen der Gottheit. Das war bei den Heiden ebensosehr der Fall wie bei den Juden oder den Christen. Fromme und Gottlose glaubten an die Wunder. Man lebte in einer Welt von Wundern und konnte der Einbildung alle Zügel schießen lassen. Die mündliche Überlieferung war geneigt, diese außerordentlichen Ereignisse zu übertreiben, um ihr außerordentliches Wesen noch zu steigern. Der Boden war für das Aufkommen und die Verbreitung von Legenden ungemein günstig.

Es ist möglich, daß unter den Jesu zugeschriebenen Wundern das eine oder andere durch Übergang von Mund zu Mund, ehe es schriftlich aufgezeichnet wurde, einige Veränderung erlitten hat. Aber ich bin fest überzeugt, daß Jesus durch die Macht seines Wortes eine große Anzahl von außerordentlichen Heilungen vollzogen hat, welche das Volk und Jesus selbst und seine Jünger als Wunder ansahen und worüber uns die Berichte in den Evangelien treu bewahrt sind. Allein — und hierauf möchte ich insbesondere Ihre Aufmerksamkeit lenken — für unsern religiösen Glauben ist die *Geschichtlichkeit* der Tatsachen minder wichtig als deren *Deutung* durch die hl. Schriftsteller.

Wenn man auch nachwiese, daß alle in der Bibel erzählten Tatsachen *geschichtlich* sind, so hätte man damit noch nicht bewiesen, daß sie ihr Dasein einem besonderen und wunderbaren Eingreifen Gottes verdanken. In gewissen Fällen kann die Wissenschaft die *Tatsächlichkeit* einer außerordentlichen Erscheinung aufs klarste beweisen; aber hier hört der Beweis auf; er kann nicht weitergehen; es ist unmöglich zu zeigen, daß diese außerordentliche Erscheinung einem übernatürlichen göttlichen Handeln zu verdanken, daß sie nicht die Wirkung einer natürlichen Ursache sei. Wir dürfen uns die Unmöglichkeit des Wunderbeweises nicht verhehlen. Wenn in Gegenwart der Professoren der medizinischen Fakultät ein Aussätziger durch ein Wort geheilt würde, so würden dieselben nach den natürlichen Ursachen der Heilung forschen und sich keineswegs gezwungen sehen, in diesem Ereignis den Finger Gottes zu erkennen. Man beobachtet bei den indischen Fakirs ganz außerordentliche, unerklärliche Dinge, deren Rätsel unsere christlichen Missionare zu lösen suchen, in welchen sie aber trotz ihres wunderbaren Charakters durchaus keine übernatürlichen Erscheinungen sehen wollen.

Deshalb sage ich, daß für uns vom *religiösen* Gesichtspunkt aus nicht die Tatsache selber, sondern ihre Deutung das wichtigste ist. Mag der Wunderbericht wahr oder sagenhaft sein — wenn der Erzähler daran geglaubt hat, so hat sein *Glaube* einen Wert für sich, nämlich einen religiösen Wert[25].

Es handelt sich also hier mehr um eine psychologische als um eine historische Untersuchung. Wir haben weniger die Wundertaten an und für sich, als den Glauben der hl. Schriftsteller in ihrer Auffassung dieser Tatsachen zu studieren. In diesem Glauben lebt die religiöse Wahrheit. In ihm enthüllt uns Gott seine verborgene, geheimnisvolle Tätigkeit in der Welt. Und in diesem Gedankenkreis ist das Zeugnis Christi für uns die höchste Offenbarung der Wahrheit.

Hier, meine Herren, befinden wir uns nicht mehr auf dem Gebiet der Wissenschaft, sondern auf sittlich-religiösem Gebiet, auf dem Gebiet des Glaubens, der innersten Überzeugung, die ihren Ursprung in einem inneren, unmittelbaren Zeugnis hat, in dem Zeugnis des Gewissens, des religiösen Bewußtseins. Und dieses Zeugnis führen wir auf die Tätigkeit des im Menschengeiste wirkenden Geistes Gottes zurück. Das inwendige

---

[25] Der Glaube des Kindes, von dem wir unten reden werden, hat einen eigenen, von der Geschichtlichkeit des Berichtes, den es gelesen und von dem es einen tiefen Eindruck empfangen hatte, unabhängigen Wert. Wir können nicht Gewicht genug auf diese Erwägung legen.

Zeugnis des Hl. Geistes ist der letzte Grund unseres Glaubens. Es ist die
Norm unseres Urteils in religiösen Dingen. Es führt uns durch eine geheimnisvolle Anziehungskraft zu Jesus Christus, dessen heilige Persönlichkeit als die vollkommene Offenbarung Gottes auf Erden erscheint.
Christi Denken, Fühlen, Glauben, sein Leben, Leiden und Sterben enthüllt uns das Herz Gottes. Sein Wort ist für uns Gottes Wort.

Was lehrt er uns denn? Er lehrt uns beten: „Vater unser, der du bist im
Himmel." Vater unser, der du bist im Himmel! Was ist der Sinn dieser
Worte? Ich kenne keine schönere Erklärung als die im Kleinen Katechismus Luthers: „Gott will uns damit locken, daß wir glauben sollen, er sei
unser rechter Vater und wir seine rechten Kinder, auf daß wir getrost und
mit aller Zuversicht ihn bitten sollen, wie die lieben Kinder ihren lieben
Vater."

Wie weit sind wir da entfernt von den herzlosen Gesetzen der Natur!
Wir leben in der Familie, im Kreis freier und persönlicher Beziehungen,
in den gemütvollen Verhältnissen von Vater und Kindern. Ich habe mich
hier nicht mit den Deterministen auseinanderzusetzen, für welche Wille,
Freiheit, Liebe nur leere Worte, das mechanische und chemische Erzeugnis von Kraft und Stoff sind. Ich rede zu Vätern und Kindern, welche
wissen, was das Familienleben ist, und glauben, daß, wenn wir einander
lieben, wenn wir uns erfreuen und auch zuweilen uns betrüben, wir doch
nicht die Opfer einer Täuschung sind. Nun wohl, durch diese Vergleichung Gottes mit einem Familienvater lehrt uns Jesus, was das Wunder
ist.

„Bittet", sagt er, „so wird euch gegeben." Das Wunder ist die Erhörung des Gebets. Und diese Erhörung erfolgt ohne irgendeine Verletzung
der Naturgesetze.

Ich verwechsle das Wunder nicht mit der Vorsehung. Ein Familienvater sorgt für seine Kinder, ohne daß sie ihn bitten. Das Kind würde sehr
unglücklich sein, wenn es nur das hätte, um was es gebeten hat. Gerade
so verhält es sich bei Gott. „Der himmlische Vater", sagt Jesus, „weiß,
was ihr bedürfet, ehe ihr ihn bittet ... Kauft man nicht zween Sperlinge
um einen Pfennig? Noch fällt derselben keiner auf die Erde ohne euren
Vater. Nun sind auch eure Haare auf dem Haupte alle gezählet."[26] Das
ist die heilige, väterliche Vorsehung Gottes. Man kann sie, wenn man will,

---

[26] Matth. 6,8—32; 10,29—30; Luk. 12,22—31.

als wunderbar bezeichnen; aber sie ist kein Wunder im biblischen Sinne des Wortes.

Das Seitenstück zum Wunder müssen wir in einem anderen Erfahrungsgebiet des gesellschaftlichen Lebens suchen. Ich bin Familienvater. Es kommt häufig vor, daß meine Kinder mich um einen Gegenstand bitten, den ich ihnen auf ihre Bitte gewähre, ihnen aber sicher nicht gegeben haben würde, wenn sie mich nicht darum gebeten hätten. Hier haben wir es also nicht mehr mit dem Gedanken der Vorsehung zu tun, sondern mit dem eines speziellen, von dem regelmäßigen, normalen Gang der Dinge verschiedenen Handelns. Das ist der Begriff des Wunders.

Ein Determinist, welcher das Leben nur als eine unveränderliche Kette von Ursachen und Wirkungen ansieht, wird Ihnen ohne Vorbehalt zugeben, daß das Eingreifen eines freien Willens in diese unvermeidliche Entwicklung tatsächlich ein Wunder, *das Wunder* im eigentlichsten Sinn wäre. Wohlan, wir, die wir auf das Zeugnis unseres Gewissens hin an die Freiheit glauben, vollziehen täglich dieses Wunder und zwar eben damit, daß wir uns die Naturgesetze nutzbar machen. Diese Gesetze treten in den Dienst unseres Willens.

Und der himmlische Vater sollte diese Macht nicht haben? Er sollte weniger frei sein, als irgendein Mensch auf Erden! Er sollte entweder nicht imstande sein, uns unsere Bitte zu gewähren, oder gezwungen sein, die Naturgesetze zu verletzen, um uns zu willfahren!

Aber was sind denn diese Gesetze anderes, als der Ausdruck seines Willens? Es ist eine sonderbare Art, Gott zu begreifen, wenn man ihm eine fremde Macht, Natur genannt, und unabhängige Wesenheiten, Gesetze geheißen, gegenüberstellt. Der wahre lebendige Gott ist nicht nur der Herr der Natur und ihrer Gesetze; das ganze Weltall ist nichts anderes, als der Ausdruck seines Willens; und wenn die Wissenschaft gebührendermaßen den unveränderlichen Charakter eines Gesetzes festgestellt hat, so schließen wir mit Recht, daß Gott die Unverletzlichkeit dieses Gesetzes will und es selbst nicht bricht. Er handelt nicht im Widerspruch mit seinem eigenen Willen. Darum bestreiten wir grundsätzlich die Möglichkeit eines den Naturgesetzen widersprechenden Geschehens.

Nichtsdestoweniger glauben wir an das Wunder, und zwar ebenso fest wie die hl. Schriftsteller; aber wir erklären es uns anders. Für die Alten ist das Wunder ein Eingriff Gottes in den *natürlichen* Lauf der Dinge; für die Alten ist es ein freier, göttlicher, den Naturgesetzen *zuwiderlaufender* Akt; für uns ist es eine freie, göttliche, den Naturgesetzen *gemäße* Tat[27].

Anstatt das Wunder zu zerstören, wie es gewisse Apologeten tun, indem sie es seines wunderbaren Charakters zu entkleiden sich bestreben, verkündigen wir laut und freudig unsern Glauben an das Wunder; wir betonen scharf die freie Tätigkeit Gottes und die Erhörung des Gebets und bekämpfen entschlossen den Determinismus, der unser Leben in seinem geist- und herzlosen Triebwerk zermalmen möchte.

Was aber die Naturgesetze selbst betrifft, so haben wir die alberne Anmaßung nicht, sie alle zu kennen. Die Möglichkeit von Tatsachen, die von uns verborgenen Gesetzen herrühren, geben wir vollkommen zu und bezweifeln nicht, daß solche im Grund natürliche, aber nach dem jetzigen Stand unserer Kenntnisse unerklärliche Ereignisse ehemals vorgekommen sind, wie solche noch heute vorkommen. Darum sind wir sehr zurückhaltend in unserem Urteil über gewisse Wundererzählungen, so auffallend sie uns auch erscheinen mögen. Aber wenn sich einmal ein Gesetz vor unserem wissenschaftlichen Gewissen mit schlechtweg unveränderlichem Charakter bezeugt hat, wie das z. B. der Fall ist bei dem schon früher erwähnten Gesetz in bezug auf die Richtung des Schattens der Körper, da glauben wir nicht, daß dieses Gesetz jemals verletzt worden sei oder heute verletzt werden könne, weil eine solche Verletzung dem Willen Gottes widerspräche[28].

In diesem Punkt bin ich, was mich betrifft, durchaus ebenso entschieden als irgendein Professor der Naturwissenschaft. Ich glaube, daß unsere

---

[27] Wenn die Erhörung des Gebets sich auf eine einfache und natürliche Weise vollzog, so nannte man sie, wie auch wir, eine Erhörung. Wenn sie sich aber auf außerordentliche, wunderbare Weise vollzog, gab man ihr den Namen eines Wunders. Wir machen noch heute in der uns geläufigen Sprache dieselbe Unterscheidung; aber wir glauben, daß Gott gleicherweise in diesem und in jenem Falle handelt.

[28] Der unveränderliche Charakter der Naturgesetze ist besungen im 148. Psalm, V. 1—6. Herr Segond übersetzt V. 6: «Il a donné des lois et il ne les violera point.» Vielleicht muß man das Subjekt im letzten Satz in unbestimmtem Sinne verstehen: „Es gab Gesetze und man wird sie nicht verletzen", oder: „und niemand verletzt sie", d. h., sie sind unverletzlich. Der Gedanke der Unverletzlichkeit der Schöpfungsordnung bleibt derselbe bei allen drei Übersetzungen. (E. Kautzsch: „Er gab ein Gesetz; das überschreiten sie nicht.")

Theologie mit keinem andern Vorbehalt, als dem der Männer der Naturwissenschaft selber, die Prinzipien annehmen muß, welche die Ehre und die Macht der modernen Wissenschaft ausmachen. Einen protestantischen Theologen sollte man auch nicht im entferntesten im Verdacht haben können, irgendein verborgenes Mißtrauen gegen die exakten Naturwissenschaften zu hegen und heimlich auf dem Kriegsfuß mit ihnen zu leben.

Wir halten der Naturwissenschaft eine ebenso freie, ehrliche, offene Aufnahme bereit, wie nur ihre überzeugtesten Vorkämpfer. Der Gegensatz, welchen die alte Orthodoxie zwischen Glauben und Wissen aufgestellt hat, ist mehr als ein Unglück; unter dem Schein der Frömmigkeit ist er eine schädliche Lehre, welche manche religiöse Gemüter vom Evangelium wegtreibt, die sehr geneigt wären, sich demselben anzuschließen, aber sich dafür nicht entscheiden können, weil man von ihnen im Namen des Evangeliums die Verleugnung wissenschaftlicher Überzeugungen fordert, deren Wahrheit sich ihrem Denken unwiderstehlich aufgedrängt hat[29].

Fanden sich die Propheten, Jesus Christus und die Apostel im Zwiespalt mit der Wissenschaft ihrer Zeit? Keineswegs. Wir finden in der Hl. Schrift nicht die geringste Spur eines ähnlichen Widerspruchs. Sie haben die geläufigen wissenschaftlichen Ansichten ihrer Zeit angenommen, ohne daran zu denken, sie zu bekämpfen. Ihr Wunderbegriff ist der ihrer Zeitgenossen.

Erst die spätere Theologie hat den Konflikt geschaffen. Und die moderne Orthodoxie einerseits und der moderne Liberalismus andererseits haben diesen Konflikt auf die Spitze getrieben, die Orthodoxie, indem sie die Rechte der Wissenschaft, der Liberalismus, indem er die Rechte des Glaubens verkannte.

Meines Erachtens hat der Rationalismus und der Liberalismus in den Verhandlungen über das Wunder oder, wie man lieber sagt, über das

---

[29] Wenn wir diesen Standpunkt einnehmen, so geschieht es nicht etwa aus *diplomatischen* Gründen, um durch irgendwelche Zugeständnisse Fernerstehende heranzuziehen, sondern einzig und allein aus *Gewissensgründen,* weil wir von der Wahrheit unserer Auffassung überzeugt sind. Und wenn wir hoffen, Fernerstehende zu gewinnen, so wollen wir ihnen nicht die Buße ersparen oder den wahren Glauben durch Abschwächung leichter machen, sondern Irrtümer hinwegräumen, welche dem Worte Gottes den Zugang zu ihrem gesamten Geistesleben versperren.

Übernatürliche eine noch unheilvollere Rolle gespielt als die Orthodoxie. Anstatt den religiösen Glauben der hl. Schriftsteller zu studieren und in seiner Tiefe zu erfassen, anstatt sich Mühe zu geben, ihn unter seiner zufälligen, historischen Form zu verstehen, um seine heilsame, lebenschaffende Wahrheit zu erhalten und zu verbreiten, haben die alten Liberalen eine unverständige und bisweilen ungemein profane Polemik gegen die biblischen Wunder getrieben, und es wurde ihnen leicht, eine gewisse Anzahl derselben ins Lächerliche zu ziehen und dadurch auch die andern in Mißkredit zu bringen. Diese Polemik ist von religiösem Gesichtspunkt aus eine der unheilvollsten, die ich kenne. Man hat mit Recht manchem Vertreter dieser Richtung vorwerfen können, daß er an der Zerstörung des Glaubens in den Seelen arbeite. Wie die Orthodoxie mit ihrer unwissenschaftlichen Tendenz die Männer der Wissenschaft zurückstieß, so stieß der Liberalismus mit seiner spottsüchtigen Kritik die Männer des Glaubens zurück.

Was aber die Vermittlungstheologen anbelangt, welche das richtige Gefühl für die Irrtümer der Rechten und der Linken hatten, so gingen sie nur zögernd voran, mehr oder weniger empirisch ihren Weg suchend, um die Extreme zu meiden, aber ohne sich selber und andere mit Sicherheit leiten zu können; denn es fehlte ihnen an einem Prinzip, das ihnen deutlich ihren Weg zu zeigen vermöchte.

Nun, meine Herren, glaube ich, daß unsere moderne Theologie dieses Prinzip, diesen Kompaß gefunden hat, welcher uns die wahre Richtung anzeigt und uns zwischen den Klippen hindurch sicher zum Ziele führt. Sie erkennt ebensosehr der Wissenschaft als dem Glauben ihren eigentümlichen Charakter zu und sie weist beiden ihren richtigen Platz an. Sie erklärt sich für die Selbständigkeit der Wissenschaft und deren absolute Unabhängigkeit von der Bibel; und sie fordert für den Glauben eine ebenso völlige Unabhängigkeit von der Wissenschaft. Sie glaubt an die Unveränderlichkeit der Naturgesetze und weist jede Lehre zurück, welche im Namen der Religion der Verletzung dieser Gesetze predigt; und sie glaubt an die Vaterschaft Gottes und weist jede Lehre zurück, die im Namen der Wissenschaft die göttliche Vorsehung und die Erhörung des Gebets leugnet. Und die Einheit dieses doppelten Prinzips findet sie im Glauben an den wahren, lebendigen Gott, der seinen Willen ebensosehr in den Naturgesetzen als in den Gnadenerweisungen zum Ausdruck bringt, welche er seinen Kindern zuteil werden läßt.

Ich kann es mir nicht versagen, an das sinnreiche Bild zu erinnern, worin Herr Professor *Sabatier* diese doppelte Wahrheit, die der wissenschaftlichen Gesetze und die des religiösen Glaubens, ausgedrückt und uns sozusagen vor Augen gemalt hat. Er vergleicht sie mit zwei Säulen, die sich in einer Kathedrale erheben und am Gipfel zu einem Spitzbogen sich vereinigen. Die eine dieser Säulen ist die Wissenschaft, die andere der Glaube. An ihrer Basis scheinen sie schlechterdings unabhängig von einander zu sein; sie steigen parallel ohne augenscheinlichen Zusammenhang empor und doch treffen sie im Gipfel zusammen, in Gott[30].

[30] August Sabatier, Essai d'une théorie critique de la connaissance religieuse, p. 14—15. Lausanne, Bridel 1893. Auszug aus der › Revue de théologie et de philosophie ‹, Juni 1893, S. 208—209. Vgl. auch › Revue chrétienne ‹ 1893, S. 264, 265: „In unserem Gottesbewußtsein versöhnen sich, mindestens in Hoffnung, das Selbstbewußtsein und das Weltbewußtsein, welche jetzt widereinanderstehen. Der Glaube des religiösen Gemüts an die Wahrheit seines eigenen Zeugnisses erlaubt uns, die Lösung dieses Widerspruchs vorauszusehen und die Überzeugung auszusprechen, daß die Wissenschaft und die Sittlichkeit, wenn sie zur Vollkommenheit gelangt sind, sich in ewiger Harmonie vereinigen. So schaut der Glaube die schon in Gott vorhandene Einheit der theoretischen und praktischen Vernunft, welche hienieden sich entwickeln unter dem Scheine, sich niemals vereinigen zu können... Die Menschheit in ihrer Geistestätigkeit arbeitet am Bau einer Kathedrale, deren zwei Hauptsäulen die Wissenschaft und die Frömmigkeit sind. Beide steigen allmählich vom Boden auf und erheben sich parallel in die Lüfte. Unter den Arbeitern, die an diesem göttlichen Werke beschäftigt sind, werden die einen unmutig und zweifeln daran, ob sie jemals zusammentreffen und das gewünschte Gewölbe bilden können. Andere sind ungeduldig und bemühen sich, die geraden Linien des Baues zu biegen. Aber ihre trügerische Arbeit bricht zusammen, weil sie den strengen, geheimnisvollen Plan des unsichtbaren Baumeisters verletzt. Der wahrhaft gläubige Arbeiter ist demütig; er hütet sich vor der Ungeduld, welche uns mißtrauisch, und vor der Entmutigung, die uns feige macht. Er lebt im Glauben und nicht im Schauen. Er arbeitet am Weiterbau der beiden Säulen seines inneren Lebens, indem er sich treu an die vorgeschriebenen Regeln hält; denn er weiß, daß seine Aufgabe nicht ist, die zwei Säulen vor der bestimmten Zeit willkürlich zu vereinigen, sondern daß er gewissenhaft Stein auf Stein zu mauern hat, um also den Bau immer höher, fester und aufrechter zu führen. Nur derjenige dient in Wahrheit der Wissenschaft, welcher die Gesetze der wissenschaftlichen Forschung mit aller Strenge handhabt; und ebenso kommen wir nur dann in unserem geistlichen Leben vorwärts, wenn wir dem idealen Gesetz des Gewissens mit Entschiedenheit Folge leisten."

Da haben wir, meine Herren, ein klares und bestimmtes Prinzip, welches sowohl unserem wissenschaftlichen Denken als auch unserem religiösen Bewußtsein Genüge leistet und uns den Frieden im Leben und die Freude in unseren theologischen Studien gibt.

Vermöge dieses Prinzips fühle ich mich in voller Geistesgemeinschaft mit Jesu Christo. Sein Gott ist mein Gott, sein Vater ist mein Vater. Ich verehre ihn, wie er ihn verehrt hat; ich rufe ihn an, wie er ihn angerufen hat; ich vertraue auf ihn, wie er sein ganzes Vertrauen auf ihn gesetzt hat. „Vater", sagt er, „ich danke dir, daß du mich erhört hast; ich weiß, daß du mich allezeit erhörst." In seinem Kampf in Gethsemane ruft er aus: „Vater, ist's möglich, so gehe dieser Kelch von mir; doch nicht mein, sondern dein Wille geschehe"; und am Kreuz, da er seinen letzten Seufzer ausstößt: „Vater, ich befehle meinen Geist in deine Hände" (Joh. 11, 41f.; Matth. 26,39; Luk. 22,42; 23,46).

Das ist der Glaube Christi an die Vaterschaft Gottes. Das ist auch mein Glaube, oder um mich genauer auszudrücken, das ist der ideale Glaube, nach dem ich strebe, den ich aber in meiner Schwachheit und zu meiner Kümmernis nur in sehr unvollkommener Weise verwirklichen kann. Es ist das Ziel, das ich verfolge, weil ich die Überzeugung habe, daß er die Wahrheit ist.

Diese Überzeugung wirft für mich ein Licht auf alle Schriften des Alten und Neuen Testaments. Ich bewundere den Glauben der Patriarchen an die Allmacht Gottes, den Glauben Moses an die Hilfe des Herrn, den Glauben der Propheten an den endlichen Triumph der Wahrheit und Gerechtigkeit. Ich lese mit Rührung die herrlichen Psalmen, welche mitten in der Bedrängnis von ihrem unerschütterlichen Glauben an die Rettung singen. Und wenn ich die heilige Wirksamkeit Christi und seiner Apostel betrachte, ihre volle Hingabe an den Willen Gottes, ihr Leben mit Gott und in Gott, so fühle ich mich selber emporgehoben zu dem Herzen des himmlischen Vaters und lerne zu ihm sprechen: „Mein Vater." Ich richte diese Worte an ihn mit dem Vertrauen und der Liebe und zugleich mit der Furcht und Ehrerbietung, womit ich zu dem, den Gott mir gegeben hatte, um meine ersten Schritte auf dieser Erde zu leiten, „lieber Vater" sagte.

Dann verstehe ich, was es um die Vorsehung und das Wunder ist, welche im Grunde nur zwei Seiten derselben Tätigkeit sind. Ich weiß aus Erfahrung, daß ein Kind sehr oft seinen Vater um etwas bittet, das derselbe ihm auch ohne Bitten gegeben hätte. Man könnte sagen, daß hier Vorsehung und Wunder zusammentreffen. Ein andermal verweigert der Vater seinem Kind trotz Bitten und Tränen etwas, was er in seiner Weisheit ihm nicht gewähren darf. Hier lernen wir die Ergebung. Wir sehen auch das Wunder, das durch das Anhalten am Gebete bewirkt wird und wovon wir ein rührendes Beispiel in der Geschichte des kananäischen Weibes haben, deren Tochter Jesus erst nach dreimaliger Weigerung geheilt hat. Diese Geschichte wiederholt sich in jeder Familie. Was mich endlich tröstet, wenn ich in meinem Gebet mich ungeschickt und unzutreffend ausdrücke, wenn ich stammle, ist, daß der himmlische Vater mich dennoch versteht, wie eine Mutter ihr Kindlein versteht und seine Wünsche in einem Seufzer, in einer Träne, in einem bittenden Blick errät. So sieht auch Gott nicht auf die Richtigkeit der Formel, sondern auf das innere Sehnen des Herzens. Überall erklärt uns das menschliche Vaterverhältnis das Vaterverhältnis Gottes und Gottes Väterlichkeit spiegelt sich in der menschlichen ab.

Dann erscheint uns das Wunder, die Erhörung auf einmal als etwas Natürliches, als eine elementare religiöse Wahrheit. Und das ist sie auch in der Tat. Sie ist eine Grundwahrheit, ein religiöses Axiom, ohne das die Religion nicht mehr Wahrheit hat, als die Astronomie ohne die Gesetze der Gravitation. Das Gebet, sagt man, ist das Wesen der Religion. Und man hat nicht Unrecht. Aber was wäre das Gebet des Menschen ohne die Antwort Gottes! Eine bloße Täuschung. Die Antwort Gottes aber ist das Wunder.

Darum bete ich mit Jesus: „Gib uns heute unser täglich Brot." Und obgleich ich weiß, wie das Getreide auf dem Feld gebaut und das Brot beim Bäcker bereitet wird, so glaube ich doch, daß Gott es ist, der Tag für Tag mir mein Stück Brot auf den Tisch legt; meine wissenschaftlichen Kenntnisse beeinträchtigen in keiner Weise mein Glaubensgebet[31]. Ich bitte

---

[31] Ein kirchliches Blatt aus dem Elsaß erzählt unter dem Titel › Die Raben des Elia ‹ eine rührende Geschichte, welche es mit dem Wunder vergleicht, das dem Propheten Elia widerfuhr, als Raben morgens und abends kamen, um ihm Brot und Fleisch zu bringen (1 Kön. 17,2—6). Es ist die Geschichte einer armen Witwe, die eines Abends mit ihren vier Kindern ohne Brot war. Die Mutter, eine fromme Frau, flehte Gott inbrünstig um Hilfe an. „Mama", sagte das älteste der Kinder, ein kleiner Junge von acht Jahren, „ich habe in der Bibel gelesen, daß Gott einem frommen Mann einen Raben sandte, um ihm Brot zu bringen. Ich will die Türe

Gott, meine Mahlzeiten zu segnen, ohne irgendwie die Gesetze der Physiologie zu bestreiten. Ich bitte ihn, mich und die Meinigen zu behüten, mir, wenn ich krank bin, die Gesundheit wieder zu schenken, meine Arbeiten zu segnen und auch jetzt seinen Segen auf diese Vorlesung zu legen.

Indem ich so bete und Gott meinen Dank für seine Erhörung ausspreche, habe ich die innerste Überzeugung, im religiösen Leben der Propheten, Jesu Christi und der Apostel zu stehen. Das ist der wahre Sinn des Glaubens an die Wunder. Und indem ich diese Lehre in meinem Unterricht vortrage, kann ich mit gutem Gewissen sagen, daß ich die in der Hl. Schrift geoffenbarte Wahrheit mit voller Treue vertrete.

Nachträge

I[32]

Wie alle wissenschaftlichen Studien bedarf eine theologische Studie einer festen Grundlage, worauf sie sich sicher stützen kann. Den mir bekannten älteren und neueren Arbeiten über den biblischen Wunderbegriff scheint mir eine solche Grundlage zu fehlen. Die Verfasser derselben legen ihren Erörterungen das Wunder selbst, sei's als Erscheinung, sei's als Bericht, zugrunde, und ihre Apologetik oder Kritik geht von diesem

öffnen, damit die Raben hereinkommen können." Indem er dies sagte, öffnete er weit die Türe der Hütte. Einige Augenblicke hernach ging der Bürgermeister vorbei. Als er die Türe so spät geöffnet sah, fiel es ihm auf und er ging in die Stube, wo er sich von dem Jammer der armen Familie überzeugen konnte. Er ließ ihr zwei Laibe Brot und einen Topf Butter bringen. Nachdem der Kleine sein Butterbrot mit ausgezeichnetem Appetit gegessen, wandte er sich zur Türe zurück, öffnete sie und zog, zum Himmel blickend, seine Mütze mit den Worten: „Vielen Dank, mein lieber Herr und Gott!" Dann schloß er die Türe wieder zu und kehrte zu seiner Mutter zurück. (Evangelisch-lutherischer Friedensbote aus Elsaß-Lothringen, 9. Sept. 1894, S. 383.) — Das ist auch *meine* Auffassung vom Wunder und in anderer Form danke ich Gott wie dieser kleine Knabe.

[32] Auszug aus der Einleitung in die Debatten, welche in der „Theologischen Gesellschaft" der Pariser evangelischen Geistlichen, am 18. Dez. 1894 und am 15. Jan. stattgefunden haben.

Standpunkt aus. Dieser Basis fehlt es aber sowohl zum Angriff als zur Verteidigung an der erforderlichen Festigkeit.

Nur wer an die wörtliche Inspiration der Bibel glaubt, kann ohne Nachteil diesen Standpunkt einnehmen. Da nach seiner Ansicht die Wunderberichte von Gott selbst den biblischen Schriftstellern eingegeben worden sind, so steht deren Wahrheit für ihn außer Zweifel, und er kann sie seinen Erörterungen als sichere Tatsachen zugrunde legen.

Ganz anders liegen die Dinge für den Theologen, der diese Theorie verwirft und somit die Rechte der historischen Kritik anerkennt. Mag er auch noch so konservativ in seiner Kritik sein, so enthält doch die Bibel für ihn eine Anzahl von Wundergeschichten, deren Ursprung und Verfasser ihm unbekannt sind, und deren Wahrheit somit nicht über allen Zweifel erhaben sein kann. Hier bedarf der Wunderbericht selber einer Grundlage, um sich als wahr zu erweisen, und kann daher der Beweisführung nicht als Basis dienen. Jeder Theologe, der ein wenig Kritik getrieben hat, wird dies ohne weiteres zugeben.

Nun hatte ich aber für meine Arbeit eine durchaus unerschütterliche Grundlage nötig, deren geschichtlichen Wert niemand in Zweifel ziehen konnte. Und diese Grundlage habe ich im *Glauben* der Verfasser, in ihrem Wunderglauben gefunden.

Dieser Glaube tritt uns unmittelbar in ihren Schriften entgegen. Alle biblischen Bücher, von wem sie auch herrühren mögen, lehren uns zweifellos die Anschauungen ihrer Verfasser kennen. Da kommen die kritischen Einleitungsfragen nicht in Betracht. Wir können die Hl. Schrift so nehmen, wie sie uns überliefert worden ist. Jedes Buch offenbart uns den Glauben seines Verfassers. Da haben wir eine Basis von unstreitigem historischem Wert.

Von dieser Basis ausgehend tat ich einen zweiten Schritt. Ich unterscheide scharf zwischen dem *Glauben* an ein Wunder und diesem *Wunder* selber, zwischen der subjektiven Überzeugung und dem objektiven Sachverhalt, zwischen einer wunderbaren Erscheinung (oder dem Bericht davon) und unserer Deutung derselben. So gewinnt der *persönliche Glaube* des Verfassers einen von der Geschichtlichkeit seines Wunderberichts *unabhängigen Wert*.

Nachdem ich so den historisch ganz sicher nachzuweisenden Glauben des Verfassers von den von ihm berichteten und nicht über allen Zweifeln erhabenen wunderbaren Ereignissen unterschieden, machte ich diesen

Glauben zum Gegenstand einer psychologischen Studie und entdeckte in demselben das, was das Wesen des biblischen Wunderglaubens bildet, nämlich den Glauben an die *Vaterschaft Gottes* und an die *Erhörung des Gebets*. Dieser Glaube drückt für mich das innere Zeugnis des Hl. Geistes aus und ist somit die Offenbarung der Wahrheit.

So hat mich eine zuerst historische, dann psychologische und endlich religiöse Studie zu dem Satze geführt, welcher den Schluß meiner Abhandlung bildet: das Wunder ist die Erhörung des Gebets.

Ich bin fest überzeugt, daß Gott heute noch ganz ebenso wie vor achtzehn Jahrhunderten in der Welt zu wirken fortfährt und daß die Periode der Wunder nicht abgeschlossen ist, wie gewisse Theologen es sich einbilden. Wenn die Erhörung des Gebets in merkwürdiger, auffallender, außergewöhnlicher Weise stattfindet, so nennen wir sie auch heute noch ein *Wunder;* wenn sie in einfacher Weise erfolgt, so nennen wir sie eine *Gebetserhöhung;* aber wir sind überzeugt, daß Gott in beiden Fällen gleicher Weise wirkt und daß er nichts gegen seinen eigenen Willen, das heißt nichts gegen die seinen Willen ausdrückenden Naturgesetze tut.

Den *Grundgedanken* des biblischen Wunders halte ich also unerschütterlich fest. Ich scheide nur von dem zeitgeschichtlichen, biblischen Wunderbegriff das Nebensächliche, Zufällige, nicht zum Wesen des Wunders Gehörige aus, nämlich die Art, wie man zu einer Zeit, wo die Naturgesetze nur sehr dürftig bekannt waren, das Wirken Gottes in den Naturerscheinungen sich vorstellte. Heute, wo die Wissenschaft aufgrund der Unwandelbarkeit der Naturgesetze ihre uns in Staunen setzenden Fortschritte gemacht hat, können wir nicht mehr bei den unklaren, unentwickelten, mangelhaften wissenschaftlichen Vorstellungen der alten Juden, Christen und Heiden stehenbleiben. Wir müssen die Errungenschaften der modernen Wissenschaft frei und offen, ohne jeden Rückhalt annehmen. Hingegen müssen wir mit der größten Entschiedenheit und mit heiligem Eifer den *religiösen Glauben* der biblischen Schriftsteller, ihren Glauben an die Vaterschaft Gottes und an die Erhörung des Gebets festhalten. Nur aufgrund dieser Unterscheidung können wir mit den Erzvätern und Propheten, mit Jesu Christo und den Aposteln, mit den Gottesmännern des Mittelalters und den Reformatoren in eine wahre lebendige Gemeinschaft eintreten; nur von diesem Gesichtspunkt aus bildet der Unterschied zwischen ihrer und unserer Weltanschauung keine Scheidewand mehr zwischen uns. Wir fühlen uns mit ihnen *ein* Herz und *eine* Seele.

Das sind die Hauptsätze, die ich in meiner Vorlesung vorgetragen und verteidigt habe, und ich bin überzeugt, daß dieselben nicht nur den wahren, evangelischen Glauben nicht erschüttern, sondern daß sie ihm vielmehr in den Herzen Eingang verschaffen und ihn gegen die Angriffe des grundlos auf die Wissenschaft pochenden Unglaubens sicher stellen.

II. Die Bibel und das Wunder[33]

Im biblischen Wunderglauben unterscheide ich zwei Elemente, ein göttliches und ein weltliches. Das göttliche ist der Glaube an die Erhörung des Gebets. Das weltliche ist die Art und Weise, wie sich jeder biblische Schriftsteller diese Erhörung vorstellte.

Nun bekenne ich rückhaltlos in meiner Vorlesung meinen Glauben an die Erhörung des Gebetes, das heißt an ein unmittelbares Eingreifen Gottes in die Ereignisse unseres Lebens als Antwort auf das Gebet der Gläubigen. Dieses göttliche Eingreifen unterscheide ich ausdrücklich von der regelmäßigen Tätigkeit Gottes in der Vorsehung. Hierin besteht der religiöse Kern des biblischen Wunderglaubens. Und indem ich denselben entschieden festhalte, bin ich überzeugt, der innersten Herzensrichtung der Propheten, Jesu Christi und der Apostel treu zu sein.

Was nun aber die Vorstellung anlangt betreffs der Art und Weise, wie die Gebetserhörung sich verwirklicht, fühle ich mich nicht durch die Anschauungen gebunden, welche die biblischen Schriftsteller zu einer Zeit haben konnten, wo die Naturgesetze noch nicht so gründlich erforscht und so streng festgesetzt waren, wie dies heutzutage der Fall ist. Ihre Begriffswelt war von der unseren sehr verschieden. In allen weltlichen Dingen teilten sie die Anschauungen ihrer Zeitgenossen. Die Juden und Heiden, die Frommen und Gottlosen sahen jede außerordentliche Naturerscheinung als ein „Wunder" an, das heißt als ein der gewöhnlichen Naturordnung zuwiderlaufendes Ereignis.

[33] Diese Antwort auf einen Angriff im kirchlichen Blatte ›Le Refuge‹ ist in demselben Blatt (1895, Nr. 2) unter dem Titel ›La Bible et le miracle‹ erschienen.

Heute, da uns die Gesetze der meisten dieser Erscheinungen bekannt sind, können wir in denselben kein Wunder mehr im alten Sinne sehen. Deshalb werden auch die Wunder, wie die Erfahrung uns lehrt, in dem Maße seltener, als wir weiter in der Kenntnis der Naturgesetze voranschreiten[34]. Das bestätigt meine Überzeugung, daß die Naturgesetze der Ausdruck des göttlichen Willens sind und daß unsere Unwissenheit allein daran Schuld ist, wenn wir eine außergewöhnliche Erscheinung nicht zu erklären vermögen[35].

Auf dem religiösen und sittlichen Gebiet waren die hl. Schriftsteller unfehlbar; aber sie waren es nicht auf dem Gebiete der Naturwissenschaften. Und wenn ich in meiner Vorlesung Jesum Christum von dieser Regel nicht ausgenommen habe, so ist es, weil ich glaube, daß in ihm nicht bloß ein göttliches, in allen Dingen des Glaubens durchaus unfehlbares Element war, sondern auch ein wahrhaft menschliches, welches der Unvollkommenheit des menschlichen Wissens in den weltlichen Dingen unterworfen war.

Diesen letzten Punkt betreffend mag man anderer Ansicht sein. Aber indem ich meinen Glauben an die Gebetserhörung und an die absolute Autorität Jesu Christi und der Hl. Schrift auf dem religiösen und sittlichen Gebiet bekenne, glaube ich auf dem festen Boden des Christentums zu stehen und mich treu zu den Grundlehren des Evangeliums zu halten.

[34] An der so merklichen Abnahme der Wundergeschichten hat auch die Erfindung der Buchdruckerkunst einen großen Anteil. Sobald die Ereignisse durch den Druck festgesetzt sind, hat die mündliche Überlieferung ihren freien Spielraum verloren.

[35] Daß Gott absolut frei ist und machen kann, was er will, steht mir außer Zweifel. Er hat ja die Welt geschaffen und kann sie wieder vernichten. Aber die zu erörternde Frage ist nicht: was *kann* Gott machen? sondern: was *will* er machen? Und seinen *Willen* in bezug auf die Natur können wir nur durch Beobachtung der Natur und ihrer Erscheinungen und Gesetze erforschen. Es ist deshalb unrichtig, wenn man mir vorwirft, ich binde Gott an die Naturgesetze. Keineswegs. Diese Gesetze sind in meinen Augen der Ausdruck seines freien Willens. Und wenn ich durch das Studium der Natur zu der Erkenntnis gekommen bin, daß ein Gesetz unwandelbar ist, so schließe ich einfach daraus, daß Gott will, daß es unwandelbar sei. Die Bibel aber ist mir nicht zur Erforschung der Naturgesetze gegeben, sondern zur Erforschung dessen, was zum Heil unserer Seele dient. Und der Gott, der uns in der Bibel entgegentritt und uns seine Heilsgedanken offenbart, ist eben der Gott, dessen Wille sich in den Naturgesetzen kundgibt. Den biblischen Gottesbegriff halte ich gerade damit fest, daß ich, wie die heiligen Schriftsteller, die Naturerscheinungen samt ihren Gesetzen mit dem Willen Gottes identifiziere.

III. Zum biblischen Wunderbegriff[36]

Um den biblischen Wunderbegriff genau zu bestimmen, müssen wir gewisse Unterscheidungen machen, ohne welche man in dieser Frage nicht zur Klarheit kommen kann. So darf man zum Beispiel die *Geschichtlichkeit* der Wundererzählungen nicht mit dem *Wunderglauben* der Schriftsteller, die *Wunder* selber nicht mit den uns davon erhaltenen *Berichten* verwechseln.

Dies ist der Standpunkt, auf den ich mich stellte, als ich sagte, daß zur Erörterung des biblischen Wunderbegriffs ich mich nicht sowohl mit der Geschichtlichkeit der berichteten Wunder, als mit den die Wunder betreffenden Auffassungen der Schriftsteller zu befassen habe. Und ich habe hinzugefügt, daß im religiösen Glauben der Schriftsteller die Gedanken Gottes uns kund werden. Herrr Doumergue hat daraus geschlossen, daß mir die Wahrheit der biblischen Erzählungen gleichgültig ist. Das ist aber keineswegs der Fall. Ich glaube nicht weniger scharf zu verfahren als mein verehrter Herr Kollege, wenn es sich darum handelt, die biblischen Berichte in bezug auf ihre Geschichtlichkeit zu prüfen. Aber diese Prüfung lag außerhalb meines Gegenstandes.

Wenn ich zum Beispiel wissen will, welche Vorstellung der Verfasser des Hebräerbriefs sich von dem Durchgang Israels durch das Rote Meer oder vom Umsturz der Mauern Jerichos machte, so studiere ich zunächst den Hebräerbrief und nicht den Exodus oder das Buch Josua. Die *Vorstellung* von diesen Wundern und deren *Geschichtlichkeit* sind zwei ganz verschiedene Dinge, welche man nicht miteinander verwechseln darf.

Sodann darf man auch ein *Wunder* und den *Bericht* von einem Wunder nicht miteinander verwechseln. Ein Mensch kann fest von der Möglichkeit der Wunder im strengsten Sinne überzeugt sein und doch sich weigern, an eine Wundergeschichte, die man ihm erzählt, zu glauben; er weigert sich, weil der Erzähler ihm wenig Zutrauen einflößt oder weil derselbe die Geschichte von einer unzuverlässigen Überlieferung über-

---

[36] Auszug aus der unter dem Titel › A propos de la notion biblique du miracle ‹ im › Christianisme au XIXe siècle ‹ (1895, Nr. 5 und 6) veröffentlichten Antwort auf die in derselben Kirchenzeitung (Nr. 1, 2 und 4) erschienenen polemischen Artikel von Herrn E. Doumergue, Professor an der evang.-theol. Fakultät zu Montauban, einem Vertreter der reformierten Orthodoxie.

kommen hat. Der streng orthodoxe Professor Carl Bois (aus Montauban) glaubt fest an die Möglichkeit der Wunder, und dennoch hat er freimütig erklärt, daß er nicht „an die Tatsächlichkeit aller in der Bibel erzählten Wunder" glauben könne. Hüten wir uns wohl, den Glauben an die Wundermacht Gottes mit dem Glauben an die Wunderberichte zu identifizieren. Der erste gehört ins religiöse Gebiet und der zweite ins Gebiet der Geschichte.

Deshalb lege ich einen von der Geschichtlichkeit der Wunderberichte unabhängigen Wert auf den *Glauben* an die Wunder. Der Glaube des kleinen Knaben, von welchem ich am Schluß meiner Abhandlung spreche, hat seinen eigenen religiösen Wert, ganz abgesehen von der Wahrheit der Geschichte von den Raben des Elias. Sollte diese Geschichte auch sagenhaft sein, so wäre deshalb der Glaube des Kindes an die Erhörung des Gebets nichtsdestoweniger wahr. Man kann von jedem Theologen fordern, daß er seine Zustimmung zu diesen Unterscheidungen gebe.

Wenn ich von den historischen Fragen absehe und Herrn Doumergues persönlichen Wunderbegriff betrachte, so bemerke ich mit Freuden, daß wir ganz einig sind. Meine beiden Hauptsätze, „das Wunder ist die Erhörung des Gebets, und diese Erhörung erfolgt ohne Verletzung der Naturgesetze", haben seine volle Zustimmung.

Von meiner Auffassung von der Gebetserhörung sagt er: „Dies ist richtig, durchaus richtig. Ich frage mich, was der strengste Orthodoxe daran auszusetzen hätte." Für dies Attest über meine Orthodoxie bin ich meinem verehrten Herrn Kollegen sehr dankbar. Vielleicht wird sein Zeugnis dazu beitragen, mehrere meiner alten Freunde zu beruhigen, welche meine Vorlesung mit großer Besorgnis erfüllt hat.

Es wird ihm wohl weniger leicht werden, dem Satz von der Unwandelbarkeit der Naturgesetze eine günstige Aufnahme bei denselben zu verschaffen. Unmöglich ist es indessen doch nicht. Es gibt nämlich Theologen, deren Ruf als Säulen der Orthodoxie so unerschütterlich fest gegründet ist, daß es ihnen sogar gelingt, ihren Häresien den Stempel der Orthodoxie aufzudrücken. So hat zum Beispiel Herr Professor F. Godet seinen christologischen Häresien eine orthodoxe Beglaubigung verschafft. Ich hege die Hoffnung, daß Herr Doumergue dasselbe Glück mit seinen die Wunder betreffenden Häresien haben wird. Denn eine Häresie ist's freilich, wenn er der überlieferten kirchlichen Anschauung zuwider die

Möglichkeit einer Aufhebung der Naturgesetze leugnet[37]. Im › Christianisme au XIXe siècle ‹ vom 27. April 1894 hat er offen erklärt: „Das Wunder der Aufhebung oder Umkehrung der Naturgesetze lassen wir nicht zu." Und in der Nummer vom 11. Januar wiederholt er: „Es gibt keine den Naturgesetzen zuwiderlaufende Wunder; es kann keine solche geben." Wenn diese häretische, aber wahre Lehre Eingang bei meinen besorgten Freunden fände, so wären Herrn Doumergues Artikel mein Rettungsfloß geworden.

Wie dem auch sei, immerhin bin ich sehr erfreut zu sehen, daß mein Wunderbegriff auch der meines verehrten Herrn Kollegen ist. Und diese dogmatische Übereinstimmung, in welcher unsere Glaubenseinigkeit sich kund tut, ist reichlich genügend, um unseren Gegensatz in der geschichtlichen Auffassung in den Hintergrund treten zu lassen.

Letzteres erwähne ich bloß, um mich nicht dem Schein auszusetzen, als ob ich den Einwänden ausweichen wollte. Ich kann jedoch hier nicht in die Einzelheiten eingehen. Dazu müßte ich über viel mehr Raum verfügen, als ich in diesem Blatte beanspruchen darf.

Die historische Frage ist ungemein verwickelt, und es gibt wohl nicht zwei Theologen, welche in allen Punkten miteinander einig sind. Es handelt sich darum, alles zu erörtern, was sich auf den Ursprung, die Abfassungszeit, die Echtheit, die Textbeschaffenheit der biblischen Bücher bezieht, um ein Urteil über den historischen oder sagenhaften Charakter der oft sehr spät und man weiß nicht immer von wem in der Bibel aufgezeichneten mündlichen Überlieferungen zu gewinnen. Nun sind mir aber Herrn Doumergues Ansichten in dieser Beziehung nahezu unbekannt.

Teilt er zum Beispiel die kritischen Ansichten seines Kollegen, Herrn Bruston, über die Abfassung des Pentateuch? In diesem Fall wird sein Urteil über die in diesem Buch enthaltenen Berichte sehr verschieden von dem Urteil desjenigen lauten, welcher alle Bücher des Pentateuch dem Mose zuschreibt. Und da es außer Zweifel steht, daß Jesus Christus und die Apostel Moses für den Verfasser des Pentateuch gehalten haben, so tritt hier die Frage auf, wie es sich mit der Autorität Jesu in geschichtlichen und literarischen Dingen verhalte.

---

[37] Thomas von Aquino sagt: „Miraculum proprie dicitur cum aliquid fit praeter ordinem naturae." Und nach Quenstedt geschieht ein Wunder, „quando Deus contra ordinem a se institutum operatur".

Hier erweitert sich der Rahmen. Es handelt sich nicht mehr bloß um den Wunderbegriff. Die ganze christliche Theologie ist bei dieser Frage beteiligt. Es gilt den Umfang der Autorität Christi und der Hl. Schrift zu bestimmen. Und diese Kapitalfrage läßt sich nicht mit Worten der Entrüstung oder mit rhetorischen Gemeinplätzen lösen. Sie muß frei und scharf angefaßt werden.

Bis jetzt hat Herr Doumergue immer vermieden, dies zu tun. Er hat eine vorsichtige Zurückhaltung beobachtet. Ich kann es ihm nicht verdenken, denn ich weiß, daß man sich auf einen brennenden Boden wagt. Indessen möchte ich doch gerne wissen, ob mein verehrter Herr Kollege in den *Grundsätzen* mit mir einig ist. Meine Grundsätze habe ich in meiner Vorlesung entwickelt. Ich glaube mit voller und freudiger Überzeugung an die absolute Autorität Jesu Christi und der Hl. Schrift auf dem religiösen und sittlichen Gebiet; aber ich glaube nicht, daß Jesus irgendwelche Autorität auf dem wissenschaftlichen, historischen oder literarischen Gebiet beansprucht hat. Wenn Herr Doumergue diesen Grundsätzen beitritt, so mag unser Urteil in bezug auf die Geschichtlichkeit gewisser biblischen Berichte — etwa der Himmelfahrt Eliä oder der Abfassung des Liedes Jonä im Bauch eines Fisches — auseinandergehen, aber wir vereinigen uns in unserem Glauben an das unmittelbare Eingreifen Gottes in den Gang der Weltgeschichte und in das Leben eines jeden einzelnen. Und das ist die Hauptsache.

Lassen wir ja nicht außer acht, daß kein biblischer Schriftsteller dem Wunderglauben einen Heilswert zugeschrieben oder ihn als eine zur Frömmigkeit gehörige Eigenschaft angesehen hat. Im apostolischen Zeitalter glaubte jedermann, auch die Gottlosen und Spötter, an die Wunder, wie dies jetzt noch bei vielen heidnischen Völkern der Fall ist; und es fiel niemand ein, diesem Glauben einen religiösen Wert beizulegen. So kann er auch heute nicht solch einen Wert haben. Wer den Glauben an alle in der Bibel erzählten Wunder als einen Bestandteil des christlichen Glaubens betrachtet und ihn zur Heilsbedingung macht, der setzt sich in Widerspruch mit der Lehre der Hl. Schrift selbst. Der Glaube, welcher nach der Hl. Schrift uns aus Sünde, Tod und Verdammnis rettet, ist der Glaube an Jesum Christum, die Hingabe des Herzens an Gott, das kindliche Vertrauen auf den himmlischen Vater, der für die Seinen sorgt und ihre Gebete erhört. Dies ist der wahre Heilsglaube.

Was aber die biblischen Wundergeschichten anlangt, so können dieselben eventuell einen apologetischen Wert haben. Es ist dies offenbar ihr Zweck. Aber sobald sie aufgehört haben, diesem Zweck zu entsprechen, so möchte es unklug sein, sich ihrer zu bedienen; und man verkennt völlig ihren Charakter, wenn man einen gläubigen Christen für verpflichtet hält, als ihr Apologet aufzutreten. Die Wunder des Neuen Testaments werden ausdrücklich erzählt, „damit ihr an Jesum Christum glaubet". Wenn wir an Jesum Christum glauben, so haben sie ihren Zweck erreicht. Wenn man die Sätze umkehrt und Jesum Christum predigt, „damit man an die Wunder glaube", so verfährt man gegen die Natur der Dinge und tut der Verbreitung des Evangeliums in bedenkliche Weise Eintrag.

„Wo wird die symbolo-fideistische Schule noch anlangen?" ruft Herr Doumergue anläßlich meiner Vorlesung und einer Arbeit meines Kollegen und Freundes Sabatier aus. Wo sie anlangen wird? Sie ist schon ins Herz der Hl. Schrift hineingedrungen, und da hat sie das Herz Jesu Christi gefunden, welches ihr das Herz Gottes geoffenbart hat. Da ist ihre sichere Ruhestätte; und von da aus ergründet sie getrost und mit gutem Gewissen die biblischen Fragen, in der Überzeugung, daß die historische Wahrheit heiliger ist als ein altherkömmlicher Irrtum und daß, wer sich bemüht, dieselbe zu entdecken, ein segensreiches Werk tut, das der heiligen Aufgabe der Theologie vollkommen entspricht.

Karl Beth, Die Wunder Jesu (= Biblische Zeit- und Streitfragen, II. Serie, 1. Heft). Gr. Lichterfelde-Berlin: Verlag von Edwin Runge ²1914, S. 3—45. [Die erste Auflage erschien 1905.]

DIE WUNDER JESU

Von KARL BETH

I. Unsere Aufgabe

In aller Religion ist das Übernatürliche dasjenige, was den Menschen packt, weil der religiöse Mensch das Übernatürliche packen möchte. Aber eben dies Übernatürliche ist es dann auch wieder, das am ehesten abstößt, sobald es sich in sinnenfälligen Ereignissen aufdrängen will und den Schleier des Geheimnisses ein wenig lüftet. Der religiöse Mensch findet sich auf dem Streitplatz dieser beiden Richtungen seines Wesens: er langt nach dem Übernatürlichen aus und möchte es an sich raffen — so unvollständig empfindet er sich und seine Welt ohne jenes; doch wenn es sich ihm dann zeigt, so wirft ihn der Zweifel hin und her, ob's auch wirklich das echte Übernatürliche ist oder etwa bloß eine Vorspiegelung phantastischer Auffassung.

Die christliche Religion will mich mit dem Übernatürlichen aufs engste verbinden. Sie macht's „kündlich offenbar": Gott im Fleisch. Wie soll die Einigung von irdischer Kreatur und göttlichem Wesen, von Mensch und Gott wirklich werden? So unmöglich möchte sie scheinen wie die Einigung von Wasser und Feuer. Sicherlich, wenn sie geschieht, so geht etwas vor sich, das außer aller Berechnung liegt, etwas ganz Außerordentliches, ein Wunder. Dies Wunder, das sich in jedem echten Christenleben wiederholt, ist an das Personleben Jesu von Nazaret geknüpft, welches — sehen wir von jeder dogmatischen Formulierung ab! — das gottinnige Leben in seiner höchsten Höhenlage repräsentiert. Sein Leben das Urwunder der christlichen Wunder. Vier Evangelien berichten uns über sein Leben, und diese Erzählungen zeigen uns in dem Lebensbild Züge, die das gottmenschliche Sein des Stifters unserer Religion ins Drastisch-Übernatürliche rücken und den Schleier des Geheimnisses heben. Die Evangelien sind mit Berichten über Wunder, die Jesus getan, angefüllt. Da ragt das Übernatürliche massiv-konkret in diese unsere Naturwelt hin-

ein. Auch diesen Wundern gegenüber hat daher der fromme Mensch die
bezeichnete Doppelstellung empfunden. Fürwahr, der, auf den wir unser
Leben gründen, von dem wir nehmen „Gnade um Gnade", darf sich als
Gottesgesandten durch Werke dokumentieren, die niemand sonst verrichten kann. Aber dennoch nein. Will es sich denn mit der reinen Gestalt des Heilandes, der Seelen suchen, Seelen zu Gott führen wollte, rei-
men, wenn er durch äußere Machtwunder in den ordnungsmäßigen
Weltgang eingreift? Steht nicht solch Wundertum auf einem ganz anderen Blatte als die prophetische Heilandstätigkeit? Ist nicht dieser Zug seinem sonst bekannten Wesen so fremd, daß er vielmehr erst nachträglich
von frommer Betrachtung ihm zugeschrieben sein möchte? Und zudem,
sollte das Christentum in diesem Punkte auf derselben Linie sich bewegen, wie die vielen anderen Religionen, in deren Traditionen gleichfalls
den Begründern und den anderen Heroen Wundertaten zugewiesen werden, deren Wirklichkeit unsre Kritik nimmermehr Wort haben will? Die
Religionsgeschichte führt uns einen ungeheuren Stoff von Wunderlegenden zu. Diese Gleichförmigkeit in den religiösen Überlieferungen scheint
zunächst darauf zu deuten, daß menschliches Bedürfnis stets dazu geführt habe, den religiösen Heroen Wundertaten nachzusagen, und daß
es auch mit den Wundern Jesu eben diese Bewandtnis habe.

In der Tat tritt uns die Behauptung sehr häufig entgegen, daß Jesus
keine eigentlichen Wunder verrichtet habe, d. h. keine Handlungen, die
nicht im gewöhnlichen Gange natürlichen Geschehens gelegen haben
können. Man stellt dabei freilich die auffallenden Heilungen, von denen
die Evangelien zu sagen wissen, nicht sämtlich in Frage, läßt sie aber nur
insoweit gelten, als sie in direkter Analogie zu jener Klasse psychisch ge-
wirkter Heilungen stehen, die auch unter uns durch Suggestionstherapie
oder Magnetismus erzielt werden. So erscheinen Heilungen Jesu lediglich
als die durch seine bedeutende Persönlichkeit hervorgerufenen psychi-
schen Beeinflussungen, die um dieses ihres Charakters willen das Prädikat Wunder nicht beanspruchen dürfen. Jedes eigentliche Wunder wird
auf diesem Standpunkte abgelehnt.

Wir wollen nun sehen, ob diese Beurteilung der evangelischen Wunderüberlieferung notwendig ist. Diese Frage fassen wir als eine historische. Man kann gegen die Wirklichkeit jedes nach der Überlieferung von
Jesus verrichteten Wunders entscheiden, ohne schon prinzipiell die Möglichkeit der Wunder überhaupt zu leugnen. Die Frage der Möglichkeit

von Wundern ist also eine ganz andere als diejenige nach der Geschichtlichkeit speziell der Jesuswunder. Aus diesem Grunde halten wir uns für berechtigt, für die hier anzustellende Untersuchung jene prinzipielle Frage nach der Möglichkeit außer acht zu lassen[1]. Wir suchen jetzt die Antwort auf die Frage: *was läßt sich auf Grund historischer Betrachtung der Quellen über die Wirklichkeit der Wunder Jesu sagen?* Diese Frage birgt große Schwierigkeiten. Einmal müßte bei objektiver Benutzung der Quellen fort und fort deren Glaubwürdigkeit zur Sprache kommen. Der bemessene Raum gebietet uns, hierfür auf die Darlegungen von D. Weiß im 3. Heft dieser › Zeit- und Streitfragen ‹ und auf die Ausführungen von D. Barth im 4. Hefte zu verweisen. Zum andern ist das Wunder an sich etwas der historischen Forschung Fremdartiges und fällt aus dem Umkreis der historisch feststellbaren Tatsachen heraus. Die Wunderfrage ist letztlich immer eine prinzipielle und nicht eine historische. Gleichwohl müssen wir an die evangelischen Wunderberichte gerade mit der Absicht *historischer* Klärung herantreten. Nach dem Vorherbemerkten wird es sich um zwei Punkte handeln, die nacheinander zu erörtern sind. Erstens fragt sich, ob es zur Persönlichkeit Jesu gehört, Wundertäter zu sein, ob in seinen Messiasberuf, das Gottesreich zu stiften und den Menschen einen versöhnten Gott zu schenken, wunderbare Handlungen einbegriffen sind und somit durch die Annahme seiner Wunder kein Bruch in seinem Wesen und Leben konstatiert wird. Zweitens aber wird es sich um historische Instanzen für die Wirklichkeit der Wunder Jesu handeln, und dabei werden vor allem die religionsgeschichtlichen Analogien in Betracht kommen, die den Jesuswundern ihre spezifische Stellung und Bedeutung und auch ihre Realität zu rauben scheinen. Da lautet unsre Frage, ob die Wunder Jesu den übrigen Wundern der Religionsgeschichte gegenüber eine eigenartige Stelle einnehmen oder ob sie auf ganz derselben Stufe stehen.

[1] Die Erörterung der prinzipiellen Frage nach der Möglichkeit von Wundern überhaupt ist im 5. Heft der 4. Serie gegeben.

II. Was Jesus über die Bedeutung seiner Wunder sagt

Stehen Jesu Wunder in Einklang mit seinem sonstigen Leben und Wirken? So lautet die erste Frage. Sie wird am zuverlässigsten beantwortet werden, wenn wir die reichlichen Zeugnisse, die der Herr selbst über seine Wunder abgelegt hat, in den Mittelpunkt der Betrachtung stellen. Die Reden offenbaren den Inhalt der Person, und sie werden um so wertvoller sein, je enger sie sich an das Wirken der Person anschließen. Können wir ermitteln, wie Jesus selbst über seine Wunder gedacht hat, dann ist zugleich klar, ob das Wundertun zu seiner ganzen Art, mit den Menschen zu verkehren, zu seinem persönlich-eigentümlichen Beruf und Wesen gehört.

In den Evangelien lesen wir mehrmals, die Zeitgenossen Jesu hätten ihm um eines Wunders willen geglaubt. Das hat durchaus den Anschein, als ob auch die Evangelisten diesen Standpunkt teilten, daß die Wunder ein vorzügliches Mittel zur Erweckung des Glaubens seien und Jesus selbst seine Wunder zu diesem Zwecke getan habe. Die drei Synoptiker und das Johannesevangelium kommen in solchen Äußerungen zusammen. Joh. 11,45 heißt es nach der Auferweckung des Lazarus: „Viele von den Juden, die zur Maria gekommen waren und geschaut hatten, was er tat, glaubten an ihn"; einige aber gingen zu den Pharisäern und setzten sie durch den Bericht von dem Vorfall in Verlegenheit (vgl. Joh. 2,23; 7,26. 31). Nach der Heilung des blinden Taubstummen erwägt das Volk ernstlich die Frage, „ob dieser nicht doch der Davidsohn ist" (Matth. 12,23, vgl. Matth. 9,33f.). Ähnlich wieder sagt der vierte Evangelist zur Beurteilung des Weinwunders von Kana: „Jesus offenbarte seine Herrlichkeit, und es kamen zum Glauben an ihn seine Jünger" (Joh. 2,11). Aber es fehlt auch nicht an offenkundigen Aussprüchen des Sinnes, daß die Wunder als solche nicht imstande waren, die Menschen an Jesus zu fesseln oder ihr Sinnen und Denken ihm zu unterwerfen. Nicht einmal auf ausgesprochen wundersüchtige Leute machten seine Wunder einen überwältigenden Eindruck, da er ihnen nicht genug des Wunderbaren bot. Nicht bloß die geschworenen Widersacher wissen die Bedeutung seiner „Zeichen" zu entkräften, sondern auch die begeisterte Menge nimmt gerade die Speisung, die sie selbst erlebt, zum Anlaß, dem Meister den Rücken zu kehren, als weitere Erwartungen unerfüllt bleiben (Joh. 6,66).

Jesu Meinung ist eine andere. Nicht sollen seine Wunder die Bedingung für den Glauben der Menschen sein. Nicht im entferntesten gibt er ihnen den Zweck, Glauben zu *wecken*. Im Gegenteil, auf nichts ist er mehr bedacht als darauf, jede Aufmerksamkeit auf eine seiner wunderbaren Handlungen zu verscheuchen. Diesen Zug verstehen wir nur recht, wenn wir die Eigenart seines Berufslebens in Erwägung ziehen und die Lage, in der er sich mit demselben den Landsleuten gegenüber befand. Er wußte sich als den Messias, nach dem sein Volk sehnsüchtig ausschaute. In sich sah er die Erfüllung der religiösen Hoffnungen gekommen. Aber er wußte sich zugleich in schneidendem Gegensatz gegen die Erwartungen. Er war der Messias und er war es nicht. Er war es im wirklichen Sinn nach Gottes Plan, doch glich er nicht dem Bilde, das im Volk vom Messias lebendig war. Er brachte das höchste Gut des Gottesreiches, das Gut der Vollendung. Das Volk erwartete das Auftreten des Messias und die Erscheinung seines Gutes unter Begleitung grandioser Zeichen und Machttaten. Eine Glanzrolle sollte sein Messias spielen und mit Wundern ohnegleichen sich dokumentieren, „mit eisernem Stabe" alle Feinde Israels (die Römer samt den Herodianern) abschütteln und niederwerfen. Und es ist die durch Jesu Leben sich hindurchziehende Tragik, daß die weiten Kreise des Volkes ihn als diesen Messias erkennen wollten, aber von jener irrtümlichen, äußerlich gerichteten Erwartung aus ihn nicht als Messias verstehen konnten. Die ganze Zeit seiner Wirksamkeit über hat er mit dieser falschen Messiasvorstellung zu ringen gehabt. So wies er die zurück, die sich an seine Machttaten klammerten, weil dadurch ihr Wahn bestärkt wurde. Der innere Kampf in ihm war hart. Die Versuchung lag für ihn nahe, der Erwartung des Volkes zu entsprechen, machtvoll sich zu bewähren, mehr denn zehn Legionen Engel herbeizurufen. Er hat sich gegen diese Möglichkeit, seinen Messiasberuf zu begründen, entschieden. Seinem Ruf hätte er dadurch vielleicht genützt, seinen Beruf aber verfehlt; denn er hätte auf diese Weise das äußerlich gerichtete Volk ganz ans Sinnliche gebannt und die Herzen nicht gewandelt noch gewonnen.

In der Darstellung der Synoptiker wird die Wirksamkeit Jesu mit der Erzählung eingeleitet, die uns dieses Ringen Jesu vorführt. Programmartig spricht es sich dort über seinen Beruf aus. Die Versuchungsgeschichte gibt uns Kenntnis, mit welcher Entschiedenheit er von vornherein, in zielbewußter Richtung auf den einzig rechten Pfad, jede Verrichtung eines *Schauwunders* prinzipiell ablehnt. Ein solches zu tun, das hätte eben der Erwartung des Volkes entsprochen, das einen Messias ersehnte, der das segenvolle Gottesreich mit einem Zauberschlag durch Stabilierung äußerer Macht durchsetzte, um plötzlich aller Sorge des Erdenlebens und aller Not politischer Bedrängnis ein Ende zu bereiten. Nichts davon liegt in Jesu Zweck. Das Reich Gottes kommt nicht mit äußerlichen Gebärden. So hat er es gehalten bis ans Ende.

Wir sehen ihn durchs galiläische Land ziehen, Not lindernd, Segen verbreitend. Einen Blinden hat er geheilt, der auch stumm war. Seinen Gegnern ist diese Heilung kein Zeichen seiner göttlichen Herkunft. Vielmehr fordern sie nun erst ein Zeichen von ihm zur Beglaubigung dafür, daß jene Heilung nicht von dem in ihm wohnenden Teufel verursacht sei (Matth. 12, 38—45). Und in dem einen Punkte stimmt Jesus mit ihnen überein: ein Wunder, sei es noch so erstaunlich, kann nicht als Zeichen der Gottgesandtheit gelten. Das geht aus seinen folgenden Worten hervor. Zugleich aber wendet er sich heftig gegen die Vertreter der Hierarchie: „Das ist ein böses und ehebrecherisches (d. h. nach prophetischer Redeweise: ein vom Ehebund mit Gott abgefallenes) Geschlecht, das ein Zeichen verlangt" (V. 39), ein Zeichen nämlich, durch welches unzweideutig kund werde, daß der Täter desselben von Gott stammt. Jene Leute wollen irgendein plötzliches Naturereignis, ein „Zeichen vom Himmel" (Matth. 16,1) sehen. An etwas Außerordentlicherem als einer auffälligen Krankenheilung wollen sie die Messianität prüfen. Nicht durch den Geist Jesu, nicht durch Frohbotschaft und Bußruf wollen sie des Gottesreiches Gründung. Jesus beurteilt ihr Verlangen als die Ausgeburt fehlerhafter *Wundersucht,* die dem Glauben hinderend im Wege steht. Was für ein Glaube wäre es wohl, der durch ihre Befriedigung hervorgerufen würde! Soll doch ein Zeichen geschehen, das den Glauben überflüssig macht, indem ein augenfälliges sinnliches Eingreifen Gottes in die irdische Welt gefordert wird, das den „Glauben" mit Gewalt erzwingt. Solch wundersüchtiges Geschlecht ist eben „ehebrecherisch", ist viel zu fern von Gott, als daß es sich selbst auf das größte Wunder hin innerlich zu Gott kehren würde. Drum: „ein Zeichen wird ihm nicht gegeben werden — außer dem Zeichen des Propheten Jona."

Was ist unter dem Jonazeichen zu verstehen? — Das Matthäusevangelium hat die Worte auf die Auferstehung Jesu bezogen und diese Näherbestimmung Jesu selbst in den Mund gelegt. Sollte diese Auferstehung wirklich von Jesus als das untrügliche Zeichen seiner Messianität gemeint sein? In Wirklichkeit ist sie ja ein solches Zeichen nicht geworden. Sie ist nicht so offenkundig geschehen, daß das ehebrecherische Geschlecht dadurch zum Glauben kam; ja, jenes Geschlecht erhielt das Zeichen überhaupt nicht, sondern nur die, welche Gott nahe waren. Es unterliegt keinem Zweifel, daß wir in V. 40b den Gedanken des Evangelisten vor uns haben resp. die Deutung des Jesuswortes, die dem Evangelisten bereits überliefert war. Aus der anderen evangelischen Rezension dieser Begebenheit wird das deutlich. Nämlich in dem Bericht des Lukas (11,30) ist der Vergleichspunkt anders angegeben. Wie Jona den Niniviten ein Zeichen wurde, so wird der Menschensohn diesem Geschlecht sein. Der Prophet Jona wurde aber den Bewohnern der östlichen Großstadt nicht sowohl durch irgendein physisches Geschehen als vielmehr durch Geisteskraft zum rein geistig angeeigneten Zeichen. Seine starkmutige Bußpredigt und deren mächtiger Erfolg bewies seinen göttlichen Auftrag. So allein ist dem gottfernen Geschlecht beizukommen. So auch wird Jesus mit seinem ganzen Auftreten, mit seinem Bußruf und seiner Heilsverheißung das für dies Geschlecht bestimmte Zeichen sein. Dabei ist keineswegs notwendig, an eine nahe oder ferne Zukunft zu denken, da dies Zeichen erst eintreten solle. Vielmehr ist gemeint, daß eben dies Zeichen schon da ist und eben jetzt gegeben wird und daß in alle Zukunft kein andres Zeichen gegeben werden wird als dies, wie es der alttestamentliche Prophet der heidnischen Stadt gab.

Eine schöne Parallele zu diesem Jesuswort bietet das Gleichnis vom gehorsamen und ungehorsamen Sohne samt seiner Deutung (Matth. 21,23—32). Das Gleichnis dient zur Antwort auf die Frage, aus was für einer Vollmacht Jesus das Volk lehre. Eine direkte Antwort verweigert Jesus, weil „die Ältesten" ihm die Antwort auf seine Frage, woher der Täufer seine Macht empfangen habe, schuldig bleiben. Nun sagt er: der Bußruf des Täufers ist in die Welt gekommen als ein Markzeichen, die Scheidung der Herzen herbeizuführen. In der Stellung zu ihm gleichen die Schriftgelehrten dem ungehorsamen Sohne, der zuerst dem Vater Gehorsam versprochen hat, dann sich eines anderen besinnt und auf die (jetzt in Jesus) erneute Stimme des Vaters nicht hört. Hingegen die Sünder, die sich zu Jesus halten und innerlich sich wandeln, gleichen dem Sohn, der zuerst den Gehorsam verweigert und dann der Gewissensregung folgend den Befehl ausführt. Auch hier ist der Gedanke maßgebend, daß es nicht eines außerordentlichen Zeichens bedarf, um die Menschen von der Nähe

Gottes zu überzeugen, vielmehr der Bußruf des Täufers hätte allen zeigen sollen, daß Gott an der Tür. Ebenso steht es mit dem Verhalten des Menschen zu Jesus. „Aus was für Macht" er handelt und ob er der Offenbarer Gottes ist, das ist an seinem Auftreten und seiner Rede zu ermessen.

Daß der Ausspruch über das Jonazeichen auch nach Matthäus trotz der Deutung, die im Text gegeben ist, nicht von einem bestimmten wunderbaren Akt verstanden werden darf, beweist dort die Fortsetzung der Rede Jesu. Die Leute von Ninive werden, weil sie auf Jona hörten, das jetzige Geschlecht, die Umstehenden und vor allem die Schriftgelehrten und Pharisäer, bei der allgemeinen Totenauferstehung gleichsam verurteilen. Jene Heiden werden die Juden beschämen, indem sie beweisen, was ein solches prophetisches Zeugnis wie das des Jona bedeutet und an aufrichtigen Menschenherzen vermag. In wie sicherer Verdammnis sind erst diejenigen, welche nicht einmal auf Jesus hören! Buße predigen beide, das ist der springende Punkt im Vergleich (V. 42). Die Niniviten hätten noch eine Entschuldigung gehabt, da ein schlichter Mann aus fremdem Volke vor sie hintrat. Und doch ward er ihnen durch seine eindringliche Bußpredigt zum glaubwürdigen Zeichen. Wieviel mehr muß jedes offene Herz in Jesus das Zeichen vom Himmel sehen, in ihm, dem Sündenreinen; denn „hier ist mehr denn Jona".

Wie oft, so verweist Jesus auch hier auf die einheitliche Gesamtheit seines Wirkens, aus der allein der Mensch das Zeichen der Messianität entnehmen kann. Nicht ein Schauwunder will er tun, um sich Anerkennung zu verschaffen; am wenigsten dort, wo die Neugier, der Aberglaube oder gar der Unglaube danach ausschauen. Deutlich spricht er aus, daß diejenigen im Irrtum befangen und fern vom Gottesreich sind, welche die Offenbarung Gottes in wunderbaren Naturereignissen suchen. Vielmehr vollzieht sich die Offenbarung in der Geschichte, im geistiggeschichtlichen Leben der Menschheit. Dort wird der Redliche die Zeichen Gottes erkennen. Mit dem harten Urteil über die Wundersüchtigen sagt uns der Herr, daß Naturwunder *nicht als Mittel zur Weckung des Glaubens* in Betracht kommen. Nur der Gläubige erkennt die Taten Gottes, aber nicht der Ungläubige, dessen Herz fern von Gott ist; dem Gläubigen dienen sie als Zeichen und Bestätigung des Glaubens. Wir sehen hier Jesus in der bewußten Abkehr von aller Magie, allem Fetischartigen, allem Sinnenfälligen in der Religion. Der geistige Charakter der von ihm gestifteten Religion erhellt daraus, daß Gott und sein Wille erkannt wird als sich betätigend in der Sphäre der Geisteswelt. Was man aber schlechtweg unter den Wundern Jesu versteht, das ist, wo es geschieht, nicht mit der Absicht verbunden, Religion zu stiften oder Gott offenbar zu machen; alles das gehört nicht zu dem „Zeichen", das die Menschheit beachten muß, um zu wissen, aus was für Macht Jesus geredet und gehandelt.

Das Eigentümliche in Jesu Auffassung von seinen Wundern ist damit hinlänglich klar. Seinen Lebenszweck erblickt er darin, durch Erschütterung der Gemüter die Menschen für sein Evangelium zu bereiten und zu Gott zu führen. Diesem Zweck sind seine Wunder nicht diensam. Denn er weiß es genau, durch solche wird kein unfrommer Mensch zu einem frommen und kein Gottesleugner zu einem Gottgläubigen. Dem tiefen Menschenkenner ist die Art des menschlichen Verstandes nicht verborgen, auch das Hervortreten des Übernatürlichen mit natürlichen Mitteln sich zu deuten. Der natürliche Mensch sucht nach natürlichen Gründen und schließt nicht vom Wunder auf das übernatürliche Agens. Selbst das „größte" Wunder der Auferstehung eines Toten ist dazu nicht angetan; der Verstand wird nach innerweltlichen Ursachen grübeln, und er wird sie finden. Gerade diesen Fall kehrt Jesus heraus, indem er in dem Gleichnis vom armen Mann und reichen Lazarus die Kritik alles spiritistischen Sehnens liefert: glauben die Menschen nicht dem lebendigen Wort und Geist Gottes, so werden sie auch nicht glauben, wenn einer von den Toten auferstände (Luk. 16,31). Denn eine Gottestat wird im Wunder nur derjenige zu erkennen vermögen, der von Gottes Macht und Wirken überzeugt ist. Eben deshalb werden Wunder auch von Jesus nicht für die Ungläubigen getan; ihnen würden sie zum letzten Anstoß werden, sich gänzlich zu verhärten.

In manch anderen Äußerungen Jesu klingen diese Gedanken an. Denken wir z.B. an sein Auftreten in der Heimatstadt Nazaret, wie es Luk. 4,23—27 geschildert wird. Die ungläubigen Landsleute haben ihn aufgefordert, dieselben Taten wie in Kapernaum vor ihren Augen zu verrichten. Doch er weigert sich des unter Hinweis auf Elia und Elisa, die ihre von Gott ihnen verliehene Kraft nicht unter Juden zur Wunderhilfe gebrauchten, sondern sie an zwei Nichtisraeliten betätigten, die durch ihren Glauben befähigt waren, die Zeichen recht aufzunehmen. Oder fassen wir die Antwort auf die Täuferbotschaft ins Auge, wo er den mes-

sianischen Charakter seiner Wirksamkeit hervorhebt, der wunderbaren
Taten jedoch nur im Zusammenhang mit der Gründung des messianischen
Reiches gedenkt und sie seiner Heilsverkündigung unterordnet (Matth.
11,2—6). Er bezeichnet seine Wirksamkeit als die des verheißenen Messias unter Hinweis darauf, daß jetzt eingetroffen ist, was Jesaja für die
messianische Zeit in Aussicht gestellt hatte. Ereignisse wunderbarer Art
sind eingetreten, aber nicht das Wunderbare ist an ihnen die Hauptsache, sondern der Erfolg: daß das Elend aufhört, daß die helfende Hand
Gottes nahe gekommen. So kommen jene Wunder nur als Bestandteile
der Heilsverkündigung in Frage. Das ist auch darin angedeutet, daß Jesus
seine Antwort mit der das Evangelium voranstellenden Weisung einleitet: „Meldet dem Johannes, was ihr höret und sehet."[2] Das Segensreich
Gottes kommt durch die Frohbotschaft Jesu, aber diese ist von den äußeren Merkmalen des frohen Zustandes, der in der Gotteswelt hergestellt
werden soll, begleitet.

Noch entschiedener wird die wunderbare Hilfeleistung gegenüber der
Predigt zurückgestellt (Mark. 1,33—39). Jesus hat in Kapernaum am
Abend eine Menge Kranker geheilt. Mit der ersten Morgendämmerung
geht er aus der Stadt an einen einsamen Ort, um ungestört zu beten. Seine
Jünger, Petrus voran, gehen ihm nach, finden ihn und wollen ihn in
die Stadt zurückbringen, deren Bewohner weitere Hilfe begehren. Und
er? „Wir wollen weiter gehen in die benachbarten Ortschaften, damit ich
auch dort predige; denn *eben hierzu* bin ich hinausgegangen." Lukas,
der uns diesen Vorgang etwas umständlicher berichtet (4,42—44), läßt
Jesus noch deutlicher sagen, daß seine Lebensaufgabe keine andere ist als
die Predigt der Frohbotschaft. Nach diesem Bericht ist die Volksmenge
selbst Jesu nachgegangen und bestürmt ihn, bei ihnen zu bleiben. Er
aber sagt ihnen rundweg: „Auch anderen Städten muß ich die Frohbotschaft vom Gottesreich bringen, weil ich zu diesem Zwecke gesandt bin."

Alles dies zeigt uns, daß Jesus seine wunderbaren Taten nicht als etwas
Selbständiges neben seiner Predigt von Buße und Frohbotschaft betrach-

---

[2] Zu beachten ist, daß Jesus in den für den Täufer bestimmten Worten von seinen großen Taten nicht als von seinen eigenen Werken spricht, sondern als von
Zeichen der Zeit, die mit der Ankunft des Gottesreichs eintreten, gleichviel wer
sie verrichtet. Einerseits liegt darin die bescheidene Zurückstellung seiner Person
in dieser Hinsicht, andererseits ließe sich dem Ausdrucke vielleicht entnehmen, daß
die Jünger schon eine ähnliche Tätigkeit entfalteten.

tet hat und betrachtet wissen wollte. In dem Maß der Fülle, wie sie dem oberflächlichen Blicke leicht aus den synoptischen Evangelien entgegentreten, sind sie nicht von Bedeutung. Sie gelten Jesu selbst nicht als Schwerpunkt seines Wirkens. Gleichwohl hat er nach unseren Quellen so bereitwillig mit seiner wunderkräftigen Hilfe sich bekundet, daß ihm die Gewährung derselben von positiver Bedeutung gewesen sein muß. In der Tat hat Jesus seine Wunder nicht als überflüssiges Moment seines Auftretens angesehen, sondern sie sind ihm — wie das die Antwort an den Täufer schon zeigte — ein wichtiger Bestandteil in dem Kommen des Gottesreiches. Bei derselben Gelegenheit, die zur Zurückweisung der Zeichenforderer führte, spricht er sich wieder darüber aus (Matth. 12,33 ff.; Luk. 11,14 ff.). Wunderbare Heilungen waren jenen Leuten nichts ganz Ungewöhnliches oder Unerwartetes. Es gab manche, die sich solcher Künste rühmten und hin und wieder Erfolg hatten. Daher war es den voreingenommenen Gegnern Jesu durchaus kein Zeichen seiner Messianität, wenn er einen „Blinden und Stummen" heilte, indem er seinen Dämon austrieb. Es wird erzählt, die Menge habe den Schluß auf seine Davidsohnschaft, d. i. seine Messianität, bevorzugt. Die Pharisäer aber haben sich dagegen aufgelehnt mit dem Urteil: er treibt die Dämonen nicht mit Gottes Hilfe aus, sondern als Verbündeter des Obersten der Teufel, des Herrschers des Dämonenreichs; nur durch dessen Verfügung habe er Gewalt über die bösen Geister. Jesus zeigt dem gegenüber zunächst das Widersinnige solcher Behauptungen, da er ja dann das Reich selbst zerstöre, mit dem er im Bunde stehe. Dann bleibt nur übrig, daß er durch den Geist Gottes handelt, und wo die Dämonen ausgetrieben sind, da ist das Reich Gottes zu den Menschen hingelangt (Matth. 12,28). Hiermit stellt Jesus seine unvergleichliche Wirksamkeit gegen die dämonischen Mächte als die eine Seite seiner Lebensaufgabe hin; nicht etwa als sollte durch solches Eingreifen der Glaube an seine göttliche Sendung geweckt werden, sondern damit die Herrschaft des bösen Prinzips eingedämmt und der Herrschaft Gottes die Bahn freigemacht werde. Und letztlich stehen alle seine Heilungen unter demselben Gesichtspunkt. Das zeigt auch die Heilung des Gichtbrüchigen (Mark. 2,3—12) mit ihrer pointierten Voranstellung der Sündenvergebung. Freilich könnte der Hergang bei dieser Gelegenheit am ehesten den Eindruck machen, als verrichte Jesus eine wunderbare Heilung, damit auch die Ungläubigen seine göttliche Sendung erkennen. Allein so verhält es sich doch nicht. Zunächst ist ja keinesfalls angedeutet, daß der wirkliche Erfolg dieser Heilung bei den Schriftgelehrten die Erzeugung von Glauben gewesen sei. Sodann gestatten auch die Vorgänge selbst, trotz des Wortes V. 10, nicht die Meinung, Jesus habe den Glauben der Ungläubigen hervorrufen wollen. Er hat hier wie anderwärts dem Kranken Vergebung seiner Sünden zugesagt. Die Hierarchen sahen das als Gotteslästerung an. Um sich von diesem Vorwurf zu reinigen, gibt er für die nun zu vollziehende leibliche Heilung jenen Männern das Urteil an die Hand, daß er nicht nur etwas verheißen kann, dessen faktisches Eintreten für Menschen unkontrollierbar ist, sondern auch derartiges, das sich sofort als giltig oder ungiltig erweisen muß. Hätte er doch den Kranken auch ohne diese von den Gegnern provozierte Beleuchtung seines Werkes geheilt! Denn die Heilung zu unterlassen, wäre ganz gegen seine Gepflogenheit gewesen. Die Umstände boten ihm aber diesmal die Veranlassung, auf die Verbindung seiner Reichspredigt mit der Übermittlung irdischen Segens aufmerksam zu machen.

Entsprechend seiner Auffassung des Messiasberufes zog Jesus die Werke der göttlichen Liebe und Barmherzigkeit in denselben hinein. So bestimmt sich Jesus gegen die Annahme ausgesprochen hat, als ob jede Krankheit die Folge einer Sünde sei, ebenso überzeugt war er von dem allgemeinen organischen Zusammenhang zwischen physischem Übel und religiös-sittlichem Mangel. Letzterer wird als der eigentliche Grund des Tiefstandes in der physischen Sphäre aufgefaßt. Das religiös-sittliche Manko übt einen allgemeinen degenerierenden Einfluß, analog der niederdrückenden Wirkung, die das Sinken des geistigen Niveaus eines Menschen auf seine ganze Erscheinungsform übt. Daß der Defekt auf dem Gebiete der menschlichen Natur eine Folge der in der Menschheit sich forterbenden Abwendung von Gott ist, eine Folge davon, daß die Menschen ihre Gottverwandtschaft durch ihr praktisches Leben und Streben verleugnen: das bricht in Jesu Lehre und Handeln durch. Deshalb lag es in seinem Berufsinteresse, wenn er in erster Linie die Not der Seelen abstellen wollte, doch auch das mit der Seelennot organisch verbundene Elend des Leibes aufzuheben. Jesus war innerlich gedrängt, da wo er geistig half, auch physisch zu helfen, und diese doppelt erscheinende Wunderhilfe ist nichts anderes als die unmittelbare Betätigung des göttlichen *Liebeswillens*. Jesus ließ seine göttlich helfende Liebe so oft in die Erscheinung treten, als der Vater ihn trieb. Helfend und segnend, rettend und erlösend griff sein Erbarmen auch ins äußere Leben der Einzel-

nen ein. Nicht nur die Krankenheilungen, sondern auch die Totenerweckungen, ebenso die Speisungen, überhaupt alle Wunder, die er
verrichtete, sind Ausflüsse dieses Erbarmens mit der Seelennot, das, um
vollständig sich auswirken zu können, auch der leiblichen Not sich zu-
neigte.

Blicken wir zurück! — Jesus ist gekommen, das Reich Gottes zu gründen, die Menschen hineinzuführen und damit zur freiwilligen Beugung
unter Gottes Herrschaft zu bringen. Das eigentliche Mittel hierzu ist die
Frohbotschaft, die nur der annehmen kann, dessen Herz umgewendet,
dessen Sinn zur Buße gekehrt wird. Aber es gehört zur messianischen
Aufgabe, neben dem sittlich-religiösen Elend der Gottferne und Gott-
verlassenheit auch das natürliche Elend in seinen verschiedenen Formen
zu überwinden, das ihm als die Zerrüttung der gottgewollten Verhältnisse in der Menschenwelt gilt, weil die Herrschaft Satans darin zur Erscheinung kommt. Die volle Durchführung des Sieges Gottes ist freilich der
Zukunft vorbehalten; doch die Schläge, die Jesus gegen die Macht der
Finsternis führt, sind Angeld und Unterpfand der Welterneuerung. Soweit die rettenden Wunder Zeichen sind, sind sie es nicht für Jesus und
seine göttliche Autorität, sondern für die Liebe des himmlischen Vaters
und das Kommen seines Reiches.

Zum andern ist die religiös-sittliche Erneuerung nicht bloß das wichti-
gere Moment in Jesu Streben, sondern auch die unerläßliche Vorbedingung für das Inkrafttreten der Liebe des Vaters, die sich in Jesu Barmher-
zigkeitswundern zeigt. Seine Wunder können nur dort geschehen, wo
die Richtung auf Gott hin vorhanden ist oder wenigstens eingesetzt hat.
Kein Wunder wird getan, um den Unglauben zu brechen; sondern wo er
gebrochen ist, nur da tritt Gottes Kraft in die Erscheinung. Denn niemals
hat ein sinnenfälliges außerordentliches Ereignis die Fähigkeit, Menschen
zu überzeugen, denen es an der religiösen Grundänderung und der sittlichen Willigkeit fehlt. Deshalb, weil die Wunder einerseits Begleiterschei-
nungen der messianischen Berufsarbeit sind, anderseits dem Unglauben
unverständlich bleiben müssen, hat Jesus niemals auf sie sich eigentlich
berufen. Damit hängt zusammen, daß er die Wunderkraft keineswegs
„als einen Raub" erachtete, dessen Besitz er sich allein zu sichern hätte.
War er sich bewußt, sie zu besitzen infolge seiner unmittelbaren Gottes-
gemeinschaft, und mußte freilich ihm als dem Gottessohne im einzigarti-
gen Sinn auch die Wunderkraft in einziger Weise eignen, so hat er sich

andrerseits nicht gescheut, um festen Glauben die Erlangung des sonst „Unmöglichen" zuzusichern. Das zu dem Vater des besessenen Knaben Mark. 9,23 gesprochene Wort („alles ist möglich dem, der glaubt") ist dem Zusammenhange gemäß so zu verstehen, daß dem Glaubenden alles, das Mögliche und Unmögliche, von Gott resp. von Christus gewährt wird. In der Parallelstelle Matth. 17,20. 21 spricht der Herr seinen Jüngern die Verrichtung des Unmöglichen zu, falls sie jenen Glauben bewähren, der die Einheit mit Gottes Willen und die gewisse Ergebung darein in sich schließt. Aber auch wenn Jesus dem ungetrübten Glauben Wunderkraft zuspricht, die in der erfahrenen Gebetserhörung wirklich wird (Mark. 9,29), so bleibt doch er selbst allein der Gottessohn, dem des himmlischen Vaters Macht im gottmenschlich geeinten Willen stetig zu Gebote steht.

Bisher haben wir uns absichtlich allein an die synoptische Überlieferung gehalten. Die *johanneische* Berichterstattung erheischt gesonderte Besprechung, weil es scheinen kann und mehrfach ausgesprochen ist, daß von Johannes und dem johanneischen Jesus den Wundern eine viel größere, dabei äußerlichere Bedeutung zugeschrieben wird. Es ist schon oft behauptet worden, daß der johanneische Jesus im Unterschiede vom synoptischen von seiner Person und seinen Wundern viel Redens mache. Und in der Tat ist es auffallend, daß wir hier Aussagen Jesu über seine Wunder haben, die in ganz anderem Ton gehalten sind. War es nicht möglich, dem synoptischen Jesus die Meinung zuzuweisen, daß durch seine wunderbaren Handlungen der Glaube der Menschen geweckt werden solle oder auch nur könne, so hören wir im vierten Evangelium mehr als einmal aus Jesus Mund, daß seine wunderbaren Machttaten der Offenbarung und dem Glauben dienen. So sagt Jesus (Joh. 9,3) vor der Heilung des Blindgeborenen, daß die angeborene Blindheit nicht eine Folge der Sünde, sei es der Eltern, sei es des Leidenden selbst ist, sondern dem Zwecke dient, „daß die Werke Gottes an ihm offenbar werden", und gleich darauf stellt Jesus seine Heilwirksamkeit in Parallele zu seinem die Welt erleuchtenden Handeln. Auf die Kunde von des Freundes Lazarus Krankheit sagt er zu den Jüngern: „Diese Krankheit ist nicht zum Tode, sondern zugunsten der Herrlichkeit Gottes, auf daß der Sohn Gottes durch sie verherrlicht werde." Als der eingetretene Tod gemeldet wird, verrät er den Seinen: „Ich freue mich um euretwillen, daß ich nicht dort war, auf daß ihr glaubet (zum vollen Glauben kommet)" (11,15). Ferner sendet er vor der Auferweckung einen lauten Dank zu Gott empor um der herumstehenden Leute willen (V. 42), „damit sie glauben, daß du mich gesandt hast".

Liegt hier wirklich eine andere Auffassung von der Bedeutung der Wunder vor als bei den Synoptikern? Diese Frage ist natürlich nicht durch Betrachtung der angeführten Worte allein zu beantworten, sondern über sie entscheiden können wir erst, wenn auch die übrigen johanneischen Jesusworte über die Wunder herangezogen sind. Gleichwohl läßt sich einiges schon hier feststellen. Jesus sagt keineswegs, daß durch das Heilwunder seine göttliche Hoheit offenbar werden solle, sondern „die Werke Gottes" sind es, die den Menschen nahegebracht werden sollen. Und die weitere Gedankenverbindung zeigt unwiderleglich, daß die Grundauffassung Jesu von der Bedeutung seiner Wunder nach dem johanneischen Bericht keine andere ist als nach dem synoptischen. Denn die wunderbare Heilung ist in die Werke Gottes eingereiht, welch letztere nach Vers 4 und 5 eben die Werke sind, die Jesus verrichtet, um seinen Beruf als Licht der Welt zu erfüllen, oder, wie es nach den Synoptikern ausgedrückt werden könnte, um mit Hilfe der begleitenden Segenstaten das Reich Gottes zu begründen. Die Heilung gehört folglich in die große Klasse der Werke Jesu, von der wir gleich zu sprechen haben.

Was ferner die soeben aus der Lazarusgeschichte herausgehobenen Worte anlangt, so sind die beiden ersten an die Jünger gerichtet, die nicht zu den Ungläubigen gehörten. Wenn trotzdem bei der Erweckung die Absicht obgewaltet hat, daß der Sohn Gottes verherrlicht werde und die Jünger „zum Glauben kommen", so kann das nicht besagen, sie sollten vom Unglauben zum Glauben bekehrt werden, sondern es kann sich nur um Läuterung und Kräftigung ihres Glaubens handeln. Das aber mußten wir nach den Synoptikern konstatieren, daß nicht der Vollglaube die Bedingung für das Erleben eines Wunders ist, sondern die Richtung des Geistes auf Gott und der zu Gott hin strebende Wille, die dann ihrerseits durch die Perzeption des Wunders allerdings eine Kräftigung erfahren können. Dunkel bleibt nur das mit Rücksicht auf den weiteren Zuschauerkreis gesprochene Wort V. 42. Es wird sich zeigen, daß die johanneischen Reden Jesu keinen Anhalt für die Annahme bieten, Jesus habe seinen Wundern je die Bedeutung Glauben weckender Mittel zuerkannt. Nur bei der Voraussetzung, daß in den umstehenden Juden, die doch zum größten Teil dem Maria-Martha-Hause befreundet waren, die nötige religiöse Disposition für die rechte Aufnahme des Wunders vorhanden gewesen sei, fügt sich jenes Wort in die sonst aus den Quellen zu erhebende Anschauung Jesu. Sein Gebet, jene Leute möchten auf Grund der Auferweckung zum Glauben an seine göttliche Sendung gelangen, bedeutet alsdann, daß ihr noch unvollkommener Glaube zum rechten christlichen Glauben an das Walten der göttlichen Gnade durchdringen möchte.

Auch der im 10. Kapitel (Vers 32—38, vgl. 14,11) berichtete Disput mit den Juden berechtigt zu keiner anderen Auffassung. Als sie ihn steinigen wollen, beruft sich Jesus auf „die vielen guten Werke vom Vater her", die er ihnen „gezeigt". Die „Werke" erscheinen hier als die einzige Zuflucht, die ihm gegenüber ihrem auf Blasphemie lautenden Vorwurf bleibt: „Wenn ich nicht die Werke meines Vaters tue, so sollt ihr mir nicht glauben; wenn ich sie aber tue, so glaubet, auch falls ihr mir nicht glaubet, den Werken, damit ihr zur Erkenntnis kommt und in der Erkenntnis bleibt, daß in mir der Vater und ich im Vater." Hat er damit gesagt, daß er die Wunder tue zu dem Zweck, die Juden zum Glauben zu bewegen? Das wäre selbst dann nicht gesagt, wenn unter den Werken die Wunder zu verstehen wären. Denn man darf nicht übersehen, da er hier eine Konzession macht, die, dem Wesen der Konzession gemäß, weit entfernt ist, seine eigentliche Ansicht kundzutun.

Nun ist aber für diese und ähnliche Äußerungen im Johannesevangelium sehr wichtig, daß unter den „Werken" des Herrn gar nicht in erster Linie seine Wundertaten zu verstehen sind. Zwar liegt auch kein Anlaß vor, die Wunder aus dem Begriff der Werke auszuschließen; allein in erster Linie ist an sie nicht gedacht. Wenn Jesus sagt, seine Speise sei der ihn erfüllende Zweckgedanke, das von Gott gewollte Werk zur Vollendung zu führen (4,34), so bezeichnet er die Erledigung seiner gesamten Lebensaufgabe als das Werk Gottes, nämlich sein Mühen darum, daß die Menschen glauben und das Leben gewinnen. Und es ist dasselbe, ob er von des Vaters oder von seinem eigenen Werk, ob er vom Werk im Singular oder von Werken im Plural spricht. Seine Werke sind nicht einzelne Machttaten auf dem Gebiet der Natur, sondern sie bestehen in der Durchführung des Gottesreiches, die im Diesseits beginnt durch geistiges Lebendigmachen und einst bei der allgemeinen Totenerweckung und beim letzten Gericht zu Ende geführt werden wird (5,20—29). Daher denkt er auch nicht an seine Wunder, wenn er sich bewußt ist, daß seine

Werke über ihn Zeugnis ablegen; vielmehr wird seine göttliche Sendung durch seine messianische Wirksamkeit überhaupt bezeugt (5,36).

Das ist für das Verständnis eines Wortes wie 15,24 festzuhalten. „Wenn ich die Werke unter ihnen nicht getan hätte, die kein anderer getan hat, so hätten sie keine Sünde: nun aber haben sie dieselben gesehen und sowohl mich wie meinen Vater gehaßt." Das will sagen: Wem die Wirksamkeit Jesu, seine Predigt von Tod und Leben samt seiner segenspendenden Tätigkeit, nahetrat und dennoch der Sinn nicht gebeugt und das Herz nicht dem Glauben erschlossen ist, der hat die Grundsünde, den Unglauben, begangen. Die „Werke" Jesu wirken also unbedingt Glauben, falls der Mensch sich nicht verstockt. Seine Wunder an sich haben solche Kraft nicht. Daß die Wunder gar nicht in Frage kommen, zeigt Vers 22, wo Jesus statt der Werke sein „Kommen und Reden" nennt.

Wenn wir von dieser Erkenntnis aus Jesu Worte betrachten, so ergibt sich, daß bei Johannes viel nachhaltiger und häufiger als bei den Synoptikern der Grundsatz ausgesprochen wird, daß die Zeichen, welche Gott dem Menschen gibt, nicht wunderbare Ereignisse in der Natur oder äußeren Geschichte sind, sondern die Buß- und Heilspredigt des Herrn. Auch das Johannesevangelium hat die direkte Abweisung aller Wundersucht und eines auf Wunder hin sich bequemenden Glaubens aufbehalten. Am schroffsten ist hier in dem Wort gegeben: „Wenn ihr nicht Zeichen und Wunder sehet, so glaubet ihr nicht" (4,48); und diesem Tadel steht der Lobpreis derer gegenüber, die glauben, ohne sich durch die Wahrnehmung außerordentlicher Ereignisse eine äußerliche Vergewisserung verschafft zu haben (20,29). — Überhaupt ist es eine durch nichts zu beweisende Behauptung, daß im 4. Evangelium die Wunder eine größere Rolle spielen und übertrieben seien, als wolle der Schriftsteller durch vorzüglichere Wunder den Glauben an Jesus als den göttlichen Logos begründen. Die Differenz zwischen Johannes und Synoptikern in diesem Punkt ist gerade die entgegengesetzte. Während die Synoptiker mehrfach unbefangen so erzählen, als habe Jesu eine besondere magische Kraft eingewohnt, während manchmal ihre Vorstellung zu sein scheint, Jesus sei wie ein zaubernder Wundertäter durch die Reihen der Menschen gegangen: führt Jesus nach der johanneischen Überlieferung seine Wunderwirksamkeit auf seinen steten Zusammenhang mit dem himmlischen Vater zurück, der ihm ja im einzelnen Falle das Ja für ein zu verrichten-

des Wunder erteilt. Hier ist jede magische Vorstellung absolut ausgeschlossen. Der persönliche Gott ist in ihm mit seinem eigenen Wirken
und Antrieb. Die Persönlichkeit Jesu wird uns dadurch viel verständlicher; sie wird uns lichtvoller durch diese gereifte und abgeklärte Darstellung dessen, was die Gemeinde an ihrem Herrn und Meister erlebt und
als was sie seine Wirkungen erkannt hatte, durch diese einheitliche Reflexion des johanneischen Zeugnisses über den tiefsten Wert seiner Erscheinung.

Sehr deutlich ist im vierten Evangelium — um darauf noch hinzuweisen — die Auseinandersetzung mit den Zeichenforderern (6,25 ff.). Das
Volk ist trotz der wunderbaren Speisung in seiner sinnlich-religiösen Erwartung nicht befriedigt; nun will es erst recht etwas ganz Außerordentliches sehen, ähnlich wie nach der synoptischen Tradition die Pharisäer im
Anschluß an die Heilung des Dämonischen. Ja, das Volk erkennt die Speisung der 5000 Menschen mit den wenigen Broten nicht als ein Zeichen
an, das den Messias legitimiere, Jesus steht ihm trotz dieser Speisung
niedriger als Mose, weil letzterer Brot vom Himmel sichtbarlich habe
kommen lassen. Sie reflektieren nicht darauf, daß auch die Väter nicht
sinnlich gesehen haben, wie das Brot in der Wüste eine Gabe des Himmels war; das Wunder der Vergangenheit gewinnt als solches einen höheren Charakter, und ihre Forderung lautet, wieder solle sich der Gottes-
gesandte dadurch legitimieren, daß er ein Zeichen vom Himmel gibt. In
Jesu Antwort haben wir nun das völlige Korrelat zu der bei den Synoptikern aufbewahrten Rede an die wundersüchtigen Führer des Volkes. Sie
ist in ganz gleichem Sinn gehalten. Jesus lehnt es ab, daß Mose den
Vätern durch die Mannaspende ein Zeichen gegeben habe; nicht jener,
sondern Gott habe ein Zeichen gegeben, oder besser, Gott gebe eigentlich
jetzt, in diesen Tagen, fort und fort das Zeichen, das nach Meinung des
Volkes einst in der Wüste gegeben war: das wahrhaftige, echte Brot, „das
vom Himmel herniederkommt und der Welt Leben gibt" (V. 33). Gleich
darauf wendet Jesus diese Aussage persönlich: „Ich bin das Brot des
Lebens" (V. 35). Sonach ist der Sinn: das Zeichen, das ihr begehrt, bin ich
selbst, ich als Prediger des Evangeliums, als Bringer des Lebens. Die Zurückweisung der Wundersucht ist demnach hier ebenso motiviert wie
Matth. 12; das wahre Lebensbrot bei Johannes und das Jonazeichen bei
den Synoptikern sind sachlich dasselbe. Ihr habt mich gesehen und gehört, sagt der Herr, das genügt, auf daß ihr glauben könnt (V. 36). Denn

aus meiner ganzen Erscheinung, den Werken und Worten, die von mir
ausgehen, muß jedem verständlich werden, daß meine Botschaft die göttliche Wahrheit, die wahre Religion ist und daß mich der Vater versiegelt
hat (V. 27). Es bedarf nicht eines sinnlichen Zeichens, um die göttliche
Wahrheit als göttliche zu erfassen; es bedarf nur rein geistiger Durchdringung, um die Offenbarung lebendig zu erfahren. Wir denken hierbei
auch an das Wort, daß den Sinn für Gott und das Streben nach in Gott
gegründetem Leben als die Grundbedingung, und zwar als die einzige,
für das Verständnis der Offenbarung betont: „So jemand will den Willen
dessen der mich gesandt hat tun, der wird erkennen, ob die Lehre von
Gott ist oder ob ich von mir selber rede" (Joh. 7,17). Auf die wunderbare
Speisung lenkt Jesus den Blick gar nicht zurück, als vermöge sie doch
etwa ein Zeichen seiner Herkunft oder seines eigentümlichen Wesens zu
sein und die Apperzeption der menschlichen Auffassung in die richtige
Bahn zu leiten. Wer Naturereignisse, außerordentliche Machttaten als
Legitimation des Göttlichen haben will, der kommt nicht auf seine Rechnung, dem fehlt die Grundbedingung für die religiöse Erkenntnis.

Suchen wir nunmehr Abschluß und Abrundung für das bisher Gefun-
dene! Weder das Johannesevangelium noch die synoptischen Evangelien
geben einen greifbaren Anhalt dafür, daß Jesus seine Wunder getan
habe, um durch sie Glauben zu wecken; allenfalls hat er sie als Stärkungs-
mittel für bereits vorhandenen Glauben angesehen, aber auch dies nur
ganz nebenbei. Die Wunder sind der selbstverständliche Ausfluß derselben erbarmenden Liebe, die das Gottesreich will und schafft, und sie dienen unmittelbar nur diesem Zweck. Bei Johannes erscheint (z. B. 9,3)
ebenso wie in den drei ersten Evangelien das irdische Elend als der Faktor, der Jesum zur Ausübung wunderbarer Hilfe veranlaßt, vorausgesetzt,
daß Glaube vorhanden ist, der sein Werk als Ausfluß der göttlichen
machtvollen Liebe zu beurteilen vermag. Das Interesse der Berichterstatter an den Wundertaten mag immerhin in beiden Fällen ein verschiedenes sein, so lassen doch beide Berichtweisen diejenige Wertschätzung,
welche Jesus für seine Wunder hatte, mit wünschenswerter Deutlichkeit
erkennen. Da sei noch auf einen Zug aufmerksam gemacht, der in eigentümlicher Weise zeigt, wie beide Überlieferungen trotz mannigfach verschiedener Erinnerung doch dieselben religiös wichtigen Erkenntnisse uns
zuführen. Ich meine die Parallele von Joh. 6 und Matth. 16. Daß wir
beidemal an demselben historischen Orte uns befinden, darüber ist unter

Exegeten kaum eine Meinungsverschiedenheit. Auf die Speisung folgt die Abwendung der äußerlich gerichteten und nur allzu sinnlich angeregten galiläischen Massen. Die Jesu jetzt treu bleiben, haben damit eine Krisis überstanden, welcher die Menge erlegen ist. Die Getreuen sind somit auf einen Höhepunkt ihres Glaubenslebens gekommen. Johannes überliefert uns bei dieser Situation ein Wort aus Jüngermund, welches, auf der nunmehr errungenen Höhenlage der Erkenntnis der Jüngergemeinde gesprochen, ohne Rückhalt bekennt, daß der Jüngerglaube seine Entstehung nicht in der Anschauung von Wundern hat. Als viele Anhänger infolge getäuschter Erwartungen vom Meister sich abgewendet, richtet dieser an den engeren Kreis seiner Zwölf die Frage, ob auch sie imstande seien, ihn zu verlassen. Darauf erwidert Petrus: „Zu wem sollen wir gehen? Worte ewigen Lebens hast du, und wir sind zum Glauben und zur Erkenntnis durchgedrungen, daß du der ‚Heilige Gottes‘ bist." (Joh. 6,67 f.) Der Jünger spricht die religiöse Lebenserfahrung aus, durch die er überwältigt ist: nicht irgendein äußeres Zeichen, nicht eine wunderbare Handlung hat ihn zum Glauben geführt, sondern die „Lebensworte" aus des Herrn Mund, das Evangelium selbst. Nach den Synoptikern hat sich Jesus infolge des Mißerfolges bei der galiläischen Bevölkerung nach Nordwesten begeben, über Palästinas Grenze hinaus, und als er in diesen Tagen der Wanderung mit den Jüngern bei Cäsarea Philippi ist, richtet er jene denkwürdige Frage an die Seinen, was denn sie über ihn denken (Matth. 16,13 ff.; Mark. 8,27 ff.). Auf das volle Bekenntnis zu seiner Messianität, das Petrus ablegt, spricht dann Jesus denselben Kanon über die religiöse Erkenntnis aus, den nach Johannes Petrus in andere Worte formulierte. Jesus ist überzeugt, nicht irgend etwas aus dem Gebiet sinnenfälliger Ereignisse, nichts, das der Sphäre irdischer Begebenheiten angehört, hat den Glauben der Jünger hervorgerufen. „Fleisch und Blut hat dir nicht die Offenbarung verschafft, sondern mein Vater in den Himmeln." Es ist eine direkte Gotteswirkung, wenn der Mensch zur Glaubensüberzeugung kommt; nicht an Ereignissen, die dem Leben in Fleisch und Blut entstammen, wird der Mensch des Göttlichen gewiß, und wären jene Ereignisse noch so wunderbar und außerordentlich; sondern daran, daß die Quelle des geistigen Lebens im Evangelium Jesu dem Herzen erschlossen ist.

Steht es aber so, dann könnte man sich wohl zu dem Urteil versucht fühlen, nach Jesu Ansicht dürften seine Wunder überhaupt nicht Gegenstand des Glaubens sein. Jedoch, das wäre offenbar zu weit gegriffen. Zweifellos ist freilich, daß er beim Vollzuge der Wunder dem Gedanken, sie sollten Glaubensobjekte werden, nicht Raum gegeben hat. Gleichwohl wäre es nicht in Jesu Sinn, wenn man kurzerhand leugnete, daß an die Wunder Jesu geglaubt werden könne und dürfe. Nur können sie nicht Objekte des beginnenden Glaubens sein. Ein Wunder kann man erst auf einer gewissen Höhe des Glaubens anerkennen. Denn daß Jesus Wunder getan hat, ist dem geistigen Besitz eines Menschen nicht einzufügen, der nicht bereits durch lebendige religiöse Erfahrung zum Glauben an Jesu göttliche Würde durchgedrungen ist.

Jesus selbst ist *das* große Wunder, das der Menschheit zum Zeichen gegeben ist; eben er, der in seiner Sündlosigkeit es wagen kann, alle der Sünde zu zeihen und alle zur Buße zu rufen, und der kraft göttlicher Autorität die Herzen sich unterwirft. So Jesu eigene Verkündigung und — das soll hinzugefügt werden — auch die Verkündigung seines großen Apostels *Paulus*. Die Welt hat dieser durcheilt mit der Botschaft von Jesus *dem* Wunder, das in den Seelen das Wunder der Wunder wirkt. Aber nirgends in seinen Briefen greift er zum Beweis dessen auf eine einzelne Wundertat des Herrn zurück — wie er ja auch niemals eines der von ihm, dem Apostel, selbst laut der Apostelgeschichte vollzogenen Wunder erwähnt, obwohl es an Anlaß dafür dem hart angegriffenen Apostel nicht gefehlt hat. Das einzige historische Wunder, auf das er seine Predigt bezieht, ist die Auferstehung Jesu von den Toten. Dies Ereignis steht aber auch für ihn im Mittelpunkt seiner ganzen Weltanschauung. Im übrigen haben wunderbare äußere Vorgänge für seine Weltanschauung wie für seine Religiosität augenscheinlich keine Bedeutung gehabt. Er ist sich bewußt, mit all seinem Tun direkt unter der wunderbaren Leitung des allmächtigen Gottes zu stehen und vom Herrn Christus die religiöse Geisteskraft zu empfangen, die in den Schwachen mächtig ist. Er lebt der Überzeugung, daß Jesus der gottgesandte Messias ist, der von seiner himmlischen Daseinsweise aus die Gemeinden auf Erden stiftet, mehrt, bewahrt. Er glaubt an das Wunder, das in Jesus und seiner Predigt, seinem Tod und seiner Auferstehung der Welt gesetzt ist. Auf wunderbare Handlungen des Herrn den Blick zu richten, liegt ihm bei seiner missionierenden und erbauenden Tätigkeit gänzlich fern.

III. Was wir über die Geschichtlichkeit von Jesu Wundern sagen können

Wir haben gesehen, daß die Wunder Jesu nur als Bestandteil, aber auch als ein integrierender, seines ganzen messianischen Berufes zu würdigen sind. Damit ist die erste der beiden vorangestellten Fragen im bejahenden Sinne entschieden worden: durch die Wunder tritt weder in der Persönlichkeit noch im Beruf Jesu ein Bruch ein. Wir wenden uns zur zweiten Frage, was sich rein historisch über die *Wirklichkeit* der Wunder ermitteln läßt. Es wurde schon darauf hingewiesen, daß die Frage nach der Wirklichkeit der Jesuswunder zwei Seiten hat und daß die eine derselben aus dem Umfang dieses Heftes ausgeschieden werden sollte, nämlich die prinzipielle Frage, die sich mit der wunderleugnerischen Skepsis auseinandersetzt: ob überhaupt Wunder möglich und denkbar sind. Hier soll es sich um die rein historische Frage handeln, *ob sich historische Instanzen für die Wirklichkeit der Wunder Jesu gewinnen lassen.* Aber auch diese Frage erfordert eine Teilung. Einmal erhebt sie sich in der Form, ob sich durch eine Betrachtung des *evangelischen Überlieferungsbestandes* irgend etwas über die Wirklichkeit der Wunder ausmachen läßt. Sodann aber drängt sich mit Macht die *religionsgeschichtliche* Erwägung auf. Das Altertum ist reich an Wundern, die in ganz ähnlicher Weise, wie die Wunder Jesu im Neuen Testament, anderen Männern, namentlich Helden der heidnischen Mythologie und Sage, aber auch echt historischen Persönlichkeiten zugeschrieben werden. So ist das Problem gar nicht von der Hand zu weisen, sondern muß sich bei jedem Menschen, auch bei jedem Christen einstellen: wenn die Wunder Jesu Realitäten sind und aus den christlichen Quellen als historische Tatsachen hingenommen werden sollen, muß man dann nicht mit derselben Gewißheit den im Heidentum überlieferten Wundern die Geschichtlichkeit zuerkennen? Oder umgekehrt: wenn wir das größte Bedenken tragen, die heidnischen Wunder anzunehmen, wenn wir vielmehr in ihnen eitel dichtende Sage erblicken, ist es dann nicht folgerichtig, auch den Jesuswundern die Realität abzuerkennen? — Beiden Fragen wenden wir uns nacheinander zu.

Es kann scheinen, daß man überhaupt verzichten müsse, auf dem Wege historischer Forschung irgend etwas festzustellen über die Wirklichkeit eines Gegenstandes, der etwas Übernatürliches sein will und außerhalb des Kreises von Begebenheiten liegt, die wir geschichtliche nennen. Das ist ohne Zweifel richtig; nimmermehr kann die Historie das letzte Wort in solchen Fragen sprechen. Wie will man die Geschichtlichkeit von etwas beweisen, das gerade seinem geschichtlichen Kausalzusammenhange nach unerkennbar ist? Wie will man durch historische und literarische Forschung ein Wunder feststellen? Steht es aber so, dann ist auch das andere unmöglich, mit Hilfe der historischen Forschung die Ungeschichtlichkeit der evangelischen Wunderberichte erweisen zu wollen. Denn auch darüber steht aus dem gleichen Grunde der reinen Historie kein Wort zu. Durch historische Forschung können sich nur Instanzen, Wahrscheinlichkeitsargumente für oder gegen die Realität eines berichteten Wunders auffinden lassen. Und es wird sich uns bald zeigen, daß aus den evangelischen Berichten selbst eine Anzahl von Gründen für die Geschichtlichkeit der Wunder sich erheben lassen, die so gut, wie historische Argumente das eben vermögen, zugunsten der Wirklichkeit jener Wunder aussagen.

Freilich wäre eine Feststellung in diesem Sinne von vornherein unmöglich, wenn es um die Glaubwürdigkeit der Berichte in diesem Punkte so verzweifelt bestellt wäre, wie oft angenommen wird; wenn nämlich in dem „Christusbilde des Glaubens", das die Evangelien bieten, nichts anderes zu sehen wäre als das infolge eines hohen Glaubensenthusiasmus für die Person Jesu mit einem reichen Kranz von Wundergeschichten geschmückte und auch sonst ins Übernatürliche entstellte Bild des historischen Jesus. Wo man dieser Meinung ist, da erklärt man es für die unvermeidliche Folge der zur Zeit Jesu unter den Juden verbreiteten apokalyptischen Vorstellung von dem kommenden Messias, daß die Gläubigen die Wundertaten der alttestamentlichen Gottesmänner von Jesus wiederholt und überboten sein ließen. Auf Grund dieser Reflexion werden dann ohne Schwierigkeit die Jesu zugeschriebenen Wunder hinweg kritisiert, als wären sie in sentimentalem Glauben dem Meister angedichtet worden. — Eine Kritik, die so verfährt, hebt sich selbst auf, da sie sich der größten Inkonsequenz schuldig macht. Diese negative Kritik bekennt sich nämlich gern zu jenen Worten Jesu, in denen er den Zeichenforderern gegenüber die Ausübung eines außerordentlichen Wunders ablehnt. Daß diese Haltung Jesu historisch ist, beanstandet niemand; und wir haben im vorigen Abschnitte den Sinn und die große Tragweite dieser Aussprüche des Herrn ins Auge gefaßt. Wenn nun aber von hier aus geschlossen werden soll, daß Jesus in Wirklichkeit gar keine Wunder verrichtet habe, daß er jegliches Wunder abgelehnt habe, so ist die negierende Kritik genötigt, alle Worte Jesu, die sich auf den Vollzug irgendeines bestimmten Wunders beziehen, ohne weiteres für erfunden oder mit völliger Entstellung überliefert zu halten. Diese Jesusworte, die sich auf ein geschehenes oder noch bevorstehendes Wunder beziehen, finden sich in großer Zahl und bilden die wichtigste Instanz gegen die Leugnung der Wunder. Diese zahlreichen Worte würden ja völlig in der Luft schweben, wenn die betreffenden Wunder nicht geschehen wären. So z. B. das vor der Heilung des Gichtbrüchigen (Matth. 9,5. 6) zu den Pharisäern gesprochene Wort; es ist einzigartig, daß man nicht erklären kann, wie ein solches Wort erfunden sein sollte. Oder denken wir an das Wort, das sich auf die Speisung zurückbezieht (Matth. 16,8ff.), oder an die Antwort für den Täufer (Matth. 11,4ff.) oder an die Verhandlungen über die Sabbatfrage, die durch Krankenheilungen (nach den Synoptikern dreimal) hervorgerufen war. Das ganz klare Geschichtsbild, das zu beanstanden kein Anlaß vorliegt, ist dies, daß von Jesus ganz außerordentliche Taten ausgeübt worden sind, die lediglich aus seinem Erbarmen herflossen oder vielleicht auch hin und wieder zum Zweck der Versinnbildlichung einer höheren Lebenswahrheit ausgeführt wurden. Dabei ist keineswegs notwendig, daß alle staunenerregenden Taten Jesu als wirkliche Wunder aufgefaßt werden. Mag sein, daß eine große Reihe derselben nicht über das Maß derjenigen psycho-physischen Überlegenheit hinausgeht, die auch sonst unter Menschen in seltenen Fällen angetroffen wird. Mögen sonderlich eine große Zahl von Heilungen in direkte Parallele mit seltsamen Heilergebnissen späterer Zeiten gestellt werden können. Die Evangelien selbst sagen nicht von allen staunenswerten Handlungen des Herrn, sie seien eigentliche Wunder gewesen. Dennoch bleibt eine Fülle von Begebenheiten, auch von Heilungen, die nur als eigentliche Wunder angeschaut werden können.

Seine ablehnende Haltung gegen Wundertun hat Jesus nur der Wundersucht und dem Unglauben gegenüber beobachtet. Die Zeichenverweigerung ist aber keineswegs etwas Absonderliches in Jesu Verhalten, sondern steht im Einklang mit seinem übrigen Benehmen und ist lediglich die Anwendung desselben auf diesen speziellen Punkt. Denn — ich erinnere an bereits Besprochenes — das ist ja das eine absolut Gewisse, daß Jesus der jüdischen Volkserwartung, der zufolge das Reich Gottes mit äußerlichen Gebärden kommen und der Messias in Machtwundern alles bisher Dagewesene überbieten mußte, nicht entsprochen hat, nicht entsprechen wollte. Seine ganze Lebenshaltung war ein fortgesetzter angespannter Protest gegen die falsche Volkserwartung. Wenn aber dies, und wenn die Evangelien uns gerade diesen Kampf gegen die jüdische Erwartung aufs deutlichste zu erkennen geben und schildern wollen, dann können wir nicht annehmen, daß sie zugleich dem Drang nachgegeben hätten, dem Herrn Wunder in Hülle und Fülle anzudichten. Leute, welche das Jesuswort überliefern, daß kein Zeichen gegeben werde als das Zeichen des Jona, können nicht darauf verfallen sein, dem, den sie so reden lassen, sonderliche Wundertaten erst beizulegen.

Das sind die Punkte, die als Instanzen für die geschichtliche Wirklichkeit der Wunder Jesu angeführt werden dürfen. Freilich kann damit nicht gesagt sein, daß durch solche Erwägungen jedes einzelne überlieferte Wunder ohne weiteres in seiner Historizität sichergestellt sei. Daß sich in der Überlieferung und in der Vorstellung selbst der Augenzeugen dies oder jenes einzelne verschoben hat und daß ein einzelnes bestimmtes Ereignis von ihnen als ein absolutes Wunder empfunden und gedeutet ist, ohne auf solche Würdigung Anspruch zu haben, ist keineswegs ausgeschlossen. Wir dürfen aber getrost hinzufügen: nach dem, was wir Jesus selbst über die Bedeutung seiner Wunder haben sagen hören, kommt es auch keineswegs darauf an, ob jede einzelne wunderbare Handlung Jesu genau so geschehen und so aufzufassen ist, wie der Bericht angibt. Für die objektive Ermittelung eines Wunders seht uns aber kein sicheres Mittel zur Verfügung. Es können sich sehr wohl bei diesem oder jenem von der ersten Überlieferung als Wunder aufgefaßten Ereignis Bedenken geltend machen, auch gerade Bedenken rein historischer Art, die ein sicher abschließendes Urteil nicht zulassen. Aber all das ändert nichts an dem allgemeinen von uns gefundenen Resultat: auch schon die rein historische Benutzung der Quellen erhebt die Wahrscheinlichkeit bis an die Grenze der Gewißheit, daß Jesus wirkliche Wunder verrichtet hat.

Diesem allgemeinen Resultat gegenüber wollen wir nicht unterlassen, einige Bedenken gegen einzelne Wunderberichte uns zu vergegenwärtigen, die man nicht geradezu als unbegründet bezeichnen kann. Sonderliches Bedenken haben von je die Wunder Jesu hervorgerufen, welche an der unpersönlichen Natur vollzogen sind, ohne daß ein Jesu würdiger und der sonstigen Haltung Jesu entsprechender Beweggrund erkennbar

wäre. Dahin könnte man schon die Stillung des Seesturms rechnen, insofern wir nicht wohl annehmen mögen, daß eine wirkliche Gefahr für die
Insassen des Schiffes vorlag. Jedenfalls aber konnte Jesus selbst nicht daran zweifeln, daß der Vater im Himmel seinem Werke noch kein Ziel setzen werde. War es in diesem Falle wirklich sein Wort, das den Sturm
brach, und bewirkte er dies, um die geängsteten „kleingläubigen" Jünger zu trösten? Wir verstehen diese Frage vollkommen. Doch ist es nicht
notwendig darauf zurückzugreifen, daß, die Historizität des äußeren
Herganges vorausgesetzt, mit seinem gebietenden Wort zufällig das Aufhören des Sturmes zusammengefallen und den Jüngern keine andere
Deutung als die eines Machtwunders übriggeblieben sei. Es will uns vielmehr scheinen, daß es durchaus nicht den uns bekannten Grundsätzen
Jesu entgegenstand, wenn er in einer solchen Lage dem *Klein*glauben
seiner Getreuen durch ein machtvolles Eingreifen in das Toben der Elemente aufhalf.

Schwierigkeit bereitet jedenfalls auch die erfolgreiche Verfluchung des
Feigenbaums (Matth. 21,18—21; Mark. 11,12—14. 20—23). Die Verdorrung des Baumes geht nach dem Matthäusbericht sofort vor den Augen
der Jünger vor sich, nach dem Markusbericht finden die Freunde am
Abend den verfluchten Feigenbaum verdorrt. Man hat darauf hingewiesen, daß ein solcher Vorgang nicht in die angegebene Jahreszeit, nicht in
die Osterzeit fallen könne, da zu dieser Zeit keine Früchte an dem Baume
zu erwarten waren; ein solcher Hinweis ist zwecklos; es gibt derartiger
Ausnahmen genug im Naturleben, und hier ist jedenfalls klar gesagt, daß
der Baum voll belaubt war und dadurch zum Früchtesuchen aufforderte.
Mag aber auch immerhin dies Ereignis in jenen Herbstaufenthalt Jesu zu
Jerusalem verlegt werden, von dem Joh. 7 erzählt wird, so wird die
Hauptschwierigkeit noch gar nicht berührt. Denn diese liegt in der ernst-
haften Frage, ob es des hungrigen Jesus würdig war, wegen seiner fehlge-
schlagenen Hoffnung auf Fruchtkost den Baum zu verfluchen und an
ihm ein Exempel seiner Wunderkraft zu statuieren. Zum mindesten ist
zu sagen, daß eine solche Handlungsweise nicht in den anderweit uns bekannten Jesuscharakter sich fügt. In Ansehung dessen ist es auch nur eine
Ausflucht, von einem „symbolischen Wunder" zu sprechen, durch welches das von der Stadt Jerusalem über sie heraufbeschworene Gericht veranschaulicht werden solle. Wollte man dies annehmen, dann wäre das
Wunder von keinem der Berichterstatter verstanden worden, denn keiner

von beiden macht eine dahin gehende Bemerkung. Vor allem aber ist und bleibt auffallend, daß hier das einzige Mal die Wundermacht Jesu zu einem Unsegen gebraucht wird, während es gerade seine Eigenart ist, durch sie eitel Segen zu stiften. Keineswegs wird mit dieser Erwägung die Wunderkraft des Herrn in Zweifel gezogen, die natürlich auch dies Wunder hätte verrichten können. Es ist ein historisches Argument, die Beobachtung des überlieferten Charakterbildes Jesu, wodurch die Annahme nahegelegt ist, wir haben es hier mit einer Kombination von einem wirklichen Vorgang und einem Jesuswort wie dem nur bei Lukas (13,6—9) erzählten Gleichnis vom unfruchtbaren Feigenbaum zu tun. Daß auf diese Weise ein Wunderbericht in der mündlichen Tradition sich festgesetzt hat, läßt sich leicht vorstellen. Jesus kommt mit seinen Jüngern in die Nähe der Stadt, ist hungrig, sieht einen in üppigem Grün prangenden Feigenbaum, schließt aus der Blätterfülle auf reichliche Früchte und findet sie nicht. Da wird ihm dieser die berechtigte Hoffnung täuschende Baum zum Symbol der in ähnlicher Weise die religiöse Hoffnung vereitelnden Hauptstadt, und er spricht mit Bezug auf Jerusalem das Wort: Dieser Feigenbaum soll, da er doch keine Früchte bringt, verdorren — ganz so, wie er in jenem Gleichnis Israel als den unfruchtbaren Feigenbaum bezeichnet, der abgehauen werden soll. — Mit den soeben gebotenen Beispielen soll nicht eine sichere Beurteilung der betreffenden Wunderberichte gegeben sein, sondern nur dies möchte deutlich werden, daß der unbefangene Blick auf mancherlei Schwierigkeiten stoßen kann, die voll verständlich sind und die in der Schwebe bleiben können unbeschadet des Glaubens an die faktische Betätigung der wirklichen Wunderkraft Jesu.

Sonderlich instruktiv für die Beurteilung der evangelischen Wundererzählungen ist aber das Wort des Herrn über die Tempelsteuer. Die Erzählung, welche dieses Wort enthält, zeigt nämlich, daß es den ersten christlichen Generationen, diesen Trägern der ersten mündlichen und schriftlichen Überlieferung, gar nichts Einfaches und Geläufiges war, einfache Berichte über Jesusworte in Wundererzählungen umzudeuten. Die übliche Auffassung freilich trägt ein Wunder in die Tempelsteuergeschichte (Matth. 17,24—27) hinein. Der Sachverhalt ist aber lediglich dieser. Die Einsammler der Tempelsteuer waren auf der Straße von Kapernaum an Petrus herangetreten mit der Frage, ob sein Meister die Tempelsteuer entrichte. Als der Jünger zum Herrn ins Haus gegangen, sagt ihm dieser: „Wenn du an den See gehst, wirf deinen Angelhaken aus, ziehe den ersten Fisch, der anbeißt, heraus, und wenn du seinen Mund öffnest, wirst du einen Stater finden; diesen gib ihnen für mich und dich" (Matth. 17,27[3]).

In dieser Erzählung hat man vielfach ein wunderbares Wissen oder Voraussagen erblickt, und das auf diese Weise angenommene Wunder ist manchen ein Stein des Anstoßes geworden. War das denn wirklich die Jesu würdige Gelegenheit zur Anwendung seiner Wundermacht? Entspricht es seiner Wirkungsweise, eine solche Situation durch ein Vorsehungswunder aufzuklären? Hatte die kleine Schar der Getreuen nicht immer den Säckel bei sich, aus dem der Lebensunterhalt bestritten wurde? Und gab es nicht gerade in Kapernaum Freunde genug, die diese bescheidene Gabe bereitwilligst dem Meister angeboten haben würden? — Allein in der ganzen Erzählung ist keine Andeutung enthalten, daß Petrus jenes Wort des Herrn als einen Befehl aufgefaßt habe, den er demgemäß nun auch sofort ausgeführt habe. Mit keinem Worte wird gesagt, daß sich die in jenem Wort enthaltene Voraussage wunderbar bestätigt habe. Hätte der Evangelist das Wort als eine Voraussage aufgefaßt, so würde er nicht unterlassen haben, die tatsächliche Bestätigung hinzuzufügen. Von einer solchen wußte er jedoch nichts, und das Herrnwort war überhaupt nicht im Sinne einer Voraussage gemeint. Alle in diese Richtung führenden Auslegungen des Textes sind im Irrtum.

So wird uns denn dieser Textabschnitt noch aus einem besonderen Grunde sehr bedeutsam. Man hat gegen die neutestamentlichen Wundererzählungen öfters den Einwand erhoben, sie seien Erdichtungen der frommen Phantasie, die darauf bedacht war, den Herrn mit göttlichen Allmachts- und Allwissenheitswundern auszustatten, und die ersten Generationen der jungen Christenheit seien in dieser Richtung tätig gewesen. Nun gab es in der Tat, wie wir noch zu erwähnen haben werden, eine Schriftgattung, die jenen Zweck verfolgte. Aber *auf unsere kanonischen Evangelien trifft der Vorwurf nicht zu.* Der Verfasser des Evangeliums hätte an dieser Stelle die denkbar schönste Gelegenheit gehabt, durch Hinzufügung weniger Striche zu zeigen, wie herrlich sich die Voraussage erfüllt habe. Nichts davon. Trotz der für ein irgendwie wunder-

---

[3] Ein Stater war nach damaliger Währung etwa einem jüdischen Schekel gleich, er repräsentierte also das Doppelte der nach 2 Mose 30,13 zu entrichtenden Tempelsteuer.

süchtiges Gemüt direkt gegebenen Aufforderung, hier die „Wundergloriole" zu vergrößern, deutet der Evangelist mit keinem Worte an, daß es sich in diesem Falle um etwas Wunderbares handle. Und doch hätte dies gerade nach der voraufgegangenen Erzählung (V. 16—21) besonders nahegelegen (vgl. oben S. 93).

Weit entfernt, ein Wunder zu konstruieren, bietet der Evangelist den schlichten Bericht dar von einem herrlichen Worte des Herrn, mit dem dieser in humorvoller Ruhe die Sorge des Jüngers um die Entrichtung der Tempelsteuer zurückweist. Wie leicht ist es doch für Petrus, durch die einfache Ausübung seines Berufes jene geforderte Abgabe zu beschaffen! Handwerk hat einen goldenen Boden; du brauchst nur in Ausübung deines Gewerbes die Angel auszuwerfen, so hast du einen Fisch mit dem Geld im Munde. Arbeitsstunde (Morgenstunde) hat Gold im Munde! Was bekümmerst du dich noch groß um diese kleine Steuer! — Tatsächlich ist mit diesem Hinweis auf die von jedem Gewerbe rechtmäßig zu fordernde und zu entrichtende Kirchensteuer die Erzählung beendigt.

Wenden wir uns zu den religionsgeschichtlichen Gesichtspunkten. Wir begeben uns damit auf ein gar ausgedehntes und schwieriges Gebiet, auf dem wir knappe Auswahl treffen müssen. Wunder treten uns in der religiösen, selbst in der profanen Literatur der Völker in großer Fülle entgegen, und wir verhalten uns solcher Tradition gegenüber durchaus skeptisch. Allem Anschein nach berechtigt uns, die wir vorurteilsfrei das überall historisch Überlieferte nach gleichem Maßstabe messen, nichts dazu, die Wunder Jesu günstiger zu beurteilen. Bei religionsgeschichtlicher Vergleichung sind die Analogien von höchster Bedeutung, und in der Wundermaterie sind die Analogien sonderlich stark. Durch die Ähnlichkeit in diesem Punkt scheinen die Religionen einander äußerst nahezurücken. Alle Wunder scheinen auf derselben Linie geschrieben. Die gewöhnliche religionsgeschichtliche Betrachtung folgt dem Prinzip, alle gleichen oder verwandten Erscheinungen in den verschiedenen Religionen, wenn irgend möglich, aus den gleichen Ursachen zu erklären; so auch die Wunder. Sie beurteilt dabei alle religiösen Daten als subjektiv. Was in den heiligen Codices steht, das wird als Erzeugnis des religiösen Gefühls oder Urteils angesehen. Besteht nun kein Zweifel darüber, daß Wundersagen entstanden sind aus dem Trieb, dem religiösen Menschengeist das Übernatürliche nahezurücken und es um deswillen den verehrten Heroen als Attribut beizugeben, so erfordert der Grundsatz von der

gleich motivierten Analogie, daß alle Wunder, von denen Religionen zu
sagen wissen, auf dieselbe Weise ihre Existenz erhalten haben und in die
heiligen Bücher gelangt sind. Alsdann müssen sie alle ohne Ausnahme
als Produkte der dichtenden Phantasie angesehen werden, denen keine
Realität zukommt. Das eigentliche Motiv der wunderdichtenden Phantasie wird also in dem volkstümlichen Zuge nach konkreter Ergreifung und
Darstellung des Übernatürlichen erblickt, der von einer völlig unskepti-
schen Wundersucht genährt wird. Nun haben wir freilich bereits aus dem
Tatbestande der evangelischen Schriften eine Reihe von Merkmalen hervorgehoben, die für mehrere Jesuswunder die Historizität nach unserer
Meinung kräftig stützen. Die jetzt angeführte Gedankenreihe hat sich
jedoch schon oft genug als geeignet erwiesen, die Überzeugung von der
geschichtlichen Wirklichkeit der evangelischen Wunder ins Wanken zu
bringen. Und gegenüber dem erwähnten Grundsatz von der gleich motivierten Analogie läßt sich selbstverständlich durch eine bloße Vergleichung *einzelner* Wunder ein stringenter wissenschaftlicher Beweis dafür
nicht erbringen, daß die Wunder der Evangelien anderer Herkunft sind
als die Wunder in fremden religiösen Traditionen. Dieser Beweis ist
ebensowenig absolut zu führen wie der Beweis für die Richtigkeit jenes
Grundsatzes von der Analogie, der ja eine Hypothese ist. Allein niemand
wird behaupten wollen, daß dieser Grundsatz, wennschon er ein weites
Gebiet beherrscht, allgemeingültig sei. Jeder wird vielmehr ohne weiteres
zugeben, daß eine unbegrenzte Menge von Fällen denkbar ist, die zwar
äußerlich als Analogien sich darstellen, jedoch ganz verschiedenen Ursachen ihr Dasein verdanken. Und unter die Voraussetzung dieser Möglichkeit wollen wir die folgenden Betrachtungen stellen. Wie wir zuvor
Instanzen für die quellenmäßige Historizität von Jesuswundern fanden, so
wollen wir jetzt darauf hinweisen, daß jenes Motiv für Wundererzählungen nicht ohne weiteres für ausschließlich wirkend und alleingültig gehalten werden darf, ohne der geschichtlichen Wahrheit Gewalt anzutun.
Auf zweierlei kommt es dabei an. Erstens ist in der Tat im neutestamentlichen Zeitalter und Milieu von einer Wundersucht nicht in dem Maße zu
reden, daß sie unbesehen alles hingenommen habe, was irgend an Wunderbarem berichtet wurde, zweitens steht die Mehrzahl der außerevangelischen Wunder in ganz anderer Beleuchtung als die evangelischen.

Es ist eine seltsame Rede, daß wir heute „nicht mehr" an Wunder
glauben können, während früher solcher Glaube ganz am Platze gewesen

sei. Das eine freilich scheint die Beobachtung an die Hand zu geben, daß
der heutige Mensch im allgemeinen sich mehr gegen die Annahme eines
wirklichen Wunders sträubt als der Mensch zur Zeit Jesu. Doch dürfen
wir nicht vergessen, daß auch heute eine Koketterie mit dem Wunder getrieben wird, die der Wundersucht von damals nicht sehr fern steht. Und
wenn unter uns nicht allein das Verlangen nach Erscheinungen von Verstorbenen und Verkehr mit ihnen öffentlich laut wird, sondern selbst die
Befriedigung dieses Bedürfnisses gleichsam geschäftsmäßig verheißen
wird: ist dergleichen von geringerer Wundersucht diktiert als manches,
was in alten Legenden sich findet? Es wird auch nicht wohlgetan sein, die
Denkrichtung des für uns in Betracht kommenden Zeitabschnittes so ab-
schätzig zu beurteilen, als habe sie in ihrer Naivität keine Vorstellung
von gesetzmäßigem natürlichen Geschehen gehabt. Diese Beurteilung ist
schon durch das bloße Vorhandensein der Vorstellung des Wunders un-
gültig gemacht. Denn wenn die alte Zeit überhaupt den Begriff des
Wunders besaß, so hat sie ihn im Gegensatz zu dem Begriff des regelmäßigen, gesetzmäßigen Naturgeschehens gebildet. Der Begriff des Wunders, mag er noch so undeutlich sein, schließt immer den Gedanken an
eine Abweichung von gesetzmäßigem Naturgeschehen ein. So ist es auch
sehr merkwürdig, wenn man behauptet, die Zeitgenossen Jesu hätten
sich durch eine Totenerweckung weniger fremdartig berührt gefühlt als
wir von heute, die wir wissen, daß das eherne Naturgesetz im Tode behält, wen es einmal dahinein gefangen hat. Den Leuten jener Zeit war
nicht minder gewiß, daß, wer einmal gestorben ist, tot bleibt. Als Lazarus
begraben ist, ist selbst die Jesu eng verbundene Schwester des Verstorbenen, Maria, nicht darauf gefaßt, daß eine Erweckung geschehen werde.
Sie wie die Umstehenden meinten wohl, daß Jesus den kranken Lazarus
hätte heilen können. Aber das noch unerhörte Wunder an dem Bestatte-
ten halten auch sie für unmöglich, und Martha möchte verhindern, daß
der Stein vom Grabe gewälzt wird (Joh. 11,32. 37. 39). Im Octavius des
Minucius Felix wendet sich der Heide gegen den Christen: „Zu der Wiederkehr eines Toten zum Leben kann ich mich nicht verstehen, denn ein
solcher Fall ist nur einmal geschehen, als nämlich Protesilaus auf Bitten
seiner Frau für einige Stunden aus der Unterwelt zurückkehrte." Doch
auch diesen Fall schreibt er der dichtenden Sage zu. Von dem großen pythagoreischen Philosophen und Wanderprediger Apollonius von Tyana
wird eine Totenerweckung erzählt, die er in Rom vollbracht habe. Ein

Mädchen aus vornehmem Hause ist am Tage ihrer Hochzeit gestorben und wird hinausgetragen. (Beiläufig: die Übereinstimmung der einzelnen Züge mit der evangelischen Erzählung von der Erweckung des Jünglings von Nain ist so groß, daß die Apolloniusgeschichte einer beabsichtigten Analogie sehr ähnlich sieht.) Apollonius heißt die Bahre hinstellen, „er berührt die Tote, spricht einige unverständliche Worte und erweckt sie aus ihrem Scheintode." Der Biograph Philostratus, der dieser Überlieferung sehr skeptisch gegenübersteht, bemerkt dazu (Vita Apollonii IV, 45): „Ob er nun noch einen Lebensfunken in ihr vorgefunden, den die Ärzte nicht wahrgenommen — denn man sagt, der Gott habe sie betaut, und von ihrem Antlitz sei ein Dunst aufgestiegen — oder ob er das erloschene Leben wieder zurückrief und anfachte, das vermag ich nicht zu ermitteln noch vermöchten es die, welche dabei waren." Im schon erwähnten Octavius beklagt sich der Heide über die Leichtgläubigkeit der früheren Generationen, unter deren Fiktionen die Erziehung der Jugend noch immer leide. „Unsere Vorfahren glaubten so gern an Lügen, daß sie selbst ungeheuerliche Wunderdinge ohne Prüfung für wahr hielten wie die Scylla, die Chimäre usw." — Was zeigen uns die hier zusammengestellten Äußerungen? Doch jedenfalls so viel, daß gerade in der Zeit, da das Christentum einsetzte, neben aller Liebelei mit dem Wunder auch die Skepsis ein mächtiger Faktor im Geistesleben war und der Wundersucht den Boden zu entziehen bemüht war. Und zwar verhielten sich nicht nur gebildete Männer wie die beigezogenen Schriftsteller gegen das Wunder fein zuwartend, sondern auch die einfachen Volksgenossen Jesu waren keineswegs für unerhörte Wunderereignisse sonderlich disponiert.

Aber nichtsdestoweniger waren ja die Wundererzählungen aus früherer Zeit eifrig im Schwange und wurden auch von der Masse gern geglaubt. In erster Linie stand wohl der Heilgott Asklepios oder (lat.) Äskulap, der namhafteste „Heiland" der Heiden, der als Sohn eines Gottes und einer menschlichen Mutter, des Apollo und der Koronis, mit wunderbarer Heilkraft ausgestattet war. Seitdem er wegen seiner Totenerweckungen (deren zehn berichtet sind) durch den Blitz des Zeus aus dem Erdenleben fortgerafft war, wirkte er aus göttlicher Höhe weiter, heilte durch Priesterhand mittels Medizin oder belohnte Wallfahrten zu seinen Heiligtümern mit Genesung. Und dies ist nur ein Beispiel. Gewiß war Wunderglaube auch zu jener Zeit verbreitet und Wundersucht geschäftig. Anderes könnte zur Ergänzung angeführt werden; aber nicht alles

darf verrechnet werden. Z. B.: Daß auch fort und fort römischen Kaisern
Wunder nachgesagt wurden, darf nicht in diese Betrachtung eingerechnet werden, denn es ist äußerst zweifelhaft, ob sie überhaupt von jemand
geglaubt wurden und nicht vielmehr bloß ein offizieller Ton des Cäsaren-
kults waren. Wer aber mit dieser Richtung des Blicks die Geschichte
durcheilt, wird keinen Grund finden, die Wundersucht für das Zeitalter
Christi sonderlich hoch zu veranschlagen. Die Wundersucht ist die stete
Begleiterin der Aufklärung, sie ist immer ein mächtiger Faktor im Geistesleben, nur die Erscheinungsformen sind je und je verschieden. Und
ob zumal bei Leuten, die nach der Schablone der Synagogalweisheit er-
zogen waren oder doch wenigstens den Windhauch vom Flügelschlage jener
Weisheit zu spüren bekommen hatten, die Neigung zum Wunderglauben ausnehmend groß gewesen ist, dürfte zweifelhaft sein. Es ist bekannt, daß zwar der Glaubenssatz vom allmächtigen Schöpfergott im
Spätjudentum betont wurde wie kaum je zuvor, daß aber dieser Glaube
sich ausschließlich auf jenen längst vergangenen Schöpfungsakt bezog,
während der zuversichtliche Glaube an den immerdar und gegenwärtig
in der Geschichte des Volkes und der einzelnen waltenden und wirkenden Gott mehr und mehr zurückgetreten war. Der Gott, dessen Namen
man nicht aussprach, war auch im religiösen Gefühl zurückgetreten. Und
wennschon diese Versteinerung der Religion in erster Linie ein Erzeugnis
der theologischen Spekulation war und die Frommen und Stillen im Lande ungeschwächt an Psalmen und alten Gebeten sich erbauten, so blieb
es doch nicht aus, daß die deistische Welt- und Gottesanschauung von
den Gebildeten in die Masse übergriff. Das war schon deshalb unausbleiblich, weil auch das Tempelzeremoniell in der Richtung der Transzendenz sich änderte. Dadurch dürfte aber dies klar werden, daß auch
die damalige jüdische Generation nicht in sonderlichem Maß dazu neigte, Geschehnisse als wunderbare Wirkungen Gottes aufzufassen, und daß
es nicht ohne Schwierigkeit ist, der ersten christlichen Generation zuzu-
muten, sie habe ohne zwingende Tatsachen einen Kranz von göttlichen
Machttaten um den Heiland, der kürzlich noch unter ihnen geweilt, ge-
schlungen und diese Wunder sogar als so unmittelbare Wirkungen Gottes selbst dargestellt, wie es im vierten Evangelium geschehen ist. Leicht
stellt sich, wie die Geschichte des Geisteslebens zeigt, in solchen Situationen allerlei Aberglauben und Geheimniskrämerei ein, die in erster Linie
mit finsteren Mächten sich zu schaffen machen; aber das ist etwas ganz

anderes, als wenn einer historischen Person Wundertaten angedichtet werden, die aus göttlicher Kraft und göttlichem Wesen verrichtet sein sollen. Für Aberglauben und Beschwörung haben wir aus jener Zeit der Dokumente genug. Gerade jüdische Exorzisten hatten damals eine gewisse Berühmtheit erlangt; ihre Formel, die auf den Namen des Gottes Abrahams, Isaaks und Jakobs lautete, wurde nach dem Zeugnis des Origenes (c. Cels. IV, 33) von zahlreichen nichtjüdischen Zauberern gebraucht; und die „salomonischen" Zaubersprüche galten für besonders wirksam. Allein wir brauchen nur noch einmal an den Apostel Paulus zu denken, um zu erkennen, wie fern auch dem pharisäisch gebildeten Manne der Rekurs auf Wunder Jesu und somit auch die Tendenz zur Wundererdichtung lag.

Ist sonach jedenfalls die größte Vorsicht geboten, wenn man ein evangelisches Wunder nach Analogie des Gros der heidnischen Wunder auf Wundersucht zurückführen will, so ist außerdem die wesentliche Differenz zwischen den Wundern Jesu und denen anderer Heroen zu beachten. Sie ist im allgemeinen eine durchschlagende. Sie gibt sich einmal darin zu erkennen, daß Jesu Wunder durchaus der göttlichen Liebe ihren Ursprung verdanken. Es läßt sich kein eigentliches Wunder in den Evangelien aufzeigen, daß nicht ein Erbarmungswunder wäre. (Doch vergl. oben S. 105 f.) Und damit hängt das andere zusammen, daß in den Evangelien, trotz manches anders gerichteten Versuches der Berichterstatter (Mark. 6,5b), die Person des Wundertäters als solchen zurücktritt, während die außerevangelischen Wunder sich dadurch charakterisieren, daß sie zur Verherrlichung des Wundertäters geschehen und beschrieben werden und daß, obschon auch bei diesen das Motiv erbarmender Liebe nicht gänzlich fehlt, stets die Person des Wundertäters im Vordergrunde steht und die Wunder dadurch einen bestimmten Selbstzweck erhalten.

Wenn wir hierfür einige Beispiele bringen, so ist aus einer ungeheuren Fülle von Stoff ohne sonderliche Wahl einiges herauszugreifen. Beginnen wir mit den Wundern der apokryphischen Evangelienliteratur und halten uns ans Thomasevangelium, das die Lücke zwischen der Rückkehr der Zimmermannsfamilie aus Ägypten und dem ersten Tempelbesuch des Zwölfjährigen ausfüllen will. Es beginnt gleich mit zwei Naturwundern. Der fünfjährige Jesusknabe macht, wie ausdrücklich gesagt wird „durch sein bloßes Wort" trübes Wasser, mit dem er gespielt, rein. Darauf bildet er aus Lehm zwölf Sperlinge. Als ein Jude zornig wird, daß er dadurch den Sabbat entheiligt habe, und als auch der hinzugekommene Vater ihn schilt, beweist der Knabe durch ein Wunder, daß er nichts Unrechtes getan habe: das Kind klatscht in die Hände und ruft den Vögeln zu: fliegt fort! und sie flogen schreiend auf und davon. Einen Schriftgelehrtensohn, der das vom kleinen Jesus in Pfützen gesammelte Wasser auslaufen läßt, schilt er Dummkopf und gottloser Mensch, und er läßt ihn vollständig verdorren. Einen anderen Knaben, der ihn im Laufen nur an die Schulter stößt, läßt er sofort tot umfallen. „Denn jedes Wort von ihm ist fertige Tatsache." Gegen die Vorwürfe erwidert er, daß er nur Übeltäter verfluche, sofort aber erblinden die, welche ihm die Vorwürfe machten. In dieser Tonart geht es weiter. Hier haben wir den krassesten Gegensatz zur kanonischen Literatur. Es sind göttliche Kinderstreiche, durch welche die Person erhöht werden soll. Alle, welche nicht bereits in dem Kinde den Gott erkennen, müssen sterben. — Auch das Buddhakind ist schon gleich nach seiner Geburt wunderbar. Der eben Geborene verkündet mit Löwenstimme seinen Lebensberuf: „Ich bin das Erhabenste, das Beste in der Welt! Dies ist meine letzte Geburt. Ich werde ein Ende machen der Geburt, dem Alter, der Krankheit, dem Tode." Daran schließen sich sofort Wunder über Wunder. Vom Buddha ist immer ein ganz einzigartiges Wissen gerühmt. Buddha spricht es selbst aus: „Es ist mir offenbar, was durch euren Geist geht, mich könnt ihr nicht täuschen." Wirklich wunderbares Wissen wird in zahlreichen Fällen berichtet. Von Jesus hingegen ist kein eigentlich wunderbares Wissen über menschliche Dinge überliefert, wohl aber eine erstaunlich klare Erkenntnis der menschlichen Gedanken und Gesinnungen, die wir jedoch sogar nach Analogie feinfühliger Menschen zu begreifen vermögen, so daß sie nicht eigentlich wunderbar ist. Ein Vorauswissen bekundet Jesus allein über Dinge seines Berufs, über das Gottesreich, aber auch da nur in großen Zügen, das Wissen von Einzelheiten ablehnend — sein außergewöhnliches Wissen ist rein prophetischer Art. Das Wissen des Buddha ist magisch. — Auch die Heilungen des Buddha liegen in ganz anderer Sphäre und sind augenscheinlich dazu angetan, die Person des Helden zu glorifizieren. So läßt er einen Prinzen, dem beide Hände und Füße abgehauen sind und dessen Gebet er in der Ferne vernimmt, durch einen hingesandten Jünger mittels der heiligen Formeln (!) in den Vollbesitz seiner Gliedmaßen zurückgelangen, und der Geheilte betätigt sofort eine übermenschliche

Kraft. Auch kann Buddha durch Stampfen des Erdbodens ein furchtbares Erdbeben hervorrufen. An solchen Zügen, die dem evangelischen Jesusbilde fehlen, empfinden wir sofort die Größe des Abstandes. Bei Apollonius von Tyana verhält es sich nicht anders. Wie Buddha so heilt auch er durch besondere sinnliche Mittel oder Zauberformeln. Auch Äskulap verwendet für seine Heilungen mancherlei Mittel, schrieb Medikament vor; später mußten die Patienten in seinen Tempeln schlafen und die Weisung der dort erlebten Träume befolgen. Es ist nicht die göttliche Allmacht, die dort wirkt; ein Durcheinander von Sinnlich-Natürlichem und Übernatürlichem tritt uns entgegen. Apollonius kann ein Gespenst nicht allein verscheuchen, sondern bedarf der Mithilfe laut schreiender Menschen (Vita Ap. II,7). Als er die Stadt Ephesus von der Pest befreien will, führt er die Bewohner zum Standbild des Apotropäus, des Unheil abwendenden Herakles; ferner nimmt er eine moralisch höchst bedenkliche Maßnahme zu Hilfe: er läßt einen Greis steinigen, der die Schuld an der Epidemie tragen soll; hernach aber liegt unter dem Steinhaufen nicht ein menschlicher Leichnam, sondern ein toter großer Hund (Vita Ap. IV, 11). Einen an der Tollwut erkrankten Menschen läßt er durch den Hund selbst, der ihn gebissen hat, heilen (Vita VI, 43). Er ist sehr abergläubisch; er berührt die Weihrauchflammen dort, wo ihr Flackern günstig erscheint (Vita I, 31). Daneben wird ihm ein absolut wunderbares Wissen zugesprochen. Er kennt die Sprache aller Völker ohne sie gelernt zu haben; er weissagt zweimal aus kleinen äußerlichen Begebenheiten die kurze Regierung der drei Soldatenkaiser Galba, Otho, Vitellius; in Ephesus stockt er plötzlich in der Unterhaltung und sieht, es miterlebend, wie gerade zur Minute in Rom Domitian ermordet wird (Vita I, 19. V,11—13. VIII, 26). Apollonius hat, wie es auch seinem großen Meister Pythagoras (in der von Jamblichus verfaßten Biographie) nachgesagt wird, die Fähigkeit, an mehreren Orten zugleich zu sein oder sich mit unheimlicher Geschwindigkeit an einen anderen Ort zu versetzen. Solche magische Freiheit von Raumschranken und materiellem Sein wird auch dem Buddha zugesprochen. In unseren Evangelien wird man solche Züge nicht finden, es sei denn, daß man das Meerwandeln Jesu in diesem Sinn verstehen zu müssen meint. (Doch wegen der Unerfindlichkeit des Zwecks solchen Wunders und wegen der Differenzen in den drei Berichten darüber hat die Forschung als Grundlage für die Gestaltung dieses Berichtes eine Sinnestäuschung der Jünger schon in jener Nacht, zum Teil auch eine

getrübte Erinnerung angenommen[4].) Wir haben ja im Gegenteil an einem
so deutlichen Beispiele wie der Erzählung von der Tempelsteuer gesehen,
daß in den kanonischen Evangelien nicht einmal eine vom Erzählungs-
stoffe selbst dargebotene Gelegenheit zu dem Zwecke, ein Wunder zu
konstatieren, ausgenützt wird, da ein solches nicht ausdrücklich bezeugt
gewesen war. Vgl. oben S. 106 ff. und S. 89 Anm. 2.

Wenden wir uns zum Schluß nun noch einmal einer apokryphischen
Schrift zu, so erzählen die Petrusakten die seltsamsten Dinge von ihrem
Helden. So besitzt er die Kraft, einen gesalzenen Hering wieder lebendig
zu machen. Ein Säugling verkündet auf sein Geheiß mit lauter Stimme
das bevorstehende Strafgericht über den Magier Simon und fordert denselben zum Wettstreit im Wundertun heraus. Selbst der Wettstreit wird
erzählt. Eben dies letztere gibt in prägnanter Form die Signatur der heidnischen Wunderanschauung zu erkennen. Die angeführten Beispiele lassen deutlich sehen, wie in außerevangelischen Quellen, mögen sie christlicher oder heidnischer Herkunft sein, alle Wunder in der Absicht
geschrieben sind, die Person des Heros herauszustreichen. Es mutet in der
Tat oft wie ein Wettstreit für den göttlich glorifizierten Mann uns an,
wenn er über das Niveau des Menschlichen erhoben wird, während andererseits die Lebensart der betreffenden Person so gar nichts Göttliches
spüren läßt. Dies ist das Charakteristische der außerevangelischen Wunderberichte, daß die Wunder gegen den übrigen Typus der handelnden
Personen sich disparat verhalten. Das Übermenschliche ist dort nur zu
tief ins Allzumenschliche vergraben und bricht aus letzterem wie ein
Nichtseinsollendes hervor. Wenn der überaus gescheite und mit über-
menschlichem Wissen ausgestattete Apollonius in mancherlei volkstüm-
lichem Aberglauben befangen ist, wenn er bei seiner wunderbaren Hilfe
selbst unmoralische Mittel verwendet, dann werden wir stutzig. Es ist
eine arge Inkonsequenz, die sich in der solchen Berichten zugrundeliegenden Anschauung findet. Wenn die heidnischen „Heilande" zwar
Heilungen ausführen sollen, die jeder menschlichen Heilkunft spotten, wenn sie aber zu diesen göttlichen Taten die echt menschlichen
Mittel von Medizin, Zauber und Beschwörungsformeln, zeremoniellen

---

[4] Näheres bei B. Weiß, Das Leben Jesu II [Berlin ³1888], S. 211 ff.; W. Bey-
schlag, Das Leben Jesu I [Halle a. d. S. ³1893], S. 324 f. Neuerdings B. Weiß,
Jesus von Nazaret. Ein Lebensbild (1913), S. 92 f.

Waschungen usw. verwenden, so ist auch das eine Inkonsequenz, die uns erkennen läßt, wie das ganze Bild aus der magischen Anschauung derer stammt, die es entwarfen. Diese Inkonsequenz der Anschauung ist in den Evangelien nicht bemerkbar. Hier erscheinen vielmehr, wie wir gesehen haben, die Wunder Jesu als die rechte Konsequenz des gesamten Seins und Berufslebens Jesu. Den anderen Heroen „haftet das Wunderbare an wie ein Amtsgewand, wie ein Schmuck oder Ehrenzeichen. Christi persönliches Leben und Wirken ist ein Wunder. Jene wurden groß und größer durch die Wunder, Christus ist so groß, daß die einzelnen Wunder ihm gegenüber klein werden"[5]. Und während in den heidnischen Wundererzählungen die Helden aus einem gewissen selbstgefälligen Vollgefühl heraus handeln und die Wundergabe gern zur Schau tragen, so finden wir auch davon in dem evangelischen Jesusbilde nichts. Gewaltig ist der Abstand seiner schlichten und erhabenen Persönlichkeit, die mit ihren helfenden Taten gern im Verborgenen weilt.

Die Wunder Jesu, von denen wir im Neuen Testamente lesen, tragen nach alledem einen anderen Stempel als die anderweitig überlieferten Wunder. Wie die Person des Herrn selbst so heben sich auch seine Wunder nachdrücklich von allen Analogien in der Geschichte ab. Wie er selbst über alles in der Menschengeschichte Dagewesene riesengroß hinausragt und alles, was sich im gewöhnlichen Menschenleben entwickelt, weit hinter sich läßt: so sind auch seine Wundertaten von einer ganz eigentümlichen Höhe. Es kommt sonach bei einer Erörterung über sie weniger auf die Wirklichkeit der einzelnen Wunder an als vielmehr auf den ihnen einwohnenden Charakter und auf das, was sie bedeuten. Nicht groß geworden ist Jesus durch seine Wunder. Er blieb gerade durch sie, bei ihrer Ausübung die personifizierte Demut unter den Menschen, als die er sich im Gegensatz gegen die Sünde aufrieb bis zu Kreuz und Grab. Nicht galt es ihm, seine Majestät durch Wunder zu erweisen, und nicht seiner Hoheit und Würde, seinem Ansehen und seiner Autorität sollten sie dienen. Was wir aus ihnen erkennen, das ist vielmehr gerade seine Demut, sein Mitleiden und Erbarmen, dem sie entsprangen.

Ganz im Einklang mit dieser Art seiner Wunder steht es auch, wenn die Gegner keineswegs seine göttliche Hoheit aus ihnen entnahmen. Es

[5] R. Seeberg, Die Grundwahrheiten der christlichen Religion [Leipzig 1902], S. 50.

war im Gegenteil des reinen Menschen zart-inneres Wesen als die jedes Egoismus bare Preisgabe des eigenen Selbst im Dienst für die andren, was hier deutlich hervorleuchtete. Dies mußten auch die Gegner merken. Und das eben erbitterte sie, wie immer die Sünde zur Erbitterung gereizt wird durch die Anschauung ihres direkten Gegensatzes.

Nichtsdestoweniger sind diese selben Wunder, die eine Offenbarung des Ideals der Menschennatur bedeuten, Bestandteile der geschichtlichen Gottesoffenbarung, die Jesus zu bringen berufen war. Oder besser: dadurch, daß sie jenes sind, sind sie dieses. Denn Gottesoffenbarung im vollen Sinne des *ethischen Monotheismus* gibt es nicht ohne gleichzeitige Offenbarung des Menschenwesens nach seiner finstren und seiner lichten Seite oder, was dasselbe ist, ohne die heilsamen Schrecken des Bußrufes, die den Menschen zur zerknirschenden Reue führen. Das Göttliche und das Menschliche sind in der vollkommenen Offenbarung ineinander: sie ist in Wahrheit gottmenschlich. Bekunden die Wunder Jesu, von denen die Begründung des Gottesreiches begleitet ward, die konkret faßbare Form der sich selbst aufopfernden Liebe, so zeigen sie zwar zunächst des Menschen ideales Wesen, aber sie lassen es zugleich als ein solches erkennen, das in dieser konkreten, wirklichen Form nur vermöge jener sich gänzlich neigenden Liebe dasteht, die die göttliche Gnade ist. So sind Jesu Wunder Offenbarungen der göttlichen Gnade, und sie sind Evangelium.

Sie sind das aber nur für den, der durch die völlige Gesinnungsänderung, durch die Umwandlung seines ganzen Menschenwesens hindurchgeht; für den, dem zuvor der Bußruf und die ganze Person des Heilandes eine Vorbereitung auf das Evangelium und der Hebel des Glaubens waren. Nun erst wird es dem Glauben faßbar, daß hier Taten geschehen sind, die Gott gewirkt hat. Nicht durch eigne Kraft tat Jesus die Wunder, sondern durch Gottes Kraft in ihm. Gottes Wort, des Vaters Werke sind es, die aus ihm hervorgehen. Nur wer im Glauben diesen Urgrund von Jesu eigentümlicher Existenz ermißt, begreift sein wunderbares Heilandswirken. Das in seiner Person selbst, in seiner allüberragenden Gotteskraft dastehende Wunder war derart, daß allein seine leibhaftige Auferstehung sein irdisches Sein abschließen konnte. Von dieser Tatsache aus erleuchtet sich uns sein Wesen und damit auch sein Wirken. Denn wenn wir von dieser Tatsache seiner Auferstehung aus rückschließend den Vollgehalt seines persönlichen Wesens erfassen, dann wird es uns ganz selbstverständlich, daß sein gottmenschliches Sein auch in der Art seines Wirkens sich ausprägte. Die Wunder sind seinem Wesen adäquat und wie dieses inkommensurabel.

Aber sie sind es nicht, worauf der Glaube zuerst sich richtet und woran er entsteht. Dies muß so gewiß immerdar betont werden, als nach Jesu eigenen Worten, wie wir gesehen haben, kein positives Verhältnis zwischen den Wundern und der *Entstehung* des individuellpersönlichen Glaubens obwaltet. Er hat sogar im bestimmten Falle verboten, über ein geschehenes Wunder zu reden (Mark. 5,43), und er hat auch sonst die Verbreitung untersagt, weil der wunderbare Vorgang durch das Gerede in ein falsches Licht gerückt und gar zur leicht zum Ansatzpunkt eines äußerlichen Glaubens gemacht werden kann. Die Wunder des Herrn können ebenso wie seine Auferstehung erst dann eine reale Bedeutung für unser Glaubensleben gewinnen, wenn uns der Gesamteindruck der Jesuspersönlichkeit und der Jesusgeschichte — d.i. die „Werke" im Sinn des Johannesevangeliums — zu der Erkenntnis geführt haben, daß in diesem geschichtlichen Personleben etwas erfolgt ist, das jenseits von Raum und Zeit verankert ist.

Gottfried Traub, Die Wunder im Neuen Testament (= Religionsgeschichtliche Volksbücher für die deutsche
christliche Gegenwart. V. Reihe, 2. Heft). Tübingen: Verlag von J. C. B. Mohr (Paul Siebeck) 1907, S. 1—68
[= 2., stilistisch überarbeitete und gelegentlich gekürzte Auflage. Die 1. Auflage erschien Halle a. d. S.:
Gebauer-Swelschke Druckerei und Verlag m. b. H., 1905, S. 1—72].

DIE WUNDER IM NEUEN TESTAMENT

Von GOTTFRIED TRAUB

I. Kapitel. Wunder und Mirakel

Man ist äußerst nervös geworden in der Behandlung der Wunderfrage.
Kaum versteht man sich innerhalb der christlichen Gemeinde, auch dann
nicht, wenn selbstverständliche geschichtliche Tatsachen festgestellt werden. Alle Funde erscheinen sofort als Feinde des „Glaubens". Freilich ist
dabei von vornherein der Sinn dafür verlorengegangen, wie armselig dieser „Glauben" begründet wäre, wenn ihn historische Nachweise, etwa
ein paar Ausgrabungen im Orient, über Nacht ernstlich gefährden könnten. Erregbar war ein gewisses christliches Empfinden von jeher in der
Wunderfrage. Die beliebte Klasseneinteilung in „Gläubige" und „Ungläubige" richtet sich vor allem nach der Stellung zum Wunder. Es gilt in
weiten Kreisen als Zeichen unbekehrter Gesinnung, ja böswilliger Feindschaft, wenn man die historischen Wunderberichte nicht ohne weiteres
als wirkliche Tatsachen hinnimmt. Dazu kommt, daß man sich über den
Wunderbegriff selbst recht wenig klargeworden ist. Breite Erörterungen
über Möglichkeit und Wirklichkeit des Wunders sind nutzlos, wenn keine
Bestimmung über das, was man unter Wundern versteht, vorher ver-
einbart worden ist. Deshalb muß jeder historischen Auseinandersetzung
über Wunder die Beantwortung der Frage vorausgehen, was man unter
Wunder versteht.

Wir greifen ins tatsächliche Leben hinein. Ein Waldspaziergang zur
Frühjahrszeit, wenn alle Knospen springen, enthüllt uns die Wunderkraft der Natur. Ein Blick in die Weiten des Sternenhimmels oder die
kleinsten Kammern der Lebenszelle läßt uns staunend stille stehen vor all
diesen wundersamen Erscheinungen. Ein Gang durch die Geschichte der
Völker enthüllt uns die merkwürdigsten Erlebnisse. Das alles ist wunderbar, wundersam, denkwürdig. Aber das, was die Dogmatiker ein Wunder nennen, ist es nicht. Denn jene Vorgänge reizen nur zur Forschung.

Sie locken uns zu näherer Erkenntnis. Wir verehren darin keine Geheimnisse, die sich grundsätzlich dem menschlichen Erkennen und Empfinden verschließen müßten. Vielmehr werden wir nur erdrückt durch die Fülle und den Reichtum alles wirklichen Lebens und durch die wachsende Erkenntnis, wie viele hundert und tausend Fäden in jeder einzelnen Tatsache des Lebens durcheinanderlaufen.

Oder nehmen wir ein anderes Beispiel! Wir gehen auf der Straße. Unerwartet fällt vor uns ein Ziegel vom Dach. Ein Schritt weiter und wir wären getötet worden. Ist's nicht ein Wunder, daß wir heil davongekommen sind? Sicherlich wird der fromme Mensch darin eine gütige Fügung Gottes sehen, in dessen Hand er sein ganzes Leben weiß. Solcher Deutung des Erlebnisses widerspricht aber keineswegs der Nachweis, daß alles mit natürlichen Dingen zugegangen ist. Der Ziegel *mußte* sich lösen, weil er schlecht eingelegt war. Der Sturm riß ihn los. Nach bestimmt nachweisbaren Fallgesetzen *mußte* der Ziegel in dieser Richtung fallen. Ebenso *mußte* sich der Körper des Menschen in diesem bestimmten Tempo bewegen; denn es wurde gerade diese bestimmte Kraft zur Fortbewegung aufgewendet. „Also," schließt der andere, „ist es Torheit, hier von einem Wunder zu reden. Alles erklärt sich doch ganz natürlich." Beide haben in ihrer Art vollständig recht. Denn der fromme Glaube an wunderbare Hilfe Gottes reflektiert gar nicht darüber, ob diese Hilfe aus den „natürlichen" Ursachen ableitbar oder nicht ableitbar gewesen ist. Der Hinweis auf die Unableitbarkeit eines Vorgangs aus den erkannten Ursachen wendet sich nur an den Verstand. Ihm soll die Fähigkeit abgesprochen werden, den Vorgang zu erklären. Das fromme Zutrauen zu Gott kümmert sich aber grundsätzlich nicht darum, ob die einzelnen Vorgänge des natürlichen und geschichtlichen Lebens für Verstandesbetrachtung erklärbar sind oder nicht. Wahrer Glauben wird in keinem Vorfall darum allein ein größeres Wunder sehen, weil er nach der Beurteilung unseres Verstandes unerklärbar ist; und er wird sich in der Sicherheit seiner frommen Deutung gar nicht beeinflußt fühlen, wenn ihm derselbe Vorgang, in welchem er ein Zeichen göttlichen Wirkens sieht, in seinen einzelnen Entwicklungsstadien „natürlich" erklärt und auseinandergelegt wird. So scharf wie möglich muß betont werden: das Merkmal der Unableitbarkeit eines Ereignisses aus „natürlichen" Ursachen ist durchaus entbehrlich für den Glauben an einen Gott, der sich in solchen Ereignissen erweist.

Der gewöhnliche Wunderbegriff, wie ihn die alte Orthodoxie der mittelalterlichen und lutherischen Kirche sehr folgerichtig ausgeprägt hat, hat mit dem frommen Glauben nichts zu tun. Er ist ein Erzeugnis logischen Denkens. Nach seinen Grundsätzen ruht das Hauptmerkmal des Wunders darin, daß es dem Verstand unmöglich ist, es aus der Natur oder dem Geistesleben folgerichtig abzuleiten. Es handelt sich also um ein Verstandesurteil und nicht um ein frommes Erleben. Weil der Verstand vor einem Unerklärbaren steht, deshalb wird ein Wunder ausgesagt. Hingegen der Glaube spricht, weil ich in allem — mag es erklärbar oder nicht erklärbar sein — Gottes Walten empfinde, sehe ich auch hier ein Zeichen seiner Kraft.

Gerade in der christlichen Gemeinde müßte um ihrer eigenen Frömmigkeit willen dieser Unterschied so scharf wie möglich empfunden werden. Das Verstandeswunder hat keine berechtigte Stelle innerhalb der Frömmigkeit. Das ist eine erdachte Unwirklichkeit, die kein frommes Leben wirkt. Denn das Opfer, das dabei verlangt wird, ist damit schon gebracht, daß der Verstand seine eigene Unzulänglichkeit zugegeben hat. Die Anerkennung solcher „Wunder" ruht also auf der Unvollkommenheit menschlichen Verstands. Ist damit etwas für die Frömmigkeit gewonnen? Heißt das ein frommes Erleben, zugestehen, daß meine Augen und Sinne, meine Denk- und Anschauungsformen zu gering sind, um allen Reichtum des Geschehens zu erfassen? Das bedeutet nichts anderes, als die Feststellung einer einfachen Tatsache. Sie mag manchem nicht leicht werden, der den Ernst der Forschung nur oberflächlich kennen gelernt hat. Aber sie ist das notwendige Ergebnis jeder sorgsamen Untersuchung. Deshalb ist *sie dem Atheisten gerade so möglich wie dem Frommen.* Beide überzeugt die Tatsachenwelt, daß der Verstand vor vielen unerklärbaren Geschehnissen Halt machen muß.

Dabei verschlägt es wenig, ob man annimmt, daß es in alle Ewigkeit gewisse Erscheinungen des natürlichen und geschichtlichen Geschehens geben wird, die der Erkenntnis des Verstandes verschlossen sind; oder ob man der frohen Überzeugung lebt, daß die Menschheit einst zu einer abschließenden Erkenntnis des Wesens aller irdischen Erscheinungen gelangen könne, einerlei in welcher weiten Entfernung der Zeit. Viele fühlen sich sicher, wenn ihnen die Naturforscher zu Hilfe eilen und kühnlich versichern „Ignoramus et ignorabimus". Mit anderen Worten: es gebe natürliche Erscheinungen, die erkennten wir jetzt nicht und werden sie niemals erkennen. Eine gewisse Zuversicht kommt doch auf solchem Wege nie zustande. Wie oft hat sich die Wissenschaft getäuscht! Was man zu Großvaters Zeiten noch für wahnsinnige Träume erklärt hätte, ist heute zur Wirklichkeit geworden. Deshalb ist es stets bedenklich, die Grenzen der Erkenntnismöglichkeit für alle Zeiten abzustecken. Der Gedanke läßt sich nie zurückdrängen: „vielleicht wäre es aber doch möglich, daß sich diese Grenzen des Erkennens noch ausweiten, wenn wir es auch nicht mehr erleben." Wie schlimm sind dann alle die daran, welche das Wunder in jenem Bezirk geborgen glaubten, von dem ihnen die wissenschaftliche Forschung bestätigt hatte, daß dorthin ihre Hand und ihr Auge niemals griffen? Nun würde das Wunder doch wieder heimatlos!

Die Empfindung solcher Unsicherheit teilt sich ganz von selbst allen mit, welche den Wunderglauben auf den Mangel unseres Erkenntnisvermögens stützen. Je weiter sich die Gebiete ausdehnen, die der Verstand umfassen will, desto bescheidener würde das Eckchen, das dem Glauben an Wunder übrig bliebe. Das ist ein unwürdiger Zustand. *Keine Verteidigung nützt dem Glauben wirklich, die ihn damit vertröstet, daß es eben doch sehr viel unerklärbare Dinge gebe.* Der fromme Glauben hat gar nicht das Bedürfnis, sich in einen Kompetenzstreit mit dem Verstand einzulassen. Er weiß zu gut, daß der Verstand ihm von Gott geschenkt ist, und er freut sich über die Entdeckungen, die der Verstand macht, und hemmt ihn nirgends auf seinem Weg der Forschung. Frommer Glaube hält sich für zu groß, als daß er einen Flicken abgeben sollte für das Loch, das der Verstand nicht mehr füllen kann. Leider leben Tausende „kirchlich" Gesinnte von dieser armen Vorstellung, als ob der Glaube „ergänze"; er springe dort in die Reihe, wo der Verstand versagt. Darum ertrage es der Mensch wohl, Wunder anzunehmen, weil der Verstand doch nicht alles erfassen könnte.

Solcher Wunder wird kein frommes Herz froh. *Warum das Unverstandene und Unverständliche an sich mehr zu Gott führen sollte als das Verstandene, ist unbegreiflich.* Dann wäre ja Gefahr, daß dieser menschliche Verstand Gott aus der Welt vertreiben könnte. Tatsächlich fürchten viele solche Folgen. Das ist ja der Jammer herrschender Frömmigkeit, daß sie unter dem Banne einer reinen Verstandesrichtung steht, von der sie sich meistens frei wähnt. Der Mensch *ist* doch nicht Verstand allein. Er *hat* Verstand, aber daneben hat er noch Willen und Gemüt. Es ist gar keine Frage, daß der Mensch nicht von einer einzigen Gabe lebt, und wenn sie so klar wäre wie der Verstand, so reich wie das Gemüt, so stark wie der Wille. Der Mensch ist Ein Ganzes und deshalb erlaubt er sich über seine Erfahrungen als ganzer Mensch ein Urteil. Dieses Urteil ist nur eine Folge seines Verstandes; sonst würde nur ein Teil seiner Persönlichkeit darin zum Ausdruck kommen. Teile der Welt, Teile des Geschehens kann und wird er zwar am besten auffassen und verstehen mit den Mitteln verständigen Denkens. Wo es sich aber darum handelt, als ganzer Mensch dem Ganzen der Welt und des Lebens gegenüberzutreten, da wollen sich auch die anderen Gaben der Erkenntnis betätigen: Willen und Gemüt. Auch mit diesen Organen kann der Mensch begreifen und ergreifen. So wenig das Auge das einzige Organ ist, um die Außenwelt zu erfassen, und so einseitig das Weltbild eines zwar sehenden, aber tauben, stummen, geschmacklosen Menschen wäre, so einseitig gestaltet sich die Welt und Lebensanschauung für den Menschen, der alles nur am Verstande mißt, oder nur am Willen, oder nur am Gefühl. Der Vollmensch, der dem Vollen gegenübersteht und sich darin nicht verlieren will, muß alle drei benützen, um Herr zu werden.

Es ist eine törichte Meinung, daß uns die Natur nichts mehr zu sagen habe, wenn wir die Gesetze ihrer Entwicklung, ihres Werdens und Vergehens kennen. Je tiefer die Naturerkenntnisse gehen, je geordneter und klarer die Zusammenhänge erscheinen, je einheitlicher die Kräfte darin wirken, desto größer, tiefer, ernster wird das Wort, das diese erkannte Natur dem Menschen zu sagen hat. Die gesamte Natur wächst in ihrer Macht, wenn sie immer deutlicher erfaßt wird. Ihre Gewalt und Größe nimmt nicht ab, sie nimmt zu, je eherner die Zusammenhänge, je fester die Gliederung erscheinen. Diese machtvolle Ordnung der Dinge sollte dem Willen und Gemüt des Menchen nichts zu sagen haben? Er sollte nicht gerade durch die Erkenntnis jener Ordnungen zur demütig-erschreckenden Beugung unter die Weisheit, Kraft und Herrlichkeit gedrängt werden, die das alles so geordnet hat?

Ähnlich in der Geschichte. Sie wird nicht ärmer dadurch, daß wir Zusammenhänge des geistigen Lebens zu erkennen versuchen. Selbst wenn die ganze Geschichte streng geordnet nach kausalen Gesetzen vor uns liegen würde — meinen wir wirklich, sie würde dadurch an Wert für unseren Willen und an Reiz für unser Gemüt eingebüßt haben? Nie und nimmer! Dadurch würde sie an unwiderstehlicher Größe nur gewinnen. Wir würden jetzt erst recht ihren ganzen Reichtum und ihre unerschöpfliche

Lebensgestaltung ahnen. *Von dem wirklichen Leben bleiben wir stets innerlich abhängig* und empfinden seinen großen Reichtum überwältigend. Dazu kann uns die verständige Erkenntnis der Lebenserscheinungen nur helfen. Der Verstand klammert sich an all die tausend Einzelheiten, die das Leben in Natur und Geschichte aus ihrem Schoß entläßt. Sie werden uns in ihrer Gestalt klarer und in den Gesetzen ihrer Entwicklung verständlicher. Aber mit dem Leben selbst können wir doch nur als ganze Menschen mitleben, seine Höhen und Tiefen schaurend nachempfinden und bewußt im Willen nacherzeugen. Hier ist der Boden für die Anerkennung des „Wunders", das wirklich ein Wunder ist.

Wir haben oben Mirakel und Wunder unterschieden. Wörtlich genommen ist das ein Unding. Mirakel ist nur die lateinische Übersetzung von Wunder. Allein die Worte haben auch ihre Geschichte. Die mittelalterliche „Mähre" war das stolze Roß des Ritters; und heute dient das Wort zur Bezeichnung des heruntergekommenen, bemitleidenswerten Gauls. Die hl. Gottesmutter Maria bezeichnete der gläubige Fromme des Mittelalters in demütiger Andacht als die reine „Magd"; heute wollen die Dienstmädchen keine „Mägde" mehr sein. So hat auch das Wort Mirakel einen verächtlichen Nebenton erhalten. Es bedeutet eine Abart des Wunders. Das Mirakel ist das reine Verstandeswunder. Es handelt sich hier um Vorgänge, die einzig deshalb auf Wundercharakter Anspruch machen, weil sie dem verständigen Erkennen ins Gesicht schlagen. Das einzige Merkmal dieser Mirakel ist die Unerklärbarkeit und Unableitbarkeit aus den umliegenden Verhältnissen. Selbstverständlich liegt der Zug dieser Mirakelbildung in der Richtung, daß das Wunder desto mehr an wunderbarem Charakter zunimmt, je unwahrscheinlicher, aller Erfahrung widersprechender es ist. Es wirkt rein durch seine äußerliche Erscheinung. Diese ist darum so auffällig, damit sie aller Augen auf sich zieht. Das Wunderbare liegt hier an der Oberfläche. Seine Wirkung besteht in dem Widerspruch gegen Sinn und Verstand. Je „sinnloser", desto wunderbarer.

Daß damit die christliche Frömmigkeit zunächst nichts zu tun hat, sollte einleuchtend sein. Sie hat gar kein Interesse daran, möglichst viele unerklärliche Tatsachen anzuhäufen, nur um den Verstand damit totzuschlagen. Vielmehr ist es das Merkzeichen frommen Glaubens, daß er sich in jedes Erlebnis schleicht und in jedem Ereignis das erhorcht, wonach sich das Herz sehnt: die Hand Gottes, die überall die Fäden zusammenschlingt zum Besten seiner Menschenkinder. Ja, die echte Frömmigkeit wird gerade Wert darauf legen, daß sich ihr in den einfachsten Lebensvorgängen Gottes Macht und Liebe zeigt. „Gott sorget für uns, wie er für die Sperlinge sorgt" — das ist der Wunderglaube christlicher Frömmigkeit. Er hält sich nie an die Außenseite der Dinge. Für diese ist der Verstand das begreifende Organ. Er lebt sich in die Dinge hinein und empfindet von innen heraus die alles haltende und schaffende Lebenskraft Gottes. Wenn deshalb das Mirakel verliert, sobald der äußere Schein nicht möglichst auffallend ist, so gewinnt der wirklich christliche Wunderglaube, wenn er nicht durch die glänzende Außenseite einer Erscheinung vom Wesentlichen abgelenkt wird. Mirakel hat diejenige Glaubensanschauung nötig, welche Gottes Wirken an sichtbaren, widersinnigen Äußerungen erkennen lassen will. Daß solche Auffälligkeiten und Widersprüche für die Erzeugung des frommen Lebens an sich wertlos sind, zeigt die Geschichte aller Mirakel. Tausende sehen's und nehmen es doch nicht an; Zehntausende hören's und werden dadurch doch nicht besser. Hingegen muß man schon fromm sein, um Gottes Liebe und Freundlichkeit in allem zu erkennen. Gottes Pädagogik ging stets von innen nach außen. Deshalb versinkt auch alles Mirakelwesen vor seiner Größe.

Wir wollen diesen Gedankengang durch einige Bilder uns zu veranschaulichen suchen.

Welcher von beiden steht auf einer höheren Stufe ästhetischen Erkennens, der, welcher sich nur an der Romantik vulkanischer Ausbrüche berauschen kann, oder der, welcher zugleich in den gewöhnlichen Bergformen die Anmut der Linien und den Reichtum der Gestalten bewundert? Die Antwort ergibt sich von selbst. Das Unheimliche ist nicht das einzig Imponierende. Die Weltenordnung in ihrer allumfassenden Tiefe, die scheinbar das Unheimliche verloren hat, weil ihre Gesetze erkannt sind, übt auf den Kulturmenschen einen fesselnderen Eindruck aus, als einzelne romantische Raritäten, die zwar Furcht, aber keine Ehrfurcht auslösen. Der gesamte Entwicklungsgang frommer Gotteserkenntnis geht aber in dieser Richtung: von Furcht zur Ehrfurcht; diesem Weg entsprechen die einzelnen Landschaftsbilder, durch die der Weg führt: dort Mirakel, gespenstisch-furchtbare Erscheinungen, unerklärbare Einzelheiten, undurchdringliche Nebel, hier das Wunder eines lebendigen Gottes, der in allem Leben empfunden, in allen Geschicken und Führungen gesehen wird. Wirkliche Frömmigkeit mißbraucht Gott nicht, indem sie Zeichen und Wunder von ihm *fordert*; sie weiß, daß die Wunder sie *umgeben* wie Luft und Licht und daß sie nur die Augen öffnen muß, um diese Welt wunderbaren Lebens zu begreifen.

Gehen wir in eine Bildergalerie. Dort sind die Bilder geordnet nach bestimmten Regeln. Haben die Bilder ihren Eindruck dadurch verloren, daß sie in einzelne Rahmen gefaßt, nach gewissen Gesichtspunkten geordnet, in geschichtlicher Reihenfolge aufgehängt worden sind? Gott hat dem Menschengeschlecht den Verstand gegeben. Der geht hin und ordnet die Bilder und hängt sie auf, in bestimmten Rahmen, damit wir sie deutlicher sehen können; er ordnet die zusammen, die einer Periode angehören, und läßt nach dieser die folgenden Bilder erst erscheinen, um den Fortschritt und Zusammenhang zu veranschaulichen. Ist es dem Empfinden verwehrt, vor die einzelnen Bilder zu treten und sie nun zu genießen? Kann nicht erst in dieser gesichteten Ordnung der Blick des Menschen sich frei bilden und die Kunst dessen, was ihm da gemalt worden ist, wirklich innerlich nachempfinden? So ordnet der Verstand, sichtet und beschreibt, was er von Lebensbildern erhaschen kann; er hängt sie in eine bestimmte Ordnung. Nachher kommt das fromme Gemüt und versenkt sich in solchen Reichtum ausgebreiteten Lebens; es steht wohl auch vor einem einzigen Ereignis still. Aber das alles tut es nicht im Widerstreit und in Feindschaft mit dem Verstand. Wir lesen sogar noch gerne die Erklärungen, die über die geschichtliche Entstehung und die Verhältnisse im einzelnen unter die Bilder geschrieben sind. Wir danken der ordnenden Mühe und Sorgfalt dieses forschenden Erkennens. Aber dann wollen wir die Frucht davon pflücken, indem wir in alledem eine Offenbarung des Lebens sehen.

Um des frommen Glaubens willen verzichten wir deshalb auf einen Gott, der sich in Mirakeln erschöpfen und ermüden wollte. Für viele fällt dabei ein farbenprächtiger Mantel fort. Aber wir wollen Gott sehen, wie er ist, und nicht in den Gewändern, mit welchen ihn fromme oder unfromme Einbildung geschmückt hat. Um kein Mißverständnis aufkommen zu lassen, betonen wir, daß wir uns das Verhältnis Gottes zu seiner Welt nicht nur wie das des Maschinenbauers zu seiner Maschine denken, die er ihrem eigenen Schicksal überläßt. Allerdings ist jede große Maschinenanlage letztlich nichts anderes als materialisierter Geist. So auch die ganze Schöpfung nichts anderes als in Formen gegossener Gedanke. Wir sehen die Maschinenteile von innen aus an und sie werden lebendig als Gedanken sorgender, fragender Menschenhirne. Wir sehen die Dinge dieser Welt von innen aus an und sie werden lebendig als Zeugen ewigen Gottesverstandes und mächtigster Weisheit. Aber darüber hinaus sagt uns die Analogie nichts. Der Maschinenbauer verläßt die Maschine. Gott aber geht nicht von seiner Welt. Das geistige Leben kennt keine Möglichkeit der Unterbrechung. Die Gemeinschaft Gottes des Lebendigen mit der Welt des natürlichen und geistigen Lebens ist eine dauernde.

Wenn wir uns in diese Welt versenken, so beten wir staunend und denkend das Eine Wunder des Glaubens an: den lebendigen Gott. Wie die Sonne innerhalb der planetarischen Welt das eine große Wunder ist, das alles andere erklärt, hält, belebt, so ist innerhalb der gesamten Welt das einzige Wunder Gott, dieser persönliche Geist, der alles erklärt, hält und belebt. In ihm und durch ihn und zu ihm sind alle Dinge geschaffen. Nichts ist wunderbar, worin nicht Gottes Verstand durchblitzte; nichts ist wundersam, worin nicht Gottes Würde und Größe sich zeigte. An diesem Maßstab gemessen zerfallen die Mirakel. Der fromme Glaube an den lebendigen Gott voller Wunder, voller Kunst gewinnt die Überhand. Wie die christliche Religion die Kultformen der Antike *religiös* vollständig entwertet hat und sie nur als Zeichen der Symbole gemeinschaftlichen Lebens gelten läßt, so hat sie auch das Mirakelwesen als fremden Eindringling geduldet, aber nie einen wirklichen Frieden mit ihm geschlossen. Sie konnte das nicht und durfte das nicht. Das ertrug ihr Gottesgedanke nicht. Dieser steht zu einzig und groß da, als daß er sich mit auffallenden Mittelchen in seiner Kraft beweisen müßte. Gott ist nicht da und ist nicht dort; er ist überall. So erfüllt der fromme Glauben die ganze Welt mit der Botschaft von dem Wunder aller Wunder, Gott, dem Gott des Lebendigen.

II. Kapitel. Paulus und die Wunder

Es ist eine bedeutsame Beobachtung, daß Paulus nirgends die evangelischen Wunderberichte aus dem Leben Jesu benützt. Er verzichtet darauf, die Gottessohnschaft Christi und seine Erlösereigenschaften von dorther zu beweisen. Das hängt freilich mit der allbekannten, aber viel zu wenig berücksichtigten Tatsache zusammen, daß sich Paulus um die historischen Einzelheiten aus dem Leben Jesu überhaupt nicht kümmert. Sein Glaubensinteresse wird von anderen Wahrheiten bestimmt. Er hält sich nur an den erhöhten Herrn, der ihm erschienen ist. Trotzdem gibt es dem frommen Gemüt zu denken, daß die großen Missionsbriefe des erfolgreichsten Missionsapostels in „wunderfreier" Atmosphäre geschrieben sind. Man mißverstehe uns nicht! Selbstverständlich hat Paulus den Wunderglauben seiner Zeit geteilt. Als Schriftverständiger wußte er von dem, was von Moses, Elias und den Propheten erzählt wurde. Nie kann man bezweifeln, daß Paulus „Zeichen und Wunder" nicht mit derselben inneren Überzeugung als wirkliche göttliche Tatsachen vorausgesetzt hat, wie jeder andere fromme Jude und Christ der damaligen Zeit. Das Weltbild der Evangeliumerzähler ist nicht verschieden von dem des Paulus. Aber gerade weil wir diese Einheitlichkeit religiöser Wunderschätzung als selbstverständlich voraussetzen, muß es doppelt wundernehmen, daß Wunder im Paulinismus gar keine Rolle spielen. Man kann Pauli Gedanken vollständig darstellen, ohne auf die Wunderfrage gestoßen zu werden. Bei den Evangelisten stehen Wundererzählungen im Vordergrund, bei Paulus kann man sie vergessen. Das bleibt ein großer Unterschied.

Man wollte diese Verschiedenheit der Stimmung durch die Entschuldigung abschwächen, daß es ja nicht die Absicht des Paulus gewesen sei, Erzählungen zu geben, sondern Mahn- und Lehrbriefe zu schreiben. Damit würde man aber zugeben, daß im christlichen Glauben, wie er in den Apostelbriefen bestätigt und begründet werden soll, die Berufung auf Wunder Jesu keine unentbehrliche Stelle einnimmt. Auch kann man nicht einwenden, daß die Briefe kein deutliches Bild der eigentlichen paulinischen Missionspredigt geben. Zugegeben, daß wir viel zu wenig aktenmäßiges Material haben, um darnach ein deutliches Bild der paulinischen Missionspredigten zu entwerfen — merkwürdig berührt es doch immer, daß selbst die Missionsansprachen, welche die Apostelgeschichte den Apostel Paulus halten läßt, auf denselben Ton gestimmt sind und keine besondere Rücksicht auf Wunder Jesu nehmen. Man wird mit Recht voraussetzen, daß zwischen Briefen und Reden des Paulus kein wesentlicher Unterschied bestanden hat. Es wäre mehr wie seltsam, wenn er in den einen betont hätte, was er in den anderen vernachlässigte. Er schrieb, wie er redete, und redete, wie er schrieb. Der Vorwurf seiner Gegner, daß er in den Briefen zwar mächtig rede, sich aber schwach zeige, sobald er persönlich anwesend sei, bezieht sich nicht auf den Inhalt seiner

Rede, sondern auf die Form. Es ist undenkbar, daß Paulus in mündlicher Predigt Wert auf Beweise aus der Wundertätigkeit Christi gelegt hätte, über die er nachher vollständig schweigt. So bleibt die Tatsache bestehen: *Der größte Apostel des Christentums hat seine Predigt von der Erlösung nicht auf Wundererzählungen aus dem Leben Jesu gestützt.* Welche Folgerungen sich daraus ergeben, lassen wir zunächst ganz unerörtert. Es handelt sich nur darum, dieser Tatsache fest ins Gesicht zu sehen.

Dazu kommt ein Weiteres. Paulus hat beim Rückblick auf sein eigenes Leben des Wunderbaren die Fülle anerkannt mit herzlichem Dank gegen Gott; aber eigentliche Mirakelberichte, wie sie schon die Apostelgeschichte von ihm erzählt, schiebt er beiseite. *Das eine große Wunder seines Lebens ist ihm seine Bekehrung.* Wie für sein Volk die nationale Befreiung aus der ägyptischen Knechtschaft, so bildet für sein eigenes Leben der Tag von Damaskus die grundlegende Offenbarungstatsache göttlicher Gnade. Gerade hier verschwinden in letzter Linie die äußerlichen Ereignisse vor der Größe des inneren Erlebnisses. Er faßt es in die Worte, daß es Gott, der ihn vom Mutterleib an ausersehen und durch seine Gnade berufen hat, gefiel, in ihm seinen Sohn zu offenbaren (Galater I, 16). Der Herr im Himmel ist sein Lebensinhalt geworden. Daß das Erlebnis in Damaskus dafür die tragende Grundlage abgegeben hat, ist sicher. Die einzelnen Züge des Erlebnisses selbst werden von ihm bei verschiedenen Anlässen verschieden erzählt. Das Wunder hing ihm an der neuen inneren Welt, die ihm aufgegangen war. Aber er hätte jeden als Verleumder gebrandmarkt, der ihm Zweifel an der Wirklichkeit seines Gesichts im Sonnenbrand vor Damaskus einzugeben versucht hätte. Er weiß sich seit jener Zeit berufen als Apostel. Während dieses seines amtlichen Wirkens hat er eine Reihe von Erlebnissen aufzuzählen, welche ihm Beweis der ihn umgebenden Kraft und Gnade Gottes sind. Alle bleiben geschichtlich angesehen im Rahmen des Natürlichen. Im zweiten Korintherbrief berichtet er von Schiffbrüchen, Überfällen, Fluchtreisen, Hilfe vor feindlicher Nachstellung. Es sind wunderbare Führungen dessen, der sein ganzes Leben in neue Bahnen geleitet hat. Von Mirakeln ist hier nicht die Rede. Auch daß er in Ephesus mit wilden Tieren gefochten hat, bleibt innerhalb der Grenze geschichtlicher Erlebnisse. Wir wissen nicht mehr genau, welcher wirkliche Vorfall jenem Bericht zugrunde liegt. Es bedeutete jedenfalls Errettung aus äußerster Todesgefahr, wie wir sie in den Geschichten der Verfolgten zur Zeit der Reformation und der Hugenotten gerade so finden wie zur Zeit der römischen Christenverfolgungen. Kurz alles, was da der Apostel erzählt, faßt sich nach seinem eigenen Sinn in das gläubige Bekenntnis zusammen: Der Herr hat Großes mir getan, bis hierher mir geholfen.

Dagegen schweigt Paulus von der Blendung des Elymas, von der Heilung eines Gelähmten zu Lystra, von der Austreibung eines Dämons aus einer bauchrednerischen Wahrsagerin, von der Wiederbelebung des jungen Eutychus sowie den Erlebnissen auf seiner Gefangenenreise nach Rom — von all den Mirakeln, welche die Apostelgeschichte aus seinem Leben erzählt. Damit soll nicht gesagt sein, daß er diese Dinge absichtlich verschweigt. Wir stellen nur fest, daß diese *Geschichten, wenn sie wirkliche Erlebnisse im Leben des Apostels wiedergeben, in seiner eigenen Schätzung keinen solchen Rang einnahmen wie die vorher erwähnten Lebensführungen.* Während sich fromme Leute einer bestimmten Richtung gerade an derlei wunderhafte Episoden hängen, übergeht sie Paulus auch dort, wo er alles zusammenträgt, um sich zu rühmen; und auch in seinem letzten Brief aus Rom nimmt er keinen Anlaß, darauf zurückzukommen. Sicherlich empfand Paulus seine wunderbaren Lebenserrettungen ganz genauso als „Wunder", wie etwa eine Krankenheilung oder Dämonenaustreibung für ihn ein solches gewesen ist. Beides gilt ihm als Ausfluß des lebendigen Geistes und gegenwärtiger Kraft. Alles wirkt ein und derselbe Geist: Heilungen geradeso gut wie kluge Verwaltung und erbauendes Wort. Eben daran sollte man lernen, daß selbst ein Paulus, der in der Welt der Wunder lebt, die Wunder nicht als Extrabeweise göttlicher Kraft über die anderen Wirkungen himmlischer Kraft stellt. Ja, er sieht bei den Juden ihren charakteristischen Fehler, ihre nationale und konfessionelle Untugend darin, daß sie stets „Zeichen begehren". An diese Tatsachen muß man sich erinnern, will man die Wunderbeurteilung im Neuen Testament selbst richtig abschätzen.

Daß der Verfasser der Apostelgeschichte Mirakel erzählen wollte, ist zweifellos. *Zeichen und Wunder* gehören nach ihm zu der notwendigen Ausrüstung eines Apostels. Paulus darf doch hinter andern Aposteln nicht zurückstehen. Und er stand nicht zurück. Er hat selbst in Korinth Zeichen und Wunder und Taten getan (II. Cor. 12,12). Freilich erinnert er sich erst daran, als er merkt, daß man ihn mit dem gewöhnlichen Maßstab messen will. Weil seine korinthische Gemeinde das Außergewöhnliche seiner Freiheit und seines Glaubens nicht mehr verstand, so muß er

sich vor ihr mit dem Beiwerk rechtfertigen, in dem sich seine Konkurrenten gefielen. Eine spätere Zeit legte eben auf diese äußerliche Methode
des Eindruckmachens Wert, weil ihr die innerlichen Maßstäbe zu fein
und zart für Massenpropaganda erschienen.

Die Erzählungen in der Apostelgeschichte aus dem Leben des Paulus,
die wir oben nannten, mögen immerhin geschichtliche Tatsachen wiedergeben. Mit welchen Deutungen sich freilich ein Erklärer, der nur evangelische Wunder gelten läßt, der (Apostelgesch. 19,12) berichteten Tatsache gegenüber zurechtfindet, daß man Schweißtücher und Schürzen von
der warmen Haut des Apostels weg zu den Kranken brachte, und sie
damit heilte, wollen wir nicht weiter darstellen. Daß die Erzählung vom
Schweißtuch der Veronica unter solchen Umständen ebenso ihr volles
Recht behaupten würde, ist einleuchtend. Entweder nimmt man beiderseitig legendarische Fortbildungen an, bzw. man betrachtet beide Erzählungen von allgemein religionsgeschichtlichen Gesichtspunkten aus, oder
man muß den Tatsachen Gewalt antun. Daß Paulus Kranke geheilt hat,
steht fest. Wir werden auf diese Äußerung urchristlichen Geistes im grö
ßeren Zusammenhang zurückkommen. In der Geschichte mit *Eutychus*
(Apg. 20,9 ff.) soll offenbar die Wiederbelebung eines Toten geschildert
werden. Daran glaubte man in den ersten christlichen Jahrhunderten,
weil göttliches Leben erschien vor allem Volk. Noch Irenäus berichtet uns
von Totenerweckungen. Speziell die Geschichte mit Eutychus soll dazu
dienen, Paulus und Elias einander anzunähern. Beide werfen sich auf
den Leib, den sie dem Leben wieder zurückgewinnen wollen. Und doch
gibt die Erzählung selbst einen deutlichen Wink, daß es nur die verfrühte
Angst der Gemeindeversammlung war, welche den jungen Mann tot
glaubte. Paulus stellt ja fest, daß das Leben gar nicht entflohen war und
sich der Jüngling nur von seinem Schreck zu erholen brauchte, um
gesund zu sein. Besonders entspricht dieser Auffassung die Ruhe, mit
welcher die Versammlung ihre Angelegenheiten weiter bespricht. So handelte es sich nur um einen glücklich vorbeigegangenen Unfall, der sich der
lauschenden Gesellschaft gerade um der Störung willen so tief eingeprägt
hatte. — *Die Erzählung mit der Otter,* welche auf Malta dem Paulus an
den Arm springt und von ihm ins Feuer geschleudert wird, ohne daß sich
üble Folgen dieses Abenteuers bemerkbar machen (Apg. 28,3 ff.),
braucht ebensowenig ungeschichtlich zu sein. Von einem Biß der Schlange wird ja ausdrücklich nichts erwähnt. Es wird nur der Schrecken der

Leute gemalt, die schon vorher diesem Schiffbrüchigen mit innerem Mißtrauen entgegenkommen, da sie in Paulus einen von der Rache der Götter verfolgten Menschen sehen. Der jähe Stimmungswechsel dieser abergläubischen Bevölkerung schließt jede Fähigkeit genauer Beobachtung
aus. Der Schreiber aber, der zur Schiffgesellschaft gehört und den Vorgang erzählt, sieht darin eine freundliche Lebensrettung des Mannes, um
dessen Schicksal sie alle bangen. Wie das im einzelnen zu erklären ist,
darüber zerbricht er sich nicht den Kopf. Er dankt Gott für die Tatsache.
— Was endlich die *Blendung des Elymas* betrifft, welche vom Apostel
über den Magier „auf Zeit" verhängt wird (Apg. 13,11), so ist das ganze
Ereignis zu undeutlich, als daß wir darüber etwas Bestimmtes sagen
könnten. Das Verdächtige an der Erzählung ist, daß sie deutlich die
Gewinnung der römischen Behörde zum Glauben erklären will. So wird
dieses Strafwunder einer Blendung „auf Zeit" in irgendwelchen Zusammenhang mit der Geschichte von der Blendung des Paulus selbst an seinem Damaskustag gebracht werden müssen. Faßt man hier dieses über-
wältigende innere Erlebnis, wonach es ihm „wie Schuppen von den
Augen fiel", als Anlaß für die Erzählung von vorübergehender Blindheit
des Apostels, die dem Wort des Ananias weicht, so wird man ein Recht
haben, die Erblindung des Elymas als Bild des in Finsternis hin- und her-
tappenden synkretistischen Aberglaubens aufzufassen. Die Heiden wandeln in Nacht und Finsternis; Evangelium bedeutet Licht und aufgehenden Tag. Man lernt sehen und stößt sich nicht mehr im dunkeln. Solche
Bildersprache ist dem morgenländischen Empfinden, das noch mehr an
Sonne und Mond hängt wie wir, so vollständig geläufig, daß die Grenzen zwischen Bild und Wirklichkeit in der Sprache ganz ineinanderflie-
ßen. Es handelt sich deshalb nicht um eine künstliche allegorische Umdeutung, wenn wir zur Erklärung jenes Vorgangs an diese bildliche Ausdrucksweise erinnern. In falscher Ängstlichkeit hat man oft vergessen,
daß die Allegorie der blühenden, phantastischen Sprache des Orients
viel verwandter ist als der unserigen. Ein seelischer Vorgang wird für die
sinnlich anschauende Ausdrucksweise des Morgenländers zur greifbaren
Erscheinung. Immerhin muß man sich hüten, von diesem Mittel der
Erklärung schlechthin Gebrauch zu machen, nur mit der Absicht, eine
Mirakelerzählung auszuschalten. So gewiß z. B. jene Blendung des Paulus
bei Damaskus ein gutes Bild seiner ganzen Seelenstimmung ergibt, so
unrichtig wäre es, nur ein Bild darin zu sehen. Er war geblendet von Blitz

oder Feuererscheinung und innerlich erschüttert bis ins Mark. So ging es wirklich durch Nacht zum Licht.

Noch erübrigen zwei Tatsachen aus dem Leben des Apostels und der damaligen Gemeinde, welche durch ihre Wunderbarkeit unser Augenmerk auf sich ziehen. Das eine ist die *Himmelfahrt der Seele* und das andere das *Zungenreden*. Vom ersten ist die Rede im II. Korintherbr. 12. Kap. Er schreibt dort, daß er vor 14 Jahren entzückt gewesen sei bis in den dritten Himmel, ja in das Paradies war er entrückt und hörte unaussprechliche Worte. Ob das gewöhnliche Bewußtsein dabei fortdauerte oder ob es vollständig aufgehoben war, darüber weiß er gar nichts mehr zu sagen. Jedenfalls bedeutete es für ihn eine Stunde der Seligkeit, die er nie vergaß. Zunächst erscheint dem Geschichtsunkundigen dieses Erlebnis als einzigartiger Beweis apostolischer Höhe und göttlicher Gnadenwirkung. Und doch verläuft es ganz genau in denselben Formen, welche wir auch in anderen Religionen der damaligen Zeit kennen. Die jüdischen Rabbiner selbst verstanden und übten die Kunst, in verzückten Zuständen ihre Seele durch die Himmel wandern zu lassen. Wir kennen sogar Namen der Rabbiner, welche bis in das Paradies eingedrungen waren, und nachher ihre Schüler lehrten, denselben Weg zu gehen. Auch die Rabbiner hatten diese Verzückungskunst nicht von selbst gelernt. Die Mithrasreligion war es hauptsächlich, welche ihre Anhänger in solches Geheimnis einweihte. Während des armseligen Erdenlebens sollen sie den Genuß empfinden dürfen, ihre Seele zum Himmel zu schicken, und dort die seligen Geheimnisse zu ihrer eigenen Erquickung anzuschauen. Diesen Weg einer Seelenwanderung in den Himmel zu Lebzeiten finden wir auch in anderen orientalischen Religionen. Aber nicht nur dort. Griechenland kannte dieselbe mystische Kunst. Man wußte von Männern wie Aristeas und Hermotimos, daß sie mit ihrer Seele aus dem Leib wanderten, und, während der Körper seelenlos dalag, ihre Seele die ewigen Dinge schaute. Auch erinnere man sich an die Wege, welche nach den Mystikern des Mittelalters zum Schauen Gottes führten, oder an verschiedene Glaubenslehren, wonach die in der Liturgie erzählten Ereignisse der Heilsgeschichte gewissermaßen leibhaftig in wirklich neuer Form erstehen und miterlebt werden können. Wenn wir all diese Tatsachen vergleichen, so schwindet der Vorzug des Eigenartigen für das Erlebnis des Apostels. Was er erlebt, wird ja nicht durchsichtiger trotz all dieser Vergleiche. Solche Stunde bleibt stets das Eigentum des Erlebenden selbst. Immerhin erscheint der Weg zu solchem Erlebnis lehrbar, mitteilbar. Damit verliert es an Originalität. Auch sein Inhalt wird dann wesentlich gleichartiger werden. Wir haben es hier mit einer seltsamen Befriedigung des Dranges der menschlichen Seele nach Ausspannung zu tun, der in geistig hoch erregten Naturen zu wirklichen Erlebnissen führt. Es mag noch besonders darauf hingewiesen werden, daß gerade die Heimat des Apostels außerordentlich enge Fühlung mit dem Mithrasdienst gehabt hat und Paulus wohl schon in seiner Jugend mit solchen religiösen Strömungen in Berührung gekommen sein mag.

Ähnlich liegt die Sache beim Zungenreden. Der Apostel besitzt diese Gabe in hohem Grad. Er freut sich darüber. Und doch ist er so wenig Wundermann, daß er das Zungenreden in den Gemeinden einschränkt. Wer auch nur zwei oder drei Worte klar und verständlich spricht, erbaut nach seiner Meinung die Gemeinde besser als derjenige, der lange in jener geheimnisvollen, schwer deutbaren Lautsprache geistiger Verzückung redet. Damit kommt der gesunde Gemeindeinstinkt zum Durchbruch. Alles enthusiastische Wesen war Gemeingut der damaligen heidnischen religiösen Sehnsuchtswelt. Die Zukunft gehörte denen, die noch mehr besaßen, nämlich Zucht im Denken und Charakter.

Beim Zungenreden handelte es sich um eine unwillkürliche Macht, die den einzelnen zu plötzlichem Aufschreien zwang. In jauchzenden und stöhnenden Lauten ringen die Lippen mit dem Wort, um es zu zwingen, Unsagbares doch zu sagen. Unerdenkliches denken, Unerklärliches erklären wollen, auch das, was über Begriffe und Anschauungen hinausgeht, doch in solche Rahmen fassen — dazu fühlten sich die Zungenredenden gezwungen. Abgerissene Worte, unverständliche Laute, wirre Sätze gaben ein Bild von der seligen Last, mit der sich die Seele trug. Das, was kein Auge gesehen und kein Ohr gehöret und in keines Menschen Herz gedrungen war, in die Worte des Marktes und Geschäfts zu spannen, versuchten diese Verzückten. Bewußt oder unbewußt sprangen sie über den Graben, den ihnen vernünftige Sprache zog. Sie schufen neue Laute, dachten in neuen Formen, rissen den Himmel auf die Erde und füllten doch die Kluft zwischen beiden nicht aus. Das war die Form des Pfingstgeistes. Verständlich genug, daß fremde Zuschauer in derartigem Treiben Trunkenheit oder Wahnsinn vermuteten. Solche Lebenssteigerung barg große Gefahren in sich. Wenn die spätere Kirche diese Zustände mehr unter den Gesichtspunkt des Unfugs rückte, so hat sie sich zwar manch-

mal das Verständnis für die unermeßliche Höhe der Glaubensempfin-
dung nehmen lassen, aber doch im ganzen dem Instinkt gesunder, wirklicher Frömmigkeit täglichen Gottesdienstes mehr gedient, als wenn sie
jene unzurechnungsfähige Art religiöser Darbietung im Gemeindeleben
hätte überwuchern lassen.

Für die Beurteilung der gesamten Erscheinung ist die Erinnerung
nötig, daß wir ähnliche Erlebnisse auf allen möglichen anderen Religions-
stufen finden. Die verzückten Zustände der ältesten Propheten aus dem
Alten Testament sind bekannt. Die Rasenden sind die Boten Gottes, und
als Paulus vor dem Landpfleger in Glut gerät, hört er denselben Vorwurf
der Raserei. Das Zeichen des heidnischen Gottesmannes war überall dieselbe Empfindlichkeit für verzückte Zustände und trunkene Reden von
unerlauschbaren Geheimnissen. Zwischen dem Blendwerk der Derwische
und dem mittelalterlicher Ekstatiker ist letztlich kein Unterschied. In seiner mystischen Weise redet Plato von ähnlichen Vorgängen; und wie
Paulus in seiner Gemeinde neben die Verzückten solche stellt, welche die
Gabe hatten, die Rede der Zungenredner zu verstehen und zu deuten, so
spricht Plato im Timäus von den Verzückten, „daß es ihnen nicht ziemet,
über ihre Geschichte und eigenen Aussprüche ein Urteil zu fällen; deshalb bestellte das Gesetz die Gilde der Wahrsager zu Richtern über gott-
begeisterte Weissagungen, welche Dolmetscher, nicht aber Urheber eines
göttlichen Gesichts sind". Noch heute können wir ähnliche Vorkommnisse bei den Irvingianern beobachten, und die Literatur der Mystiker
und Sekten aller Jahrhunderte ist reich an vergleichbaren Tatsachen.

Mit alledem wird das Wunderbare dieser Gemütszustände keineswegs
geleugnet. Sie werden nur eingereiht in das Forschungsgebiet der Psychologie. Es gibt religiöse Wirkungen in der Form der Massensuggestion. Jeder Gang in eine Versammlung der Heilsarmee gibt uns Beispiele hierfür.
Alle diese Erscheinungen sind demnach nicht beschränkt auf den Kreis
uns liebgewordener Erzählungen. Wir blicken vielmehr in eine Welt gemeinsamer seelischer Erregung, auf deren Hintergrund die christlichen
Enthusiasten als Teilerscheinung gewertet werden können. Freilich muß
man sich stets erinnern, daß auch solche Worte wie Suggestion zunächst
nichts wie Namen sind. Die Sache selbst kennen wir um nichts genauer.
Solche Titel stellen bloß eine Tatsache fest, die durch den Titel selbst
kaum faßbarer geworden ist. Gerade die Suggestion als Massenerschei-
nung wird heute viel beobachtet, ist aber noch wenig in ihrem Wesen

ergründet. Diejenigen haben also recht, welche den Mangel des Erkennens in dieser Richtung betonen. Sie setzen sich aber sofort ins Unrecht, wenn sie um dieser Mängel willen derartige religiöse Erscheinungen überhaupt aus dem Gebiete des Erforschbaren ausschalten und als grundsätzlich unerklärbar hinstellen.

Fassen wir zusammen: Paulus spricht nicht von den evangelischen Wunderberichten aus dem Leben Jesu. Seine eigenen Lebenswege stellt er in das Licht göttlicher Führung voll Dank für alle erfahrene Gnade. Er legt keinen besonderen Wert auf einzelne Mirakelleistungen, wie etwa die Apostelgeschichte es tut. Von einem „Wundertäter" erzählt die paulinische Missionsarbeit nichts. Vielleicht hat Paulus seit seiner Abkehr vom Judentum jene jüdisch-dogmatische Mirakelsucht richtiger einschätzen gelernt als früher. Was die Wertung der Wunder anlangt, bleibt der Abstand der apostolischen Briefliteratur von den evangelischen Erzählungen außerordentlich groß.

III. Kapitel. Die evangelischen Wunderberichte

Wer die Evangelien ohne Voreingenommenheit liest, wundert sich, welch großer Teil auf Erzählung einzelner wundersamer Ereignisse entfällt. Im vierten Evangelium drängen sich ja Reden Jesu deutlicher hervor; in der Schätzung der Wunder finden wir aber grundsätzlich keine andere Haltung. Der einfache Tatbestand liegt so: *die Schreiber der Evangelien wollten Mirakel erzählen.* Man tut ihnen Gewalt an, wenn man aus verständigen oder unverständigen Gründen dieses Interesse an Wundererzählungen bestreitet. Es war ihnen um wirkliche Wunder zu tun. Wunderbare Erscheinungen, seltsame Erlebnisse genügten ihnen nicht. Es mußten unmittelbare Wirkungen göttlicher Kraft sein, in welchen sich der Messias erproben sollte, von dem sie erzählten. Jede Wundererklärung greift deshalb fehl, welche hinter den Schriften des Neuen Testaments moderne Empfindungen vermuten möchte. Auf diesem Weg kommt man dazu, die Erzähler etwas ganz anderes erzählen zu lassen, als was sie wirklich berichten. Wir mögen heutzutage, nachdem uns die Schätze der vergleichenden Religionskunde vorliegen, Anlaß haben, zu fragen, wie solche Erzählungen (z. B. die von der Stillung des Sturmes, von der Speisung der Tausende) entstanden sein mögen. Aber es wäre eine geschichtliche Ungerechtigkeit, wollte man derartige Untersuchungen in den Sinn der damaligen Schriftsteller selbst hineindeuten. Mag es uns angenehm oder unangenehm sein: die Evangelien enthalten eine Fülle von Mirakelgeschichten und wollen Mirakelberichte geben.

Warum beruhigt man sich nicht bei diesem einfachen Tatbestand und nimmt jene Wundererzählungen mit gläubigem Gemüt hin? Ist es wirklich, wie man so manchmal hören kann, nur der Ausdruck des Unglaubens, der im Zweifel an einzelnen Wundererzählungen zutage tritt? Mag die Kritik an Wundererzählungen da und dort durch grundsätzlichen Unglauben bedingt sein, so bleibt doch der Vorwurf in seiner Allgemeinheit falsch, daß nur Unglaube zur Wunderkritik führe. Nein! Echte Frömmigkeit stößt sich an Mirakelberichten. Zudem steht die Wissenschaft, welche von vielen sogenannten „Gläubigen" unwillkürlich auf gleiche Linie mit Unglauben gestellt wird, der ganzen Frage viel kühler gegenüber, als man annimmt. Es ist ja ein merkwürdiges Verlangen, das man von jener Seite an die Wissenschaft stellt, sie soll sinnwidrige, vernunftwidrige Tatsachen anerkennen. Das wäre gerade so, wie wenn man vom Ohr verlangen wollte, es sollte sehen, und vom Auge, es sollte riechen. Die Wissenschaft kennt als einziges Werkzeug den Verstand, Sinn und Vernunft; als einzigen Gegenstand das, was geschieht. Sie versucht nun aus dem, was geschieht, alles das herauszuschälen, was sie verstehen kann. Je länger sie arbeitet, desto weiter dehnen sich die Grenzen des Erfaßbaren. Vieles, was vor Jahrzehnten als „unmöglich" vom historischen oder naturwissenschaftlichen Forscher weggeworfen wurde, ist heute nach eingehender, gründlicher Untersuchung als möglich und wirklich erkannt worden. Manches „Wunder", das man früher ohne weiteres Besehen beiseite schob, hat man heute in seinen Voraussetzungen so erkannt, daß man es ruhig als geschichtliche Tatsache anerkennt. Man denke an Heilungen aller Art! Man vergegenwärtige sich die Fortschritte unserer psychiatrischen, volkskundlichen, medizinischen Forschung im Zusammenhang mit der Masse des Materials, das die Psychologie angehäuft hat! Hier wird vieles verständlich oder wenigstens verständlicher, was früher unglaublich erschien. Die Achtung vor der Überlieferung und vor der Wirklichkeit der Geschichte ist überhaupt dort im Steigen, wo die Wissenschaft an Tiefe und Unbefangenheit zunimmt. Nur sehen wir nie ein, was damit für das „Wunder" gewonnen sein soll. Das „Wunder" im alten Sinn besteht ja gerade im Irrationalen, Widervernünftigen. Früher spottete man über diejenigen, welche manche Wunderberichte durch Deutung dem verständigen Erkennen näher brachten und z. B. die Verwandlung des Bitterwassers in süßes Wasser auf chemischem Wege erklären wollten. Und heute erleben wir, daß angesehene Altgläubige sich damit helfen, daß sie sagen, sie wollten für „Wunder"-Anerkennung kämpfen, weil diese gar keine Durchbrechung der Naturgesetze bedeuten. Man denke sich ein Wunder ohne Durchbrechung des Naturzusammenhangs! Hätte derartiges ein Mann der „grundstürzenden modernen Theologie" behauptet, wie würde man ihn höhnen! Doch genug. Es bedeutet nichts anderes als Begriffsverwirrung, von einem „Wunder" im altgläubigen Sinn zu reden, ohne dabei die Durchbrechung des Naturzusammenhangs als unentbehrliche Voraussetzung mitzudenken. Sonst rede man von Wunderbarem im religiösen Sinn des Wortes, aber nicht von Wundern im metaphysischen Sinn.

Pfarrer Daab, dem niemand unmodernes Denken vorwerfen wird, erzählt folgende Geschichte, für deren Wirklichkeit er einsteht: Ein Kind ist von den Ärzten aufgegeben, der Vater läuft in seiner Herzensangst zu einem tieffrommen Manne, der kein Arzt ist, aber in seiner ruhigen Bestimmtheit, als sei es etwas ganz Natürliches und Selbstverständliches, zu ihm sagt: „Geh nach Haus; dein Bub stirbt nicht." Und so geschah es. Er bemerkt dazu: „Es gibt Menschen, die leben ganz anders in der Welt wie wir. Wir leben gleichsam nur auf der Außenseite, jene haben ein Ohr für die Ströme, die in der Tiefe fließen, sie haben ein Gefühl für die Zusammenhänge dessen, was da geschieht und geschehen wird." — Mit diesen Ausführungen sind wir im ganzen einverstanden. Wir glauben nicht, sondern wir wissen, daß viele Menschen eine merkwürdige Gabe der Sympathie im weitesten Sinne des Wortes haben, mag sich dieselbe ausdrücken in Weitblick, Fernwirkung, Mitempfindung, Zukunftsdeutung. Es muß sich hier um besondere Bildungen des Nervensystems handeln. Unsere Ärzte haben mehr klinische Beobachtungen gesammelt, als sich liberale Schulweisheit träumen läßt. Insofern passieren stets mehr Dinge zwischen Himmel und Erde, als wir meinen. Es fragt sich nur, ob wir hier etwas Übernatürliches oder Widernatürliches — was beides auf dasselbe hinausläuft — innerhalb der Natur selbst annehmen wollen oder ob nicht alle diese seltsamen Erscheinungen als innerhalb der Natur verlaufend um der einen Schöpfungsordnung willen ihre natürlichen Ursachen haben. *Groß ist das Natürliche; in dieser Wirklichkeit wirkt Gott. Das*

Widernatürliche ist Theologentraum; darin feiert bloß menschliche Dialektik ihre Triumphe. Wer demnach die genannte Geschichte in ihrer Wirklichkeit studieren will, dem genügt nicht das scheinbar willkürliche Zusammentreffen zweier Ereignisse, die bei erster Berührung unerwartet aufeinander wirken; vielmehr muß man hier den *Zusammenhang* ergründen und erst aus der Erforschung des ganzen psychologischen und physiologischen Zusammenhangs heraus ergibt sich dann die Mannigfaltigkeit der Verbindungen, Beziehungen, Einflüsse, Bewegungen, vor deren Gesamtbild wir staunend stehen.

Nein, was zur Wunderkritik geführt hat, das sind historische Tatsachen selbst. Nicht weil die Wunder in der Bibel stehen und man keine fromme Achtung vor der Bibel mehr hätte, bezweifelt man viele Wundererzählungen. Vielmehr weil solche Wundergeschichten, wie sie in der Bibel vorliegen, überall erzählt werden, teilweise dem Wort nach gleich, teilweise dem Sinn nach ähnlich, so muß jeder ernste Mensch mit dieser Tatsache rechnen. Manchmal suchte man den Knoten zu zerhauen. Man sagte einfach, daß nur die biblischen Wunder wahr, die sonst erzählten Wunder Erfindungen seien. Oder man behauptete z. B. innerhalb des Protestantismus, daß zwar die in der Bibel erzählten Krankenheilungen wirkliche Geschichte, die in der katholischen Kirche berichteten dagegen Märchen seien. Derartige Unterscheidungen fallen in sich selbst zusammen. Wenn Irenäus uns von Totenerweckungen innerhalb der christlichen Gemeinden aus dem zweiten Jahrhundert berichtet, soll man dieselben deshalb nicht für Geschichte halten, weil sie nicht mehr im Neuen Testament stehen oder weil damals die katholische Kirche schon im Entstehen war? Dann müßte man folgerichtig Jesum selbst Lügen strafen. Denn er gesteht zu, daß auch die Schüler der Pharisäer „Wunder" tun. Schon daraus erhellt, daß wir es mit einer großen Wunderatmosphäre in der ganzen alten Welt zu tun haben, die nicht an den Grenzen einer bestimmten Religionsgemeinschaft haltmacht, sondern Gemeingut religiösen Erlebens ist. Vollends tritt die ganze Haltlosigkeit der konfessionellen Wunderbeurteilung zutage, wenn wir uns erinnern, daß die Protestanten zwar die Wunder von Lourdes für Einbildung, die Wunder von Blumhardt aber für möglich erklären, und umgekehrt. Zudem ist diese Art der konfessionellen Orthodoxie gar keine spezifisch christliche. Wir beobachten auch innerhalb des Islam und Buddhismus die gleiche Neigung, nur die Wunder der ersten Periode ihrer Religionsgeschichte als wirkliche Wunder gelten zu lassen, die späteren aber abzulehnen. Wenn also die „Wunder" des Neuen Testaments im Glauben vieler Christen einen höheren Rang beanspruchen als die „Wunder" des 3. oder 19. Jahrhunderts, so handelt es sich dabei nicht um eine Ansicht christlichen Glaubens, sondern um eine überall innerhalb der verschiedenen Religionen zu beobachtende Bevorzugung der Werdezeit des Glaubens selbst. Auf diesem Weg wird die Wunderfrage nie gelöst.

Dazu kommt ein Zweites. Wir wissen, daß zur Zeit Jesu eine bestimmte Vorstellung über den Messias überall gang und gäbe war. Für die Theologie stand das *dogmatische Bild des Messias in allen Grundzügen fest,* längst ehe er kam. Wer den Messias erkennen wollte, mußte nach bestimmten Zeichen suchen, die für seinen Charakter festgelegt waren. Man wußte nicht nur Bescheid über sein vorirdisches Leben im Himmel, seine Eigenschaften und seine Taten. Man beschrieb bereits bis ins einzelne, wie er wirken würde. Er wird sitzen am Tor, umgeben von Elenden und Kranken, deren Wunden er verbindet (bab. Sanh. f. 94 a). Das Volk wird er erretten unter Wundern, wie sie einst beim Auszug aus Ägypten vorkamen (Targ. Jon. zu Jes. 10,27). Weil er der Träger des siebenfach geteilten Gottesgeistes ist, wird er Wunder über Wunder tun. Derselbe Geist, der ihn zum Sündlosen und Reinen macht, befähigt ihn zu den messianischen Werken. Sie bestehen darin, daß die Blinden sehen, die Lahmen gehen, die Aussätzigen rein werden, die Tauben hören und die Toten auferstehen. So stand der Rahmen bereits fest, in welchem das Lebensbild des Messias erscheinen mußte. Was Wunder, daß die, welche ihn in ihren Berichten als den Erlöser schildern, gerade die Wunderberichte hervorkehren? Die evangelische Überlieferung gibt uns zudem noch einen deutlichen Anhaltspunkt, wie Jesus selbst unter diesem messianischen Schulideal geseufzt hat. Die Pharisäer wollten „ein Zeichen" von ihm haben. *In ihren Augen galten all die wunderbaren Taten, die er tat, gar nicht als Extrawunder. So etwas hatten sie sonst auch erlebt.* Sie strebten nach einem ganz besonderen Wunder, wodurch er sich als Messias erweisen sollte, etwa, daß er mit dem Hauch seines Mundes die Feinde erschlüge, oder sich von der Zinne des Tempels herabließe, oder Feuer und Schwefel regnen ließ. Dann erst wollten sie glauben. Jesus versagt es ihnen. Er ist kein Magier, sondern ein Prophet; er zaubert nicht, sondern er fordert Buße. So versteht man die Wunderberichte der Evangelien nicht vom 20. Jahrhundert und seinen Gedanken aus, sondern allein aus der Nachempfindung des Fühlens der Zeitgenossen Jesu. Nicht aus den Debatten über Wissenschaft und Naturgesetz kann der damalige Wunderglaube verstanden oder bekämpft werden. Vielmehr muß man diese Dinge vergessen und sich in die Wunderwelt des Orients hineinleben. Die Schuldogmen der messianischen Theologie müssen uns greifbare, wirkliche Größen sein. Dann erst empfinden wir, daß es ein Wunder gewesen wäre, wenn der Messias kein Wunder getan hätte, und daß die Masse der „Gläubigen" an Jesus stutzig wurde, weil er nicht noch ganz andere Wunder tat, und sich sogar sträubte, mit solchen die Menge zu unterhalten.

Das alles gilt nicht nur für die jüdische Kirche. Einen Messias, einen Erlösergott erwartete man überall. In der eranischen Weltanschauung begegnen wir messianischen Rettern. Die Samaritaner hofften auf einen Heiland. Der Kaiser Augustus wurde als Erlösergott gefeiert, nicht in offiziellen, ihn verherrlichenden Inschriften, sondern nach der Meinung des Volks. In Osten und Westen finden wir dieselben Erwartungen. Jedesmal sind sie begleitet von der Überzeugung, daß dieser Erlösergott sich durch Wunder erweisen müsse. Das hängt mit der anderen Tatsache zusammen, daß „wir kein großes Leben des Altertums kennen, das nicht von einem Kranz von Wundern umgeben wäre". Pythagoras gilt seinen Schülern als Sohn des Apollo. Alexander den Großen hatte Olympias von Zeus empfangen. Augustus wurde als Göttersohn verehrt. Buddhas Geburtsgeschichte enthält eine auffallende Reihe analoger Züge zur evangelischen Überlieferung von der jungfräulichen Geburt bis zur Geschichte mit Simeon im Tempel. Selbst von Mohammed wird erzählt, daß er die Gabe, Wunder zu tun, in reichem Maße besessen habe. Dann greifen wir hinein in das Alte Testament. Elias erlebt seine Himmelfahrt. Elisa speist Hunderte mit ein paar Broten. Beide Propheten haben Tote auferweckt. Die Wasser stehen still, wenn Moses oder Josua in des Herrn Auftrag es gebieten. Konnte denn der Messias, der die Zeiten erfüllte, die Krone aller Hoffnungen, geringere Dinge tun wie seine Vorläufer? War es nicht ganz selbstverständlich, daß die Zeichen und Wunder geschahen, die im Neuen Testament nun von Jesus berichtet werden?

Wir sagen mit alledem nicht, daß diese Erzählungen erfunden wurde. Wir werden nachher sehen, wie der Stoff selbst uns Anlaß gibt, den einzelnen Geschichten und Tatsachen nachzuspüren. Wir verlangen nur das eine, daß man sein europäisches Denken des 20. Jahrhunderts vergißt und sich vollständig versenkt in diese Wunderwelt. Man muß nicht verstehen lernen, warum von Jesus Wunder erzählt werden, sondern wie es möglich war, daß trotz dieser vielen Wundergeschichten die Juden immer noch das eigentlich beweisende Messiaswunder von ihm fordern konnten. Von hier aus gewinnen wir allein einen Maßstab für die zeitgenössische Beurteilung der Wunderberichte.

Ein dritter Grund aus der Geschichte, der zur Kritik an den Wundererzählungen Anlaß gibt, liegt in den *literarischen Berichten*. Wir sehen einmal, wie dieselbe Wundererzählung in verschiedenen Formen und zu verschiedenen Zeiten wiederkehrt. Man denke an die Speisung der Fünftausend und die der Viertausend; an die Berichte über die Heilung des einen Aussätzigen in Luk. 5,12 und der zehn Aussätzigen in Luk. 17,11. Oder wir können beobachten, wie die Wunderberichte eine sichtliche Steigerung des wunderbaren Erlebnisses berichten. So berichtet Matthäus, daß die Kranken, die den Saum von Jesu Mantel berührten, gesund geworden seien (14,36), Lukas aber, daß dabei eine Kraft von Jesu ausgegangen sei, die alle geheilt habe (6,19). Der letztere Zug wird derart sinnenfällig geschildert, daß Jesus, mitten im Gedränge stehend, trotz der hundertfachen Berührungen seines Gewands mit einemmal die einzelne Berührung durch das blutflüssige Weib bemerkt, weil in diesem Augenblick eine Kraft von ihm ausgegangen war (Luk. 8,46); der Berichterstatter Matthäus weiß noch nichts davon, sondern bei ihm wird die Heilung durch den Glauben der Frau selbst begründet (Matth. 9,18 ff.; Mark. 5,21). Eine ähnliche Steigerung zeigen die Auferweckungserzählungen. Bei Matthäus und Markus lesen wir nur die Geschichte von der Tochter des Jairus, die nach dem Urteil Christi nicht gestorben ist, sondern nur schläft, und die er ins Leben ruft. Lukas allein berichtet die Auferweckung des Jünglings zu Nain; hier wird der Tote, nach orientalischem Gebrauch immer sehr früh nach dem Todeseintritt, bereits zum Friedhof getragen, und unterwegs erst begibt sich das Wunder (Luk. 7,11). Keiner der Synoptiker aber weiß etwas von der Auferstehung des Lazarus. Johannes allein erzählt dieses Wunder an einem, der schon im Grabe gelegen und dessen Leib schon Verwesungsspuren aufweist (Joh. 11,39). Eine Vergleichung der Berichte legt ebenso oft den Gedanken nahe, daß ein Wort Jesu Anlaß zu einer Wundergeschichte gegeben und sinnenfällig ausgestaltet worden sei. Man erinnere sich an das Wort von Petrus dem Menschenfischer und an die erweiterte Erzählung von einem wunderbaren Fischzug, den

Petrus getan. Schon Augustin hat es ausgesprochen, daß Lukas die einfachen Berichte der ersten beiden Evangelisten mit allegorischen Zügen ausmale. Vielleicht liegen ähnliche Motive in der johanneischen Erzählung von der Hochzeit zu Kana, welche das Thema vom Freudenbringer Jesus, das in Mark. I angeschlagen war, näher ausspinnt. Bei alledem muß daran erinnert werden, wie nahe dem orientalischen Denken gerade solche plastische Darstellung und allegorische Ausnützung eines Gedankens lag.

Wir wollen zum Schluß eine Übersicht über die verschiedenen Methoden geben, welche zur Verständigung über die Wunderberichte angewandt worden sind. Wir sehen dabei von den beiden Methoden ab, welche jede geschichtliche Betrachtungsweise von vornherein ausscheiden. Das ist der gemeinsame Standpunkt der gewöhnlichen Orthodoxie und des flachen Rationalismus. Jener glaubt die Wunderberichte, weil sie inspiriertes Gotteswort sind, und entzieht sie dadurch jeder Bestimmung nach allgemein geschichtlichen Maßstäben. Dieser verwirft die Wunderberichte, weil sie seinem Denken unerkennbar sind und er sich weiter keine Mühe gibt, zu untersuchen, wie der menschliche Geist überhaupt das Bedürfnis nach Wundern empfinden konnte. Wer irgendwie den Anspruch auf geschichtliches Denken machen will, muß doch zum mindesten danach fragen, wie denn solche Überlieferung entstanden sei. Ernsthafte Forschung setzt erst hier ein und bietet nun verschiedene Methoden dar. Man erinnerte an die natürliche Steigerung, welche ein eingreifendes Erlebnis durch die nacherzählende Phantasie erfährt. So wird die geistige Erhebung der Pfingsttage immer massiver, handgreiflicher geschildert, und aus dem Wunder der Seele, die sich mit neuem Geist erfüllt weiß, wird ein Sprachenwunder, derart, daß alle Leute in ihren eigenen Sprachen reden hören. Andere „Geschichten" beruhen auf der Umdeutung eines Gesichts, einer Vision. Man erinnere sich an die verschiedenen Berichte bei der Taufe und Verklärung Jesu sowie bei der Bekehrung des Apostels Paulus. Ein dritter Erklärungsversuch stützt sich auf die Tatsache, daß Erzählungen und Worte des Alten Testaments zur Parallele im Neuen Testament Anlaß geben mochten. Galt doch das eine als die Erfüllung des andern. Erfüllung und Weissagung ergänzen sich. Stücke aus der Versuchungserzählung, die an Prophetenworte angelehnten summarischen Wunderberichte könnten sich von hier aus erklären. Heutzutag gibt man mit vollem Recht einer neuen Methode den Vorzug. Die religionsgeschichtliche Vergleichung zeigt Erzählungen und Motive in gleichem oder ähnlichem Gewand bei den verschiedensten Völkern. Man kann manchmal den Weg nachweisen, auf welchem diese religiösen Leitmotive von einem Volk zum andern gewandert sind; manchmal versagt der literarische Nachweis, um die Abhängigkeit einer Vorstellung von einer gleichzeitigen Erscheinung in einem andern Religionsvolk zu erweisen. Trotzdem hat gerade diese Methode den Forschern die fruchtbarsten Anregungen und weitesten Ausblicke gegeben.

Vorbemerkung zum IV. bis VI. Kapitel

Die einzelnen Wundererzählungen

Vor allem müssen wir uns grundsätzlich darüber klar sein, daß *alle die oben bezeichneten Methoden nicht hinreichen, um im Einzelfall ein unanfechtbar sicheres Bild der dem Wunderbericht zugrundeliegenden Tatsache zu gewinnen.* Jedes einzelne Wunder wird strittig bleiben. Gerade weil wir die Motive der Erzähler so genau kennen und wissen, daß es ihnen um die Wunderbarkeit des Wunders und nicht um seine Erklärbarkeit zu tun war, müssen wir uns hüten, durch Anwendung einer einzigen Schablone die Wundererzählungen meistern zu wollen. Was wir können, ist nur dies eine: Beobachtungen, Analogien, Möglichkeiten mitteilen, welche uns einen Einblick in das Denken und Empfinden der damaligen, vom Wunderglauben lebenden Welt geben.

Wenn wir dann die Wundererzählungen gruppieren, wäre es ja das bequemste, sofort einige als unglaubwürdig auszuschalten; man hätte gewiß nach dem übrigen literarischen Befund ein wissenschaftliches Recht, mindestens die johanneischen Berichte auf die Seite zu schieben. Wir werden sie auch weniger berücksichtigen. Doch muß anerkannt werden, daß in der Wunderanschauung kein wesentlicher Unterschied zwischen synoptischer und johanneischer Auffassung vorliegt und wir in beiden Evangeliengruppen ein einheitliches Weltbild, das gesamtorientalische, vor uns haben. So scheiden wir nach sachlichen Gesichtspunkten: Heilungsberichte, Seerzählungen, Speisungsgeschichten. In den einen tritt der Gedanke der Herrschaft über den Menschen und seinen Körper, in den andern über Naturstoffe in den Vordergrund.

IV. Kapitel. Heilungsberichte

Wir gehen aus von der Heilung *Besessener*. Das Krankheitsbild dieser unglücklichen Menschen steht in den Grundzügen fest. Die Evangelien reden von ihnen bald als Personen, die einen unreinen Geist haben (Mark. 3,30) oder die ganz in der Sphäre eines unreinen Geistes leben (Mark. 5,2); bald werden sie Dämonische genannt, welche einen Dämon in sich tragen (Joh. 7,20) oder von einem Dämon besessen sind (Mark. 9,22). Dabei liegt die Vorstellung zugrund, daß die Dämonen als zweite Person sich häuslich in dem Körper niederlassen, den sie von da ab quälen. Sie nehmen sozusagen Rache für ihr eigenes Elend. Unglücklich und friedlos irrten sie an wasserlosen, wüsten Stätten umher auf eine Seele lauernd, in die sie sich werfen könnten. Nun nisten sie sich im Menschen ein. Hier finden sie ihre Nahrung im wirklichen Sinn des Worts. Vielleicht darf man in diesem Zusammenhang an die Hexen erinnern, von denen Apulejus in seiner Schilderung eines Alptraumes berichtet, und an die Nachtmaren der deutschen Sagen; auch von ihnen hören wir, daß sie sich an dem Blut ihrer Opfer laben. Merkwürdig ist, daß mehrere Dämonen in einem einzigen Menschen wohnen können. Der Dämon selbst wechselt seine Gestalt. So antwortet der Kranke auf die Frage Jesu (Mark. 5,9): „Legion heiße ich; denn *wir* sind viele." Dieser ganze Vorstellungskreis ist kein spezifisch jüdischer. Wir finden im gesamten Altertum ähnliche Vorstellungen. Böse Geister werfen sich dem Menschen entgegen; so tritt dem Brutus vor der Schlacht bei Philippi sein böser Geist in den Weg.

Doch kehren wir zu dem Krankheitsbild selbst zurück! Die Erscheinungen sind sehr vielfältig. Epilepsie und Tobsucht, einfache Geistesstörung und Mondsucht wechseln in unseren Wunderberichten miteinander ab. Bald tritt die eine Krankheitsform deutlicher hervor, bald die andere. Gemeinsam ist allen ein starker nervöser Erregungszustand, welcher sich bald heftiger, bald gelinder äußert. Überall entdecken wir die Halluzinationen des Irren, wonach er sich mit einer Art Doppelbewußtsein herumträgt und stets der Dämon oder die Dämonen durch seinen Mund sprechen. Auch von körperlichen Wutausbrüchen wissen einige Berichte zu erzählen (Mark. 5,3; 9,20). Wir lesen von verzerrten Gliedmaßen, verkrümmten Leibern, auch von dem darauf folgenden Zustande vollständiger geistiger und körperlicher Teilnahmslosigkeit. „Der Kranke liegt da wie tot. Bald warf der Dämon ihn ins Feuer, bald ins Wasser", was wir entweder wörtlich zu verstehen haben, da Epileptische während des Anfalles ihrer Glieder unmächtig, noch dazu an vollständiger Empfindungslosigkeit der Gliedmaßen leiden, oder wir sehen in dem Ausdruck ein Zeichen für Fieberzustände höchsten Grads, in welchen der Körper des Menschen bald glühend heiß, bald eisig kalt durchschauert wird. Jene Empfindungslosigkeit hebt Lukas (4,35) in einem Wunderbericht ausdrücklich hervor; bei dem Sturz eines Dämonischen wird ja betont, daß „er keinen Schaden nahm". Auch die Tanzwütigen des Mittelalters zeigten solche körperliche Unempfindlichkeit gegen Schmerzen. Nun hat man mit Recht von verschiedenen Seiten darauf aufmerksam gemacht, daß sich diese Krankheitserscheinungen bei der großen hysterischen Neurose, welche unseren Irrenärzten wohlbekannt ist, wiederfinden. Unter Neurose werden Nervenkrankheiten verstanden, bei denen man zunächst keine anatomischen oder chemischen, also keine äußerlichen Veränderungen der Nerven hat nachweisen können, die aber trotzdem einzelne Organe, wie das Herz oder den Darm, aber auch den gesamten Körper befallen können. Zu der letzteren Gruppe gehören Hysterie, Starrkrampf, Epilepsie, Veitstanz. Mit ähnlichen Vorkommnissen haben wir es zur Zeit Christi zu tun. Freilich müssen dabei zwei Fragen berücksichtigt werden. Die eine lautet: Können wir die Krankheitsformen der sogenannten Dämonischen überhaupt aussondern aus den übrigen Krankheiten, von welchen uns im Neuen Testament erzählt wird? Ein rundes Ja oder Nein gibt es darauf nicht. Wir beobachten nämlich, daß nach herrschender theologischer Anschauung alle Krankheiten überhaupt von Dämonen bewirkt sind. Die Werke Christi sollten die Werke des Teufels zerstören. Diese ganze irdische Welt gilt als Herrschaftsbereich dämonischer Gewalten. Nicht das letzte Zeichen dafür sind gerade die Krankheiten. So sah man Dämonen überall. Trotzdem umfaßt der Name der „Dämonischen" im Neuen Testament eine bestimmte Klasse; es sind jene oben genannten Irren, die hysterisch-nervös Belasteten. Nach den Schilderungen des Neuen Testaments muß es deren damals in Israel ziemlich viel gegeben haben. Zieht man auch von dem Kolorit der Darstellung ab, so bleibt doch das Bild einer „kranken" Zeit. Dem widerspricht zunächst die Tatsache, daß im Alten Testament von Epilepsie nicht die Rede ist und auch die Geisteskrankheiten nicht in dem Maße im Orient vorkommen, wie in unseren heutigen Kulturstaaten. So erhebt sich die andere

Frage, ob diese Häufung geistiger Unregelmäßigkeiten vielleicht mit der gespannten messianischen Erweckung der damaligen Zeit zusammenhängt. Dies bejahen wir. Es ist schon bezeichnend, daß die Erregungszustände der Besessenen gerade dann sich steigern, sobald sie mit Jesus zusammentreffen. Die Berichterstatter erblicken darin natürlich den Ausdruck für die Angst der unheimlichen Wesen vor dem Augenblick, da sie aus dem Menschen getrieben zu ruheloser Wanderung verurteilt werden. Der medizinisch Urteilende dagegen, der sich nur an die nervösen Erregungen hält, erinnert sich an ähnliche Vorkommnisse in Zeiten religiöser Schwärmerei. Man erinnert an die Tänzer des Mittelalters oder an die damals herrschende Epidemie des Veitstanzes, welche rein religiösen Hintergrund hatte. Man könnte an indische Analogien bei den Tänzen der Derwische denken und noch andere Tatsachen aus der Geschichte religiösen Gemeinschaftslebens aller Zeiten heranziehen. Sie alle sollen nicht erklären, aber verdeutlichen, nicht erschöpfen, aber dem Verständnis annähern. Wir werden nie ein widerspruchslos einheitliches Bild jener Zeit gewinnen. Soviel steht aber fest, daß die religiös erregte Stimmung des Volks einen fruchtbaren Boden für Massenerscheinungen abgeben mußte, wie wir sie in kleinen Trupps oder größeren Haufen solcher Besessenen vor uns sehen. Daß der religiöse Einschlag in dem Bild dieser Krankheit nicht übersehen werden darf, erhellt endlich aus der Tatsache, daß nach gemeinsamer alttestamentlicher Anschauung zwischen Geisteskranken und gottbegeisterten Propheten kein grundsätzlicher Unterschied gemacht wird. Ein und dasselbe Wort bezeichnet beide Zustände: es sind „Verrückte". Die alten Prophetenscharen, in welche Saul hineingerät, benehmen sich nicht anders wie Verrückte. Die Geisteskranken ihrerseits stehen auch in Israel wie anderswo bei antiken Völkern unter dem Schutz Gottes; sie sind unverletzlich. Deshalb werden wir um so eher ein Recht haben, in der verhältnismäßigen *Häufigkeit* der Besessenheit ein Symptom der allgemeinen religiösen Zeiterregung zu sehen; dadurch wird die *Tatsächlichkeit* der Geisteskrankheiten der damaligen Zeit erst erklärlich.

Außerordentlich interessant für die gesamte Beurteilung der Heilungen Jesu wirkt der psychiatrische Nachweis, daß mit diesem Krankheitsbild der hysterischen Neurose sehr häufig verbunden sind: Erblindungen, Lähmungen, Verlust des Gehörs und der Sprache. Dieser Nachweis ist deshalb so wertvoll, weil damit ein einheitliches Krankenbild gewon-

nen und von hier aus manche Heilungsgeschichte erklärlicher wird.
Schon die evangelischen Berichte erzählen, wie Dämonen ihre Kranken
zu den übrigen Fehlern noch mit *Sprachlosigkeit* belasteten. Solche
Stummen brauchen keinen organischen Fehler zu besitzen; es ist nicht
notwendig, daß sie von Jugend auf stumm gewesen sind. Vielmehr hängt
die ganze Erscheinung mit der allgemeinen geistigen Erkrankung zusammen. Eine dämonengläubige Menge mußte in derartigen Kranken böse
Geister vermuten, da ihre Gebärden einen durchaus absonderlichen Eindruck machten und die unartikulierten Laute die Nebenmenschen er-
schreckten. Mit dem Verlust des Gehörs hängt zudem oft der Verlust der
Sprache zusammen. Wo beide Fehler sich bemerkbar machten, konnte
die Meinung der Zeit gar nichts anderes vermuten, als dämonische Beeinflussung. Der Fortschritt der medizinischen Forschung kommt uns nun
insofern zugut, als sie hinter jenem abergläubischen Wirrwarr an einzelnen Stellen die physiologische Unterlage nachweist und zeigt, wie wirklich neurasthenische Störungen des Gesamtorganismus solche Einzeler-
krankungen erzeugen. Noch deutlicher erscheint dieser Zusammenhang,
wenn es sich um *Lähmungen* oder Verkrümmungen handelt. Luk. 13,11
wird von einer Frau erzählt, welche „18 Jahre einen Geist der Krankheit
hatte und sich nicht ordentlich aufzurichten imstande war". Es handelt
sich auch hier um die Folgen schwerer Hysterie. Einzelne Muskelgruppen
können vollständig gelähmt oder gekrümmt werden. Noch heute erscheint die Gicht im Orient im Gefolge von Nervenschwäche. Wir bekommen durch solche Beobachtungen das Recht zu vermuten, daß in den
mannigfachen Erzählungen von Heilung Gelähmter ähnliche Verhältnisse vorliegen. Die Lahmen bilden ja den größten Prozentsatz der Geheilten. Es würde auch verständlicher, warum Jesus solchen Gichtbrüchigen
manchmal in erster Linie ihre Sünden vergibt. Zuerst will er den Menschen in seinem Innersten heilen und beeinflussen, weil die sichtbare
Krankheit nur eine Folgeerscheinung jener tieferliegenden Zerstörung
ist. Freilich darf man nicht soweit gehen und jede Erzählung von Heilung Kontrakter ohne weiteres in unlösbaren Zusammenhang mit Irren-
krankheiten bringen. Wie die Wunderberichte vorliegen, wollen sie zum
größeren Teil einfache Heilungen Gelähmter ohne Reflexion auf weitere
Krankheitssymptome erzählen. Dem Forscher muß es dagegen erlaubt
sein, jede Handhabe zu benützen, um in das Geheimnis der Heilungstätigkeit Jesu einzudringen.

Während die Verwandtschaft der Lähmung mit Nervenerkrankungen dem medizinischen Laien ziemlich bekannt ist, dürfte ihn überraschen, daß auch *Erblindungen* im Gefolge hysterischer Krankheitsformen durchaus nicht zu den Seltenheiten gehören. Die Blindengeschichten des Neuen Testaments geben über Ursache und Dauer der Erkrankung sehr spärliche Notizen. Blindheit war in Israel eine sehr verbreitete Krankheit. (Matth. 15,30). In den meisten Fällen rührte sie von groben Verstößen gegen die Elementarregeln der Hygiene her. Blindgeborene finden wir häufig. Trotzdem wird ein großer Teil der Erblindungen auch vorübergehender Natur gewesen sein und hing wieder mit Störungen des Nervensystems zusammen. Noch heute wird in den Kliniken beobachtet, wie infolge eines Schlaganfalles oder hysterischer Trübungen vorübergehende oder langandauernde Blindheit sich einstellt, welche mit der Heilung der zentralen Krankheit sich verliert. Wir werden demnach das Recht haben, einen Teil der Blindenheilungen vollständig in die Heilung der Dämonischen einzurechnen. In anderen Fällen (z. B. Joh. 9,1 ff.) haben wir es mit einer selbständigen Erkrankung zu tun. Wieder in anderen Fällen ist es sehr wahrscheinlich, daß die Heilungserzählung im ganzen symbolischen Charakter trägt (Mark. 10,46 ff.). Die Grenzlinie zwischen physischer und psychischer Blindheit läßt sich bei der lebhaften Phantasie des Morgenländers viel schwerer bestimmen, als bei dem nüchternen Nordländer. So gewiß es zu dem messianischen Programm gehört, daß „der Lahme springen wird wie ein Hirsch" (Jesaja 35,6), so bestimmt erwartete man, daß in dieser Endzeit „sich die Augen der Blinden öffnen und die Ohren der Tauben auftun" (Jesaja 35,5). Jeder Fortschritt in der Gotteserkenntnis, jedes Erwachen neuen religiösen Lebens wird stets unter dem Bild des anbrechenden Morgens und des aufgehenden Lichts dargestellt. Das ganze jüdische Volk ist „blind mit sehenden Augen und taub mit hörenden Ohren", weil es den Messias nicht erkennt. Daß die Leichtigkeit solcher symbolischer Ausdrucksweise die Geschichte der Blindenheilungen irgendwie beeinflußte, ist mehr wie eine Vermutung. Nur soll man den Grad der Beeinflussung und die Grenzlinie des Ineinanderfließens von Geschichte und Symbol nicht genau festsetzen wollen. Hierzu reichen die vorhandenen Quellen nicht aus. Wir müssen uns begnügen zu wissen, aus welch verschiedenen Bächen der Strom der Wundererzählungen zusammengeflossen ist.

Um das Krankheitsbild der Dämonischen unserem Verständnis nahezubringen, schließen wir diese Erörterungen mit folgenden Krankenberichten aus moderner Zeit. „Von 1866—1875 lag in der Salpêtrière zu Paris ein Mädchen, welches an hysterischen Leiden der verschiedensten Art krankte. Ihr linker Arm und ihr linkes Bein waren gelähmt und durch die Kontraktion des Beins hatte sich eine Art Klumpfuß gebildet. Sie hatte außerdem einen Krampf der Zungenmuskeln, welcher sie zu sprechen hinderte. Auf dem linken Auge war sie fast ganz erblindet. Eine krampfartige Lähmung der Speiseröhre hinderte sie am Essen. Alle ärztlichen Mittel wirkten nicht. Charcot, der leitende Irrenarzt, erklärte offen, daß nur ein unvorhergesehener mächtiger Eindruck heilen könnte. Nach 3 Jahren war das Mädchen zu der Überzeugung gekommen, daß sie gesund würde, wenn beim Fronleichnamsfest ihr eine Hostie aufs Haupt gelegt würde. Gespannt erwartete sie den Tag. Als der Fronleichnamszug nahte, verfiel sie in ein Zittern, verlor die Besinnung, konvulsivische Zuckungen erfaßten sie — — in einem Augenblick war sie geheilt und konnte in die Kapelle gehen und Gott danken." Der Geh. Medizinalrat Ebstein erzählt aus eigener und fremder Erfahrung eine Reihe ähnlicher Erlebnisse, z. B. aus der alten Zeit der Tanzwut, da stürmische Auftritte oft augenblickliche Heilung herbeiführten, so gründlich und entschieden, daß die Verrückten in die Werkstatt oder an den Pflug zurückkehrten, als wären sie nie krank gewesen; ebenso aber auch aus der Gegenwart, wo Epilepsie im Zusammenhang mit somnambulen Zuständen vollständig heilte, oder zwei Hysterische, welche auf einer Bahre in das Züricher Spital gebracht wurden, auf drohenden Zuspruch des Direktionsarztes sich sofort erhoben und ihre Glieder brauchten, oder schwere Sehstörung ohne die geringste pathologische Veränderung der Augen eintrat, aber auch ohne Anwendung von Heilmitteln wieder verschwand. Professor O. Schmiedel erzählt, daß er in Tokio mit eigenen Augen gesehen hat, „wie Professor Bälz im Universitätshospital daselbst eine japanische Frau durch bloßes Zureden geheilt hat, welche seit 5 Jahren sowohl lahm wie blind gewesen war. Sie litt freilich nicht an organischer Lahmheit und Blindheit, sondern war hysterisch." Neben diese Zeugnisse treten viele andere aus neuester Zeit von jenem Zuaven an, der ums Jahr 1860 in Paris viele Gelähmte durch seinen einfachen Befehl «Allez! marchez!» geheilt hat, bis zu den Wunderheilungen des Fürsten von Hohenlohe, oder dem Erlebnis der Freiin Droste von Vischering vor dem Trierer Rock (1844), welche bei dessen Anblick ausrief: „ich kann wieder stehen", oder den Gebetsheilungen eines evangelischen Schweizer Bauern in den achtziger Jahren. Vorurteilslose Geschichtsforschung wird gerade auf diesem Gebiet noch eine Menge Tatsachen ausgraben.

Darin liegt der Vorzug dieser medizinischen Forschungen und geschichtlichen Vergleiche, daß sie unwidersprechlich klarlegen: Allen mittelbaren und unmittelbaren Erscheinungen der hysterischen Krankheiten gegenüber besitzt der Wille einer übermächtigen Person heilende Kraft. Alle Heilungswunder, soweit sie auf diese hysterische Krankheitsform zurückgeführt werden müssen, entbehren deshalb des Mirakelcharakters. *Die Heilkraft der Suggestion für bestimmte nervöse Erregungszustände ist eine medizinische Tatsache.* Selbstverständlich haben wir mit dem Wort Suggestion nur einen technischen Namen gewonnen. Wie ein Wille den andern berührt, stärkt, gefangennimmt, kann noch nicht in einzelne durchsichtige Akte zerlegt werden. Es ist genug, daß wir um die Tatsache selbst wissen als einer dem Naturverlauf angehörigen.

Von dieser Tatsache aus verstehen wir die Heilungsberichte des Neuen Testaments — wenigstens deren größern Teil. Gerade die vielgeschmähte *moderne Wissenschaft hat festgestellt, daß Jesus tatsächlich merkwürdige Heilungen vollbracht hat.* Damit hat sie ja dem alten Mirakelglauben keinen Dienst getan; sie hat die Mirakel wieder aus einer Ecke vertrieben, wo sie einen ruhigen Platz zu haben meinten. Jesus hat wunderbar geheilt gewiß in größerem Umfang. Sein Ruf war bekannt. Besonders am Anfang seiner Tätigkeit ist er dem sozialen Elend der Masse, die er liebte, zu Leib gegangen und hat vielen die Last der Krankheit abgenommen soweit es ging. Krankenheilung gehörte in sein Programm. Seine Heilkraft wirkte sich dort aus, wo man ihm persönliches Vertrauen entgegenbrachte. *Wo man nicht an ihn glaubte, konnte er nicht heilen.* In dieser gut bezeugten und dem ganzen Charakter der Heiltätigkeit Jesu entsprechenden Tatsache ist der kritische Maßstab enthalten, den wir an die Wunderberichte im einzelnen anlegen können. Überall dort wird ein Mirakel erzählt, wo es sich um unwillkürliche, nicht durch persönliches Vertrauen vermittelte Heilung handelt. Wir rechnen dahin noch nicht die Heilungen solcher, welche den Saum des Gewandes Jesu berührten im festen Vertrauen auf die gewisse Heilung. Hier liegt eine Form der einseitigen Suggestion vor, deren Wirkungen wir immer noch beobachten können. Auch in den Fernheilungen ist solche suggestive Wirkung nicht ausgeschlossen, da ja die betreffenden Kranken jedesmal davon wußten, daß um ihretwillen bei Jesus, dem Heiland, um diese bestimmte Zeit angefragt wird. Allein wenn es ohne weiteres in den Berichten heißt: „er heilete sie alle" (Matth. 21,14; 14,14; 4,24), und dabei gar nicht mehr betont wird, daß persönliches Vertrauen notwendig zur Heilung war, so sehen wir darin die massive Verherrlichung eines populären Wundermannes. Das Charakteristische der Heilung, das seelsorgerliche Element, fällt weg; das Massenhafte der Heilungen allein wird betont. Die materialisierende Neugier der mirakelgläubigen Menge schafft sich hier ihren Ausdruck.

Ein weiterer Fingerzeig zur Beurteilung von Jesu Heiltätigkeit liegt darin, *daß eine große Zahl Krankheiten von Jesus nicht geheilt worden ist.* Wir finden in dem Krankheitsregister keine akuten Krankheiten. Lungenentzündung, Typhus, Blinddarmentzündung, Diphtheritis, Scharlach und ähnliche Fälle werden nicht erwähnt. Am ehesten könnte man noch die Heilungen Fieberkranker hier hereinnehmen. Die Schwiegermutter des Petrus, die am Fieber darniederliegt, wird von Jesus angefaßt und genest. Nach den Berichten bei Matthäus und Markus kann es sich um einen plötzlichen Fieberanfall handeln; nach Lukas litt die Frau an einem hartnäckigen Fieberzustand. Es ist bezeichnend, daß Jesus das Fieber „bedroht" (Luk. 4,39) wie man einen Dämon bedroht. Wahrscheinlich haben wir es hier mit der häufigen Verwechslung von Fieber und Alptraum (ηπιαλος und επιαλος) zu tun. So wäre es verständlich, wie Christus das Fieber gleich einem persönlichen Dämon angriff und zur Machtlosigkeit verurteilte. In Joh. 4,52 würde ein ähnlicher Fall vorliegen. Jedenfalls bleibt das Urteil zu Recht bestehen, daß Jesus nach den vorliegenden Berichten keine akuten Krankheiten geheilt hat. Das verstärkt wieder das Bild, das wir vorher entworfen haben: Jesus war Seelsorger, der dort heilend eingreift, wo die Fugen zwischen Geist und Körper außer Ordnung geraten sind.

So wird erklärlich, warum sich die evangelische Überlieferung von späteren Legenden über wandelnde Köpfe und angeheilte Gliedmaßen freihält. Der einzige derartige Bericht liegt in der Erzählung Luk. 22,51 vor, wo es in der Beschreibung der tumultuarischen Verhaftungsszene heißt, daß Jesus das Ohr des Knechtes Malchus anrührete und ihn heilete. Diese Stelle ist textkritisch verdächtig. Denn weder Mark. 14,27 noch Matth. 26,52 erzählen etwas davon. Noch könnte man an jene seltsame

Geschichte denken, wo die Dämonen, die Jesus austreibt, um die Erlaubnis
bitten, in eine gerade vorüberziehende Herde Säue zu fahren. Jesus gestattet es, und die ganze Herde stürzt ins Wasser. Wir haben es hier mit
dem panischen Schrecken zu tun, der über die Tiere gekommen war. Pan
gilt dem Altertum als Erreger der Alpträume. Visionen und Träume, die
plötzlich einen Schrecken hervorrufen, werden sehr oft auf ihn zurückgeführt. Nun ist es eine Tatsache, die auf vielen Erfahrungen des Hirten-
lebens beruht, daß Herdentiere, Schafe oder Ziegen ohne jeden merkbaren
Grund oft plötzlich, besonders in der Nacht von wahnsinniger Unruhe
befallen werden und wie toll, gewissermaßen in jäher Hypnose, auf
einem bestimmten Punkt hinstürzen, ganz einerlei, ob sie dadurch gerettet
werden oder zugrund gehen. Kavallerieregimenter erzählen von ähnlichen Erlebnissen, wie sich Pferde epidemisch von den Pflöcken losrissen
und davonrannten, ja sich ins Wasser stürzten. Solche unerklärlichen,
plötzlichen Massenbewegungen mußten der abergläubischen Anschauung der alten Zeit als Folge dämonischer Einwirkung erscheinen. Der
Alpdruck selbst tritt in epidemischer Form auf. Schon antike Ärzte wie
Kallimachos machten auf Alpdruckepidemien aufmerksam; und Rade-
stock erzählt in seinem Buch › Schlaf und Traum ‹ interessante Geschichten von einem ganzen Bataillon französischer Soldaten, welche in einer
alten Abtei der Tropea in Kalabrien einquartiert waren, um Mitternacht
vom Alp befallen, sich wie ein Mann vom Lager erhoben und kopfüber
ins Freie rannten. Aus dieser ganzen Vorstellungswelt heraus muß auch
jene wundersame Geschichte in Mark. 5,1—14 erklärt werden. Es bleibt
also dabei, daß der Umkreis der Heilungstätigkeit Jesu umschrieben wird
durch eine bestimmte Art von Krankheiten, welche auch sonst im Altertum und herein bis in unsere Zeit den Hauptstoff für wunderbare
Heilungen abgeben.

   Damit sind wir bereits zum dritten Merkmal geführt, wonach
die Wunderberichte gewertet werden müssen. *Die Kunst zu heilen
beschränkte sich nicht auf Jesus.* Seine Jünger heilen ebenso; sogar die
Dämonen waren ihnen untertan. Auch macht Jesus keinen Unterschied zwischen den Heilungen, die er selbst vollzieht, und denen seiner ausgesprochenen Feinde, der Pharisäer und ihrer Schüler. Er erkennt dort dieselbe
Wundertätigkeit an. Darin liegt der ausschlaggebende Beweis dafür, daß
die „Wunder" Jesu nach dem Empfinden der Volksmenge zwar groß und
begehrenswert, aber in ihrer Art nicht einzig waren. Ziehen wir vollends

den Kreis weiter und erinnern uns daran, daß wie in den alten Äskulap-
tempeln Herzen oder Gliedmaßen als Votivgegenstände zum Dank für
Heilung hingen, so auch in den Kirchen und Kapellen der katholisch-
christlichen Kirche solche Zeugnisse von Heilungen — ob wirklicher oder
eingebildeter steht dahin — in Menge sich finden. Besinnen wir uns darauf, daß es einen aktenmäßig erzählten Bericht von einer Blindenheilung
durch Kaiser Vespasian gibt, denken wir an die Wundergeschichten der
Thomas- und Johannesakten, an die darin bezeugte selbstverständliche
Voraussetzung der Frommen, daß wo „Wunder" geschehen, Gott wirkt,
dann werden wir die richtige Schätzung für die Wunderberichte als solche gewinnen. Besonders lehrreich ist eine Erzählung in den Johannesakten (26). Nachdem Johannes in Ephesus mehrere Totenerweckungen
vollendet hatte, läßt ihn der zum Leben erstandene Lycomedes, ohne daß
er davon weiß, malen, stellt sein Bild im eigenen Hause auf, bekränzt es,
errichtet einen Altar davor und stellt Lichter umher. Von Johannes um
dieses Götzendienstes willen zur Rede gestellt, sagt er mit ruhigem Gewissen: „Mein Gott ist nur jener, der mich nebst meiner Lebensgefährtin
vom Tode erweckt hat. Aber wenn anders man *nächst jenem Gott die
Menschen, die unsere Wohltäter sind, Götter nennen darf, so bist Du's,
Vater,* der in dem Bilde für mich gemalt ist, den ich bekränze, liebe und
verehre als den, der mir ein guter Führer geworden ist." Diese ganze Stelle
ist hochinteressant wegen des Einblicks in die Motive und den Sinn
göttlicher Verehrung, die man Menschen darbrachte trotz überzeugtem
Monotheismus. Aber besonders wichtig ist uns die selbstverständliche
Voraussetzung der Möglichkeit der *Totenerweckung.* Man erstaunt darüber; man erschrickt. Aber sie ist kein Vorrecht eines einzelnen. In der
christlichen Gemeinde gehörte die Totenerweckung zu den „Gaben des
Geistes und der Kraft". Im Neuen Testament selbst beobachten wir bereits unter den Erzählungen aus dem Leben Jesu eine stetige Steigerung
der Totenerweckungen. Im ersten Fall bei der Erweckung des Mädchens
ist die medizinische Möglichkeit des Scheintodes nicht auszuschließen;
nach dem Text selbst soll betont werden, daß das Mädchen wirklich nicht
gestorben war, sondern wie tot dalag. „Sie ist nicht gestorben, sondern
sie schläft", sagt Jesus. Freilich bleibt es sehr fraglich, ob in diesen Worten die Diagnose eines Arztes enthalten sein soll und sie nicht vielmehr
einen Hinweis auf die christliche Gewißheit in sich schließen, wonach der
Tod den Gläubigen nur ein Schlaf geworden ist. Die Möglichkeit des

Scheintods in solchen Geschichten wie Matth. 9,18 und Luk. 7,11 muß aber zugegeben werden. Mag dem sein, wie ihm wolle: die Berichte wollen jedenfalls Totenerweckungen erzählen, um den Herrn des Lebens möglichst massiv abzubilden. Ihr Interesse ist kein medizinisches, sondern ein theologisches, und man wird ihrem Verständnis nicht gerecht, wenn man sie etwas anderes sagen lassen will, als sie tatsächlich meinen. Elias weckte Tote auf, und Elisa nach ihm. Vom Apostel Thomas und Johannes werden die Totenerweckungen haufenweis berichtet. Irenäus erzählte sie als Übung in der christlichen Gemeinde (II 31,2). Das geht so weit, daß in den Apostelgeschichten Totenerweckungen auf Geheiß der Apostel von anderen Leuten vollzogen werden. Kleopatra erweckt nach den Johannesakten ihren Mann Lycomedes. Ein Jüngling wird von Johannes zu dem Leichnam eines Priesters geschickt, um ihn zu erwecken. „Denn", heißt es in diesem Zusammenhang ausdrücklich, „es ist keine Aufgabe für einen Mann, der über große Mysterien Herr ist, noch mit Kleinigkeiten sich abmühen." Ebenso läßt Thomas einen Jüngling das Mädchen auferwecken, das er selbst getötet hatte. Zwischen den Machtwirkungen Jesu und der seiner Jünger ist kein Unterschied mehr. Und was in der christlichen Gemeinde geglaubt wurde, das finden wir in anderen Religionen ähnlich. Dem Asklepios werden 10 Totenerweckungen zugeschrieben. Apollonios von Tyana begegnet in Rom einem Leichenzug, der ein junges Mädchen zu Grabe geleitet; er heißt die Träger stille stehen, faßt das Mädchen an der Hand und murmelt einige geheimnisvolle Worte über ihr; da erhob sie sich und fing an zu sprechen. Petrus erweckte vor den römischen Stadtpräfekten drei Tote hintereinander, nachdem es dem Magier Simon zwar auch gelungen war, einen Toten zu erwecken, der Lebendiggewordene aber alsbald wieder starb. Buddha soll ähnliches getan haben. Um diese unbequemen Vergleiche aus der Welt zu schaffen, schlug die christliche Apologetik sehr früh den Weg ein, die ähnlichen Vorkommnisse auf heidnischem Gebiet für Nachäffungen des Teufels zu erklären. Interessant bleibt, daß gerade die Totenerweckung in einigen christlichen Kreisen als das unterscheidende Wunder bezeichnet wird, das die christliche Wahrheit im Gegensatz zum Antichristentum beweisen könnte. In der Eliasapokalypse wird das Bild des Sohnes der Gesetzlosigkeit, des Antichristen gezeichnet: „Er wird zur Sonne sagen: ‚Falle' und sie wird fallen; er wird sagen, ‚Leuchte!' und sie wird leuchten; er wird sagen: ‚Werde dunkel!' und sie wird es; er wird zum

Mond sagen: ‚Werde blutig' und er wird es. Er wird mit ihnen vom Himmel verschwinden und auf dem Meere und den Flüssen wandeln, wie auf dem Trockenen; er wird die Lahmen gehen, die Tauben hören, die Stummen reden und die Blinden sehen lassen; er wird viele Wunder und Zeichen vor jedermann verrichten und die Werke tun, die der Gesalbte getan hat, bis auf das Auferwecken der Toten allein. Daran werdet ihr ihn erkennen, daß er der Sohn der Gesetzlosigkeit ist, weil er keine Macht über die Seele hat." Man spürt hier die christliche Phantasie, die sich sofort um die Wunder spann, in ihrer gewaltigen Macht; sofort aber auch das Erwachen des dogmatischen Sinns, der unter den Wundern wählt und vergißt, daß die Grenze des Wunderbaren in der damaligen Zeit selbst eine vollständig fließende war. Zur Zeit Christi ging im Volk der Glaube, daß die Toten wiederkommen. Johannes sollte in Jesus wieder auferstanden sein, und Herodes mochte erschrecken, daß er nun des unbequemen Mannes doch nicht losgeworden war. Elias oder einen der Propheten erwartete man ständig wiederzusehen. Noch am Kreuz Jesu erhoffen manche, daß „Elias komme und ihm helfe". In solche Zeiten, da die Unterschiede zwischen Leben und Tod verwischt werden, müssen wir uns hineinempfinden, um jene Wunderberichte zu verstehen. „Hätten übrigens", schreibt Furrer in seinem › Leben Jesu Christi‹, „zwei ganz vereinzelte wirkliche Totenerweckungen für uns einen tröstenden Wert? Müssen wir, wenn wir bedenken, daß die Bevölkerung an den Ufern des Genesaretsees zu vielen Tausenden zählte, nicht annehmen, daß es dort noch viel tragischere Todesfälle gab, als den dieser zwei jungen Leute? Warum ist Jesus in viel schmerzlicheren Fällen nicht eingeschritten?"

Nur kurz mögen die Heilungsberichte über die *Aussätzigen* erwähnt sein. Man ordnet sie meist neben die Auferweckungsgeschichten, weil man in ihnen die nächsthöchste widernatürlich wirkende Wunderkraft annimmt. Eine große Reihe von Forschern hält auch daran fest, daß die eigentliche Form des Aussatzes, die wirkliche Lepra, unheilbar sei; sie verweisen dann mit Recht darauf, daß man im Morgenland eine Menge Hautkrankheiten auch unschuldiger Formen mit dem Aussatz verwechselte. Trotzdem macht Ebstein darauf aufmerksam, daß die Möglichkeit einer allmählichen Heilung auch bei wirklicher Lepra nicht ausgeschlossen sei. Die medizinischen Autoritäten des Nordens, welche den norwegischen Aussatz gründlich beobachteten, „erwähnen bei der Schilderung der tuberkulösen und anästhetischen Form des Aussatzes, daß sie mehrere

Kranke, welche mit den schweren Formen dieser Krankheit behaftet
waren, durch die Natur haben geheilt werden sehen. Danach würde man
z. B. auch die von Hartmann von der Aue in seinem armen Heinrich geschilderte Heilung des aussatzkranken Ritters nicht bloß für legendarisch
zu halten brauchen. " Freilich handelt es sich dann um Ausheilung einer
chronischen Infektionskrankheit, nicht um das Mirakel einer plötzlichen
Wendung.

Ein weiteres Hilfsmittel zur Orientierung über den Wert der Wunderberichte liegt in dem Urteil *Jesu selbst* über seine eigenen Wunder. Jesus
wollte kein Wundertäter sein. Wo er half, wollte er helfen, aber er be-
zweckte nicht, einem wundergläubigen Geschlecht entgegenzukommen.
Die Menschensorte konnte er nicht ertragen, die nur Zeichen und Wunder von ihm verlangte. Ihnen entzog er sich. Wenn schon des Buddha
Wort scharf klingt: „Ich lehre meine Schüler nicht, daß sie hingehen und
vor den Brahmanen mittels übernatürlicher Macht Wunder wirken sollen; sondern das lehre ich sie: Lebet, ihr Frommen, so daß ihr eure guten
Werke verberget und eure Sünden zeigt", so klingt Jesu Wort noch här-
ter: „Diese böse und ehebrecherische Art suchet ein Zeichen." Das bedeutet nicht nur eine Abfertigung, sondern ein klares Urteil über die Un-
frömmigkeit solcher Menschen. Innerliche Umkehr und äußerliche Wundersucht, Buße und Wunderneugier schließen sich aus. Jesus sprach aber
nicht bloß in solch ablehnender Weise über Wunder; er handelte danach. Er mochte es nirgends dulden, daß man von seinen Heilungen
Aufhebens machte. Die Heilung sollte der Seele des Geheilten ein Wort
zum Leben sein, aber nicht zur Reklame für ihn und seine Sache dienen.
Wenn Jesus auf seine Wunder den Wert gelegt hätte, den manche heute
aus Glaubensinteresse damit verbinden, dann hätte er es selbst so unklug
wie möglich angefangen. Denn wo man vor der Masse Wunder begehrte
versagt er; wenn man ihm einen Krüppel oder blutkrankes Weib von der
Straße brachte, die keinen Namen hatten und ihm keinen Namen eintru-
gen, dann ging, lief, heilte er, bis er so müde wurde, daß man für seine
Gesundheit fürchtete. Das gehört zur unvergänglichen Größe Jesu, daß er
über seinen „Wundern" stand und nicht in ihnen aufging. Der Heiland
ist nicht der Gebetsheiler von heute und nicht der Magier von damals; er
ist der Mann, von dem ewige Kraft Gottes ausging.

Von hier aus verstehen wir, warum gerade im Kampf mit den Juden
die Wunderberichte später eine solche Rolle spielen mußten. Die Juden

leugneten den Messias in Jesus. In der Missionspredigt der christlichen Gemeinde wachte das apologetische Interesse auf: man mußte Jesus den Juden gegenüber verteidigen. Diesen Kampf führen zum Teil unsere Evangelien. Die Fragestellung wird demnach vom Gegner, den man bekämpft, beeinflußt. Wir hören aus den Evangelien selbst heraus, wie wirkungslos zunächst dieser Wunderbeweis für die jüdischen Gemüter war. Sie leugneten zwar die Wunder Jesu gar nicht, aber sie benahmen ihnen ihre Größe; denn einmal führten sie dieselben auf dämonische Wirkungen zurück und behaupteten, daß der Oberste der Dämonen selbst in Jesus wirke (Mark. 3,22 ff.), und dann wiesen sie darauf hin, daß diese Wunder gar nichts besonderes waren (Matth. 12,27). So können wir beobachten, wie in der Gemeinde das Bedürfnis wuchs, die wunderbaren Erzählungen zu steigern. Besonders das Johannesevangelium zeigt eine wohlüberlegte Auswahl von Wundern, deren Kraft überzeugend sein sollte. Nur sieben Wunderberichte reihen sich hier ein. Aber sie liegen über dem Rahmen des Gewöhnlichen, was man erwarten konnte. Vier davon kommen bei den Synoptikern gar nicht vor. Gerade bei sorgfältigem Vergleichen der Einzelzüge in den drei mit den Synoptikern gemeinsam berichteten „Wundern" ergibt sich eine beabsichtigte Steigerung. Im Johannesevangelium beruft sich nämlich Jesus selbst auf seine Wunder. Wenn die Juden auch seinen Worten nicht glaubten, so sollten sie doch seinen Werken glauben, damit sie seine Gottgemeinschaft erkennen würden (10,38). Allerdings beruft sich Jesus auch nach den synoptischen Berichten ab und zu auf seine Taten. Besonders im Gerichtsspruch über Chorazin und Bethsaida entlädt sich sein ganzer Zorn über diese Städte, um deren Liebe er durch viele Taten geworben hatte; aber sie hatten ihm schlecht vergolten. Und doch ist die theologisch-systematische Verwertung der Wunder innerhalb des Johannesevangeliums eine durchaus anders gestimmte. Sie bekommen hier ihre feste Stelle innerhalb eines bestimmten dogmatischen Gedankenganges. Bald wurde das Alte Testament durchsucht nach Beweisstellen für den heilenden Messias. Man deutete die Wunder des Alten Testaments allegorisch auf Christus. Der christliche Schriftsteller Justin in seiner Apologie hat diese Aufgabe deutlich gezeichnet, wenn er dort (I,30) sagt: „Und damit sich nicht jemand uns entgegenstelle und sage: es sei doch sehr wohl möglich, daß der von uns so gemeinte Christus obwohl nur Mensch von Menschen gezeugt, doch mit magischer Kunst die Wunder, von denen wir berich-

ten, getan habe und deswegen als Sohn Gottes erschien, so wollen wir all-
sogleich den Beweis antreten, indem wir nicht denen, die berichten,
Glauben schenken, sondern mit Notwendigkeit von denen uns überzeugen lassen, die ihn vorhinein prophezeiten."

Nur wer diese verschiedenen Gesichtspunkte nebeneinander berücksichtigt, wird im einzelnen Fall zu einer richtigen Schätzung der Wunderberichte der Evangelien kommen. Eine Reihe von Theorien über Jesu
Wunderheilungen müssen sich immer wieder berichtigen lassen, weil sie
zu enge sind, um dieser ganzen geistigen Atmosphäre gerecht zu werden.
Auch so aber bleibt das Detail meist strittig. Allein das geschichtliche
Interesse selbst hängt nicht an Einzelheiten, sondern an der Tatsache der
wunderbaren, heilenden Kraft Jesu.

V. Kapitel. Das Heilverfahren Jesu

Was wir von dem Heilverfahren Jesu hören, ist verhältnismäßig wenig.
Immerhin genügt es, um die gemeinsamen Züge der damaligen Methode
der Exorzisten (Teufelsaustreiber) kennenzulernen und auch das Unterscheidende deutlich zu merken.

Die bösen Geister wurden beschworen. Der Exorzismus galt als eine
Kunst. Sie war in Babylon ebenso heimisch wie bei den altägyptischen
Magiern, bei den Persern und im hellenischen Synkretismus, bei Juden
und Christen. Meistens wurde der Name eines Gottes als heilkräftiges
Mittel benützt. Im Namen des ungenannten Gottes oder mehrerer Götter wurden „die Teufel ausgetrieben". Auch Christus hat den Namen
Gottes verwendet, aber — darin liegt das Unterscheidende — kaum in
der Beschwörungsformel selbst, sondern in dem Gebet, in welchem er
seine Kraft zusammenraffte. Seine Heilungen betrachtet er selbst als Ge-
betserhörungen (Mark. 9,24). Immerhin muß den Zeitgenossen aufgefal-
len sein, daß er die Geister beschwor in kurzem Wort. Offenbar hat er
alles, was sonst drum und dran war, möglichst beschränkt. Matth. 8,16
erfahren wir, daß er die Geister austrieb durchs Wort. Sonstige Begleit-
erscheinungen, wie Räuchern, mannigfache Handlungen, bestimmte Stellungen, heimliche Beschwörungsformeln, fallen meist weg. Wir gewinnen
nie das Bild eines Zauberkundigen. Es drückt jedenfalls die weitverbreitete
christliche Stimmung aus, wenn wir den legendarischen Brief des

Königs Abgar von Syrien an Jesus lesen: „Mir ist Kunde geworden von dir und einen Heilungen, daß sie nämlich ohne Arzneien und Kräuter von dir vollbracht werden." Er ist der Seelenarzt, der gekommen ist zu suchen, was verloren ist. Die einfache Würde, welche das Gaukelspiel verschmäht, das auf die Sinne der Menge rechnet, bleibt das Auszeichnende der Heilmethode Jesu.

Doch sollen wir uns die Sache nicht so vorstellen, als ob gar keine äußerlichen Mittel bei den einzelnen Heilungen angewandt worden wären. Der Ausdruck: „er bedrohte" die Geister, darf in seiner Fülle nicht abgeschwächt werden. Nicht nur der Inhalt des Worts bedeutete eine Bedrohung, auch die Form; und zwar trug diese wesentlich dazu bei, daß das Wort bedrohlichen Charakter annahm. Im Klang der Stimme lag das herrisch Befehlende, in der knappen Bestimmtheit, mit welcher der Befehl ausgesprochen wurde, das Unwiderstehliche. Die Bedrohung selbst hatte etwas Andringendes. Sie fiel auf die Nerven. Es war eine bestimmte und bestimmende Willensübertragung, die auf dem Weg der körperlichen Beeinflussung vor sich ging. Die Bedrohung erscheint mit Unrecht als etwas Harmloses. Vielmehr muß in der ganzen Lautgebung, im Gebärdenspiel, in der Haltung des Körpers die Konzentration des Willens auf diesen einen Punkt zum Ausdruck gekommen sein, ohne daß wir dabei an das Künstliche eines schaupielerhaften Zauberers denken dürfen. Der Ernst zu heilen lag in der Form der persönlichen Bedrohung. Von hier aus wird es verständlich, daß Jesus Gebetspausen nötig hatte, wollte er nicht körperlich zusammenbrechen. Augenblicke stiller Sammlung, Stunden, in denen er in andächtiger Versenkung Kraft gewann, um den in der Tagesarbeit zerflatternden Willen wieder zu einheitlicher Stoßkraft zu stählen — das waren die notwendigen Voraussetzungen für Jesu Wirken, wollte es nicht durch reine Äußerlichkeit faszinieren und dann allmählich an die Oberfläche der magischen Behandlungsweise geraten. Beim Heilmagnetiseur gewöhnlichen Stils von heute wie beim Magier des Altertums liegt der Wille gewissermassen versteinert in der Formel, dem Spruch, der Gestikulation, dem Zauberkreis, den er um sich und den Kranken legt. Dagegen beobachten wir bei Jesus die volle innerliche Teilnahme, die Erschöpfung der eigenen mitleidenden und kämpfenden Seele, die unmittelbar auf das Innere wirkt. Freilich werden alle diese Erscheinungen schwer deutbar und erfaßbar sein. Die Schwierigkeit der Untersuchung liegt in einem Doppelten. Einmal bleibt solche merkwürdige Fähigkeit der Willensübertragung stets im letzten das Geheimnis dessen, der sie ausübt und besitzt. Man wird immer nur in andeutenden und umschreibenden Worten von der eigentlichen Kraftentfaltung des Willens dort, wo er erzeugt wird, reden können. Auf der anderen Seite ist die heilende Tätigkeit Jesu durch die Tradition fest eingegliedert in den damaligen Rahmen der magischen Gewohnheiten selbst, und es wird nur gelingen, die allgemeinen Voraussetzungen kennenzulernen, unter welchen nach damaliger orientalischer Gesamtanschauung geheilt werden konnte.

Beobachten wir dabei in erster Linie die Wirkung der *Hand*. Die Hand bildet die personifizierte Macht des Subjekts. Die Hände Gottes bedeuten sein Wirken, sie sind es, die segnen und schlagen. Das Regiment steht in Gottes Hand. Seine Hand liegt manchmal schwer auf den Menschen und der Fromme bittet um Errettung aus der Feinde Hand. Die Verheißung Jahwes lautet: meine Hand soll mit dir sein! und der Fromme betet dankbar zu Gott, der seine milde Hand auftut. Die Gottlosen denken nicht an Gottes Hand; sie denken nicht daran, daß oben im Himmel und unter der Erde Gottes Hand sie hält und sie ihr nicht entweichen können. Was hier für den orientalischen Sprachgebrauch feststeht, gilt auch für den klassischen. Asklepios legt den Kranken seine milden Hände auf. Er wischt die Krankheiten weg, wie man Fehler in der Wachstafel auslöscht. Bei Indern und Germanen findet sich dieselbe Anschauung von der heilenden Kraft der Gotteshände. Es ist mehr wie Spielerei, wenn die Kinder ihre eigenen Hände anstarren; an der Hand wird sich das Kind seiner eigenen, ihm bis dahin fremden Kraft bewußt. Die Hände sind die Träger persönlicher Kraft und eigenen Willens. Das Ausstrecken der Hand ist ein Eingreifen in die persönliche Atmosphäre des anderen. Mit den ausgestreckten drei Fingern wehrt man die Geister ab. In den Händen liegt der Weg von Seele zu Seele, von Wille zu Wille beschlossen. So verstehen wir, wie es in der Apostelgeschichte (14,3) heißen kann, daß der Herr Zeichen und Wunder tat durch der Apostel Hände; und Mark. 16,18 wird in die zukünftige Tätigkeit der Jesusanhänger eingerechnet, daß sie auf die Kranken die Hände legen und es dann besser mit ihnen wird. Auch die Tätigkeit Jesu müssen wir uns so vorstellen; alle Maler der verschiedenen Jahrhunderte redeten mit den Händen Jesu. Er greift das Töchterchen des Jairus bei der Hand (Mark. 5,40); der Vorsteher hatte ihn gebeten, zu kommen und die Hand auf die schwerkranke

Tochter zu legen (Mark. 5,23). Die Schwiegermutter Petri richtet er vom
Lager auf und hält sie bei der Hand (Mark. 1,31). So wie später die Gabe
des Heiligen Geistes durch die Handauflegung vermittelt wird, und dieselbe den Charakter einer sakramentlichen Handlung bekommt, so spielen auch bei der heilenden Handauflegung ähnliche Gedanken einer mystischen Kraftübertragung mit. Im Hebräerbrief finden wir unter dem
Abc der christlichen Lehre auch die vom Händeauflegen (6,2). Es ist
nicht recht klar, was darunter verstanden wird. Nur soviel ist sicher, daß
damit eine bestimmte Gabe des Geistes und der Kraft gemeint sein soll,
die höchst wahrscheinlich in engem Zusammenhang zu dem steht, was
wir bis dahin besprochen haben. Auch die gerungenen oder ausgebreiteten Gebetshände, mit welchen sich die Brüder über ein krankes Gemein-
deglied beugen sollen (Jakob. 5,14), erinnern uns an ähnliche Gedanken.
Überall wird die geistige Einwirkung vermittelt durch die Hand; und
diese erscheint als der leibhaftige sichtbare Träger der Kraft, nicht
nur im symbolischen, sondern im wirkenden Sinn. Es müßte zu sehr
interessanten Entdeckungen führen, wenn man einmal die Hand-
bewegungen auf ihre psychologischen und physiologischen Wirkungen
hin unter Zuhilfenahme der Volkskunde untersuchen wollte. Man
würde dann gerade für die Handauflegung überall denselben Sinn entdecken, daß dadurch eine geistige Ansteckung vermittelt, eine wirkliche geistige Gemeinschaft der beiden Handelnden erzeugt werden
soll.

Diese Vorstellungen gewinnen an Sicherheit, wenn wir uns an den
Sinn des *Streichens* erinnern. Physiologisch betrachtet bedeutet das leise,
langsame, wiederholte Streichen eine stetige Wiederholung der *Behandlung*. Die Berührung mit dem Menschen erzeugt seelische Stimmung,
wenn die Hand der Mutter über die Stirne fährt oder der Hypnotiseur die
Aufmerksamkeit des Menschen durch Streichen in Gefangenschaft
nimmt. Wir erfahren bei Jesus nur dann und wann etwas von solcher
kunstgemäßen Handbewegung. Durch Streichen wird das geistige Fluidum übertragen. Und es ist bezeichnend, daß nach neuen Forschungen
der hebräische Ausdruck für „salben" den ursprünglichen Sinn von
„streichen" enthalten soll. Die Verwendung von Öl ist dabei gar nicht
notwendig. Der „Gesalbte" würde bei solcher Auffassung in noch engere
Beziehung zu Gott treten: er wäre die Hand Gottes, der von Gottes Hand
Berührte. Auch auf diesem Gebiet ist das Ineinander physischer und

psychischer Wirkungen noch viel zu wenig sicher erkundet, als daß wir
Bestimmtes darüber sagen könnten.

Merkwürdig ist die Heilungsskizze in Joh. 9,6. Es handelt sich dort um
den Blindgeborenen. Jesus spuckt zu Boden und macht einen Teig aus
Speichel und schmiert ihn auf die Augen des Blinden. Ganz ähnlich hat
Vespasian nach der Erzählung des Tacitus (Histor. 4,82) in Alexandria
einen Blinden durch Speichel geheilt. Der Unterschied der beiden Erzählungen ist zwar handgreiflich. Der römische Kaiser holt zuerst bei den
Ärzten ein Gutachten ein, ob der Heilerfolg möglich sei; als sie dies bejahen, schreitet er zur Tat. Der Blinde erhält wieder seine Sehkraft. Der
römische Kaiser läßt sich so vorher die medizinische Möglichkeit garantieren und vollbringt dann „das Wunder"; Jesus heilt, weil er glaubte. Aber
in dem Mittel, das beide Männer benützen, sind sie gleich. Der Speichel
wird benützt, weil er dem ganzen Altertum als Heilmittel galt. Der Ge-
dankenzusammenhang ist ein ganz deutlicher. Blinde galten nämlich
auch als Besessene. Dämonen raubten ihnen ihr Augenlicht. Will man
nun die bösen Geister vertreiben, so speit man vor ihnen aus. Nicht um
der chemischen Eigenschaften willen gilt demnach der Speichel als medizinisches Mittel, sondern als Beschwörungsbrauch. Erst eine spätere Zeit,
welche nicht mehr genau Bescheid wußte, hat diesen zauberischen Hintergrund vergessen und suchte nach anderen Gründen. Nebenbei kann
man sich an dieser Geschichte die ganze Haltlosigkeit und Geschmack-
losigkeit der üblichen biblischen Erklärungsweise klarmachen. Man fand in
dem Speichel ein notwendiges Mittel, um dem Kranken zum Bewußtsein
zu bringen, daß die Heilkraft von Jesu ausgehe, oder um die Offenbarung der göttlichen Macht anschaulich zu machen; auch faßte man die
Anwendung des Speichels als „Erweckungsmittel" oder als „Erprobung
des Glaubens" auf und sah darin ein Sinnbild der schöpferischen Einwirkung in Erinnerung an Genesis 2,7. Mit solchen Phantasien nährt man
die christliche Gemeinde und hält diese Phrasen in manchen Kreisen für
christlicher, als wenn man sorgfältig den Tatsachen nachgeht.

Es ist bescheidenes Material, was uns über die Heilmittel Jesu überliefert wird. Das Hauptmittel war und blieb der persönliche Eindruck. Jesus
überwältigte. Dadurch zog er Seele und Leib in seinen Bannkreis. Wenn
wir daran denken, wie heute oder im Altertum an wunderkräftigen Quellen oder Heiligtümern geheilt wurde, empfinden wir gleich die Größe
des Abstandes. Man mußte in den Tempeln des Äskulap schlafen; die

Träume, die man während dieser Zeit hatte, mußten berücksichtigt werden. Regelmäßige Waschungen, bestimmt abwechselnde Andachten waren von den Heilpriestern vorgeschrieben. Hier war alles Absicht, Schulung. Wir werden uns bei den Jüngern Christi die Sache genauso vorzustellen haben. Sie betrieben die Heilung berufsmäßig, „handwerksmäßig". Damit erstanden auch die technischen Regeln. Wo der Meister wirkt, da bleiben Mittel, was sie sind: sie vermitteln nur Kräfte, und die Kraft ist so ursprünglich und groß, daß sie sich der mannigfachsten und einfachsten Vermittlung bedienen kann. Beim Schüler wird das Mittel zum Gesetz, woran er sich hält, und nur die genaue Beobachtung der Form gibt eine gewisse Bürgschaft der Kraftwirkung. Der Meister schafft in allen Formen; der Schüler lebt von des Meisters Formen. Der Geist wirkt frei und unmittelbar. Der berufsmäßige Träger des Geistes muß ängstlich die Formen wahren, um sich des Inhalts zu vergewissern.

Fragt man uns zum Schluß, worin beruhte jener persönliche Eindruck? so stehen wir hier an der Grenze des geschichtlichen Erkennens. Wir können bloß feststellen, daß von Jesus ein gewaltiger Eindruck auf die Gemüter ausging, müssen uns aber zugleich erinnern, daß die ganze messiasdürstende, heilsehnsüchtige Zeit ihm entgegenkam. Wenn die Zeit nicht erfüllt ist, geht der größte Prophet unerkannt seinen einsamen Weg. Wo beide zusammentreffen, Gottes Bote und Sehnsucht nach Gott, da wachsen große Zeiten.

VI. Kapitel. Seegeschichten

Wir finden in den evangelischen Berichten zwei Schiffergeschichten, welche sich mit dem Empfindungsleben der christlichen Gemeinde aufs engste verbunden haben: die Stillung des Sturms auf dem Meer und das Wandeln Jesu auf dem Meer, wobei er den sinkenden Petrus hält. Was an frommem Gottvertrauen aus diesen Erzählungen erwachsen ist, bleibt unbehelligt, mag es sich mit der geschichtlichen Tatsächlichkeit verhalten, wie es will. Das Danklied der von Gott Erlösten im Volke Israel klang zum Himmel in den Worten (Psalm 107,23):

Die auf Schiffen das Meer befuhren, auf großen Wassern Handel trieben,
Die haben die Werke Jahwes geschaut und seine Wunder in der Tiefe!
Denn er gebot, da entstand ein Sturmwind: der hob seine Wellen hoch empor.

Da schrieen sie zu Jahwe in ihrer Not; der befreite sie aus ihren Ängsten.
Er stillte den Sturm zum Säuseln, und es schwiegen der Wasser Wellen.
Da wurden sie froh, daß sie sich legten und er führte sie zum ersehnten Hafen.

Und nun male einer diese Erfahrung im Bild, und es wird gleich werden der Stillung des Sturmes auf dem See Genezareth! Der Seefahrer, der dem Tod ins Angesicht zu sehen gewohnt ist, steht in enger Fühlung mit den übermächtigen Gewalten, die Sturm erregen und ihn dämpfen. Er kennt die Not in allen Gestalten und weiß von Rettung aus scheinbar unmöglichen Situationen zu erzählen. Was Wunder, daß sich das fromme Vertrauen gerne solcher Bilder bediente und sich an Erlebnisse von See und Sturmgewalt anlehnte.

Die historischen Vorgänge, welche hinter den in Mark. 4,36 ff. u. Mark. 6,45 ff. erzählten Geschichten liegen, können nicht mehr deutlich erfaßt werden. Es bleibt nicht nur eine geschichtliche Möglichkeit oder Wahrscheinlichkeit, sondern es gehört sicherlich zu den tatsächlichen Erlebnissen der Jüngergemeinde, was hier den Anlaß zu den Erzählungen gegeben hat. Sturm auf dem See, der in Gott sich geborgen wissende, schlafende Herr Jesus, das Unverständnis der Jünger für solche Seelenruhe des Meisters in Gefahr, seine strenge Zurechtweisung ihres Kleinglaubens und die eigene mutige Entschlossenheit, die Ruhe, die nach des Meisters Worten in ihre Herzen einzieht und das Gefühl der Beschämung nach überstandener Not: das alles sind wirkliche Erlebnisse, in welchen diese Fischer und Schiffer vom See eine ihrer Berufsart entsprechende religiöse Offenbarung empfanden. Anders liegt die Sache, wenn wir nach der literarischen Darstellung dieses Erlebnisses fragen. Daß hierbei alttestamentliche Vorbilder und allgemeine religiöse Vergleiche ihren Einfluß ausgeübt haben, wird man nicht widerlegen können. Es ist schon auffallend, daß die Evangelien die beiden Erzählungen schematisch aufbauen. In der einen bleibt der Herr im Sturm mitten unter seiner Gemeinde, nach der andern läßt er sie lange allein kämpfen; und erst nachdem sie sich viele Mühe mit dem Kampf gegen widrige Winde gegeben haben, schreitet er über die Flut, der Jüngerschar entgegen. Petrus, der eifrige, eilt dem Herrn entgegen und ahmt das Wunder seines Meisters, auf dem flüssigen Element festen Fußes zu gehen, nach; es gelingt, aber nur solangt, als er glaubt. Sobald er zu zweifeln beginnt, weichen die Wasser unter ihm und die Tiefe sucht ihn zu verschlingen. Jesu rettender Arm reißt ihn aus dem Strudel. Das erstemal ist die Glaubensprobe kleiner.

Der Herr der Kirche weilt in ihrer Mitte. Das andere Mal wird die Geduld der Gemeinde bis aufs äußerste erschöpft. Aber wer Glauben hat wie ein Senfkorn, der überwindet weit und kann ebensogut auf Wassern gehen, wie zu den Bergen sagen, daß sie sich ins Meer werfen sollten. Israelitische Frömmigkeit schaute von jeher Gottes Macht in Seebildern. Hiob preist den Herrn, der auf den Kämmen der Meereswellen einherschreitet (9,8), und der Psalmist sieht die Wasser beben vor dem Angesicht Gottes, die Fluten zittern vor seinem Auge (Psalm 77,17). Auch die Verheißung göttlichen Schutzes kleidet sich in maritimes Gewand. „Wenn du Gewässer durchschreitest, bin ich, Jahwe, mit dir, und wenn du durch Ströme gehst, sollen sie dich nicht überfluten; wenn du durch Feuer gehst, bleibst du unversengt, und die Flamme soll dich nicht brennen" (Jesaja 43,3). Aber die Bilder werden in Geschichte übersetzt. Wie Gott „im Meer einen Weg anlegt und Pfade führt durch gewaltige Wasser" (Jesaja 43,17), so gehen seine Boten trockenen Fußes durch die Meerenge, Moses und Josua entführen das Volk der ägyptischen Streitmacht. Auch Elias und Elisa sind Herren über das Wasser. Selbstverständlich muß sich der Messias ebenso bewähren in der Herrschaft über die Fluten. Immerhin ist es durch kein alttestamentliches Vorbild belegt, daß auch ein Jünger kraft seines Glaubens über die Wasser schreitet. Diese Geschichte ist offenbar ursprünglich einheitlich und nur nachträglich kombiniert mit der Erzählung von dem auf dem Meer dahinschreitenden Messias. Zu dieser Vermutung geben uns zwei Tatsachen das Recht. Einmal sind die Motive der beiden Erzählungen durchaus verschieden. In der einen handelt es sich um die Wundermacht Jesu, in der andern um die Glaubenskraft eines Jüngers. Dazu kommt, daß wir überraschende Parallelen in andern Religionsgeschichten finden. In den indischen Jâtakas lesen wir von einem gläubigen Buddhajünger, der an der Landungsstelle des Aciriavatî-Flusses kein Boot findet und nun im ekstatischen Vertrauen auf seinen Meister über die Wasser hinschreitet. Unterwegs überfällt ihn einen Augenblick der Schauer vor den Tiefen; er wankt und beginnt zu sinken. Aber es gelang ihm wieder, die Fassung zu gewinnen, und so kam er glücklich nach Jetavana. Diese in sich einheitliche Erzählung scheint demnach ein Wunderbeispiel für die Kraft des Glaubens in den verschiedenen Religionssystemen zu sein. Wir vermuten mit Recht, daß auch Petrus ein Vorbild bergeversetzenden Glaubens sein sollte, der freilich bedenklichen Schwankungen ausgesetzt ist. Daneben tritt dann Jesus als der Herr der

See und Meister der Naturgewalten. Auch er steht damit nicht einzig da,
denn wir erfahren ähnliches auch von anderen großen Religionsstiftern.
Von Buddha wird erzählt, daß die Wasser um ihn eine Mauer bildeten.
In Mahâvagga I. 20,16 geht er auf einer trockenen, staubigen Stelle mitten
im Wasser. Allerdings ist dieses Wunder ähnlich gedacht wie etwa der
Durchzug durch das Rote Meer. Buddha schreitet nicht über die Wasser
hin; vielmehr bildet sich vor dem Heiligen eine deutliche Furt, so daß er
trockenen Fußes durchgehen kann. Allein ein wesentlicher Unterschied
in der Wunderkraft kann doch nicht behauptet werden, desto weniger,
als Buddha nach einer andern Erzählung über den Ganges hinfliegt. Derlei „heidnische" Geschichten fertigt der orthodoxe Fromme mit der einfachen Zensur ab: das ist eine Legende. Der Religionshistoriker wird
fragen, warum das religiöse Empfinden überall dieselben „Legenden"
ersann, und wird finden, daß überall Macht und Schutz der Gotteshelden
in gewaltigen Bildern vor die Seele der Menschen gestellt wurde, nicht
um zu fabeln und zu dichten, sondern um dem fein empfindenden religiösen Instinkt die Wirkung anschaulich zu machen. Insofern behält
Goethe in seinen Gesprächen mit Eckermann recht, wenn er gerade diese
Erzählung von dem ins Meer sich stürzenden Petrus für besonders wertvoll erklärt, weil sie die hohe Wahrheit veranschaulicht, daß der Mensch
durch Glauben und frischen Mut in den schwierigsten Unternehmungen
siege, sofort aber verloren sei, wenn nur der leiseste Zweifel ihn in seinem
Tun befällt.

Historisch verständlich wird die Szene, wenn wir den Ausdruck „er bedrohte den Sturm" genauer ins Auge fassen. Wir begegnen damit genau
demselben Wort, das in den dämonischen Beschwörungen benützt wurde. Somit kann vermutet werden, daß nach der Auffassung des Berichter-
statters in den sturmerregten Wellen Seedämonen ihr Wesen treiben,
und Jesus als der Herr der Dämonen ihnen auch auf diesem Gebiet der
Naturwelt entgegentrat. Wieweit Jesus selbst solche Vorstellungen geteilt hat, bzw. ob die damaligen Zeitvorstellungen wirklich sich mit Seedämonen beschäftigten, müßte noch genauer untersucht werden. Für die
Sache selbst, d. h. das Naturmirakel als solches, fällt dabei freilich nichts
ab. Eine ursächliche Verbindung zwischen dem Wort Jesu und dem Aufhören des Sturmes ist ausgeschlossen. Jedenfalls würde unsere religiöse
Sicherheit durch ein solches Naturwunder gar nichts gewinnen. Im Gegenteil: wir würden nur den Schrecken einer überphysischen Gewalt empfin-

den, die durch ihre seltsame Macht unsere Neugier reizt. Unser Gott-
vertrauen würde nicht gesteigert. Denn seine Kraft ruht nicht auf dem
Anschauen unverständiger brutaler Macht, sondern auf dem angeeigneten
Erlebnis und Verständnis der Weisheit der Wege Gottes.

Noch gehören in diesen Zusammenhang die beiden Erzählungen vom
Fischzug Petri und vom Stater im Maul des Fisches. In der ersten lukanischen (Luk. 5,1—11) Erzählung steht die ganze Skizze unter der Überschrift des Herrenworts: „Fürchte dich nicht! denn von nun an wirst du
Menschen fangen." In ähnlicher Weise wird dasselbe Verheißungswort
erzählt in dem Bericht von der Werbung des Petrus und Andreas zu Jüngern. Die Berufsfischer will er zu Menschenfischern machen. Es ist gar
nicht nötig zu vermuten, daß solches Wort erst später von Jesus gesprochen worden sei, als er sie schon länger in ihrer Predigttätigkeit beobachtet hatte. Es war ein feines Scherzwort Jesu im Sinn der kurzen, bilderrei-
chen Rede des Orientalen, zugleich den Ernst des künftigen Berufs bezeichnend. Wie nun die Skizze aufzufassen ist, die der lukanische Bericht
dazu malt, wird im einzelnen niemals ausgemacht werden können. Das
Naturwunder kann in nichts anderem gefunden werden, als in dem Zuströmen der Fische auf den Wink Jesu. Jede Erklärung der Geschichte,
welche diesen springenden Punkt umgeht, wird der Erzählung, wie sie
vorliegt, nicht gerecht. Damit steht dieses Wunder auf derselben Höhe,
wie die ägyptischen Wunder in 2. Mose 7 ff. Wenn dort Aaron und Mose
Frösche herbeiführten über Ägypten und zu dem Zweck ihren Stab aus-
reckten über die Bäche, Kanäle und Teiche des Landes und die ägyptischen Zauberer dieses Stückchen nachahmten, oder wenn das Nilwasser
in Blut verwandelt wird und auch hier die einheimische Zauberkraft dasselbe Wunder fertigbringt, so befinden wir uns in derselben Gedanken-
atmosphäre. Wie von hier aus der Glaube an den „Heiland" Jesus
wesentlich gestärkt werden könnte, vermögen wir nicht einzusehen. Wo die
Möglichkeit einer zauberischen Nachbarlegende vorliegt, wird das fromme Herz des Christen sich nie beruhigt finden. Daß irgendeine harmlose
Aufforderung Jesu zu weiterer Arbeit nach mühsamer Enttäuschung und
ein über Erwarten großer Erfolg den Anlaß zu der ganzen Skizze gegeben
hat, ist wahrscheinlich. Derlei Erlebnisse stärken überall das Vertrauen
und senken sich tief in unsere eigene Erinnerung ein. Aber alle Reflexionen darüber, ob Jesus tatsächlich mit schärferem Blick gesehen oder eine
den Fischern unbekannte Kenntnis der Fischzüge gehabt habe, sind

bedeutungslos. Sie entwerten in den Augen des Wundergläubigen das
Naturwunder, und an dem Maß der historischen Forschung gemessen
sind sie haltlos.

Dasselbe Urteil müssen wir über jene merkwürdige Geschichte fällen,
die Matth. 17,24 erzählt wird. Schon der ganze Rahmen der Erzählung ist
nicht recht klar. Wenn es sich um Entrichtung der Tempelsteuer gehandelt haben soll und Jesus in diesem Zusammenhang auch nur privatim
Petrus gegenüber seine Verpflichtung geleugnet hatte, diese Tempelsteuer
zu bezahlen, so müßte dieser Vorgang in dem Leben des Petrus und
seiner Jünger viel tiefere Wurzeln geschlagen haben. Verweigerung der
Tempelsteuer bedeutete Lossagung vom Tempel, von der jüdischen
Volksreligion, vom gesamten alten Glauben. Und damit vergleiche man
die Tatsachen aus der ältesten christlichen Gemeinde zu Jerusalem! Zag-
haft wählt sie ihre Schritte, hält sich vollständig innerhalb des jüdischen
Kultus, gilt als jüdische Sekte, zieht in den Tempel. Es ist eine psychologische Unmöglichkeit, daß ein Petrus sich demgegenüber nicht ein einziges Mal des alten Meisterworts von den Königssöhnen erinnert haben sollte. Wir sehen deshalb hier unzweifelhaft eine Übermalung einer Szene
vor uns, welche aus den Sagen und Gedanken der späteren Gemeinde-
entwicklung heraus die Farben leiht. Fragen, wie sie mit der Entwicklung der Heidenmission in jüdisch-altgläubigen Kreisen auftauchten,
verlangten eine Antwort. Aus diesen Situationen heraus erwuchs die Tradition. Allein mag es sich damit verhalten, wie es will, wir werden der Erzählung selbst nie einen deutlichen Hintergrund schaffen können. Klar
will der Erzähler ein Naturwunder berichten. Er malt uns einen Fisch an
der Angel mit einem Geldstück im Maul. Zunächst erinnern wir uns der
verschiedenen Wundersagen vom Ring, der verloren ist und von Fischen
wieder hergetragen wird. Noch der Bischof von Trier erzählt im 7. Jahrhundert ein ähnliches Erlebnis. Allein die Pointe dieser Erzählungen ist
sichtlich eine ganz andere. Bei Matthäus handelt es sich um die wunderbare Beschaffung eines Geldbetrages zur Deckung einer Steuer; dort um
die Rückgabe eines verlorenen Gegenstandes. Man hat versucht, die Geschichte, die zugrund liegt, harmlos zu deuten. In dem Wort an Petrus
fand man eine Aufforderung in dem Sinn: geh an dein Handwerk; was
du fängst, ist einen Stater wert! Das ist eine hübsche Deutung. Ob ihr
irgendeine historische Unterlage zukommt, ist fraglich. — Mit dieser Geschichte treten wir hinein in den Kreis abenteuerlicher Vorstellungen.

Von da aus wird es verständlich, wie in den Thomasakten ein wilder Esel im Auftrag des Apostels Dämonen vor die Stadt rufen kann und vor einer großen Volksversammlung diesem Befehl nachkommt, oder in den Johannesakten Johannes die Wanzen von seiner Bettstelle bannt, oder in den Petrusakten ein großer Hund im Gehorsam gegen den Apostel in das Haus des Magiers Simon eindringt und dort dem „Verführer der einfältigen Seelen" befiehlt, herauszukommen. Wie will jemand da eine Grenze ziehen gegenüber den „heidnischen Sagen!"

VII. Kapitel. Speisungserzählungen

Das Mirakel der Speisung großer Massen durch einige wenige Nahrungsmittel wird uns im Neuen Testament in doppelter Ausführung erzählt: einmal handelt es sich um 4000 Menschen, die gespeist werden (Mark. 8,1—10), das andere Mal um 5000 (Mark. 6,31—44). Auch in kleinen Nebenzügen sind die Erzählungen verschieden. Aber im ganzen ist es ein und dieselbe Wundergeschichte. Wir finden sie schon im jüdischen Volk. Bei der Witwe von Zarpath gehen Öl im Krug und Mehl im Eimer nicht zu Ende, bevor der Mißwachs aufhört (1 Könige 17,14). Als zu Elias Zeiten 100 Prophetenschüler Mangel litten, zeigte Jahwe den Weg zur Sättigung: einiges geschrotene Korn und zwanzig Gerstenbrote reichten hin, den Hunger zu stillen; es blieb sogar davon noch übrig (2 Könige 4,42 ff.). Im selben Rahmen erscheinen die neutestamentlichen Erzählungen. Die Menge folgt Jesu nach in die Wüste und hört stundenlang seiner Rede zu. In der Wüste kann keine Nahrung beschafft werden. Nur weniges ist vorhanden; dort fünf Brote und zwei Fische, hier sieben Brote und wenig Fische. Aber Jesus nimmt sie, dankt und läßt austeilen. Die Menge des gesegneten Guts ist so groß, daß sogar noch überbleibt, bald mehr, bald weniger. Denn sowenig die hungrigen und dürstenden Seelen bei Jesu umsonst anklopfen dürfen, sondern gewiß sind, daß sie gesättigt werden, so gewiß darf auch der leibliche Hunger kein Hindernis auf dem Weg zum Reich Gottes sein. Das Bild dessen, der allem Volk seine Seelenspeise bringt, prägt sich der anschaulichen Empfindung am leichtesten ein in der Form des, der niemanden hungern und dürsten sehen kann, sondern sofort zugreift, um die Not zu lindern.

Daß in dieser Geschichte nichts von einem freiwilligen Entschluß der lagernden Volksmasse erzählt wird, wonach sie ihre mitgebrachten Vorräte unter sich geteilt hätten, ist klar. In der Erzählung soll ein Mirakel berichtet werden, und jede Deutung, welche sich an die Stelle dieses Mirakels setzen will, widerspricht dem Sinn der Geschichte. Jesu gehorcht das Brot so gut wie die Wellen. Seine Herrschaft ist unbegrenzt. Ob trotzdem ein einzelner Vorgang den Anlaß zu dieser Geschichte gegeben hat oder nicht, läßt sich nicht mehr sicher behaupten. Der fromme Glaube wird in Leben und Geschichte wirkliche Wundertatsachen kennen, die nicht diesen mirakelhaften Charakter tragen, aber desto wahrhaftiger und tiefer wirken. Wo sich Glaube mit dienender Liebe und helfender Bereitwilligkeit verbindet, geschehen die großen sozialen Fortschritte in der Geschichte. Auch mit diesen Hinweisen streicht man an Jesu wirklicher Größe nichts ab. Denn es ist eines Heilandes größeres Werk, auf Generationen hinaus unerschöpfliche Liebe zu entbinden, als durch magisches Wort einige Laibe Brot zu verzehnfachen. Die Tausende, die jenes „Wunder" sich erzählen ließen, gehörten nachher nicht zu der gläubigen Gemeinde; vielmehr blieben sie, was sie waren: neugierige, mirakelsüchtige Juden. Jesu Geist wirkte in stiller, dienender Liebe innerhalb der Gemeinde.

Noch müssen wir in diesem Zusammenhang auf das Mirakel bei der Hochzeit zu Kana zu reden kommen. Daß dasselbe als wirkliche Tatsache angenommen, dem frommen Empfinden zunächst eher einen Anstoß, als eine Stärkung bietet, ist von verschiedenen theologischen Richtungen zugegeben. Man kann sich schlecht in die Situation finden, daß Jesus einer fröhlich erregten Hochzeitsgesellschaft nur zum Erweis seiner Wunderkraft möglichst viel Wein zum Trunk beschafft hat und dies Vorkommnis noch durch die Bemerkung des Speisemeisters verdeutlicht wird: „Jedermann gibt zum ersten guten Wein und wenn sie trunken geworden sind, alsdann den geringeren. Du hast den guten Wein bisher behalten." Es handelt sich hier nicht darum, daß überhaupt eine Stoffverwandlung vorgenommen wird. Solche Erzählungen sind aus dem Alten Testament und dem gesamten Altertum bekannt. Das gehörte zu den ständigen Kunststücken der Magier. Vielmehr liegt das Schwergewicht hier darauf, daß gar keine aus der Situation sich ergebende Zweckbestimmung ersichtlich ist. Daß das Mirakel als solches erzählt werden will, bleibt Tatsache. Ein Glaubensverteidiger unserer Tage, Dr. Dennert, nimmt in apologetischem Interesse an, dieses Wunder könne begreiflich gemacht werden und läßt folgende Gedankenreihe an dem Leser vorübergehen:

Unsere Luft enthält stets Kohlensäure und diese ihrerseits besteht aus Kohlenstoff und Sauerstoff. Und da sie zu Kana ebenso wie bei uns vorhanden war, demnach auch über dem Wasser in den Steinkrügen daselbst — so war damit also Wasserstoff, Sauerstoff und Kohlenstoff vorhanden, d. h. die stoffliche Grundlage für den Wein. Ja, wir können noch weiter gehen: der in dem Wein enthaltende Kohlenstoff stammt in der Tat stets aus der Luft und der Wasserstoff und Sauerstoff aus dem Wasser. Die Pflanzen nehmen ihren Gesamtbedarf an Kohlenstoff aus der Kohlensäure der Luft, so auch der Weinstock. Derselbe verarbeitet das aus der Erde aufgenommene Wasser und die aus der Luft eingeatmete Kohlensäure in seinen Blättern zur Stärkemehl und Zucker und lagert letztere in den reifen Früchten ab. Nach der Kelterung geht der Zuckersaft durch Gärung z. B. in Alkohol über und Alkohol und Zucker sind nebst einigen anderen Stoffen, die ebenfalls aus Wasserstoff, Sauerstoff und Kohlenstoff bestehen, die chemischen Bestandteile des fertigen Weins. Wenn nun also aus Wasser und Kohlensäure mit Hilfe einiger Zwischenvorgänge, die uns zum Teil noch rätselhaft sind, im gewöhnlichen Gang der Dinge Wein entsteht, weshalb soll es nicht möglich sein, daß aus derselben chemisch-stofflichen Grundlage auch einmal mit Überspringung jener Zwischenvorgänge durch die schöpferische Kraft dessen, der einst die ganze Welt mit ihren Naturgesetzen ins Dasein rief und der sie noch heute durch diese Gesetze erhält, Wein direkt entstand? Ob es nun zu Kana so gewesen ist? Ich will das gewiß nicht behaupten. Was ich aber mit dieser ganzen Erörterung auch hier wieder will, das ist, klarmachen, daß es Wunder gibt, bei denen eine Durchbrechung der Naturgesetze gar nicht einmal nötig ist, bei denen vielfach vielleicht auch noch schlummernde und uns unbekannte Naturkräfte zur Hilfe herangezogen werden, kurz Wunder, deren naturgesetzliche Erklärbarkeit immerhin noch möglich ist.

Was wohl der Verfasser des Johannisevangeliums dazu sagen würde? Unseres Erachtens würde er erwidern: was ich geschrieben, das ist ein richtiges Mirakel, oder es ist eine Allegorie mit geheimem tiefen Sinn, aber niemals habe ich ein chemisches Verwandlungsstück beschreiben wollen.

Man ist heute gegen jede allegorische Deutung sehr mißtraurisch geworden. Dahinter vermutet man meistens eine absichtliche Umgehung der Wunderfrage. Und doch muß man sich erinnern, daß gerade zur Zeit Jesu in den Kreisen des hellenischen Judentums die Allegorie etwas Alltägliches war. Bei der Geschichte von der Hochzeit zu Kana liegen die

Elemente der Allegorie in der Erzählung selbst. Denken wir nur an den merkwürdigen Ausdruck Jesu: meine Stunde ist noch nicht gekommen, und an die seltsame Art, wie er seiner Mutter entgegentritt. So gewinnt die Ansicht an Überzeugungskraft, wonach wir es hier mit einer vom Verfasser selbst beabsichtigten Allegorie zu tun haben. Dem Wasserspender des Alten Testaments tritt im Neuen Testament der Wein entgegen. Jesus der Freudenträger trinkt Wein im Gegensatz zu dem asketischen Johannes. Der neue Wein zerstört die alten Schläuche, in denen der alte Geist des Judaismus symbolisch gefaßt ist. Der Weinbecher wird zum Sinnbild des neuen fröhlichen Mahls im Himmelreich. Das Gottesreich selbst erscheint oft unter dem Bild eines Gastmahls oder einer königlichen Hochzeit. Die Jünger sind die Hochzeitsgäste. Sie freuen sich, solange der Bräutigam bei ihnen ist. Die Zeit des Fastens und der Trauer kommt erst nach seinem Tod. Die Gemeinde Christi erscheint als die Braut nicht nur in der Offenbarung Johannis (21,2.9;22,17), sondern auch bei Paulus im zweiten Korintherbrief (11,2). Alles in allem dürfen wir so eine allegorisierende Ausmalung der Gegensätze von altem und neuem Geist feststellen. Die geschichtliche Wahrheit liegt in der Tatsache des evangelischen Charakters der Missionspredigt Christi, genauer in der frohen Art, welche die Anfänge des geschichtlichen Auftretens Christi charakterisiert. Jesus und Johannes sind die beiden großen Gegensätze. Hier scheiden sich die Wege. Der Kleinste im Himmelreich ist größer als der größte alttestamentliche Prophet.

Schluß

Wir sind zu Ende. Was wollen wir mit all diesen Ausführungen? Unsere Gegner meinen es sicher zu wissen. Sie haben die Antwort bereit: Er hat Jesu Bild heruntergesetzt. Mit ihnen streiten wir nicht. Aber bezeugen wollen wir es, daß wir dies schrieben, Jesum zu ehren. Denn des sind wir gewiß, daß ihm keiner mehr dient, als der, der ihn als Heiland der Seele zu verstehen sucht. Für solches fromme Empfinden sind Mirakel ein Hindernis. Sie stören den Eindruck schlichter, großer Herrlichkeit und halten den Blick an Äußerlichkeiten fest, statt daß sie ihn ins Innere dringen ließen. Wer Jesus ehrt, läßt sich durch ihn zu Gott führen. Für Gott aber bedeuten Mirakel soviel wie eine neugierige Lobrede, die es zuletzt nur auf Verherrlichung des Herrn Redners selbst und nicht auf demütige Anerkennung des göttlichen Wirkens abgesehen hat. Mirakel führen nie zu Gott. Sie zeigen uns die Kinderstube menschlichen Vorstellens. Kommt aber die Zeit, da wir selbständige Männer und Frauen werden, so legen wir ab, was kindlich war. Vorbei ist es dann mit des Kindes Welt, ihrem innigen Zauber, aber auch ihrer unwahren Täuschung. Dann werden wir geführt *aus der eingebildeten Welt der Mirakel in das wohlorganisierte Reich des wundervollen Schaffens und Wirkens Gottes.* Welt und Leben wachsen sich zum Wunder aus. Nicht an goldenen Sternchen freuen wir uns, sondern an der Wirklichkeit des Lebens, das in seinen trüben und frohen Tagen das eine Ziel erkennen läßt: den Sieg des Guten. Das sind die echt evangelischen Gedanken. Auf sie hat auch Luther zurückgegriffen. Weil er ein frommer Mann war, hat er zwar als Kind seiner Zeit die alten Wundergeschichten hingenommen, aber doch auf die unterste Stufe gestellt und dann die wirklichen Wunder höher gewertet, die Natur und Geschichte zeigen: „daß aus Sand und Stein Korn wächst, ist größer, als daß Jesus mit sieben Broten Tausende speist. Jesus tut solche Wunder nur, damit sie die andern merken." Aber noch höher stehen ihm die Wunder des persönlichen Lebens, daß ein Sünder umkehren und besser werden kann. Wahrhaftig! Hier mögen die Nachbeter Luthers lernen, wie man über Wunder fromm urteilt.

Gewiß ist das Wunder des Glaubens liebstes Kind. Eben deshalb ist es nicht der Vater des Glaubens. Mirakel erzeugen keinen Glauben; die sind für neugierige Reden, nicht für stilles, inniges Vertrauen geschaffen. Wo man Gott vertraut, nimmt man alles dankbar aus seiner Hand und sieht Wunder nicht in Geheimnissen, sondern in erster Linie in den Führungen des Lebens. Auf diesem Standpunkt weiß man, daß Geheimnisse allein noch keine Wunder sind. Erst wenn sie in ihrer kunstvollen Verknüpfung erkannt sind und das ganze göttliche Sinnen und Denken darin offenbar wird, erscheint das Wunder. Das Wunder lebt nicht von Düster und Dunkel; es lebt von Licht und klarer Erkenntnis. Deshalb sehen die Frommen überall Wunder, weil ihnen Gott entgegentritt, wo sie stehen und gehen. Und insofern ist tatsächlich das Wunder im vornehmen Sinn des Worts des Glaubens liebstes Kind.

Ein Präludium dazu spielt die Sehnsucht aller Zeiten und Völker in den Mirakeln, mit denen sie ihre Heiligen und Götter umgibt. Das Herz sehnt sich, Gottes habhaft zu werden und faßt mit Kinderhänden nach jedem blendenden Schein, den es auf Gottes Macht zurückführt. Deshalb ist die Geschichte des Mirakelwesens kein gleichgültiges Studium. Nur sehe man darin nicht die Offenbarung Gottes, sondern die wirren krausen Buchstaben, mit denen die menschliche Seele zuerst den Namen Gottes zu schreiben suchte. Dann bekommt diese ganze Geschichte etwas Ehrwürdiges. Sie wird uns nahegebracht in ihren tastenden Versuchen Gott zu begreifen. Es ist die Geschichte vom Heimweh der Seele nach Gott. So liegt auch etwas Rührendes in den Versuchen, die Würde Jesu zu beweisen mit dem Material der Verehrung, das man kannte und handhabte. Wir spotten nicht über die Mirakel alter Zeiten, wir suchen dieselben innerlich zu verstehen und mit den Menschen früherer Tage uns selbst zu verständigen.

Nur dort werden wir energisch das Recht unserer Frömmigkeit verteidigen, wo man sie auf die alte Stufe herabdrücken will. Gott bleibt der Gott der Ordnung, der erkannt sein will in seinen Gesetzen, Maßen, Wegen, Linien. Je einfacher und schlichter wir sie entdecken, desto näher stehen wir der göttlichen Erkenntnis selbst. Alles Heilige ist einfach und scheut die Umwege. Am meisten hütete sich davor der Jesus, von dem wir sprechen. Er ist kein Wundermann, sondern der Heiland. Als solchen ehren wir ihn, indem wir uns von ihm schenken lassen Kraft und Friede, und nicht, indem wir ihn behängen mit einem schweren, farbenprächtigen Mantel. So kam er nicht zu dem armen Volk; so kommt er auch heute nicht. Suchen wir mit ihm Gottes Art zu verstehen. Er ist Führer für alle, die ihre Seele führen lassen zu Gott. Hier erleben sie dann *das* Wunder.

Neue Kirchliche Zeitschrift 23 (1912), S. 589—621.

WAS VERSTAND DAS ÄLTESTE CHRISTENTUM UNTER WUNDER?

Von HERMANN JORDAN

Es ist charakteristisch für den stärkeren systematischen Zug in unserer gegenwärtigen Theologie, daß bei den mannigfachen Erörterungen über den Wunderglauben im Christentum die Frage nach der Geschichtlichkeit der einzelnen Wunder zurücktritt vor der Frage, wie man das Wunder einordnen könne in eine systematische Betrachtung sowohl vom Standpunkte der Religionsphilosophie wie von dem der Theologie aus[1]. Man empfindet fast auf allen Seiten, daß die Religion des Christentums mit dem Wunder innerlich verbunden sei und also die christliche Theologie mit dem Wunderbegriff rechnen müsse, aber man streitet darüber, wie das Wunder theologisch zu fassen sei, was man denn nun unter Wunder zu verstehen habe. Soweit dabei nun auch die Frage in Betracht kommt, was denn das älteste Christentum unter Wunder verstanden habe, scheint mir eine Erörterung dieser Frage vom rein historischen Standpunkt aus deshalb dringend notwendig zu sein, weil die Gefahr vermieden werden muß, daß man die eigene systematische Anschauung vom Wunder der ältesten christlichen Anschauung vom Wunder unterlegt[2].

---

[1] Vgl. besonders Johannes Wendland, Der Wunderglaube im Christentum, Göttingen 1910; A. W. Hunzinger, Das Wunder, eine dogmatisch-apologetische Studie, Leipzig 1912; W. Herrmann, Offenbarung und Wunder, Gießen 1908; R. Seeberg, Wunder, in: Prot. Realenzyklopädie, Bd. 21, 1908, S. 559 ff.

[2] An Vorarbeiten ist noch immer brauchbar W. Bender, Der Wunderbegriff des Neuen Testamentes, Frankfurt a. M. 1871, S. 5—76, wenn auch das Begriffsproblem hier nicht immer scharf im Auge behalten wird und mit den Begriffen Heilungswunder, Erscheinungswunder, Naturwunder Unterscheidungen eingeführt werden, die der neutestamentlichen Anschauungswelt fremd sind und darum die reine Stellung des Problems etwas verwirren; merkwürdig ertraglos ist dagegen E. Ménégoz, Der biblische Wunderbegriff, deutsch von A. Baur, Freiburg i. Br. 1895 [vgl. in diesem Sammelband S. 39—79]. Vgl. sonst noch Beth, Wunder Jesu 1905 [in diesem Sammelband S. 80—119]; Barth, Hauptprobleme des Lebens Jesu [4]1911,

Dabei wird es gut sein, daß man diese Frage einmal ganz unverworren mit der kritischen Frage nach der Geschichtlichkeit der Wunder oder einzelner Wunder betrachtet und lediglich versucht etwas feiner hinzuhören, was denn nun die Christen jener Zeit unter einem Wunder verstanden. Dabei wird es sich dann weniger darum handeln, einen bestimmten theologischen *Begriff* des Wunders in jener Zeit zu definieren, als zu versuchen festzustellen, welche Vorstellung vom Wunder dem Wunderglauben zugrunde liegt.

I

Wenn in weiten Kreisen innerhalb und außerhalb der theologischen Wissenschaft unter „Wunder" in erster Linie eine „Durchbrechung eines geschlossenen Naturzusammenhanges" verstanden wird, so steht man jedenfalls mit solcher Terminologie nicht auf dem Boden der neutestamentlichen Anschauungswelt, sondern etwa auf dem der Theologie des Thomas von Aquin. Thomas von Aquin definiert das Wunder als „ein solches Handeln Gottes, durch welches die Gesetze der Natur, die auf die Ordnung und Erhaltung des ganzen Universums abzielen, tatsächlich aufgehoben werden"[3] und Quenstedt hat im Grunde den gleichen Begriff, wenn er sagt: „Wunder wurde das genannt, was gegen die von Gott

---

S. 113ff., bes. S. 124ff.; Schlatter, Theologie des Neuen Testamentes 1909, I, 260ff.; Feine, Theologie des Neuen Testaments [2]1911 passim und Holtzmann, Lehrbuch der Neutestamentlichen Theologie [2]1911 passim; G. Naumann, Die Wertschätzung des Wunders im Neuen Testament 1903 u. a.

[3] „Miraculum talis est Dei operatio, qua naturae leges ad ordinem et conservationem totius universitatis spectantes, revera suspenduntur"; ich muß die Stelle nach Hase, Hutterus redivivus [10]1862, S. 166f. zitieren, da es mir auch mit Hilfe von Schütz, Thomaslexikon [2]1892, nicht gelungen ist, die Stelle in den Werken des Thomas von Aquin zu identifizieren. Für Thomas' Wunderbegriff vgl. besonders Summa theol. Pars I Quaest. 103/6. Es ist demgegenüber interessant zu sehen, wie Thomas die natürlichen Gesetze nach ihrer sittlichen Seite hin definiert: „Ipsae naturales inclinationes rerum in proprios fines dicimus esse leges naturales" (Thomas in Dionysium de nom. Dei 10,1) und „lex naturae nihil aliud est nisi lumen intellectus insitum nobis a Deo per quod cognoscimus, quid agendum et quid vitandum" (Thomas, expositio in duo praecepta caritatis et in decem praecepta legis, prologus).

den natürlichen Dingen gegebene Gewalt und gegen den natürlichen Lauf geschieht durch eine außerordentliche Gewalt Gottes."[4] Es ist im Grunde dabei das Entscheidende, daß hier mit einem bestimmten Begriffe der Natur, nämlich mit dem Begriffe der Natur *in ihrer unverbrüchlichen Gesetzmäßigkeit* gerechnet wird. „Naturgesetz", das ist der Begriff, um den unsere neueren Kämpfe um das Wunder ausgefochten worden sind. Es ließe sich eine sehr interessante Geschichte schreiben über die Entstehung des Begriffes Naturgesetz in seinem Einflusse auf den Wunderbegriff[5].

Wenn man nun fragt, ob der Begriff des Wunders im Neuen Testamente etwas mit der Geschlossenheit des Naturgesetzes zu tun habe, so schiebt man die Frage doch etwas zu schnell zur Seite, wenn geantwortet wird, daß von einem Gegensatz von Wunder und Naturgesetz im Neuen Testamente schon deshalb nicht die Rede sein könne, weil nun einmal die Antike unseren Begriff des geschlossenen Naturzusammenhanges nicht gekannt habe. Es ist ohne weiteres zuzugeben, daß erst gerade durch die feinere Ausbildung der naturwissenschaftlichen Methode in moderner Zeit dieser geschlossene Naturzusammenhang, dieses Naturgesetz, das nicht bestimmt, wie etwas sein *soll*, sondern wie etwas sein *muß*, das nicht einem göttlichen Wollen seine Entstehung verdankt, sondern in sich und durch sich selbständig dasteht, in klarer Schärfe der Begriffsbestimmung hervorgetreten ist. Aber trotzdem muß behauptet werden, daß die Anschauung eines selbständigen Naturgesetzes der Antike in urchristlicher Zeit, also nicht der klassischen Antike, wohl aber der Spätantike

---

[4] „Miracula sunt, quae contra vim rebus naturalibus a Deo inditam currumque naturalem per extraordinariam Dei potentiam efficiuntur, ut cum ferrum natat, aqua in vinum convertitur, mortui suscitantur" bei Quenstedt, theologia didactico-polemica sive systema theologicum Wittenberg [4]1715, Pars I, p. 471f.; ähnlich etwa J. Fr. Buddeus, Institutiones theologiae dogmaticae (Leipzig 1723), II 1, 28 „Per miracula enim ordo naturae tollitur" ... „quibus naturae leges revera suspenduntur".

[5] Vgl. die wundervolle Abhandlung von Eduard Zeller, Über Begriff und Begründung der sittlichen Gesetze (Gelesen in der Akadem. d. Wiss. in Berlin 14. Dez. 1882, in: E. Zeller, Vorträge und Abhandlungen, 3. Sammlung 1884, S. 189/224; Rud. Eucken, Die Grundbegriffe der Gegenwart, Leipzig [2]1893, S. 171/86; — Rud. Eisler, Wörterbuch der philosophischen Begriffe und Ausdrücke, 1889, S. 290/2.

nicht durchaus fremd war. Man darf dabei weniger Gewicht darauf legen, daß Plato und Aristoteles je einmal von Naturgesetzen reden, denn für ihre Gesamtanschauung bedeutet das nichts Entscheidendes[6]. Wohl aber ist darauf hinzuweisen, daß im Verfolg der Gedanken Heraklits[7] und wohl nicht ohne den Einfluß astronomischer und medizinischer Studien innerhalb der stoischen Schule Ausdruck wie Gedanke des selbständigen Naturgesetzes lebendig wurde, so daß damit der Gedanke einer unverbrüchlichen Naturordnung zum klaren Ausdruck kam. Gewiß steckt hinter diesem Gedanken des Naturgesetzes bei den Stoikern die pantheistische Auffassung, daß in ihm die göttliche Weltvernunft zum Ausdruck komme, aber dieser pantheistische Gedanke durchkreuzt und mindert in keiner Weise den Gedanken von der absoluten Geschlossenheit des Naturzusammenhanges[8].

Es ist nun interessant, daß in der ersten großen Polemik gegen die Wunder des Christentums der Gegner des Christentums ausging von diesem Gedanken der absoluten Geschlossenheit des Naturzusammenhanges, der das Wunder unmöglich mache. Der eklektische Platoniker Celsus schrieb in der Zeit 177—180 gegen wunderbare Elemente in der christlichen Verkündigung den Satz: „Wenn Gott zu den Menschen herabkäme, so müßte es in der Welt eine große Revolution geben, denn wenn auf diese Weise in der Welt nur das geringste verändert würde, so müßte das

---

[6] Plato Timaeus 83 E: „καὶ ταῦτα μὲν δὴ πάντα νόσων ὄργανα γέγονεν, ὅταν αἷμα μὴ ἐκ τῶν σιτίων καὶ ποτῶν πληθύσῃ κατὰ φύσιν, ἀλλ' ἐξ ἐναντίων τὸν ὄγκον παρὰ τοὺς τῆς φύσεως λαμβάνῃ νόμους." Aristoteles de coelo I 1, 268a 10ff.: „καθάπερ γάρ φασι καὶ οἱ Πυθαγόρειοι, τὸ πᾶν καὶ τὰ πάντα τοῖς τρισὶν ὥρισται· τελευτὴ γὰρ καὶ μέσον καὶ ἀρχὴ τὸν ἀριθμὸν ἔχει τὸν τοῦ παντός, ταῦτα δὲ τὸν τῆς τριάδος, διὸ παρὰ τῆς φύσεως εἰληφότες ὥσπερ νόμους ἐκείνης καὶ πρὸς τὰς ἁγιστείας χρώμεθα τῶν θεῶν τῷ ἀριθμῷ τούτῳ."

[7] Heraklit bei Stobäus, Florileg. III, 84: „Es nähren sich alle menschlichen Gesetze von Einem, dem göttlichen, denn dieses herrscht, soweit es will und ist stark genug für alle und ihnen überlegen"; daher auch die „Dike", die allgemeine Weltordnung Heraklits.

[8] Vgl. über diese Anschauungen der stoischen Schule besonders Zeller, a. a. O., S. 192ff.; vgl. besonders noch Lucrez (99—55 v. Chr.), de rerum natura, ed. J. Bernays, 1886, V, 57ff. u. a. St.

ganze Weltall zusammenstürzen."[9] Und in gleicher Weise polemisiert am Anfang des dritten Jahrhunderts der Heide Caecilius Natalis im Dialog „Octavius" gegen die wunderhafte Eschatologie des Christentums mit den Worten: „Was soll man dazu sagen, daß die Christen dem ganzen Erdkreis, ja auch selbst der ganzen Welt mit ihren Gestirnen Brand androhen und ihr Zusammenstürzen bewerkstelligen wollen?! Gleich als ob die ewige durch göttliche Gesetze festgelegte Ordnung der Natur gestört werden könne oder als ob der Bund aller Elemente gebrochen, das himmlische Gefüge zerteilt und so die ganze große Masse des Weltalls, in der alles zusammengehalten und von ihr umschlossen wird, in sich zusammenbrechen könnte."[10]

So dürfte soviel deutlich sein, daß die Begriffsbestimmung des Wunders als einer Durchbrechung eines geschlossenen Naturzusammenhanges innerhalb der Antike der vorchristlichen, urchristlichen und altkirchlichen Zeit durchaus nicht als etwas Unmögliches erscheint[11]. Gerade in

[9] Celsus bei Origenes, κατὰ Κέλσου 4,5 ed. Koetschau, in: Griechischchristl. Schriftsteller 2,1, Origenes I, S. 278: „εἰ γὰρ ἕν τι τῶν τῇδε τοὐλάχιστον μεταβάλοις, ἀνατραπέντα οἰχήσεταί σοι πὰ πάντα." Vgl. auch Koetschau ib., S. 349 und dazu Keim, Celsus' wahres Wort 1873, S. 47.

[10] Octavius des Minucius Felix Kap. 10 Ende (ed. Bönig, deutsch von Dombart ²1881): „Quid? quod toto orbi et ipsi mundo cum sideribus suis minantur incendium, ruinam moliuntur? quasi aut naturae divinis legibus constitutus aeternus ordo turbetur, aut rupto elementorum omnium foedere, et coelesti compage divisa, moles ista qua continetur et cingitur subruatur."

[11] Auch in der alten Kirche klingt der Gedanke, daß Wunder gegen die Natur seien, immer wieder an, so daß jedenfalls die Bekanntschaft dieser Begriffsbestimmung keineswegs als in der alten Kirche von vornherein unmöglich erscheint. Es ist ja eigentümlich, wie wenig man sich in der alten Kirche vor Augustin um eine schärfere Begriffsbestimmung des Wunders bemüht hat. Man nahm das Wunder als historisch gegeben hin als mächtige Tat und Krafterweisung Gottes im Sinne des Neuen Testamentes und fügte hinzu, daß auch die Gegenwart noch Wundertaten, Wunderheilungen zeige. Vgl. Iren. II, 31 (Harvey I, 370), deutsch v. Klebba: „Unser Herr und die Apostel haben durch das Gebet Tote auferweckt und unter unseren Brüdern ist sehr häufig wegen irgendeiner Not, wenn die gesamte Kirche unter Fasten und vielem Beten darum flehte, der Geist des Toten zurückgekehrt und das Leben dem Menschen auf das Gebet der Heiligen geschenkt worden. Sie aber (die Gnostiker) sind soweit davon entfernt, dies zu vermögen, daß sie nicht einmal glauben dies tun zu können." (Vgl. weiter z.B. Orig. c. Cels. I,

einer Zeit, wo wir, gewiß nicht mit Unrecht, einigen Wert auf die Verbindungslinien legen, die zwischen der Gedankenwelt des Neuen Testaments und der der antiken Welt bestehen, ist die Konstatierung doch immer interessant, daß von dieser Auffassung des geschlossenen unverbrüchlichen Naturzusammenhanges und einer dementsprechenden Fassung des Wunderbegriffes im Neuen Testamente nicht die geringste Spur zu finden ist. Das beweist gewiß nicht, daß hinsichtlich der Wunderfrage die urchristliche Gedankenwelt eine einsame Insel in der Antike war, wohl aber, daß wir jene Beziehungen doch nicht suchen dürfen auf dem Gebiete der offiziellen Schulphilosophie; an diesem Punkt zeigt sich einmal recht deutlich, wie wenig tieferen Einfluß die stoische Schulphilosophie auf die Begriffswelt des Neuen Testaments ausgeübt hat. Während in der Antike, etwa in der Gedankenwelt des schon vorhin genannten Celsus sich ein schroffer Gegensatz ausbildete zwischen dem transzendent gedachten Gott und dem nach ewigen Gesetzen sich selbständig

46; III, 24; Augustin, Retractationes I, 13 f.; de civitate dei 22,8; weiteres bei Tholuck, Über d. Wunder d. kathol. Kirche, in: Vermischte Schriften I, Hamburg 1839, S. 28 ff.) Aber es ist eigentümlich, daß Origenes jenen oben angeführten merkwürdigen Einwänden des Celsus gegen die Möglichkeit der christlichen nicht energischer und mit einer schärferen Bestimmung des Wunders gegenübertritt, vgl. Origenes contra Celsum 4, 5: „Οὐ χρεία οὖν εἰς τὴν τοῦ Χριστοῦ κάθοδον, ἢ εἰς τὴν προς ἀνθρώπους ἐπιστροφὴν τοῦ θεοῦ, καταλείπεσθαι ἕδραν μείζονα, καί μεταβάλλεσθαι τὰ τηδε, ὡς ὁ Κέλσος οἴεται, λέγων· „εἰ γὰρ ἕν τι τῶν τοὐλάχιστον μεταβάλοις, ἀνατραπέντα οἰχήσεταί σοι τὰ πάντα." Εἰ δὲ χρὴ λέγειν μεταβάλλειν παρουσία δυνάμεως θεοῦ, καὶ ἐπιδημία τοῦ λόγου εἰς ἀνθρώπους τινά· οὐκ ὀκνήσομεν λέγειν, μεταβάλλειν ἐκ φαύλου εἰς ἀστεῖον, καὶ ἐξ ἀκολάστου εἰς σώφρονα, καὶ ἐκ δεισιδαίμονος εἰς εὐσεβῆ, τὸν παραδεξάμενον τὴν τοῦ λόγου τοῦ θεοῦ ἐπιδημίαν εἰς τὴν ἑαυτοῦ ψυχήν." Schon hier aber sieht man, daß Origenes geneigt ist, die besondere Bedeutung des Wunders nach der religiös-ethischen Seite zu verstehen und so klingt schon bei ihm jene Auffassung an, daß auch gewöhnliche mit dem spezifisch Wunderhaften nicht verbundene Ereignisse unter den Begriff des Wunders gestellt werden; dafür besonders charakteristisch contra Celsum II, 48: „ἀλλὰ μόνοι ἀνέστησαν, οὓς ἔγνω ὁ λόγος ἐπιτηδείους πρὸς τὴν ἀνάστασιν, ἵνα μὴ μόνον σύμβολά τινων ἢ τὰ γενόμενα ὑπὸ τοῦ κυρίου, ἀλλὰ καὶ αὐτόθεν προσαγάγῃ πολλοὺς τῇ θαυμασίᾳ τοῦ εὐαγγελίου διδασκαλίᾳ. Ἐγὼ δ' εἴποιμ' ἂν, ὅτι κατὰ τὴν Ἰησοῦ ἐπαγγελίαν οἱ μαθηταὶ

abwickelnden Weltlaufe[12], ist der entsprechende Dualismus des Neuen Testaments durchaus religiös bestimmt, indem es sich lediglich handelt um den Gegensatz von Gott einerseits, dem Teufel, den Dämonen usw. andererseits. Ein Dualismus eines geschlossenen, wenn auch vielleicht göttlich eingesetzten unverbrüchlichen Weltzusammenhangs und der Macht Gottes ist durchaus dem Neuen Testamente fremd. Thomas von Aquin und der ihm folgende vulgäre Wunder-Begriff stehen in dieser Hinsicht im Grunde auf der Linie der von den altkirchlichen Gegnern des Christentums vertretenen Gedanken und Terminologie.

Damit ist natürlich nicht im geringsten etwa ausgesprochen, daß für die neutestamentliche Anschauungswelt die Natur ein Chaos ohne Ord-

καὶ μείζονα πεποιήκασιν ὧν Ἰησοῦς αἰσθητῶν πεποίηκεν. Ἀεὶ γὰρ ἀνοίγονται ὀφθαλμοὶ τυφλῶν τὴν ψυχήν· καὶ ὦτα τῶν ἐκκεκωφημένων πρὸς λόγους ἀρετῆς, ἀκούει προθύμως περὶ θεοῦ καὶ τῆς παρ' αὐτῷ μακαρίας ζωῆς κτλ. — Wichtiger für unsere Fragestellung aber ist es zu beobachten, daß da, wo Augustin den Versuch macht, dem „Wunder" eine schärfere Begriffsformulierung zu geben, er sich schon innerlich auseinandersetzt mit einer Anschauung, welche das Wunder als eine Aufhebung oder Durchbrechung des Naturzusammenhanges wertet; vgl. Augustin de civitate dei 21,8: „Omnia portenta contra naturam dicimus esse, sed non sunt." Dem setzt ja dann Augustin als seine Anschauung gegenüber: „Portentum ergo fit non contra naturam sed contra quam est nota natura!" Einer stoischen und, wie es scheint, doch schon recht vulgär gewordenen Anschauung der Natur als einer geschlossenen Größe gegenüber dem Willen eines nur transzendent gedachten Gottes hält er entgegen den Satz: „voluntas tanti utique conditoris conditae rei cujusque natura" est. Ein jüngerer Zeitgenosse Augustins, der Dichter Sedulius (um 430), der mit Begeisterung die Wunder Jesu besang, redet auch schon von Naturgesetzen, über die sich Gottes und Jesu Kraft erhoben hat: „Dic ubi sunt, natura, tuae talia leges, qui totiens tibi iura tulit? qui tartara iussit translatum nescire virum, sterilemque marito fecundavit anum, sacram praecepit ad aram sponte venire pecus, muliebres transtulit artus in simulacra salis etc. leges" (Carmen paschale I, 204 ed. Huemer, in: Corpus script. eccles. Lat, Bd. X, 1885, S. 220). „Wunderbegriff und Wunderauffassung der alten Kirche vor und nach Augustin" ist ein Thema, das einmal einer gründlichen Behandlung bedürfte!

[12] Vgl. dazu H. Jordan, „Celsus" in Laible, Moderne Irrtümer im Spiegel d. Geschichte 1911, S. 1 ff.; darüber daß τέρας im Unterschied von σημεῖον im Neuen Testament nicht auf eine Durchbrechung des Naturzusammenhangs deute, siehe unten Anm. 44.

nung gewesen sei, sondern nur das, daß im Neuen Testamente vollständig die Anschauung fehlt, daß etwa die Ordnung der Natur Gott in
geschlossener Größe als etwas Selbständiges, Fremdes, als etwas zu Überwindendes gegenübersteht. Gewiß finden wir schon auf dem Boden der
alttestamentlich-jüdischen Religion den Gedanken, daß Gott den Himmel und den Gestirnen ein Gesetz gegeben hat, das sie nicht
überschreiten[13]. Schon in dieser Art der Formulierung liegt es aber beschlossen, daß es sich um ein Gesetz handelt, das lediglich die Natur selber bindet, das in sich selbst lediglich von Gottes Macht und Güte zeugt.
Demgegenüber ist es nun höchst interessant, in welcher Weise Jahrhunderte später ein jüdisch-alexandrinischer Philosoph des ersten vorchristlichen Jahrhunderts, von stoischer Philosophie beeinflußt, dem Gedanken
Ausdruck gibt, daß, um die Heilsgeschichte Israels durchzuführen, Gott
eine Neuschaffung der ganzen Schöpfung vorgenommen habe: „Denn
die ganze Schöpfung ward in ihren Eigentümlichkeiten wiederum aufs
Neue umgeschaffen, um ganz besonderen Befehlen zu dienen, damit
deine Kinder unverletzt bewahrt blieben."[14] Mag dieser Mann sich philosophisch mit dem Wunderproblem auseinandergesetzt haben oder nicht,
seine Philosophie findet in dem Neuen Testamente nach dieser Seite hin
keinen Widerhall.

[13] Vgl. besonders Psalm 148, 6; weiteres bei G. Naumann, Die Wertschätzung
des Wunders im Neuen Testamente, Leipzig 1903, S. 7 f., dessen Polemik gegen
Ritschl u. a. aber der Einschränkung insofern bedarf, als der moderne Begriff des
Naturgesetzes, wie ihn Ritschl u. a. für die neutestamentlichen Schriftsteller
ablehnen, eben den Begriff der Unverbrüchlichkeit in sich schließt.

[14] Sapientia Salomonis 19,6 ed. Swete, The old testament in Greek II, Cambridge ²1896, S. 641: ὅλη γὰρ ἡ κτίσις ἐν ἰδίῳ γένει πάλιν ἄνωθεν
διετυποῦτο, ὑπηρετοῦσα ταῖς ἰδίαις ἐπιταγαῖς, ἵνα οἱ σοὶ παῖδες
φυλαχθῶσιν ἀβλαβεῖς; διατυποῦν heißt reformare, neu gründen, so daß der
Gedankengang deutlich ist, daß Gott seine Schöpfung neu gründete zu dem
Zwecke die Seinen zu bewahren! Es klingt das ja fast, als ob hinter diesen Worten
eine innere Auseinandersetzung mit dem Gedanken der Möglichkeit des Wunders
im Gegensatz zu einer stoischen Bestreitung der Möglichkeit des Wunders liege
und als ob der Verfasser die Lösung finde in der von Gott aufs neue vorgenommenen Schöpfung. Das erinnert an Num. 16,30 „Wenn aber Jahwe etwas *Unerhörtes*
schafft und die Erde ihren Mund auftut und sie mit allem, was ihnen gehört, verschlingt, so daß sie lebendig in die Unterwelt hinabfahren — dann werdet ihr
erkennen, daß diese Männer Jahwe gelästert haben."

Es ergibt sich sonach deutlich: *die an sich der Antike nicht fremde Anschauung vom Wunder als einer Durchbrechung eines geschlossenen unverbrüchlichen Naturzusammenhanges findet im Neuen Testamente keinen Ausdruck.* Ich sage damit also nicht, daß jene Anschauung dem Urchristentum und den neutestamentlichen Schriftstellern absolut unbekannt gewesen sein müsse; für eine solche bestimmte Behauptung ist die neutestamentliche Quellenbasis doch zu schmal; aber so viel läßt sich doch sagen, daß, wie sie in der urchristlichen Anschauungswelt keine Rolle gespielt hat, sie auch kaum in der ältesten Apologetik der urchristlichen Wunder besonders hervorgetreten sein wird.

II

Mit der Abweisung solchen philosophischen Wunderbegriffs treten wir erst auf den Boden der neutestamentlichen Anschauungswelt, die im allgemeinen viel einfacher, unreflektierter, unmittelbar religiös gefaßt werden muß und infolgedessen auch viel mehr als der unmittelbare Ausdruck des religiösen Lebens und Empfindens erscheinen muß, als sie zuweilen heutzutage noch in der „neutestamentlichen Theologie" erscheint. Es leuchtet da sofort ein, *daß der ganzen neutestamentlichen Wunderanschauung deutlich das Bewußtsein eines Unterschiedes eines gewöhnlichen vom ungewöhnlichen Geschehen zugrunde liegt.* Ja, wir können sagen, daß das Bewußtsein dieses Unterschiedes überall konstitutiv ist für die Betrachtung eines Geschehens als Wunder. Gerade weil für die Urchristenheit das Wunder etwas ist, was man sich nicht philosophisch konstruiert hat, sondern was man erlebt hat, muß diesem Erleben des Ungewöhnlichen in der Darstellung der Wunderanschauung des Neuen Testamentes die erste Stelle eingeräumt werden. Es ist dafür charakteristisch, in welcher Beziehung im Neuen Testament die Erzählung des Wunders zu dem „sich wundern" derer steht, die es erleben. Immer wieder heißt es, daß die, die es sahen, sich verwunderten[15]. Besonders

---

[15] Vgl. Matth. 8,27; 15,31; 21,20; Mark. 5,20; 6,51; Luk. 8,25; 9,43; 11,14; 24,12 u. 41; Joh. 5,20; 7,15; Act. 2,7; 3,11; 13,41; Dazu vgl. die Stellen, wo das „sich verwundern" zum „erschrecken" sich steigert z. B. Matth. 9,8; Luk. 8,25. — Natürlich beschränkt sich im Neuen Testament dieses θαυμάζειν und

charakteristisch ist dafür die Stelle im Matthäusevangelium (9,32—33):
„Als sie aber herausgingen, da brachten sie ihm einen von einem Dämon
besessenen Stummen. Und da der Dämon ausgetrieben war, redete der
Stumme, und die Volksmassen verwunderten sich und sagten: Noch nie
ist in Israel so etwas in die Erscheinung getreten."[16] Ich halte es, trotzdem
die Erklärung banal klingt, gar nicht für so unrichtig, wenn man unter
„Wunder" in urchristlicher Zeit ganz allgemein zunächst Begebenheiten
versteht, über die man sich wegen ihrer auffallenden Ungewöhnlichkeit
verwunderte. Gewiß ist, das werden wir sehen, damit für die neutestamentliche Wunderanschauung nicht alles gesagt, aber es ist doch der
Kreis der Begebenheiten umschrieben, die als Wunder erschienen. Es ist
dabei keineswegs ein doppeltes verschiedenartiges Geschehen in der Welt
präjudiziert; solcher Gedanke liegt dem Neuen Testament durchaus fern;
es handelt sich zunächst lediglich um das subjektive Staunen des Menschen über ein Ereignis, das nach den Erfahrungen des täglichen Lebens
nicht zu geschehen pflegt.

Dabei erscheint mir die Frage verneint werden zu müssen, ob es denn
im Neuen Testamente ein großes allgemeines Prinzip gäbe, nach dem das
gewöhnliche vom ungewöhnlichen Geschehen geschieden werde. Gerade
weil das Wunder im Neuen Testamente weder historisch noch naturwissenschaftlich, sondern immer religiös betrachtet wird, so ist auch die Frage, was als Wunder von der Urchristenheit angesehen wurde, immer rein
aus dem subjektiven Bewußtsein dessen, der es erlebt, zu erfassen[17]. Jener
für das Neue Testament abgelehnte Wunderbegriff der Durchbrechung

ϑαυμάζεσϑαι nicht auf die Verwunderung über *spezifisch* „Wunderhaftes",
sondern etwa auch ein Wort Jesu, wie in Matth. 22,22, erregt „Verwunderung" und
die Bergpredigt gar „Entsetzen" (Matth. 7,28), ohne daß aber das Wort Jesu oder
seine Predigt unter dem Gesichtspunkte des Wunders gewertet wird. Weiteres vgl.
bei G. Naumann, Wertschätzung des Wunders im Neuen Testament, 1903, S. 6/9.

[16] In Matth. 9,32/3 bezieht sich die Verwunderung des Volkes, wie Zahn (Matthäus, 3. Aufl.), S. 390 mit Recht bemerkt, auf den Gesamteindruck des in Matth.
8,18—9,22 Erwähnten, nicht auf die nicht besonders auffällige Heilung eines
Besessenen allein.

[17] Höchst charakteristisch erscheinen auch die Worte des von Jesus geheilten
Blinden in Joh. 9,32: „seit Menschengedenken ist nicht erhört, daß einer die
Augen eines Blindgeborenen geöffnet hat." Darum heißt das Wunder auch
παράδοξον; dieser Ausdruck findet sich freilich nur ein einziges Mal im Neuen

des Naturzusammenhangs ist naturwissenschaftlich orientiert; man könnte schon eher sagen, daß die Wunderauffassung des Neuen Testaments historisch orientiert sei, insofern, als das Wunder da eintritt, wo die Analogie des gewöhnlichen bisherigen Geschehens fehlt. Aber „historisch" wie „naturwissenschaftlich" bleiben doch Kategorien, die für das einfache Verständnis des Geschehens im Neuen Testamente nur wenig in Betracht kommen.

III

Wir kommen dem Verständnis des Neuen Testaments schon näher, wenn wir beachten, wie ein Wunder zustande kommt. Wunder entstehen nach neutestamentlicher Auffassung dadurch, daß Kräfte in Wirksamkeit treten, die gewöhnlich nicht in der Hand von Menschen liegen oder in ihren Wirkungsmöglichkeiten gewöhnlich nicht sichtbar werden. Dafür ist in besonderer Weise bezeichnend der Gebrauch, den das Neue Testament von dem Wort δύναμις oder seinem Plural δυνάμεις im Zusammenhange mit dem Wunder macht[18]. Es ist besonders zu erinnern

Testamente in Luk. 5,26 und bezeichnet hier ein Ereignis wie die Heilung des Gichtbrüchigen als wider alles Meinen und Erwarten geschehen, ohne daß man aber von da aus ein Moment für die Anschauung von der absoluten Gesetzmäßigkeit der Natur gewinnen wollen darf; vielmehr gerade dieser Ausdruck weist wieder sehr stark auf das Subjektive des Sichwunderns der Menschen hin: „Wir hätten wirklich nicht geglaubt, daß so etwas passieren könnte." Vgl. Trench, Synonyma, a. a. O., S. 222. Für den späteren Gebrauch des Ausdrucks παράδοξον ist besonders charakteristisch eine Stelle im Diognetbrief 5,4, wo der Wandel der Christen in Herrlichkeit als θαυμαστὴ καὶ ὁμολογουμένως παράδοξος bezeichnet wird, während 1. Clem. 25,1 die Phönixsage als παράδοξον σημεῖον bezeichnet wird. Für die ganze Antike macht Lembert (s. u. Anm. 22) die richtige Bemerkung: „Die Grenzlinie zwischen Wunder und Nichtwunder ist in der Antike keine feste, die Entscheidung darüber liegt im Menschen, daher denn auch je nach der verschiedenen Stimmung die verschiedene Entscheidung."

[18] Vgl. Act. 6,8; in 2. Thess. 2,9 steht δύναμις direkt neben σημεῖα καὶ τέρατα; vgl. auch Act. 8,13; 2,22; 2. Kor. 12,12; Hebr. 2,4; Matth. 13,54; 14,2; 1. Kor. 12,28f.; Gal. 3,5 (?) für „Wunderkräfte"; Mark. 6,2; Luk. 19,37; Matth. 11,20; 11,23; Luk. 10,13 steht δυνάμεις direkt für „Wunder" und der Ausdruck δύναμιν ποιεῖν (Mark. 6,5; 9,39), bzw. δυνάμεις ποιεῖν (Matth. 7,22; Act. 19,11) bedeutet gelegentlich einfach „Wunder tun".

an 1. Kor. 12,10 „ἄλλῳ δὲ ἐνεργήματα δυνάμεων" wo die vorangegangene Gabe der Krankenheilung wiederaufgenommen wird in dem umfassenderen Begriff des „Wirksamwerdens wunderbarer Kräfte", das einzelnen Menschen als Gnadengabe des Geistes gegeben wird. Daß diese Fassung des Ausdrucks zwar anknüpft an den allgemeinen Gebrauch des Wortes in der griechischen Sprache, aber doch seine häufige Wiederkehr im Neuen Testamente das Bewußtsein davon zeigt, daß man das Wunder dadurch bestimmter charakterisieren könnte, scheint mir sicher; man braucht darum auch gar nicht erst an direkten philonischen Einfluß zu denken[19]; dazu ist der Gebrauch von δύναμις und δυνάμεις im Neuen Testamente viel zu wenig formelhaft, zu mannigfaltig! Ich glaube daher in diesem Gebrauche des Ausdrucks im Neuen Testamente doch einen Hinweis darauf sehen zu müssen, wie man sich näher das Zustandekommen und den Vollzug des Wunders vorstellte. Dabei ist nun sofort zu beachten, daß diese Kräfte sozusagen von zwei Seiten in Aktion treten können, von seiten Gottes und von seiten des Teufels, der Dämonen. Beide sind ja nicht durch irgendwelche Gesetze in ihrer Wirksamkeit beschränkt und sie können infolgedessen mit ihren Kräften außergewöhnliche Ereignisse herbeiführen: Gott tut Wunder und der Teufel tut auch Wunder. Dabei herrscht nun aber keineswegs die Vorstellung, daß etwa diese Wunder, die widergöttliche Mächte tun, bloß Lügenwunder insofern sind, als sie nicht Ausführung ungewöhnlicher übernatürlicher

---

[19] Vgl. besonders Cremer, Biblisch-theol. Wörterbuch [9]1902, S. 372f.; zu den δυνάμεις des Philo vgl. Windisch, Die Frömmigkeit Philos 1909, S. 46ff. Für Philos Wunderbegriff ist jene Stelle interessant, in welcher er erklärt, wie Moses Wunder hat tun können, in: vita Mosis, ed. Cohn, § 155f. (Philonis opera IV, S. 157, bei Mangey S. 105), deutsch von Badt (s. u. Anm. 22, I), 257f.: „Weil er also der Gewinnsucht und dem unter den Menschen sich aufblähenden Reichtum entsagt hat, ehrt ihn Gott dadurch, daß er ihm dafür den größten und vollkommensten Reichtum gewährt: Das ist aber der Reichtum der gesamten Erde, des Meeres und der Ströme und der anderen einfachen Elemente und zusammengesetzten Stoffe. Er würdigte ihn nämlich der Ehre, als Teilhaber seiner eigenen Macht zu erscheinen, und überließ ihm das ganze Weltall wie ein ihm als Erben gebührendes Besitztum. Daher gehorchte ihm denn wie einem Herrn jedes der Elemente, indem es *seine Natur änderte* und sich seinen Anordnungen fügte (τοιγαροῦν ὑπήκουεν ὡς δεσπότῃ τῶν στοιχείων ἕκαστον ἀλλάττον ἣν εἶχε δύναμιν καὶ ταῖς προστάξεσιν ὑπεῖκον).

Taten sind, sondern nur Gaukelei und Betrug; vielmehr erscheinen sie als reale Kraftbetätigungen der widergöttlichen Macht[20]. Damit aber stehen wir erst auf dem Boden der Allgemeinauffassung des Neuen Testaments vom Geschehen überhaupt. Für das Neue Testament ist eben alles Geschehen niemals ein sich Abrollen der Dinge nach ehernen Gesetzen, sondern ein Kampf von Kräften, Mächten und Gewalten, die aber in erster Linie nicht kosmologisch gefaßt werden, sondern ethisch-religiös in dem Gegensatz der göttlichen und der bösen Macht. Aber es ist dabei festzuhalten, daß in der Betrachtung dieses Kampfes der Blick des Neuen Testamentes ganz besonders haftet an einzelnen markanten Ereignissen dieses Kampfes, eben am Wunder. *Das ungewöhnliche Geschehen besteht also in dem ungewöhnlichen Wirksamwerden von Kräften, die sowohl göttlicher wie teuflischer Natur sein können.*

IV

Es ist nun das Eigentümliche, daß die neutestamentliche Wunderanschauung sich an jenes ungewöhnliche Geschehen und nur an dieses hält. Es muß behauptet werden: das Neue Testament bezeichnet das „gewöhnliche Geschehen", das nach dem bekannten Laufe der Welt alle Tage geschehen könnte, auch dann nicht als Wunder oder auch nur als wunderbares Zeichen, wenn es dieses Geschehen religiös als Wirkung Gottes wertet. Das muß zunächst einmal als Gegensatz zu einer Anschau-

---

[20] Nach Matth. 24,24 u. Mark. 13,22 werden falsche Christusse und falsche Propheten σημεῖα μεγάλα καὶ τέρατα also „Wunder" tun (freilich Zitat aus Deut. 13,1/4); vgl. dazu Ap. 19,20; nach Ap. 13,13 f. soll das 2. Tier σημεῖα μεγάλα tun, nach 16,14 werden πνεύματα δαιμονίων σημεῖα tun; nach 2. Thess. 2,9 soll die Parusie des ἄνομος bestehen κατ' ἐνέργειαν τοῦ σατανᾶ ἐν πάσῃ δυνάμει καὶ σημείοις καὶ τέρασιν ψεύδους". Nach dem Zusammenhange scheint mir auch hier näherzuliegen, nicht an lügnerische Wunder zu denken, sondern als Wunder, in denen sich der Geist der Lüge offenbart, vgl. Bornemann, Thessalonicherbriefe 1894, S. 372 und Wohlenberg, 1. u. 2. Thessalonicherbrief [2]1909, S. 155 „aus Lüge stammend, von Lüge durchdrungen, zu Lüge führend". Vgl. auch Matth. 12,24, hinter welcher Stelle jedenfalls die Auffassung der Pharisäer von der Kraft eines machtvollen Wunderwirkens Beelzebubs der Besessenheit gegenüber steht.

ung von Wundern und Zeichen geltend gemacht werden, welche sich nicht bloß im Alten Testament und im Judentum[21], sondern auch gelegentlich in der Antike kundgibt[22]. Es ist nämlich eigentümlich, daß die

[21] Es sei etwa verwiesen auf Exod. 34,10; Ps. 106,21 f.; 139,14. Jesus Sirach 18,5 f.; besonders charakteristisch für die Auffassung des Schöpfungswerkes Gottes als Wunder ist eine Stelle, bei Philo in der › vita Mosis ‹ Buch I, ed. Mangey, S. 114 f., ed. Cohn-Wendland, § 212 f.; deutsch v. B. Badt, in: L. Cohn, Die Werke Philos von Alexandria in deutscher Übersetzung, Breslau 1909, I, S. 270 „Wer dies (die mosaischen Wunder) nicht glaubt, der weiß weder etwas von Gott noch hat er je nach ihm geforscht; sonst hätte er sofort erkannt und gewiß begriffen, daß diese wunderbaren und unbegreiflichen Taten ein Kinderspiel für Gott sind (ἔγνω γὰρ ἄν, ὅτι τὰ παράδοξα δὴ ταῦτα καὶ παράλογα θεοῦ παίγνιά εἰσιν), er braucht nur auf die wahrhaft großen und ernster Betrachtung würdigen Werke zu sehen, wie die Schöpfung des Himmels, der Planeten und der Fixsterne Kreislauf, das Aufflammen des Lichtes, des Sonnenlichts am Tag und des Mondlichts in der Nacht, die Befestigung der Erde in dem mittelsten Punkte des Alls, die ungeheure Größe von Festländern und Inseln, die zahllosen Arten von Lebewesen und Gewächsen, ferner die Ausbreitung der Meere, das Dahinströmen der Flüsse, die natürlichen Ursprung haben, und solcher, die aus Regen sich bilden, die Gewässer von nie versiegenden Quellen, die teils kaltes, teils warmes Wasser emporsprudeln, die mannigfachen Luftströmungen, die Verschiedenheit der Jahreszeiten und unzählige andere Schönheiten. Das Leben reichte nicht aus, wollte einer alles einzeln, ja wollte er auch nur einen der drei wichtigeren Teile des Weltalls schildern und wäre ihm die längste Lebensdauer eines Menschen beschieden. Aber diese in Wahrheit wunderbaren Dinge werden geringgeschätzt, weil wir daran gewöhnt sind, während wir die ungewöhnlichen, auch wenn sie unbedeutend sind, in unserer Vorliebe für das Neue bewundern und uns von fremdartigen Erscheinungen leicht überwältigen lassen" ('Αλλὰ ταῦτα μὲν πρὸς ἀλήθειαν ὄντα θαυμάσια καταπεφρόνηται τῷ συνήθει; τὰ δὲ μὴ ἐν ἔθει, κἂν μικρὰ ᾖ, ξέναις φαντασίαις ἐκδιδόντες καταπληττόμεθα τῷ φιλοκαίνῳ).

[22] Darüber haben wir eine vortreffliche Arbeit: Raimund Lembert, Der Wunderglaube bei Römern und Griechen. I. Teil: Das Wunder bei den römischen Historikern. Eine religionsgeschichtliche Studie (II. Teil: noch nicht erschienen) Programm des Realgymnasiums zu Augsburg 1905, 63 Seiten. Vgl. auch D. Weinreich, Antike Heilungswunder. Untersuchungen zum Wunderglauben der Griechen und Römer. Gießen 1909. Vgl. ferner R. Reitzenstein, Hellenistische Wundererzählungen, Leipzig 1906; Paul Fiebig, Antike Wundergeschichten zum Studium der Wunder des Neuen Testaments, Bonn 1911; Paul Fiebig, Jüdische

Antike unter das Wunderhafte viel mehr Dinge rechnete als wir, daß sie nicht bloß Dinge wie Weissagungen, Ahnungen usw. als Wunder bezeichnete, sondern auch Dinge, die für unsere Auffassung jedenfalls durchaus dem gewöhnlichen Laufe der Dinge angehören: „Alles was geschah, vom Kleinsten bis zum Größten, *konnte* als Wunder aufgefaßt werden. Aber es *mußte* nicht so verstanden werden. Ein Erdbeben oder eine Seuche z. B. *kann* als Kundgebung göttlichen Zornes gedeutet werden, was auch so und so oft geschieht, aber keineswegs immer."[23] Es ist dabei weniger zu denken an seltenere, freilich für unsere Empfindung ganz natürliche Naturerscheinungen, wie Verfinsterung von Sonne und Mond, Erscheinung von Kometen, Erdbeben usw., da gerade ihre Ungewöhnlichkeit und Seltenheit fast für die ganze antike Welt ihnen ohne weiteres den Charakter von Wundern gab, so daß natürlich auch die Erzählung von dem Erdbeben und der Sonnenfinsternis beim Tode Jesu von dem Evangelisten durchaus als Wunder wiedergegeben wird, wobei das Wunderhafte aber natürlich in erster Linie in dem Eintreten der Erscheinung gerade zur Stunde des Todes Jesu liegt[24]. Es ist vielmehr direkt als Degenerationserscheinung innerhalb der Spätantike zu bezeichnen, daß dem Menschen das Allergewöhnlichste zum Wunderzeichen in *der* Weise wurde, daß er darin eine Vorbedeutung sah[25]. Es ist hier ein weiter Schritt von dem vertrauenden Glauben des Menschen, daß unsere Haare auf dem Haupte alle gezählt sind, bis zu der Behauptung des Aberglaubens, daß das Nichtigste und Kleinste, wenn man es nur richtig deuten kann, ein Wink der Gottheit sei. Nicht lange nach der Zeit, da Markus sein Evangelium in Rom schrieb, bekam Nero einen Ring zum Geschenk, auf dessen Gemme der Raub der Proserpina geschnitten war, und am 1. Januar kann man den Schlüssel zum Kapitol nicht finden; in diesen sehr natürlichen Ereignissen sieht Sueton ein Prodigium, einen göttlichen Hinweis auf den Tod des Nero[26]. Diese

---

Wundergeschichten des neutestamentlichen Zeitalters, Tübingen 1911; Derselbe, Rabbinische Wundergeschichten des neutestamentlichen Zeitalters 1911.

[23] Lembert, a. a. O., S. 7.

[24] Vgl. Matth. 27,52; Mark. 15,33; Luk. 23,44f.

[25] Vgl. Lembert, S. 42f.

[26] Sueton, Nero 46. Es wäre etwa auch daran zu erinnern, daß Homer (Ilias 12,209) die an sich ganz natürliche Erscheinung, daß ein Adler eine Schlange ins trojanische Lager fallen läßt, ein τέρας nennt; vgl. dazu Nägelsbach, homerische Theologie, 3. Aufl., hrsg. von G. Autenrieth, 1844. S. 168ff.

Betrachtung auch des für unser Empfinden absolut Natürlichen unter
dem Gesichtspunkte des Wunderhaften oder des Zeichens ließe sich
durch unendliche Beispiele aus der Zeit der Antike eingehend belegen.
Demgegenüber ist es doch sehr merkwürdig, daß das einzige, was man im
Neuen Testament allenfalls hierherziehen könnte, die Träume sind, die
ja bekanntlich im Neuen Testamente eine verhältnismäßig geringe Rolle
spielen[27]. Jene Stelle des Johannesevangeliums 12,28—29 läßt sich nicht
dafür geltend machen, daß auch solches nicht ganz ungewöhnliche
Geschehen wie ein Donner, das erst einer fachmännischen Auslegung
bedarf, um als Wunderzeichen zu figurieren, dem Neuen Testamente als
Wunder gilt. Johannes erzählt ganz schlicht und einfach, daß auf die
Bitte Jesu: „Vater, verkläre deinen Namen" eine Stimme vom Himmel
gekommen sei „Ich habe verklärt und werde wiederum verklären". Die
Stimme ist eine Dokumentierung, eine Offenbarung der Herrlichkeit
Jesu. Nach der Auffassung des Evangelisten macht erst das Volk aus der
Himmelsstimme einen Donner. Also ist der Weg zum Prodigium im Sinne
der antiken Welt jedenfalls von Johannes in keiner Weise beschritten[28].

[27] Vgl. die Bedeutung der Träume in den Kindheitsgeschichten bei Matth.
1,20; 2,13. 19. 22, wo aber zu beachten ist, daß jede Auslegung, die zu dem
Traum etwas von menschlicher Seite hinzutut, fehlt, sondern lediglich Traum-
gesicht und Traumweisung als göttlich gewirkt aufgefaßt werden; sonst noch Matth.
2,12 als Befehl Gottes im Traum an die Weisen aus dem Morgenlande und als
Aussage im Munde der Gattin des Pilatus, Matth. 27,19; in Act. 2,17 ein Zitat aus
Joel. Daß hinsichtlich der Träume und vor allem ihrer angeblich kunstgerechten
Auslegung schon im späteren Judentum Strömungen der Ablehnung vorhanden
waren, zeigt Jesus Sirach 34,1—7. Andererseits ist höchst interessant zu sehen, wie
Philo in breitesten Ausführungen die Träume als göttliche Offenbarungen würdigt
in der Schrift: περὶ τοῦ θεοπέμπτους εἶναι τοὺς ὀνειρούς (ed. Mangey,
Philonis opera I, S. 620ff., ed. P. Wendland, in: Philons opera, Bd. III, Berlin
1898, S. 204/306); aber wir sehen auch ein ängstlich abergläubisches Achten auf
Träume im späteren Judentume, das den urchristlichen Berichten ganz fremd ist, vgl.
Josephus Antiquit. 17,6. 4: Ὁ Ματθίας ἱερωμένος ἐν νυκτὶ τῇ φερούσῃ εἰς
ἡμέραν ἢ ἡ νηστεία ἐνίστατο, ἔδοξεν ἐν ὀνείρατι ὡμιλῆσαι γυναικὶ
καὶ διὰ τόδε οὐ δυναμένου ἱερουργεῖν, Ἰώσηπος συνιεράσατο αὐτῷ
κτλ.; vgl. auch Josephus, de bell. iud. 3,8,3.

[28] Aus einem kleinen Umstande kann man vielleicht am besten ermessen, was
es bedeutet, daß das Urchristentum der apostolischen Zeit so wenig mit Prodigien,
Vogelflug und deren Ausdeutung zu tun hat, während es doch in einer Welt

Es läßt sich von da aus ein auch religionsgeschichtlich sehr wichtiger Gesichtspunkt gewinnen. Diese engere Fassung der Anschauung des Wunderhaften ist zweifellos gegenüber der Spätantike ein fundamentaler Fortschritt. Gegenüber dem bis ins Kindische ausartenden Aberglauben, in dem man wie Kaiser Augustus es als eine böse Vorbedeutung ansah, wenn man ihm am Morgen die Schuhe falsch anzog, oder als eine gute für eine Reise, wenn am Morgen starker Tau gefallen war[29], prägt sich in sehr charakteristischer Weise die Ablehnung dieser abergläubischen Elemente darin aus, daß das Neue Testament das gewöhnliche Geschehen des Tages nicht unter den Gesichtspunkt des Wunderhaften stellt. Es ist schwer zu sagen, wieweit die Ablehnung einer für das Heidentum gewöhnlichen Terminologie im Urchristentum *bewußt* vor sich gegangen ist. Wenn Jesus sagt, daß kein Sperling vom Dache fällt ohne den Willen des Vaters[30], so ist das ein Gedanke, der in dem Momente, wo diese Leitung des Sperlings durch die Gottheit als etwas Wunderhaftes aufgefaßt würde, dem ganzen Aberglauben der Spätantike Tor und Tür geöffnet hätte. Solcher Aberglaube ist dem Neuen Testamente völlig fremd, und ich sehe darum in seiner das Wunder auf das außerordentliche Geschehen einschränkenden Teminologie geradezu eine geschichtliche Notwendigkeit. Das *Tun des Menschen* im Ausdeuten des Geschehens wird ausgeschieden, Wunder und Zeichen erscheinen lediglich als *Gabe* einer weltbeherrschenden Macht. Wenn jener Aberglaube in der Christenheit sich später wieder geltend machte, so war jedenfalls im Urchristentum nirgends der Anlaß gegeben, das gewöhnliche Geschehen des Tages abergläubisch auszudeuten; solcher Aberglaube im Christentum ist

stand, für die all das so sehr viel galt. Schon bei einem Mann der zweiten christlichen Generation, dem um 96 n. Chr. schreibenden Clemens von Rom (1. Clem. 25,1 ff.) finden wir die Sage vom Vogel Phönix in einer Weise erzählt, aus der keineswegs eine Mißbilligung dieses heidnischen Wunderzeichens und seiner Ausdeutung hervorgeht. Vielmehr meint Clemens von Rom ganz harmlos, daß tatsächlich Gott durch den Vogel Phönix dem Menschen seine erhabenen Verheißungen zeige. Das ist doch im Grunde gar nichts anderes, als was der heidnische Philosoph Celsus bei Origenes, contra Celsum 4,88 von den Vögeln sagt, die die Zukunft deuten und durch die Gott uns im voraus Dinge erkennen läßt.

[29] Sueton, Augustus 92.
[30] Matth. 10,29; Luk. 12,6.

nur zu verstehen als Nachwirkung der außerchristlichen Antike. Andererseits ist aber nun mit Lebhaftigkeit zu betonen, daß diese Einschränkung
des Wunders auf das ungewöhnliche Geschehen, wie wir sie im Neuen
Testamente finden, durchaus nicht mit dem gegenwärtigen Begriff von
Wunder in weiten Kreisen unserer gegenwärtigen Theologie übereinstimmt. Die Fassung des Wunderbegriffes in der Weise, daß man ganz
allgemein unter ihm das gesamte Heilswirken Gottes versteht, ist dem
Neuen Testament durchaus fremd. Ein Beispiel: Es läßt sich nirgends erkennen, daß die Urchristenheit die Predigt Jesu als ein Wunder betrachtete. Gewiß gerät die Menge außer sich über die Gewalt von Jesu
Predigt[31], aber von etwas Wunderhaftem ist nicht die Rede. Man könnte
vielleicht für die gegenteilige Ansicht eine Stelle des Matthäusevangeliums ins Feld führen. Nach der Austreibung der Wechsler und Verkäufer
aus dem Tempel heißt es: „Und es kamen zu ihm Blinde und Lahme im
Tempel und er heilte sie. Da aber die Hohenpriester und Schriftgelehrten
die wunderbaren Taten, die er vollbrachte, sahen und wie die Kinder im
Tempel schrieen: ‚Hosianna dem Sohne Davids‘, wurden sie unwillig."
τὰ θαυμάσια, ἃ ἐποίησεν[32]. Manche Exegeten[33] meinen nun, daß
diese θαυμάσια sich nicht nur beziehen auf diese Heilungen, sondern
auch auf die Reinigung des Tempels, indem sie dann aber den Begriff der
θαυμάσια gewöhnlich etwas abschwächen zu „verwunderlichen" Taten. Es ist zu beachten, daß die synoptischen Parallelstellen[34] bei der
Tempelreinigung keineswegs von einem Wunder reden oder auch nur die
Auffassung als Wunder andeuten; nur Matthäus berichtet von den Wunderheilungen an Blinden und Lahmen nach der Tempelaustreibung und
nur bei ihm wird infolgedessen von dem Wunder geredet. Es will auch
beachtet sein, daß wir hier die einzige neutestamentliche Stelle vor uns

---

[31] Matth. 7,28/9; Mark. 11,18 πᾶς γὰρ ὁ ὄχλος ἐξεπλήσσετο ἐπὶ τῇ
διδαχῇ αὐτοῦ.

[32] Matth. 21,12/7.

[33] Vgl. C. F. Keil, Kommentar über das Evangelium des Matthäus, 1877,
S. 419f. „Τὰ θαυμάσια, die wunderbaren staunenswerten Dinge sind nicht
bloß die Heilungen der Blinden und Lahmen, sondern auch das kühne Auftreten
Jesu gegen die Entheiligung des Tempels." — R. Kübel, Exegetisch-homiletisches
Handbuch zum Evangelium des Matthäus 1889, „θαυμάσια verwunderliche
Handlungen, die Tempelreinigung und die Wundertaten".

[34] Mark. 11,18; Luk. 19,47.

haben, in der das Wort ϑαυμάσιον vorkommt, nicht im Sinne Jesu oder
des Evangelisten, sondern aus den Gedanken seiner Gegner heraus, welche mit diesem in der griechischen und jüdischen Welt weithin verbreiteten Ausdruck für das „Wunder" die wunderbaren Heilungen Jesu auf
eine Linie stellen wollen mit den ϑαύματα der antiken Welt[35]. Gewiß
liegt es besonders nach der Parallelstelle im Markusevangelium (11,18)
nahe anzunehmen, daß der eigentliche tiefere Grund des Unwillens der
Pharisäer gerade in der Tempelreinigung liegt, obwohl davon Matthäus
direkt nichts sagt. Matthäus will sagen, daß die Pharisäer unwillig sind,
daß der Mann, der mit unwiderleglicher Berufung auf das Alte Testament den Tempel reinigt, nun durch wunderbare Zeichen und den
Jubelruf der Kinder seine göttliche Sendung dokumentiert. Es ist danach
klar, daß der Ausdruck „Wunder" sich hier nicht auf ein natürliches
Handeln Jesu bezieht.

Man könnte ja nun noch auf die bekannte Stelle des Lukasevangeliums
11,29—30 exemplifizieren. Schon nach Luk. 11,16 wird ein σημεῖον ἐξ
οὐρανοῦ, also deutlich ein Wunderzeichen gefordert; nun kommt Jesus
in Vers 29 auf dieses Begehren eines Wunderzeichens zurück und sagt,
daß kein Wunderzeichen diesem bösen Geschlechte gegeben wird, „εἰ
μὴ τὸ σημεῖον τοῦ 'Ιωνᾶ. Denn wie Jonas den Niniviten ein Zeichen
war, so wird auch der Sohn des Menschen diesem Geschlechte ein Zeichen sein." Die enge Beziehung dieser Stelle zu Matth. 12,39 und 16,4
ist ja bekannt und es scheint mir sicher, daß Matthäus unter dem Jonaszeichen das Walfisch-Wunder in seiner Beziehung zur Auferstehung Jesu

---

[35] Auch der Ausdruck ϑαῦμα findet sich niemals für die neutestamentlichen
Wunder; erst fast 100 Jahre nach der Niederschrift der Evangelien finden wir diesen als Bezeichnung des heidnischen Wunders allgemeingebräuchlichen Ausdruck
für ein Wunder des Christentums angewendet im ›Martyrium Polycarpi‹ 15,1
(Gebhardt, Harnack u. Zahn, patres apost., ed. min., ²1894, S. 125; 2. Kor.
11,14 und Apoc. 17,6 steht das Wort in anderem Sinne!). Der Ausdruck
ϑαυμάσια findet sich zum ersten Male im Munde eines Christen im Hirten des
Hermas, visio 4,1,3 (Gebhardt, Harnack u. Zahn, a. a. O., S. 144) als Ausdruck
für die wunderbaren Geschichten, die vorher erzählt sind. ϑαυμαστός ergänzt
einmal den spezifischen Wunderausdruck σημεῖον in Apok. 15,3 als „μεγάλα
καὶ ϑαυμαστα τὰ ἔργα σου" ein alttestamentliches Zitat darstellt. Zu der
eigentümlichen Verwendung von ϑαυμαστός in Joh. 9,30 vgl. Zahn, Johannes
⁴1912, S. 442.

versteht. Nun meinen viele Exegeten, daß Lukas im Gegensatz dazu unter dem Jonaszeichen die Predigt des Jonas an die Niniviten versteht, so daß also das σημεῖον, das dem Volk gegeben wird, die Predigt Jesu sein würde. Das Futurum δοϑήσεται macht m. E. diese Deutung unmöglich und auch hier ist darum an die Auferstehung Jesu zu denken. Aber wie man auch exegisieren will, als „Wunder" wird in keinem Falle die Predigt Jesu hier gewertet[36].

Weiter kann man sich auch darauf nicht stützen, daß σημεῖον im Neuen Testamente ein sehr weiter und mannigfach schillernder Begriff ist, so daß nicht bloß Wunderzeichen darunter verstanden werden, sondern auch besondere Kennzeichen von Autorität und Kraft. Bezeichnend für diesen Gebrauch des Neuen Testaments scheint mir besonders 2. Kor. 12,12 zu sein: „Die Apostelkennzeichen sind unter euch verwirklicht in aller Geduld, in Zeichen, Wundern und Kräften."[37] Sehr bezeichnend ist auch, wie Jesus nach Matth. 16,1—4 den Begriff der σημεῖα über das Verständnis der Pharisäer und Sadduzäer, die darunter Naturwunder am Himmel verstehen, erweitert durch den Hinweis, daß schon genug Zeichen der Zeit vorhanden seien, man müsse sie nur verstehen. Ähnlich liegen die Dinge hinsichtlich des Ausdrucks ἔργα. Wir werden sehen, daß es gewiß sehr bedeutsam ist, daß das Neue Testament Ausdrücke hat, in denen die Wunder mit andersartigen Wirkungen Gottes oder Jesu zusammengefaßt werden, aber diese Erkenntnis darf die Tatsache nicht verwischen, daß das Neue Testament ganz genau zwischen wunderhaftem und nicht wunderhaftem Wirken Gottes unterscheidet[38].

---

[36] Auch solche, die wie G. Naumann die Deutung des Jonaszeichens auf die Auferstehung ablehnen, fassen ja σημεῖον hier nicht als Wunderzeichen, sondern als Kennzeichen, Erkennungszeichen, so daß Jesus als im Wortspiel redend gedacht wird. Vgl. G. Naumann, a. a. O., S. 22 f.

[37] „Τὰ μὲν σημεῖα τοῦ ἀποστόλου κατειργάσϑη ἐν ὑμῖν ἐν πάσῃ ὑπομονῇ, σημείοις τε καὶ τέρασιν καὶ δυνάμεσιν", vgl. Bachmann, 2. Korintherbrief 1909, S. 398.

[38] Gelegentlich kann man wohl über die Bedeutung von σημεῖον zweifelhaft sein, so besonders bei Luk. 2,34, wo Jesus selbst als σημεῖον ἀντιλεγόμενον bezeichnet wird, wo Hofmann, Lukas, Nördlingen 1878, S. 64 von einem „Wunder von Gott, das in seiner Person gegeben ist" und Hahn, Das Evangelium des Lukas 1892, I, S. 215 von einem „Zeichen göttlicher Wirksamkeit, etwas von Gott gewirktes, wunderbares", das Glauben wecken soll, sprechen. Daß Wunder wie

Diese scharfe Scheidung zwischen dem Wunderhaften und dem nicht Wunderhaften tritt ganz besonders im Johannesevangelium hervor an der Stelle, wo von Johannes dem Täufer gesagt wird, daß er „keine Zeichen getan hat[39]", wo also offenbar die doch gewiß machtvolle Predigt des Johannes nicht subsumiert wird unter die σημεῖα, sondern geradezu scharf von ihnen geschieden. Daher ist es auch nicht möglich, gerade aus dem Johannesevangelium ein Argument zu gewinnen für die Betrach-

Jesu Heiltaten bei den Synoptikern nie σημεῖα genannt werden, meint B. Weiß, D. Matthäusevangelium [7]1898, S. 242f.; Weiß erklärt infolgedessen auch das von den Schriftgelehrten und Pharisäern in Matth. 12,38 erbetene σημεῖον als „sinnenfälliges Zeichen seiner Messianität". Aber diese Beobachtung ist doch wohl dahin zu ergänzen, daß die Synoptiker σημεῖον für Wundertaten Jesu im Gegensatze zu Johannes nur dann niemals gebrauchen, wenn sie selbst von ihnen erzählen. Hier in Matth. 12,38 und in 16,1 legen sie das Wort den Schriftgelehrten in den Mund und lassen dann Jesus an beiden Stellen den Ausdruck wieder verändernd und vertiefend gebrauchen. Es sei auch verwiesen auf Luk. 11,16: Dämonenaustreibungen hat das Volk eben gesehen, aber es fordert noch etwas weiteres, ein σημεῖον ἐξ οὐρανοῦ zur Beweisung, daß es sich hier in den Dämonenaustreibungen nicht um die Gewalt des Teufels, sondern die Gottes handelt; es ist zu denken an eine übernatürliche Erklärung vom Himmel für Jesus, wie etwa bei der Taufe. Auch Luk. 21,11 καὶ ἀπ᾽οὐρανοῦ σημεῖα μεγάλα ἔσται weist natürlich auf außergewöhnliche Zeichen vom Himmel, also eben auf Wunderzeichen im Sinne des Neuen Testamentes hin; vgl. Luk. 21,25; Act. 2,19; Apoc. 12,1. 3; 15,1; Mark. 8,11ff.; 16,17f. (σημεῖα sind Teufelaustreibungen, Zungenreden, Schlangenvertreiben, Trinken von Tötlichem ohne Schaden, Krankenheilungen, lauter außergewöhnliche Geschehnisse, Wunder im Sinne des Alten Testamentes!); Luk. 23,8 (während es bei allen diesen synoptischen Stellen nicht überall berechtigt ist σημεῖον einfach mit Wunder zu übersetzen, so ist hier σημεῖον im Sinne und Gedanken des Herodes einfach gleich „Wunder"). Besonders interessant ist der Ausdruck σημεῖον im Johannesevangelium; von einem merkwürdigem Wissen hat Jesus schon Kunde gegeben (in Joh. 1,48), aber erst das Wunder bei der Hochzeit zu Kana wird als erstes Wunder Jesu bezeichnet (vgl. 4,54; 6, 2. 14. 26); Johannes der Täufer nach Joh. 10,41: σημεῖον οὐδὲν ἐποίησεν; also die Predigt des Johannes ist kein σημεῖον, trotzdem sie auf Jesus hinwies, σημεῖον hier einfach „Wunder". Vgl. Act. 2,22,43; 8,6/7 (σημεῖα sind Dämonenaustreibungen, Heilungen von Gichtbrüchigen und Lahmen). Zu σημεῖον vgl. besonders Zahn, Johannes, [4]1912, S. 159/61 und Matthäus 470, besonders Anm. 2.

[39] Joh. 10,41: „καὶ ἔλεγον ὅτι Ἰωάνης μὲν σημεῖον ἐποῖησεν οὐδέν, πάντα δὲ ὅσα εἶπεν Ἰωάνης περὶ τούτου ἀληθῆ ἦν."

tung der im Rahmen des Gewöhnlichen liegenden geistigen Wirkungen
Gottes oder Jesu unter dem Gesichtspunkte des spezifisch Wunderhaften. Wenn Jesus im Johannesevangelium dem Nathanael, der das wunderbare Wissen Jesu erfahren hat, sagt, daß er noch „Größeres" sehen
werde[40], so dokumentiert sich ja eben dieses Größere in dem Auf- und
Absteigen der Engel auf des Menschen Sohn und in den in ihrer Kraft
vollzogenen Wundern, deren erstes Johannes nun sofort erzählt. Man
würde also hier durchaus im Sinne des Evangelisten das „Größere" wiedergeben können mit „größeren noch wunderbareren Taten" und doch
für das Johannesevangelium bei jenem engeren Wunderbegriffe stehen
bleiben müssen. Auch in jener zweiten Stelle des Johannesevangeliums,
wo es heißt: „Und er wird ihm noch größere Werke zeigen, damit ihr
staunen werdet[41]" werden die größeren Werke sofort näher bestimmt als
Totenerweckungen nach seinem eigenen Willen. Wenn aber endlich
Jesus im Johannesevangelium sagt, daß der, der an ihn glaubt, noch größere Werke tun wird, als er selbst getan hat, gerade nach Jesu Hingang[42],
so handelt es sich bei diesen kleineren und größeren Werken auch nicht
um den Gegensatz von wunderbaren ungewöhnlichen Taten zu ungewöhnlichen geistigen Wirkungen, sondern um die Fortsetzung der gesamten Wirksamkeit Jesu in weiterem Rahmen und größerem Umfange.
So bleibt gerade das Johannesevangelium ein Zeichen für jene enge Fassung des Begriffs des Wunderhaften im Urchristentum.

Wenn wir die sämtlichen Synonyma für „Wunder", die sich im Neuen
Testamente finden, durchgehen[43] und ihre Anwendung verfolgen, so

---

[40] Joh. 1,51. Vgl. zu der Stelle besonders Zahn, Johannes [4]1912, S. 141f.

[41] Joh. 5,20f. Vgl. Zahn, a.a.O., S. 293ff.

[42] Joh. 14,12, vgl. Zahn, ib., S. 558.

[43] Vgl. dazu R. Ch. Trench, Synonyma des Neuen Testamentes, deutsch
v. Werner, 1907, S. 218/23, § 59 (im engl. Original § 91). Trench faßt als Synonyma: Τέρας, σημεῖον, δύναμις, μεγαλεῖον, ἔνδοξον, παράδοξον,
θαυμάσιον. Man könnte etwa noch ἔργον hinzuziehen, wie es etwa Joh. 15,24
gebraucht wird; doch ist ἔργον sowohl in Matth. 11,2 wie im Johannesevangelium (5,20.36; 7,3; 10,37f.; 14,11f.) kein *spezifischer* Ausdruck für Wunder,
sondern wie etwa Joh. 14,10ff. ein allgemeiner Ausdruck für die von Jesus aus-
gehenden Wirkungen, unter denen dann natürlich die eigentlichen Wunder als
besondere Klasse stehen. Wenn also die Predigt Jesu als ἔργον bezeichnet wird,
so tritt sie damit noch keineswegs unter den Gesichtspunkt des Wunders.

ergibt sich folgendes: Es ist zwar eigentümlich und für die neutestamentliche Wunderauffassung höchst bezeichnend, daß die enge Anlehnung an
den antiken Sprachgebrauch hinsichtlich des Wunders vermieden wird,
daß das Wunder nie ϑαῦμα genannt wird, daß τέρατα stets verbunden
wird mit σημεῖα bzw. auch mit σημεῖα καὶ δυνάμεις[44], daß stets

---

[44] σημεῖα καὶ τέρατα oder τέρατα καὶ σημεῖα (eine bei den LXX, Pro-
fangräcität usw. [auch bei Philo, vita Mosis, I, § 95, ed. Cohn] häufige Verbindung) in Matth. 24,24 und Mark. 13,22 (Zitat!); Joh. 4,48; Act. 2,19 (Zitat!),
22,43; 4,30; 5,12; 6,8; 7,36; (Zitat!); 14,3; 15,12; Röm. 15,19; 2. Kor. 12,12;
2. Thess. 2,9; Ebr. 2,4. Es ist eigentümlich, daß im Gegensatz zu dem häufigen
Gebrauche des Wortes τέρας, in welchem wesentlich nur der Gesichtspunkt des
Wunders als staunenerregender Tat in Betracht kommt, in der Apostelgeschichte,
in den Evangelien abgesehen von den Zitaten τέρας nur einmal auftritt, da aber,
wo Jesus den Wunderglauben der Juden tadelt!! Vgl. dazu E. Schwartz, Nachr. d.
Gött. Gesellsch. d. Wiss., 1908, S. 511 Anm. 2, der aber versäumt anzumerken,
daß Joh. 4,48 Jesus die beiden Ausdrücke anwendet, indem er die Wundersucht
tadelt! Über den Unterschied von σημεῖον und τέρας vgl. noch immer Fritzsche, zu Röm. 15,19, Fritzsche, Epistula ad Rom., Tom. III, p. 270f. Anm. Ein
prinzipieller Unterschied zwischen σημεῖον und τέρας, in der Weise, daß
τέρας geschehe παρὰ φύσιν, σημεῖον aber παρὰ συνήϑειαν (so Ammo-
nius, de differentia affinium vocabulorum 135 und ähnlich Theophylactus [12.
Jahrh.] zu Röm. 15,19) besteht im Neuen Testament tatsächlich nicht; Theophy-
lact sieht in diesem Sinne die Heilung des Fiebers der Schwiegermutter des Petrus
(Matth. 8,15) als σημεῖον κατὰ φύσιν, also im Rahmen des Naturgeschehens
an, die Heilung des Blindgeborenen (Joh. 9,7) als τέρας μὴ κατὰ φύσιν, also
als der Naturordnung widersprechendes Wunder an. Aber das Wunder von Joh.
9,7 wird ja Joh. 9,16 ein σημεῖον genannt!! Auch dem vorneutestamentlichen
Griechisch ist diese Unterscheidung fremd. Bei dieser Unterscheidung handelt es
sich um eine Eintragung des oben als nicht neutestamentlich abgewiesenen Wunderbegriffs, als einer Durchbrechung des Naturzusammenhanges in das Neue
Testament. Eher wird man die Dinge so fassen können: σημεῖον ist gegenüber
τέρας der weitere Begriff, jedes τέρας ist ein σημεῖον, aber nicht ohne weiteres
umgekehrt. τέρας und σημεῖον schließen sich nicht aus als verschiedene Arten
von Wunder, sondern τέρας ist das Wunder als einzelnes Staunen erregendes Ereignis, σημεῖον bezeichnet dasselbe Ereignis hinsichtlich seiner ethisch-religiösen
Qualität; wir begreifen nun sofort, warum für christliche Wunder nie τέρας
allein steht!! Charakteristisch ist es aber auch wieder, daß das Johev. wie gesagt nur
einmal τέρας neben σημεῖον braucht nämlich Joh. 4,48, wo Jesus die Wundersucht abweist: „ἐὰν μὴ σημεῖα καὶ τέρατα ἴδητε, οὐ μὴ πιστεύητε",

nicht das Wunder als solches betont wird, sondern stets die göttliche oder eventuell widergöttliche Kraft, die sich in ihm offenbart, daß also das Wunder immer religiös betrachtet wird, aber trotzdem bleibt in aller Schärfe bestehen, daß im Neuen Testament das gewöhnliche Geschehen, das wohl alle Tage geschehen könnte, auch dann, wenn es religiös als Wirkung Gottes gewertet wird, niemals mit einem der spezifischen Ausdrücke für Wunder bezeichnet wird, daß zwar auch das gewöhnliche Geschehen des Tags als Kennzeichen göttlicher Macht gewertet werden kann und soll, daß aber das ungewöhnliche Geschehen in ganz besonderer Weise und in einem eigenartigen Maße zum Kennzeichen göttlichen oder teuflischen Waltens wird. Es ist m. E. daher auch ganz entschieden die Ansicht abzulehnen, daß etwa nach neutestamentlicher Anschauung Jesu Kreuz und Tod ein Wunder sei; sie sind zweifellos Gottes Tat, ja direkt „Jesu Tat"[45], aber sie als Wunder zu bezeichnen, ist ein Gedanke, der nicht unrichtig sein mag, aber nicht neutestamentlich. Es ergibt sich: *das Neue Testament schränkt das Wunder ein auf jenes ungewöhnliche Geschehen, während die Antike gelegentlich auch in dem für unsere Auffassung gewöhnlichen Geschehen ein Wunderzeichen sieht*[46].

ein kleiner Hinweis auf echteste Tradition! Übrigens ist zu bemerken, daß einige gebräuchliche Unterscheidungen von Klassen von Wundern für die neutestamentliche Begriffswelt absolut nicht in Betracht kommen; schon aus dem Gesagten geht hervor, daß das Neue Testament keinen Unterschied kennt zwischen möglichen und eigentlich unmöglichen Wundern, etwa Krankenheilungen einerseits und Totenerweckungen andererseits; auch hier können die Unterschiede für das Neue Testament nur liegen in der größeren Eindrücklichkeit der Ungewöhnlichkeit des Ereignisses. Ferner die Ausscheidung der „Naturwunder" von den anderen Wundern entspricht durchaus nicht der neutestamentlichen Auffassung und Terminologie; der Gegensatz von geistigen und Naturwundern ist nicht neutestamentlich; auch diese naheliegende Unterscheidung faßt das Neue Testament religiös in der Betonung des Unterschiedes zwischen dem Schauwunder und dem Glaubenswunder. Über „Wunder und Zeichen" vgl. Holtzmann, [2]II, 1911, S. 496/501.

[45] Das hat J. Kögel trefflich ausgeführt in seiner Schrift: Jesu Kreuz, Jesu Tat, Leipzig 1908. — ὁ λόγος τοῦ σταυροῦ heißt gewiß 1. Kor. 1,18 eine δύναμις θεοῦ, aber das hat mit dem Wunder speziell nichts zu tun.

[46] Für die erweiterte Fassung des Wunderbegriffs, die wir bereits in der alten Kirche bei Origenes fanden, vgl. oben Anm. 11 und dann besonders zu Augustin, Hunzinger, Das Wunder, passim.

V

Wir haben bisher von der Auffassung des „Wunders" im Neuen Testament noch nicht das Tiefste ausgesagt, sondern mehr die Peripherie des Begriffes umschrieben und in Beziehung zur antiken Wunderauffassung gesetzt. Wenden wir uns aber nun der inneren Erfassung des Wunders in der Urchristenheit zu, so wird die Frage brennend, ob der innere Gehalt der urchristlichen Wunderanschauung sich mit dem der antiken Wunderanschauung deckt.

Die Wunder sind ein Teil des Wirkens Gottes, natürlich nur soweit sie von den Dienern Gottes, von Jesus dem Gottgesandten, den Aposteln als den Beauftragten Jesu oder von anderen wenigstens im Namen Jesu getan werden[47], aber — und das scheint mir nun ebenso sicher wie wichtig — nicht ein Teil des gewöhnlichen Wirkens Gottes, wie es im gewöhnlichen Geschehen des Tags sich allzeit vollzieht, sondern sie gehören zum besonderen *Heilswirken* Gottes. Wenn man es, natürlich der untheologischen Vorstellung des Neuen Testamentes inadäquat im Sinne der späteren Dogmatik ausdrücken würde, so gehört das Wunder nach der Auffassung des Neuen Testaments nicht zum locus de creatione, sondern zum locus de reconciliatione. Diese dogmatische Scheidung steht natürlich nirgends explizite im Neuen Testament, wohl aber kann behauptet werden, daß sie ihrem Inhalte nach überall den Aussagen zugrunde liegt. Im Wunder dokumentiert sich Gott als der, der nicht *Menschen* will wie bei der Schöpfung, nicht ein *Geschehen* lenkt und will wie in der allgemeinen Weltregierung, sondern als der, der das *Heil* der Menschen will. Dabei tritt nun freilich keine Scheidung ein zwischen dem Heil, das den Leibern, und dem, das den Seelen gilt. Es ist in Konsequenz des vorhin Ausgeführten zu behaupten, daß das Neue Testament das „religiöse Wunder" in dem Sinne nicht kennt, daß etwa ein Wunder nur der Seele eines Menschen gilt und vollkommen abgezogen von der körperlichen Welt zustande komme; eine derartige Vorstellung liegt nicht im Rahmen der geist-leiblichen Auffassung des Urchristentums.

Aber andererseits — und das ist von entscheidender Bedeutung — kennt das Neue Testament kein Wunder, das nicht zu diesem Heilswirken Gottes oder dem Unheilswirken des Teufels gehört, das nicht das

---

[47] Vgl. Mark. 9,38/40 und Luk. 9,40/50.

Moment in sich trüge, daß in seinem Geschehen sich die Macht des Reiches Gottes in seinem Gegensatze gegen die Macht des Satans dokumentierte oder zur Verwirklichung in der Welt komme. Ich behaupte sogar soviel: Es gibt nach der urchristlichen Auffassung des Neuen Testaments kein Wunder, das sich etwa erschöpft in der Hebung eines Notstandes, in der Herbeiführung eines Glückes wie Gesundheit, Leben usw. Gewiß kann mir bei dieser Behauptung entgegengehalten werden, daß solche Beziehung des Wunders zum Heilswirken Gottes doch nicht überall zum Ausdruck komme. Wenn etwa Matthäus nach der Bergrede mit der Erzählung der Heilung eines Aussätzigen fortfährt, in 8,1—4, so wird jene Beziehung zum Reichgottesgedanken nicht besonders ausgesprochen, aber schon in der nächsten Geschichte von der Heilung des Knechtes des Hauptmanns von Kapernaum kommt die Beziehung des Wunders zum Gedanken des Reiches Gottes in 8,10—12 deutlich zum Ausdruck. Man muß aber vor allem die Struktur des Matthäusevangeliums beachten, das in Kap. 8—9 ein Wunder nach dem anderen erzählt und dann fortfährt: „Und er verkündete das Evangelium vom Reich und heilte alle Krankheiten und Gebrechen." Wie sehr beides nach der Auffassung des Matthäus für Jesus zusammengehört, zeigt sich auch in der nachfolgenden Aussendungsrede an die Jünger (Matth. 10,8): „Auf eurem Gange aber verkündiget: Das Reich der Himmel ist herbeigekommen. Kranke heilet, Tote wecket auf, Aussätzige reinigt, treibt Dämonen aus." An die Antwort Jesu auf die Botschaft des Johannes in Matth. 11,4—5 sei nur erinnert.

Mancher wird mir als Beweis gegen meine Behauptung etwa ein Wunder wie die Verdorrung des Feigenbaumes auf Jesu Verfluchung hin[48] entgegenhalten mit der Bemerkung, daß es sich hier um ein reines Naturwunder unter Fehlen der religiösen Momente handle. Es kommt natürlich hier alles auf die Exegese an, aber man befindet sich nicht in Einheit mit der Erzählung des Evangelisten, wenn man meint, Jesus lasse einfach übernatürliche Kräfte spielen zum Verderben des Feigenbaums. Einesteils ist im Hinblick auf Luk. 13,6—9 schwer zu verkennen, daß die

---

[48] Vgl. dazu Mark. 11,12/4 u. 11,20/6 und Matth. 21,18/22; Luk. 13,6/9; vgl. Wohlenberg, Markusevangelium zu den Stellen und Zahn, Matth. ³1910, S. 623: „Nur weil das, was er an diesem Baum erlebt, sich ihm sofort als Sinnbild dessen darstellt, was er in diesen Tagen an Jerusalem zu erleben erwartet, spricht Jesus das Wort aus, welches sich an Jerusalem erfüllen sollte, wie es an dem unfruchtbaren Feigenbaum alsbald durch dessen Verdorren sich erfüllte."

Handlung Jesu am Feigenbaum symbolische Bedeutung hat, hinsichtlich
der Stellung der Menschen zum Reiche Gottes und, wenn man das nicht
anerkennen will, so bleibt doch unbedingt sicher, daß das Ziel der Handlung Jesu schließlich liegt in der Aufweisung der Kraft bergeversetzenden
Glaubens[49], denn Glaube und Wunder sind für Jesus Korrelate.

Genauso steht es mit der Anschauung von den durch die Apostel verrichteten Wundern in der apostolischen Zeit. Es sei erinnert an die Heilung des Lahmen an der schönen Pforte des Tempels in Apostelgeschichte
3,1 ff., wo Petrus in seiner darauffolgenden Rede (Vers 12 ff.) ausdrücklich die Beziehung des Wunders zu dem Heilswirken Gottes in Jesus als
dem Anführer des Lebens hervorhebt.

Diese Verbundenheit des Wunders mit dem religiösen Erleben ist
selbst bei Wundererzählungen deutlich zu spüren, deren Objekt für uns
etwas besonders Seltsames hat. In der Apostelgeschichte (5,12—16) wird
erzählt, wie man die Kranken auf Bahren auf die Gassen hinaustrug, damit, wenn Petrus käme, vielleicht sein Schatten auf einen von ihnen fiele,
und Lukas erzählt das ohne eine Mißbilligung dieses Verfahrens, wenn
auch, abgesehen von cod. D., nicht direkt von einem Heilerfolg bei *diesen*
Kranken von ihm gesprochen wird. Und an einer anderen Stelle der Apostelgeschichte (19,11—12) wird berichtet, daß Gott durch Pauli Hände
ungewöhnliche Wundertaten verrichtete, so daß man auch von seinem
Leibe weg Schweißtücher oder Schurze den Kranken auflegte und die
Krankheit dann von ihnen wich und die bösen Geister ausfuhren. Gewiß,
ein solches Verfahren erscheint uns ebenso sonderbar, wie dem Erzähler
solche Wunder als ganz besonders ungewöhnlich erschienen[50], aber trotzdem kann man nicht sagen, daß hier ein Wunderbegriff vorliegt, welcher
das bloß Mirakelhafte so hervortreten läßt, daß eine Verbindung mit dem
Heilswirken Gottes nicht mehr vorhanden ist. Wieweit das bloß Mirakelhafte bei denen, die sich zu Petrus und Paulus drängten oder ihm ihre
Kranken brachten, im heidnischen Sinne vorhanden war, das läßt sich
nicht ausmachen. Darüber aber läßt Lukas gar keinen Zweifel, daß für
ihn bei der Erzählung dieser sonderbaren Ereignisse die Quintessenz derselben ist, daß Gott solche Taten gewirkt hat und daß der Name Jesu

---

[49] Vgl. Matth. 21,21 f. und Mark. 11,22/4; vgl. auch Luk. 17,6.
[50] Act. 19,11 Δυνάμεις τε οὐ τ ὰ ς τυχούσας ὁ θεὸς ἐποίει δια τών
χειρῶν Παύλου.

hochgerühmt wurde und viele zum Glauben kamen. Es ist ja auch höchst charakteristisch, zu sehen, wie scharf Lukas in einer gleich auf jene Geschichte mit den Schweißtüchern folgenden Geschichte von Besessenen[51] einen Unterschied macht zwischen Exorzisten, die „im Namen Jesu, den Paulus predigt", Geister austreiben wollen ohne zu glauben an Jesus und die Kraft Gottes, die Paulus beseelt hat, als er im Glauben an Jesus die Geister austrieb. So kann man doch auch bei diesen eigentümlichen Erzählungen nicht sagen, daß hier ein Wunderbegriff bei dem Erzähler vorliegt, der sich vollkommen erschöpft in der Beschreibung wunderbarer Machtbetätigung zu Glück oder Unglück des Menschen, sondern daß auch hier das Wunder erscheint als ein Element des Heils- und Offenbarungswerkes Gottes und als solches von dem Erzähler wiedergegeben wird.

Es wäre nun freilich nicht richtig, wenn man behaupten wollte, daß für die urchristliche Auffassung das Wunder insofern mit dem religiösen Erleben verbunden sei, als es tatsächlich nur wirklich werde bei denen, in welchen sich damit ein religiöses Erleben verknüpft. Es entspricht m. E. nicht der Auffassung des Neuen Testamentes, wenn man sagt, daß von den zehn Aussätzigen nur einer das Wunder erlebt habe, während die anderen bloß geheilt wurden. Mit solcher Behauptung führt man eine moderne, dem Neuen Testamente ganz fremde Wunder-Terminologie in das Neue Testament ein. Lukas erzählt die Geschichte, ohne sie direkt Wunder zu nennen, doch als Wunder zur Demonstration des Gegensatzes von Dankbarkeit und Undankbarkeit. Man kann auch nicht sagen, daß Jesu Wort an den einen dankbaren Aussätzigen: „Dein Glaube hat dir geholfen[52]" eben zeige, daß nur ihm Jesus im höchsten Sinne des Wunders geholfen habe; von einem Unglauben der neun ist absolut nicht die Rede, sondern von ihrer *Undankbarkeit*. Das Wunder haben nach der Auffassung des Neuen Testaments alle gleich erlebt, die religiös-sittliche Wirkung nur einer.

Es dürfte auch das nicht richtig sein, daß nach der Auffassung des Neuen Testaments der Vollzug des Wunders immer den Glauben derer voraussetze, vor deren Augen es vollzogen wird, denn viele Ungläubige und viele Zweifelnde sehen die Wunder. Andererseits ist es doch neutesta-

---

[51] Act. 19,13—20.
[52] Luk. 17,19.

mentliche Auffassung, daß als Korrelat des Vollzuges des Wunders der Glaube an Gottes Wunderkraft in Jesus vorausgesetzt wird, so daß es gelegentlich heißt, daß Jesus kein Wunder tun kann wegen des Unglaubens der Menge[53], während Jesus heilt, sobald er den Glauben des zu Heilenden oder der für den zu Heilenden eintretenden Menschen sieht[54]. Andererseits wieder wird der Auftrag Jesu an die Jünger, Wunder der Heilung zu tun, nicht verbunden mit der einschränkenden Bedingung, erst Glauben zu fordern. Es wird gerade hier wie etwa in Matth. 10,1 das Objektive lebendig, daß sie die volle *Macht* bekommen über die unreinen Geister und zur Krankenheilung.

Danach wird der Satz wohlberechtigt sein, daß *der innere Gehalt der urchristlichen Wunderanschauung dahin zu bestimmen ist, daß in ihm die lebendige Tendenz vorhanden ist zur Hervorhebung des absoluten Verbundenseins des Wunders mit dem religiösen Erleben und der Einordnung des einzelnen wunderbaren Ereignisses in das gesamte Heilswirken Gottes.*

VI

Wir haben die Darstellung der Antwort auf die Frage, was die älteste Christenheit unter „Wunder" verstand, gleichsam auf eine Fläche aufgetragen. Nun haben wir schon gesehen, daß gewisse Nuancen in der Wunderterminologie bei den neutestamentlichen Schriftstellern vorhanden sind — denken wird besonders an Johannes — aber man kann doch nicht sagen, daß ein verschiedenes Verständnis dessen, was man unter „Wunder" verstehen will, in der ältesten Christenheit vorliegt. Gewiß umgab die junge Christenheit eine Welt, in der die innere Bezogenheit des Wunders zum Erlösungswirken Gottes ganz zurücktrat hinter dem frappierenden Kraftwirken des göttlichen Faktors, und es mag genug Gefahr vorhanden gewesen sein, daß in der ersten Christenheit dieser Gedanke jenen verdrängte und so die ganze Tiefe des urchristlichen Wunderbegriffes nicht immer vorhanden war, aber trotzdem kann man das Wunderverständnis des Urchristentums als eine durchaus einheitliche Anschauung betrachten. Es könnte aber trotzdem die Frage entstehen, ob es richtig

---

[53] Vgl. Mark. 6,5; Matth. 13,58.
[54] Matth. 8,2.13; 9,2; 22,28f. u. a. St.

war, die urchristliche Wunderanschauung gleichsam auf eine Fläche auf-
zutragen, ob wir da nicht bloß die Wunderauffassung zur Zeit der Niederschrift der Evangelien und der Apostelgeschichte, also etwa in der Zeit
60—100 wiedergegeben haben. Hat Jesus selbst die hier skizzierte Wunderanschauung gehabt? Wir befinden uns zur Beantwortung dieser Frage
eigentlich in der Notwendigkeit, das Problem der Geschichtlichkeit der
Wundererzählungen des Neuen Testaments aufzurollen, denn Jesu Auffassung vom Wunder steht natürlich in Beziehung zu der Auffassung der
Frage, ob er selbst Wunder getan hat. Hat er keine getan, hat er gar vielleicht das Wunder prinzipiell abgelehnt, so kann er freilich unter dem
Wunder nicht verstanden haben außergewöhnliche Taten Gottes, die es
mit der Erlösung zu tun haben. Von einer Anschauung aus, die keineswegs die Höhe neutestamentlicher Wunderbetrachtung erreicht, werden
nun jedenfalls die Krankenheilungen als wirklich aufgefaßt. Schon diese
Basis kann aber genügen, daraufhin jene Frage nach Jesu Wunderanschauung zu beantworten. Heinrich Weinel[55] hat sich nun in seiner eben
veröffentlichten › Neutestamentlichen Theologie‹ bis zu dem Satze ver-
stiegen: „das Wunder ist für Jesus trotz jener gelegentlichen Berufungen
darauf wesentlich und endgültig überwunden." Ja, er meint, daß Jesus
die Wunder in ihrer religiösen Minderwertigkeit als teuflisch erkannt
habe. Ich glaube, es sind seit langem in der theologischen Literatur keine
Sätze ausgesprochen worden, die weniger Wahrheit enthalten. Wie kann
man die gelegentliche Ablehnung des Wunders dem Teufel gegenüber
bei der Versuchungsgeschichte, dem Volke und den Pharisäern gegenüber bei dem Hinweis auf das Jonaszeichen und dann in dem Worte Luk.
10,20: „Freuet euch nicht, daß euch die Geister untertan sind, freuet
euch vielmehr, daß eure Namen im Himmel aufgeschrieben sind" ansehen wollen als eine Ablehnung des Wunders überhaupt? Eben hat Jesus
in den letzten Worten gesagt: „Ich habe euch Macht gegeben zu treten
auf Schlangen und Skorpionen"; er erkennt das Wunder unbedingt an
und führt sie von dem Machtbewußtsein über böse Geister zu dem Tieferen und Höheren, das dahinter steht, von Gott angenommen zu sein,
auch hier wieder nichts anderes als die innere Verbundenheit des Wunders mit dem religiösen Leben verkündigend. Auch Paulus sagt 1. Kor.
13,2, daß er nichts sei ohne Liebe, selbst wenn er einen Glauben hätte,

[55] H. Weinel, Biblische Theologie des Neuen Testamentes 1911, S. 147.

der Berge versetzen könnte; heißt das etwa auch, daß Paulus das Wunder überwunden habe? Die Einigung von Glaube und Liebe, das ist für Paulus das Höchste, aber nicht ein Schatten ist in seiner Seele von Zweifel daran, daß Gott durch Jesus und seine Apostel Wunder tue und daß das Wunder ein Zeichen des Kommens des göttlichen Reiches ist. Diese ungeschichtlichen Versuche, einen „modernen" Jesus aus den Evangelien herauszudestillieren, können vom Gesichtspunkte historischer Forschung nicht energisch genug zurückgewiesen werden. Jesus und das Urchristentum sind in ihrer Wunderauffassung als eine völlige Einheit zu begreifen. Auch für Jesus selbst war das Wunder ein außergewöhnliches Machtwirken Gottes oder auch der teuflischen Macht. Aber wir sehen zugleich deutlich aus Jesu Worten über das Wunder und seinem Verhalten beim Wunder, daß er die innere religiöse Seite des Wunders, seine Zugehörigkeit zum gesamten Heilswirken Gottes auf das stärkste hervorgehoben wissen will. Jesus bleibt nicht bloß bei der äußeren Seite des Wunders stehen, sondern führt immer zum Tiefsten und Höchsten beim Wunder. Aber er verliert darüber nie die reale Tatsächlichkeit des Geschehens im Wunder aus den Augen. Das reale Wirken göttlicher Kraft zur Besiegung von Unglück und Sünde, Krankheit und Schuld innerhalb des Rahmens der heilsgeschichtlichen Erlösung ist für ihn ebenso fest und klar, wie das andere, daß das Ziel aller Wunder Gottes letztlich in seinem Erlösungswirken beschlossen liegt. Es ist also festzustellen: *der Anschauung, daß Jesus selbst im Gegensatz zum Urchristentum und der apostolischen Zeit das Wunder prinzipiell überwunden habe, widerspricht der neutestamentliche Quellenbefund.*

VII

Nun wird es möglich sein, als Schlußfazit die Eigentümlichkeit der neutestamentlichen Wunderanschauung abzugrenzen gegenüber allen anderen gleichzeitigen oder modernen Anschauungen.

Die neutestamentliche Wunderanschauung unterscheidet sich von der alttestamentlichen terminologisch, nicht prinzipiell; der Unterschied liegt wesentlich darin, daß im Neuen Testament gegenüber dem Alten Testament ein beschränkterer Kreis bestimmter einzelner Ereignisse unter dem Gesichtspunkte des Wunderhaften betrachtet wird; das Gemeinsame aber liegt darin, daß das Wunderwirken Gottes nicht als eine beson-

dere Sphäre im Geschehen der Welt angesehen und es durchaus eingeordnet wird in das gesamte Heilswirken Gottes.

Ein fundamentaler Unterschied liegt dagegen vor zwischen der neutestamentlichen Wunderanschauung und der Antike, und zwar nach zwei
Seiten, indem 1. in der antik-heidnischen Auffassung des Wunders im
allgemeinen die Tendenz vorhanden ist, es zu fassen als ein gegenüber
dem Weltgeschehen isoliertes Handeln Gottes, wogegen im Neuen
Testament ein von göttlichem Handeln unabhängiges Weltgeschehen nicht
existiert. Der Unterschied liegt also tiefer begründet in dem Zurückblei-
ben der antiken Gottesanschauung hinter der neutestamentlichen. Dann
aber erhebt sich die neutestamentliche Wunderanschauung 2. dadurch
über die antike, daß hier nie bloß das Wunder betrachtet wird unter dem
Gesichtspunkte des Wirksamwerdens göttlicher Kraft im Natur- und Ge-
schichtsverlauf zu Glück und Unglück des Menschen, sondern daß im
Neuen Testament das Wunder immer ein Moment in dem großen Kampfe
um die Religion, um Sünde und Begnadigung ist[56].

Indem sich im Gegensatz zu Luther die vulgäre Theologie in ihrer
Annahme des Wunders sowohl wie die sog. moderne Theologie in ihrer
Ablehnung des Wunders durch die Vermittlung des Thomas von Aquin
an der antik-heidnischen Wunderanschauung orientierten, blieben sie
hinter der Höhe der neutestamentlichen Wunderanschauung zurück und
es gelang nicht die Einheit des Wirkens Gottes im gewöhnlichen und ungewöhnlichen Geschehen religiös zu verstehen.

Wenn man unter „Wunder" heutzutage in weiten Kreisen unserer
Theologie die religiöse Betrachtung des Geschehens in Natur und Geschichte versteht, so steht man prinzipiell auf dem Boden der neutestamentlichen Anschauungswelt. Aber es findet doch insofern ein Unterschied statt zwischen dieser Anschauung und der des Neuen Testaments,
als das Neue Testament das einzelne wunderbare Ereignis als objektive
Tatsache stärker betont und heraushebt aus dem gewöhnlichen Wirken
Gottes und dabei ohne weiteres eine Synthese vornimmt zwischen dem
empirischen Erkennen und dem religiösen Erleben. Viele Menschen der
Gegenwart scheinen sich im allgemeinen weniger *unbefangen* das Verständnis des Wunders zu vermitteln, nicht nur, weil sie historische Kritik

---

[56] Vgl. dazu die Ausführungen von Stange, Das Frömmigkeitsideal der modernen Theologie 1907.

und naturwissenschaftliches Denken kennen — beide sind ja nur notwendige Begleitmomente, nicht im geringsten konstitutiv für die Wunderbetrachtung —, sondern weil es, was doch unbedingt notwendig ist, nur schwer gelingen will, sich jenen Begleitmomenten zum Trotz kühn auf den Boden einer Anschauung zu stellen, die sich lediglich leiten läßt von *religiösen* Motiven bei der Betrachtung des Wunders. Denn das Wunder kann nur verstanden werden in seiner engen Verbindung mit dem *religiösen* Erleben einerseits und dem *Heils*wirken Gottes andererseits. Hierin aber liegt die bleibende Bedeutung des neutestamentlichen Verständnisses des Wunders.

Friedrich Preisigke, Die Gotteskraft der frühchristlichen Zeit (= Schriften des Papyrusinstituts Heidelberg, 6).
Berlin und Leipzig: Vereinigung wissenschaftlicher Verleger Walter de Gruyter & Co. 1922, S.1—40
(200—239).

DIE GOTTESKRAFT
DER FRÜHCHRISTLICHEN ZEIT

Von FRIEDRICH PREISIGKE

In Schrift 1 der hier vorliegenden Schriftenreihe habe ich versucht, das
Wesen der Gotteskraft nach ägyptischer Anschauung in allgemeinen Umrissen darzustellen. Dabei habe ich auch die frühchristliche Zeit berührt.
Ich konnte darauf hinweisen, daß die frühchristliche Anschauung vielfach
mit der Anschauung pharaonischer Zeit sich deckt. Jetzt will ich, in Ergänzung jener Schrift, die frühchristliche Zeit zum Mittelpunkte der Untersuchung machen. Erneut muß ich hierbei vorweg betonen, daß in Ägypten
keinesfalls der alleinige Urquell für die frühchristliche Anschauung zu
suchen ist, wohl aber der Hauptquell. Auch war diejenige Anschauung,
welche ich hier behandeln will, keinesfalls die in jener Zeit *allein* herrschende,
sie ist daher nicht der Schlüssel, welcher alle Geheimnisse aufschließt; aber
sie war die *vorherrschende* Anschauung gerade in den wichtigsten Fragen.

Um gleich an einem praktischen Beispiele das Wesen der frühchristlichen Gotteskraft zu zeigen, beginne ich mit der bekannten Legende
vom blutflüssigen Weibe. Diese Legende steht bei Matthäus 9,20, bei
Markus 5,25 und bei Lukas 8,43. Bei Lukas lautet der Text:

Καὶ γυνὴ οὖσα ἐν ῥύσει αἵματος ἀπὸ ἐτῶν δώδεκα, ἥτις οὐκ
ἴσχυσεν ἀπ' οὐδενὸς θεραπευθῆναι. Προσελθοῦσα ὄπισθεν ἥψατο τοῦ
κρασπέδου τοῦ ἱματίου αὐτοῦ, καὶ παραχρῆμα ἔστη ἡ ῥύσις του
αἵματος αὐτῆς. Καὶ εἶπεν ὁ Ἰησοῦς· τίς ὁ ἁψάμενός μου; Ἀρνουμένων
δὲ πάντων εἶπεν ὁ Πέτρος· ἐπίστατα, οἱ ὄχλοι συνέχουσίν σε καὶ
ἀποθλίβουσιν. Ὁ δὲ Ἰησοῦς εἶπεν· ἥψατό μού τις, ἐγὼ γὰρ ἔγνων
δύναμιν ἐξεληλυθυῖαν ἀπ' ἐμοῦ. Ἰδοῦσα δὲ ἡ γυνή, ὅτι οὐκ ἔλαθεν,
τρέμουσα ἦλθεν καὶ προσπεσοῦσα αὐτῷ, δι' ἣν αἰτίαν ἥψατο αὐτοῦ
ἀπήγγειλεν ἐνώπιον παντὸς τοῦ λαοῦ, καὶ ὡς ἰάθη παραχρῆμα. Ὁ δὲ
εἶπεν αὐτῇ· θυγάτηρ, ἡ πίστις σου σέσωσκέν σε, πορεύου εἰς εἰρήνην.

Das kranke Weib tritt *heimlich von hinten an* Christus heran
(ὄπισθεν haben ausdrücklich alle drei Quellen). Das Weib will also

Christus persönlich gar nicht behelligen; sie hat vielmehr die bestimmte Absicht, so vorzugehen, daß Christus weder von ihrer Handlungsweise noch von der eingetretenen Heilung ihres Leidens etwas erfährt. Sie weiß also, daß die in Christus wohnende Heilkraft und deren Heilwirkung vollständig *unabhängig* ist von der Persönlichkeit Christi. Sodann weiß das Weib, daß es gar nicht nötig ist, den *Körper* Christi zu berühren, um die Heilkraft herauszulocken, daß es vielmehr, und zwar ohne Beeinträchtigung der Heilwirkung, vollständig genügt, sein *Gewand* oder gar nur den *Saum* seines Gewandes zu berühren. Das Weib gehört mit ihrem Denken der breiten Volksmasse an; besondere Geheimwissenschaft besitzt sie nicht. Der Legendenschreiber wendet sich an das breite Volk und gibt die Anschauung des breiten Volkes wieder.

Es heißt weiter, daß die gewünschte Wirkung nicht ausbleibt. Die Heilung tritt sofort ein, und zwar tatsächlich *ohne Zutun* Christi, ganz *ohne sein Wissen und Willen*. Die Heilung ist bereits vollzogen, als Christus sich umwendet, um danach zu forschen, wer es eigentlich sei, der die Heilkraft aus ihm herausgezogen habe. Er kennt also nach vollbrachter Heilung die Person noch nicht, welche durch die ihm innewohnende Kraft geheilt worden ist. Die bereits vollzogene Heilung gewährt ihm nicht mehr die Möglichkeit, die *Würdigkeit* der verlangenden Person zunächst zu prüfen. Christus ist hier grundsätzlich gar nicht Herr über die ihm innewohnende Heilkraft. Diese Kraft verfährt ganz selbständig; sie ist ein *Ding für sich*, in ihrem Sein und Wirken ganz losgelöst vom Willen Christi. Auch die Kraft selber besitzt keinen Eigenwillen, sie wirkt *automatisch*. Sobald die Berührung, allerdings in bestimmter Absicht, erfolgt, *muß* die Gotteskraft überströmen, vergleichbar dem elektrischen Funken, der nach unwandelbarem Naturgesetze bei Berührung mit einem leitenden Körper überspringt.

Christus ist also lediglich der *Träger* der Heilkraft, er ist nur das *Gefäß*, worin die Kraft sich aufhält. Als Ding für sich hat die Gotteskraft zu dem Gefäße eigentlich gar keine innere Beziehung, sonst würde sie nicht selbständig wirken können. Die Beziehung ist nur äußerlicher Art, weil die Kraft *ohne* derartige Sitzgelegenheit nicht bestehen noch wirken kann. Die Gotteskraft gleicht also auch in dieser Hinsicht den Naturkräften: das Licht z. B. kann nicht bestehen noch wirken, wenn nicht feste Körper es auffangen; auch die elektrischen und magnetischen Kräfte bedürfen in der Hand des Menschen eines festen Körpers, an dem sie haften können.

Aber nicht jeglicher Mensch ist Gefäß oder Träger einer Gotteskraft von solcher *Stärke*, wie sie Christus in sich trug, sonst hätte das Weib nicht nötig gehabt, gerade Christus aufzusuchen. Nur *erwählte* Personen können Träger so hochgespannter Kraft sein.

Nicht bloß der Körper Christi ist Träger dieser Heilkraft, sondern auch sein *Mantel,* folglich seine gesamte Kleidung. Die Kraft strömt vom Körper Christi auf seine Kleidung hinüber, infolge unmittelbarer und dauernder *Berührung.* Auch dieses Überströmen geschieht automatisch und ohne Zutun Christi; denn die Annahme, daß Christus seine Kleidung absichtlich mit Kraft angefüllt habe, wäre ganz verkehrt. Die im Kleide sitzende Kraft ist in Stärke und Wirkungsweise die nämliche wie in Christi Körper selber. Es können also auch *leblose* Körper Kraftträger werden, sofern sie Berührung mit dem *lebenden* Kraftträger haben. Durch Berührung werden der lebende und der leblose Körper zu einer *Gesamtmasse,* die in allen ihren Teilen gleichmäßig mit Kraft gesättigt wird. Das kranke Weib wird anläßlich der Berührung in diese Gesamtkraftmasse einbezogen, ihr Körper wird also mit Kraft in derselben Spannung gefüllt.

Christus weiß zwar nichts von dem Vorgange hinter seinem Rücken, aber er spürt plötzlich das *Abströmen* der Kraft. Da der Körper des Weibes als ein zur Gesamtmasse neu hinzutretendes Gefäß mit Kraft in gleicher Spannung gesättigt wird, entsteht ein Ausgleich der Spannung und daher eine plötzliche *Verminderung* der Kraft im Körper Christi. Diese Verminderung dachte man sich, weil sie plötzlich vor sich geht, wohl als Ruck (Lk 8,46: ἥψατό μού τις, ἐγὼ γὰρ ἔγνων δύναμιν ἐξελθοῦσαν). Nichts kann deutlicher die in jener Zeit herrschende Auffassung vom Wesen der Gotteskraft dartun als dieser Abstrom, den der Legendenschreiber so stark betont.

Christus befand sich inmitten eines Volkshaufens (ὄχλος bei Mk und Lk). Es war daher unausbleiblich, daß bald dieser, bald jener Mensch das Kleid Christi oder auch seinen Körper unabsichtlich streifte. Auf diese Möglichkeit weist Petrus auch ausdrücklich hin, als Christus nach dem Berührer forscht. Aber die *unabsichtliche* Berührung bewirkt nicht das Überströmen der Kraft; die Berührung muß in *bestimmter Absicht* geschehen, zugleich in *seelischem Einklange* mit der Heilkraft selber. Es muß das feste *Vertrauen* auf die Heilkraft vorhanden sein.

Dieses *Vertrauen* wird in der Legende durch das Wort πίστις wiedergegeben (ἡ πίστις σου σέσωκέν σε). Aber diese πίστις ist *nicht* der

Glaube an die göttliche Sendung Christi in christlichem Sinne, auch nicht der Glaube an Christus als den Verkündiger der neuen Heilslehre, denn da hätte das Weib sich an die *Person* Christi wenden müssen, nicht an seinen *Mantel*. Diese πίστις ist lediglich der hausbackene Glaube an die Heilwirkung der δύναμις, an das selbständige Dasein und Wirken dieser in Christus stärker als anderswo wohnhaften Gotteskraft, die man, ohne Christus persönlich zu behelligen, aus seinem Mantel herauslocken kann. Nur mit dieser Kraft will das Weib zu tun haben, *nicht mit Christus*. Wie man zum Wasserholen an den Brunnen geht, der das Wasser spendet, so geht das kranke Weib zum Mantel Christi, um die Heilkraft abzufangen.

Christus findet das Vorgehen des Weibes gar nicht tadelnswert; er entläßt sie mit den Worten (Lk 8,48): πορεύου εἰς εἰρήνην, „schreite hinein in Heil und Glück", d. i. „möge dein künftiges Leben nach erlangter Gesundheit glücklicher werden als das bisherige". Ähnlich die Worte bei Mk 5,34: ἡ πίστις σου σέσωκέν σε, ὕπαγε εἰς εἰρήνην καὶ ἴσθι ὑγιὴς ἀπὸ τῆς μάστιγός σου.

Wir sahen, daß das Überströmen erfolgte, weil das Weib den Mantel in bestimmter *Absicht* berührte, daß eine *unabsichtliche* Berührung dagegen kein Überströmen zur Folge hatte. Aus dieser Tatsache folgt, daß die am Mantel haftende Kraft mit *Bewußtsein* ausgestattet ist: sie kann unterscheiden, ob eine Berührung mit oder ohne Absicht geschieht, und je nach Lage des Falles trifft sie (ganz ohne Mitwirkung Christi) ihre *Entschließung*, überzuströmen oder nicht; nur wenn jene *Absicht* vorliegt, *muß* sie überströmen. Diese Auffassung ist nicht überraschend: die Gotteskraft, auch wenn sie in leblosen Gefäßen wohnt, ist die lebendige, in menschlicher Weise mit Sinnen ausgestattete Gotteskraft, welche dem Menschen dienstbar sein muß, wenn der Mensch sie ruft. Der Mantel Christi als lebloses Gefäß der lebendigen Gotteskraft ist nicht anders zu bewerten wie das hölzerne Götterbild, welches ebenfalls ein lebloses Gefäß des lebendigen Gottes darstellt. Auf diesen Punkt werde ich noch zurückkommen.

Noch sind es einige wichtige Fragen, deren Beantwortung aussteht. Die in Christus wohnende Gotteskraft wird durch Abströmen *vermindert*, wie die Legende ausdrücklich besagt. Bleibt die Kraft nunmehr dauernd geschwächt und wird sie durch fernere Abströmungen immer weiter geschwächt? oder erhält die Kraft neue *Zufuhr*? woher kommt die

Zufuhr? Sodann: das kranke Weib, in die Kraftmasse Christi durch Berührung einbezogen, wird mit der Vollkraft Christi gesättigt; bleibt dieser Sättigungszustand in dieser *Hochspannung* dauernd bei ihr bestehen?
und ist das Weib nun *hochgespannter* Kraftträger wie Christus selbst?
Schließlich: durch Empfang der hochgespannten Kraft wird das Weib
sofort gesund; wie kommt diese sofortige *Heilung zustande?* und wie verhält sich die dem Weibe zuströmende Gotteskraft zu der Krankheit des
Weibes? Es sind das Fragen, deren Beantwortung aus der Legende selbst
nicht erschlossen werden kann. Wir müssen prüfen, ob nicht anderweitig
Anschauungen sich finden, die zur Beantwortung herangezogen werden
können.

Alle damaligen Wunder entspringen der Wundersucht jener Zeit. Die
frühen Vertreter des Christenglaubens standen mit beiden Beinen noch
tief in der sie umgebenden heidnischen Gedankenwelt. Hinter den vielen heidnischen Wundertätern durfte Christus nach ihrer Auffassung
nicht zurückstehen. Die Wunderlegenden sind heidnische Fremdkörper
in den frühchristlichen Schriften, sie haften an dem breiten Hinter-
grunde einer *uralten heidnischen* Anschauung vom Sein und Wirken der
Gotteskraft. Diesen Hintergrund müssen wir zu Hilfe nehmen, um die
frühchristliche Anschauung richtig verstehen und bewerten zu können.
Ich greife daher zur Beantwortung der vorhin aufgeworfenen Fragen auf
die in Schrift 1 der vorliegenden Schriftenreihe[1] näher behandelte *ägyptische* Anschauung zurück, welche uns am klarsten einen Aufschluß geben
kann. Um an Stelle der verschiedenartigen, in vorchristlicher und frühchristlicher Zeit vorkommenden Benennungen der Gotteskraft eine einheitliche Benennung zu haben, wähle ich, wie dort, den Ausdruck „Fluidum"[2].

Ägyptischer Urgott und Allgott ist der Sonnengott (Amon-Re). Er
ergießt sich, also sich selber, sein Ich, hinein in alle Pflanzen, Tiere und
Menschen und füllt *stofflich* sie in allen ihren Organen an[3]. Das alles
„lebt" infolgedessen. Diodor sagt von den Ägyptern (I 12): τὸ μὲν οὖν
πνεῦμα Δία προσαγορεῦαι μεθερμηνευμένης τῆς λέξεως, ὃν

---

[1] Nachfolgend kurzweg zitiert als „Schrift 1".

[2] Vgl. zur Gesamtfrage die Ausführungen Pfisters über den Orendismus in der
Berl. phil. Wochenschr. 1920, S. 647 ff.

[3] Schr. 1, S. 2, 17, 20 u. ö., besonders auch S. 19 f.

αἴτιον ὄντα τοῦ ψυχικοῦ τοῖς ζῴοις ἐνόμισαν ὑπάρχειν πάντων οἱονεί τινα πατέρα. Zeus ist Amon-Re, der Sonnengott. Er wird dem πνεῦμα hier gleichgesetzt. Das πνεῦμα ist also das Ich des Sonnengottes, welcher als *Kraft* dem Menschen wahrnehmbar ist. Die Kraft ist *stofflich* als Kraftmaterie[4] gedacht; es ist Gott und Gotteskraft eins und dasselbe, d. h. das Fluidum. Man vergleiche damit die Worte Giordano Brunos, auf die auch Häckel, Natürliche Schöpfungsgeschichte, S. 49, aufmerksam macht: „Ein Geist findet sich in allen Dingen, und es ist kein Körper so klein, daß er nicht einen Teil der göttlichen Substanz in sich enthielte, wodurch er beseelt wird." Oder das ebenfalls von Häckel (Der Monismus, S. 24), zitierte Wort Goethes: „Die Materie kann nie ohne Geist, der Geist nie ohne Materie existieren und wirksam sein." Diese „göttliche Substanz" oder dieser „Geist" ist im Sinne der von mir behandelten Zeit immer wieder das Fluidum. Auch das Fluidum kann, wie ich oft betone, ohne *Gefäß*, ohne *Sitzgelegenheit,* nicht bestehen noch wirken[5]. Aber dieses Fluidum der damaligen Welt war *persönlich* in menschlicher Art gedacht, was dem Monismus nicht entspricht. Der persönliche Gott schuf zunächst die Welt und damit die Gefäße seines Daseins; alsdann ergoß er sich selber, d. i. sein Fluidum, in die Gefäße hinein, so daß dadurch die Wesen „lebten". Nach ägyptischer Auffassung steht der Allgott anfangs zwar außerhalb der Welt, dann aber wohnt er in der von ihm geschaffenen Welt als Fluidum. Er ist als persönlicher Gott in die Welt hineinverlegt, und zwar als *stoffliche* Lebenskraft. Innerhalb der Wohngefäße ist nur die *Spannung* des Fluidums verschieden abgestuft; sie ist im Tiere größer als in der Pflanze, im Menschen größer als im Tiere, wenigstens abgesehen von den *heiligen* Pflanzen und Tieren[5a]. Der Leib des Königs beherbergt das göttliche Fluidum in höchster Spannung; der König steht daher der Gottheit gleich, er heißt darum in der Rosettainschrift[6] εἰκὼν ζῶσα τοῦ Διός. Auch an dieser Stelle ist unter Zeus der Gott Amon-Re zu verstehen; εἰκών bedeutet „Götterbild". Der König ist also das „*lebende"* Ebenbild der Gottheit. Es gibt auch *leblose* Ebenbilder der Götter; das sind die Götterbilder aus Holz oder Stein oder Erz, die ebenso

[4] Schrift 1, S. 5.
[5] Schrift 1, S. 36 ff.
[5a] Schrift 1, S. 20.
[6] Dittenberger, Orientis graeci inscr. 90,3.

wie die Leibeshülle des Königs mit lebendigem Fluidum gefüllt sind. Das Holzbild Gottes und der Königsleib als Gefäß Gottes dienen beide gleichermaßen als *Sitzgelegenheit* Gottes, sie dienen beide zur Aufnahme des Fluidums, also des lebendigen Gottes, in höchster Spannung. Das Wort εἰκών steht Gen 1,27 in ähnlichem Sinne: καὶ ἐποίησεν ὁ θεὸς τὸν ἄνθρωπον, κατ' εἰκόνα θεοῦ ἐποίησεν αὐτόν, „Gott schuf den Menschen sich zum Bilde"; nur besitzt nicht jede εἰκών, d. h. nicht jeglicher Mensch, die Hochspannung des *Königs*. Aber εἰκόνες Gottes sind die Menschen alle; darum bildete der Mensch auch seinerseits die Götterbilder in Menschengestalt und dachte sich das Fluidum ausgestattet mit *Sinnen in menschlicher Art*. Das Fluidum „lebt" im Götterbilde, es kann dort hören, sehen, fühlen, schmecken, riechen[7]. Eine Hieroglypheninschrift[8] sagt recht anschaulich, daß die vom Urgotte (Sonnengotte) geschaffenen Untergötter „eingingen in ihren Leib aus allerlei Holz und allerlei Stein und allerlei Metall". Der „Leib" ist das Götterbild, d. h. das Gefäß, in welches das Fluidum, d. h. das Ich des betreffenden Gottes hineinströmt. Das Maß des Fluidums eines jeden Lebewesens wird in der seiner *Rangstellung* entsprechenden Höhe durch *Zustrom vom Urgotte her ständig aufrechterhalten*, so bei den Untergöttern, beim Gottkönige[9], bei den Götterbildern, beim gewöhnlichen Menschen, beim Tiere usw. Das Leben verbraucht Kraft, darum muß ständig Zustrom vorhanden sein. Die Götterbilder insbesondere geben ständig an die Beter Fluidum in *Kraftstrahlenform* ab, wie ein Grabstein des Louvre zeigt[10]; da würde schließlich Erschöpfung eintreten, wenn kein Zustrom stattfände. Es liegt aber auf der Hand, daß der Ergänzungsstrom nur daher fließen kann, woher auch der erste *Zustrom floß*. Das *Zuströmen des Fluidums in einen Kraftträger kann indessen nur dann und nur insoweit stattfinden, als im Kraftträger nicht ein entgegengesetztes, also feindliches* Fluidum bereits sitzt und so stark ist, daß es dem Zustrom des guten Fluidums erfolgreich Widerstand leistet. Auf diesen Punkt werde ich sogleich noch näher eingehen. Ist das zuströmende Flui-

---

[7] Schrift 1, S. 23.

[8] Schrift 1, S. 22 f.

[9] Amenophis IV. erhält den Ergänzungsstrom mittels der Strahlenarme des Sonnengottes (vgl. Schrift 1, S. 6).

[10] Schrift 1, S. 23.

dum also zu schwach, muß man es durch besondere Mittel, z. B. durch Berühren eines anderen sehr *hoch* gespannten Kraftträgers *besonders verstärken*. Auch das Fluidum eines *Gottes* kann besonders verstärkt werden, z. B. durch *Geschenkopfer* der Menschen[11]. Solche Stärkung nimmt jeder Gott gern entgegen. Ist doch Geben und Nehmen der nüchterne Geschäftsgrundsatz zwischen Mensch und Gott damaliger Zeit. Der Gott erweist sich dankbar, indem er sein Fluidum auf den Opferer oder Beter überströmen läßt. Das Überströmen kann entweder dadurch geschehen, daß der Mensch in den Kraftkreis des göttlichen Fluidums tritt, also *Ausstrahlung* empfängt, oder dadurch, daß der Mensch einen im Kraftkreise des Fluidums befindlichen, daher mit Fluidum gesättigten Kultgegenstand *berührt*[12].

Das ist in allgemeinen Zügen die ägyptische Anschauung vom Fluidum. Legen wir diese Anschauung zugrunde, so lassen sich einige der oben (S. 213 f.) gestellten Fragen schon beantworten: Christus steht als Gottbegnadeter dem Gottkönig gleich; sein Fluidum erleidet durch gelegentlichen Abstrom keine dauernde Schwächung, weil er vom Allvater her Zustrom erhält. Sein Körper und damit seine Kleidung werden alsbald wieder mit Fluidum in vorheriger Hochspannung gesättigt. Das Weib aber als gewöhnlicher Mensch kann das durch Berührung empfangene hochgespannte Fluidum nicht dauernd behalten, bei ihr sank die Spannung nach bewirkter Heilung alsbald auf das Normalmaß zurück. Wäre sie nicht endgültig geheilt worden, hatte sie durch nochmaliges oder öfteres Berühren oder auf sonstige Weise für nochmaligen Zustrom sorgen müssen.

Um die letzte der auf Seite 214 gestellten Fragen zu beantworten (Vorgang der Heilung), müssen wir davon ausgehen, daß jede Krankheit nach alter Anschauung der *andringende Tod* ist[13]. Krankheilung ist also Verjagen des herannahenden Todes. Daß das Hinsterben und Vergehen den Gegensatz bilden müsse zum Erwecken und Erhalten des Lebens, war ohne weiteres klar. Auch das Hinsterben mußte als das Werk einer Gotteskraft erscheinen. So trat die *lebenverneinende* Gotteskraft feindselig der *lebenbejahenden* Gotteskraft gegenüber[14].

---

[11] Schrift 1, S. 44 und 48.
[12] Schrift 1, S. 21 u. 23.
[13] Schrift 1, S. 26.
[14] Schrift 1, S. 26.

Dieser Gegensatz beherrscht auch die Auffassung des *Ambrosius*, und zwar gerade da, wo er die Heilung des blutflüssigen Weibes in den Kreis seiner Betrachtung zieht (De bono mortis, XII 57): „Festinemus ergo ad vitam. Si quis vitam tangit, vivit. Denique tetigit illa mulier, quae tetigit fimbriam eius et a morte dimissa est, cui dicitur: fides tua te salvam fecit, vade in pace. Sic enim qui mortuum tangit, immundus est, sine dubio qui viventem tangit salvus est. Quaeramus ergo viventem." Hier sind „*vita*" und „*mors*" einander entgegengesetzt; die „vita" ist das *lebenbejahende* Fluidum, die „mors" das *lebenverneinende* Fluidum. Das Weib hat die „vita" berührt, daher ist sie von der „mors" befreit worden.

Treffen die beiden feindlichen Fluida zusammen, so entsteht *Kampf,* wie beim Zusammentreffen zweier feindlicher Heere. Sind sie beide gleich stark, entsteht ein Ringen ohne sofortige Entscheidung, bis irgendwann das eine der beiden Fluida siegt. Darum müssen Kranke oft lange Zeit im Tempel das heilkräftige Fluidum eines Gottes auf sich einwirken lassen[15]. Im Falle des blutflüssigen Weibes war die Sachlage günstiger: das Fluidum Christi war so gewaltig, daß das Krankheitsfluidum *sofort* aus dem Körper des Weibes entweichen mußte.

Das Überleiten des christlichen Fluidums in den Leib eines Kranken zur Verjagung des darin hausenden Krankheitsfluidums ist die glatte Fortsetzung des Heidentums. Die zahlreichen *christlichen* Heilungswunder lassen sich unter Zugrundelegung eines *Fluidumkampfes* sinnfällig in gleicher Weise erklären wie die zahlreichen *heidnischen* Heilungswunder[16]. Neben dem Fluidumkampfe zur *Krankheitsvertreibung* schuf aber die frühchristliche Zeit noch eine *zweite* Art von Fluidumkampf: das ist der Kampf wider diejenigen Fluida, welche in vorchristlicher Zeit die lebenspendenden, guten Fluida waren, jetzt aber, weil das Christentum die heidnischen Götter neben sich nicht duldete, *christenfeindliche Fluida*[17] wurden. Dieses Verjagen der *heidnischen* Fluida hat den Umstand zur Grundlage, daß man die Heidengötter nicht als bloße Phanta-

---

[15] Schrift 1, S. 30.

[16] Vgl. Weinreich, Antike Heilungswunder. — Lucius, Die Anfänge des Heiligenkultes, Kapitel 6: Die großen Krankenheiler.

[17] Diese werden in der „ägyptischen Kirchenordnung" als „fremde" (Geister) (πνεύματα) bezeichnet. Vgl. Achelis, Die Canones Hippolyti (Texte u. Untersuch., VI 4), S. 93.

siegebilde ansah, sondern als wirklich vorhandene Götter, die ebenso vorhanden waren wie der Christengott, und die in Fluidumform die Götterbilder, Kultgeräte und die Menschen ihres Herrschaftsbereiches lebendig bewohnten. Das christliche Fluidum konnte nur dann die antike Kulturwelt erobern, wenn es ihm gelang, den heidnischen Fluida ihre Sitz- und Stützpunkte zu rauben.

Den Kampf des christlichen Fluidums wider das ehemals lebenspendende, jetzt aber christenfeindliche Fluidum möchte ich an einem besonders lehrreichen Beispiele erläutern. In *Menuthis* bei Kanopus im Delta lag ein altes Isisheiligtum, dessen Unterdrückung von Sophronius[18] ausführlich geschildert wird. Die wunderbare Heilkraft der Isis in diesem Heiligtume war weit und breit bekannt. Da es sehr viele Isistempel in Ägypten gab, das Isisbild in Menuthis aber an Heilkraft sich heraushob, so folgt daraus, daß die Spannung des Fluidums selbst einer und derselben Gottheit nicht durchweg in allen Bildern dieser Gottheit gleich groß ist. Die Verschiedenheit der Spannung, die zwischen Gott, Mensch, Tier usw. besteht, besteht also auch nochmals unter den verschiedenen Bildern *desselben* Gottes. Solche Verschiedenheit der Heilkraft beobachten wir auch heute noch, z. B. bei den Madonnenbildern. Aber ein und dasselbe Bild behält *dauernd* die ihm innewohnende Spannung; bei Abstrom des Fluidums vom Geber zum Nehmer wird die Spannung des Gebers allemal durch Zustrom wieder auf die alte Höhe gebracht. Die Heilungswunder der Isis zu Menuthis waren den alexandrinischen Bischöfen ein Dorn im Auge, zumal auch kranke Christen diese Isis in Scharen mit bestem Erfolge aufsuchten. Die Bischöfe sagten und lehrten nun *nicht* etwa: „euer Isisglaube ist ein Irrwahn, die Isis ist ein Phantasiegebilde, die allein vorhandene Gottheit ist unser Christengott", vielmehr glaubten sie wie alle Welt an das tatsächliche Vorhandensein der heidnischen Götter und der Isis in Menuthis; nur darauf kam es an, die *Macht* dieser Götter zurückzudrängen, ihnen die Sitzpunkte zu entziehen und die eroberten Gebiete dem Gebiete des Christengottes einzuverleiben. Um die Kraft der Isis zu brechen, hätten die Bischöfe den Tempel zerstören können; alsdann hätte das Isisfluidum zu Menuthis keinen stofflichen Gegenstand

---

[18] Migne, Patr. gr. 87, 3424ff. Vgl. dazu Lucius, Die Anfänge des Heiligenkultes, S. 262—266, und Wiedemann, Das Heiligtum des Cyrus und Johannes bei Abukir, Sphinx 18 (1916), S. 93ff.

mehr gehabt, woran es hätte haften können; ohne *Sitzgelegenheit*[19] *stofflicher Art* hätte ihr Fluidum nicht bestehen noch wirken können, es hätte sich also verflüchtigen müssen. Oder die Bischöfe hätten wenigstens das Isisgötterbild als das Hauptsitzgefäß des Isisfluidums hinwegführen können, wie es Narses mit dem Isisbilde zu Philä tat[20]; Narses sandte das Bild nach Byzanz, woselbst das ihm innewohnende Fluidum in dem Fluidummeere der dort aufgehäuften, besonders an den zahlreichen Reliquien[21] haftenden christlichen Fluida sehr bald in leichtem Kampfe erstickt wurde. Das Götterbild ist nicht nur äußerlich das Kernstück des Tempels, sondern auch hinsichtlich der *Kraftäußerung.* Denn nur das Götterbild als *Abbild des Urbildes* wird vom Urbilde, d. i. vom Gotte, durch fortgesetzten Zustrom seines Ichs gesättigt, die übrigen Kultgegenstände empfangen ihre Sättigung erst vom Götterbilde her durch Ausstrahlung oder Berührung. Wird das Götterbild fortgeführt, muß das an den übrigen Kultgegenständen haftende Fluidum allmählich absterben[22]. An das Isisbild zu Menuthis wagten sich aber die Bischöfe nicht heran, sogar Bischof Theophilus nicht, als er das benachbarte Serapisheiligtum zu Kanopus im Jahre 391 zerstörte. Vielleicht fürchtete man die Erregung des Volkes. Da fand Bischof Cyrillus das geeignete Gegenmittel: er veranstaltete einen *Kampf* zwischen dem christlichen Fluidum und dem Isisfluidum. Zu diesem Zwecke mußte er irgendein Gefäß mit sehr hochgespanntem christlichen Fluidum nach Menuthis befördern. Ein solches Gefäß entdeckte man rechtzeitig zu Alexandrien in Gestalt der Gebeine der beiden Märtyrer *Cyrus* und *Johannes.*

Nun gilt die Auffassung, daß das einem Heiligen bei Lebzeiten innewohnende Fluidum auch nach seinem Tode am Leichnam (an seinen Gebeinen) haften bleibt, ähnlich so, wie in Ägypten das Fluidum des Verstorbenen an seiner Mumie haftet und dort weiterlebt[23]. Die Heiligen ersetzten in den Augen des breiten Volkes[24] die leergewordenen Stellen

---

[19] Vgl. Schrift 1, S. 36.

[20] Procop. bell. Pers., I 19. Vgl. Wilcken, Archiv f. Papyrusf. I, S. 396 ff.

[21] Über die Aufhäufung der Reliquien in den Kirchen vgl. Lucius, Die Anfänge des Heiligenkultes, S. 278.

[22] Vgl. Schrift 1, S. 36 über das Vorgehen des Amenophis IV. wider Amon von Theben.

[23] Schrift I, S. 51.

[24] Wenn auch tatsächlich der Heiligenkult aus dem Märtyrerkult sich entwickelt hat.

der heidnischen Untergötter; die Hochspannung ihrer Fluida ähnelt daher der Hochspannung der Fluida der heidnischen Götter, wobei der Grad der Hochspannung unter den verschiedenen Heiligen wieder verschieden sein kann, wie bei den Göttern ebenfalls. Die Spannkraft der Fluida der beiden Heiligen Cyrus und Johannes war nun von hervorragender Stärke, daher wurden ihre Gebeine dazu ausersehen, die Reise nach Menuthis zu machen, um dort den Kampf auszufechten. So wurde einstmals das Chonsbild zu Theben nach dem fernen Lande Bechten befördert, um dort den Kampf mit dem in eine Fürstentochter eingedrungenen Wahnsinnsfluidum aufzunehmen[25]. In Menuthis wurden die Heiligengebeine in einer dem Isistempel benachbart gelegenen christlichen Kapelle beigesetzt. Wie das Fluidum vom Götterbilde her ausstrahlend auf die Umgebung einwirkt und die ganze Umgebung nach Art eines Kraftkreises oder Lichtkreises einhüllt und anfüllt, so auch das Fluidum der Reliquie. In Menuthis blieb die erhoffte Wirkung nicht aus. Hatte doch Cyrillus zur Sicherheit *zwei* Heiligengebeine statt eines einzigen ausgewählt. Im Kampfe stoßen das christliche Fluidum und das Isisfluidum wie zwei magnetische Kräfte verschiedener Polarität aufeinander; das Isisfluidum ist zu schwach, um standhalten zu können, und wird schließlich aus seinem Hauptgefäße, dem Isisbilde, hinweggedrängt. Der Spannkreis des Heiligenfluidums reicht also über den Isistempel hinaus. Nun hatte das Isisfluidum keine Sitzgelegenheit im Tempel mehr, mußte also verschwinden. Von nun an übernahmen es die starken Fluida der beiden Heiligen, die Krankheitsfluida der dort Hilfe suchenden Menschen zu verjagen; die Wunderheilungen waren seitdem zahlreicher und berühmter als zuvor.

Es ist zu beachten, daß die beiden Heiligengebeine hier als *Einheit* wirken. Zwar hat jeder Heilige sein eigenes Fluidum, aber diese sind gleichgesinnt und gleichgeartet, weil sie Teile desselben Urquells sind. Daher stoßen sie sich nicht ab, sondern *verstärken* sich. Für die Dauer der gemeinsamen Lagerung und Berührung vermengen sie sich, gleichwie Wasser oder Gase, so innig, daß sie eine *Gesamtmasse* bilden und eine *Gesamtwirkung* ausüben. Je mehr gute Fluida eine Kirche oder Stadt bei sich aufhäuft, desto größer ist die *Gesamtspannung*, desto größer also auch der Schutz gegen etwa andringende feindliche Fluida irgendwelcher Art.

[25] Schrift 1, S. 27.

Das Bestreben, die nützlichen Fluida im Heiligtume aufzuhäufen, bestand auch in heidnischer Zeit. Man erreichte das Ziel, wenn man dem Hauptgotte eines Tempels eine Anzahl anderer Götter beigesellte. So bestand z. B. im Dorfe Nabla des Fayum ein ἱερὸν μόγιμον ῎Ισιδος Ναναίας καὶ Σεράπιδος καὶ Ἁρποκράτου καὶ νούχου θεῶν μεγίστων καὶ τῶν συννάων θεῶν[26]. Hier werden vier Götter namentlich aufgezählt, dazu treten die σύνναοι θεοί als Gäste, deren Zahl nicht angegeben wird. Alle diese Götter hatten in demselben Tempel ihr Bild stehen; jedes dieser Bilder war mit dem Fluidum des zugehörigen Gottes angefüllt. Die Summe dieser Fluida bildete die *Gesamtkraftmasse.* Je größer diese Gesamtkraftmasse war, desto größer war die Wirkungskraft und das Ansehen des Tempels. Dafür noch ein anderes Beispiel[27]. Im Dorfe Soknopaiu Nesos des Fayum bestand ein ἱερὸν Σοκνοπαίου θεοῦ μεγάλου καὶ ῎Ισιος Νεφορσῆτος θεᾶς μεγίστης καὶ τῶν συννάων θεῶν. Wiederum haben wir die Fluidumgesamtmasse von zwei namentlich genannten Göttern und der Gastgötter vor uns. Durch diese Gesamtmasse war der Gaustratege Apollonios von einem Leiden geheilt worden. An diese Heilung erinnert ihn die Priesterschaft in einem späteren Gesuche mit den Worten: σέσωσαι ἐν τῆι ἀρρωστίαι ὑπὸ τοῦ Σοκνοπαῖτος θεοῦ μεγάλου καὶ ῎Ισιος Νεφορσῆτος θεᾶς μεγίστης καὶ τῶν συννάων θεῶν. Wenn die Priester diese Wendung gebrauchen, muß doch bei ihnen die Anschauung lebendig gewesen sein, daß die Heilung ein Werk der *Gesamtheit* der genannten Götter, mithin der Gesamtmasse ihrer *vereinigten* Fluida ist.

Zur Erklärung des *Kampfes* zwischen dem guten und dem bösen Fluidum möchte ich aus der Fülle der Belege noch einige Beispiele heranziehen.

Acta apost. 19,11 heißt es: Δυνάμεις τε οὐ τὰς τυχούσας ὁ θεὸς ἐποίει διὰ τῶν χειρῶν Παύλου, ὥστε καὶ ἐπὶ τοὺς ἀσθενοῦντας ἀποφέρεσθαι ἀπὸ τοῦ χρωτὸς αὐτοῦ σουδάρια ἢ σιμικίνθια καὶ ἀπαλλάσσεσθαι ἀπ᾽ αὐτῶν τὰς νόσους, τά τε πνεύματα τὰ πονηρὰ ἐκπορεύσθαι. Der Ausdruck δύναμις ist hier im Sinne von „Wunderheilung" gebraucht. Der nachfolgende Ausdruck πνεύματα πονηρά bezeichnet wieder klar das Fluidum, und

---

[26] Pap. Lond. II, S. 114 Nr. 345 = Wilcken, Chrestom. 102 (193 n. Chr.).
[27] Pap. Amh. II 35 = Wilcken, Chrestom. 68 (132 v. Chr.).

zwar das *Krankheitsfluidum*. Die Wendung τά τε πνεύματα τὰ πονηρὰ ἐκπορεύεσθαι ist lediglich eine Ergänzung zur voraufgehenden Wendung ἀπαλλάσσεσθαι ἀπ' αὐτῶν τὰς νόσους. Die letztere Wendung war auch dem einfältigsten Mann verständlich, die erstere setzt Bekanntschaft mit der überlieferten religiösen Vorstellung voraus. Von Pauli Hautoberfläche (χρώς) strömt das in Pauli Körper wohnende Fluidum durch unmittelbare Berührung auf sein Unterzeug hinüber; das so gesättigte Unterzeug ist jetzt ebenfalls Gefäß des Fluidums in derselben Spannung; dieses Gefäß muß, falls Paulus nicht zum Kranken und der Kranke nicht zu Paulus geht, dahin befördert werden, wo der mit dem Krankheitsfluidum behaftete Kranke sich befindet. So wurden auch die Heiligengebeine nach Menuthis befördert. Wird nunmehr das Unterzeug auf den Leib des Kranken gelegt, so entladet sich das Unterzeug infolge unmittelbarer Berührung; das Fluidum dringt durch die Hautporen des Kranken in seinen Leib hinein. Dort beginnt der Kampf mit dem bösen Fluidum (πονηρὸν πνεῦμα), und da Pauli Fluidum die größere Spannung besitzt, muß das πονηρὸν πνεῦμα, das lebenverneinende Fluidum, entweichen.

Dazu ein blind aus der Fülle herausgegriffenes Beispiel des 6. Jahrhunderts. Gregor von Tours berichtet folgendes[28]. Ein König in Spanien war samt Sohn und Volk krank; er schickt zum heiligen Martin nach Frankreich; die Abgesandten legen einen seidenen Mantel auf den Sarg des Heiligen und lassen ihn nachts über dort liegen; am nächsten Morgen ist das Gewicht des Mantels bedeutend größer als vorher, der Mantel hat also viel Fluidum in sich aufgenommen; man bringt den gesättigten Mantel nach Spanien und der König samt Sohn und Volk werden gesund. Wiederum wird das Fluidum hier in einem Gefäße (dem Seidenmantel) anderswohin befördert, wie Wasser in einem Topfe. Das Fluidum ist *stofflich* gedacht, denn es hat *Gewicht*. Das Fluidum haftet zunächst an dem Leichnam des Heiligen, strömt von dort aus durch Berührung oder Ausstrahlung auf den Sarg hinüber, von dort weiter in den Seidenmantel hinein. Damit der Mantel recht kräftig sich vollsaugen soll, läßt man ihn nachtsüber liegen. Alles das sind also noch in dieser späteren Zeit Vorstellungen rein sinnfälliger Art wie in vorchristlicher und frühchristlicher Zeit.

---

[28] Monumenta Germ. hist., Script. rerum Merov. I 2, 594. Vgl. dazu Ernst Schmidt, Kultübertragungen, S. 84.

Christus wusch sich die Füße in einem *Quell zu Emaus*[29]. Dabei übertrug sich infolge unmittelbarer Berührung sein Fluidum auf diesen Quell. Der Quell wurde Kraftträger des hochgespannten Fluidums Christi. Wusch sich ein Kranker mit dem Wasser dieses Quells, so übertrug er das Fluidum auf seinen Leib, und das Fluidum Christi verjagte das Krankheitsfluidum. Auch hier muß man sich vorstellen, daß der andauernde Verbrauch an Kraft ergänzt wird durch einen dauernden Zustrom, der von Christus ausgeht. In derselben Weise wirkte der *Quell des heiligen Menas* in der sogenannten Menasstadt (südwestlich von Alexandrien). Auch hier fand ein Ergänzungszustrom des Fluidums statt, der nur vom heiligen Menas, auch nach seinem irdischen Tode noch, ausgegangen sein kann, genau in derselben Weise, wie das Götterbild vom zugehörigen Gotte andauernd mit Zustrom versorgt wird. Die zahlreich gefundenen Menasflaschen (Ampullen), welche, mit dem Menaswasser gefüllt, von Pilgern in ihren Heimatsort mitgenommen wurden[30], zeugen von der Ausdehnung des Gebrauches.

Die leblosen Kraftträger stehen also an Spannkraft gleich dem lebenden Kraftträger, sofern sie von ihm durch Berührung oder Ausstrahlung[31] ihren Ergänzungszustrom empfangen. Das zeigte schon der Mantel Christi. Immerhin ist es für den Kranken von Wert, durch *unmittelbare Berührung vom lebenden Kraftträger her* das Fluidum zu empfangen. Die Heilungswunder Christi und der anderen christlichen und nichtchristlichen Wundertäter bieten dafür Belege genug. Hier nur noch einen Beleg für das Heilungswunder eines *Gottkönigs*. Tacitus berichtet ganz ernsthaft[32], daß *Vespasian* in Alexandrien auf Veranlassung des Sarapis einen Blinden mit seinem *Speichel* und einen Armleidenden mit seinem *Fußtritte* geheilt habe[33]; er fügt seinem ausführlichen Berichte die Schluß-

[29] Sozomenos, Hist. eccl. V 21, 213.

[30] K. M. Kaufmann, Die Menasstadt und das Nationalheiligtum der altchristlichen Ägypter, S. 118.

[31] Ausstrahlung findet statt acta apost. 5,15 (Wunder Petri): ὥστε καὶ εἰς τὰς πλατείας ἐκφέρειν τοὺς ἀσθενεῖς καὶ τιθέναι ἐπὶ κλιναρίων καὶ κραβάττων, ἵνα ἐρχομένου Πέτρου κἂν ἡ σκιὰ ἐπισκιάσῃ τινὶ αὐτῶν.

[32] Hist. 4,81.

[33] Vgl. Weinreich, Antike Heilungswunder, S. 75, über die „Heilkraft der Fürsten", auch für das Mittelalter und die spätere Zeit.

bemerkung hinzu: „utrumque qui interfuere nunc quoque memorant, postquam nullum mendacis pretium." Wenn ein Mann wie Tacitus so urteilt, darf daraus ein Schluß gezogen werden auf das Urteil der breiten Masse des Volkes selbst in Rom. Die Anschauung ist in diesem Beispiele die nämliche wie die orientalische Anschauung vom Gottkönige. Nicht Vespasian als princeps vollbringt die Heilung, sondern Vespasian als *Gottkönig*. Seit uralten Zeiten konnte der Ägypter sich keinen König anders denn als Gott vorstellen[34]. Der Leib Vespasians ist Gefäß des göttlichen Fluidums in höchster Spannung, gleichwie das Götterbild oder gleichwie der Leib Pharaos es war. Bei Berührung strömt sein lebenbejahendes Fluidum in den Kranken hinein und verjagt dort im Kampfe das lebenverneinende Fluidum.

Das orientalische Gottkönigtum brachte es mit sich, daß auch *Christus* als ein *in der Zeit* geborener Mensch aufgefaßt werden konnte, der als solcher ein Gefäß Gottes in Hochspannung war. Christus wurde eben in die übrigen Gefäße mit hochgespanntem Fluidum eingereiht. Die Stellung Christi als *Heilgott*[35] entspringt derselben Anschauung. Man versteht auch, warum die arianische Lehre gerade im Orient so lange sich halten konnte. Die Gegengründe der Athanasianer wirkten für die Auffassung des Orientalen nicht durchschlagend. Noch im Jahre 512, also rund 200 Jahre nach dem Konzil von Nicäa, finden wir im südlichen Fayum (Ägypten) eine mönchische Melitianersiedlung[36]; es wird dort der μοναχὸς Μελιτιανός bewußt und ausdrücklich dem ὀρθόδοξος gegenübergestellt[37]. Die Melitianer waren Anhänger der arianischen Richtung.

Die bisherigen Beispiele, welche nur eine kleine Auslese zur Beleuchtung der Grundzüge sein sollen, lassen bestimmte *Gefäßgruppen* erkennen. Zunächst zwei Hauptgruppen: *lebende* und *leblose* Gefäße. Zu den ersteren gehören: der Gottkönig, die Mysten, Christus, die Apostel, Heilige. Die leblosen Gefäße zerfallen in Untergruppen: 1. *Gebeine* eines Trägers hochgespannten Fluidums: Cyrus und Johannes in Menuthis, Martin in Frankreich usw.; 2. *Götterbilder;* 3. *Kultgeräte;* 4. *sonstige*

---

[34] Schrift 1, S. 10.

[35] Ott, Die Bezeichnung Christi als ἰατρός in der urchristlichen Literatur, Der Katholik (1910), S. 454. — Harnack, Die Mission und Ausbreitung des Christentums I, S. 115.

[36] Preisigke, Sammelbuch I 5174 und 5175.

[37] A. a. O., 5174, 2.

Gegenstände, die entweder durch *dauernde* Berührung mit einem hochgespannten Kraftträger gesättigt werden, wie der Mantel Christi oder die
Kleider Petri, oder nur durch *einmalige* Berührung, wie der Quell zu
Emaus, das Holzkreuz Christi[38], das Menaswasser, der spanische Seidenmantel usw. Bei *leblosen* Gefäßen wird die Berührung durch den Kraftbedürftigen ausgeführt; *lebende* Gefäße führen die Berührung, den
Kontakt[39], in der Regel[40] kraft eigener Entschließung aus[41].

Das *Überströmen* stellte man sich so vor, wie nach unserer heutigen
Kenntnis die Überleitung einer *ansteckenden Krankheit* vor sich geht.
Der Krankheitserreger kann *unmittelbar* oder *mittelbar* übertragen werden: durch Berührung von *Haut zu Haut;* oder durch Berühren irgendeines *Gegenstandes,* den der Kranke in Gebrauch hatte oder noch hat;
oder durch Berühren der *Kleider,* die der Kranke trug oder noch trägt;
oder durch den *Hauch* des Kranken, weil der Krankheitserreger an der
Feuchtigkeit haftet, die mit dem Hauche ausgestoßen wird; oder durch
den *Speichel* des Kranken[42]. Es mutet uns eigenartig an, daß alle diese
Mittel und Wege in frühchristlicher Zeit angewendet worden sind, um
das christliche Fluidum auf diejenigen überzuleiten, welche des Christengottes teilhaftig werden sollten.

Bei der Überleitung des Fluidums in frühchristlicher Zeit nimmt das
Öl eine hervorragende Stellung ein. Bevor ich darauf näher eingehe, muß
ich auf den *Bilderglauben,* d. i. die Wechselbeziehung zwischen *Urbild*
und *Abbild,* sowie auf den *Namenglauben* hinweisen.

Urbild und Abbild stehen in strenger und ständiger *Wechselbeziehung*[43]. Der Allvater oder Urgott ist das Urbild, seine Abbilder sind

---

[38] Schrift 1, S. 61.

[39] Der Ausdruck „Kontakt" schon bei Dibelius, Die Formgeschichte des Evangeliums, S. 48.

[40] Ausnahme z. B. der wandelnde Schatten Petri (vgl. oben Anm. 31), wenn
auch hier keine unmittelbare Berührung, sondern Ausstrahlung in Frage kommt.

[41] Hauptsächlich durch das Handauflegen. Vgl. dazu Schrift 1, S. 59f. sowie
Weinreich, Antike Heilungswunder, S. 51.

[42] Belege für das Anhauchen und für Speichelanwendung in der altchristlichen
Kirche siehe bei Dölger, Der Exorzismus im altchristlichen Taufritual, S. 118ff.
und 130ff.

[43] Ausführliche Darstellung dieser Wechselbeziehungen bei Wiedemann, Bild
und Zauber im alten Ägypten, im Korrespondenzblatt der deutschen Gesellschaft

die von ihm geschaffenen Untergötter (nach Gen 1,27 auch der Mensch); weitere Abbilder sind die *Götterbilder* des Urgottes und der Untergötter aus Holz oder Stein oder Erz, aber auch alle einen Gott darstellenden *Reliefbilder, gemalten Bilder*[44] und auch sein geschrieben dastehender *Name*[45]; ja sogar der von Menschenmund *ausgesprochene*, also *bloß hörbare* Name gilt in diesem Zusammenhange als Abbild[46]. Wo nun irgendein derartiges Abbild eines Gottes sich befindet oder ausgesprochen wird, muß sofort der zugehörige Gott sein Fluidum in dieses Abbild hineinströmen lassen. Jedes Abbild erhält die volle Spannung des Urbildes; die Spannung des Urbildes wird dabei nicht geschwächt[47]. Was für den Gott gilt, gilt auch für den Menschen: wo nur irgendein Abbild eines bestimmten Menschen sich befindet oder ausgesprochen wird, muß das zugehörige Menschenurbild sofort sein Fluidum in das Abbild überströmen lassen. Die Wechselwirkung zwischen Urbild und Abbild hat nun weiter zur Folge, daß das im Abbilde wohnende Fluidum, welches in gleicher Weise wie das Urbild nach menschlicher Art mit Sinnen ausgestattet ist, alle seine Empfindungen sofort auf das Urbild überträgt, wie umgekehrt das Urbild alle seine Empfindungen sofort auf alle seine Abbilder überträgt. Schädigt man das Abbild eines Gottes, eines Königs oder irgendeines Menschen, so empfindet das Urbild sofort den Schmerz[48]. Diese Auffassung liegt auch den Künsten des ägyptischen Königs Nektanebo zugrunde[49]. Die Scheu und Hochachtung vor den Abbildern der Götter, Fürsten und Menschen hat in diesem Abbilderglauben ihren Urquell.

für Anthropologie, Ethnologie und Urgeschichte 48 (1917), S. 1 ff. Vgl. auch Weinreich, Antike Heilungswunder, S. 144 und 167.

[44] Schrift 1, S. 32.

[45] Schrift 1, S. 33.

[46] Heitmüller, Namenglaube, Die Religion in Geschichte und Gegenwart IV, S. 662.

[47] Schrift 1, S. 34.

[48] Schrift 1, S. 33.

[49] Pseudo-Kallisthenes 1, 1: οὗτος ὁ Νεκτανεὼς τῇ μαγικῇ τέχνῃ ἔμπειρος ἦν, καὶ τῇ δυνάμει ταύτῃ χρώμενος πάντων τῶν ἐθνῶν τῇ μαγείᾳ περιγενόμενος εἰρηνικῶς διῆγεν. Εἰ γάρ ποτε τούτῳ δύναμις ἐπέβη πολεμίων, στρατόπεδα οὐκ ηὐτρέπιζεν οὐδὲ ὑπερασπιστὰς ἔσκυλλεν εἰς παρατάξεις πολεμικάς, ἀλλὰ τιθεὶς λεκάνην ἐποίει λεκανομαντείαν, καὶ τιθεὶς ὕδωρ πηγαῖον εἰς τὴν λεκάνην

Blickt man auf diesen Urquell hin, so wird insbesondere der *Namenglaube* erst recht verständlich: das Hin- und Herströmen des lebendigen, Empfindung habenden Fluidums zwischen dem Urbilde und seinem aufgeschriebenen oder ausgesprochenen Namen ist es, welches ursprünglich die Scheu vor dem Namen und die Hochachtung oder Zerstörung[50] des Namens hervorrief. Die ethische Bewertung des Namens ist erst ein Werk der nachfolgenden Zeiten. Rudolf Hirzel in seiner eingehenden Abhandlung über den Namen und seine Geschichte im Altertume und in der Folgezeit betont zwar unter Beibringung zahlreicher Belege, daß ein starker Zusammenhang zwischen dem Namen und dem Wesen eines Menschen bestehe, daß „Name" geradezu für „Person" gebraucht werde[51], daß der Name der Person ein Teil derselben sei[52], und daß der Name „Realität und Selbständigkeit" besitze usw., aber das tiefer sitzende Warum und Wie erklärt er nicht, weil er das Wesen des strömenden, lebendigen Fluidums nicht kannte.

Der Namenglaube und der Bilderglaube sind wichtig zur Erklärung des *Ölgebrauches* beim Exorzismus. Wasser[53] und Öl dienen gleichermaßen als *Hilfsstoffe,* um das göttliche Fluidum auf die Haut des Kraftbedürftigen überzuleiten. Aber das Wasser verdunstet schnell, darum hat das am Wasser haftende Fluidum wenig Zeit, um von der Haut durch die Poren in das Innere des Menschen einzudringen. Da eignet sich besser

ταῖς χερσὶν αὐτοῦ ἔπλασσεν ἐκ κηρίου πλοιάρια καὶ ἀνθρωπάρια κήρινα ἐτίθη δὲ εἰς τὴν λεκάνην καὶ ἐστόλισεν ἑαυτὸν στολὴν προφήτου καὶ κατέχων ἐν τῇ χειρὶ αὐτοῦ ῥάβδον ἐβελινὴν καὶ στὰς ἐπεκαλεῖτο ὡσανεὶ τοὺς θεοὺς τῶν ἐπῳδῶν καὶ τὰ ἀέρια πνεύματα καὶ τοὺς καταχθονίους δαίμονας. Καὶ τῇ ἐπῳδῇ ἔμπνοα ἐγίνοντο τὰ ἀνθρωπάρια ἐν τῇ λεκάνῃ, καὶ οὕτως ἐβαπτίζοντο. Εὐθέως δὲ βαπτιζομένων αὐτῶν τὰ ἐν τῇ θαλάσσῃ ἀληθῆ πλοῖα τῶν ἐπερχομένων πολεμίων διεφθείροντο διὰ τὸ πολύπειρον εἶναι τὸν ἄνδρα τῇ μαγικῇ δυνάμει. Ἐν εἰρήνῃ οὖν διετέλει αὐτοῦ τὸ βασίλειον.

[50] Schrift I, S. 36.
[51] Rudolf Hirzel, Der Name, ein Beitrag zu seiner Geschichte im Altertume und besonders bei den Griechen, Band 36, Nr. 2 der Abhandlungen der philol.-histor. Klasse der Sächsischen Gesellsch. der Wissenschaften (1918), S. 11.
[52] A. a. O., S. 15.
[53] Ninck, Die Bedeutung des Wassers im Kult und Leben der Alten (1921), mit reicher Stoffsammlung. — Adolph Franz, Die kirchlichen Benediktionen im Mittelalter (1909) I, S. 43: Die Bedeutung des Wassers in den alten Kulten.

das Öl, weil es der Haut lange Zeit anhaftet. Das Öl spielt im altchristlichen Taufritual eine hervorragende Rolle[54]. An und für sich ist das Öl
selbstverständlich unbehaftet; die zum Exorzisieren benötigte bestimmte
Menge Öl muß daher für den Gebrauch zunächst mit dem Fluidum der
Gottheit gesättigt werden. Den Vorgang bei der Sättigung lernen wir
z. B. aus den *Thomasakten*[55] kennen. Hierbei wählte man das Fluidum
Christi, weil Christus mehr als der Allvater im Mittelpunkte des altchristlichen Kultes stand. Der Exorzist spricht: Ἰησοῦ ἐλθέτω ἡ νικητικὴ
αὐτοῦ δύναμις καὶ ἐνυδρύσθω τῷ ἐλαίῳ τούτῳ[56], ὥσπερ
ἱδρύνθη ἐν τῷ συγγενεῖ αὐτοῦ ξύλῳ ἡ τότε αὐτοῦ δύναμις. Das
ξύλον ist das Leidenskreuz Christi, an welchem Christus hing. Durch
Berührung während des Hängens strömte Christi Fluidum (δύναμις)
auf das Holzkreuz hinüber. Wenn das Holzkreuz in der obigen Formel
besonders erwähnt wird, beruht das auf der *hervorragenden Bedeutung
des Kreuzes*. Das am Leidenskreuze haftende Fluidum strömte, wie ich
Schrift 1, S. 61 bereits ausgeführt habe, auf alle *Abbilder* des Urbildkreu-
zes hinüber; jedes einzelne Abbildkreuz war daher das Gefäß des Fluidums Christi in der vollen Hochspannung Christi[57]. Der Exorzist ruft
Christus an mit dem Worte: Ἰησοῦ. Sofort strömt das Urbildfluidum
Christi in den gesprochenen Namen Christi hinein. Da nun der Exorzist
sein Gesicht dem Öle zuwendet (er sagt ja τῷ ἐλαίῳ τούτῳ), so richtet
sich sein Mundhauch auf das Öl; damit strömt das Fluidum Christi, haf-

---

[54] Greßmann-Heitmüller, Die Religion in Geschichte und Gegenwart IV,
S. 874. — Dölger, Der Exorzismus im altchristlichen Taufritual, S. 137 ff. —
Achelis, Die ägyptische Kirchenordnung (Texte und Untersuchungen z. Gesch.
der altchristl. Lit., Band VI, Heft 4). — Adolph Franz, a. a. O. I, S. 335 ff. über
die Ölweihe.

[55] Bonnet, Acta Philippi et acta Thomae, S. 267.

[56] Ähnlich a. a. O., S. 167: ἐλθὲ καὶ σκήνωσον ἐν τοῖς ὕδασι τούτοις.

[57] Vgl. Adolph Franz, Die kirchlichen Benediktionen im Mittelalter I, S. 75:
„in der griechischen Kirche erfolgt unter dem Gesange eines Troparion das *Einsenken des Kreuzes* in das Wasser, worauf der Priester das Gotteshaus und die
Gläubigen mit dem geweihten Wasser besprengt. Das Einsenken des Kreuzes in
das Wasser war und ist nur in der griechischen Kirche üblich; die syrischen, koptischen und äthiopischen Formeln erwähnen diesen Brauch nicht." — Das Einsenken hat hier deutlich den Zweck, das am Kreuze haftende Fluidum auf das Wasser
zu übertragen.

tend an dem am Hauche haftenden Namen, in das Öl hinein. Das Öl wird dadurch mit dem Fluidum Christi gesättigt. Wird nunmehr dieses Öl auf die Haut des Täuflings aufgestrichen, so dringt das Fluidum, wie schon gesagt wurde, durch die Hautporen in das Innere des Täuflings hinein. Damit wird der neue Christ die Behausung oder das Gefäß des lebendigen Christus, weil das Fluidum Christi und Christus selber eins und dasselbe ist. So sind auch das Götterbild und die Leibeshülle des Königs Gefäße der Gottheit.

Die älteste griechische Gebetssammlung besitzen wir in den von Wobbermin herausgegebenen „altchristlichen liturgischen Stücken aus der Kirche Ägyptens"[58] herrührend vom Bischofe Sarapion von Thmuis (Mitte des 4. Jahrhunderts). Das siebente Gebet trägt die Überschrift: ἁγιασμὸς ὑδάτων. Ich gebe daraus die hier in Betracht kommenden Stellen: βασιλεῦ καὶ κύριε τῶν ἁπάντων καὶ δημιουργὲ τῶν ὅλων κτλ., ἔφιδε νῦν ἐκ τοῦ οὐρανοῦ καὶ ἐπίβλεψον ἐπὶ τὰ ὕδατα ταῦτα καὶ πλήρωσον αὐτὰ πνεύματος ἁγίου, ὁ ἀρρητός σου λόγος ἐν αὐτοῖς γενέσθω κτλ., καὶ ὡς κατελθὼν ὁ μονογενής σου λόγος ἐπὶ τὰ ὕδατα τοῦ Ἰορδάνου ἅγια ἐπέδειξεν, οὕτω καὶ νῦν ἐν τούτοις κατερχέσθω καὶ ἅγια καὶ πνευματικὰ ποιησάτω πρὸς τὸ μηκέτι σάρκα καὶ αἷμα εἶναι τοὺς βαπτιζομένους, ἀλλὰ πνευματικοὺς κτλ. Wir müssen diese Worte so verstehen, wie sie vor uns stehen. Der ἁγιασμὸς ὑδάτων ist die Sättigung des Wassers mit dem ἅγιον πνεῦμα. Das ἁγιάζειν oder „sättigen" wird durch den Sprecher des Spruches bewirkt. Drei Dinge sind seitens des Sprechers bei dieser Handlung zu beachten: der Spruch oder die Anrufung, die angerufene Kraft und der zu sättigende Gegenstand. Vor dem Sprecher steht ein Gefäß, gefüllt mit Wasser. Der Sprecher ruft den Gottesnamen an mit βασιλεῦ, κύριε, δημιουργέ usw. Sogleich strömt die Gotteskraft in diese Namen hinein. Der Sprecher richtet sein Gesicht gegen das Wasser, denn er sagt ja ὕδατα ταῦτα; sein Wille ist, daß dieses Wasser mit dem ἅγιον πνεῦμα angefüllt werde (πλήρωσον αὐτά). Der nachher genannte λόγος ist ein anderer Ausdruck für das πνεῦμα. Sobald das πνεῦμα mit Hilfe des Namens in das Wasser hineingeströmt ist, wird das Wasser ein ὕδωρ ἅγιον καὶ πνευματικόν, d. h. ein mit Fluidum gesättigtes und daher

---

[58] Texte und Untersuchungen zur Gesch. der altchristl. Lit. II 3 b (1899).

geheiligtes (durch ἁγιασμός) oder heiliges Wasser. Die Sättigung des Wassers geschieht, damit nachher mit Hilfe dieses Wassers ein Sättigen der Täuflinge erfolgen kann, wie oben geschildert; die Täuflinge bestehen alsdann nicht mehr lediglich aus Fleisch und Blut, sondern sind βαπτιζόμενοι und vor allen Dingen πνευματικοί, d. h. gesättigt mit Fluidum.

Der Namenglaube spielt auch sonst eine hervorragende Rolle. Das Hineinzwängen der Gotteskraft in den gesprochenen Namen kommt z. B. noch in der Formel des Vaterunsers zum Vorschein: ἁγιασθήτω τὸ ὄνομά σου. Diese Worte, auf den Anschauungskreis der frühchristlichen Zeit übertragen, bedeuten: dein Name soll recht oft ausgesprochen werden, damit du jedesmal in den Namen hineinströmst, und damit der so mit deiner Kraft gesättigte Name in Wasser oder Öl oder dergleichen übergeführt werde, damit jene mit deiner Kraft gesättigten Stoffe benutzt werden können, deine Kraft in die Leiber der Menschen hineinzuleiten, in der Absicht, die Zahl der Christen immerfort zu vermehren und den Umfang der Christengemeinden zu vergrößern, bis alle Menschen von dir erfüllt sind und deine Herrschaft keine Grenze mehr hat. Diese Auslegung deckt sich mit der Überlieferung bei Marcion[59], woselbst statt „geheiliget werde dein Name" der Text lautet: „dein heiliger Geist komme auf uns und reinige uns." Der letztere Text besagt: dein Fluidum (πνεῦμα) möge in unsere Leiber hineinströmen und dadurch, daß die Kraft deines Fluidums die ἀκάθαρτα πνεύματα aus uns verjagt, uns reinigen. Der Grundgedanke ist hier wie dort derselbe, nur daß bei Marcion der *Namenglaube* außer Spiel bleibt.

Das sind grobsinnliche Gedanken, die unserem heutigen religiösen Empfinden nicht zusagen. Aber wir sprechen hier ja nicht von der heutigen, sondern von der damaligen Anschauung. Die Texte von damals sprechen eine nicht mißzuverstehende Sprache.

Wenn es in den ›Capitula Herardi‹ vom Jahre 858 heißt[60]: „ut, qui aquam consecratum vult accipere in sabbato sancto vel pentecoste, ante infusionem chrismatis sumat, nam illa chrismatis mixtio ad regenerandos pertinet", so kann doch unter der „mixtio" oder „infusio" nur die grob-

[59] Vgl. Rud. Knopf, in: Religion in Geschichte und Gegenwart, V 1557.
[60] Ich entnehme das Zitat aus dem Werke von Adolph Franz, Die kirchlichen Benediktionen im Mittelalter (1909) I, S. 52 Anm. 4.

sinnliche Sättigung verstanden werden. Gewöhnliches Wasser und Gotteskraft werden *gemischt;* dadurch entsteht das geweihte oder das mit Fluidum gesättigte Wasser. Bis zum 9. Jahrhundert durfte man aus dem *gesättigten* Taufwasser etwas nach Hause tragen; fortan wurde diese Entnahme nur noch *vor* der Sättigung gestattet, weil man mißbräuchliche Benutzung der Gotteskraft verhüten wollte.

In der „ägyptischen Kirchenordnung" heißt es[61]: Der Presbyter möge den Täufling, „mit dem Öl der Beschwörung (ἐξορχισμός) salben mit folgenden Worten: jeder Geist (πνεῦμα) möge sich von dir entfernen. Und in dieser Weise möge er ihn nackt dem Bischof übergeben" usw. Das Öl der Beschwörung ist durch ἐξορχισμός mit dem göttlichen Fluidum vorher gesättigt worden, jetzt wird es auf die Haut des nackten Täuflings aufgestrichen, dringt in das Innere des Leibes hinein und verjagt dort „jeden Geist", d.h. alle πονηρὰ πνεύματα, d.h. die christenfeindlichen Fluida.

Zur Erklärung des *Namenfluidums* möge noch ein Beispiel aus der reichhaltigen Zauberliteratur hier folgen. Pap. Lond. I 121, S. 96, 376 (dem 3. Jahrhundert n. Chr. angehörig) lautet: ἐλλύχνιον λαβὼν ἐλλυχνίασον καὶ πρὸς αὐτὸν λέγε· ἐξορκίζω σε λύχνε κατὰ τῆς μητρός σου Ἑστίας μηραλληλ β καὶ κατὰ του πατρός σου Ἡφαιστίου μελιβου μεγιβου. Hestia und Hephaistos sind als Erd- und Herdfeuer die Eltern des Lampenlichts. Die *Namen* dieser beiden Götter werden vom Zauberer laut ausgesprochen, und zwar in der Richtung nach der Lampe hin (πρὸς αὐτόν). In demselben Augenblick strömen die Fluida der beiden Götter in den gesprochenen Namen hinein und werden mit dem Mundhauche in den neu eingezogenen Lampendocht hineingestoßen. Dadurch wird der Docht mit dem göttlichen Fluidum gefüllt. Der Docht bzw. die Lampe ist jetzt das Gefäß der lebendigen Fluida der angerufenen beiden Götter. Diese Fluida strömen nunmehr, wie auch das Lampenlicht, von der Lampe auf die Umgebung und auf die Menschen, die in der Wohnung sich befinden, hinüber, genauso wie das Fluidum des Fortunagötterbildes im Schlafgemache des römischen Kaisers auf den Bewohner dieses Schlafgemaches hinüberströmte[62].

---

[61] Achelis, Die Canones Hippolyti (Texte und Untersuchungen, VI 4), S. 96.
[62] Schrift 1, S. 25 Anm. 3.

Die Worte ἐξορκίζω σε λύχνε besagen, daß der Zauberer eine *Bann-grenze* um die Lampe zieht. Diese Grenze hat zum Zwecke, eine *Scheide-wand* zu bilden, welche das in der Lampe wohnende Fluidum und dessen Strahlungsbereich *einhegt* und gegen die Gebiete der jenseits der Grenze wirksamen lebenverneinenden Fluida *abtrennt*. Eine solche Scheidewand und Schutzwand aufzurichten ist auch Aufgabe des *christlichen Exorzisten*[63], daher auch seine Benennung als ἐξορκιστής. Dieser Exorzist besitzt selber nicht das hochgespannte Fluidum, er kann das Fluidum daher nicht von sich aus austeilen; er arbeitet mehr handwerksmäßig, weil er Wasser oder Öl und vorgeschriebenen Bannspruch als Hilfsmittel nötig hat.

Ein verwandtes Wort ist σφραγίζειν oder signare. Über diesen Begriff hat Wobbermin näher gehandelt[64], er faßt das σφραγίζειν unter Hinweis auf Tertullian, der die Taufe oft als absignatio oder signatio fidei bezeichnet, und unter Hinweis auf die Mysteriensprache als ein „Siegeln" oder „Versiegeln" oder „Stempeln" des Gläubigen, welcher nunmehr „gekennzeichnet" ist und damit „Eigentum" der Gottheit wird, in deren „Schutz" er fortan steht. Auch Heitmüller[65] hält sich an der Übersetzung „Siegel" und sagt: „Das Siegel (σφραγίς) ist das Erkennungszeichen der Verehrer und Kultgenossen einer Gottheit; es wird meist, in die Haut eingeätzt oder eingebrannt, am Körper getragen" usw. Sodann: „Durch das Nennen des Jesusnamens über dem Täufling erhielt dieser sein Siegel, d. h. das Erkennungszeichen, daß er Eigentum Jesu sei und zu seinen Verehrern gehöre, und ein Schutzzeichen, ein Amulett gegenüber Dämonen und bösen Geistern" usw. Nun bieten aber die Papyri noch eine andere Erklärungsmöglichkeit. Wie ich Pap. Strassb. I 2,7 Anm. gezeigt habe (vgl. auch mein Fachwörterbuch S. 166 unter σφραγίζω und σφραγίς), bedeutet σφραγίζειν auch das Abgrenzen eines Ackerstückes gegen ein anderes durch Setzen von Merksteinen oder Grenzsteinen, also das Ziehen einer Grenze durch Errichten von sichtbaren Merkmalen; σφραγίς ist zunächst der Merkstein, Grenzstein, auch der als Grenze dienende Ackerrain, sodann aber auch ein so abgegrenzter

---

[63] Über die Tätigkeit des Exorzisten siehe das reiche Material bei Dölger, Der Exorzismus im altchristlichen Taufritual.

[64] Religionsgeschichtliche Studien zur Frage der Beeinflussung des Urchristentums durch das antike Mysterienwesen (Berlin 1896), S. 144—153.

[65] Die Religion in Geschichte und Gegenwart, V 1098.

Bezirk selber, ein Ackerlos oder auch ein Flurbezirk. Diese Bedeutung
wird es sein, die von der Mysteriensprache übernommen worden ist. Alsdann sind z. B. die Worte[66] οἱ πιστεύσαντες καὶ εἰληφότες τὴν
σφραγῖδα nicht dahin zu verstehen, daß die Gläubigen eine „Versiege-
lung" empfangen haben, sondern daß durch Eingehen des Fluidums in
ihr Leibesinnere dieses Fluidum ausstrahlend eine Art von *Kraftkreis* um
sie herum bildet, der durch Exorzismus *abgegrenzt* ist gegen die außerhalb dieser Grenze wirksamen feindlichen Fluida; es ist also eine Scheide-
wand oder Grenze (σφραγίς) um den Gläubigen herum aufgerichtet,
die ihn schützt gegen die christenverneinenden Fluida. Wenn in den
Acta Pauli et Theclae die Thekla zu Paulus spricht: δός μοι τὴν ἐν
Χριστῷ σφραγῖδα, καὶ οὐχ ἅψεταί μοι πειρασμός, so wird das
bedeuten: laß das göttliche Fluidum in mich hineinströmen, damit die in
und an mir haftende Masse des Fluidums wie ein dichter Kraftkreis mich
einhüllt, so daß die Fluidumshülle burgartig mich schützt, damit die her-
anstürmenden feindlichen Fluida abprallen, so daß ihre Verlockungen
mir nichts anhaben können.

In demselben Sinne sind offenbar die Worte bei Hermas, Sim. IX 16,3
aufzufassen: ὅταν δέ λάβῃ τὴν σφραγῖδα, ἀποτίθεται τὴν
νέκρωσιν καὶ ἀναλαμβάνει τὴν ζωήν· ἡ σφραγὶς οὖν τὸ ὕδωρ
ἐστίν[67]. Das Taufwasser ist mit Fluidum gesättigt und überträgt das
Fluidum auf den Täufling; im Täufling wohnt nunmehr das Fluidum,
und ausstrahlend umhüllt es ihn nach Art eines Kraftkreises; dieser
Kraftkreis ist zugleich ein Bannkreis, der schützend den Täufling
„abgrenzt" gegen die fremde, christenfeindliche Nachbarschaft, insbesondere gegen die bösen nichtchristlichen Fluida; der Täufling ist also
ἐσφραγισμένος, gleichwie auch ein Ackerstück „abgegrenzt" ist gegen
die fremde Nachbarschaft; er ist eine σφραγίς, wie auch ein Ackerstück
eine σφραγίς ist; und gleichwie das Einhegen eines Ackerstücks durch
σφραγίζειν ausgedrückt wird, so auch das Einhegen des Täuflings in
den Bannkreis des christlichen Fluidums. Das σφραγίζειν oder signare
wäre also letzten Endes dasselbe wie das ἐξορκίζειν; diese Wörter haben
in vorliegendem Zusammenhange die Grundbedeutung des „Einhegens"
und „Schützens".

---

[66] Hermas, Sim. 8, 6, 3.
[67] Vgl. zu νέκρωσις und ζωή die Begriffe „mors" und „vita" (oben S. 218).

Auch das *Amulett* muß unter Zugrundelegung des Namenglaubens erklärt werden. Es lautet z. B. das Amulett BGU. 955 (3. bis 5. Jahrhundert n. Chr.): κύριε Σαβαώθ ἀπόστρεψον ἀπ' ἐμοῦ [.]οτον νόσον τῆς κεφαλῆς κτλ. Hier steht der Gottesname Σαβαώθ schriftlich auf dem Amulett, das der Kranke bei sich trägt, folglich muß das Fluidum jenes Gottes in den Namen hineinströmen. Dort wohnt es in voller Spannung und strahlt von dort aus seine Kraft in die Umgebung hinüber; dabei stößt es auf das lebenverneinende Fluidum, welches im Kopfe des Amulettträgers den Schmerz verursacht, es entsteht ein Kampf, ähnlich wie in Menuthis, und das böse Fluidum muß entweichen, falls die Spannung des Σαβαώθ-Fluidums die größere ist.

Wiederholt benutzte ich den Ausdruck *„Gefäß"* zur Bezeichnung nicht nur des leblosen, sondern auch des lebenden Kraftträgers. Dieser Ausdruck rührt nicht von mir her, er ist vielmehr in der altchristlichen Literatur sehr oft anzutreffen, ein Beweis dafür, daß man sich das stoffliche Fluidum und sein Gehäuse in durchaus hausbackener und grobsinnlicher Weise vorgestellt hat. An „bildlichen" Ausdruck ist in dieser Zeit nicht zu denken. Der Exorzismus geschieht, „ut, qui dudum *vas* fuerit satanae, fiat nunc *domicilium* salvatoris"[68], d. h., das christenfeindliche Fluidum (satanas) soll aus dem Gefäße entweichen und dem christlichen Fluidum, dessen kultischer Hauptträger Christus (salvator) ist, den Platz einräumen.

Die Apostolischen Konstitutionen VI 27, 4 sagen: πᾶς δὲ ἄνθρωπος ὁ μὲν τῷ πνεύματι πεπλήρωται τῷ ἁγίῳ ὁ δὲ τῷ ἀκαθάρτῳ, καὶ οὐχ οἷόν τε φυγεῖν αὐτῶν ἑκάτερον, εἰ μὴ ἐναντίον τι πάθωσιν κτλ., πᾶς δὲ βεβαπτισμένος κατὰ ἀλήθειαν τοῦ μὲν διαβολικοῦ πνεύματος κεχώρισται, τοῦ δὲ ἁγίου πνεύματος ἐντὸς καθέστηκεν. Das πεπλήρωται ist keineswegs bildlich, sondern durchaus stofflich aufzufassen. Nach ägyptischer Auffassung belebte der Allgott die Welt, indem er in alle Lebewesen hineinströmte, die infolgedessen „lebten" (oben S. 214); danach also war jeglicher gesunde Mensch Gefäß *desselben* Fluidums, d. h. des lebenspendenden Fluidums; nur bei *Krankheit* drang das lebenverneinende Fluidum in das Gefäß hinein. Die frühchristliche Zeit kämpfte, wie wir sahen (oben

---

[68] Migne, Patr. lat. 59, 402 (Johannes, Ep. ad Senarium). Vgl. dazu Dölger, Der Exorzismus im altchristlichen Taufritual, S. 120.

S. 219), nicht bloß wider die Krankheitsfluida, sondern auch wider alle
nichtchristlichen Fluida, die gemeinsam als satanas oder ἀκάθαρτον
πνεῦμα dem salvator oder ἅγιον πνεῦμα gegenüberstanden. Aber daß
kein Menschgefäß *ohne* das eine oder das andere Fluidum bestehen könne, sagen ausdrücklich die Konstitutionen. Und das entspricht der alten
ägyptischen Anschauung.

Die syrische Didaskalia[69] drückt denselben Gedankengang folgendermaßen aus: „Lernet also, warum der unsaubere Geist, wann er ausgefahren ist, an keinem Orte Ruhe findet. Weil ein *jeder* Mensch, der existiert,
des Geistes voll[70] ist: er gehört dem *heiligen Geiste,* und er gehört dem
unreinen Geiste. Der Gläubige ist voll des Heiligen Geistes, und der Ungläubige des unreinen Geistes, und seine Natur nimmt keinen fremden
Geist an. Wer also von dem unreinen Geiste sich getrennt und entfernt
hat und von ihm weggegangen ist durch die Taufe, der ist des *Heiligen
Geistes voll* geworden; und wenn er gute Taten vollbringt, so harrt der
Heilige Geist bei ihm aus, und er *bleibt voll* (von ihm), und der unreine
Geist kann keinen Platz bei ihm finden" usw. Das bedeutet wiederum:
kein Mensch ohne Fluidum, denn unter „Geist" ist das Fluidum zu ver-
stehen; durch den Exorzismus bei der Taufe wird das nichtchristliche
Fluidum verjagt; in den leergewordenen Raum zieht sofort das christliche
Fludium ein; alsdann ist das Gefäß wiederum „voll", aber „voll des *hei-
ligen* Geistes" oder des *„christlichen* Fluidums".

Im › Pastor Hermae ‹, Mand. 5,1,2 heißt es:

Ἐὰν γὰρ μακρόθυμος ἔσῃ, τὸ πνεῦμα τὸ ἅγιον τὸ κατοικοῦν ἐν
σοὶ καθαρὸν ἔσται, μὴ ἐπισκοτούμενον ὑπὸ ἑτέρου πονηροῦ
πνεύματος, ἀλλ᾽ ἐν εὐρυχώρῳ κατοικοῦν ἀγαλλιάσεται καὶ
εὐφρανθήσεται μετὰ τοῦ σκεύους, ἐν ᾧ κατοικεῖ, καὶ λειτουργήσει τῷ
θεῷ ἐν ἱλαρότητι, ἔχον τὴν εὐθηνίαν ἐν ἑαυτῷ. Ἐὰν δὲ
ὀξυχολία τις προσέλθῃ, εὐθὺς τὸ πνεῦμα τὸ ἅγιον τρυφερὸν ὂν
στενοχωρεῖται, μὴ ἔχον τὸν τόπον καθαρόν, καὶ ζητεῖ ἀποστῆναι ἐκ
τοῦ τόπου.

Also: das gute (christliche) und das böse (heidnische) Fluidum vertragen
sich nicht am gleichen Orte; wo das eine sitzt, ist keine Sitzgelegenheit

---

[69] Achelis und Flemming, Die syrische Didaskalia, S. 140 (Texte u. Untersuch.,
X 2).

[70] Vgl. dazu die Worte Giordano Brunos und Goethes, oben S. 215.

für das andere. Das gute Fluidum, zart und empfindlich, entweicht, sobald das rohe Fluidum Raum gewinnt. Der Menschenleib wird hier σκεῦος genannt wie oben vas, d. i. also grobsinnlich das „Gefäß"; das ἀποστῆναι ἐκ τοῦ τόπου drückt sinnfällig das Hinwegströmen aus dem Gefäße aus; dem ἀποστῆναι liegt derselbe Gedanke des „Strömens" zugrunde wie dem ἐξέρχεσθαι in der Legende vom blutflüssigen Weibe.

Das durch Kampf veranlaßte Hin- und Herfließen der zwei entgegengesetzten Fluida im Menschenleibe, als in einem Gefäße, schildert noch anschaulicher eine andere Stelle im ›Pastor Hermae‹, Mand. 5,2,5:

῞Οταν γὰρ ταῦτα τὰ πνεύματα [die bösen Fluida] ἐν ἑνὶ ἀγγείῳ κατοικῇ, οὐ καὶ τὸ πνεῦμα τὸ ἅγιον κατοικεῖ, οὐ χωρεῖ τὸ ἄγγος ἐκεῖνο, ἀλλ᾽ ὑπερπλεονάζει. Τὸ τρυφερὸν οὖν πνεῦμα [das gute Fluidum], μὴ ἔχον συνήθειαν μετὰ πονηροῦ πνεύματος κατοικεῖν μηδὲ μετὰ σκληρότητος, ἀποχωρεῖ ἀπὸ τοῦ ἀνθρώπου τοῦ τοιούτου καὶ ζητεῖ κατοικεῖν μετὰ πραότητος καὶ ἡσυχίας. Εἶτα ὅταν ἀποστῇ ἀπὸ τοῦ ἀνθρώπου ἐκείνου οὗ κατοικεῖ, γίνεται ὁ ἄνθρωπος ἐκεῖνος κενὸς ἀπὸ τοῦ πνεύματος τοῦ δικαίου, καὶ λοιπὸν πεπληρωμένος τοῖς πνεύμασι τοῖς πονηροῖς ἀκαταστατεῖ ἐν πάσῃ πράξει αὐτοῦ.

Bei solchen Schilderungen kann von bildlicher Ausdrucksweise keine Rede sein. Das böse Fluidum dringt in das Menschengefäß hinein, das Gefäß wird übervoll, das empfindliche gute Fluidum entweicht, das Gefäß wird vom guten Fluidum leer (κενός), das böse Fluidum füllt das ganze Gefäß an.

Wie alle diese Beispiele zeigen, dachte man sich also das Fluidum als ein *stoffliches, licht- oder gasartiges, fließendes oder wallendes Gebilde,* das eines *Gefäßes* bedarf, um sich halten zu können, wie Wasser eines Topfes bedarf; und dieses Gebilde sendet seine *Ausstrahlungen oder Dünste* ringsherum in die Umgebung hinein. Diesen Ausstrahlungskreis nannte ich wiederholt den *Kraftkreis.* Wie der Parfümduft oder Blumenduft stärker wird, je mehr man dem Herde des Duftes sich nähert, so ist auch die Wirkungskraft des Fluidums stärker, je näher man an den Fluidumträger herantritt. Bei Zugrundelegung dieser Auffassung versteht man den Mythus, daß, wenn man eine Öllampe in den Strahlungsbereich einer Reliquie bringt, das Öl aus der Lampe herausfließt[71]; es geschieht

---

[71] Lucius, Die Anfänge des Heiligenkultes, S. 133.

das, weil das den Raum füllende stoffliche Fluidum in den Lampenbehälter hineinfließt, und zwar um so mehr, je näher sich die Lampe dem Mittelpunkte des Strahlungsbereiches nähert; das Fluidum ist kräftiger als das Öl und drängt daher das Öl aus dem Behälter hinaus. So entweicht auch aus dem Menschenleibe das schwächere Fluidum, sobald ein stärkeres Fluidum hineinströmt. Jedenfalls also wurde das christliche wie auch das nichtchristliche Fluidum *stofflich*[72] gedacht, wie auch die Gefäße der Fluida stofflich waren.

Die bisherigen Beispiele zeigten, wie ich öfter betonte, das Hineinbefördern des Fluidums in den Menschenleib vermittels der *Hautporen*. Daß tatsächlich die Poren als *Einführungskanäle* benutzt werden, geht aus der weiteren Tatsache hervor, daß man daneben auch andere Kanäle, die eine *größere* Öffnung darbieten, für jenen Zweck benutzte. Nach der mosaischen Schöpfungsgeschichte bläst Gott sein Fluidum durch die Nase des ersten Menschen in dessen Leib hinein. Pharao Amenophis IV. wird mit dem Fluidum des Sonnengottes gesättigt, indem dieses Fluidum durch seine *Nase* in sein Inneres befördert wird[73]. Auch die *Augen* und die *Ohren* wurden als Kanalöffnungen benutzt. In diesem Sinne sind die Worte bei Mansi III 564 zu verstehen[74]: ἐξορκίζομεν αὐτοὺς μετὰ τοῦ ἐμφυσᾶν εἰς τὸ πρόσωπον καὶ εἰς τὰ ὦτα αὐτῶν, d. h. „wir bannen sie dadurch, daß wir das göttliche Fluidum in ihr Antlitz (Augen, Nase, Mund) sowie in ihre *Ohren* hineinblasen". Wenn Joh. 20,22 vom auferstandenen Christus berichtet wird, daß er die Jünger „anblies": ἐνεφύσησεν καὶ λέγει αὐτοῖς λάβετε πνεῦμα ἅγιον, so ist auch hier ein Hineinblasen, des Fluidums in die *Kanalöffnungen des Antlitzes* gemeint; der Leib der Jünger wurde dadurch angefüllt mit dem Fluidum Christi, welches wiederum nichts anderes ist als das Fluidum des Allvaters, das Christus vom Allvater her empfangen hat. In demselben Sinne ist zu verstehen die Stelle im Kap. 141 der ›Pistis Sophia‹[75]: „Christus segnete die Jünger und blies in ihre *Augen* hinein." Hier sind die Augen als die Kanalöffnungen ausdrücklich namhaft gemacht. Infolge des „Ein-

---

[72] Mit Recht spricht van der Leeuw von einem christlichen „Gottstoffe", Archiv für Religionswissenschaft. 20 (1921), S. 244.

[73] Schrift 1, S. 8.

[74] Vgl. Dölger, Der Exorzismus im altchristlichen Taufritual, S. 119.

[75] Karl Schmidt, Koptisch-gnostische Schriften I (1905), S. 242.

blasens" wurden die Jünger Träger oder Gefäße des göttlichen Fluidums in derselben Spannung, wie auch Christus sie besaß[76]. Der Myste in der Mithrasliturgie braucht keinen Bläser, er füllt seinen Leib aus *eigener* Kraft, durch *Einsaugen* mit Fluidum an; aber auch er benutzt dazu Kanalöffnungen seines Antlitzes, und zwar den *Mund* bzw. die *Nase*[77]: „hole von den Strahlen Atem, dreimal einziehend so stark du kannst" und „ziehe von dem Göttlichen gerade hinblickend in dich den Geisthauch"; d. h., der Myste richtet sein Antlitz gegen die Gottheit hin, von wo die „Strahlen"[78], d. h. die Fluidumsausstrahlungen, in größter Massigkeit ausgehen, und dann zieht er durch die Nase oder vielleicht auch durch den aufgesperrten Mund diese Ausstrahlungen, die ja stofflich gedacht sind, kräftig in sich hinein und füllt seinen Leib mit dem Fluidum, das ja Gott selber ist[79], kräftig an; alsdann wohnt die Gottheit im Mysten in hoher Spannung, der Myste steht den anderen hochgespannten Kraftträgern gleich.

Wenn der Bläser nicht selber Träger hochgespannter Kraft ist, muß er beim Blasen den *Namen* der Gottheit anrufen: alsdann strömt das göttliche Fluidum, wie wir sahen, in den gesprochenen Namen hinein, der am Mundhauche haftet, und mit dem Mundhauche bzw. dem Schalle des Namens gleitet das Fluidum sodann durch die Kanalöffnungen des Kopfes in den Leib des Angeblasenen hinein.

Dieses Hineinblasen des Fluidums hat offenbar eine mehr andauernde Wirkung als das Aufstreichen des Fluidums mit Hilfe von Wasser und Öl auf den Leib des Kraftbedürftigen. Kräftige Wirkung erzielt man auch durch *Berühren,* wie die Beispiele zeigten[80]. Aber Wasser verflüchtigt sich schnell, Öl vergeht ebenfalls nach einiger Zeit, das Berühren dauert nur kurze Zeit. Das *nachhaltigste Mittel* besteht wohl darin, daß der Kraftbedürftige irgendeinen Gegenstand, der vorher kräftig mit Fluidum

---

[76] Vgl. 1. Timoth. 1, 12: χάριν ἔχω τῷ ἐνδυναμώσαντί με Χριστῷ Ἰησοῦ. Ähnlich Philipp. 4,13. Das ἐνδυναμόω ist das Hineinblasen des Fluidums (δύναμις) in den Leib der Jünger.

[77] Dieterich, Eine Mithrasliturgie, S. 10 und 64.

[78] Vgl. die vom Sonnengotte auslaufenden Kraftstrahlen auf den Reliefbildern des Pharao Amenophis IV. (Schrift 1, S. 6 ff.)

[79] Vgl. dazu Schrift 1, S. 18.

[80] Schrift 1, S. 59 f.

gesättigt ist, *verschluckt,* weil man sich vorstellte, daß durch Verschlucken das Fluidum in ungeschmälerter Menge in den Leib hinein-
gelangt und dort auch weiterhin am verschluckten Gegenstande lange haften bleibt. Noch heute verschluckt der Araber einen mit Zauberformeln
beschrifteten Papierzettel, d. h. also ein Amulett mit dem daran haftenden Fluidum. Wird das Amulett auf der Brust getragen, so wirkt das Fluidum ja auch dort heilsam (vgl. oben S. 235), aber der Ausstrahlungs-
verlust ist geringer, wenn das Amulett sich im *Leibesinneren* befindet.

Im Pariser Zauberpapyrus[81], Zeile 785 ff., heißt es: γράψον ἐπὶ
φύλλου περσέας τὸ ὀτωγράμματον ὄνομα, ὡς ὑπόκειται
κτλ., ἀπόλειχε τὸ φύλλον κτλ., τὸ δὲ ὄνομά ἐστι τοῦτο
’Ιεεοοιᾶι, τοῦτο ἔκλειχε, ἵνα φυλακτηριασϑῇς κτλ., d. h. „schreibe
auf ein Blatt des Perseabaumes[82] den nachstehenden, acht Buchstaben
enthaltenden Namen auf und *lecke sodann das Blatt ab,* der Name aber
lautet Jeeooiai, diesen Namen lecke vom Blatt hinweg, damit du amu-
lettkräftigen Schutz genießest". Der genannte Geheimname scheint den
Gottesnamen Jehova zu enthalten. Wird dieser Name auf das Blatt geschrieben, so muß, wie oben (S. 227) ausgeführt wurde, sofort das Fluidum des Gottes in diesen Schriftnamen hineinströmen und wohnt jetzt
in den mit Tinte geschriebenen Schriftzügen. Leckt man diese Schriftzüge vom Blatte ab und verschluckt sie, so befindet sich jetzt der geschrie-
bene Name und damit auch das göttliche Fluidum im Leibesinneren des
kraftbedürftigen Menschen; das Fluidum kann jetzt von innen heraus
ausstrahlend alle feindlichen Fluida verjagen oder fernhalten, sofern
seine Spannung dazu ausreicht.

Der von Parthey veröffentlichte Berliner Zauberpapyrus[83] enthält
Z. 233 ff. eine ähnliche Stelle: λαβὼν χάρτην ἱερατικὸν γράψον
τὰ προκείμενα ὀνόματα κτλ. καὶ ἀπόκλυσον ἐν ὕδατι πηγαίῳ
ἀπὸ ἑπτὰ πηγῶν καὶ πίε αὐτὸ κτλ. Hier strömt das Gottesfluidum zuerst in den Schriftnamen hinein, der auf das Papyrusblatt geschrieben worden ist; dann spült man das Blatt in einem Gefäß voll
Quellwasser ab; die Schriftzüge samt dem anhaftenden Fluidum werden

---

[81] Herausgeg. von Wessely, Abhandl. Akad. Wien 36 (1888).
[82] Über diesen heiligen Baum siehe Pap. Oxy. I 53; VIII 1112; IX 1188. Vgl.
auch Wilcken, Archiv für Papyrusforsch. I, S. 127.
[83] Abhandl. Akad. Berlin 1865.

damit in das Wasser übertragen; nun trinkt man dieses Wasser — natürlich das *gesamte* im Gefäße enthaltene Wasser, damit nicht mit einem übriggelassenen Teile Wassers auch ein Teil des Fluidums übriggelassen wird —, und mit dem Wasser gelangt das Fluidum in das Leibesinnere. Die Papyrus-Schreibtinte ist aus Pflanzenruß und Pflanzengummi gefertigt, sie löst sich zwar im Wasser nicht auf, kann aber mit feuchtem Schwamme leicht abgewicht werden; frische Schrift löst sich durch kräftiges Spülen im Wasser sehr leicht vom Papyrusblatt ab.

Das *Hineinbefördern* des Fluidums in die auf Papier oder dergleichen geschriebenen Namen und damit seine *Nutzbarmachung* wird Pap. Lond. I, S. 77 Nr. 46, 384 als die ἐνπνευμάτωσις bezeichnet: γράψον τὸν λόγον εἰς χάρτην ἱερατικὸν καὶ εἰς φῦσαν χήνειαν [Gänsegurgel] καὶ ἔνθες εἰς τὸ ζῴδιον ἐνπνευματώσεως εἴνεκεν. Papyrusblatt und Gänsegurgel wurden in diesem Fall als Amulett im Gürtel getragen.

Besser aber als das Verschlucken von *Zetteln* und *Tinte* ist das Verschlucken von *Speise*[84] *und Trank*. Doch Speise und Trank müssen, wie Zettel und Tinte, zuvor mit dem Gottesfluidum gesättigt werden. Die Sättigung von Speise und Trank geschieht entweder durch Ausstrahlung vom Kultbilde her oder durch Berührung mit einem Kultgeräte, z. B. mit dem Altare, oder durch Anrufung des Namens der Gottheit, wie das oben (S. 228 ff.) bei Sättigung des Öles gezeigt wurde. Im Attiskulte sind Tamburin und Zymbel heilige Geräte, welche mit Fluidum gesättigt sind; legt man Fleisch auf das Tamburin und gießt man Wein in die Zymbel, so strömt das Fluidum auf Fleisch und Trank hinüber. Die Attismysten aßen dieses Fleisch und tranken diesen Wein; damit ging das Attisfluidum, also immer wiederum das Ich des Gottes, in den Leib der Attismysten hinein, offenbar in sehr großer Spannung, so daß die Mysten hochgespannte Gefäße der Gottheit wurden, wie auch in ähnlicher Weise die Götterbilder oder die Gottkönige solche Gefäße waren. Daher ihr Triumphgesang: „ich habe vom Tamburin gegessen, ich habe aus der Zymbel getrunken, ich bin Myste des Attis geworden"[85]. Der Myste wirkt nicht mehr als bloßer Mensch; in ihm wohnt Gott; Gott wirkt durch den

---

[84] Vgl. das Opfermahl des Pharao Amenophis IV. (Schrift 1, S. 44).

[85] Cumont, Die orientalischen Religionen im römischen Heidentum (übersetzt von Gehrich), 2. Aufl., S. 82.

Mysten. Daher auch das stolze Wort des Hermesmysten in Pap. Lond. I,
S. 118 Nr. 122,49: οἶδά σε Ἑρμῆ καὶ σὺ ἐμέ, ἐγώ εἰμι σὺ καὶ
σὺ ἐγώ.

In dem hier behandelten Anschauungskreise wird also die Speise im
Kulte nicht deswegen verzehrt, weil sie (Brot, Fleisch) schon *an und für
sich,* schon ihrer Natur nach etwas Kraftenthaltendes darstellt[86]; vielmehr
ist die Speise nur Mittel zum Zwecke, gleichwie jener Papierzettel oder
jene Tintenschrift; sie dient nur als *Träger* des Fluidums, weil das Fluidum
an und für sich nicht greifbar und daher nicht an sich verzehrbar ist.
Wenn der Kranke eine überzuckerte Pille verschluckt, so geschieht das
nicht des Zuckers wegen, sondern des in den Zuckerguß eingehüllten
Arzneistoffes wegen. Verzehrte man beim Kultmahle z. B. den Dionysos-
stier, so verzehrte man allerdings den Gott, aber nicht der Stier war der
Gott, auch nicht das einzelne Fleischstück, sondern das im Stiere und an
jedem Fleischstückchen haftende *Fluidum.*

Die beim Kultmahle genossene Speise nebst *Trank ist verweslich* und
kann nur als verweslich gedacht werden; aber das göttliche Fluidum, welches, haftend an Speise und Trank, in das Innere des Gläubigen befördert wird, ist und bleibt unvergänglich und ewig, weil es die Gotteskraft
oder vielmehr *Gott selber* ist.

Ich hob schon öfter hervor, daß man sich das Fluidum als einen *Stoff*
dachte, der seine Gefäße anfüllt. Dieser Stoff ist nicht mit Händen zu
greifen, weshalb die *Hilfsstoffe* (Wasser, Öl, Tintenschrift, Papyrusblatt,
Speise und Trank) nötig wurden, um das Fluidum festzuhalten und aus-
zunutzen. Aber einen Beleg gibt es, der da zeigt, daß man sich gelegentlich das Fluidum auch als einen *greifbaren* Stoff vorstellte. Dieser Beleg
ist die Legende von Maria und dem Jesusknaben in der ›Pistis Sophia‹[87].
Ich gebe nachstehend die Übersetzung von Hennecke, Neutestamentliche Apokryphen, S. 74 (Rede der Maria an den auferstandenen Christus):
„Da du klein warst, bevor der Geist über dich gekommen war, während
du dich mit Joseph im Weingarten befandest, kam der Geist aus der Höhe

---

[86] In diesem Sinne, doch bezogen auf alle Völker und Zeiten, die Darstellung
bei Reuterskiöld, Die Entstehung der Speisesakramente, S. 115: Das Brot als
Machtkonzentration, sowie S. 126: Das Essen des Dionysosstieres (Religions-
wissenschaftl. Biblioth. 4, Heidelberg 1912).

[87] Koptischer Text bei Schwartze-Petermann, Pistis Sophia, S. 121.

und kam zu mir in mein Haus, *dir gleichend,* und nicht hatte ich ihn erkannt und dachte, daß du es wärest. Und es sprach zu mir der Gott: wo ist Jesus, mein Bruder, damit ich ihm begegne? Und als er mir dieses sagte, geriet ich in Verlegenheit und dachte, es wäre ein Gespenst, um mich zu versuchen. Ich nahm ihn aber und *band ihn an den Fuß des Bettes,* das in meinem Hause, bis daß ich zu euch, zu dir und Joseph, auf das Feld hinausginge und euch im Weinberge auffände, wo Joseph den Weinberg bepfählte. Es geschah aber, als du noch das Wort an Joseph sprechen hörtest, begriffest du das Wort, freutest dich und sprachst: wo ist er, auf daß ich ihn sehe, sonst warte ich auf ihn an diesem Orte. Es geschah aber, als Joseph dich diese Worte sagen hörte, wurde er bestürzt, und wir gingen zusammen hinauf und gingen in das Haus hinein und *fanden den Geist an das Bett gebunden.* Und wir schauten dich an und *fanden dich ihm gleichend.* Und es wurde der an das Bett Gebundene befreit, und er umarmte und küßte dich, und auch du küßtest ihn, und *ihr wurdet eins."* Mit anderen Worten: Gott sendet aus der Höhe sein Fluidum in hochgespannter Form herab, um Christus damit zu füllen und ihn zu *höheren* Taten zu befähigen, als dies mit dem gewöhnlichen, bisher in Christus wohnenden Fluidum, welches nur das menschliche Leben an sich darstellt, möglich war. Dieses *hochgespannte* Fluidum hat schon den äußeren Umfang desjenigen Gefäßes, welches damit angefüllt werden soll. Das Anfüllen soll so geschehen, daß jedes Glied, jede Muskel, jede kleinste Hautfalte, jedes Härchen vollständig gefüllt wird. Daher rührt es, daß das für Christus bestimmte Fluidum genau dieselbe Gestalt hat wie der Christusknabe selber, beide sind zum Verwechseln ähnlich. Das so gestaltete Fluidum hat die Fähigkeit, zu sprechen; der Klang seiner Stimme ist genau derselbe wie beim Jesusknaben, daher glaubt Maria, sie habe ihren Knaben vor sich. Erst auf die sonderbare Frage des Fluidums wird sie stutzig, sie glaubt, daß irgendein böser Geist die Gestalt ihres Knaben angenommen habe, und beherzt greift sie zu und bindet die Fluidumgestalt an das Bett. Hier also ist das Fluidum *greifbar und sogar fesselbar.* Nachher umarmt und küßt die Fluidumgestalt den Christusknaben, wie dieser die Gestalt, und schließlich schlüpft die Fluidumgestalt in den Christusknaben hinein; Christus und das Fluidum vereinigten sich also, das Fluidum ist von da ab nicht mehr sichtbar, es wohnt jetzt in seinem Gefäße. Wie mir Spiegelberg auf Befragen sagt, bedeuten die koptischen Schlußworte: „und ihr wurdet ein einziges Wesen" oder auch „ein und dasselbe Wesen".

Dem will ich gegenüberstellen, was ich schon früher über den *ägypti-schen Ka* gesagt habe[88]: „Das Fluidum (der Ka) eines Menschen füllt den ganzen Menschen aus, und zwar bis in die kleinsten Falten und Teilchen des Körpers hinein; ist der Mensch jung und klein, so füllt es nur diesen jungen oder kleinen Menschen aus, wächst der Mensch, so füllt es den größer gewordenen Menschen aus." Daher hat auf ägyptischen Bildern der Ka genau dieselbe Gestalt wie der Mensch, dessen Ka er ist.

Die Pistis Sophia ist im 3. Jahrhundert auf ägyptischem Boden entstanden[89]. Die Anschauung vom Christusfluidum als einem Ka lag daher dem Verfasser nahe; seine Darstellung läßt aber darauf schließen, daß seine Anschauung mit der Anschauung des *frühchristlichen Volkes in Ägypten* sich deckte. Die uralte ägyptische Anschauung vom Ka übertrug man ohne weiteres auf das christliche ἅγιον πνεῦμα. Man stellte sich den „heiligen Geist", welchen der Christengott auf Christus herabsen-det, genauso vor wie den vom ägyptischen Sonnengott ausströmenden Ka. Umgekehrt folgt aber noch aus der Legende, daß die in Schrift 1 von mir gegebene Deutung des Ka richtig ist: *der Ka* ist *das in jedem Men-schen wohnende Fluidum.*

In der Legende von Maria und dem Jesusknaben wird Christus mit dem hochgespannten (gottesgleichen) Fluidum erst angefüllt, als er bereits ein verständiger Knabe geworden war; bis dahin war er ein gewöhnlicher Mensch. Auch der ägyptische König ist nicht von Geburt an Gott; er wird es erst bei der Thronbesteigung[90]. Die Gottheit als solche ist von aller Ewigkeit her und in alle Ewigkeit ewig. Gottkönig wie Christus sind nach jener Auffassung nur zeitliche Gefäße jener ewigen Gottheit. Für das ewige Wesen Gottes ist es belanglos, ob Gott schon gleich bei Entstehung des Gefäßes oder erst einige Zeit nachher in dasselbe hineinströmt. Ander-seits erlitt die Ehrwürdigkeit und gottesgleiche Stellung solcher gott-begnadeten Menschengefäße in den orientalischen Augen keine Einbuße dadurch, daß diese Menschen nicht schon von Geburt an den stofflichen Gott in sich trugen. Der Unterschied zwischen Gefäß und Inhalt ver-wischte sich ohnehin leicht in der Auffassung des breiten Volkes[91].

---

[88] Schrift 1, S. 54.
[89] Karl Schmidt, in: Religion in Geschichte und Gegenwart, IV 1611.
[90] Schrift 1, S. 12.
[91] Vgl. Schrift 1, S. 11.

Indessen errang diese Anschauung nicht den Sieg. Aus den Schriften ihrer Gegner möchte ich nur etliche Worte Cassians hier anführen, weil sie für meine Untersuchung von Wert sind. In seiner Streitschrift wider Nestorius (De incarnatione Christi) sagt Cassian (V 4): „tu in Christo deum velut in homine habitare dicis." Dieses „habitare in homine" ist das Wohnen des Fluidums im Menschengefäße. An anderer Stelle (II 6) heißt es: „sed dicas forsitan gratiam hanc domini nostri Iesu Christi, de qua apostolus scribit, non cum ipso natam, *sed postea ei illapsu divinitatis infusam*, quia et homo ipse a te dominus noster Iesus Christus, quem solitarium dicis, non cum deo natus, sed postea a deo dicatur assumtus, ac per hoc totum homini illi gratiam, quando et divinitatem, datam. Neque nos aliud dicimus quam quod divina gratia cum divinitate descenderit, quia et divina gratia dei sit et largitio quodammodo ipsius divinitatis ac donum munificentia gratiarum. *Temporis* ergo inter nos forsitan putetur *magis quam rei esse distantia, quia divinitatem, quam nos cum domino Iesu Christo natam, tu postea dicas infusam.*" Sodann: „nos inquam omnes utrumque hoc et credimus et intelligimus et scimus et confitemur: quod et hominis est filius, quia ex homine natus est, et dei filius, quia ex divinitate conceptus."

Cassian hebt den Kernpunkt der gegnerischen Auffassung scharf heraus: die besondere Gottbegnadung Christi (gratia) habe nicht von seiner Geburt an bestanden; sie sei erst später erfolgt, und zwar gleichzeitig mit dem Einströmen des göttlichen Fluidums (illapsu divinitatis) in den Leib Christi, mithin so, wie die Legende von Maria und dem Jesusknaben es darstellt. Cassian vertritt dagegen den Standpunkt, daß Christus die *„divinitas"* schon bei der Geburt besessen habe, was freilich nur auf einen Zeitunterschied hinauslaufe, insbesondere aber, daß Christus nicht nur Menschensohn, sondern auch Gottessohn sei, „quia ex divinitate conceptus". Die letztere Frage gehört nicht mehr in den Rahmen meiner Untersuchung. Für mich kam es nur darauf an, zu prüfen, welche Vorstellung man in frühchristlicher Zeit vom Wesen der Gotteskraft hatte und inwieweit zur Erklärung ägyptische Anschauungen zu Hilfe genommen werden können. Die Ausdrücke „illapsus divinitatis" und „divinitas infusa" zeigen deutlich, gleichwie die oben behandelten sonstigen Belege, daß man die Gotteskraft *fließend* sich vorstellte.

In der › Ägyptischen Kirchenordnung ‹ lautet die Frage des Bischofs an den Täufling[92]: „und glaubst du an den heiligen, guten und belebenden

---

[92] Achelis, Die Canones Hippolyti (Texte u. Untersuch. VI 4), S. 98.

Geist, welcher das All reinigt in der heiligen Kirche?" Dieser Geist ist das ἅγιον πνεῦμα, welches vom Allgott ausströmt, das lebenbejahende Fluidum im christlichen Sinne, welches das All dadurch reinigt, daß es überall die nichtchristlichen Fluida verjagt und damit die „Kirche", d. i. die Gemeinschaft der Christen, zu seinem Herrschaftsgebiete macht. Die δύναμις, welche nach Matthäus 26,64 und Markus 14,62 den *Allvater*[93] *selber* bezeichnet; das ἅγιον πνεῦμα, welches in den Leib des Christus-knaben eingeht; das πνεῦμα, welches Christus in den Leib seiner Jünger hineinbläst; die δύναμις, welche das blutflüssige Weib aus Christi Man-tel herauslockt; die vita bei Ambrosius; das πνεῦμα, welches vom Bischof in den Leib des Täuflings hineingeblasen wird[94]; das πνεῦμα, welches, haftend an Wasser oder Öl, dem Täufling auf die Haut gestrichen wird; das πνεῦμα, welches durch Handauflegen weitergeleitet wird[95]; das ἅγιον πνεῦμα, welches als „Heiliger Geist" die ganze Christenheit erfüllt oder, haftend an Speise und Trank, beim heiligen Mahle in das Innere des Gläubigen gelangt; das πνεῦμα, welches der Exorzist benutzt, um die feindlichen πνεύματα zu verjagen; die δύναμις Christi, die auf sein Leidenskreuz hinüberströmt und nachher an allen Abbildern des Kreuzes haftet: alles das (und die Beispiele lassen sich aus der reichen Literatur schier endlos vermehren) ist nach damaliger Auffassung allemal *eine und dieselbe Gotteskraft*[96], und zwar die *stoffliche* Gotteskraft, wel-che irdischer Gefäße lebender und lebloser Art bedarf, um sich betätigen zu können, genau wie die von ihr bekämpften christenfeindlichen Kräf-te; und die frühchristliche Auffassung vom Sein und Wirken dieser guten und bösen Kräfte, die ich Fluida nannte, deckt sich genau mit der vor-christlichen Auffassung vom Sein und Wirken der Fluida. Gott steht als Schöpfer zunächst außerhalb der Welt; sodann aber strömt er in seine Schöpfung hinein und „belebt" sie dadurch. Der Mensch hantiert mit die-ser Kraft, gleichwie der Arzt mit der Arznei oder der Techniker mit den Naturkräften. Das ist die grobsinnliche, aus heidnischer Zeit in das frühe Christentum hinübergleitende Anschauung, die uns in frühchristlicher

---

[93] ὄψεσθε τὸν υἱὸν τοῦ ἀνθρώπου καθήμενον ἐκ δεξιῶν τῆς δυνάμεως.
[94] Schrift 1, S. 60.
[95] Schrift 1, S. 60.
[96] Vgl. auch oben S. 214 f. die Bezeichnung des Amon-Re als πνεῦμα.

Zeit aus den Kreisen der Christen ebenso entgegentritt, wie aus den Kreisen der nichtchristlichen Umwelt. Erst der späteren Zeit war es vorbehalten, diese Anschauung zu läutern; aber auch dann noch beobachtet man, bis in das Mittelalter hinein und gelegentlich auch noch später, Ausläufer jener uralten Anschauung, die gerade wegen ihrer hausbackenen Form den breiten Volksmassen am leichtesten zugänglich war und dort am zähesten haften blieb. In der Frühzeit waren es gerade die unteren Volksschichten, in denen das Christentum breite Wurzeln schlug. Man vergesse dabei nicht, welche ungeheure Willenskraft gerade diese grobsinnliche Anschauung auszulösen imstande war: der Christ, welcher damals den Christengott als *stofflichen* und *lebendigen Gott in sich* zu tragen glaubte, war ganz anders gewappnet zu dem Kampfe wider die heidnische, ebenfalls stofflich gedachte Dämonen-und Geisterwelt, als wenn er die christliche Gotteskraft nur mit Hilfe bildlicher Ausdrücke und in rein geistiger, schwer verständlicher Form sich hätte klarmachen müssen.

Anton Fridrichsen, Jesu Kamp mot de Urene Ånder. Svensk teologisk Kvartalskrift 5 (1929), pp. 299—314.
Übersetzt von Detlev Fehling.

JESU KAMPF GEGEN DIE UNREINEN GEISTER[1]

Von ANTON FRIDRICHSEN

Die synoptischen Evangelien zeichnen ein Bild von Jesus, das ihn neben seiner Eigenschaft als prophetischen Verkünder, Wundertäter und Lehrer auch deutlich als Exorzisten ausweist. In der ältesten Tradition spielt Dämonenaustreibung eine große Rolle[2], und die Aufmerksamkeit, die die moderne Evangelienforschung dieser Überlieferung gewidmet hat, steht in keinem angemessenen Verhältnis zu der Bedeutung, die die Urkirche dieser Seite im Wirken Jesu beilegt. Zwar hat man selten die Überlieferung in diesem Punkt ernsthaft angefochten, aber man hat Jesu Exorzismen gerne mit einer gewissen Nachsicht behandelt, als einen ausgeprägten „zeitgeschichtlichen" Zug, als einen Aberglauben, den er mit seiner Zeit teilte und der keine größere Bedeutung für seine Sicht von seiner Aufgabe und der Wirklichkeit, der er gegenüberstand, hatte[3].

Ein wachsender Realismus kennzeichnet die neuere Jesusforschung, und das führt auch dazu, daß man Jesu Kampf mit den unreinen Geistern einer ernsthafteren, gründlicheren Betrachtung zu würdigen beginnt. Da zeigt sich denn, daß sich uns hinter der Dämonenaustreibung eine tiefere Perspektive eröffnet. Jesus hat selbst diesen Krafttaten eine Bedeutung beigelegt, die weit über das Zufällige hinausgeht. Wir sehen hier einen Zusammenhang mit dem dämonischen Hintergrund der Existenz überhaupt und werden dadurch zu einer Ahnung von den dunklen

---

[1] Vortrag, gehalten vor der Theologischen Vereinigung in Lund am 9. November 1929. Bearbeitet und etwas erweitert.

[2] Der exorzistische Zug fehlt im Johannes-Evangelium. Die Ursache wird weiter unten berührt.

[3] G. Naumann, Die Wertschätzung des Wunders im N.T. 1903; H. Monnier, La mission historique de Jésus, Paris 1906; F. Barth, Die Hauptprobleme des Lebens Jesu, 3. Aufl. 1907; R. A. Hoffmann, Die Erlösergedanken des geschichtlichen Christus, Königsberg 1911. — Ein realistischeres Verständnis bei M. Dibelius, Geschichtliche und übergeschichtliche Religion 1925, S. 39 ff.

Tiefen in Jesu Auffassung von der Wirklichkeit und seiner Stellung darin
geführt.

1

Prüfen wir zunächst, welchen Platz *Besessenheit und Exorzismus* im
jüdischen Milieu zur Zeit Jesu einnahm. Darüber haben wir von mehreren Seiten reichliche Zeugnisse, an erster Stelle aus jüdischen Quellen.
Wir sehen aus ihnen, daß Besessenheit zu jener Zeit in Palästina ein sehr
verbreitetes Phänomen war und Exorzismus folglich eine wohlbekannte
Übung[4]. Diese Tatsache spiegelt auch das Neue Testament wider. Wir
haben hier die Antwort, die Jesus seinen Anklägern gibt: „Wenn ich aber
die bösen Geister durch Beelzebub austreibe, durch wen treiben eure
Söhne sie aus?" (Mt 12,27). Weiter haben wir die Perikope über den, der
in Jesu Namen Dämonen austrieb, ohne zum Kreis der Jünger zu
gehören (Mk 9,38ff.); vgl. was in der Apostelgeschichte über wandernde
jüdische Exorzisten erzählt wird, darunter die sieben Söhne des Hohenpriesters Skeuas (19,13ff.). Und endlich sehen wir, daß das Judentum in
diesem wenig ansprechenden Bereich einen starken Einfluß auf den Hellenismus ausgeübt hat: Die hellenistische Magie wimmelt von jüdischen
Zauberformeln und magischen Namen: Iao, Sabaoth, Adonai, Abraham,
Engelnamen, vor allem aber Salomo, der große, klassische Geisterbezwin-
ger[5]. Dieses überaus häufige Vorkommen jüdischer Zaubernamen läßt

[4] Jos. ant. VIII 2,5; L. Blau, Das altjüdische Zauberwesen, 2. Aufl. 1914;
Strack-Billerbeck, Kommentar zum N.T. aus Talmud und Midrasch IV, 1, Mün-
chen 1928, S. 501—535, Exkurs 21: Zur altjüdischen Dämonologie; Taufik
Canaan, Dämonenglaube im Lande der Bibel, Leipzig 1929 (= Das Morgenland
H. 21); M. Grünbaum, Gesammelte Aufsätze 1901, S. 119ff.; I. Scheftelowitz, Alt-
Palästinensischer Bauernglaube 1925; A. Kohut, Angelologie und Dämonologie
in ihrer Abhängigkeit vom Parsismus 1896; S. Daiches, Babylonian Magic in the
Talmud and in the Later Jewish Literature, London 1913; R. C. Thompson, Semi-
tic Magic. Its Origin and Development, London 1908; Otto Weber, Dämonen-
beschwörungen bei den Babyloniern und Assyrern (Der alte Orient VII 4), Leipzig
1904.
[5] Origenes c. Cels. IV 33; Hippolyt Philos. IV 28, S. 547 f. Siehe Chester Mac
Cown, The Testament of Solomon, Leipzig 1922 (= Untersuchungen zum N.T.
Hrsg. von H. Windisch, 9). Reiches Material und Literatur in: Papyri Osloenses I.

sich nur dadurch erklären, daß die Juden in der exorzistischen Praxis führend waren.

Daß Besessenheit und Exorzismus im Gesichtskreis Jesu lagen, ist demnach völlig sicher. Wenn also eine Reihe der ältesten und ursprünglichsten synoptischen Perikopen berichten, daß Jesus Austreibungen vornahm, fügt sich diese Tradition ganz natürlich in das Milieu ein[6]. Die Frage ist nur, wie wir diese Episoden im Rahmen seines Wirkens verstehen sollen[7]. Man bekommt aus der Überlieferung den Eindruck, daß diese Ereignisse in der Regel, jedenfalls anfangs, Jesus überraschend, spontan trafen: Er kommt in die Synagoge, und sogleich stößt ein Besessener laute Schreie aus. Wie sollen wir uns den inneren Zusammenhang in diesen bewegenden Auftritten denken? Man kann auf die Empfänglichkeit hinweisen, die solche geistig verwirrten Menschen für ungewöhnliche geistige Eigenschaften bei andern haben[8]. Wenn wir dazu annehmen, daß

Magical Papyri, ed. S. Eitrem, Oslo 1925; vgl.: Ein christliches Amulett auf Papyrus von S. Eitrem / A. Fridrichsen, Oslo 1921 (= Videnskapsselskapets forhandlingar 1921,1), S. 9 ff.; F. Pfister, Art.: „Epode" in: Pauly-Wissowa-Krolls Realencyklopädie, Suppl. Bd. IV, Sp. 323 ff.; C. Wessely, Ephesia grammata, Wien 1886 (= Jahresber. des Franz-Josephs-Gymnasiums); Griechische Zauberpapyri von Paris und London, Wien 1888 (= Denkschriften der k. Akad. d. Wiss.).

[6] In dieselbe Richtung weist die Rolle, die der Exorzismus im Urchristentum gespielt hat.

[7] Jesu Krafttaten, und speziell die Dämonenaustreibungen, können nicht nur erzählt worden sein, um Jesu Überlegenheit über den Täufer zu beweisen. Denn die Dämonenaustreibungen Jesu gaben den Gegnern Anlaß zu gefährlichen Verdrehungen, mit denen die Kirche lange Schwierigkeiten hatte (das dürfte einer der Gründe dafür sein, daß die Exorzismen Jesu im vierten Evangelium nicht erwähnt werden). Johannes hielt sich in der Einöde auf und kam deshalb mit der Masse des Volks nicht in Berührung; Jesus dagegen wanderte in Städten und Dörfern umher und mußte deshalb zwangsläufig ständig mit Krankheit und Besessenheit in Berührung kommen.

[8] Siehe J. Tambornino, De antiquorum daemonismo, Gießen 1909; J. Smit, De daemoniacis in historia evangelica, Rom 1913; Th. Taczsak, Dämonische Besessenheit, Münster i.W. 1903; A. Titius, Heilung von Dämonischen im N.T., in: Festschrift für Bonwetsch, Leipzig 1918; K. Oesterreich, Die Besessenheit, Langensalza 1921; E. R. Micklem, Miracles and the New Psychology, Oxford 1922; H. Rust, Die Wunder der Bibel I 1922, II 1923, Pfullingen; A. von Harnack, Mission und Ausbreitung, 4. Aufl. 1924, Bd. 1, S. 152.

Jesus als geistesmächtiger Verkündiger und heilbringender Wundertäter allgemein bekannt war — Galiläa ist klein, und das Gerücht läuft schnell —, so ist es nicht auffallend, daß die Atmosphäre, die sich um Jesus gebildet hatte, die Gefühlswoge, die ihm auf seinem Weg folgte, eine unmittelbare Reaktion von seiten der Besessenen auslöste.

Was die nähere Erklärung der hierher gehörenden Perikopen angeht, so müssen wir bedenken, daß die Erzählungen naturgemäß stilisiert und typisiert sind. Es sind nicht Berichte von dem, was sich faktisch zugetragen hat. Wir müssen sie mit traditionskritischem Blick lesen und fragen, was für sachliche Motive und volkstümliche Stilgesetze hinter diesen Erzählungen stehen und darin wirksam geworden sind[9].

Das Plötzliche, Überraschende gehört mit zum Stil solcher Anekdoten; aber diese typischen Züge haben sicher ihre Wurzel in der Wirklichkeit. Das Gleiche gilt für die lauten Schreie, die den Anfall des Besessenen begleiten. Aber diese Schreie sind in einem Teil der Überlieferung der Evangelien nicht unartikuliert; sie enthalten eine Anrede an den Exorzisten in heftigstem Tone: „Was hast du mit uns zu schaffen, Jesus von Nazareth? Bist du gekommen, uns zu verderben? Ich weiß, wer du bist, du Heiliger Gottes!" Hier stehen wir vor der Frage, wie wir diese Worte des Dämonen auffassen sollen, die Jesus dazu veranlassen, ihm streng und wirkungsvoll Schweigen zu gebieten: „Schweig stille und fahre aus von ihm!" Können wir aus diesen Ausbrüchen irgendwelche Schlüsse hinsichtlich des Verhältnisses Jesu zu den Besessenen ziehen?

Diese Frage ist kürzlich eingehend und ausführlich von Otto Bauernfeind in seiner Arbeit › Die Worte der Dämonen im Markusevangelium ‹ behandelt worden[10]. Bauernfeinds These läuft darauf hinaus, daß der Ruf der Besessenen bei Jesu Annäherung ein Versuch ist, den Exorzisten durch eine *Gegenbeschwörung* zu vertreiben. Der Ruf ist ein Akt der Verteidigung seitens des Dämonen. Diese interessante Auffassung stützt Bauernfeind auf ein Material, das hauptsächlich aus hellenistischen Zauberformeln entnommen ist, aber auch anderswo gefunden werden kann. Er geht aus von den Beschuldigungen gegen Jesus im vierten Evangelium

---

[9] M. Dibelius, Die Formgeschichte des Evangeliums 1919, S. 36 ff.; R. Bultmann, Geschichte der synoptischen Tradition 1921, S. 129 ff.

[10] Stuttgart: W. Kohlhammer 1927 (= Beiträge z. Wissenschaft v. Alten und Neuen Testament, hrsg. von R. Kittel, 3,8).

(Joh 7,20; 8,48. 52), besessen und ein Samariter (d. h. ein Lügenprophet 8,48) zu sein. Diese Beschuldigungen zielen auf Jesu Selbstzeugnis, das dadurch mit den gewöhnlichen pseudoprophetisch-dämonischen Aussagen: „Ich bin N. N." (Gott, Gottes Macht, Diener, Geist u. dergl.) gleichgesetzt wird. Diese Ansicht wird 10,21 zurückgewiesen: „Das sind nicht Worte eines Besessenen." — Man hatte auch die Vorstellung eines *Schemas der Dämonenrede*, was (indirekt) auch aus anderen jüdischen Zeugnissen hervorgeht, z. B. Philo, Quod deus est immut. § 138 (die διάνοια des Menschen sagt zum göttlichen Λόγος: „Mann Gottes, bist du gekommen, mich an meine Untat und Versündigung zu erinnern?", vgl. 1 Reg 17,18). In der hellenistischen Magie finden wir oft den Ausruf: „Ich kenne dich! Ich weiß, wer du bist, N. N.!" Dieser Ausruf hatte magischen Klang, er diente dazu, den betreffenden Geist in die eigene Macht zu bekommen. Dasselbe gilt für den Ausruf: „Du bist N. N.!"

Also: Der Dämon, der sich durch die Nähe des Exorzisten bedroht weiß, versucht sich mit einer Beschwörungsformel zu wehren. Aber Jesus bricht seine Macht sogleich mit dem Befehl: „Schweig stille!" — Bauernfeind versucht dann trotzdem, aber auf sehr künstliche Weise, es wahrscheinlich zu machen, daß diese Worte des Dämonen an Jesus nicht Stilisierung in der Tradition sind, sondern wirklich dem entsprechen, was seinerzeit bei den Dämonenaustreibungen Jesu geschah (S. 94).

So interessant und, religionsgeschichtlich gesehen, ansprechend Bauernfeinds Material und seine Absicht ist, so glaube ich doch nicht, daß seine Erklärung stichhaltig ist. Ich muß an dem festhalten, was ich in meiner Arbeit ›Le problème du miracle dans le Christianisme primitif‹ (Paris 1925, S. 77) näher ausgeführt habe, daß wir in dem zur Debatte stehenden Ausruf ein *Bekenntnis* des Dämonen sehen müssen, ein Bekenntnis, das Jesus gegen die Anklage schützen soll, er stehe mit Beelzebub im Bunde: In seiner äußersten Not bezeugt der Dämon, daß er sich bewußt ist, vor dem „Heiligen Gottes", dem Messias, zu stehen. Bauernfeinds Hinweis, daß die Worte des Dämonen ihr Vorbild in Beschwörungsformeln haben, behält auch unter diesem apologetischen Gesichtspunkt seinen Wert.

Historisch gesehen kommen wir also über gewisse Hauptzüge dieser Episoden nicht hinaus: Plötzliche Schreie des Besessenen, wenn der bekannte Wundertäter sich nähert, und Jesu Befehl: „Schweig still und fahre aus von ihm!" Aber man kann mit voller Sicherheit annehmen, daß für Jesus die Begegnung mit dem vom Dämon Besessenen und die Erfahrung seiner Macht über die unreinen Geister sehr große Bedeutung gehabt haben muß. Die anderen „Krafttaten", die Heilungen, gehörten ja von alters mit zur Ausrüstung des Propheten und offenbarten sich ohne weiteres als gottgeschenkte Gaben. Anders war es mit der exorzistischen Begabung. Sie stand ihrem ganzen Wesen nach den Zauberkünsten nahe, und wer diese Kunst ausübte, war im ganzen suspekt und hatte ein zweifelhaftes Ansehen. Als Jesus diese Gabe an sich selbst bemerkte, muß er sich deshalb von seinen persönlichen Voraussetzungen aus erklärt und seinen Erlebnissen in diesem Bereich ein eigenes Gewicht beigelegt haben. Er mußte seine Macht über die unreinen Geister als wichtiges Moment in seiner Verkündung von der Nähe der Gottesherrschaft sehen: „Wenn ich aber die bösen Geister durch den Geist Gottes austreibe, so ist ja das Reich Gottes zu euch gekommen" (Mt 12,28). Wir haben direkte Zeugnisse dafür, daß er seine Dämonenaustreibungen in einem größeren Zusammenhang sah; sie waren für ihn ein wesentliches Moment in der Erklärung der Situation. Einen deutlichen Fingerzeig in diese Richtung gibt die Perikope, die erzählt, wie sich Jesus gegen die Beschuldigung verteidigen mußte, er stehe als Exorzist im Bunde mit den Dämonen, die er anscheinend bekämpfte.

2

Mk 3,22 ff. wird folgendes erzählt: Die Schriftgelehrten, die von Jerusalem herabgekommen waren, sagten, er, Jesus, sei vom Beelzebub besessen, und er treibe die Dämonen nicht anders aus als mit Hilfe des Fürsten der bösen Geister. Auf diese Anklage, die seine Gegner augenscheinlich überall verbreiteten, wohin sie kamen, antwortete Jesus, indem er „sie zusammenrief" (die Situation ist deutlich literarisch). Die Antwort besteht in dem bekannten Wort vom Satan, der folglich Satan austreiben müßte, und vom Reich, das in einen Bürgerkrieg geraten und damit zum Untergang verurteilt ist.

Ich habe früher auf die Merkwürdigkeit der Beschuldigung, die hier gegen Jesus gerichtet wird, aufmerksam gemacht: Mit Dämonenhilfe treibt er die Dämonen aus! Ich meinte früher vermuten zu müssen, daß die Beschuldigung in der Wiedergabe der christlichen Tradition so

formuliert wurde, daß ihre Widersprüchlichkeit gleich ins Auge fällt[11].
Hiergegen protestiert Bauernfeind mit Recht (S. 78f.), indem er hervorhebt, daß hier an ein „abgekartetes Spiel" seitens der Dämonen gedacht
sein kann: Zum Schein vertreibt der eine den anderen, um dem Volk
Vertrauen zu einem Exorzisten einzuflößen, der in Wirklichkeit im Dienste der Dämonen steht. Das ganze ist also dämonischer Trug. Und in dieser Richtung dürfte die Erklärung liegen. Daß ein Geisterbeschwörer seine
Macht über stärkere Geister benutzte, um die schwächeren zu vertreiben,
ist in der Zauberei des Altertums eine wohlbekannte Vorstellung. Aber
hier heißt es ja, daß Jesus von Beelzebub *besessen* sei und böse Geister
mit seiner Hilfe austreibe[12]. Der Oberdämon ist also Jesu Herr und nicht
sein Diener. Da muß Beelzebubs Absicht beim Vertreiben der niederen
Dämonen sein, Jesu Ruf als Exorzist zu befestigen, ihm Vertrauen als
Herrn der Dämonen zu verschaffen, während er in Wirklichkeit ihr
willenloses Werkzeug ist.

Hinter dieser Vorstellung steht die pluralistische Denkweise des volkstümlichen Dämonenglaubens. Die Dämonen bilden gewiß zusammen
ein Reich, eine Einheit von Zusammengehörigen, eingeteilt in Gruppen
oder Klassen mit verschiedener Macht und verschiedenen Gaben. Aber es
gibt keine Willenseinheit in diesem Reich: Planlosigkeit, Willkür, zufällige Umstände herrschen. Das Ganze hat die groteske Vielfalt der Volks-
phantasie.

Jesu Antwort hierauf: „Wie kann Satan den Satan austreiben?" entspringt offenbar einer anderen, tieferen Auffassung. Jesus sieht die Dämonen nicht als mehr oder minder selbständig und willkürlich handelnde
Wesen an, sondern als *Satans Diener*. Seinen Willen führen sie aus,
ihm stehen sie zu Diensten. Deshalb sah er seine Begegnung mit den unreinen Geistern nicht unter technisch-exorzistischem Gesichtspunkt, als
isolierte Erscheinungen, sondern jedesmal als neue Kraftprobe im Kampf
mit dem Herrn dieser Welt[13]. Satan, Gottes großer Feind von Urzeiten

---

[11] Nachwort zu S. Eitrem, Die Versuchung Christi 1924, S. 33.

[12] Unzweifelhaft ist Beelzebub Mk 3,22 identisch mit dem „Obersten der bösen
Geister".

[13] Im Johannesevangelium ist alles Dämonische in der „Finsternis" und der
„Welt" vereinigt, der Monismus in den Äußerungen des Bösen ist ganz durchgeführt. Dies dürfte der Hauptgrund dafür sein, daß alle Dämonenaustreibungen in
der johanneischen Bearbeitung der Tradition weggefallen sind.

an, bekommt auf diese Weise eine Aktualität, die sich im volkstümlichen Denken nicht findet, wo der Teufel, wie Gott, eine ferne kosmische Macht war, wirksam vor allem in den Reichen, die Israel unterdrückten, und im heidnischen Kult. Für Jesus war er „der Starke", und die Menschenwelt war sein „Haus". Jesus hat Satan aktualisiert, wie er Gott aktualisiert hat. Wie er vollen Ernst mit dem kommenden Gottesreich machte, so machte er es auch mit dem gegenwärtigen Satansreich. Jesus radikalisiert die Betrachtungsweise hier wie auf allen andern Gebieten. Die Situation hatte als Ganzes für ihn einen dämonischen Aspekt, das Kommen des Gottesreiches bedeutete in erster Linie, daß der Fürst dieser Welt entthront und in Bande geschlagen wurde. Deshalb sah Jesus in jeder Dämonenaustreibung eine Niederlage für den Satan, ein Vorzeichen dessen, was bald endgültig und abschließend geschehen sollte.

3

Den dämonischen Aspekt, den die Wirklichkeit für Jesus hatte, müssen wir etwas näher ins Auge fassen. Er hatte ein lebendiges Bewußtsein davon, daß eine übermenschliche, widergöttliche, böse Macht mit enormen Möglichkeiten auf dem Plan war, ihm entgegenwirkte, ja danach trachtete, ihn ins Verderben zu stürzen. Spuren dieses Bewußtseins finden wir quer durch die ganze evangelische Überlieferung von Anfang bis zum Schluß hin. Schon die *Versuchungsgeschichte* ganz zu Anfang seiner messianischen Laufbahn schlägt diesen Ton an. Auch wenn wir hierin wahrscheinlich einen urchristlichen Mythus ohne direkten Ursprung in einem geschichtlichen Ereignis sehen müssen, so paßt sie auf jeden Fall mit Jesu eigener Beurteilung seiner Situation zusammen. Bezeichnend für die Auffassung, die in der Versuchungsgeschichte herrscht und die sicher Jesu eigene war, ist Satans Wort, als er von dem hohen Berg Jesus alle Reiche der Welt und ihre Herrlichkeit zeigt: „Alles dies will ich dir geben …"; Lukas fügt im gleichen Geist hinzu: „denn ich habe es zu eigen bekommen und gebe es, welchem ich will". — Das Bild von den *Vögeln,* die kommen und das Korn, das auf den Weg gesät ist, fortpicken (Mk 4,4), wird auf Satan gedeutet, der kommt und das Wort, das in den Menschen gesät ist, fortnimmt (4,15). Diese Erklärung ist sekundär; aber sie ist sicher ebenso aufschlußreich für Jesu Vorstellung vom rastlosen

Wirken seines großen Widersachers. — Das Gleichnis vom *Unkraut im Weizenfeld* (Mt 13,24—30) gibt einem lebendigen Bewußtsein von Satans nie ruhender Feindschaft gegen das Reich Gottes Ausdruck. Zwar ist auch in diesem Fall die Deutung (13,36—43) späteren Ursprungs als das Gleichnis selbst, und die durchgeführte allegorische Auslegung der einzelnen Züge der Erzählung (der Menschensohn sät die Saat, der Feind ist der Teufel usw.) ist aus der erbaulichen Anwendung hervorgegangen. Aber auch wenn man die Erzählung wie eine wirkliche Parabel liest[14], muß man zugeben, daß ein mystisches Dämonentum vorausgesetzt ist, das im „Unkraut" wirksam ist.

Von dieser Anschauung her fällt ein überraschendes Licht auf das in sich selbst dunkle Wort Mt 11,12: „Aber von den Tagen Johannes des Täufers bis hierher leidet das Himmelreich Gewalt, und die Gewalt tun, suchen es an sich zu reißen." Wenn man diese βιασταί nicht als Menschen, sondern als *Geistermächte* versteht[15], wird die Bedeutung einfach und natürlich: Das Auftreten des Täufers war ein Vorzeichen für das Reich Satans, daß die große und endgültige Abrechnung sich näherte. Das war für die Scharen des mächtigen und brutalen „Gewalttätigen"[16] ein Signal zu fieberhafter Tätigkeit, um das Himmelreich „an sich zu reißen", d.h. die Erfolge der Predigt des Täufers und Jesu zunichte zu machen und die Menschen in ihre Macht zu bekommen[17].

Die geistige Unempfänglichkeit, der Jesus begegnete, konnte er sich nicht anders erklären denn als dämonische Verblendung, die bewirkte, daß das Fassungsvermögen der Menschen gelähmt wurde, so daß selbst die sonnenklarsten Wahrheiten wirkungslos von ihnen abprallten, ja sie nur noch mehr verhärteten. Darin spürte Jesus den Versuch seines furchtbaren Widersachers, mit Aufbietung aller seiner Helfer seine Macht über das auserwählte Volk zu bewahren und zu befestigen und zu verhindern, daß es auf den Bußruf hörte und sich bereitete, das Gottesreich in sich aufzunehmen. Aber wie beurteilte er die Lage des näheren?

[14] Siehe R. Bultmann, Geschichte der synoptischen Tradition 1921, S. 110.

[15] Siehe M. Dibelius, Geschichtliche und übergeschichtliche Religion 1925, S. 39.

[16] Wenn die βιασταί Geistermächte sind, erinnert das Wort an den Namen einer speziellen Dämonenklasse: pᶜgaᶜim („Anfallende"), s. Strack-Billerbeck IV 1, S. 501.

[17] Ἁρπάζειν von gegen die Jünger Jesu gerichtetem dämonischem Wirken s. Joh 10,28f.

In seiner Antwort auf die Anklage, er stehe mit Beelzebub im Bunde, sagt Jesus (Mk 3,27): „Es kann niemand einem Starken in sein Haus dringen und seinen Hausrat rauben, es sei denn, daß er zuvor den Starken binde und alsdann sein Haus beraube." Das ist eine allgemeine Wahrheit, die in der Situation als Argument wirken soll. Aber die Anwendung liegt so nahe, daß sie unzweifelhaft die Gestaltung des Bildes und die Ausdrucksweise beeinflußt hat[18]. Wir finden hier ein Bewußtsein Jesu vor, Satan überlegen zu sein. Und dieses Bewußtsein scheint sich nicht nur auf die Erfahrungen zu gründen, die mit den Dämonenaustreibungen verbunden waren, sondern es setzt ein Erlebnis voraus, das sich wie ein endgültiger Sieg über Satan selbst darstellte. Was das für ein Erlebnis war, wissen wir nicht. Möglich ist natürlich, daß die Versuchungsgeschichte ein mythischer Nachklang dessen ist, was Jesus darüber angedeutet haben kann. Es liegt auch nahe, das Wort: „Ich sah den Satan vom Himmel fallen wie einen Blitz" (Lk 10,18) mit einer solchen Begebenheit in Verbindung zu setzen.

Aber mit dieser Niederlage war die Macht Satans über die Menschen nicht gebrochen. Sein Urteil war gefällt; gegen den Menschensohn vermochte er nichts mit seinen Lügen und seinen Versuchungen. Aber noch war das Urteil nicht in Kraft getreten. Erst mit der Parusie des Menschensohnes schlägt die letzte Stunde des Bösen. Die Zeit bis dahin ist von gesteigerter Aktivität der widergöttlichen Macht geprägt. Das ist nicht nur Jesu Ansicht, sondern das ganze Urchristentum dachte so. Das traditionelle eschatologische Drama enthielt ja den Gedanken, daß die Dämonenwelt unmittelbar vor der endgültigen Wende zu ihrer höchsten Machtentfaltung gelangt, vgl. die Offenbarung des Johannes und 2 Thess 2. Diese wachsende Aktivität auf seiten Satans merkte Jesus zu der gleichen Zeit, zu der er seine Siege über ihn und seine dienenden Geister erlebte. Er merkte sie nicht nur an der religiösen Unempfänglichkeit des Volkes, sondern auch an der wachsenden Feindseligkeit der Führer des Volkes, eine Feindseligkeit, von der er sah, daß sie ihm den Tod bringen

---

[18] „Der Starke" hat Mk 3,27 sicher von vornherein einen doppelten Klang: rein bildlich, aber mit Anspielung auf Satan. Es scheint deswegen unzweckmäßig, diesen Doppelsinn in der Übersetzung zu beseitigen, wie es die neue schwedische Bibel tut: „Ingen kan gå i i en stark mans hus ..." [Keiner kann in eines starken Mannes Haus gehen ...]. Derselbe Fehler wird Mt 11,12 begangen, wo βιασταί übersetzt wird mit: „människor storma fram ..." [Menschen stürmen heran ...]!!

würde. Daß Jesus den großen Feind dahinter spürte und daß diese Überzeugung seinen Todesgedanken den Stempel aufdrückte, muß man wohl zwangsläufig annehmen. Für ihn sah es sich so an, daß der Tod kommen mußte, aber daß er zugleich Befreiung und Sieg war. Satans Triumph würde sein Untergang sein.

Diesen Gedanken finden wir mit klaren Worten im vierten Evangelium ausgesprochen: „Es kommt der Fürst dieser Welt ..." (14,30), er geht zum Angriff über. Aber zugleich soll nun Gericht über ihn gehalten werden, er soll ausgestoßen werden (12,31; 16,11). Diese beiden Aspekte werden bei Johannes durch den Gedanken zusammengehalten, daß Jesu Tod eine „Erhöhung", eine „Verherrlichung" sei. Der Tod bringt ihn gewiß eine kurze Weile in Satans Gewalt, aber er ist zugleich Übergang zur himmlischen Existenz bei dem Vater, wo Jesus alle zu sich ziehen kann. Der Tod ist und bleibt Tod mit all seinem Schrecken, aber er ist auch die Verwandlung, die von Satans Macht befreit und über seinen Wirkungskreis hinaushebt.

Dieser echt johanneische Gedankengang findet kein direktes Gegenstück in der synoptischen Überlieferung. Wir spüren ihn aber doch in einem Wort wie Lk 24,26: „Mußte nicht Christus solches leiden, um zu seiner Herrlichkeit einzugehen?" Bei Lukas finden wir auch das Bewußtsein von dem dämonischen Hintergrund der Feindschaft gegen Jesus am klarsten ausgedrückt (22,3.31.53). Von diesen Worten macht 22,31 den ursprünglichsten Eindruck: „Simon, Simon, siehe, der Satan hat begehrt, euch in seine Macht zu bekommen, um euch zu sichten wie den Weizen ..." Es ist, als ob wir hier einen Blick auf das tun, was hinter den Kulissen vorgeht, in den mystischen Tiefen, die unter den äußeren Begebenheiten liegen: Finstere Mächte sind tätig, um die Frucht von Jesu messianischem Lebenswerk zunichte zu machen. Wenn wir dazu alles in Betracht ziehen, was sonst noch an Andeutungen in dieser Richtung vorliegt, dann ist es keine unbegründete Annahme, daß Jesus dem Tod in dem Bewußtsein entgegenging, daß Satan hinter der Feindschaft gegen ihn stand, und zugleich, daß allein durch seinen Tod die Macht des Bösen über Israel endgültig gebrochen werden konnte. Auf diese Weise war es gleichwohl Erfüllung von seines Vaters Willen, wenn er den Kelch trank. Das eigenartige Paradox, daß er, der mächtiger war als Satan, der dämonischen Macht unterliegen und sie dadurch brechen sollte — dieses Paradox ist in seiner Situation beschlossen, darin, daß er des Menschen Sohn in

Niedrigkeit ist, aber mit der hohen Bestimmung, und bei alledem ganz und gar Werkzeug des Willens Gottes.

Wenn wir irgendeinen direkten Ausdruck dieses Bewußtseins suchen, so kann man ihn nur in dem Wort Mk 10,45 sehen: „Des Menschen Sohn ist nicht gekommen, daß er sich dienen lasse, sondern daß er diene und gebe sein Leben als Lösegeld für viele (λύτρον ἀντὶ πολλῶν)."

Die Skepsis, die hinsichtlich der Frage geherrscht hat, ob dieses Wort der ältesten Überlieferungsschicht angehöre, beginnt jetzt einem ganz starken Zutrauen Platz zu machen. Und mit Recht. Es galt lange als ausgemacht, daß wir hier eine paulinische Formulierung haben, eine Variante zu Lk 22,27. Heute fühlen wir uns in wachsendem Maße geneigt, es auf die älteste palästinensische Tradition zurückzuführen. Dafür spricht *„des Menschen Sohn"* und der Ausdruck *„für viele"*, der im Talmud „die Menge, das Volk" bedeutet. Auch λύτρον hat in der paulinischen Terminologie kein direktes Gegenstück, auch wenn es dort ἀντίλυτρον, λύτρωσις, ἀπολύτρωσις und die Wörter gibt, die aus der Terminologie des Freikaufs stammen (ἀγοράζειν u. dgl.)[19]. Und der Umstand, daß diese einzige Aussage Jesu über den Sinn seines Todes (wenn man von den Worten beim letzten Mahl mit den Jüngern absieht) nicht in einer dogmatischen Formulierung, sondern als Glied in einer Paränese auftritt, gibt ihr gesteigerte historische Vertrauenswürdigkeit.

Aber was bedeutet das? Das Wort setzt offenbar die jüdische Vorstellung des stellvertretenden Leidens (ἀντί) voraus. Aber dieser allgemeine Gedanke kann verschiedene Formen annehmen. Er kann einen kultisch-sakralen Klang haben oder eine mehr praktische Zuspitzung. Auch ein historisches Moment kann sich darin geltend machen[20]. Die Frage nach dem inneren Zusammenhang zwischen dem Tod und seiner erlösenden Wirkung kann also damit beantwortet werden, daß man auf ein unmittelbar vorhandenes Gefühl für diesen Zusammenhang hinweist. Das Pro-

---

[19] Siehe Martin Werner, Der Einfluß paulinischer Theologie im Markusevangelium 1923, S. 69 ff.

[20] G. Hollmann, Die Bedeutung des Todes Jesu 1901, S. 33; Lyder Brun, Jesu Evangelium, 2. Aufl. 1926, S. 487 ff. — Zu den Vorstellungen des Judentums über die Bedeutung des Märtyrers für das Volk vgl. E. Lohmeyer, L'idée du martyre dans le Judaïsme et dans le Christianisme primitif, in: Festschrift Loisy 1928 II, S. 121 ff. [= Die Idee des Martyriums im Judentum und Urchristentum, ZSTh 5 (1928), S. 232—249.]

blem ist, den richtigen historischen Hintergrund für das Erlösungswerk selbst zu finden: Aus welchem Zwang soll der Menschensohn durch seinen dienenden Tod die Menschen erlösen? Aus der Gefangenschaft der Sündenschuld[21]? Aus der Tyrannei des Todes[22]? — Aber wenn wir einen organischen Zusammenhang zwischen diesem Wort und Jesu Ansicht von der Situation und ihrer Verschärfung auf seinen Tod hin suchen, dann liegt es nahe, die historische Bedeutung des Worts auf der Linie seines Kampfes gegen Satan, in dessen Fortsetzung und Vollendung zu suchen.

Auf Grund des mehr als knappen direkten Materials, auf das wir uns stützen können, müssen wir uns einem richtigen historischen Verständnis dadurch zu nähern versuchen, daß wir die *Voraussetzungen* und *Folgen* beachten: Wie hat Jesus die Situation erklärt, als sie sich rasch und entschieden auf den dunklen Ausgang zu entwickelte? Und welche Gedanken machte man sich dann in der ältesten Christenheit über dieses Drama? Wenn sich die λύτρον-Stelle da zwanglos als Zwischenglied zwischen diese Voraussetzungen und Folgen einfügen läßt, dann hat die Interpretation daran eine gewisse Stütze.

Die Voraussetzungen sind im vorhergehenden behandelt worden: Von Jesu Dämonenaustreibungen ausgehend, habe ich zu zeigen versucht, daß er sich in seinem messianischen Wirken einem furchtbaren Widersacher gegenübergestellt sah, der seine Verkündigung fruchtlos zu machen, ihn selbst und seine Jünger zu vernichten suchte[23]. Zwar wußte sich Jesus mächtiger als Satan und erfuhr ständig aufs neue seine Macht über dessen Helfer, die unreinen Geister. Aber das Volk in seiner Gesamtheit war in der Macht des Bösen, mit Blindheit geschlagen und gegen die Wahrheit verhärtet, in des Bösen Eisenketten geschmiedet. Wie sollte es sich aus dieser Gefangenschaft, dieser Verzauberung lösen können[24]?

Eine der Antworten der alten Kirche auf diese Frage ist: durch Jesu Tod. Origenes hat diese Überzeugung formuliert und rationalisiert: Die

[21] So z. B. Zahn.

[22] J. Jeremias, Das Evangelium nach Markus, Chemnitz 1928. Lyder Brun verbindet beide Gesichtspunkte.

[23] Auch in dem Sturm auf dem See scheint Jesus eine dämonische Nachstellung gesehen zu haben, vgl. den Befehl „Schweig, verstumme!", Mk 4,39.

[24] W. Michaelis, Täufer, Jesus, Urgemeinde 1928, S. 73 u. 103, zeigt eine auffallende Oberflächlichkeit und Mangel an Realismus in der Behandlung dieser Frage.

Menschenseelen waren um ihrer Sünde willen in Satans Gewalt. Jesus gab seine Seele (sein Leben) in den Tod als Lösegeld, und Satan nahm sie als Entgelt für die Seelen entgegen, aber er konnte Jesu reine, sünden-freie Seele nicht festhalten. Die Vereinbarung aber mußte eingehalten werden, und so wurden die Menschenseelen auf der Erde und im Reich des Todes aus Satans Macht erlöst. Diese Erlösung ist hinfort gültig, indem die christlichen Exorzisten in Jesu Namen Dämonen aus-treiben[25].

Origenes baut hier sicher auf *volkstümlichen* Glaubensvorstellungen auf, die ihr unterirdisches, unliterarisches Leben geführt hatten, bis sie der große Theologe ans Licht hob. Wir ahnen diese Vorstellungen auch bei Irenäus: Christus hat kraft seines Gehorsams und seiner Gerechtig-keit, die er auch im Tode bewies, über Sünde, Tod und Teufel gesiegt und die Menschen aus der Gefangenschaft erlöst, in die sie mit dem Sün-denfall geraten waren. Der gefallene Engel, der den ersten Menschen be-trog, ist von dem Menschensohn besiegt worden[26]. — Auch bei den Apo-logeten begegnen wir dem Gedanken, daß Christi Tod die Menschen von den dämonischen Mächten befreit hat, gleichwie hinfort die Dämonen im Namen des Gekreuzigten ausgetrieben werden[27].

Auch der Hebräerbrief (2,14) enthält den Gedanken, daß Jesus Men-schengestalt annahm, „damit er durch seinen Tod die Macht nähme dem, der des Todes Gewalt hatte, das ist dem Teufel". Und in der Apo-stelgeschichte (2,24) heißt es, daß Gott Christus auferweckt hat, indem er „auflöste die Schmerzen des Todes, wie es denn unmöglich war, daß er [Jesus] sollte von ihm [dem Tod] gehalten werden". — In allen diesen Formulierungen lebt das Bewußtsein von einer *Aktivität* im Tode Jesu: Er ist ein Sieg über Teufel und Tod.

Richten wir nun wieder unsere Aufmerksamkeit auf das Jesuswort Mk 10,45, so sehen wir, daß des Menschensohnes Selbsthingabe in den Tod als ein Glied seines dienenden Wirkens erscheint, als dessen Vollendung, also als Aktivität. Damit kann sich sehr leicht die Vorstellung vom Tode des Gerechten als Reinigung des Volkes, als Sühne für dessen Sünden verbinden — dieser Gedankenkomplex war seit alter Zeit mit dem Marty-

---

[25] In Joh. 6,53; c. Cels. I 31; viele Stellen in Kap. VII u. VIII.
[26] Adv. haer. III 18,7 u.ö.
[27] Iustin Apol. II 6,13; Dial. 30.

rium verbunden[28]. Aber wenn man die direkte Linie von Jesu dienendem Wirken, wie es in den synoptischen Evangelien beschrieben wird, bis zu seinem Tode hin ziehen will, dann muß sie natürlich von Jesu Kampf mit dem großen Feind, dem Herrn der bösen Geister, ausgehen. Jesus bezeichnet sich als λύτρον ἀντὶ πολλῶν, in der Überzeugung, daß er dadurch, daß er freiwillig in den Tod geht, Satans Macht in dessen eigenem Bereich zunichte machen wird.

Wir befinden uns in diesem Fall in demselben Gedankenkreis, in dem sich auch das vierte Evangelium im Hinblick auf den Tod Jesu bewegt. Nur daß dort der Sieg über den Fürsten dieser Welt als *Urteil* über ihn bezeichnet wird, kraft dessen er ausgestoßen werden wird. Dieser Verurteilung Satans entspricht Jesu *Rechtfertigung,* seine Erhöhung im Triumph und in der Machtfülle der Herrlichkeit: Der Paraklet wird die Welt von der Gerechtigkeit überzeugen, insofern Jesus zum Vater geht, und von dem Gericht, insofern der Fürst dieser Welt gerichtet ist[29].

Der Auferstehungs- und Erhöhungsgedanke scheint nicht *direkt* in die λύτρον-Vorstellung hineinzuspielen: Der Tod und das Todesreich ist Schauplatz der Erlösung. Und das ist wohl die älteste Anschauung, die sich an Jesu Tod knüpft, daß der Tod Sieg ist; die Auferstehung (Erhöhung) kommt als Lohn, Besieglung, Vollendung, Manifestation des gewonnenen Resultats.

Jesu Überzeugung, daß er im Tod Satan in seinem eigenen Reich zum Kampf begegnen werde, entsprang zu allererst aus seinen eigenen *Erfahrungen,* aus seiner Erklärung seiner Situation. Aber diese Erklärung fällt zusammen mit den *mythischen Zügen des Weltbildes:* Tod und Teufel gehörten zusammen und hielten gemeinsam die Menschen in ihrem Bann. Dieses mythische Weltbild als Hintergrund der Erlösung ahnen wir auch später in der Kirche, vor allem bei Paulus[30]. Aber andere Gedankengänge, an persönlich religiösen und ethischen Gesichtspunkten orientiert, treten bei den führenden Theologen und Autoren in den

---

[28] Z. B. Jes 53.

[29] Joh 16,11 f. Aktiv ist auch das Bild vom guten Hirten, der gegen den Wolf angeht und sein Leben für seine Schafe einsetzt.

[30] Stark betont von W. Wrede, Paulus (= Rel.gesch. Volksbücher) 1904. Vgl. E. Lohmeyer, Kyrios Jesus 1928. Man kann auf Stellen verweisen wie 1 Kor 2,8; Gal 4,3 ff.; Phil 2,6—11; Kol 1,13; 2,15.

Vordergrund[31]. Der Gedanke an den Sieg über Satan und seine Scharen lebt in der Phantasie des Volkes fort und erhebt in der Literatur nur selten sein Haupt, dient im übrigen als Grundlage der exorzistischen Praxis der Kirche. Eine Variante dieses volkstümlichen Erlösungsglaubens ahnen wir auch hier und da in der Vorstellung von Jesu siegreicher *Hadesfahrt*. Das ist ein echt volkstümliches Dogma, das frühzeitig Verbindungen mit verschiedenen Ausformungen eines orientalischen Erlösungsmythus einging[32].

Die evangelische Überlieferung zeigt ein durchgehendes Ineinander von Aktion und Passion im Leben Jesu. Er ist Gegenstand von Versuchungen und Prüfungen (πειρασμοί) von seiten des Teufels und Widersachers, und am Ende ergibt er sich widerstandslos in die Hände von Sündern zu Mißhandlung, Verspottung und Tod. — Aber er ist auch der, der den Angreifer mit Gottes Wort und seiner eigenen, unwiderstehlichen Weisheit zurückschlägt. Er spricht mit einer Vollmacht, die ergreift und Verwunderung erweckt. Ja, er ist der Stärkere, der den Starken bindet und seinen Hausrat raubt.

Das psychologische Problem, das sich hier erhebt, die Frage der Seelengeschichte Jesu, seiner Gedanken und Stimmungen in dieser widersprüchlichen Situation — ein Problem, das sich in der Leidensgeschichte zuspitzt, liegt außerhalb der Reichweite des Historikers. Man kann nur feststellen, daß sich diese beiden Seiten in der Tradition finden. Die Geschichte Jesu stellt sich nicht als einseitige *Märtyrergeschichte* dar, obschon der Gedanke des Martyriums mit seiner Passivität seinen Platz darin hat. Die Überlieferung stellt sich aber ebensowenig als *Aretalogie* dar, als Serie von Siegen und Taten, als messianisches Heldenepos. Aber auch das gehört mit zum Bild. Die Spannung zwischen diesen beiden Motiven ist die Spannung des Lebens selbst und der beste Beweis dafür, wie gut die Überlieferung ist. Keine Theorie hat sie geformt, kein Ideal sie hervorgebracht. Sie ist Niederschlag der historischen Wirklichkeit.

---

[31] F. Krarup betont übrigens mit Recht, daß auch in diesen andern Gedankenlinien die aktiven Züge gern unterbewertet werden, (Dänische) Theol. Tidsskr. 1921.

[32] 1 Pet 3,18 ff.; Eph 3,8 ff.; Hermas Sim 9,16,5 ff.; Iustin Dial 72 usw. — J. Kroll, Der descensus ad inferos, Königsberg 1922; W. Bousset, Kyrios Christos 1913, S. 32—40; Zeitschr. f. d. Neutestl. Wissenschaft 1926; Carl Schmidt, Gespräche Jesu mit seinen Jüngern 1919, S. 456—576.

Versuche, mit Hilfe psychologischer Konstruktionen diese beiden Züge der Tradition auszugleichen, sind vergeblich. Die seelische Seite und der pragmatische Ereigniszusammenhang der Leidensgeschichte Jesu ist und bleibt ein Mysterium. Womit wir in Kontakt kommen können, ist der religiöse Gehalt der Totalität der Persönlichkeit, Jesu Selbstbewußtsein und seine Reaktion auf die Wirklichkeit[33]. Dieses Selbstbewußtsein wird durch kurze Episoden und prägnante Worte scharf beleuchtet.

[33] Die beiden Seiten der Jesustradition sind besonders von Georg Bertram in seiner kleinen, aber bedeutungsvollen Schrift › Neues Testament und historische Methode‹ (Tübingen 1928, Sammlung gemeinverständlicher Vorträge, Nr. 134) betont worden. Bertram sieht es als über jeden Zweifel erhaben an, daß beide Seiten auf Jesus selbst zurückgehen. Aber gleichzeitig führt er eine streng „kulturhistorische" Betrachtung der Quellen durch. Das ist eine Folge seiner methodischen Sicht über die Aufgabe der geschichtlichen Forschung: Die Geschichtsschreibung kann und soll nicht die historische Persönlichkeit rekonstruieren; denn das wird eine Geschichtsfälschung, bei der das rational immanente Weltbild des Forschers entscheidend ist. Das Geschichtsbild, das auf diese Weise zustande kommt — und das gilt sowohl für die idealistische als auch für die materialistische Geschichtsschreibung — hängt von den subjektiven Voraussetzungen des Forschers ab und bleibt in hohem Grade willkürlich, um so willkürlicher, je spärlicher die Quellen fließen. Die Geschichtsschreibung wird auf diese Weise tatsächlich nur eine Form der Überlieferung neben Mythus, Sage und Märchen, und sie ist diesen Formen noch unterlegen, insofern als in ihrer rationalen, auf durchgeführte Gesetzmäßigkeit aufgebauten Rekonstruktion der Vergangenheit kein Platz für die schöpferischen Kräfte der Geschichte, die großen, originalen Persönlichkeiten, bleibt. — Daraus folgt, daß bei der Auffassung über das Aufkommen des Christentums mit dem gewöhnlichen chronologischen Schema der Geschichtswissenschaft gebrochen werden muß. Was festgestellt werden kann und muß, sind die verschiedenen Zeugnisse, die wir über die Frömmigkeit der urchristlichen Gemeinden haben. Die Synoptiker, Paulus, Johannes kommen so nicht hintereinander als Glieder einer historischen Entwicklungsreihe zu stehen, sondern nebeneinander als gleichgestellte Wirkungen von Jesu Wort, Leben und Tod. Hinter diese Zeugnisse für die Frömmigkeit zurück zu Jesus selbst vorstoßen wollen, heißt das Unmögliche versuchen. Jesus kann nur in seinen Wirkungen, im Christuskult, erfaßt werden. — Aus dieser methodischen Einstellung heraus erörtert Bertram die evangelische Tradition und findet hier zwei Typen von Erzählungen über Jesus: „Prophetenlegende", wo Jesus der Handelnde, Heilende, Dämonen Austreibende ist, und die „ätiologische Kulterzählung", wo der Jesus-Messias-Menschensohn der Leidende ist. Beide Aspekte haben ihre historische Voraussetzung im Leben Jesu. Aber beide

Die Erklärung dieser Episoden und Worte hat natürlich in Einzelheiten hypothetischen Charakter. Aber aus den einzelnen Zügen geht ein Gesamtbild hervor, das in seiner inneren Polarität das Siegel der Wirklichkeit, den Stempel des Lebens trägt. Eine wichtige Bestätigung dafür ist auch, daß die *Wirkungen* der Persönlichkeit Jesu dasselbe Doppelantlitz tragen: Die Urkirche preist das Martyrium um Christi willen und stellt den Herrn als das große Vorbild für den geduldig leidenden Frommen hin. Der Gedanke der reinigenden, verwandelnden, sühnenden Kraft des Leidens war im Bewußtsein des Urchristentums lebendig[34]. Aber gleichzeitig lebte und atmete die älteste Christenheit im Kampf gegen Satan und das ganze Geisterheer des Bösen[35], im Bewußtsein, daß die Macht des Dämonenreichs durch Jesu Tod gebrochen war. So wurde die Passion des Martyriums selbst dennoch eine Aktion; in dem großen πειρασμός galt es, im Bekenntnis fest zu stehen, um an Christi Sieg teilzuhaben.

in einer historischen Gesamtbetrachtung der Persönlichkeit Jesu zusammenzufassen, ist methodisch unzulässig ... — Trotz aller berechtigten Reaktion gegen den Historismus und der lehrreichen Unterstreichung des „kulturgeschichtlichen" Gesichtspunktes finde ich doch, daß Bertram in seiner prinzipiellen Auffassung von Geschichte und Geschichtsschreibung sich einer gewaltsamen Übertreibung und Einseitigkeit schuldig macht. Es geht nicht an, die Geschichte als lauter Komplexe, Motive, Typen aufzufassen; sie muß auch in der Kategorie der Zeit, des Raumes und der Persönlichkeit begriffen werden. Aber man kann Bertrams Reaktion gegen die Historisierung und Psychologisierung, die lange die moderne Jesusforschung diskreditiert hat, verstehen.

[34] Vgl. z. B. 1 Pet 4,1 ff.
[35] 1 Thess 5,8; Eph 6,11—18; 1 Pet 5,8 f.

Charles H. Dodd, Miracles in the Gospels. The Expository Times 44 (1932/33), pp. 504—509. By permission
of T. & T. Clark, Edinburgh. Übersetzt von Fritz Großpietsch.

DIE WUNDER IN DEN EVANGELIEN

Von CHARLES H. DODD

„Das Heil", so sagt der Verfasser des Hebräerbriefes[1], „wurde zualler-
erst vom Herrn verkündet und uns von jenen, die ihn hörten, bezeugt,
wobei Gott ihr Zeugnis durch Zeichen, Wunder und vielerlei Machttaten
sowie Austeilungen des Heiligen Geistes gemäß Seinem Willen bestätig-
te." Das ist eine Beschreibung der tatsächlichen Erfahrung, wie sie dem
Verfasser und seinen Lesern in der zweiten Generation des Christentums
gemeinsam war. Etwa zwanzig Jahre vorher hatte Paulus an die Galater
geschrieben: „Wenn Gott euch den Geist verleiht und Machttaten unter
euch vollbringt, geschieht dies auf Grund von Werken des Gesetzes oder
der Predigt vom Glauben?"[2] Wiederum sind „Machttaten" (oder, wie
wir sagen sollten, Wunder) als Tatsache der Erfahrung gegeben. Indem
Paulus den Römern die Beglaubigung für sein Amt vorlegt, sagt er:
„Denn ich werde nicht wagen, von etwas zu reden, was nicht Christus
durch mich gewirkt hat zur Bekehrung der Heiden mit Wort und Tat in
Kraft von Zeichen und Wundern in Kraft des Heiligen Geistes."[3] Wir
könnten kein besseres unmittelbares Zeugnis dafür verlangen, daß in der
urchristlichen Kirche Begebenheiten, die man für wunderbar hielt, zur
allgemeinen Erfahrung gehörten.

Wunder sind also im Kontext der urchristlichen Gedankenwelt eine
Funktion des gemeindlichen Lebens der Kirche, insofern es vom Geist
bewegt ist. Das ganze Neue Testament lehrt, daß die Gegenwart des
göttlichen Geistes in all seinen Bekundungen der Beweis dafür
ist, daß die Christen in einem neuen Äon leben. Die älteste Predigt
behauptete, daß die auffälligen Tatsachen des Lebens der Kirche („das,
was ihr seht und hört") die Verwirklichung der Worte des Propheten

[1] Hebr 2,3—4.
[2] Gal 3,5.
[3] Röm 15,18—19.

seien, der das Herannahen des „großen und schrecklichen Tages des Herrn"[4] ankündigte.

Viele jüdische Denker betrachteten den gegenwärtigen Stand der Dinge als vorläufig, in dem es aber, obwohl der Allerhöchste jegliche Autorität im Reich der Menschen[5] besaß, dennoch gewöhnlich keine unmittelbare Einwirkung Seiner Macht in die irdischen Angelegenheiten gab. Dieses unmittelbare Eingreifen war der Guten Zukünftigen Zeit vorbehalten. So sahen sie erwartungsvoll einem Zeitalter übernatürlicher Macht entgegen, einem Zeitalter des Wunders, in dem die Gegenwart Gottes unter den Menschen eine Angelegenheit der täglichen Erfahrung sein würde. Sie beschrieben es in Ausdrücken der Einbildungskraft (denn bis jetzt konnte es nur so beschrieben werden, da ja kein Mensch es erlebt hatte). Sogar die Erde würde verwandelt werden: „denn in der Wildnis sollen Gewässer hervorbrechen und Ströme in der Wüste." Menschliche Leiden und Unzulänglichkeiten würden beseitigt werden: „Alsdann werden die Augen der Blinden aufgetan und die Ohren der Tauben geöffnet werden; alsdann werden die Lahmen springen wie ein Hirsch, und die Zunge der Stummen wird jauchzen."[6] Prophetisches Gesicht und prophetische Verkündigung würden sich überall ausbreiten: „Eure Söhne und Töchter werden weissagen; eure Jünglinge werden Gesichte sehen und eure Greise werden Träume träumen."[7] Zusammen mit alldem würde es eine sittliche und geistliche Erneuerung des Gottesvolkes geben: „Einen neuen Geist will ich in euer Inneres legen, und das steinerne Herz will ich aus eurem Leib herausnehmen, und ein fleischernes Herz will ich euch geben und machen, daß ihr in meinen Satzungen wandelt."[8]

Das Urchristentum behauptete, daß all das sich als wahr erwiesen hatte. „Ist somit jemand in Christus", sagt Paulus, „so ist er ein neues Geschöpf. Das Alte ist vergangen; siehe, es ist neu geworden."[9] Das ganze Leben der christlichen Gemeinde ist ein Wunder, in dem offenkundig der Geist Gottes am Werke ist. Seine unterschiedlichen Bekundungen ordnet Paulus in einer Art von Hierarchie der „Geistesgaben" ein. In

---

[4] Ag 2,15—33.
[5] Dan 4,14.
[6] Jes 35.
[7] Joel 2,28 nach dem Zitat Ag 2,17.
[8] Ez 36,26—27.
[9] 2 Kor 5,17.

dieser Hierarchie nimmt das sittliche Wunder der „Nächstenliebe" oder „Liebe" den höchsten Rang ein. Machttaten und Gaben des Heilens haben einen verhältnismäßig bescheidenen Platz, unterhalb der Gabe der Weissagung, in Verbindung mit der Hilfe, die man schwachen Mitgliedern der Gemeinde leistet, und der Leitung ihrer Angelegenheiten. Ganz unten auf der Liste erscheint ein reines Wunder wie das Zungenreden[10]. Wahrscheinlich hat kein anderer frühchristlicher Denker die Dinge in dieser Klarheit gesehen, aber Paulus interpretiert ganz gewiß die allgemeine Erfahrung. Die Christen der Zeit des Neuen Testaments hatten das bestimmte Gefühl, in sittlicher wie geistlicher Hinsicht in einer übernatürlichen Umgebung zu leben. Dieses Gefühl für eine vom Übernatürlichen durchdrungene Umwelt färbte ihr ganzes Verhalten zum Leben. Wir können vorläufig die Frage beiseite lassen, ob das bedeutet, daß es sie dazu führte, Dinge zu tun, für die es keine natürliche Erklärung gibt, oder ob es sie nur dazu veranlaßte, Ereignisse, die ganz und gar in der natürlichen Ordnung lagen, als reine Wunder zu deuten. Das Wesentliche liegt darin, daß im Neuen Testament „Machttaten, Zeichen und Wunder" ihren Platz in einem Leben hatten, das durch und durch übernatürlich ist. Sie sind nicht zufällige oder willkürliche Einbrüche des Übernatürlichen in den ordentlichen Ablauf der Natur. Was immer auch unsere Untersuchung aus vermeintlichen „Wundern" im Neuen Testament machen kann, für diejenigen, die sie vollbrachten oder bezeugten, symbolisierten sie das eigentliche Wunder der „neuen Schöpfung", die sie „in Christus" erfuhren.

Für alle neutestamentlichen Autoren bildet Christus selbst den Mittelpunkt dieser übernatürlichen Ordnung. Wenn das Wunderbare eine Eigenschaft des Lebens der Kirche ist, so besteht das grundlegende Wunder in der Ankunft Christi als des Herrn des neuen Zeitalters. Wie wir sahen, beruft Paulus sich auf die „Zeichen und Wunder", die seine Sendung zum Zeugnis ihrer Glaubwürdigkeit begleiten. Aber wenn er es mit Juden zu tun hat, die „Zeichen fordern" als Bedingung für die Annahme des Evangeliums, will er keine besondere „Machttat" (δύναμις) anführen: „Wir predigen", bemerkt er, „Christus, die Kraft (δύναμις) Gottes" — Christus, das endgültige Wunder[11].

---

[10] 1 Kor 12,27—13,3.
[11] 1 Kor 1,22—24.

Hier drückt Paulus wiederum mit der Klarheit und Tiefgründigkeit, die seine Sonderstellung unter den urchristlichen Denkern ausmacht, die allgemeine Überzeugung aus. Die älteste Predigt bringt das einfacher: „Gott salbte Jesus von Nazareth mit Heiligem Geist und Macht, und Er zog umher, tat Gutes und heilte alle, die vom Teufel besessen waren, denn Gott war mit Ihm."[12] Es war eben diese älteste Predigt von Christus als dem Herrn des Neuen Zeitalters, aus der, wie die jüngste Kritik betont, die Evangelien entstanden. Wir sehen sofort ein, es war unvermeidlich, daß der Bericht der Evangelien ein Bericht von übernatürlichen Ereignissen wurde. Der Gedanke des Wunders[13] in der Urkirche ist, wie wir bemerkt haben, eine natürliche Folge apokalyptischer Endzeiterwartung. Das Wunderbare wird wirklich in dem Maße, wie die Endzeiterwartung aus der Zukunft in die Gegenwart rückt. Das Leben Christi war für Seine frühesten Anhänger eine realisierte Apokalypse, und in diesem Sinne erzählten sie Seine Geschichte als die göttliche Antwort auf das jahrhundertealte Gebet jener, die auf das Reich Gottes warteten: „Wach auf, wach auf, wappne dich mit Kraft, o Arm des Herrn!" „O, daß du die Himmel aufreißen und herabsteigen möchtest!" In der von der Zeit geheiligten Symbolik der Propheten und apokalyptischen Seher erzählen sie, wie die Augen der Blinden aufgetan, die Ohren der Tauben geöffnet worden sind, wie der Lahme springt gleich dem Hirsch, die Zunge des Stummen jauchzt, die gefangene Beute des Starken befreit wird[14], die Schritte des Herrn auf den Wassern wandeln, Er den Sturm stillt, Er seinem Volk Brot vom Himmel gibt als Nahrung, Er die weckt, die im Erdenstaube schlafen[15]. Wie zu erwarten, wird kaum von einem Wunder berichtet, das nicht irgendwie der traditionellen apokalyptischen Bildwelt entspricht. Auf verschiedene Weisen sagen die Evangelien fortwährend: „Selig sind die Augen, die sehen, was ihr seht; denn viele Propheten und Könige haben gewünscht, zu sehen, was ihr seht, und haben es nicht gesehen!"[16] Mit einem Wort: „Das Reich Gottes ist zu euch gekommen."

[12] Ag 10,38.

[13] D. h. der Begriff des „Wunderbaren", wie immer die Tatsachen aussehen mochten, die sie dadurch interpretierten.

[14] Mk 3,27, vgl. Jes 49,25.

[15] Dan 12,2.

[16] Lk 10,23—24.

Die apokalyptische Hoffnung hat sich als wahr erwiesen. Alle Wundererzählungen sind Variationen zu diesem Thema.

Daraus können wir sogleich die Folgerung ziehen, daß zwei Methoden, die
Wunder zu beurteilen, die bisher geläufig waren oder es noch sind, der wirklichen Bedeutung des Wunders in den Evangelien nicht gerecht werden.

Zunächst können sie nicht als objektiver Beweis für den übernatürlichen Rang und die übernatürlichen Kräfte Christi gewertet werden. Die
Wundererzählungen in ihrer vorliegenden Form und Fassung sind das Ergebnis eines vorgängigen Glaubens an Christus als den Herrn des Neuen
Zeitalters. Dieser Glaube wird uns im Neuen Testament vor allem als
eine Angelegenheit der geistigen Erfahrung oder der inneren Schau vorgestellt. Wir können ihn als solchen annehmen und die Wundererzählungen in seinem Licht lesen oder ihn als Phantasie ablehnen und damit zugleich auch die Wundergeschichten. Aber wir können sie nicht als objektives und unabhängiges Zeugnis ansehen, aus dem wir unsere eigenen
Schlüsse zu ziehen vermögen, indem wir entweder die geistige Schau der
ersten Christen bekräftigen oder sie andererseits widerlegen.

Wenn wir zweitens die Wunderberichte einfach rational erklären und
es dabei belassen, so nehmen wir ihnen gerade die Eigenschaft, die ihnen
ihren Platz im Evangelium verschafft. Angenommen, wir behaupten mit
vielen liberalen Kommentatoren, Jesus könne nicht fünftausend mit fünf
Broten gespeist haben, so daß alle satt wurden; aber vielleicht war die
Menge nicht so groß, vielleicht hatten auch einige von ihnen Brote bei
sich, die zu teilen Er sie aufforderte; und vielleicht bewirkte die Macht
Seiner Worte, daß sie sich schon mit einem kleinen Anteil für jeden gesättigt fühlten. Zweifellos kann sich das so abgespielt haben. Aber wenn
die Erzählung so berichtet wird, hat sie keine ernstere Bedeutung für das
Evangelium mehr. Der vierte Evangelist hat uns einen besseren Weg gewiesen. In seiner Version dieser Geschichte sagt er doch tatsächlich, man
solle nicht an Brot und Fische oder irgendwelche materielle Nahrung
denken, wie wunderbar sie auch sein mag (z. B. an „Manna"). Man solle
darin ein „Zeichen"[17] finden, ein Symbol, und zwar für die Tatsache,
daß, als Christus kam, das wahre Himmelsbrot den Menschen gegeben
wurde, durch das sie ewiges Leben haben[18]. Es bleibt immer noch eine

---

[17] Jo 6,26.
[18] Jo 6,31—33.

Frage zu beantworten, und zwar eine Frage nach einer Tatsache, aber sie lautet nicht mehr: Hat Jesus an einem Tage durch fünf Brote fünftausend Menschen satt gemacht, oder wenn nicht, durch welche Veränderungen dieser Mengen wird die Erzählung glaubwürdig? Sie lautet vielmehr: Brachte Jesus wirklich eine neue Art geistlichen Lebens in die Welt, und können wir immer noch davon leben? Das ist eine ernsthafte Frage, im Vergleich dazu wird die andere völlig unerheblich.

Man könnte hiergegen einwenden, dies sei nur ein Rückgriff auf die alte schlechte Methode der allegorischen Interpretation. Aber es gibt einen richtigen und einen falschen Gebrauch solcher Interpretationsmethoden. Sofern die symbolische Interpretation unverantwortlich und willkürlich ist, verdunkelt sie den Sinn der Heiligen Schrift. Stützt sie sich jedoch auf ein Studium der Autoren der Erzählung, ihrer Umwelt und der Gedanken, die sie bei der Niederschrift beherrschten, kann sie wirklich erhellend wirken. Daß gerade diese Erzählung auf ihren inneren Sinn hin gelesen werden sollte, darauf weist sogar Markus ziemlich deutlich mit den Worten hin: „Sie waren nicht zur Einsicht gekommen bei den Broten, sondern ihr Herz war verhärtet."[19] Welche Tat Jesu auch immer den Anlaß für die Geschichte gegeben haben mag, sie war sehr wahrscheinlich als eine Symbolhandlung gedacht, wie sie die alttestamentlichen Propheten häufig ausführten. Auf jeden Fall aber vermittelt die Form, in welcher die Erzählung ein kostbarer Besitz der christlichen Überlieferung wurde, jene symbolische Bedeutung. Und gerade das bestimmt die wesentliche historische Bedeutung des Ereignisses, was auch immer tatsächlich geschehen sein mag.

Nicht jede Wundererzählung enthält so eine besondere in ihr liegende symbolische Anregung. Doch sie alle erinnern insgesamt an ein einst gelebtes Leben, das den Menschen eine übernatürliche Erfahrung eröffnete. Und wenn wir nicht der Ansicht sind, die ersten Christen hätten sich getäuscht mit der Annahme, daß die Macht Gottes ihnen in Christus die Pforten für ein neues Leben aufgetan hatte, müssen wir hier die grundlegende Wahrheit der Wundererzählungen finden. Sie sind historisch insofern, als sie uns — und sei es auch nur in einer Art von symbolischem Kryptogramm — die bedeutsame Tatsache vor Augen halten, daß ein derartiges Leben gelebt wurde und daß seine Wirkungen von dieser Art waren.

---

[19] Mk 6,52; 8,17—21.

Die historische Qualität der Geschichten als angeblicher Berichte von
bestimmten Ereignissen ist eine andere Frage. Hat Jesus tatsächlich die
Ihm zugeschriebenen Wunder vollbracht?

Wenn wir sagten, die Wundererzählungen seien symbolisch gemeint,
haben wir diese Frage nicht vorentschieden; denn obgleich dem menschlichen Geist eine mythenbildende Neigung innewohnt, sucht er doch ge-
wohnheitsmäßig nach der geistigen Bedeutung tatsächlicher Ereignisse
und weist ihnen dadurch ihren Platz in der Geschichte zu. So nahm Ten-
nyson den Angriff der Leichten Brigade und machte ihn zum ständigen
Symbol für zuchtvollen und ungebrochenen Mut. Aber es handelte sich
um ein tatsächliches Ereignis! Bei der Wiedergabe von Wundererzählungen verstanden die Evangelisten sicherlich zumindest sich selbst als Berichterstatter von Tatsachen, von Tatsachen derselben Ordnung wie die
„Machttaten, Zeichen und Wunder", an die sie als Merkmale des gemeindlichen Lebens der Kirche gewohnt waren. Es ist in der Tat gut
denkbar, daß wir, wie es radikale Kritiker zu behaupten pflegen, keine
einzige Wundererzählung besitzen, die im historischen Sinne zuverlässig
ist. Aber selbst wenn dem so ist, sollten wir uns doch weiterhin zu dem
Glauben verpflichtet fühlen, daß Jesus Seinen Zeitgenossen als Wundertäter erschien, gleich vielen anderen religiösen Persönlichkeiten Seiner
Zeit, und zwar jüdischen wie heidnischen. Wir besitzen nicht nur christliche Zeugnisse. Der Talmud enthält die Überlieferung, daß „Jesus von
Nazareth Zauberei getrieben und Israel verführt und verleitet hat."[20]
Wir können deshalb mit Sicherheit sagen, daß Jesus das vollbrachte, was
Seine Zeitgenossen als Wunder ansahen.

Ferner wird von vielen neuen Kritikern die Ansicht vertreten, daß die
Überlieferung der Worte Jesu insgesamt gesehen glaubwürdiger ist als die
Seiner Taten. Es ist darum wichtig zu bemerken, daß es Worte gibt, die
von unseren besten Quellen bezeugt werden, die die Deutung als Wunder zuzulassen scheinen, die für gewisse Phänomene im Leben Jesu von
Seinen Nachfolgern vorgenommen wurde. So etwa: „Wenn ich durch
den Finger Gottes die Dämonen austreibe, so ist ja das Reich Gottes zu
euch gekommen"[21]; „Gehet hin und berichtet dem Johannes, was ihr

---

[20] Baraita zu Sanh 43 a, vgl. Klausner, Jesus of Nazareth, Jerusalem 1952,
S. 27.
[21] Lk 11,20; Mt 12,28.

gesehen und gehört habt: Blinde werden sehend, Lahme gehen ...'[22]
usf. Offenbar müssen wir deshalb hinzufügen, daß auch Jesus glaubte, er
vollbringe Wunder.

Das Wunderbare ist demnach ein unabtrennbares Element der Evangelienerzählung insgesamt. Jegliche Kenntnis, die wir von Leben und
Lehre Jesu haben, beruht auf Quellen, die von Wundern berichten. Man
würde heute allgemein darin übereinstimmen, daß dies nicht an und für
sich schon die Evangelien als historische Dokumente unglaubwürdig
macht, ebensowenig wie dies bei Livius oder Tacitus der Fall ist wegen der
Wunder, die sie berichten. Wenn wir uns bestimmten Wundererzählungen zuwenden und ihren Zeugniswert zu beurteilen suchen, so entdecken wir, daß sie ebenso unterschiedlich sind wie Erzählungen, die
kein Wunder berichten. Jede der von der neuen Kritik anerkannten
Hauptschichten enthält Wunder, und wenn auch eine unbestrittene Tendenz besteht, das Wunderelement zu steigern, so gibt es doch schon in
unseren ältesten und verläßlichsten Quellen Berichte, die im wesentlichen nicht weniger wunderbar sind als die in den jüngsten[23]. Der Grund
dafür, daß wir z.B. Markus bereitwillig Glauben schenken, wenn er uns
erzählt, daß Jesus Zimmermann war und von Pontius Pilatus zum Tode
verurteilt wurde, aber zögern, ihm zu glauben, wenn er uns erzählt, daß
Jesus einen Sturm stillte und fünftausend mit fünf Broten speiste, ist,
daß die letzteren Feststellungen sich nicht mit unserer allgemeinen Auffassung vom Naturgeschehen decken. Wenn heutzutage viele Leute bereit sind, die Heilungs- und Exorzismusgeschichten als im wesentlichen
historisch anzuerkennen, wohingegen Kritiker vor einem halben Jahr-

---

[22] Lk 7,22; Mt 11,4—5.

[23] Es gibt in „Q" in der Tat keine Naturwunder; aber es ist sozusagen ein Zu-
fall, daß „Q" überhaupt Erzählungen aufweist. Augenscheinlich handelte es sich
um eine Sammlung von Reden, wenngleich sie beiläufig einen Exorzismus und eine
Fernheilung überliefert, desgleichen die übernatürlichen Geschehnisse bei der
Taufe und der Versuchung und einen Spruch, der auf die Auferweckung von den
Toten anspielt. Wenn wir dies rational erklären, so geschieht das auf unsere eigene
Verantwortung. Der hypothetische „Proto-Lukas" soll gleichfalls keine „Naturwunder" enthalten; doch liefert uns jede Rekonstruktion dieses Dokuments nur
eine Quelle, die wahrscheinlich nicht älter als Markus und sicher schlechter ist als
dieser. In diesem Falle berichtet daher tatsächlich die bessere Quelle von solchen
Wundern.

hundert sie als legendarisch ablehnten, so geschieht das nicht deshalb, weil wir bereitwilliger wären, ein Ereignis hinzunehmen, welches die Einheitlichkeit des Naturgeschehens unterbricht, sondern weil wir jetzt aus unserer eigenen Gegenwart unmittelbare wissenschaftliche Zeugnisse von Heilungen haben, die in Fällen erreicht wurden, die jenen, die in den Evangelien beschrieben werden, nicht unähnlich sind, und das mit Mitteln, die jenen, die Jesus zugeschrieben werden, nicht unähnlich sind, und wir folglich diese besonderen Vorfälle als nicht wunderbar ansehen können. Das Urteil, daß die Heilungen und Exorzismen nicht wunderbar und daher historisch echt seien, die „Naturwunder" dagegen legendarisch, wird durch keinerlei Unterschied in der Bezeugung der zwei Arten von Wundererzählungen gestützt.

Die Voraussetzung, die hinter solch einem Urteil steht, besagt, daß, wenn ein Wunder die Aufhebung von Naturgesetzen oder einen Bruch der Einheitlichkeit des Naturgeschehens impliziert, Wunder nicht geschehen. Der Hinweis ist jedoch berechtigt, und er wurde oft gegeben, daß die Formulierung von Naturgesetzen auf einer Abstraktion beruht. Für die Einheitlichkeit des Naturgeschehens kann die Formel gelten: „Die gleiche Ursache bringt immer die gleiche Wirkung hervor." Aber in der konkreten Wirklichkeit sind niemals zwei Ereignisse in jeder Hinsicht genau gleich. Die Wissenschaft hat dadurch Fortschritte gemacht, daß sie die Wirklichkeit in Gebiete einteilte, in denen sie Ursachen, die in allen wesentlichen Hinsichten gleich sind, isolieren und Wirkungen, die in allen wesentlichen Hinsichten gleich sind, nachweisen kann. Aber die konkrete Wirklichkeit, so wie sie Gegenstand der Erfahrung wird, ist nicht in getrennte Bereiche zergliedert, sondern erscheint in fortlaufendem Zusammenhang, und ein Element, das für einen Bereich der Wissenschaft unerheblich ist, kann auf einem anderen Gebiet wichtig sein. So werden von den Wissenschaften der Physik und Chemie lebendige Körper wie alle anderen Formen der Materie untersucht, aber diese Wissenschaften befassen sich nicht mit jedem Aspekt lebendiger Körper. Hinsichtlich ihres Lebendigseins sind sie Gegenstand der Biologie. In gleicher Weise gibt es, wenn das Verhalten des Menschen und anderer Lebewesen von der Biologie untersucht wird, einen Aspekt, der für die Biologie irrelevant ist, jedoch ein Hauptanliegen der Psychologie wird. Bei Erscheinungen des Lebens gibt es nichts, was gegen die Gesetze der Physik und Chemie verstößt oder sie aufhebt, und bei den Erscheinungen des Geistes gibt es nichts, was gegen die Gesetze der Biologie verstößt; aber in jedem dieser Fälle werden jene Gesetze wirksam in verschiedenen Verbindungen, und zwar dadurch, daß ein besonderer Faktor vorhanden ist, der für die „niedere" Wissenschaft bedeutungslos, für die „höhere" aber bedeutungsvoll ist. Wenn es eine noch höhere Ordnung gäbe, die sich zu der ganzen „natürlichen" Ordnung in etwa so verhält wie der Geist zu den Erscheinungen des Lebens und das Leben zu den physikalischen und chemischen Aspekten der Wirklichkeit, dann könnte es wohl sein, daß die Gesetze der gesamten „natürlichen" Ordnung in gewissen Fällen in Verbindungen wirkten, welche durch die Naturwissenschaft nicht völlig erklärbar wären. Aber während wir die ganze „natürliche" Ordnung von ihrem Gipfel aus abwärts betrachten, sollten wir eben diese „übernatürliche" Ordnung hypothetisch von unten her nach oben anschauen, so etwa, wie ein Lebewesen, das nur rudimentär mit Geist begabt ist, das seltsame Verhalten intelligenter Wesen beobachten würde. Dieweil wir nämlich von unserem günstigen Standort aus sehen können, wie die niederen Aspekte der Wirklichkeit samt ihren Gesetzen unter höheren Aspekten gesetzmäßig zusammengefaßt werden, würden wir dann nur ahnen können, wie die „übernatürliche" Ordnung neuartige Verbindungen innerhalb der „natürlichen" Ordnung zuwege brächte. Denn an jeder Stelle, wo diese hypothetische „übernatürliche" Ordnung auf die „Natur" einwirken würde, könnte der Anschein entstehen, als ob es so etwas wie eine Aufhebung des Naturgesetzes gäbe.

Die Frage, die wir stellen müssen, lautet, ob man vernünftigerweise glauben kann, daß es eine derartige höhere Ordnung gibt und sie auf die Naturordnung einwirkt. Die Frage wird bejahend beantwortet für religiöse Menschen, die an einen Gott glauben, der nicht der Naturordnung nur innewohnt, sondern sie transzendiert. Wenn Ausdrücke wie „die Gnade Gottes", „göttliche Führung", „Antwort auf das Gebet" nicht reine Phrasen sind, so bedeuten sie, daß eine höhere Ordnung auf unser Leben innerhalb der Ordnungsbereiche von Raum, Zeit und Stoff einwirkt und in diesen Ordnungsbereichen Wirkungen ausübt. Das hebt nicht die Wirksamkeit irgendeines biologischen oder psychologischen Gesetzes auf, führt aber einen neuen Faktor ein. Da wir wissen, daß solche Erfahrungen zu wirklichen Krisen im Einzelleben führen, erscheint die Vermutung nicht haltlos, daß es ebenso wirkliche Krisen in der Geschichte geben kann, in denen die Mächte der höheren Ordnung auf die natürliche Ordnung des Menschenlebens einwirken, nicht in gesetzwidriger Weise, sondern durch die Bereicherung der Gesamtsituation mit neuen Faktoren. In einer solchen Situation ist es nicht undenkbar, daß ungewöhnliche Ereignisse eintreten, die nur zum Teil durch bekannte Naturgesetze erklärbar sind.

Aber wenn dies auch so sein kann, ist die Person mit religiöser Erfahrung in einer solchen Situation doch eher geneigt, nicht genauer danach zu fragen, ob das, was ihr zugestoßen ist, erklärbar ist oder nicht. Sie ist zu stark in Anspruch genommen von der unmittelbaren Überzeugungskraft der Gnade und der göttlichen Macht in ihrem Erlebnis. Das heißt, das charakteristische Merkmal des Wunders im religiösen Verständnis des Wortes ist nicht seine Unerklärbarkeit, sondern seine Wirkung, die darin besteht, der Person, die es erfährt, ein außergewöhnliches Gefühl für das Übernatürliche zu vermitteln, nämlich die Gegenwart und die Macht Gottes.

Wenn wir nun die Evangelien lesen, so beobachten wir, wie die Wundererzählungen sich im allgemeinen in einer Atmosphäre des „Numinosen" bewegen. Ihr spezifischer Wortschatz ist von der Art, die Otto als kennzeichnend für „numinose" Erfahrung nachgewiesen hat — „sie entsetzen sich", „fürchteten sich", „erschraken" — ἐξέστηταν, ἐφοβοῦντο, ἐθαμβήθησαν[24], usf. Auch wenn wir die Heilungsgeschichten rational erklären und in ihnen Entsprechungen von uns vertrauter psychologischer Heilung wiedererkennen, so bleibt in diesen Geschichten doch immer noch das „numinose" Element übrig. Wenn Jesus Dämonen austrieb, so taten das, wie man uns berichtet, auch die Pharisäer; so verfahren heute auch Exorzisten in Indien und China; in gleicher Weise gehen, das dürfen wir hinzufügen, Psychotherapeuten bei uns vor, obgleich sie eine andere Fachsprache verwenden. Solche Fälle sind bemerkenswert, aber sie sind nicht unerklärlich. Als jedoch Jesus Dämonen austrieb, so lag darin etwas, was den Leuten deutlich machte, daß der „Finger Gottes" am Werk und Sein Reich gegenwärtig war. Dasselbe „numinose" Verb θαμβεῖσθαι wird auch für die Wirkung der Worte Jesu[25] gebraucht, für die Gefühle Seiner Jünger, als Er sie nach Jerusalem führte[26], und für die

---

[24] Otto, Das Heilige, München 1971, S. 29 Anm. 1 bestimmt die Wurzel Thamb als einen der einfachen, lautmalenden Ausdrücke „numinosen" Gefühls.
[25] Mk 10,24.
[26] Mk 10,32.

Wirkung Seiner bloßen Gegenwart[27]. Diese Atmosphäre ist ein in den Erzählungen der Evangelien fest verwurzeltes Charakteristikum.

Die Empfindung des „Numinosen" kann als die gefühlsmäßige Stimmung umschrieben werden, die eine Überzeugung von der Gegenwart des Übernatürlichen begleitet, sei diese nun wahr oder falsch. Daß diese Überzeugung in dem Falle, den wir betrachten, richtig war, kann, wie wir gesehen haben, keineswegs durch die Wunder bewiesen werden; aber wenn wir bereit sind, sie aus anderen Gründen als wahr zu bezeichnen, dann kommen wir zu der Haltung der Autoren des Neuen Testaments zurück, wie wir sie am Anfang dieses Artikels dargelegt haben. Die gesamte Erzählung bewegt sich innerhalb eines historischen Rahmens, in dem das Übernatürliche ein realer Faktor ist. In diesem Rahmen kann jedes Ereignis einen doppelten Aspekt haben. Es läßt das Wirken der gewöhnlichen Naturgesetze erkennen, aber es läßt das zuweilen in ungewöhnlichen Verbindungen erkennen, die auf einen übernatürlichen Faktor zurückzuführen sind. Wenn wir den Bericht der Ereignisse studieren, werden wir soweit als möglich die natürlichen Wirkgesetze zu verstehen versuchen, wie etwa die bekannten Gesetze psychologischer Suggestion. Aber wir werden dabei nicht jenen anderen Faktor außer acht lassen, der sie in dieser besonderen Weise wirksam werden ließ. Auch werden wir nicht nach der starren Annahme verfahren, daß wir bei diesen außergewöhnlichen Verbindungen stets den gesamten Tatbestand auf der Grundlage unseres gegenwärtigen Wissensstandes erklären können oder die Erzählung verwerfen müssen, wenn wir dazu nicht in der Lage sind. Der Verlauf, den die Kritik der Exorzismusgeschichten genommen hat, sollte uns vor solch einer voreiligen Lösung der Frage warnen.

Zusammenfassung: Wenn wir uns kritisch und historisch mit irgendeiner vorgegebenen Wundergeschichte, z. B. einem Exorzismus, der Speisung der Menge oder dem leeren Grab befassen, sollten wir folgendermaßen vorgehen:

(I) den Wert der Geschichte als einer symbolischen Äußerung der grundlegenden Überzeugung jener, die sie erzählten, (an)erkennen, daß das wahre Übernatürliche, die göttliche Macht, die das Leben der Menschen erneuert, in ihren Erlebnisbereich eingetreten war;

[27] Mk 9,15.

(II) die Implikationen der Geschichte für die Gesamtwirkung (an-) erkennen, die von der Persönlichkeit Jesu auf jene ausging, die ihn kannten;

(III) ferner bei der Frage nach dem Überlieferungswert der Geschichte die ursprüngliche Quelle nachweisen, aus der sie stammt, sie beurteilen und sie, soweit als möglich, in ihrer ältest erreichbaren Form wiederherstellen;

(IV) das Ereignis auf der Grundlage der bekannten Naturgesetze so lange erklären, als dies, ohne dem Bericht Gewalt anzutun, geschehen kann, und anerkennen, daß wir dabei nicht die ganze Geschichte, so wie sie uns vorliegt, erklären;

(V) wo wir an die Grenzen unserer gegenwärtigen Kenntnisse stoßen, das zugeben, und, indem wir jeden möglichen Einfluß der mythenbildenden Tendenz in einer solchen Umwelt berücksichtigen, ein Urteil hinsichtlich der völligen Unhistorizität offenlassen.

Alle diese fünf Punkte gehören zu einer historischen Untersuchung. Aber wenn es das Ziel unserer Arbeit an den Evangelien ist, durch die Geschichte bis zur Religion zu gelangen, so sind die Punkte I und II von vorrangiger Bedeutung, die Punkte III, IV und V zweitrangig. Man könnte sagen, daß es religiös bedeutsame Folgerungen für die Beziehungen Gottes zu Seiner Welt nach sich ziehen würde, wenn wir so ein Wunder wie das des leeren Grabes als tatsächlich wahr beweisen könnten. Aber ein solcher Beweis könnte nur erbracht werden, wenn unsere Kenntnisse sich so erweiterten, daß dies Ereignis sich in Beziehung zu unserer übrigen wissenschaftlichen Erkenntnis von der Welt bringen ließe und damit nicht mehr im gewöhnlichen Sinn des Wortes wunderbar wäre. Andererseits ist es religiös bedeutsam zu erkennen, daß sich im Leben Jesu Ereignisse abspielten, die innerhalb ihres Gesamtrahmens auf Menschen den Eindruck machten, den die Wundergeschichten widerspiegeln, nämlich von der Persönlichkeit Jesu in Beziehung auf die Umwelt, in der Er sich bewegte, von Seiner Freiheit, Kühnheit und Gelassenheit angesichts der Übel dieser Welt, von der Überlegenheit über die Gesamtsituation, von göttlichem Mitleid und göttlicher Vollmacht, von übernatürlicher schöpferischer Macht über das Leben der Menschen und schließlich davon, daß Seine ganze Geschichte einen Wendepunkt schuf, an dem die Macht Gottes ein Neues Zeitalter für den menschlichen Geist einleitete.

Philippe-H. Menoud, La Signification du miracle selon le Nouveau Testament. Revue d'Histoire et de Philosophie Religieuses 28/29 (1948/49), pp. 173—192. Übersetzt von Josef Kremeyer.

DIE BEDEUTUNG DES WUNDERS
NACH DEM NEUEN TESTAMENT[1]

Von PHILIPPE-H. MENOUD

Der weise Horaz schrieb an einen Freund: „Lache der Träume, der magischen Schrecknisse, Wunderdinge, Wahrsagungen, nächtlichen Gespenster, thessalischen Wundermärchen... Lache und überlaß sich selbst eine Welt, der die Narretei besser ansteht als dir."[2]

Die damalige Welt war durchaus geneigt, ihr närrisches Treiben zu belachen, solange man ihr nur gestattete, es beizubehalten. Im Römischen Reich stand es mit dem Glauben nicht zum besten zu der Zeit, als Jesus von Nazareth in Galiläa auftrat und sein Evangelium sich anschickte, sich über die Hauptstraßen der Provinzen auszubreiten. Aber dem Wunderbaren hing man an mit der gemessenen Distanz eines abergläubischen Skeptikers.

Alles hatte sich verschworen, diese geistige Verfassung zu bestärken. Ovid hatte die Metamorphosen einer fernen Vergangenheit besungen zu einer Zeit, „da der Himmel auf Erden wandelte und atmete in einem Volk von Göttern"[3]. Apulejus wird später von neueren Metamorphosen erzählen, die von Wundertätern oder Mysten sogar noch in einem Jahrhundert gewirkt werden, in dem ein Mark Aurel regiert. Plinius fragt seinen Briefpartner, den gelehrten Sura, ernsthaft, was von Gespenstererscheinungen zu halten sei. Sueton berichtet von den Wundern, welche Geburt und Tod der Kaiser begleiten. Kein geringerer als Tacitus schreibt Vespasian Heilungskräfte zu und berichtet von den Wundern, die sich

---

[1] Vortrag, der in vielerlei Gestalt teils unter dem jetzigen Titel, teils unter der Überschrift ›Wunder und Metamorphose. Ordnung und Unordnung in der Schöpfung‹ in Dijon, Neuchâtel und Straßburg gehalten wurde.

[2] Briefe II 2, 208—216.

[3] Alfred de Musset, Rolla. [In: Œuvres complètes, Bd. 2: Poésies nouvelles 1833—1852, Paris 1923, S. 1.]

vor dem Angriff des Titus auf die Tempelterrassen in Jerusalem ereignet
haben[4].

Vor allem der Zauberer steht beim Volk in Ansehen, denn die Zauberei liefert wirksame Rezepte sowohl zur Beherrschung der unbelebten
Welt wie zur Einwirkung auf Lebewesen. Sie vermag sogar die Götter zu
zwingen, ihre Macht dem Willen der Menschen unterzuordnen[5].

Die Zauberei rekrutiert ihre Anhänger nicht nur unter der ungebilde-
ten Bevölkerung. Sie geht vielmehr ein Bündnis ein mit der Philosophie.
Nigidius Figulus, der Begründer der pythagoreischen Sekte in Rom, den
Cicero für seine Politik gewann und dem er stets seine Wertschätzung be-
wahrte, wurde wegen Zauberei verbannt[6]. Im zweiten Jahrhundert wurden zwei andere Pythagoreer bekannter durch ihre Wunder als durch ihre
philosophische Lehrtätigkeit. Bleiben wir einen Augenblick bei diesen
beiden Persönlichkeiten, denn ihr Schicksal verdeutlicht die Atmosphäre
des Wunderbaren, in der die antike Gesellschaft in den ersten Jahrhunderten des Christentums lebte.

Der erstere dieser beiden Männer, Alexander von Abonuteichos, ist der
Held einer der grausamsten Kampfschriften des Lukian von Samosata.
Lukian berichtet, daß Alexander in Rom ein Orakel und ein Mysterium
begründete, die zu Berühmtheit gelangt sind. Alexander ließ eine Zau-
berschlange namens Glykon reden, und im letzten Akt seines Mysteriums
sah man den Mond in Gestalt einer jungen Frau von der Decke herabsteigen. Die Historiker sind sich nicht einig in der Frage, wieweit Lukians
Zeugnis glaubwürdig ist. Die einen, etwa Franz Cumont, meinen, Lukian habe nur eine Karikatur seines Protagonisten geliefert und dieser sei
in Wirklichkeit zu den Religionsstiftern zu rechnen. Andere, so mein
Lehrer Eugène de Faye, geben Lukian im wesentlichen recht und halten
Alexander für einen gewöhnlichen Scharlatan. Ob Alexander von Abonuteichos nun Prophet oder Hochstapler war, er konnte jedenfalls bis in
die höchsten Kreise hinein großen Erfolg verzeichnen. Kaiser Mark Aurel,
der gewiß vom Verdacht des Aberglaubens frei ist, soll zwei Löwen in die

[4] Vgl. G. Boissier, La religion romaine d'Auguste aux Antonins II, [3. Aufl.
Paris 1884,] S. 166—171.

[5] Vgl. L. Gernet und A. Boulanger, Le génie grec dans la religion, [Paris 1932,]
S. 421.

[6] J. Carcopino, La basilique pythagoricienne de la Porte Majeure, [4. Aufl. Paris
1926,] S. 202 und 383.

Donau geworfen haben, um dem Orakel des Alexander zu entsprechen und unruhige Legionen zu besänftigen.

Bekannter geworden ist Apollonius von Tyana. Er hatte das Glück, nicht einem Kritiker in die Hände zu geraten, sondern in Philostrat einen begeisterten Biographen zu finden, der ein Jahrhundert nach seinem Tod, etwa 250, in aller Ausführlichkeit seine von Wundern begleiteten Weltreisen erzählte.

Als unerschrockener Weltenbummler bereist Apollonius die gesamte bewohnte Erde und dringt bis nach Indien vor, wo die Bergdrachen einen dichten goldenen Bart tragen. Sodann werden Ägypten, der Westen und Rom Zeugen seiner Wundertaten. Apollonius versteht die Sprache der Vögel und vermag das Stöhnen der am Ufer zappelnden Fische zu deuten. Er beherrscht alle Sprachen, ohne je eine gelernt zu haben. Er kennt das Rezept eines Zauberöls, das, wenn es angezündet wird, in wunderbarer Weise Mauern zu vernichten vermag. Das von der Pest heimgesuchte Ephesus erwartet ihn als „von den göttlichen Orakeln empfohlenen Wunderheiler". Im Theater, mitten in der Menge, findet der Zauberer sogleich die inkarnierte Krankheit heraus: einen alten Bettler, der mit den Augen zwinkert, eine elende Betteltasche und abgewetzte und zerrissene Kleidung trägt und ein verunstaltetes Gesicht hat. Apollonius befiehlt der Menge, ihn zu steinigen. Diese zögert aus Mitleid. Aber schließlich gibt sie dem Drängen des Wundertäters nach. Und siehe da: Nach der Exekution findet man unter dem Steinhaufen nur noch einen tollwütigen Hund, dem der Schaum vor dem Munde steht. Später, in Rom, schenkt Apollonius einem Mädchen, das man zur Totenverbrennung geleitete, das Leben wieder und gibt es an seinen Verlobten zurück.

Apollonius ist auch ein versierter Philosoph. Er lehrt in allen Bereichen und löst alle Rätsel. Sein Tod ist nicht der eines Menschen, sondern eines Gottes. Eigentlich stirbt er gar nicht. Er wird zum Himmel emporgetragen unter den Rufen eines Jungfrauenchores, der singt: „Laß zurück die Erde, empor zum Himmel, empor."

Alle obengenannten Zeugnisse — ihre Liste ließe sich leicht verlängern — beweisen, daß zur Zeit des Urchristentums ganz allgemein eine Bereitschaft zum Glauben besteht und überall das Wunderbare sich zur Erfüllung dieses Bedürfnisses anbietet. Selbst die Juden machen hierbei keine Ausnahme. Manche Rabbiner gelten als Totenerwecker, und die vorgeblichen Messiasgestalten, die bis zur Mitte des zweiten Jahrhunderts aufeinander folgten, bestärkten ihre Anhänger durch die Ankündigung von Wundertaten wie das Aufhalten des Jordans oder das Einreißen der Mauern von Jerusalem.

Wenn wir die ersten christlichen Bücher aufschlagen, treffen wir anscheinend zunächst das gleiche geistige Klima an. Auch im Neuen Testament ziehen auf jeder Seite Wunder die Aufmerksamkeit des Lesers auf sich. Jesus heilt Kranke und exorzisiert die vom Teufel Besessenen. Er bringt Stumme zum Sprechen, Taube zum Hören und Blinde zum Sehen. Er weckt Tote auf. Seine Macht erstreckt sich auch auf die unbelebte Natur: Er verwandelt Wein in Wasser, sättigt fünftausend Mann mit fünf Broten und zwei Fischen. Er stillt den Sturm und wandelt auf dem Wasser. Er steht selbst von den Toten auf, erscheint seinen Jüngern und wird anschließend in den Himmel entrückt.

Seine Jünger wirken entsprechende Wunder. Petrus heilt Kranke und weckt einen Toten auf. Es braucht sogar nur sein Schatten sich auf die Kranken und die von unreinen Geistern Gequälten zu legen, und schon werden sie geheilt. Das Leben des Apostels Paulus ist geradezu von Wundern geprägt, denn er wird zwar oft ins Gefängnis geworfen, aber immer wieder befreit, lebt zu Wasser und zu Lande in ständiger Gefahr, bleibt jedoch immer verschont. Im übrigen beruft sich der Apostel der Heiden ausdrücklich auf Wunder, um sich als Apostel auszuweisen.

Die Religionsgeschichtler haben nicht versäumt, auf die Ähnlichkeit zwischen den heidnischen Wundern und denen des Neuen Testaments hinzuweisen. Es sind Vergleiche angestellt und Parallelen gezogen worden. Oft wurde gefolgert, das Wunderhafte entspreche, wo immer man es auch vorfinde, einem heute überholten Wirklichkeitsverständnis.

Doch solche Erwägungen, mögen sie in gewissen Grenzen auch noch so berechtigt sein, können das Thema keineswegs erschöpfend erfassen, insbesondere aber nicht dem in manchen Zügen einmaligen Charakter der neutestamentlichen Wunder Rechnung tragen.

Beginnen wir mit einer Überlegung zum Sprachgebrauch. Um von Wundern zu sprechen, benutzen die griechischen und römischen Schriftsteller zahlreiche Ausdrücke wie: Wunderbares, erstaunliche Dinge, ungewöhnliche Erscheinungen, Wunder, Machttaten, Zeichen. Alle genannten Begriffe beschreiben das Wunder von außen her und stellen es als nie dagewesene, außerordentliche Erscheinung im natürlichen Lauf der Dinge dar. Seinen höchsten Ausdruck findet das Wunder in der Metamorphose, die allerdings der ungewöhnlichste Vorgang auf Erden ist und der natürlichen Weltordnung am stärksten zuwiderläuft. Durch Metamorphose erhält ja der Mensch die Eigenschaften eines Tieres oder umgekehrt, oder gelangt gar ein Mensch, ein Tier oder eine Pflanze aus einem Bereich der Natur in einen anderen. Die Metamorphose ist ein Schöpfungsakt. Sie fügt der Gesamtzahl aller Wesen neue hinzu, zwar nicht gerade durch die Schaffung eines neuen Bereichs in der Natur, aber doch durch die Hervorbringung von Zwitterwesen.

Es muß hinzugefügt werden, daß das Wunder zwar manchmal mit den Riten der Mysterien in Verbindung steht und so als Mittel bei der Vergöttlichung der Eingeweihten eingesetzt wird. Es kommt ihm jedoch in den meisten Fällen keinerlei Heilsbedeutung zu, weil es von der Willkür des Gottes oder Zauberers abhängt, der es bewirkt.

Nun haben aber die Verfasser des Neuen Testaments unter den Begriffen, die sich aus der Tradition ihrer Zeit heraus für die Bezeichnung des Wunders anboten, eine Auswahl getroffen. Beibehalten haben sie nur die drei Wörter *Machttaten, Wunder* und *Zeichen,* denen sie außerdem eine neue Bedeutung beilegten.

Tatsächlich taucht in den christlichen Schriften der Begriff „Wunder" niemals allein auf, sondern immer in der Nachbarschaft eines der Wörter *Zeichen* oder *Machttaten,* oder gar eingerahmt und ausgelegt durch diese zwei starken Begriffe[7]. Bei der Dreiheit *Machttaten, Wunder und Zeichen* liegt der Ton auf den beiden äußeren Begriffen. Wenn Wunder also wunderbar sind, so deshalb, weil sie Taten der göttlichen Macht und mit besonderer Bedeutung befrachtet sind.

Nach dem Neuen Testament gehört alle Macht nur Gott. Macht ist Attribut des einzigen Gottes, der durch sein wirkmächtiges Wort das Weltall geschaffen hat und — nach dem Sündenfall der Welt — in die Geschichte eingreift, um es zu retten. Von sich aus ist der Mensch schwach und mittellos. Wenn es vorkommt, daß ein Mensch mit Macht spricht

---

[7] Von den Begriffen σημεῖα, τέρατα und δυνάμεις werden die erste und der dritte zur Bezeichnung des Wunders im Hellenismus am wenigsten gebraucht (vgl. Liddell-Scott-Jones, Greek-English Lexikon s. v.). Zum neutestamentlichen Gebrauch dieser Termini vgl. A. Fridrichsen, Le problème du miracle dans le christianisme primitif, [Straßburg 1925,] S. 117, Anm. 8.

oder handelt, liegt das daran, daß ihm die Macht von oben gegeben worden ist. Wenn es heißt, daß Jesus und die Apostel Machttaten vollbringen, besagt das, daß sie Bevollmächtigte Gottes sind, der durch ihr Handeln hindurch handelt. Ihr Tun enthält keinerlei Willkür; es ist Gottes Tun. Solche machtvollen Eingriffe sind also gleichzeitig zeichenhaft: Durch dieses Handeln verwirklicht sich Gottes Werk in der Welt und in der Geschichte.

Was also das spezifische christliche Wunder ausmacht und ihm seinen eigentümlichen Charakter verleiht, ist nicht, daß es eine erstaunliche und außergewöhnliche Erscheinung ist. Es ist zwar auch das, aber es ist das vor allem als Gottes Eingreifen in die Welt, die er geschaffen hat und durch Jesus Christus retten will.

Nach der Vorstellung des Urchristentums bedarf denn auch die Schöpfung nicht einer bloßen Ausweitung durch das Auftreten neuer Arten von Lebewesen aufgrund von Metamorphosen. Die biblischen Verfasser hätten einen menschlichen Anspruch, der Schöpfung Gottes Neues hinzuzufügen, als unmöglich und gotteslästerlich zurückgewiesen. Nach dem Neuen Testament bedarf die Schöpfung vielmehr der Erlösung. In der durch das Auftauchen des Bösen entstellten Natur und Menschheit muß Gottes Ordnung wiederhergestellt werden.

Beim gegenwärtigen Zustand der Welt herrscht überall Unordnung. Unordnung zunächst in der äußeren Welt. Das Feld, auf das Gott guten Samen gesät hatte, hat der Feind betreten, um Unkraut zu säen. Das Feld aber ist die Welt. Paulus drückt später den gleichen Gedanken aus, wenn er sagt: „Der Nichtigkeit wurde das Geschaffene unterworfen."

Unordnung aber auch in den Geschöpfen. Das Böse ist zunächst im Bewußtsein und im Herzen des Menschen, der Sünder geworden ist und nun nicht mehr nach Gottes Gesetz leben und sich selbst retten kann. Das Böse herrscht auch im Körper des Menschen, wo es sich durch organische, nervliche und funktionale Krankheiten oder, in der Sprache der Evangelien, durch Dämonenbesessenheit bemerkbar macht. Der körperliche Verfall durch Krankheit und der moralische Niedergang durch Sünde lassen vereint aus dem nach Gottes Bild geschaffenen Menschen das Gefäß aus Ton werden, das dazu verurteilt ist, früher oder später in den Staub zurückzukehren, aus dem es genommen wurde. Die lapidare Feststellung des Apostels Paulus: „Der Sold der Sünde ist der Tod" gibt die Meinung des ganzen Neuen Testaments wieder. Diese Feststellung ist kein Predigtbeispiel, sondern muß buchstäblich verstanden werden. Denn die ersten Christen kannten sehr wohl den großartigen Satz aus dem Buch der Weisheit: „Gott hat die Wesen geschaffen, daß sie sind", und nicht, daß sie sterben.

Doch Gott gibt seine Geschöpfe und seine Schöpfung nach dem Fall nicht auf. Er hat einen Erlösungsplan vorgesehen. Das im Alten Bund angekündigte Heil beginnt mit Leben, Tod und Auferstehung Jesu Christi, setzt sich fort in der Verkündigung des Evangeliums, solange die Jetztzeit dauert, und wird sich mit dem Anbruch des Königtums Gottes vollenden. Die ganze Erlösungsgeschichte ist ein fortdauerndes Wunder, d. h. ein machtvolles Handeln Gottes, ein wirksames Zeichen seines Heilswillens. Das Heil wird konkret Wirklichkeit durch Machttaten und Zeichen[8].

In den Augen der ersten Christen ist Jesus von Nazareth nicht nur ein Prophet wie Johannes der Täufer. Er ist der „Stärkere" (ὁ ἰσχυρότερος), dessen Ankunft der Vorläufer verkündete. Er ist stärker, weil er mit der ganzen Vollmacht Gottes ausgestattet erscheint.

An einer Stelle der Apostelgeschichte, die das Wirken Jesu zusammenfaßt, lesen wir: „Jesus von Nazareth, Gott hat ihn gesalbt mit Heiligem Geist und mit Macht, so daß er durch das Land zog, Gutes tat und alle heilte, die in der Gewalt des Teufels waren" (Apg 10,38). Der johanneische Christus erklärt: „ich muß die Werke dessen vollenden, der mich gesandt hat" (Joh 9,4), und der erste Johannesbrief erläutert: „Jesus Christus ist gekommen, um die Werke des Teufels zu zerstören" (1 Joh 3,8).

Die Werke des Teufels zerstören und Gottes Werke tun sind die negative und positive Seite ein und derselben Mission, die darauf abzielt, Gottes Ordnung in der Schöpfung wiederherzustellen.

Die Ordnung wird erst dann wiederhergestellt sein, wenn Gottes Reich kommt, am Ende der Zeiten, wenn die gegenwärtige Welt vor der neuen Schöpfung vergeht. Aber diese eschatologische Hoffnung ruht für die ersten Christen auf der Gewißheit, daß Christus als Befreier gekommen ist und sein Werk in der Kirche weitergeht. Sein Wirken geht nicht nur in Predigtworten weiter, sondern auch in Wundertaten. Ebenso wie das Wort künden auch die Wunder, daß Gottes Reich nahegekommen ist,

---

[8] Vgl. A. Fridrichsen, a. a. O., S. 36—37.

und lassen ahnen, wie Menschheit und Weltall sein werden, wenn sie vom Bösen gereinigt und allein dem Willen Gottes unterworfen sind[9].

Gehen wir nun die Arten von Wundern durch, die wir im Neuen Testament antreffen. Das Reich Gottes soll überall dort als befreiende Kraft kommen, wo der Feind die Hand auf etwas gelegt und wo er unrechtmäßig die Macht an sich gerissen hat. Die Erlösung soll alles erneuern, was der Fall in Mitleidenschaft gezogen hat: die Person des Menschen und den kosmischen Rahmen, in dem sie lebt. Man unterscheidet manchmal zwischen sogenannten anthropologischen Wundern, z. B. Krankenheilungen, die auf die Erneuerung der menschlichen Natur hinweisen, und kosmischen oder physikalischen Wundern, die auf die Verwandlung der Welt selbst hinweisen. Eine solche Unterscheidung mag zwar bequem sein, ist aber vielleicht doch nicht so grundsätzlich, wie es den Anschein hat. Die kosmischen Wunder verkünden nämlich vor allem, daß die Natur im Reiche Gottes nicht mehr die dem Menschen oft feindliche Macht sein wird, die sie in der Welt des Sündenfalls geworden ist. Die Natur wird vielmehr der harmonische Rahmen sein, in welchem das Geschöpf leben soll. Denn der Mensch ist nach dem Bilde Gottes geschaffen worden, um über die Schöpfung zu herrschen. Diese Herrschaft des erneuerten Menschen über die äußere Natur wird von den sogenannten kosmischen Wundern, wie dem Wandeln auf dem Wasser, vorausgesagt. In diesem Sinne kann man sagen, alle Wunder seien anthropologisch.

Am häufigsten kommen Wunderberichte in den synoptischen Evangelien vor. Dämonenaustreibungen, Heilungen und Totenerweckungen lassen sich letzten Endes als ein und dieselbe Wunderart verstehen. In der jüdischen Vorstellung, die ja auch die der ersten Christen ist, besteht nämlich eine enge Verbindung zwischen Sünde und Krankheit: Die Sünde ist Ursache sowohl für Krankheit wie für Besessenheit, die nur ein besonders schwerer Fall von Krankheit ist. Der Tod aber, der alle Menschen trifft, weil sie alle Sünder sind, ist letzte Konsequenz sowohl der Krankheit wie der Sünde.

Bei diesen Wundern wird die Erlösungsfunktion deutlich sichtbar. Sie tritt hervor in den Gefühlen, die Jesus empfindet, wenn er Kranken,

---

[9] Vgl. A. Fridrichsen, a. a. O., S. 47—48; K. L. Schmidt, in: Revue d'Histoire et de Philosophie Religieuses (1938), S. 46—47.

Besessenen oder Toten gegenübertritt. Wenn Jesus „von Mitleid gerührt" ist, wenn er „innerlich zittert", wie die Evangelisten oft vermerken, so nicht allein und zunächst, weil ihn brüderliches Mitleid mit den Leidenden bewegt, sondern vor allem, weil er angesichts des Leidens und des physischen Verfalls in all seinen Formen die Zerstörungen vor sich sieht, die von den Kräften des Bösen in dem Geschöpf angerichtet wurden, welches das Bild des lebendigen Gottes zu tragen bestimmt war. Hinter dem Menschen, der krank, besessen oder gerade gestorben ist, sieht Jesus den Feind, „der das getan hat". Diesen Feind bringt er zum Zurückweichen, wenn er Kranke heilt, Besessene befreit und Tote auferweckt. Die jetzt erfolgende Niederlage des Feindes ist das Zeichen seiner Endniederlage.

Die Bedeutung der Wunder als Zeichen der Erlösung tritt auch in den Bekenntnissen zutage, die den aus dem Körper der Besessenen verjagten Dämonen entschlüpfen. Wenn die bösen Geister verkünden, Jesus sei der Sohn Gottes, der gekommen ist, um sie zu verderben, protestieren sie vergeblich gegen das Kommen des Gottesreiches, das in der Person Jesu schon machtvoll gegenwärtig ist.

Die Brotvermehrung und das Wandeln auf dem Wasser erscheinen auf den ersten Blick als den heidnischen Wundern sehr verwandt. Aber Vermehrung ist nicht Metamorphose. Die Brote bleiben Brote, und die Fische bleiben Fische. Außerdem ist auffallend, daß die Evangelisten nicht nur die Vermehrung der Lebensmittel, sondern auch den Überfluß an Resten vermerkt haben. Zweifellos wollten sie hervorheben, daß die Anwesenheit Jesu jegliche Sorge um Nahrung hinwegnahm. Das Zeichen hat einen offenkundigen Sinn: Das Nahrungsbedürfnis, dem der Mensch unterliegt, ist noch Zeichen seiner Schwäche und der Unvollkommenheit des gegenwärtigen Weltenlaufs. Das Wunder kündigt eine endgültige Befreiung an und prophezeit die Ankunft der Zeiten und Verhältnisse, von denen die Apokalypse spricht, wenn sie von den Auserwählten sagt: „Sie werden nicht mehr Hunger noch Durst verspüren ... denn das Lamm, das mitten auf dem Throne sitzt, wird sie weiden und an die Quellen lebendigen Wassers führen." Diesen Gesichtspunkt hat das vierte Evangelium besonders hervorgehoben, wenn es die Brotvermehrung zu einem Vorspiel zu der Rede macht, in der Jesus sich als Nahrung zum göttlichen Leben für die Glaubenden vorstellt.

Die Berichte von der Stillung des Sturms und vom Wandeln auf dem See offenbaren auch die Überlegenheit Jesu über die Natur. Auch hier enthalten die Berichte nichts Demonstratives oder zum Ruhme des Wundertäters Bestimmtes. Sie sind nur Zeichen, die verkünden, daß mit dem Heraufziehen der neuen Welt die Feindschaft der Natur gegenüber dem Menschen aufzuhören hat.

Das vierte Evangelium hat diesen Gedanken vom Wunder als Zeichen zu seiner vollen Entfaltung gebracht. Um ihn zu verstehen, braucht man lediglich die Episode von der Auferweckung des Lazarus nachzulesen, eine der großartigsten Passagen, die der anonyme Jünger geschrieben hat.

Der ganze Bericht ist so konzipiert, daß er das von Jesus gesetzte Zeichen in vollem Licht erscheinen läßt. Wenn der Evangelist nur eine Freundschaftstat Jesu gegenüber Lazarus und seinen Schwestern hätte erzählen wollen, so hätte er gezeigt, wie Jesus auf die erste Nachricht von der Krankheit hin nach Bethanien eilte. Aber es geschieht genau das Gegenteil. Jesus bleibt noch zwei Tage an dem Ort, an dem er sich aufhielt, und sagt seinen Jüngern: „Diese Krankheit ... dient zur Verherrlichung Gottes." Er macht sich erst auf den Weg, nachdem er vom Tode des Lazarus erfahren und den Jüngern, die ihn begleiten, gesagt hat: „Ich freue mich um euretwillen, daß ich nicht dort war." Wenn man das Verhalten Jesu gefühlsmäßig beurteilen wollte, müßte man es freundschaftswidrig und hart finden. Doch der Evangelist sieht es nicht so. Für ihn ist Jesus zuerst der Offenbarer, der kommt, um der Welt das Leben zu bringen. Wenn Jesus also wirklich Lazarus liebt, wird er ihm das Leben schenken, und zwar das wahre, göttliche Leben, für das seine leibliche Auferstehung nur ein Zeichen, freilich ein auffallendes Zeichen ist. Indem Jesus den Lazarus dem Leben dieser Welt wiedergibt, bestätigt er beispielhaft seine Feststellung: „Ich bin die Auferstehung und das Leben. Wer an mich glaubt, wird in Ewigkeit nicht sterben." Die Rückkehr des Lazarus in die irdische Existenz ist das Zeichen für den Eintritt in die kommende Welt durch die endzeitliche Auferweckung.

Damit erscheint der Zeichencharakter der Wunder Jesu in aller Deutlichkeit. Das Reich Gottes ist nahe in der Person des Jesus, der unter den Menschen gegenwärtig ist, um sie zu retten. Macht, Herrlichkeit und Unvergänglichkeit des kommenden Reiches blitzen inmitten von Verfallenheit und Elend dieser Welt auf in der strahlenden Helligkeit der Wunder. Lazarus entsteigt dem Schoße der Erde und der Verwesung auf Jesu Anruf hin. Das besagt, daß am Jüngsten Tage auf den Ruf des Herrn des Lebens hin die Toten auferstehen werden und nicht mehr sterben. Jesus erweckt nicht die Toten, weil er ein guter Wundertäter ist, wie etwa später Apollonius von Tyana, der es nicht ertragen kann, daß ein vorzeitiger Tod junges Glück zerstört. Jesus ist der Offenbarer göttlichen Lebens, und was seinen Wundern Wert und Sinn gibt, ist deren theologische Dimension.

Zu jedem der übrigen Zeichen, die im vierten Evangelium berichtet werden, wäre dasselbe zu bemerken. Alle besitzen die gleiche Eigentümlichkeit, Akte der Offenbarung einer Wirklichkeit zu sein, die die Wirklichkeiten dieser Welt übersteigt. Kein Wunder ist davon ausgenommen, nicht einmal das Wunder der Verwandlung von Wasser in Wein zu Kana.

Auf den ersten Blick kommt dieses Zeichen am ehesten einer heidnischen Metamorphose nahe, und es hat auch an Interpretationen in dieser Richtung nicht gefehlt. Man hat darin ein „Luxuswunder" neben dem „Freundschaftswunder" der Auferweckung des Lazarus sehen wollen, d. h. aber einen Akt, der aller theologischen Sinngebung entbehrt. Solche Erklärungen schöpfen den — allerdings schwer erschließbaren — Sinn der Perikope bei weitem nicht aus. Es kann hier aber nur kurz angedeutet werden, in welcher Richtung eine adäquatere Lösung zu suchen ist.

Erstens gilt es zu beachten, daß das Wunder nicht öffentlich ist. Die Gäste der Hochzeit treten nicht auf, nicht einmal als Zeugen. Sie gehören zur Kulisse und weiter nichts. Vom Tafelmeister heißt es, daß er „nicht wußte, woher [der Wein] kam". Es handelt sich also nicht um ein Wunder, das die Bewunderung der Anwesenden auf sich ziehen sollte. Vielmehr ist es, worauf der Evangelist ausdrücklich hinweist, „ein Zeichen", d. h. eine Auskunft über die Person Jesu, die allein den Jüngern zuteil wird, und aufgrund derer sie an ihn glauben. Zweitens ist festzuhalten, daß die Episode von Kana in engem Zusammenhang mit dem voraufgehenden Zeugnis Johannes des Täufers steht, dessen Abschluß sie in gewisser Weise darstellt[10].

[10] Das wird insbesondere durch die Zeitangabe in Joh 2,1 unterstrichen. Καὶ τῇ ἡμέρᾳ τῇ τρίτῃ nimmt die Serie des τῇ ἐπαύριον von 1, 29—35—43 wieder auf und führt sie zu Ende. Die Hochzeit zu Kana findet „am dritten Tag" statt, wobei der Ausgangspunkt nicht gerade sehr genau angegeben ist, aber doch wohl der Augenblick zu sein scheint, in dem Jesus seine ersten Jünger in der Umgebung Johannes des Täufers gefunden hat.

Indem er Wasser in Wein verwandelt, beweist Jesus seinen Jüngern, daß er an der Natur Gottes Schöpfermacht ausübt, weil er nicht von der Welt ist, sondern von oben kommt. Gleichzeitig bedeutet der Wein, daß in Jesus — genauer: im Tode Jesu — die wahrhaft wirksame Erlösung verwirklicht wird, während das Wasser das unzureichende Mittel der Reinigung darstellt, über das die Juden verfügen. Jesus ist also wirklich der, den Johannes der Täufer begrüßt hat als „Lamm Gottes, das die Sünde der Welt hinwegnimmt". Die Erklärung des Vorläufers hatte zwei seiner Jünger veranlaßt, Jesus zu folgen. Das Zeichen, das Jesus tat, „offenbart" seinen Jüngern „seine Herrlichkeit", d. h. offenbart ihnen seine persönliche Identität und bindet sie durch den Glauben endgültig an ihn. Das Wunder ist also ein Offenbarungsakt und nicht ein thaumaturgisches Wunder. Auch hier erhält das Wunder seinen eigentlichen Sinn durch seinen theologischen Bezug.

Darum kann sich das vierte Evangelium, noch stärker als die Synoptiker, darauf beschränken, nur einige Beispiele der Wunder zu berichten, die Jesus getan hat. Um den Ruhm eines Wundertäters zu begründen, müssen Wunderberichte in großer Zahl geliefert werden. Der Sohn Gottes dagegen brauchte nicht notwendigerweise alle Kranken zu heilen, alle Besessenen von Dämonen zu befreien und alle Toten aufzuerwecken, wie er übrigens auch nicht an allen Orten zu predigen brauchte. Einige Zeichen genügten, um in der Jetztzeit das Kommen des Reiches Gottes anzusagen, das am Jüngsten Tag eintreffen wird.

Die Wunder der Apostel, die von der Apostelgeschichte überliefert werden[11] und auf welche die Briefe des Neuen Testaments hinweisen[12], sind von der gleichen Art wie die Wunder Jesu, die sich in ihnen gewissermaßen fortsetzen. Vollbracht „im Namen Jesu Christi"[13], bezeugen die Apostelwunder, daß der Geist Gottes oder des Christus das mit der Inkarnation begonnene Erlösungshandeln fortführt und weiter das Kommen der zukünftigen Welt ankündigt. Diese Wunder verfolgen nicht die Absicht, die Arbeit der Apostel zu erleichtern, indem sie ihnen Kräfte

[10] Das wird insbesondere durch die Zeitangabe in Joh. 2,1 unterstrichen.

[11] Vgl. Apg 3,1—10; 5,15; 9,32—42; 12,6—11; 13,11—12; 14,8—18; 16,16—18 und 25—26. Auf Apg 28,1—10 kommen wir später zurück.

[12] Vgl. 1 Kor 2,4; 2 Kor 12,12; Gal 3,5; 1 Thess 1,5; Hebr 2,4; Vgl. auch Apg 4,29; Mk 16,10.

[13] Apg 3,6; 16,18; vgl. 4,30.

verleihen, die denen der Gegner des Evangeliums überlegen wären. Sowenig seine göttliche Kraft dem Gottessohn den Gang nach Golgatha erspart hat, sowenig bewahrt der Geist, der den Aposteln beisteht, sie vor Schlägen, Gefängnis und letztlich vor dem Martyrium. Es sei also noch einmal betont, daß die Wunder nicht gewirkt werden, um die Apostel persönlich größer oder unverwundbar zu machen, sondern um dem Evangelium den Weg zu bahnen.

Fast alle Wunderberichte enden mit dem Lob Gottes durch die Anwesenden oder mit dem Zeugnis ihres Glaubens an den Herrn. In diesem Zusammenhang muß man sich nun auch klarmachen, worin die Pointe in den Berichten von der Befreiung des Petrus in Jerusalem und des Paulus in Philippi zu suchen ist. Betrachten wir zunächst die letztere Episode. Das Erdbeben, das sich auf wunderbare Weise in Philippi ereignet, bezweckt nicht die Befreiung des Paulus und des Silas. Sie erhalten ja am nächsten Tag auf ganz natürliche Weise ihre Freiheit zurück, als die Beamten, die am Vortag dem Volksaufruhr nachgegeben haben, ihrerseits feststellen, daß die Apostel sich nichts haben zuschulden kommen lassen[14]. Das Wunder soll den Aposteln, obwohl sie im Gefängnis sitzen, die Weiterführung ihrer Sendung ermöglichen, indem es ihnen im Gefängniswärter und in seiner Familie eine neue Hörerschaft anbietet, die es zu bekehren gilt. Anders gesagt: Wenn Gott eingreift, und zwar im Augenblick, als die Apostel im Gefängnis sitzen — und nicht vorher, als sie verhaftet und geschlagen werden — so geschieht das, damit ihr Dienst gerade dann weitergeht, wenn die Leute glauben, sie zum Schweigen gebracht zu haben. Gott greift nicht ein, um Menschen aus dem Gefängnis zu befreien, und seien sie auch Apostel, sondern damit die Apostel, wenn auch eingekerkert, die wahre Befreiung durch Christus weitersagen können.

[14] Hier muß man dem sogenannten orientalischen Text — dem der französischen Übersetzungen — folgen, und nicht dem sogenannten westlichen, der die Befreiung der Apostel auf den Schrecken zurückführt, den das Erdbeben den Behörden eingejagt hat. Führte man es nämlich darauf zurück, so gäbe man dem Wunder einen völlig anderen Sinn und machte daraus eine Maßnahme, mit deren Hilfe die Apostel vor den Gefahren ihres Berufes verschont bleiben sollten. Diese Funktion wird, wie wir gleich sehen werden, dem Wunder zu einer späteren Zeit zugeschrieben, und zwar besonders in den apokryphen Apostelakten. Dies ist ein Anhaltspunkt neben vielen anderen für die Vermutung, daß der westliche Text der Apostelgeschichte ganz allgemein gegenüber dem östlichen sekundär ist.

Genauso verhält es sich mit der Befreiung des Petrus. Petrus wird
befreit und begibt sich „an einen anderen Ort" (Apg 12,17). Gottes
Absicht ist nicht, daß Petrus jetzt in Jerusalem den Märtyrertod stirbt,
sondern daß er anderswo als in Jerusalem ein Feld findet, wo er das Evangelium verkünden kann[15].

Wie also Jesus Wunder gewirkt hat, um das Kommen des Reiches Gottes zu verkünden, so säumen entsprechende Wunder den Weg seiner
Apostel, die den Auftrag haben, seine Botschaft weiterzutragen.

Die Beobachtungen zu den Wundern Jesu und der Apostel können wir
mit der Feststellung zusammenfassen, daß sie alle den Sinn haben, das
Reich Gottes zu verkünden, das durch den kommt, den Gott zu diesem
Zweck mit seiner Allmacht ausgestattet hat und der nach seinem eigenen
Wirken durch seinen Geist weiterwirkt. Anders gesagt: Die Wunder
kündigen die Wiederherstellung der Schöpfungsordnung durch das Kommen einer neuen Welt an. Die Wunder wirken damit in die gleiche Richtung wie die Predigt Jesu und der Apostel. Deshalb sind Lehre und Wunder im Neuen Testament so oft aufeinander bezogen. Es sind zwei Offen-
barungsweisen, die einander sozusagen abstützen. Das Wort erinnert
daran, daß der Wert des Wunders nicht in seiner Form, sondern in seinem Inhalt liegt, und dieser Inhalt ist die Verkündigung der Erlösung.
Andrerseits erinnert das Wunder daran, daß dieses Heilswort nicht lediglich leeres und vergebliches Wort ist, sondern Wirkwort, Tatwort, nämlich Wort dessen, für den Sagen und Tun eins sind.

Ihre besondere Eigenart erhalten die Wunder des Neuen Testaments
durch ihren Zeichencharakter. Als Zeichen bezeugen sie, daß das Reich
Gottes kommt und daß Gott der Unordnung, die durch den Sündenfall
über Mensch und Welt gekommen ist, durch die Erlösung ein Ende
setzen wird. Sie verkünden prophetisch die einzige Metamorphose, die
im Christentum einen Sinn hat: den Übergang von der Form der gegenwärtigen Welt zur Form der kommenden Welt.

---

[15] Ἐξέρχεσθαι bezeichnet in den Evangelien und in der Apostelgeschichte
sehr häufig ein Hinausgehen zur Predigt des Evangeliums, und πορεύεσθαι wird
in der Apostelgeschichte oft gebraucht für eine Reise, die der Heilige Geist vor-
schreibt, der die Entfaltung der Kirche leitet. Vgl. 1,11; 5,20—41; 8,26; 9 passim;
10,20.

Im Neuen Testament kommt das Verbum μεταμορφοῦσθαι (umgeformt werden, verwandelt werden) dreimal vor[16]. Dieses Verbum beschreibt zunächst die sogenannte Verklärung Jesu, d. h. das Zeichen, das den Jüngern gegeben wird, um ihnen die Identität des Herrn zu offenbaren, dem sie folgen, ohne ihn doch eigentlich zu kennen. Der unter dem Inkognito der Inkarnation Erschienene ist der Herr der Herrlichkeit, der den Seinigen den Zugang in die zukünftige Welt eröffnet.

Wenngleich die zukünftige Welt wesenhaft endzeitlichen Charakter besitzt, so durchdringt doch das neue Leben schon jetzt den Menschen, der das Evangelium annimmt und damit auch selbst *umgeformt* wird, d. h. die Eigenschaften eines neuen Menschen annimmt, der zu der kommenden Welt paßt. Diesen Sachverhalt spricht der Apostel Paulus zweimal aus. An die Korinther schreibt er: „Wir werden in das … Bild [des Herrn] verwandelt." Desgleichen ermahnt er die Römer mit den Worten: „Wandelt euch um durch Erneuerung des Geistes."

Diese Umwandlung ist der göttliche Akt, durch den der Mensch neugeschaffen und von der Ebene des gefallenen Geschöpfs in den Rang des geistlich Lebenden erhoben wird. Diese Neuschöpfung wird sich am Jüngsten Tag durch die Auferstehung vollenden, beginnt aber schon jetzt.

Die heidnische Metamorphose, sagten wir, fügt der Unordnung der Schöpfung nur eine weitere hinzu. Die christliche Metamorphose ist dagegen nichts anderes als Ausdruck der Erlösung, zu der das Geschöpf berufen ist, einer Erlösung, die auch durch das christliche Wunder angesagt wird. Denn Dämonenaustreibungen, Krankenheilungen und Totenerweckungen sagten die Erneuerung der menschlichen Kreatur voraus, die für diese in der gegenwärtigen und in der künftigen Zeit das Heil bedeutet.

Kein Wunder kommt denen des Neuen Testaments gleich, denn diese verkünden nichts Geringeres als das Erscheinen einer neuen Schöpfung. Die Größe des neutestamentlichen Wunders liegt nicht in der äußeren Erscheinung, sondern im Theologischen. In ihren äußeren Merkmalen sind diese Wunder nicht größer, sondern sogar in mancher Hinsicht bescheidener als die, auf die sich die Zauberer der damaligen Zeit einiges zugute hielten.

---

[16] Mk 9,2 = Mt 17,2; Röm 12,2; 2 Kor 3,13.

Den Wundern Jesu und der Apostel fehlt das Demonstrative, das Überbieten des Wunderhaften, das Suchen nach dem Beifall des Publikums, worauf die Zauberer so großen Wert legen. Denn deren Wunder sollen ihre eigene Autorität und ihren eigenen Ruhm sichern und ihrem Trachten nach Stolz und Herrschaft Befriedigung verschaffen.

Aus diesem Grund wird Zauberei vom Neuen Testament als die eigentliche Versuchung Satans betrachtet. Nach den drei synoptischen Evangelien beginnt Jesus sein Wirken damit, daß er Satans Angebot zurückweist, Steine in Brot zu verwandeln, durch die Luft zu fliegen und vom Fürsten dieser Welt die Herrschaft über die Welt zu erhalten. Diese Wunder würden sich, auch wenn der Versucher nicht aufträte, allein dadurch schon als satanisch erweisen, daß sie überhaupt keine Bedeutung für die Erlösung haben und die Unordnung in der Natur nur vergrößern, indem sie vorgeben, das schöpferische Handeln Gottes zu überbieten. Durch ihre Stellung am Beginn des Berichts der Evangelien erfüllt die Perikope von der Versuchung in der Wüste offenbar den Zweck, von vornherein und grundsätzlich klarzustellen, daß Jesus, wenn er Wunder wirkt, als Gesandter Gottes handelt und nicht, wie die Zauberer, als Werkzeug Satans[17].

Diese Frontstellung Jesu und der ersten Christen gegenüber den Zauberwundern taucht auch an anderen Stellen des Neuen Testaments auf[18], insbesondere in der Diskussion, die sich zwischen den Pharisäern und Jesus über das Wunder entspinnt und wo Jesus es ablehnt, ihnen wunschgemäß „ein Zeichen vom Himmel"[19] zu geben. Vermutlich verlangten sie ein Wunder, das so auffällig sein sollte, daß es geradezu automatisch die Zustimmung derer, die es miterlebten, hätte nach sich ziehen müssen. Aber Jesus antwortet ihnen, es werde ihnen kein Zeichen gegeben werden oder doch kein anderes als das des Jona. Diese Antwort ist doppelsinnig. Jesus will zunächst sagen, daß seine Messianität nicht durch ein auffälliges Wunder, sondern durch sein Leiden unter Beweis gestellt wird. Sodann und vor allem will er betonen, daß das größte Wunder Tod und Auferstehung des Menschensohnes sind, d. h. eine Erlösungstat Gottes und nicht ein auffälliges, aber nichtssagendes Wunder, das die Menschen zum Staunen brächte, aber sie in ihrem Elend ließe.

[17] Vgl. A. Fridrichsen, a. a. O., S. 84f.
[18] Vgl. besonders Mk 13,5 und 22; Apg 8,9f.; 13,6f.
[19] Mk 8,11—12 und Parallelen.

Den gleichen Gedanken entfaltet der Apostel Paulus, wenn er an die Korinther schreibt: „Die Juden fordern Zeichen, ... wir aber verkünden Christus, den Gekreuzigten" (1 Kor 1,22). Mit anderen Worten: Das größte aller Wunder ist wiederum die Erlösung der Welt, die erneute Aufrichtung von Gottes Wille und Ordnung in der Schöpfung, der Anbruch der Gottesherrschaft, der durch Tod und Auferstehung des Gottessohnes angezeigt worden ist. Jedes Einzelwunder Jesu und seiner Apostel ist nur eine Bezugnahme auf dieses Wunder aller Wunder.

Das christliche Wunder läuft nun aber Gefahr, seine Eigentümlichkeit als Zeichen der Erlösung zu verlieren und einfach zu einer Geschichte zu werden, welche die von Jesus und seinen Aposteln ausgeübte Macht verherrlicht. Diese Macht wird nicht mehr nur in den Dienst des Evangeliums gestellt, sondern auch in den Dienst des Menschen, und gestattet ihm, den Lasten des Alltagslebens zu entfliehen oder die Feinde des Glaubens zu beschämen, ohne sie überzeugt zu haben. In diesem Fall wird der Apostel zum Wundertäter, wobei er zweifellos mächtiger ist als die heidnischen Wundertäter, da er immer mit der Macht des Gottes wirkt; aber seine Wundertaten sind nur Wunder von derselben Art wie die heidnischen. An Stelle der Heilszeichen tritt etwas christlich Wunderbares, das dem heidnisch Wunderbaren vergleichbar ist.

Es scheint durchaus, daß dieses Wunderbare bereits ins Neue Testament eingesickert ist, wenigstens in zwei Perikopen, in denen die ursprüngliche Bedeutung des christlichen Wunders vergessen wird und das Wunder, losgelöst von der theologischen Aussage, die ihm ansonsten Kraft und Maß verleiht, nur noch ein Demonstrationswunder ist.

Der erste dieser beiden Berichte ist der von dem goldenen Stater, der wunderbarerweise im Mund des Fisches gefunden wird, den Petrus auf Jesus Geheiß fängt und mit dem Jesus und sein Jünger die Tempelsteuer begleichen[20]. Trotz der vorgeschlagenen Erklärungsversuche bleibt es schwierig, diesem Wunder die gleiche Bedeutung zuzuerkennen wie den anderen Wundern des Evangeliums. „Gott", so sagt man, „hilft in wunderbarer Weise seinen Dienern in der Not."[21] Aber wir besitzen kein anderes Wunder dieser Art im Neuen Testament, wo Jesus sonst niemals die

[20] Mt 17,24—27.
[21] M.-J. Lagrange, Evangile selon saint Matthieu, 2. Aufl. [Paris 1927], S. 343.

göttliche Macht in seinen persönlichen Dienst stellt. Oder aber man kommentiert folgendermaßen: „Gott, der seinen Sohn geschickt und unter das Gesetz getan hat, zahlt letztlich selbst den vom Gesetz geforderten Preis, indem er ein Wunder vollzieht."[22] Diese Erklärung ist nur eine Variante der vorigen. Auch in dieser Fassung wäre der Gedanke der Theologie des Neuen Testaments fremd. Am einfachsten ist vielmehr die Annahme, daß der Perikope ein Jesuswort zugrunde liegt, aus dem die Tradition eine Erzählung hat werden lassen[23], eine Tradition freilich, die vom Wunder eine andere Vorstellung hatte als sie im allgemeinen in den Evangelien vorkommt.

Die zweite Perikope berichtet von den Wundern des Paulus auf der Insel Malta[24]. Der Apostel übersteht einen Natternbiß und heilt zunächst einen Kranken, dann alle Kranken der Insel. In sich sind diese Wunder kaum zu unterscheiden von den anderen Wundern der Apostelgeschichte. Aber hier fehlt etwas, was anderswo in der Apostelgeschichte vorhanden ist, nämlich die Bemerkung, daß das Wunder Gotteslob bewirkt und die Herzen für das Evangelium öffnet. Hier nämlich gerät das Wunder zum Ruhme des Paulus, der als Gott betrachtet wird und bei seiner Abreise Ehrungen und zahlreiche Geschenke erhält. Wir befinden uns in einer ganz anderen geistigen Atmosphäre als wir sie zum Beispiel in den Kapiteln 13 und 16 der Apostelgeschichte antreffen.

Diese neue Atmosphäre ist die der apokryphen Evangelien und Apostelakten. Es ist bekannt, welche Stellung das Wunder in diesen Schriften einnimmt und welche Rolle es spielt. In den *Kindheitsevangelien* formt Jesus Vögel aus Ton und läßt sie im Spiel fliegen; er verlängert die von Joseph zu kurz gesägten Bretter, um seinem Adoptivvater aus der Verlegenheit zu helfen, und wirkt noch zahlreiche andere Wunder dieser Art. Die *Petrusakten* — um nur von diesen zu sprechen — beschreiben einen regelrechten Überbietungswettbewerb im Wunderwirken zwischen Simon von Samaria und dem Apostel, der nach Rom gekommen ist, um ihn bloßzustellen. Als Antwort auf die Wunder des Zauberers bringt Petrus

[22] K. L. Schmidt, zitiert von J. Schniewind, Das Evangelium nach Matthäus, [Göttingen 1937,] S. 190.
[23] Vgl. A. H. McNeile: The gospel according to saint Matthew, London 1915, S. 259.
[24] Apg 28, 1—10.

einen Hund zum Sprechen, der übrigens die Prophetengabe besitzt. Er läßt einen am Fenster aufgehängten Hering wie einen Fisch schwimmen. Und als sich Simon allein aufgrund seiner Zauberkunst über der Stadt Rom in die Lüfte erhoben hat, läßt er ihn zur Erde fallen, um den staunenden Anwesenden zu beweisen, daß der Gott Jesu Christi mächtiger ist als die Kräfte, auf die Simon zurückgreift.

Diese Wunder — deren Liste sich leicht verlängern ließe — haben überhaupt keinen theologischen oder religiösen Gehalt mehr. Alle apokryphen Wunder des Petrus, ob sie äußerlich neutestamentlichen Wundern nachempfunden werden oder die Wundertaten des Simon nachahmen und eines Apollonius von Tyana würdig sind, stellen nur noch reine Zauberhandlungen dar und dienen als solche dazu, die Zustimmung der Zuschauer zu erzwingen, die von vornherein dem mächtigsten Wundertäter sicher ist. Wir haben es hier mit einer Art von Wunder zu tun, die dem heidnischen Wunder entspricht und ebenso wie letzteres dem im Neuen Testament vorkommenden Wunder von Grund auf fremd ist.

Wenn die neutestamentlichen Wunder Zeichen sind, in welchem Bezug stehen sie dann zu den anderen Zeichen, zu Taufe und Eucharistie?

Es wurde in den letzten Jahren verschiedentlich vorgeschlagen, zwischen Wundern und Sakramenten eine Äquivalenz herzustellen. Danach hätten die Sakramente in der Zeit der Kirche die Rolle zu spielen, die zur Zeit Jesu und der Apostel den Wundern zukam. Wunder und Sakramente wären demnach in gleicher Weise Akte der göttlichen Macht und Zeichen der Ankunft des Gottesreiches[25].

Eine Beziehung besteht gewiß, aber sie muß vermutlich stärker nuanciert gesehen werden. Zunächst ist festzustellen, daß die Apostel, die ja schon Sakramente zelebrieren, noch Wunder wirken, so daß die Sakramente nicht einfach die Wunder ablösen. Im Neuen Testament wird übrigens an keiner Stelle behauptet, daß es in der Kirche keine Wunder

---

[25] Vgl. O. Cullmann, La délivrance anticipée du corps humain d'après le Nouveau Testament, in: Hommage et reconnaissance à Karl Barth, [Hrsg. v. J. J. von Allmen, Neuchâtel/Paris 1946, S. 37 (= Die Vorwegnahme der Erlösung des Leibes nach dem Neuen Testament, in: O. Cullmann, Vorträge und Aufsätze 1925—1962, hrsg. v. K. Fröhlich, Tübingen/Zürich 1966, S. 403—413; S. 411)]; J. J. von Allmen, in: Foi et Vie (1949), S. 64; und schon K. Barth, wenngleich weniger kategorisch, in: La confession de foi de l'Eglise, [Neuchâtel 1943,] S. 73.

mehr geben dürfe — ein erster Grund, der die Überlegung hinfällig macht, die Sakramente träten schlechthin an die Stelle der Wunder.

Im übrigen verwirklichen die Sakramente die tatsächliche Gegenwart Jesu in der Kirche und entsprechen darin der Inkarnation: Der Gläubige, der das Sakrament empfängt, tritt in eine ebenso enge und ebenso heilbringende persönliche Gemeinschaft mit Christus ein wie die ersten Jünger, die ihrem Herrn auf den Straßen Palästinas begegnet sind. Durch die Sakramente ist die Person Jesu in der einzigen zwischen Verherrlichung und Wiederkunft möglichen Form gegenwärtig; aber in der Kirche ist sie ebenso wirklich wie Jesus es während seines irdischen Wirkens inmitten seiner Jünger war. Nun ist es ja aber Jesus selbst, der die Wunder gewirkt hat. Also war während seines Lebens im Fleische der Messiaskönig zu derselben Zeit auf Erden gegenwärtig, als auch die Zeichen des Kommens der Königsherrschaft gegeben wurde. Es bestand schon dieselbe Situation wie während der ersten Jahre der Kirche, als die Apostel sowohl die Sakramente feierten als auch Wunder wirkten.

Dies führt uns zu dem zweiten Grund, der gegen die Ansicht spricht, die Sakramente seien sozusagen Nachfolger der Wunder. Es handelt sich hier um zwei verschiedene, wenngleich miteinander verbundene Sachverhalte. Die Wunder sind Zeichen für das Kommen des Reiches, und solange das Reich nicht gekommen ist, kann es welche geben. Das größte Wunder aber, das auffallendste Zeichen für die Glaubenden, daß das Reich nahegekommen ist, besteht in der ein für allemal erfolgten Ankunft Jesu Christi, der durch die Sakramente in der Kirche gegenwärtig bleibt. Die Wunder bedeuten also, daß das Reich kommt. Die Sakramente bedeuten, daß der König schon gekommen ist und gegenwärtig bleibt bei denen, die noch die Ankunft des Reiches erwarten. Sowenig die Existenz der Kirche die Hoffnung auf das Kommen des Reiches Gottes erübrigt, sowenig macht die Existenz der Sakramente die Wunder als Zeichen der endgültigen Ankunft des Reiches überflüssig. Wunder und Sakramente sind einander zugeordnet wie Königsherrschaft und Kirche.

Es ist Zeit zu einer abschließenden Zusammenfassung. Das heidnisch Wunderbare und das neutestamentliche Wunder haben lediglich rein äußerliche Züge gemeinsam. Die christliche Vorstellung vom Übernatürlichen ist an sich von grundlegender Einmaligkeit. Sie trägt eigene Züge und besitzt eine besonders geprägte Bedeutung. Sie ist nichts anderes als die Konsequenz aus der Überzeugung des Glaubens, daß Gott lebt, sein Werk in der Geschichte fortsetzt und es am Ende der Zeiten vollenden wird. Als Bejahung der Existenz Gottes tritt das Übernatürliche christlicher Prägung, wenn man so sagen darf, zur Natur hinzu, ohne ihr Abbruch zu tun, während das Wunderbare heidnischer Prägung gegen die Natur gerichtet ist. Das gegen die Natur Gerichtete war dazu verurteilt, angesichts des Fortschritts der Wissenschaften zu verschwinden, wie sich die Nacht vor der beginnenden Morgendämmerung zurückzieht. Das Übernatürliche dagegen kann weder bewiesen werden — wie manche Theologen glaubten — noch durch Wissenschaft widerlegt werden — wie einige Gelehrte dachten —, unabhängig davon, auf welcher Entwicklungsstufe sich diese Wissenschaft befindet; denn es liegt auf einer anderen Ebene als die wissenschaftlichen Wahrheiten. Diese Ebene meint Pascal, wenn er schreibt: „Gott, der sich denen, die ihn von ganzem Herzen suchen, unverhüllt zeigen, denen aber, die ihn von ganzem Herzen fliehen, verborgen bleiben will, gibt sich nur in Maßen zu erkennen. So hat er sich in einer Weise kundgetan, die sichtbar ist denen, die ihn suchen und nicht denen, die ihn nicht suchen. Es ist genügend Licht da für alle, die nur den Wunsch haben zu sehen ...“[26]

[26] E. Havet, Pensées de Pascal. 2. Aufl. [Paris 1866,] Bd. II, S. 47—48.

Gerhard Delling, Studien zum Neuen Testament und zum hellenistischen Judentum. Gesammelte Aufsätze 1950—1968. Berlin: Evangelische Verlagsanstalt; Göttingen: Vandenhoeck & Ruprecht 1970, S. 146—159. Mit Genehmigung des Verlages Vandenhoeck & Ruprecht, Göttingen.

DAS VERSTÄNDNIS DES WUNDERS IM NEUEN TESTAMENT

Von GERHARD DELLING *

Die neuere Forschung behandelt die Wunderberichte des Neuen Testaments in erster Linie unter traditionsgeschichtlichen Gesichtspunkten: wie sind die heute in den Evangelien vorliegenden Erzählungen zustande gekommen? In summarischen Urteilen spricht sie dann auch darüber, wie die Evangelisten wohl die wunderbaren Taten theologisch gedeutet haben, die sie von Jesus berichten. Weithin verzichtet sie jedoch darauf, genauer zu fragen nach der Bedeutung der von Jesus erzählten Wunder in der geschichtlichen Stunde des öffentlichen Wirkens Jesu selbst[1].

Natürlich hat dieser Verzicht seinen wesentlichen Grund in dem schlechthinnigen Zweifel an der Zuverlässigkeit der synoptischen Überlieferung. Mit ihm verbindet sich aber noch ein anderer: die Wunder Jesu haben für seine Wirksamkeit angeblich gar keine Bedeutung. Sie sind ihm angedichtet worden, oder sie sind doch für ihn selbst durchaus

---

* Sektion Theologie, Martin-Luther-Universität, DDR 4010 Halle a. d. S., Universitätsplatz 8/9. — Vgl. meinen Aufsatz ›Botschaft und Wunder im Wirken Jesu‹, in: H. Ristow/K. Matthiae (Hrsg.), Der historische Jesus und der kerygmatische Christus. Berlin, 1961, S. 389—402.

[1] Doch vgl. z. B. Ant. Fridrichsen, Le problème du miracle dans le Christianisme primitif (1925), S. 47 f.; A. Oepke, ThWB III, S. 211—213; neuerdings besonders das mir erst nach Absendung des Manuskripts zugängliche Buch von Alan Richardson, The Miracle-Stories of the Gospels (³1948). Richardson unterstreicht, daß die Wunder Jesu nur im Rahmen der Theologie des Neuen Testaments als ganzer zu verstehen sind (S. 18 f., vgl. S. 1—19). Sehr problematisch erscheint es mir indessen, wenn Richardson bereits den Evangelisten bzw. der Urchristenheit eine weitgehende symbolische Deutung von Wunderberichten zuschreibt (der von der Heilung des Aussätzigen in Mk 1,40—45 enthält die gesamte paulinische Rechtfertigungslehre [S. 61]; der von der Heilung der Schwiegermutter des Petrus gibt ›eine moralische Ermahnung‹: Christen, die von der Macht der Sünde befreit und genesen sind, müssen sofort beginnen, ihre Gaben im Dienst des Herrn zu gebrauchen [S. 76] usw.).

belanglos gewesen, oder sie sind mindestens für unser theologisches Verständnis des Neuen Testaments nicht relevant.

Die Fülle der damit angeschnittenen Fragen kann hier nicht in Kürze behandelt werden[2]. Wir müssen davon ausgehen, daß die im folgenden jeweils vorausgesetzte kritische Stellung zu den Berichten mindestens möglich ist, damit z. T. auch ein bestimmtes Verständnis der Verkündigung Jesu. Von daher suchen wir die Bedeutung zu skizzieren, die wenigstens nach dem Bild einer frühen, in den Synoptikern verwerteten Überlieferung die Wunder Jesu für seine Botschaft und sein Werk haben, in der meines Erachtens nicht unbegründeten Hoffnung, dabei etwas zu erfahren von dem Verständnis der Wunder durch Jesus selbst.

Eine vorbereitende Feststellung sei zunächst vorausgeschickt. Nicht erst die Berichte der Apg, sondern bereits die Briefe des Paulus zeigen in aller historischen Deutlichkeit, daß sich in den urchristlichen Gemeinden Geschehnisse ereignet haben, die in ihnen als Wunder verstanden wurden (das heiße vorläufig: als außergewöhnliche, von Gott gewirkte Vorkommnisse). In einer zusammenfassenden Bemerkung über seine apostolische Tätigkeit in einem Brief an eine fremde Gemeinde sagt Paulus, Christus habe durch ihn gewirkt „in der Kraft von Zeichen und Wundern, in der Kraft des Geistes" (Röm 15,18f.); und die Korinther erinnert er daran, daß in ihrer Mitte „die Zeichen des Apostels gewirkt wurden ..., durch Zeichen und Wunder und Krafttaten" (2 Kor 12,12). Hier erscheinen die Wunder als Bestätigung seines Auftrages und damit zugleich der Botschaft vom Anbruch der Heilszeit (entspr. übrigens noch Hebr 2,4). Aber sie sind nicht auf den Apostel beschränkt: in einem Katalog der Gnadengaben werden 1 Kor 12, 9f. auch Heilungen und Krafttaten angeführt als Wirkungen des Geistes in der Gemeinde überhaupt; wahrscheinlich meint im Zusammenhang auch das unmittelbar vorher mit πίστις bezeichnete Charisma die Wunderkraft (vgl. 13,2: der bergeversetzende Glaube). Die Wunder in der Gemeinde sind als Geistwirkungen Zeichen dafür, daß man im Anbruch der Heilszeit lebt, sind Zeichen der eschatologischen Erfüllung. In dem Katalog 1 Kor 12, 28—30 folgen die Machttaten und Heilungen unmittelbar auf die Trias Apostel/Propheten/

---

[2] Vgl. etwa Ed. Schick, Formgeschichte und Synoptikerexegese (1940), bes. S. 128—135; Erich Fascher, Die formgeschichtliche Methode (1924), bes. S. 127—130; speziell die unten Anm. 12 genannte Arbeit.

Lehrer, stehen also immerhin an hervorgehobener Stelle. In Gal 3,5 sind
offenbar nach dem Kontext Krafttaten gemeint, die in den galatischen
Gemeinden durch die dortigen Christen geschehen sind; sie werden auf
das ἐνεργεῖν Gottes zurückgeführt und in einer gewissen Betonung als
einziges Beispiel des Geistwirkens (vgl. V. 2) genannt (in einem Zusammenhang, in dem es um die Frage Gesetzeswerke oder Glaube geht!).
Wenn Paulus diese Wunder immer wieder mit dem Geistbesitz in Verbindung bringt, will er sie sichtlich wie diesen als eschatologische Zeichen
verstanden wissen, als Unterpfand des heilschaffenden Wirkens Gottes in
der Gegenwart. Von den paulinischen Sätzen aus erhalten vielleicht auch
die summarischen Notizen der Apg größeres Gewicht, die durch Philippus in Samarien (8,7) und durch Paulus und Barnabas in Ikonien (14,3)
Heilungen und Wundertaten geschehen lassen. Auf jeden Fall ist es aber
von den paulinischen Aussagen her nicht von vornherein unglaubhaft,
wenn die Evangelien Jesus Wundertaten zuschreiben, daß sie mindestens
von seiner Umwelt als solche erlebt, aber auch von ihm selbst als solche
beurteilt worden sind.

I. Die synoptischen Bezeichnungen des Wunders

Wenn wir so selbstverständlich die Vokabel „Wunder" verwenden,
müssen wir nun allerdings in bezug auf den Sprachgebrauch des Neuen
Testaments selbst eine auffallende Beobachtung machen. Das Wort
„Wunder", θαῦμα, begegnet dort gar nicht für außergewöhnliche Taten
Jesu und der Christen (allenfalls θαυμάσια Mt 21,15, das hellenistische
παράδοξα Lk 5,26; auch die Vulgata gibt die neutestamentlichen
Bezeichnungen für „Wunder" noch nicht mit miraculum wieder). Das
tatsächlich gebrauchte Vokabular des Neuen Testaments deutet bereits
Entscheidendes von seinem Wunderverständnis an.

Am wenigsten gilt das vielleicht für τέρας, deshalb nämlich, weil es
nur in der festen Verbindung mit σημεῖον begegnet; sie ist aus LXX
übernommen. τέρας ist ursprünglich das prodigium, das Vorzeichen,
in erster Linie das warnende, mahnende, dann auch das freundliche. In
LXX bezeichnet es u. a. das Zeichen der Macht Gottes, das zum Hinweis
auf seine in der Geschichte waltende Majestät wird. Dabei kommt es gar
nicht notwendig darauf an, daß das so benannte Geschehen an sich aus

dem Rahmen des Gewöhnlichen herausfällt; τέρας bezeichnet unter Umständen einfach das für den Bereiten unüberhörbar anrufende Handeln Gottes. τέρας charakterisiert also ein Geschehen nicht nur als Mirakel (auch wenn es sich um ein außergewöhnliches Ereignis handelt), sondern vor allem als Hinweis Gottes auf seinen Anspruch und seine Machtfülle.

Wenn noch etwas von diesem Wortsinn der LXX im Neuen Testament erhalten ist, dann besagt τέρας offenbar hier: in dem auffallenden Wirken Jesu bzw. der Seinen offenbart der heilige Gott durch aufrüttelnde Geschehnisse, daß die neue Weltzeit im Anbruch ist (vgl. etwa den Zusammenhang von Lk 4,21 mit seinem machtvollen σήμερον).

Die zweite Bezeichnung für die besonderen Taten Jesu im Neuen Testament ist σημεῖον. Von der spezifischen Verwendung dieser Vokabel im Joh-Ev sehen wir hier ab. In LXX ist σημεῖον im ganzen mehr das freundliche Zeichen Gottes, das seine Treue für die Zukunft ausweist, Zeichen für die gnädige Bereitschaft Gottes (auch hier kann damit ein durchaus „normal" verlaufendes Geschehen gemeint sein). Dementsprechend sind offenbar die besonderen Taten Jesu (und seiner Boten) als „Zeichen" nicht ein Letztes, sondern Hinweise auf ein Größeres, das noch aussteht; sie bestätigen im voraus, daß Gott ganz gewiß die Vollendung des Heils heraufführen wird (wie sich zeigt: durch Jesus). Die auffallenden Geschehnisse sind Vergewisserungen dessen, daß Gott dabei ist, seine Zusage zu erfüllen, seine Herrschaft durchzusetzen. Sie sind „nur" Zeichen des Künftigen, das doch schon in der Verwirklichung begriffen ist, also proleptische Ereignisse.

Neben diesem positiven Sprachgebrauch, der das Wort in einem allgemeineren Sinn verwendet, findet sich in den Synoptikern ein engerer negativer (merkwürdigerweise wird σημεῖον in den Synoptikern dort, wo es als Bezeichnung der Taten Jesu alleinsteht, nur in dieser negativen Weise gebraucht). Es handelt sich um einen bei Lk nur fragmentisch verwerteten Bericht, der in Mk 8,11—13 aufbewahrt ist (die der Perikopenfolge nach parallele Stelle bei Mt ist 16,1—4; die Wiedergabe in Mt 12,38f. löst wohl den Vorgang aus seinem ursprünglichen Zusammenhang [in Sachanreihung], und vollends sekundär ist die Einordnung des in Mt 12,38 verwerteten Materials in Lk 11,16). Die religiösen Führer des Volkes fordern von Jesus einen unzweideutigen Erweis der Gültigkeit seines Auftrages. Die Heilungen sehen sie nicht als ausreichende Bestätigung

„vom Himmel her" (von Gott) an, sondern fordern einen einmaligen
Vorgang, sei es ein stupendum, sei es (was mir wahrscheinlicher ist) ein
vorher angekündigtes Wunder. Das entspricht einer der Zeit geläufigen
Vorstellung: in der Gewährung eines *zuvor bezeichneten* auffallenden
Geschehnisses bekennt sich Gott zu dem, der sich auf ihn (Gott) beruft.
Dadurch wird das Zeichen zur sicheren Bestätigung seines Anspruchs.
Jesus lehnt es strikt ab, diese Forderung zu erfüllen, und stellt sich damit
in völligen Gegensatz zur jüdischen Frömmigkeit seiner Zeit. Warum?

Einen vorsynoptischen Kommentar zu Mk 8,11—13 gibt 1 Kor 1,22.
Paulus will hier in einem kurzen Satz die jüdische Frömmigkeit charakterisieren; seine Formel lautet: „Juden fordern Zeichen." Zeichen geschehen, wie wir sahen, in der Gemeinde von Korinth; Zeichen tut der Apostel; er weiß gewiß auch von den Zeichen Jesu. Aber er weist weder auf sie
noch auf die Auferweckung Jesu, die für Paulus sonst so außerordentlich
bedeutsam ist. Er stellt vielmehr der Zeichenforderung — das Kreuz entgegen. Das ist σκάνδαλον, Ereignis, über dem der fromme Jude zu Fall
kommt, sagt Paulus V. 23.

„Juden *fordern* Zeichen": hinter dieser paulinischen Formel könnte
geradezu eine Erinnerung an die Szene von Mk 8,11—13 stehen; jedenfalls umschreibt sie sachgemäß die dort gegebene Situation. Das wunderbare Geschehen kann nicht Zeichen sein in dem Sinn, daß es dem Menschen die Entscheidung abnimmt; Gott fordert vom Menschen die
un„beding"te Anerkennung für die *Botschaft*, die er durch Jesus verkünden läßt. Denen, die dem Glauben Bedingungen stellen, sagt Jesus mit
der Formel des Gotteseides: dieser Art wird kein Zeichen gegeben werden
(εἰ δοθήσεται τῇ γενεᾷ ταύτῃ σημεῖον) — und läßt sie stehen (Mk
8,12f.)[3].

Etwas häufiger als die bisher erwähnten Wörter benutzt das Neue
Testament ein anderes zur Bezeichnung des „Wunders": das Wort „Macht-

---

[3] Für die Fassung in Mt 16,4 (vgl. 12,39 = Lk 11,29) — nur das Zeichen des
Jona — hat man gelegentlich als ursprünglichen Wortlaut vermutet: das Zeichen
des Johannes (vgl. Richardson, S. 47). Dabei wäre an die Bußpredigt (und die
Taufe) des Johannes zu denken. — Paul Seidelin, Das Jonaszeichen, StTh 5
(1951[1952]), S. 119—131, bes. S. 130 möchte es dagegen für möglich halten,
daß die Fassung „Zeichen des Jona" auf Jesus selbst zurückgeht. Nach der jüdischen Auslegungstradition hätten die Zuhörer dabei nur an Jon 1f. denken können (Auslieferung an die Unterwelt).

tat". Die synoptische Überlieferung läßt Jesus das härteste Gericht über die Städte Galiläas aussagen, die durch die in ihnen geschehenen Machttaten sich nicht zur Umkehr rufen ließen (Mt 11,21—23 = Lk 10,13—15). Hier könnte es nun doch so scheinen, als solle das Wunder den Glauben wecken. Allein auch hier ist das Wunder nicht gelöst von der *Botschaft* Jesu. Denn ohne die Umkehr, die bei den Städten am See Genezareth vermißt wird, gibt es ja keinen Anteil an dem anbrechenden Heil, das Jesus ankündigt. Diese Ankündigung wird durch Taten bestätigt; sie bewähren freilich die Gültigkeit der Botschaft, indem in den Machttaten andeutend geschieht, was die Botschaft zusagt. Aber sie überführen nur den, der bereit ist, der *Botschaft* Gehorsam zu leisten: und eben den haben die Gescholtenen nicht aufgebracht.

Auf der gleichen Linie läuft grundsätzlich Mk 6,5 f.: Jesus kann unter den Nazarethanern keine (nennenswerten) Machttaten vollbringen wegen ihres Unglaubens. Dabei ist in V. 2 ausdrücklich vorausgesetzt, daß Jesu Dorfgenossen von seinen anderswo geschehenen Machttaten wissen; dieses Wissen „erleichtert" ihnen jedoch offenbar nicht das Glauben. Es ist jedenfalls die Meinung der urchristlichen Überlieferung, daß die Machttaten Jesu nicht den Glauben an seine Vollmacht wecken, sondern ihn „voraussetzen". Genauer gesagt: die Machttat wird für den, der der Botschaft Jesu glaubt, zum wirksamen Zeichen der Gültigkeit seiner Botschaft und damit zugleich seiner Vollmacht. Das auffallende Tun Jesu kann den Menschen aufrütteln; aber es wirkt nicht seinerseits den echten Glauben.

II. Das Wunder als eschatologisches Geschehen

Die lexikalischen Tatbestände lassen beiläufig erkennen: die Bezeichnungen des Neuen Testaments für die außergewöhnlichen Taten Jesu stellen diese in keiner Weise in ein Verhältnis zu irgendwelchen Naturgesetzen[4], die womöglich Gott gegenüber selbständig geworden

---

[4] Vgl. E. Käsemann, Zum Thema der Nichtobjektivierbarkeit, EvTh 12 (1952/53), S. 455—466, bes. S. 458. Anders setzt die Akzente Robert M. Grant, Miracle and Natural Law in Graeco-roman and early Christian thought (1952), der allerdings nur die Nature Miracles genauer behandelt.

wären[5]. Vor allem machen sie deutlich: der in den Synoptikern verarbeiteten Überlieferung liegt wesentlich nicht daran, Jesus als Wundermann zu zeigen (Mt hat sichtlich in dieser Richtung deutbare äußere Züge reduziert[6]); Jesu auffallende Taten sind aufrüttelnde Hinweise darauf, daß Gott entscheidend zu handeln begonnen hat in Jesus; sie tun verheißend das machtvolle Wirken Gottes kund, das in ihm anhebt; mit einem Schlagwort: sie haben eschatologischen Charakter[7].

Damit ist der maßgebliche Unterschied zwischen den Wundern des Neuen Testaments und denen seiner Umwelt ausgesagt. Es liegt nahe, daß die Wunderberichte der Umwelt die des Neuen Testaments beeinflußt haben; merkwürdig genug haben die letzten auch in der Einzelschilderung eine entscheidende Eigenart bewahrt. Es wäre sogar möglich, daß Jesus selbst im äußeren Vollzug der Heilungen und Dämonenaustreibungen die eine oder andere Verfahrensweise der Umwelt gelegentlich andeutend übernommen hätte; abgesehen von der körperlichen Berührung des Kranken oder der Anrede an den Dämon[8] wird davon jedoch wenig sichtbar; stärker fallen die sehr erheblichen Unterschiede gegenüber den Methoden heidnischer Wundertäter und jüdischer Exorzisten ins Auge[9].

Als das Entscheidende erscheint in den synoptischen Wunderberichten das Wort Jesu[10], das als schöpferisches Wort dem Kranken das volle

[5] Über das Verhältnis der Schöpfung und der Geschichte zu Gott in der griechischen Bibel vgl. z. B. G. Bertram, ThWB II, S. 633—639.

[6] Vgl. E. C. Hoskyns — F. N. Davey, Das Rätsel des Neuen Testaments (1938), S. 116 f.; nach ihm entspr. Lk. Richardson (s. Anm. 1) zeigt, wie wenig der Sinn der neutestamentlichen Wundererzählungen erfaßt ist mit der These der Formgeschichtler, sie sollten Jesus als Wundertäter ausweisen (S. 22—29).

[7] Das unterstreicht E. Käsemann, Das Problem des historischen Jesus, ZThK 51 (1954), S. 135 für Mt, von 11,5 her; die Entgegensetzung zu Mk (S. 136) und Lk (S. 137) scheint mir überspitzt zu sein. Für Lk vgl. vielmehr etwa H. Conzelmann, Die Mitte der Zeit (1954), S. 165—167.

[8] Wahrscheinlich ist der Umwelteinfluß im jetzigen Text im ausdrücklichen Verbot der Rückkehr, Mk 9,25.

[9] Vgl. bes. Oepke, ThWB III, S. 207—210; ferner Schick (s. Anm. 2) S. 129 f., 203, 208.

[10] Genaueres bei H. W. Beyer, ThWB III, S. 130; vgl. W. Grundmann, Der Begriff der Kraft ... (1932), S. 65—68, ThWB II, S. 303; gegen ihn Grant (s. Anm. 4), S. 172 f.

Leben wiedergibt (vgl. Mt 8,8 par.) oder als vollmächtiger Befehl den „unreinen Geist" zum Verlassen seiner Behausung zwingt (vgl. Mt 8,16). Die Hälfte aller synoptischen Berichte über Heilungen und Erweckungen und Dämonenaustreibungen zusammengenommen erwähnt überhaupt *nur* das helfende Wort Jesu, und in der Hälfte der verbleibenden Fälle spielt das Wort Jesu jedenfalls auch eine Rolle, z. T. offensichtlich die entscheidende. Die Besessenenheilungen geschehen in *allen* Berichten nur durch das Befehlswort Jesu. Und in allen Erzählungen überhaupt ist das Wort Jesu frei von allem Magischen[11].

Aber auch wenn die Parallelen in der Berichterstattung oder im tatsächlichen Verfahren Jesu weiter gingen, als ein gründlicher Vergleich zu erheben vermag[12]: nirgends in der Umwelt erscheinen die Wunder als ein Hinweis auf das endgültige Heilshandeln Gottes an der Menschheit.

Als solcher werden die auffallenden Taten Jesu dagegen in der Täuferperikope Mt 11,2 ff. bezeichnet, deren entscheidende Aussage ja (mit Bultmann u. a.[13]) auf Jesus selbst zurückzuführen ist. In V. 5 greift Jesus vor allem das Gottesknecht-Wort Jes 61,1 auf, es nicht nur erweiternd (vielleicht anhand von Jes 35,5 f.), sondern auch bedeutsam umstellend — gerade dieses letzte dürfte auf Jesus selbst zurückgehen. Die benutzten Jesajaworte sprechen vom eschatologischen Heil; Jesus behauptet also: die Verheißung Jesajas wird durch das gegenwärtige Geschehen erfüllt. Die hier und dort sichtbar werdende Überwindung von Krankheit (und Tod) ist Zeichen des Anbruchs der Heilszeit.

---

[11] Die Anführung aramäischer Vokabeln in Mk 7,34; 5,41 wäre höchstens für die Auffassung des Mk in der Richtung des Magischen auszuwerten; aber selbst für ihn ist darauf hinzuweisen, daß er auch außerhalb von Wunderberichten Aramäisches zitiert (14,36; 10,51), das die Seitenreferenten nicht aufgenommen haben.

[12] Vgl. Laur. J. McGinley, Form-Criticism of the Synoptic Healing Narratives (Diss. Rom 1944 = Woodstock, Maryland 1944).

[13] Rud. Bultmann, Theologie des Neuen Testaments (1953), S. 6; Ernst Percy, Die Botschaft Jesu (1953), S. 188; W. G. Kümmel, Verheißung und Erfüllung (²1953), S. 102 f.; anders deutet d. St. noch Bultmann, Geschichte der synoptischen Tradition (²1931), S. 22. Walter Schmithals, Die Gnosis in Korinth (1956), S. 116: Die Tradition „wurde gewiß im orthodoxen Judentum gebildet" (eine ähnliche Stelle findet sich nämlich in einer mandäischen Überlieferung, die angeblich auf das 8. Jahrzehnt n. Chr. zurückgeht).

Besonders nachdrücklich behauptet das Jesus für die Überwindung der
Dämonen in den Besessenenheilungen in der Antwort an die Abgesand-
ten des Hohen Rates, die ihn des Teufelsbündnisses beschuldigen. Hier
wird ja nun der Zusammenhang des Geschehens mit dem Kommen der
Gottesherrschaft deutlich erkennbar: wenn Gott seine Herrschaft durchsetzt, dann wird damit zugleich die Herrschaft des Satans gebrochen[14].
Jesus behauptet, daß der entscheidende Sieg bereits gewonnen ist: der
Satan ist schon gefesselt, sei es, daß er durch Jesus überwunden ist, wie
Mk 3,27 vorauszusetzen scheint, sei es durch Gott, wie Percy aus der Lu-
kasfassung (11,22) schließen möchte[15] und sichtlich in Lk 10,18 gemeint
ist[16].

In den Dämonenaustreibungen wird jedenfalls der eine entscheidende
Sieg über den Satan sichtbar: sie vollziehen ihn im einzelnen in seinem
konkreten Herrschaftsbereich. Das Tun Jesu wird dabei von ihm selbst
(auch Bultmann[17] hält dieses Wort für echt) beschrieben als ein Wirken
in der Kraft Gottes (Lk 11,20 sagt das aus in der alttestamentlichen Wendung „durch den Finger Gottes", Mt 12,28 sagt „durch den Geist Gottes"). Daß damit ein Wirken Jesu in der Kraft des Geistes Gottes gemeint
ist, setzt Mk 3,28f. voraus (auch Mt 12,31f.[18]). Dort wird nämlich die
gegnerische Behauptung, durch die Dämonenaustreibungen Jesu übe der
Satan seine Macht, als eine Lästerung des heiligen Geistes bezeichnet.
Jesus beansprucht also für sich ein Wirken in der Kraft des Heiligen Geistes:
die Beschuldigung der Gegner schmäht dessen offenbares Wirken und
damit Gottes sichtbar heilschaffendes Tun.

Die Dämonenaustreibungen sind nun keineswegs von den Heilungen
zu isolieren. Wenn die Krankheiten gelegentlich auch im Neuen Testament als Wirkungen böser Geister aufgefaßt zu werden scheinen, so
ist das nur ein Ausdruck des umfassenderen Tatbestands, daß sie dem
Wirkungsbereich der widergöttlichen Welt schlechthin angehören (vgl.

---

[14] Vgl. auch Ph.-H. Menoud, Wunder und Sakrament im Neuen Testament,
ThZ 8 (1952), S. 161—183, bes. S. 166—168 (der Aufsatz gibt eine Widerlegung
Fitzers, s. Anm. 25).

[15] Botschaft (s. Anm. 13) S. 184f.

[16] Dazu vgl. Rud. Otto, Reich Gottes und Menschensohn (²1940), S. 75f.

[17] Tradition (s. Anm. 13), S. 174.

[18] Percy (s. Anm. 13), S. 254 hält diese Fassung für die ursprüngliche; die Frage
braucht uns hier nicht zu beschäftigen.

etwa Lk 13,16: die verkrümmte Frau ist vom Satan gefesselt). Wenn Jesus die zerstörte menschliche Existenz auch im Leiblichen wieder zurechtbringt, so sind diese Einzelgeschehnisse zeichenhafter Hinweis auf das rettende Handeln Gottes durch ihn, in dem der ganze Mensch in Ordnung kommt (vgl. eventuell die Perikope vom Gichtbrüchigen).

Als Hinweis auf das erneuernde Handeln Gottes in Jesus werden die Heilungen auch in den „Chorschlüssen" verstanden. Sie sind Erweis der „Heimsuchung" Gottes in dem „großen Propheten" (Lk 7,16), sichtbare Kundmachung des Retterwillens Gottes. Noch voller ist die Aussage in Mk 7,37, falls sie das „Siehe, es war gut" von Gen 1 aufnehmen sollte: Gott gibt durch Jesus Hinweise auf die eschatologische Erneuerung seiner Schöpfung — „Ich mache das Letzte wie das Erste" (Barn 6,13).

Nebenbei gesagt: selbst in den wunderbaren Ereignissen, die die Synoptiker außer den Heilungen und Dämonenaustreibungen berichten, ist diese Beziehung auf das eschatologische Handeln Gottes mindestens z. T. sichtbar (von den Osterberichten ganz zu schweigen). In der Verfluchung des unfruchtbaren Feigenbaumes wird das Gericht an dem durch Gott erwählten Volk dargestellt (im Sinn alttestamentlicher, gültig vollziehender Gleichnishandlungen der Propheten; Mk 11,12—14.20f. par.). Die Speisung der Tausende ist zumindest Hinweis auf die eschatologische Überwindung aller leiblichen Not, wenn nicht sogar zeichenhafte Anteilgabe an der kommenden Vollendung im geläufigen Gleichnis der Mahlgemeinschaft.

Mit der Feststellung der eschatologischen Bezogenheit der „Wunder" des Neuen Testaments ist im Grunde auch ihre grundsätzliche Beziehung zur Person Jesu ausgesagt. Die Wunder, die in Korinth oder Galatien geschehen, sind Wirkungen des heiligen Geistes — und in ihm wirkt der erhöhte Herr. Die Apg unterstreicht mehrfach, daß die „Zeichen" durch den „Herrn" bzw. Gott geschehen (4,10.30; 14,3; 15,12; vgl. [Mk] 16,20). Auch die Heilungen und Dämonenaustreibungen der vom irdischen Jesus Ausgesandten beruhen auf seiner Vollmacht (Mk 6,7 Par.). Dieses letzte ist das entscheidende Stichwort: Jesus selbst handelt aus der ihm verliehenen ἐξουσία. Und diese bezieht sich nicht zuerst auf das Wunder, sondern auf die Proklamation der sich nahenden Gottesherrschaft, auf deren Kommen, wie gesagt, die Taten Jesu machtvoll hin-

weisen. Das ist nicht aus dem jüdischen Messiasbild übernommen[19]; wenn
gelegentlich im Neuen Testament die Messiasaussage allgemein mit den
wunderbaren Taten Jesu verbunden wird, so stammt diese Verbindung
nicht aus dem Judentum (Mt 9,27; 12,23; 15,22; Mk 10,47f. Par.; in Joh
6,15 handelt es sich um eine besondere Tat). Denn das messianische
Wunder ist im Judentum speziell auf den Erweis der Messianität bezogen
— und eben in dieser Gestalt wird es, wie wir sahen, von Jesus auf das
strikteste abgelehnt. Daß das Urchristentum gelegentlich auf den Gedanken kam, die Messianität Jesu auch aus seinen auffallenden Taten zu erweisen, ist verständlich; aber es ist ebenso deutlich, daß der *entscheidende*
Nachweis für sie einerseits aus dem Alten Testament geführt wurde,
andererseits von der Auferweckung her (zum letzten vgl. auch die Petrus-
reden der Apg 2,24; 3,15; 5,30; 10,40; in 10,38 werden die Heilungen
Jesu damit begründet, daß „Gott mit ihm war"). Apg 2,22 stellt heraus,
daß *Gott* durch Jesus Taten und Zeichen vollbrachte.

Und eben darin unterscheidet sich das Bild Jesu im Neuen Testament
nun auch von dem des Thaumaturgen. Es geht in den Wundern *nicht*
um ihn — die Vollbringungen des heidnischen Wundertäters dagegen
fließen aus *seiner* Kraft, werden nicht von einem Gott durch ihn getan,
und sie erhöhen ihn, den Thaumaturgen selbst[20]. Wenn gerade diese Unterschiede vom Neuen Testament her im ganzen mit so beträchtlicher
Klarheit deutlich werden, auch wenn einzelne wunderhafte Taten in der
Überlieferung gesteigert oder auch Jesus überhaupt erst zugeschrieben
worden sein können, so darf man wohl vermuten, daß die zurückhalten-
den Aussagen auf die geschichtliche Wirklichkeit zurückgehen. Die Heilungen und Dämonenaustreibungen dienen also wesentlich nicht dem
Nachweis der Besonderheit der Person Jesu; sie erweisen vielmehr die
Gültigkeit seiner Botschaft; und nur deshalb, weil diese von seiner Person
nicht zu trennen ist — er selbst in seiner Person ist das „Zeichen der

---

[19] Vgl. das Schweigen bei Billerbeck I zu Mt 12,23, II zu Joh 7,31 und IV Index
s. v. Messias und Wunder. Die Heilszeit trägt im Judentum Wunderzüge; aber
mit ihnen hat nicht eigentlich der Messias zu tun. Das entspricht dem Tatbestand,
daß normalerweise nicht der Messias der eigentliche Bringer der Heilszeit ist, sondern Gott selbst sie heraufführt.

[20] Vgl. meinen Aufsatz › Zur Beurteilung des Wunders durch die Antike ‹, Wis-
sensch. Zeitschr. d. Univ. Greifswald, Gesellsch.- u. sprachw. Reihe, V (1955/56),
S. 221—229 (in G. D., Studien zum Neuen Testament .., 1970, S. 53—71).

Zeit", sagt Bultmann[21] —, sind es jene auch nicht. Weil Gott in Person und Wort des irdischen Jesus gegenwärtig heilsam handelt, tut er es auch in seinen Werken.

Es war schon darauf hingewiesen worden, daß Jesus in Mt 11,5 den Jesajatext bedeutsam umstellt: nach der Aufzählung der körperlichen Hilfen schließt die Beschreibung des gegenwärtigen Heilsgeschehens steigernd mit der Verkündigung der Frohbotschaft an die Armen. Die Heilungen werden damit nicht bagatellisiert; aber sie erhalten ihre Bedeutung nur und allein vom letzten her: davon, daß den religiösen Habenichtsen die Erfüllung der Verheißung Gottes schlechthin verkündet wird, die auf das eschatologische Heil überhaupt geht.

III. Wunder und Glaube

Mt 11,5 ist im gegenwärtigen Zusammenhang (auch ihn darf man mit Kümmel, a. a. O. im ganzen für geschichtlich halten) Jesu Antwort auf eine Zweifelsfrage des Täufers. Er kann in Jesus nicht den verheißenden Heilsbringer erkennen. Die Antwort Jesu stellt seinem Zweifel die alttestamentliche Gotteszusage entgegen, die in Jesu Botschaft und Tun erfüllt sei. Eben das aber ist dem Täufer nicht genug. Seine glühende eschatologische Erwartung, genauer: sein Glaube an das unmittelbar bevorstehende endgültige, abschließende Eingreifen Gottes ist in Gefahr, an Jesus und seinem geringen Tun zu Fall zu kommen (V. 6). Jesus kann dem Täufer die damit von ihm geforderte Entscheidung nicht abnehmen.

Auch von denen, die bei Jesus körperliche Hilfe suchen, ist die Entscheidung des Glaubens gefordert. Das geschieht gewiß nicht schematisch: der Glaube der Träger tritt ein für den des Gichtbrüchigen, der der Syrophönizierin für den ihrer Tochter, der des Offiziers für den des Soldaten usw. Mitunter fällt das Stichwort Glaube überhaupt nicht, auch nicht andeutungsweise. Bei den Dämonenaustreibungen ist es schlechterdings unmöglich, vom Glauben der Besessenen zu reden, weil der Dämon mindestens im Augenblick der Begegnung mit Jesus immer die volle Herrschaft über den Besessenen innehat. Aber im übrigen spielt der

---

[21] Bultmann, Theologie (s. Anm. 13), S. 8.

Glaube bei den Heilungen Jesu eine erhebliche Rolle, im entscheidenden Gegensatz zu den heidnischen Wunderberichten.

So bekannt dieser Tatbestand ist, so wenig liegt sein rechtes Verständnis ohne weiteres zutage. Der Glaube ist offenbar weder eine psychische Disposition, die die Heilung erleichtert, noch eine religiöse Leistung des Menschen, durch die dieser sich die Heilung verdient. — Gehen wir von einer mehrmals begegnenden Wendung aus. Jesus sagt zur Blutflüssigen (Mk 5,34 Par.) und zu dem blinden Bettler (Mk 10,52 par.) wie zu dem dankbaren Aussätzigen (Lk 17,19): „Dein Glaube hat dich gerettet." Auffallenderweise sagt Jesus das gleiche zu der großen Sünderin, die durch ihn Vergebung empfangen hat (Lk 7,50). Es liegt nahe, das diesen Zusammenhängen Gemeinsame zu suchen und der Interpretation des Satzes zugrunde zu legen (bei den Heilungen meint das „gerettet" natürlich zunächst die Rettung aus der Krankheit, wie gelegentlich die unmittelbare Fortsetzung Verbotenes zeigt, jedenfalls nach dem Verständnis des Erzählers — freilich darf man von der ganzheitlichen Anthropologie des Neuen Testaments her fragen, ob nicht z. T. die Heilung durch Jesus auch als Zusage der Teilhabe an der Gottesherrschaft verstanden worden ist[22], vgl. z. B. Lk 13,16 mit 19,9. Für die Blutflüssige und für die Aussätzigen z. B. bedeutet die Heilung mindestens die volle Wiederaufnahme in das Gottesvolk, von dessen Gottesdienst sie bisher ausgeschlossen waren). Jedenfalls bezieht sich der Glaube in den genannten Zusammenhängen einheitlich auf eine Zusage Gottes, die er durch Jesus gemacht hat; eine verbindliche Zusage Gottes, die durch Jesus vollzogen, realisiert wird. Für Lk 7 ist diese Doppelheit ganz deutlich — Jesus sagt: vergeben sind dir deine Sünden (nämlich von Gott); und die Tischgenossen fragen: wer ist dieser, der sogar Sünden vergibt? (V. 48 f.). Nach dem Ganzen der Überlieferung ist es selbstverständlich, daß Jesus hier und bei den Heilungen auf den eschatologischen Auftrag hin handelt, den er empfangen hat; daß er handelt, weil Gottes Herrschaft im Kommen ist in seiner Verkündigung und in seinem Tun. Daß Jesus in seinem Tun die Herrschaft Gottes oder daß Gott in Jesu Tun seine Herrschaft vollzieht, darauf geht der Glaube, dem Jesus das Heil zusagt.

---

[22] Richardson (s. Anm. 1) S. 61 f. läßt allgemein mit den Heilungen die Zusage der Vergebung verbunden sein.

Das alles machen die Berichte nicht immer in gleicher Weise deutlich; die Blutflüssige hält sich ganz äußerlich an das Gewand Jesu, die Syrophönizierin hat vielleicht in Jesus nur einen großen Thaumaturgen gesehen, wenn auch des Gottes Israels (das überlieferte Gespräch setzt freilich eine gewisse Kenntnis der jüdischen Frömmigkeit voraus; sie ist geographisch durchaus möglich). Die Hilfe Jesu ist im einzelnen nicht von einem bestimmten Bekenntnis abhängig. Aber in der Tat ist die Hilfe Jesu Gottes Antwort auf die Annahme der Heilsbotschaft mindestens im Bezirk von Galiläa.

Die Wendung „Dein Glaube hat dich gerettet" ist gelegentlich verbunden mit dem Befehlswort Jesu, das die Hilfe ausspricht (Mk 5,34). Offenbar macht jene Wendung also gar nicht eine bloße Feststellung, sondern gibt eine Zusage. Eine Zusage, die im Blick auf Gott geschieht und die durch Jesus geschieht; beides ist bedeutsam. Vor Gott ist mit dem Wort Jesu schon entschieden, daß dem Menschen geholfen wird. Daß Gott der Rettende ist, wird Mk 5,34 par. deutlich in dem Wunsch, der im Munde Jesu auch eine Zusage ist: „Gehe hin in (Gottes) Heil" (das dir widerfahren ist). Formal liegen „Rettung" und „Heil" hier auf einer Linie; aber „Heil" ist auf jeden Fall nicht nur die augenblickliche leibliche Hilfe, sondern das den Menschen voll und ganz heil machende Tun Gottes. Beide Wendungen sind übrigens auch Lk 7,50 verbunden, in dem Wort an die große Sünderin. Das leiblich heilende Wirken Jesu und sein vergebendes Handeln können mit den gleichen Worten beschrieben werden — beides kommt aus dem eschatologischen Heilshandeln Gottes.

Gelegentlich wird zumindest in der synoptischen Überlieferung auch einmal beides ausdrücklich verbunden. Gewiß darf man an die Geschichte vom Gichtbrüchigen im Augenblick keine zu schweren theologischen Gewichte hängen, da ihre literarische Einheit immer wieder bezweifelt wird[23]; das zweimalige λέγει τῷ παραλυτικῷ in Mk 2,5a und 10 Ende

---

[23] Bultmann, Tradition (s. Anm. 13), S. 12 f., frühere Literatur ebd. Anm. 2. William Manson, Bist du der da kommen soll? (1952), S. 56 f. möchte als „die ursprüngliche Predigtgeschichte" V. 1—5.12 ansehen. Man kann zu beiden Rekonstruktionen fragen, ob sie nicht „tendenziös" sind. V. 11 ist jedenfalls für den Heilungsbericht nach dem sonst üblichen Schema kaum zu entbehren; damit fällt 5 b (wenn man schon ein stilistisch einwandfreies Stück als ursprünglich fordert). Vgl. auch Richardson (s. Anm. 1), S. 66 f.

scheint die Herauslösung von V. 5b—10 aufzunötigen. Man kann freilich fragen, ob die als ursprünglich verbleibende Erzählung wirklich nur um des aufgegrabenen Daches willen weitergegeben worden ist; Mt war jedenfalls sichtlich anderer Meinung (er überliefert diesen Zug nicht)[24]. Mindestens die palästinische Urgemeinde sieht aber das Wirken Jesu in Vergeben und Heilen als eine Einheit, und es ist ernsthaft zu fragen, „ob nicht diese Einheit bereits in der Anschauung Jesu denkbar, ja vielleicht sogar vorgebildet ist"[25]. Dabei betont Mk 2,9, daß das Vergeben das schwerwiegendere, größere Tun ist[26].

Zu der Frage „Glaube und Wunder" kann wenigstens für ihr Verständnis durch die Urchristenheit auch Mk 9,23f. herangezogen werden. Der Mensch, der die äußere Hilfe sucht, wird hier von Jesus in eine Entscheidung gestellt (V. 23!), bei der es auf einmal um viel mehr geht als um die leibliche Not (die im Neuen Testament gewiß nicht geringgeachtet wird). Der Aufschrei des Vaters läßt erkennen, daß sein gesamtes Sein vor Gott auf dem Spiele steht (in das freilich die Not um den Sohn einbezogen ist). In der Entscheidung Glaube — Unglaube ist der Mensch auf einmal gefragt, ob er unbedingt bereit ist, mit Gott Ernst zu machen (und das heißt ja hier glauben). Wenn dieses Gespräch von der Tradition gestaltet ist, scheint mir allerdings in ihm die letzte Entscheidung richtig wiedergegeben zu sein, die hinter allen Heilungen Jesu für den Hilfesuchenden steht.

Ist das Wunder als Geschehen in den Synoptikern nicht vom Glauben abhängig (auch nicht Mk 6,5[27]), so doch sein rechtes Verständnis. Offen zutage liegt das ja bei den Dämonenaustreibungen durch Jesus: sie werden von den Gegnern als Teufelswerk bezeichnet. Weil sie die Botschaft

---

[24] Übrigens stellt auch das ausgeschiedene Stück V. 5b—10, wenn es Bildung der Urgemeinde zur Begründung *ihres* Rechtes auf Sündenvergebung sein soll, vor schwierige Fragen. Vgl. z. B. Schick (s. Anm. 2), S. 195 f.

[25] G. Fitzer, Sakrament und Wunder im Neuen Testament, In memoriam Ernst Lohmeyer (1951), S. 177. Daß die Tradition von der durch Jesus gespendeten Sündenvergebung (außer Lk 7,47) sonst nichts erzählt (Bultmann, Tradition, S. 13), kann man angesichts von Mk 2,15—17 usw. nur im formalen Sinn behaupten.

[26] So z. B. Ad. Harnack, Mission und Ausbreitung … ([4]1924) I, S. 129f., vgl. überhaupt seine Ausführungen dort zur Verbindung von Verkündigung und Heilung bei Jesus.

[27] Vgl. Fridrichsen (s. Anm. 1), S. 52f.; Richardson (ebd.), S. 44.

Jesu nicht glaubend annehmen, erkennen sie in den Besessenenheilungen nicht die Bestätigung seiner Proklamation der Gottesherrschaft. Entsprechendes gilt jedoch auch für die Heilungen Jesu, wie an der Zeichenforderung durch die Pharisäer deutlich wird. So kann es geschehen — das wird Mk 3,22 sichtbar —, daß die außergewöhnlichen Taten Jesu in der Ablehnung seiner Botschaft und seiner Person bestärken (gelegentlich begegnet das Stichwort vom „verhärteten Herzen" in Zusammenhängen, in denen von Wundern die Rede ist, Mk 6,52; 8,17). Das Wunder wird als Gottestat nur dem Glaubenden sichtbar.

Das zeigt sich auch dort, wo Jesus auf Gleichgültigkeit stößt; hier ist noch einmal an das Wehewort über die Städte am Nordufer des Sees Genezareth zu erinnern. Die Anerkennung der Botschaft Jesu von der nahenden Gottesherrschaft wird auch durch die Fülle der dort geschehenen Machttaten nicht erzwungen; das Ja oder Nein zu Jesu Tun überhaupt fällt gegenüber seiner Botschaft, die durch die Taten nur bestätigt wird.

Das wird nicht aufgehoben durch den Beifall, den sie bei der Menge finden. Besonders die Chorschlüsse einzelner Wunderberichte, implizite aber wohl auch die summarischen Bemerkungen über den Zustrom der Heilung Suchenden bekunden freilich das Zutrauen in das Handeln Gottes durch Jesus. Aber die synoptischen Evangelien als ganze lassen (der Sache nach nicht weniger deutlich als das Joh-Ev) erkennen, daß dieses Zutrauen in den Wundertäter nur teilweise zu dem Glauben wird, der Bestand hat. Mt 11,2ff. zeigte ja, wie selbst der Täufer durch die Taten Jesu nicht seiner messianischen Sendung gewiß wird. Die Wunder ersparen auch ihm nicht die Entscheidung gegenüber dem Anstoß an dem geringen Tun Jesu (V. 6)[28].

Das heißt also: das eschatologisch heilschaffende Handeln Gottes in Jesu Wundern ist verhüllt; es ist nur dem offenbar, der seiner Botschaft glaubt (sie sollen ja auch nichts anderes, als diese Botschaft bestätigen); und selbst dem Glaubenden können sie zum Ärgernis werden (Mt 11,6). Man kann vermuten, daß mit dem Verhülltsein des Wunders auch das Schweigegebot zusammenhängt, das mitunter im Anschluß an besondere

---

[28] Joach. Jeremias, Jesu Verheißung für die Völker (1956), S. 39 meint, der eigentliche Anstoß bestehe darin, daß Jesus die Racheaussage aus den verwerteten Jes-Stellen streiche, daß also „an die Stelle der Rache Gottes Sein gnädiges Erbarmen" trete.

Taten Jesu ihm in den Mund gelegt wird[29]. Nicht zuletzt dürfte darin der
Grund dafür gegeben sein, daß Jesus sich gelegentlich der Heilung
suchenden Menge entzieht. Die Taten der leiblichen Hilfe sind nicht
Selbstzweck, sondern nur Unterstreichung der Botschaft, Hinweis, der
durch die Zahl der Heilungen nicht verstärkt wird — sie könnte eher das
verdecken, worauf die Taten weisen sollen. Die Taten Jesu sind zwar *voll*-
gültige Bestätigung seiner Botschaft, sind so vollgültig wie sein Wort.
Aber sie sind nicht das *end*gültige Handeln Gottes im leiblichen Bereich.
Endgültig wird die total neue Schöpfung sein, die in der Auferstehung
beginnt (Mk 12,25 Par.). Die Wunder Jesu sind nur Hinweis darauf, daß
Gott die neue Schöpfung heraufführen wird als die Vollendung der in
Jesu Gegenwart anbrechenden Gottesherrschaft.

Einige wenige Wunderberichte der Synoptiker haben wir nur nebenbei
einmal in den Bezirk unserer zusammenfassenden Betrachtungen einbezogen, Berichte, die sehr umstritten sind, teils als rein legendäre Bildungen angesehen werden[30], teils als ursprüngliche Ostergeschichten, die
durch die Tradition in das Leben des irdischen Jesus zurückversetzt wurden, in ihrer ursprünglichen Form dann also wohl in die Gattung der
Visionserzählungen einzureihen wären. Ihre Einfügung hätte die Erörterung zahlreicher Einzelfragen nötig gemacht, für die hier kein Raum war.
Sie konnten aber auch sachlich außer Betracht bleiben, weil sie nach den
Synoptikern während der irdischen Wirksamkeit Jesu nur für den engen
Kreis der unmittelbar Beteiligten bedeutsam waren, während die Heilungen und Dämonenaustreibungen aufs Ganze gesehen in der Öffentlichkeit geschehen und für die Weite des öffentlichen Wirkens Jesu gewichtig
sind. Eines haben allerdings beide Gruppen von Taten Jesu gemein: ihr
Eigentliches ist nur dem Glaubenden offenbar.

[29] Mk 1,44 Par.; 3,12 par.; 5,43 par.; 7,36; 8,26; Mt 9,30. Vgl. auch Fitzer
(s. Anm. 25), S. 178. Fridrichsen (s. Anm. 1), S. 81 hält für möglich, daß hinter
Mk 1,40 ff.; Mt 12,15 ff. ein wirkliches Verbot steht. Anders Percy (s. Anm. 13),
S. 296: bei Mk sind „die messianischen Wunder Jesu nur für die Gläubigen da".
— Auch die Verborgenheit der Auferweckung der Jairustochter kann man hier
einordnen (vgl. Schick [s. Anm. 2], S. 204).

[30] Grant (s. Anm. 4), S. 169 führt z. B. Sturmstillung, Seewandel, Brotvermeh-
rung auf das Alte Testament zurück. Frühere Auffassungen ähnlicher Art referiert
C. J. Wright, Miracle in History and Modern Thought (1930), S. 299 (VI: Die
Wunder der Evangelien [S. 273—323]).

Daß das auch von den „öffentlichen" Wundern Jesu gilt, ist (wie gesagt) im Entscheidungscharakter des Glaubens begründet. Die Wirklichkeit der Gottesherrschaft ist dem Nichtglaubenden noch verborgen. Unverhüllt offenbar wird sie erst in der Parusie, wenn „*das* Zeichen des Menschensohnes am Himmel erscheinen" wird (Mt 24,30), das eindeutig ist. Bis dahin ist Jesus selbst „ein Zeichen, dem widersprochen wird" (Lk 2,34b); und darum wird bis dahin auch den von ihm vollbrachten „Zeichen" — widersprochen.

T. Alec Burkill, The Notion of Miracle with Special Reference to St. Mark's Gospel. Zeitschrift für die Neutestamentliche Wissenschaft und die Kunde der älteren Kirche 50 (1959), S. 33—48. Übersetzt von Dieter Lührmann.

DIE VORSTELLUNG VOM WUNDER
MIT BESONDERER BERÜCKSICHTIGUNG
DES MARKUSEVANGELIUMS

Von T. Alec Burkill

In seiner Darstellung des Lebens Jesu als des irdischen Weges des Messias macht Markus freigebigen Gebrauch von Wundergeschichten. Solche Geschichten scheinen in den urchristlichen Gemeinden weit verbreitet gewesen zu sein und einen wichtigen Teil der kirchlichen Traditionen über das Leben ihres Gründers gebildet zu haben. Der Evangelist weicht daher nicht ab von der vorherrschenden christlichen Haltung, wenn er auf das wunderhafte Element im Werk des Herrn Betonung legt. Er teilt die apostolische Überzeugung, daß die Messianität offenbar gemacht ist in den Wundern, die Jesus vollbringt; nach Markus' Meinung wie der der Kirche überhaupt sind Jesu Wundertaten Beweis seines göttlichen Ursprungs und Zeugnis seiner übernatürlichen Kraft. Diese Vorstellung war ein wesentlicher Faktor in der Darstellung des apostolischen Evangeliums vom gekreuzigten Messias[1]. Nichts war unvergleichlich an der bloßen Tatsache der Kreuzigung Jesu als solcher; ohne Zweifel haben viele wertvolle Männer an einem römischen Kreuz das Martyrium erlitten. Aber diejenigen, die Zeugnis ablegten für den apostolischen Glauben, entdeckten in der Kreuzigung Jesu einen höchsten Akt göttlicher Herablassung und willentlicher Erniedrigung, und es war diese Entdeckung, die die Entstehungsbedingung des Evangeliums war, das sie verkündigten. Er, der als der Messias Gottes ausgestattet war mit transzendenter Macht, kam doch nicht, um sich dienen zu lassen, sondern um zu dienen und sein Leben zu geben für die Erlösung der sündigen Menschheit (vgl. Mk 10,45); oder, um paulinische Begrifflichkeit zu benutzen, er, der präexistent bei Gott war, entäußerte sich selbst, nahm Knechtsgestalt an und wurde gehorsam sogar bis zum Tode am Kreuz (vgl. Phil 2,5 ff.). Also setzte die

---

[1] Vgl. J. R. Seeley, Ecce Homo, London 1865, Teil 1, Kap. 5.

apostolische Lehre von der Erniedrigung des Messias den Glauben voraus, daß Jesus übernatürliche Macht besaß, die er im Interesse des menschlichen Heils ausübte und nicht für seine eigenen Ziele. Obwohl Markus annimmt, daß die Wunder Jesu Ausdruck seiner messianischen Autorität sind, ist es, wie Wrede gezeigt hat[2], dennoch seine Ansicht, daß sie als solche vom Volk, das ihr Zeuge war, nicht erkannt werden konnten. Aber einmal abgesehen von den schwierigen Problemen in Verbindung mit dem Einfluß der Geheimnistheorie des Evangelisten auf seine Darstellung Jesu als Wundertäter gibt es bestimmte wichtige Fragen allgemeinerer Art, die von dem modernen Leser der Evangelien häufig gestellt werden, und mit diesen sind wir in dem vorliegenden Aufsatz vor allem beschäftigt.

Bei jedem Versuch, die Bedeutung des Wunderhaften im urchristlichen Denken zu bestimmen, ist es von allergrößter Wichtigkeit, moderne Ideen darüber sorgfältig zu unterscheiden von der antiken Ansicht. Eine Erforschung primitiver Religion zeigt, daß von frühester Zeit an die Vorstellung des Wunders sehr eng verbunden gewesen ist mit dem Gefühl der Unvertrautheit oder des Unüblichen. Etymologische Forschung in unterschiedlichen Sprachen legt nahe, daß ein wunderhaftes Ereignis vor allem ein Ereignis ist, das irgendwie ungewöhnlichen Charakter hat; und anthropologische wie psychologische Studien haben gezeigt, daß es eine tiefsitzende Gewohnheit des menschlichen Geistes ist, im Feld der Erfahrung einen großen Unterschied zu machen zwischen gewöhnlichen und ungewöhnlichen Begebenheiten. Während man bei ersteren geneigt ist, sie als gegeben hinzunehmen, scheinen letztere eine besondere Erklärung zu erfordern; und es ist offenbar eine ursprüngliche Tendenz des Geistes, eine ungewöhnliche Begebenheit zu erklären, indem man sie auf irgendeine Art geheimnisvoller Macht bezieht, die beschlossen hat, in die Welt gewöhnlicher Erfahrung einzudringen und in den normalen Lauf der Dinge einzugreifen. Auf diese Weise wird ein unübliches Ereignis wunderhaft in dem Sinne, daß es das Handeln einer übernatürlichen Macht bezeugt. Es ist zugleich eine δύναμις und ein σημεῖον, weil es ungewöhnliche Macht enthält und die unvermittelte Gegenwart einer Wirkung aus einer transzendenten Sphäre bezeugt. Das Kommen der

---

[2] S. sein Werk: Das Messiasgeheimnis in den Evangelien, Göttingen 1901; vgl. meinen Aufsatz in: Theologische Zeitschrift 12 (1956), S. 585 ff.

transzendenten Macht stellt sich selber als etwas Willkürliches und Launisches dar, und die natürliche psychologische Reaktion ist die, alle Tätigkeit im Angesicht des Unbekannten und Unberechenbaren zu unterlassen. Außer daß es numinose Gefühle wie Ehrfurcht und Staunen hervorruft, hat das Wunderhafte also immer eine lähmende Wirkung auf den Geist[3].

Wenn die Vorstellung in diesem Licht verstanden wird, sieht man, daß es so etwas wie ein rein objektives Wunder gar nicht gibt; eine übliche Begebenheit wird wunderhaft (d. h. ein Zeichen der Gegenwart einer übernatürlichen Wirkung) nur mit Hilfe eines bestimmten Maßes verstandesmäßiger Interpretation von seiten des Subjekts, das diese Erfahrung macht. Und die Subjektivität des Wunderhaften ist genauso handgreiflich, wenn der Begriff in einem modernen Sinne verstanden und als Bezeichnung eines Ereignisses genommen wird, das ohne Übereinstimmung ist mit oder unerklärbar ist durch die wissenschaftlich anerkannten Naturgesetze. Der Gebrauch des Wortes „anerkannt" in dieser Definition stellt deutlich den subjektiven Charakter der definierten Vorstellung heraus; das Wunderhafte ist abhängig davon, was das Subjekt über die Weisen weiß, in denen die Natur sich verhält. Infolgedessen könnte man von einem objektiven Wunder nicht sagen, daß es wirklich existiert, bevor man nicht vertraut wäre mit allen natürlichen Ursachen und allen möglichen Arten ihrer vielfältigen Wirkungsmöglichkeiten! Und wenn es gesichert ist, daß ein Ereignis, das wissenschaftlich unerklärbar ist, aus dem Eingreifen einer übernatürlichen Wirkung resultiert, ist noch mehr subjektive Interpretation eingebracht. Denn in diesem Falle nimmt man nicht nur an, daß die wunderhafte Begebenheit unerklärbar ist auf der Basis anerkannter Naturgesetze; impliziert ist vielmehr, daß die Begebenheit, die durchaus faßbar wäre, sofern man sie als Wirkung einer übernatürlichen Ursache verstünde, dennoch nicht dadurch begriffen werden kann, daß man sie dem Zusammentreffen rein natürlicher Ursachen zuschreibt, seien diese nun bekannt oder unbekannt.

Wenn also das Wunderhafte notwendigerweise verstandesmäßige Interpretation auf seiten des die Erfahrung machenden Geistes einschließt,

---

[3] Es gibt Vorwegnahmen dieser Art von Erfahrung in der frühen Kindheit und im Leben der Tiere; vgl. J. Sully, Studies of Childhood, London 1895, S. 205 f., und C. Lloyd Morgan, Animal Life and Intelligence, London 1890, S. 339.

gehört der wunderhafte Inhalt religiöser Dokumente eher in den Bereich menschlicher Glaubensanschauungen als zu den sogenannten Tatsachen, wie sie allgemein in der Sinneswahrnehmung erschlossen werden. Es ist freilich richtig, daß Wundergeschichten, so wie sie in den Evangelien enthalten sind, mit objektiven Tatsachen der Wahrnehmungserfahrung zu tun haben. Aber weder wurden die Geschichten verfaßt noch bewahrt um der wahrnehmbaren Tatsachen willen, die sie berichten, wie z. B. einen bestimmten Fall von Behebung einer Krankheit oder der Stillung eines Sturms. So wie sie in den Geschichten dargestellt werden, sind solche Tatsachen vielmehr mit religiöser Bedeutung befrachtet; und erzählt wurden sie nur um der theologischen Interpretation willen, welche sie, wie man glaubte, forderten. Es ist daher irrig anzunehmen, es könnte das Ziel historischer Forschung sein, die unverfälschten Tatsachen — im Unterschied zu den Glaubensanschauungen, mit denen sie in den Erzählungen vereinigt sind — zu finden mit dem Ziel, eine andere Art von Erklärung zu bieten, dazu bestimmt, sich als akzeptabler für die moderne wissenschaftliche Mentalität zu erweisen. Tatsächlich kann man zweifeln, ob irgendein solider Grundstock an reinen Fakten erreicht werden kann durch eine Analyse irgendeiner bestimmten Geschichte dieser Art. Wenn wir z. B. den Bericht von der Sturmstillung in Mk 4,35—41 nehmen, ist der Historiker schwerlich in der Lage zu behaupten, daß tatsächlich ein Sturm mit überraschender Plötzlichkeit aufhörte, während Jesus und seine Jünger auf dem Wasser waren, und daß diese unverfälschte Tatsache, in Wirklichkeit zurückgehend auf ein atmosphärisches Phänomen, falsch interpretiert worden ist von denen, die Zeugen waren und sie der Wirkung einer übernatürlichen Ursache zuschrieben. Darüber hinaus könnte, abgesehen von dieser Schwierigkeit, bestimmte Fälle von reinen Tatsachen zu entdecken, ein solches Vorgehen nicht eine wirklich historische Erklärung des wunderhaften Inhalts der Erzählungen geben. Wie wir gesehen haben, ist dieser Inhalt bedingt durch Glaubensanschauungen, und Glaubensanschauungen werden erklärt, nicht indem man sie übergeht, sondern indem man sie versteht auf dem Hintergrund der Vorstellungswelt, zu der sie ursprünglich gehören.

Die Mentalität, die im Ostteil des Reiches während des ersten Jahrhunderts n. Chr. vorherrschte, machte nicht die strengen Unterscheidungen, an die der moderne Geist gewöhnt ist, und die Menschen nahmen viel bereitwilliger Zuflucht zu der Vorstellung übernatürlicher Verursachung.

Was wir unter wissenschaftlicher Haltung verstehen, mag vorweggenommen worden sein in den Akademien bei Stoikern, Skeptikern und Medizinern, die sich auf die Ideale des hippokratischen Eides verpflichteten, aber im ganzen zeigt das antike Denken nicht das Interesse am Abstrakten und Unpersönlichen, das für die systematische Beobachtung der Wirkungsweise natürlicher Ursachen erforderlich ist. Die primitive Einteilung der Phänomene in die Kategorien des Üblichen und des Unüblichen wirkte noch grundlegend ein auf das Verständnis des Menschen von seiner Welt, und dies ist, gemessen an wissenschaftlichen Maßstäben, eine äußerst ungenaue Methode, die vielfältigen Einzelheiten der Erfahrung zu unterscheiden. Jede Art von Objekt, unabhängig von seinen wirklichen Eigenschaften, konnte eingeordnet werden in die Kategorie des Unüblichen und einer transzendenten Ursache zugeschrieben werden, vorausgesetzt die Art seiner Erscheinung war von dem Subjekt nicht erwartet worden, das diese Erfahrung machte. Der Geist neigt dazu, schnell über die Unterscheidung zwischen der belebten und der unbelebten Welt hinwegzugehen, und sowohl bei leblosen Dingen als auch bei Tieren und menschlichen Wesen dachte man häufig, sie handelten unter dem direkten Einfluß einer übernatürlichen Wirkung. Ebenso konnte eine Begebenheit für den einen unüblich sein, nicht aber für einen anderen; und es lag teils an der Unbestimmtheit der Vorstellung vom Unüblichen und teils an der Unvollkommenheit der zeitgenössischen Kenntnis in bezug auf Naturprozesse, daß es weiten Raum gab für die freie Entfaltung der Vorstellungskraft bei der Interpretation der Phänomene und bei der Erklärung ihrer ursächlichen Bedingungen. Was für untauglich oder phantastisch gehalten wird, hängt ab von den Kriterien der Wahrheit, die der urteilende Geist übernimmt, und diese Kriterien sind weithin bestimmt durch die intellektuelle Atmosphäre der vorherrschenden Kultur. Wenn daher vorherrschende Ideen den Geist an die Vorstellung übernatürlicher Verursachung gewöhnen und keine sicheren Mittel anbieten, die Fälle für ihre passende Anwendung zu bestimmen, dann ist der uneingeschränkten Entfaltung persönlicher Vorlieben und erfinderischer Eigenwilligkeiten bei historischen Erklärungen breiter Raum gelassen. Wenn man die Mentalität des Zeitalters in Rechnung stellt, kann man tatsächlich, wie Historiker oft bemerkt haben, nicht anders, als beeindruckt sein von der relativen Nüchternheit der Wunderberichte, die in den kanonischen Evangelien enthalten sind.

Aber es reicht nicht aus, lediglich festzustellen, daß die offensichtliche Vorliebe für die Vorstellung einer übernatürlichen Verursachung in antiken Erklärungen herausragender Phänomene der Unangemessenheit zeitgenössischer Erkenntnis in bezug auf Naturprozesse zuzuschreiben ist. Diese Unangemessenheit war ihrerseits bedingt durch etwas, was ein weitverbreitetes Gefühl gewesen zu sein scheint, daß nämlich naheliegende Ursachen, wie wir sie verstehen, trivial und keineswegs die eigentlichen Ursachen sind. Die Idee der Ursache scheint aufgekommen zu sein im Zusammenhang mit den persönlichen Interaktionen des Individuums mit seiner Umwelt, und im primitiven Denken neigt man dazu, die Tätigkeiten anderer Wesen nach Analogie der eigenen Willensakte des Subjekts zu verstehen. Die Erfahrung setzt voraus, daß das individuelle Subjekt, auf das von der Außenwelt eingewirkt wird, seinerseits auf die umgebenden Bedingungen seiner Existenz einwirkt, in Entsprechung zu deren vielfältigen Forderungen; und es scheint, daß seit dem ersten Aufdämmern bewußter Erfahrung das Subjekt (wie unbestimmt auch immer) sich seiner selbst bewußt ist als zugleich leidend und handelnd, als zugleich Wirkung und Ursache. Andere wirken auf es ein, und es wirkt auf andere ein. Daher pflegte man ganz allgemein die Aktionen und Reaktionen von Wesen mit den Begriffen der dynamischen Beziehungen zwischen dem Subjekt und seiner Umwelt zu interpretieren, und Verursachung verstand man sehr schnell anthropomorph als zweckbestimmte Aktion mit einer bestimmten Absicht. Wenn daher das übliche Verhalten von Wesen durch irgendein ungewöhnliches Phänomen gestört wird, ist der unverbildete Geist geneigt, eine Erklärung nicht in der unpersönlichen Vorstellung eines besonderen Zusammentreffens naheliegender Gründe als solcher zu suchen, sondern dadurch, daß er Zuflucht nimmt zu der teleologischen Vorstellung eines transzendenten Wesens (oder transzendenter Wesen), das aus irgendeiner Absicht beschlossen hat, in den üblichen Lauf der Dinge einzugreifen. Das transzendente Wesen kann als gut oder böse gedacht werden entsprechend dem Charakter der Begebenheit, die nach einer Erklärung ruft; aber in bestimmten Fällen konnte eine schmerzliche oder ungerechte Begebenheit der Einwirkung eines wohlwollenden Wesens zugeschrieben werden, z. B. dann, wenn sie als Bestrafung, die Menschen wegen ihrer Verstöße gegen göttliche Gesetze zugefügt wird, beurteilt wird.

Es entsprach der Tendenz, solche primitiven Vorstellungen zu entwickeln und zu systematisieren, daß im jüdischen Denken der letzten

Jahrhunderte vor Christus die dualistische Lehre von einem bösen Gei-
sterreich entstand, das gegen das Reich Gottes kämpft[4]. In der entwickelten Form dieser Kosmologie sind die zahlreichen übernatürlichen Wesen
frühsemitischen Glaubens in den Dienst des einen oder des anderen der
beiden gegensätzlichen Heere gebracht worden, die fortwährend miteinander im Streit liegen um die Herrschaft über den Menschen und das
Universum, in dem er lebt. Jedes dieser transzendenten Reiche ist nach
Art eines orientalischen Staatswesens organisiert (eine Konzeption, die
möglicherweise den Einfluß zoroastrischer Ideen verrät) und hat einen
Oberbefehlshaber, der an der Spitze einer ausgedehnten Hierarchie von
Untergebenen steht und die strategischen Operationen seiner Kriegsscha-
ren lenkt. Der Erzdämon, der das böse Reich befehligt, trägt verschiedene
ihm zugeteilte Namen — Satan, Mastema, Beelzebub, Beliar, Asmodaeus
(letzteres ein persisches Wort). Die Agenten Satans werden ebenfalls auf
verschiedene Weise bezeichnet: שֵׁד ist der übliche rabbinische Begriff
und entspricht dem griechischen δαιμόνιον; unter den übrigen Begriffen
sind: רוּחַ רָעָה/πνεῦμα πονηρόν/„böser Geist" und רוּחַ טוּמְאָה/
πνεῦμα ἀκάθαρτον/„unreiner Geist".

Verschiedene Traditionen über den Ursprung der Dämonen waren im
Umlauf. Die früheste von ihnen basiert auf dem in Gen 6,1 ff. enthaltenen Mythos, der die Geburt von Riesen als Ergebnis unerlaubter Vereini-
gungen zwischen den Gottessöhnen und den Menschentöchtern beschreibt. Eine midraschartige Ausschmückung der Geschichte erklärt,
daß, als die Riesen starben, ihre Geister zu Dämonen wurden, die alsbald
ihr Werk begannen, die Menschheit zu verderben. Aber schließlich ent-
schied Gott nach Bitten Noahs (dem man später spezielle medizinische
Kenntnisse zuschrieb) und Gegenbitten Mastemas, neun Zehntel der
Dämonen einzusperren, wie er zuvor ihre Engel-Vorfahren eingesperrt
hatte, und begrenzte so ihre ruchlosen Aktivitäten dadurch, daß er nur ein
Zehntel ihrer vollen Anzahl unter dem tatsächlichen Befehl Satans beließ
(Jubiläen 10,1 ff.). Nach einer anderen Tradition sind die Dämonen
unvollendete Geschöpfe Gottes; gegen Ende des sechsten Tages der Schöp-

---

[4] Vgl. T. W. Manson, The Teaching of Jesus, Cambridge 1935, S. 152 ff.;
E. Meyer, Ursprung und Anfänge des Christentums, Stuttgart 1921/23, Bd. 2,
S. 95 ff.; Strack-Billerbeck, München 1922/28, Bd. 4, S. 501 ff.; E. Klostermann,
Das Markusevangelium, Tübingen 1935, S. 14 ff.

fungswoche war Gott dabei, sie zu schaffen, hatte aber keine Zeit mehr, sie mit Körpern zu versehen, wegen des Nahens des Sabbats[5]. Eine Hypothese, die auch Josephus vertritt, gibt die Ansicht wieder, daß die Dämonen die Geister der bösen Toten sind, die in Lebende einfahren und sie töten, wenn nicht eine Macht zu Hilfe geholt werden kann, die bösen Eindringlinge abzuwehren[6]. Obwohl Satans dämonische Agenten in Wirklichkeit körperlos sind, sind sie dennoch keinesfalls bar aller physischen Eigenschaften. Sie werden manchmal vorgestellt als mit Flügeln ausgestattet oder als weitgehend wie menschliche Wesen, insofern sie essen und trinken und ihre Art reproduzieren. Sie sind im allgemeinen unsichtbar, aber unter bestimmten Umständen können sie in menschlicher oder einer anderen Gestalt erscheinen. Ihre Aktivitäten sind nicht begrenzt auf bestimmte Weltregionen oder auf bestimmte Tageszeiten. Sie bewohnen sowohl die Erde als auch die Luft, und sie können zu jeder Stunde Menschen Leid zufügen; und doch haben sie ihre Lieblingsorte wie öde Flecken und Ruinen, kultisch unreine Plätze (Friedhöfe, Abflüsse, ungewaschene Hände usw.), Wassertümpel und die Umgebung von bestimmten Bäumen und Sträuchern; und sie sind besonders gefährlich während der Stunden der Dunkelheit. Menschliche Schwierigkeiten aller Art konnten dämonischer Tätigkeit zugeschrieben werden[7]. Böse Geister rauben materielle Besitztümer des Menschen; sie verderben seine Seele, indem sie ihn zur Sünde anstiften, und untergraben die Gesundheit von Geist und Körper, indem sie Krankheiten jeglicher Art verursachen. In der Tat war die zuletzt genannte Ansicht bei den Rabbinen so verbreitet, daß sie häufig eine Krankheit mit dem bösen Geist bezeichnen, von dem man annahm, daß er sie verursacht.

Obwohl die Dämonen zum Reich Satans gehören, können sie aber durchaus bei bestimmten Gelegenheiten im Dienste Gottes tätig werden, indem sie göttliches Gericht am Bösen vollstrecken; und dies ist ein klarer Hinweis darauf, daß der Dualismus der allgemeinen kosmologischen Theorie nicht mit voller logischer Folgerichtigkeit durchgeführt wurde. Jüdische monotheistische Überzeugung (ein Vermächtnis der großen Propheten) forderte, Gott als den einzigen Schöpfer und einzigen Herrscher

---

[5] Vgl. Strack-Billerbeck, Bd. 4, S. 506.
[6] S. bell. 7,6,3.
[7] Vgl. Strack-Billerbeck, Bd. 4, S. 507 ff., 521 ff.

des Universums anzusehen, und das schloß die Entwicklung eines absoluten metaphysischen Dualismus aus. Es ist richtig, daß die Dämonen normalerweise vorgestellt sind, als ob sie autonome Wesen wären, die frei
handeln entsprechend ihrer eigenen bösen Bestimmung; sobald man
aber die Sache grundsätzlich betrachtet, kann man sehen, daß die Dämonen ihr Werk nur vollbringen können, weil Gott ihnen das erlaubt. Welche Autorität Satan und seine Heerscharen auch immer seit den Tagen
Henochs (als die Menschen falschen Göttern zu dienen begannen) ausgeübt haben mögen, ist es letztlich doch Autorität, die von Gott her-
kommt, der der einzige ist, der über alle Macht verfügt, dessen Allmacht
endgültig in der messianischen Zeit unter Beweis gestellt werden wird
durch die völlige Zerstörung des Reiches des Bösen. Daher ist das ganze
Schema im wesentlichen teleologisch in dem Sinne, daß seine grundlegende Erklärungskategorie durch die Konzeption der Absicht bestimmt
ist. Gottes Wille ist der letzte Grund des Universums, und seine souveräne
Absicht bestimmt den ganzen Ablauf der kosmischen Geschichte.
Aber unter Gottes Geschöpfen gibt es einige Wesen (Engel und Menschen), die mit der Möglichkeit versehen sind, zwischen richtig und falsch
zu wählen und Absichten zu verfolgen, die den sittlichen Forderungen
des Schöpfers zuwiderlaufen. Und man dachte, daß die Leiden und Un-
glücksfälle der alltäglichen Erfahrung aus bestimmten Fällen des Miß-
brauchs solcher Freiheit entstehen, weil infolge eines göttlichen Vergel-
tungsprinzips Sünde verderbliche Folgen nach sich zieht; und so konnte
man z. B. erklären, daß die Dämonen ihre Existenz dem Fall der Engel
verdanken und daß sie die Menschen wegen ihres Eigensinns zu bedrän-
gen anfingen.

Diese Überlegungen geben also einen Hinweis auf die Welt, in der das
Christentum entstand und seine eigene spezifische Lehre entwickelte.
Nicht daß die Juden dieser Zeit sich an ein genau definiertes und voll-
ständiges System einer offiziellen Kosmologie hielten. Aber es gab bestimmte allgemein akzeptierte Glaubensanschauungen von weiter Geltung, die Kontrolle über das Denken ausübten und den allgemeinen
Charakter der vorherrschenden Weltanschauung bestimmten. Hinzu
kommt, daß trotz der Exklusivität der Juden und trotz der Einzigartigkeit
ihres ethischen Monotheismus ihre Art zu denken nicht unbeeinflußt
blieb von den kulturellen Traditionen anderer Völker. Wir haben schon
auf das Eindringen von Ideen aus persischen Quellen in die jüdische

Tradition hingewiesen. Im ersten Jahrhundert nach Christus aber war die Wechselwirkung der Kulturen sehr viel ausgedehnter und verwickelter geworden. Griechisch war nun die allgemeine Sprache des Handels und der Kultur im Ostteil des Reiches, und die kaiserliche Regierung hatte eine Ordnung errichtet, die Reisen erleichterte. Die Folge war, daß Ideen mit bemerkenswerter Geschwindigkeit über weite Bereiche verbreitet werden konnten, und dies trieb die Entwicklung der hellenistischen Kultur voran — jener merkwürdigen Verschmelzung von Glaubensanschauungen und -praktiken aus primitiver Magie, griechischer Philosophie, orphischer Religion, babylonischer Astrologie sowie Lehren aus Ägypten und Persien[8]. Auch die jüdische Religion leistete ihren Beitrag zu diesem umfassenden Synkretismus, vor allem über die Synagogen der Diaspora und die Übersetzung ihrer heiligen Literatur ins Griechische[9]. Daraus entstand eine gewisse Gemeinsamkeit der Ideen unter den Völkern, die die östliche Mittelmeerregion bewohnten. Es ist richtig, daß das Judentum, vor allem dank des Geistes des Pharisäismus, nicht sehr erschüttert wurde vom Sturzfluß hellenistischer Lehren. Aber auf der Ebene volkstümlichen Denkens und in einem größeren Ausmaß in der Diaspora waren unter den Juden Glaubensanschauungen verbreitet, die ebenso Verbreitung gefunden hatten in der umgebenden Welt der hellenistischen Kultur.

So herrschte der Glaube, daß Dämonen menschliche Übel verursachen, unter Juden und Griechen gleichermaßen, und damit verband sich eine Reihe von zugehörigen Vorstellungen in bezug auf die praktischen Mittel, dämonischer Macht zu begegnen und sie zu überwinden. Man nahm allgemein an, daß mit solcher Macht erfolgreich nicht umzugehen sei durch menschliche Anstrengungen allein ohne die Hilfe eines göttlichen Wesens, dessen Kraft man für größer hielt als die der Dämonen. Eine Annahme dieser Art liegt Paulus' Worten in Eph 6,10ff. zugrunde, wo er seine Leser ermahnt, stark zu sein in der Stärke des Herrn, weil ihre Kämpfe nicht Kämpfe mit Fleisch und Blut sind, sondern mit den Weltherrschern dieser Finsternis, den Geisterscharen des Verderbens in den himmlischen Orten. Der Apostel interpretiert hier die Vorstellung in einem streng ethischen Sinn; die erforderliche göttliche Macht ist verfügbar

---

[8] Vgl. E. Bevan, Hellenism and Christianity, London 1921, S. 91ff.

[9] Vgl. E. Meyer, a.a.O., Bd. 2, S. 353ff.

durch die Praktizierung eines tugendhaften Lebens oder durch die persönliche Erfüllung der sittlichen Forderungen Gottes. Aber im volkstümlichen Denken nahm man eher an, daß übernatürlicher Beistand gegen die Dämonen erlangt werden könne durch spezielle Kenntnis okkulter Wahrheiten oder durch geheimnisvolle magische Praktiken[10]. Unter diesen Voraussetzungen, seien ihre Methoden magisch oder rein ethisch, hat die Heilungskunst daher mit dem Übernatürlichen zu tun, und jede erfolgreiche Anwendung dieser Kunst auf einen bestimmten Fall ist ein Wunder, d. h. eine Handlung, die die Gegenwart der transzendenten Kraft eines göttlichen Wesens bezeugt, das durch den Arzt wirkt und die dämonische Ursache der Krankheit vertreibt. Solche Art der Interpretation zeigt sich in den Evangeliengeschichten von schnellen Heilungen ebenso wie in Wundererzählungen aus nichtchristlichen Quellen. Daher gehören diese Evangeliengeschichten zu einer Art von Literatur, die es auch außerhalb des Christentums gibt; und wie es wichtig ist, ihre Besonderheiten zu vermerken, ist es ebenso wichtig, die Natur ihrer allgemeineren Art zu bestimmen, indem man die grundlegenden Glaubensanschauungen ans Licht bringt, die sie voraussetzen, und die Motive und stilistischen Merkmale zu identifizieren, die sie durchgehend mit anderen Geschichten derselben Art teilen.

Die letztgenannte Aufgabe ist systematisch von den sogenannten Formgeschichtlern in Angriff genommen worden[11], und Dibelius' Studien führten ihn dazu anzunehmen, daß die folgenden neun Perikopen im Markusevangelium typische Wundergeschichten oder, wie er sie bezeichnet, „Novellen" sind: 1,40—45 (der Aussätzige); 4,35—41 (der Seesturm); 5,1—20 (der gerasenische[12] Dämonische); 5,21—43 (die

[10] Die Vorstellung, daß die Erfüllung der sittlichen Gebote Gottes Schutz gegen die Dämonen gewährt, findet man in rabbinischen Schriften; aber es wird auch angenommen, daß Amulette und Beschwörungsformeln wirksam sind. S. Strack-Billerbeck, Bd. 4, S. 527 ff.

[11] Vgl. vor allem M. Dibelius, Die Formgeschichte des Evangeliums, Tübingen³1959, S. 66 ff.; R. Bultmann, Die Geschichte der synoptischen Tradition, Göttingen 1931, S. 223 ff.

[12] Turner (A New Commentary on Holy Scripture, hrsg. von C. Gore u. a. London 1929, Teil 3, S. 66) meint, daß die Lesarten Gergesenes und Gadarenes in Mk 5,1 spätere Emendationen für Markus' unpassendes Gerasenes sind, weil Gerasa dreißig Meilen südöstlich vom Südende des Galiläischen Sees liegt. Ursprünglich

Erweckung des kleinen Mädchens[13] und die Blutflüssige); 6,35—44 (die Speisung der Fünftausend[14]); 6,45—52 (das Seewandeln); 7,32—37 (der Taubstumme); 8,22—26 (der Blinde von Bethsaida); 9,14—29 (der epileptische Knabe mit dem stummen Geist). Dibelius unterscheidet die Novellen von den „Paradigmen", d. h. Modellgeschichten, die in einem wichtigen Ausspruch Jesu gipfeln; erstere beschäftigen sich mit Jesus dem Wundertäter, letztere mit Jesus dem Lehrer. Es gibt auch formale Unterschiede, die man beachten muß. Die Novellen sind reicher an beschreibendem Detail als die Paradigmen und weniger erhaben im Grundton. Wenn ihr Inhalt ein Fall von wunderhafter Heilung ist, enthalten sie üblicherweise eine Beschreibung der Krankheit, einen Bericht über die Technik der Heilung und eine Demonstration der Gesundung des Patienten.

Indem Dibelius diese neun Novellen aus dem Markusevangelium auswählt, trägt er den stilistischen Charakteristika der Geschichten voll Rechnung, und das erklärt seine Ausscheidung kurzer Berichte (wie Mk 1,29—31 — die Heilung der Schwiegermutter des Petrus) und sekundärer Kompositionen (wie Mk 8,1—9 — die Speisung der Viertausend) und die große Mannigfaltigkeit der von ihm ausgewählten Geschichten in bezug auf ihren Inhalt. So erwähnt die Geschichte vom Blinden von Bethsaida keine Ursache der Blindheit (dämonisch oder anderswie), während die Geschichte vom gerasenischen Dämonischen einen Exorzismus beschreibt. Drei der neun Novellen haben nichts mit Heilkunst zu tun,

---

mag die Geschichte (vgl. 5,14) gar keinen Ortsnamen enthalten haben; vgl. Dibelius, ebd., S. 69 Anm. 1; ebenso meine Analyse der Perikope in: Studia Theologica 11 (1957), S. 159 ff.

[13] In Mk 5,22 sind die Wörter „mit Namen Jairus" von D ausgelassen. Sie können in den markinischen Text von einem Abschreiber eingefügt worden sein, der Lk 8,41 im Kopf hatte. Der Name Jairus erscheint nicht in der Matthäus-Parallele (Mt 9,18). Vgl. Bultmann, ebd., S. 230, 256 f.

[14] „Die Geschichte von der Speisung der Viertausend Mk 8,1—9 ... hat ... als Abkürzung zu gelten. Überdies läßt sich die Abhängigkeit dieser Erzählungsform von der Speisungsnovelle wahrscheinlich machen. ... Es ist also gut möglich, daß der Evangelist selbst, weil er von der ‚Novelle' abweichende Zahlen über das Speisungswunder in Umlauf fand, eine zweite Form der Speisungsgeschichte schuf, um diese Zahlen unterzubringen" (Dibelius, ebd., S. 75 Anm. 1). Vgl. Mk 8,14—21.

nämlich die Berichte von der Sturmstillung, der Speisung der Fünftausend und dem Seewandel. Die Inhalte dieser Art von Geschichten
werden oft als Naturwunder bezeichnet im Unterschied zu den Heilungswundern. Aber die Geschichte vom Seewandel ist in ihrem Charakter
sehr verschieden von den Berichten über die Sturmstillung und die wunderbare Brotvermehrung; sie handelt von einer Art Erscheinung, und die
übernatürliche Handlung wirkt auf den Wundertäter selbst ein wie bei
der Verklärung oder den Auferstehungserscheinungen. Der Bericht von
der Sturmstillung mit seinem πεφίμωσο (Mk 4,39; vgl. das φιμώθητι
von Mk 1,25) scheint eine Form von Exorzismusgeschichte zu sein; der
Wind wird gescholten, als ob er ein Sturmdämon wäre, der sich zeitweilig
des Sees bemächtigt hat. Weiterhin ist eine Novelle eine typische Wundergeschichte, zum Teil, weil es ihr Hauptzweck ist, den wunderhaften
Charakter der beschriebenen Handlung hervorzuheben. Aber in dem Bericht über die Reinigung des Aussätzigen scheint das Wundermotiv, obwohl vorhanden, der apologetischen Absicht untergeordnet zu sein, zu
zeigen, daß Jesus in Übereinstimmung mit dem Gesetz Moses handelt[15];
und die Geschichte zeigt kein vergnügliches Interesse an der ins einzelne
gehenden Beschreibung unbedeutender Sachen. Daher kann man durchaus meinen, daß es ebenso viele (wenn nicht mehr) Gründe dafür gibt,
diese Geschichte von der Liste der Novellen zu streichen, wie dafür, eine
Geschichte wie die in Mk 1,23—27 zu streichen.

Dibelius bestreitet nicht die Wichtigkeit der inhaltlichen Würdigung
der Geschichten, und er erörtert durchgehend ihre Themen. Aber er
neigt dazu, die Betonung auf stilistische Kriterien zu legen, und so hin-
terläßt er uns im Endergebnis eine Liste von Novellen, die im Interesse
der Klarheit nach den Grundideen, die sie darstellen, geordnet werden
müssen. Wie wir schon vorgeschlagen haben, ist eine Wundergeschichte
im weitesten Sinne die Art von Erzählung (mündlich oder schriftlich), die
ein unübliches oder aufregendes Ereignis berichtet um der übernatürlichen Erklärung willen, die es zu fordern scheint; und diese Art von Erklärung findet man in der Vorstellung eines transzendenten Wesens, das in

---

[15] Solche Absicht trifft besonders vorzüglich zu im Blick auf die Auseinandersetzungen, die in Mk 2,1 ff. folgen. Vgl. meinen Aufsatz: L'antisemitisme dans
l'évangile selon Saint Marc, in: La revue de l'histoire des religions 154 (1958),
S. 10—31.

die Sphäre der normalen Erfahrung eindringt und das in Frage stehende unübliche Ereignis verursacht. Verschiedene Geschichten stellen die Weise solcher übernatürlicher Handlung auf verschiedene Art dar, und die Hauptarten von Wundergeschichten können von diesem Gesichtspunkt aus leicht unterschieden werden. So kann die Handlung sich durch menschliche Vermittlung ereignen, oder auch nicht. Die Auferstehung z. B. fand offensichtlich durch eine direkte Handlung Gottes statt (vgl. Gal 1,1; Apg 3,24), während in den typischen Wundergeschichten der Evangelien göttliche Macht vermittelt wird durch die Person Jesu. Man sollte jedoch beachten, daß es im Urchristentum ebenso wie im weiteren Bereich hellenistischer Religion eine Tendenz gab, die Idee der Vermittlung in der der Identität aufgehen zu lassen, so daß wunderhafte Taten von einem Individuum nicht bloß erzählt werden konnten, um zu zeigen, daß er ein Werkzeug einer transzendenten Macht war, sondern um nachzuweisen, daß er in Wirklichkeit ein göttliches Wesen war[16]. Vorausgesetzt, dieser Punkt bleibt beachtet, kann man dennoch feststellen, daß die Novellen normalerweise zu der Art von Wundergeschichten gehören, die göttliche Handlung in Begriffen menschlicher Vermittlung darstellen. Ferner kann vermittelte oder unvermittelte göttliche Handlung dargestellt werden als Behebung dessen, was für die dämonische Ursache einer verderblichen Folge gehalten wird, oder auch nicht. Damit kommen wir zu der Unterscheidung zwischen Exorzismusgeschichten und Geschichten ohne Exorzismus, und wenn wir weiter Heilungswunder von Naturwundern unterscheiden, sieht man, daß jede dieser beiden Arten aus zwei Unterarten besteht. So stellen die Geschichte vom gerasenischen Dämonischen und die Geschichte von der Sturmstillung die Unterarten der Exorzismusgeschichten dar, und die Geschichte von der Blutflüssigen und die Geschichte von der Speisung der Fünftausend stellen die Unterarten der Geschichten ohne Exorzismus dar. Es ist interessant zu beobachten, daß in 1,34; 3,10—11; 6,13 ganz offenkundig der zweite Evangelist selber die Unterscheidung zwischen Exorzismusgeschichten und Geschichten von wunderhafter Heilung anderer Art hervorheben will. Daß diese drei Passagen von Markus selber stammen, kann kaum bezweifelt werden. Sie alle gehören zu summarischen Abschnitten des Evangeliums. In 1,34 und 3,7—12 begegnen uns allgemeine Aussagen

---

[16] Vgl. Dibelius, a. a. O., S. 93.

über das Werk des Herrn, und in 6,12 f. wird der Bericht von der Aussendung der Zwölf mit einer summarischen Beschreibung ihrer missionarischen Aktivitäten abgeschlossen. Nach Ansicht des Evangelisten kann es daher sein, daß einige Krankheiten unter Anwendung von Methoden des Exorzismus geheilt werden, während andere eine andere Art von Behandlung erfordern; und vielleicht bedeutet dies, daß Krankheiten in zwei Arten fallen, nämlich die, die durch dämonische Besessenheit verursacht sind, und die, die andere Ursachen haben. Aber die Angaben reichen nicht aus, mehr als eine versuchsweise Beurteilung der Sache zu erlauben. Aus Mk 9,17—18; 9,20—22; 9,25 entnehmen wir, daß der Evangelist so verschiedene Arten von Leid wie Stummheit, Taubheit und Epilepsie als von einem einzigen unreinen Geist verursacht ansehen konnte. Auf den ersten Blick scheint die Geschichte vom Taubstummen nicht die dämonische Pathologie zu enthalten, aber vielleicht ist, wie Deissmann gezeigt hat[17], der Ausdruck „das Band seiner Zunge war gelöst" (Mk 7,35) nicht bildhaft, sondern bedeutet, daß der Patient von den Fesseln des Dämons befreit worden ist, der für sein Leiden verantwortlich war.

An diesem Punkt sollten bestimmte wichtige Merkmale der Novellen erwähnt werden[18]. Die Größe des Wunders, und damit die Größe des Wundertäters, wird durchgehend betont durch den Bericht von der Schwere oder langen Dauer der Krankheit oder der Unfähigkeit anderer, sie zu heilen. Dieselbe Art von Motiv kann man in der Geschichte von der Auferweckung des kleinen Mädchens entdecken, wo die Leute Jesus auslachen zum Spott über seine Annahme, daß das Mädchen in Wirklichkeit schläft[19]; d.h., das Wunder wird (wie in manchen der Berichte aus Epidaurus) eindrücklicher gemacht, indem man es vor den Hintergrund der spöttischen Skepsis der Leute stellt. Manchmal wird der tatsächliche

---

[17] S. sein Buch › Licht vom Osten‹, Tübingen [4]1923, S. 258 ff.

[18] Für ins einzelne gehende Verweise auf jüdische und hellenistische Wunderliteratur vgl. Bultmann, a.a.O., S. 236 ff., 247 ff.

[19] Mk 5,39 f. Die Vorstellung hinter Jesu Aussage ist nicht, daß er fähiger als die anderen Leute ist, Scheintod von wirklichem Tod zu unterscheiden, denn er hat das Kind noch nicht gesehen. Die Bedeutung ist vielmehr die, daß er, der schon um das Wunder weiß, das er vollbringen wird, den Todeszustand des Kindes als eine zeitweilige Bedingung wie Schlaf ansehen kann. Einige meinen, die Geschichte sei abhängig von der verwandten in Apg 9,36—43 (Wiedererweckung der Tabitha).

Prozeß der Heilung dargestellt, als ob er eine zu heilige Sache wäre, als
daß das allgemeine Publikum Zeuge sein dürfte (vgl. Mk 5,40; 7,33;
8,23). Die Beibehaltung aramäischer Formeln in Mk 5,41; 7,34 illustriert
den weitverbreiteten Glauben an die besondere Wirksamkeit eso-
terischer Äußerungen, die aus fremden oder unverständlichen Wörtern
bestehen[20]. Und Formeln dieser Art wie das Stück Anweisung, das in Mk
9,29 erhalten ist, können überliefert worden sein zu dem Zweck, christlichen Exorzisten praktische Anleitung zu bieten. Wir lernen bei Josephus,
daß jüdische Exorzisten Beschwörungsformeln zu gebrauchen pflegten,
von denen man glaubte, daß sie von König Salomo an überliefert worden
seien[21], und dies kann durchaus in der christlichen Tradition eine Parallele
haben. Zu den anderen bemerkenswerten Merkmalen gehören: die
Vorstellung der Übertragung von Kraft durch Berührung, die Idee, daß
man Autorität und Kontrolle über ein Individuum durch Kenntnis seines
Namens erlangt, die Geste der Handauflegung, der Gebrauch von Speichel als Medizin, der Akt des Aufblicks zum Himmel und das Ausstoßen
von Seufzern. Es ist typisch für eine Novelle, daß sie ihren Abschluß in
der Erzählung von etwas findet, das als Demonstration der Tatsächlichkeit des Wunders dient. So wird in Mk 5,13 durch einen Bericht über ihr
Eingehen in die Schweine gezeigt, daß die vielen Dämonen den Gerasener verlassen haben, und Mk 5,43 soll man vielleicht so verstehen, daß
ein Individuum, das wirklich wieder zum Leben erweckt worden ist (und
nicht länger ein bloßer Schatten oder Geist), materielle Nahrung braucht
(vgl. Lk 24,41—43). Aber manchmal, wie auch im Falle verschiedener
Paradigmen, wird eine Novelle durch einen kollektiven Ausruf von seiten
der Zuschauer abgerundet, die erregt worden sind durch die übernatürliche Tat des Wundertäters.

Die Novellen der Evangelien sind daher vor allem mit Jesus dem
Thaumaturgen befaßt, und in ihnen ist religiöser Glaube dargestellt in
der Form impliziten Vertrauens in die Macht Jesu, wunderhafte Taten
zu vollbringen. Wie wir zu Beginn dieser Überlegungen gezeigt haben,
war solches Vertrauen verbunden mit der fundamentalen apostolischen
Lehre von der willentlichen Erniedrigung des Messias. Er, der gekreuzigt

[20] Vgl. Lukians ῥῆσις βαρβαρική (Philopseudes 9) und Strack-Billerbeck,
Bd. 4, S. 532f.
[21] S. antiqu. 8,2,5.

worden war, war der Messias, und Beweis seiner göttlichen Macht war in
seinen übernatürlichen Taten zu finden. Daher hatten die Novellen, die
von diesen Taten handelten, eine wichtige lehrmäßige Funktion im
Leben der Urkirche zu erfüllen. Aber sie hatten ebenfalls eine eher direkt
praktische Rolle zu spielen, denn die apostolische Kirche pflegte die Heilkunst und hatte ihre Wundertäter (vgl. 1 Kor 12, 28). Die Novellen beschrieben den Meisterheiler am Werk, boten Rat in bestimmten Punkten
der Technik, und vor allem unterstrichen sie die Wichtigkeit des Vertrauens auf die Wirkungskraft des göttlich anerkannten Wundertäters. Aber
es ist nicht anzunehmen, daß die Novellen die innere Haltung der
Patienten Jesu berücksichtigen und ihren Glauben an seine Macht darstellen, als ob das eine psychologische Voraussetzung für sein Vollbringen
von Heilungswundern wäre. Z. B. wird in Mk 5,36 der Synagogenvorsteher ermahnt zu glauben, die Haltung der Patientin aber kann gar nicht
in Frage stehen, da sie schon tot ist; und in Mk 9,23 ist es der Vater des
epileptischen Knaben, nicht der Knabe selber, dem gesagt wird, daß alles
möglich ist für den, der glaubt. In den Novellen, so muß man sagen,
scheinen die Wunder Jesu notwendiger Ausdruck seiner wirklichen Natur
zu sein; er strahlt übernatürliche Kraft aus, so wie die Sonne Licht aus-
strahlt, und wenn ihm auch Vertrauen gebührt, so ist das doch keine
äußere Bedingung, die seine machtvollen Taten erst möglich macht. Dennoch wird man annehmen dürfen, daß man bei der tatsächlichen Praktizierung der Heilkünste in der Kirche solches Vertrauen als erforderlich für
ihre erfolgreiche Anwendung erkannte. Wo kein Glaube an die Zuverlässigkeit der kirchlichen Ansprüche und Methoden war, werden christliche
Wundertäter wenig Erfolg gehabt haben; und in den apostolischen Gemeinden selber wird es eine Tendenz gegeben haben, daß Wunder pro-
portional zur Intensität des bestehenden Glaubens an ihre Möglichkeit
zunahmen. Daher werden Worte, die die Wichtigkeit des Glaubens unterstrichen, einen praktischen Wert im Leben der apostolischen Kirche
gehabt haben, und das hilft, die Bewahrung solcher Worte nicht nur in
den Novellen, sondern anderwärts in den Evangelien zu erklären. Darüber hinaus können diese Überlegungen ein Licht werfen auf die Bedeutung von Mk 6,5 f. Diesen Abschnitt hat man für früh und historisch
glaubwürdig gehalten aus dem Grund, daß er sich stößt mit dem vorherrschenden Glauben (beispielhaft in den Novellen) an den überlegenen
Charakter von Jesu Kraft, Wunder zu vollbringen. Aber abgesehen

davon, ob der Bericht früh oder spät angesetzt werden muß, ist kaum anzunehmen, daß er in den Evangelienüberlieferungen als Ausdruck der relativen Ohnmacht Jesu erhalten geblieben ist. Vielmehr konnte er dazu dienen, den Unglauben unter Jesu Landsleuten zu betonen, der sie hinderte, die Segnungen, deren die Gläubigen sich erfreuen, zu erhalten. Daher scheint es, daß Mk 6,5 f. sich nicht mit der übernatürlichen Kraft Jesu als solcher befaßt, sondern als Illustration der Entbehrungen gemeint ist, die aus Unglauben entstehen. Vielleicht bezieht sich das vor allem auf jüdischen Mangel an Glauben, in welchem Falle die vorliegende Form des Berichts manches der enttäuschenden Erfahrung christlicher Missionare bei ihrem erfolglosen Werk unter den Juden verdanken mag[22].

Es ist nicht unmöglich, daß die apostolischen Gemeinden in bestimmten Fällen tatsächlich Wundermotive oder gar ganze Novellen aus nichtchristlichen Quellen übernahmen und sie mit geringen Veränderungen auf Jesus übertrugen. Denn Wundergeschichten verschiedener Art waren in der Umwelt weit verbreitet[23]. Allgemein nahm man an, daß Religion ebenso Gesundheit für den Körper wie Rettung für die Seele bieten sollte; und entsprechend der gängigen jüdischen Erwartung würden, wenn die Tage des Messias kämen, Wunder vollbracht werden, Krankheit und Tod würden aufhören zu existieren, und die Macht der Dämonen würde endgültig gebrochen[24]. Aber der Einfluß äußerer Bedingungen dieser Art auf die Entwicklung der Evangelienüberlieferungen kann leicht überschätzt werden. Die Kirche, wie Paulus sie kannte, bestand bereits aus charismatischen Gemeinden, die ihre transzendente Kraft und Inspiration der Person Jesu, des Messias, zuschrieben; und der Glaube, daß Jesus Wunder tat, findet seinen Ausdruck nicht nur in den Novellen, sondern ebenso in den Paradigmen und in verschiedenen in Q erhaltenen Worten und Gleichnissen. Solch eine Gemeinschaft mit solch einer Orientierung, so behaupten wir, könnte nicht so schnell entstanden sein

[22] Vgl. A. Fridrichsen, Le problème du miracle dans le Christianisme primitif, Strasbourg 1925, S. 51 ff.

[23] Vgl. Deissmann, a. a. O., S. 330.

[24] Vgl. Jes 61,1; 4 Esr 13,50 („Dann wird er ihnen noch viele große Wunder zeigen"); TSeb 9,8 („und Heilung und Barmherzigkeit sind unter seinen Flügeln. Er selbst wird alle gefangenen Menschenkinder von Beliar erlösen"); und Strack-Billerbeck, Bd. 1, S. 593 ff.

durch einen bloßen Prozeß des Borgens von Ideen aus fremden Quellen, sondern muß ihren historischen Ursprung in der Tatsache haben, daß Jesus tatsächlich wunderbare Taten vollbracht hatte, die als Beweis seiner übernatürlichen Kraft genommen wurden, oder, um Ottos Terminologie zu verwenden[25], als Zeichen der gegenwärtigen Wirkung des hereinbrechenden Reiches.

Dementsprechend scheint es keinen triftigen Grund zu geben zu bezweifeln, daß Jesus mit bemerkenswertem Erfolg als ein Täter wunderhafter Heilungen aufgetreten ist oder daß im allgemeinen die Novellen der Evangelien eine glaubwürdige historische Grundlage haben. Wunderheilungen finden ja sogar heute in Lourdes statt, nicht viel anders als sie im antiken Epidaurus stattzufinden pflegten. Neuere Untersuchungen haben gezeigt, daß der Geist große Macht über körperliche Prozesse ausübt und daß das Vertrauen eines Patienten in die Heilmittel, zu denen er seine Zuflucht nimmt, ein wichtiger Faktor bei der Wiederherstellung seiner Gesundheit ist. Wo solches Vertrauen da ist, ist der Geist beeinflußbar für Gesundheitsvorstellungen; werden sie akzeptiert, neigen solche Vorstellungen dazu, dynamische Überzeugungen zu werden, die im Patienten als eine zur Genesung beitragende Kraft wirken. Auf diese Weise (ohne Gebrauch irgendeines Medikaments) können bemerkenswerte Heilungen erzielt werden, vor allem in Fällen psychogener Krankheit. Zugegeben, psychologische Heilungsmethoden sind sogar in Fällen, die ganz offensichtlich psychogener Art sind, nicht immer erfolgreich; aber sie sind mit sehr viel geringerer Wahrscheinlichkeit erfolgreich, wenn sie auf physiogene Fälle angewendet werden. Es ist auch wichtig festzustellen, daß Anhänger eines jeden bestimmten Vertreters der geistigen Heilkunst eine natürliche Tendenz haben, seine Erfolge zu berichten und seine Fehlschläge zu übergehen. Daher wird man aus allgemeinen Gründen erwarten können, daß die Grundschicht jeder Sammlung von Berichten über wunderhaftes Heilen zum größten Teil aus Geschichten besteht, die von psychogenen Krankheiten handeln. Was die Krankheiten angeht, die in den Evangeliengeschichten erwähnt werden, scheint es, daß sie alle nervlich oder psychisch bedingt sein können[26]. So können unter der Überschrift der Dämonenbesessenheit Schizophrenie oder ver-

---

[25] S. Reich Gottes und Menschensohn, München 1934, S. 83, 106 u. ö.
[26] Vgl. F. Fenner, Die Krankheit im Neuen Testament, Leipzig 1930, S. 42 ff.

schiedene Formen von Wahnbesessenheit laufen; Blutfluß bei Frauen kann verursacht sein durch Hysterie; Blindheit, Taubheit und Stummheit sind nicht selten psychogener Natur; und es scheint, daß es eine seltene Form von Aussatz gibt (vitiligo), die nervlich bedingt ist[27]. Im ganzen scheint es daher begründet anzunehmen, zum ersten, daß bemerkenswerte Erfolge bei der Behandlung von Fällen psychogener Krankheit normalerweise die faktische Grundlage für das Ansehen eines Wundertäters ausmachen, und zum zweiten, daß die Berichte von solchen Erfolgen normalerweise den Kern einer Sammlung bilden, die dazu neigt, sich im Laufe der Zeit auszuweiten, zum Teil durch Hereinnahme von Geschichten eines anderen Typs — wie z. B. Geschichten von Naturwundern[28].

[27] Vgl. Otto, a. a. O., S. 298; E. R. Micklem, Miracles and the New Psychology, Oxford 1922, S. 43 ff.

[28] Zwei Arbeiten, auf die ich in diesem allgemeinen Zusammenhang verweisen möchte: S. V. McCasland, By the Finger of God: Demon-Possession and Exorcism in Early Christianity, New York 1951; und R. M. Grant, Miracle and Natural Law in Graeco-Roman and Early Christian Thought, Amsterdam 1952. Für eine aufschlußreiche psychologische Interpretation eines bemerkenswerten modernen Falles von Dämonenbesessenheit vgl. A. Huxley, The Devils of Loudun, London 1952.

Medicus Viator. Fragen und Gedanken am Wege Richard Siebecks. Eine Festgabe seiner Freunde und Schüler
zum 75. Geburtstag. Hrsg. v. P. Christian u. D. Rössler. Tübingen: J. C. B. Mohr (Paul Siebeck)/Stuttgart:
Georg Thieme 1959, S. 331—361.

DIE HEILUNGEN JESU UND MEDIZINISCHES DENKEN

Von RUDOLF und MARTIN HENGEL

I. Die Ärzte in Palästina zur Zeit Jesu

In dem Bericht des Lukas über das erste Auftreten Jesu in seiner Heimatstadt Nazareth charakterisiert Jesus selbst die Einstellung seiner Landsleute ihm gegenüber:

„Gewiß werdet ihr mir jenes Sprichwort sagen: ‚Arzt, hilf dir selbst; jene Taten,
die, wie wir gehört haben, in Kapernaum geschehen sind, tue auch hier in deiner
Heimatstadt‘ “ (Lk 4,23).

Es ist dies die einzige Stelle in den Evangelien, wo Jesus — im eigentlichen Sinne des Wortes — Arzt genannt wird, und auch hier geschieht es
nur indirekt über ein damals wohl verbreitetes Spottwort[1]. Das Wort
Jesu: „Die Gesunden bedürfen des Arztes nicht" (Mk 2,17), bezieht sich
nicht auf seine heilende Tätigkeit und gehört darum nicht in diesen
Zusammenhang. Erst in der späteren kirchlichen Überlieferung finden
wir die Bezeichnung Jesu als Arzt häufiger[2].

---

[1] Ein „Hohnwort auf den Arzt, der sich nicht selbst helfen kann", s. J. Hempel,
„Ich bin der Herr, dein Arzt", ThLZ 82 (1957), Sp. 824. — Aus dem rabbinischen
Judentum wird uns ein ähnliches Sprichwort überliefert: „Arzt, heile deine eigene
Lahmheit", Gen. rab. 23,4 s. Strack-Billerbeck, Kommentar z. Neuen Testament
aus Talmud und Midrasch. München 1922ff., III, S. 156 (zu Lk 4,23). — Zu Bei-
spielen aus dem hellenistischen Bereich s. A. Oepke, ThW III, S. 204, 35ff.;
E. Klostermann, HNT: Das Evangelium des Lukas. Cicero (ad. fam.) IV, 5,5:
Malos medicos qui in alienis morbis profitentur tenere se medicinae scientiam, ipsi
se curare non possunt.

[2] Ignatius, an die Epheser 7,2: εἷς ἰατρός ἐστιν. σαρκικός τε καὶ
πνευματικός „Einen Arzt gibt es, für den Leib und für den Geist ..." Weitere
Beispiele aus der urchristlichen Literatur s. J. Ott, Die Bezeichnung Christi als
ἰατρός in der urchristlichen Literatur, Der Katholik 90 (1910), S. 457ff.; A. v.

Diese urchristliche Zurückhaltung in der Bezeichnung Jesu als „Arzt"
wird sehr wohl verständlich, wenn man berücksichtigt, mit welcher Skepsis, ja Ablehnung der Arzt von jüdischen Kreisen jener Zeit beurteilt wurde: Schon das im 4. Jh. v. Chr. entstandene Chronikbuch wirft dem
König Asa von Juda vor, daß er bei seinem schweren Fußleiden „nicht
Jahwe, sondern die Ärzte" gesucht habe (2 Chr 16,12). Daneben tritt
auch im Alten Testament der Spott über den erfolglosen Arzt; so etwa in
dem Wortspiel Hiob 13,4: „Ihr aber seid lügnerische Schmierer (ṭofᵉlē
šäqär), trügerische Ärzte (rōfᵉʾē ʾᵃlil) allesamt."[3]

Diese doppelte Zurückhaltung gegenüber den Ärzten, einerseits durch
religiöses Mißtrauen, andererseits wohl auch durch schlechte Erfahrungen
bedingt, läßt sich im Judentum auch für die folgende Zeit immer wieder
beobachten. Im Buch Tobias finden wir die resignierte Feststellung des
an den Augen erkrankten Vaters (2,10):

„und ich ging zu den Ärzten und sie konnten mir nicht helfen".

(So die Codd. Vaticanus und Alexandrinus; der Sinaiticus drückt sich noch schär-
fer aus: „Und ich ging zu den Ärzten, um geheilt zu werden; je mehr aber sie
mich mit Arzneien salbten, desto mehr erblindeten meine Augen durch die wei-
ßen Flecken [λευκώματα], bis sie die Sehkraft völlig verloren hatten.")

Auch Sirach beurteilt trotz seines „Lob des Arztes" (s. S. 343) die ärztliche
Kunst nicht sehr zuversichtlich: „Ein wenig Krankheit bringt den Arzt
außer Fassung; heute König, morgen tot…" (Sir 10,10), und sein
bekanntes „Lob des Arztes" beschließt er: „Wer vor seinem Schöpfer
sündigt, wird den Händen des Arztes preisgegeben" (Sir 38,15). Selbst
Philo, der aufgeklärte und gebildete jüdische Religionsphilosoph in Alexandrien, wendet sich gegen diejenigen:

„welche Gott, dem Retter, nicht fest vertrauen und sich zuerst zu kreatürlichen
Hilfsmitteln flüchten: Ärzten, Kräutern, gemischten Arzneien, ausgeklügelter

---

Harnack, Die Mission und Ausbreitung des Christentums, Bd. I, 1924, 4. Aufl.,
S. 129ff.; A. Oepke, a. a. O., S. 215. Auch konnte Gott als „Arzt" bezeichnet
werden (Philo, de spec. leg. II, 31 ed. Mangey 2, S. 275; Diognetbrief 9,6). Viel-
leicht geschieht dies in Antithese zu Asklepios, dem „wahrhaftigen Arzt". Bei
Jesus mag im griechischen Bereich auch der Gleichklang ἰᾶσθαι — Ἰησοῦς die
Bezeichnung als Arzt begünstigt haben (A. Oepke, a. a. O., S. 199, 40ff. und
S. 215, Anm. 66).

[3] Vgl. J. Hempel, a. a. O., Sp. 824, Anm. 105.

Diät und anderen Hilfsmitteln des sterblichen Geschlechts. Wenn aber einer sagen sollte: ‚Fliehet, Törichte, zu dem einzigen Arzt für die Krankheiten der Seele und lasset die trügerische Hilfe der wandelbaren Kreatur fahren!', so rufen sie unter Spotten und Lachen: ‚dies hat morgen noch Zeit!'"[4]

Ebenso begegnet uns diese kritische Haltung im Neuen Testament; z. B. wenn Markus von der blutflüssigen Frau sagt (5,26):

„und sie hatte viel erlitten von vielen Ärzten und ihr ganzes Vermögen zugesetzt, aber keinen Erfolg damit gehabt, vielmehr war sie immer elender geworden."[5]

Es ist wohl kein Zufall, daß Lukas, der Arzt[6], dieses scharfe Urteil abmildert (8,43):

„welche ihr ganzes Vermögen für Ärzte aufgewendet hatte, aber von keinem geheilt werden konnte."

Die in der rabbinischen Überlieferung empfohlenen Mittel gegen den „Blutfluß" lassen die Skepsis des Evangelisten gegen die Kunst der zeitgenössischen Ärzte verständlich werden[7].

Auch im Judentum der nachchristlichen talmudischen Zeit scheint sich die äußerst skeptische, ja schroffe ablehnende Stellung zu den Ärzten kaum geändert zu haben:

„Der Beste unter den Ärzten verdient die Gehenna und der Ehrlichste unter den Schlächtern ist ein Gesellschafter Amaleks."[8] „Rabh sprach zu R. Asi: ‚Wohne nicht in einer Stadt, in der kein Pferd wiehert und kein Hund bellt. Wohne

---

[4] De sacrificiis A. et C. 70 (ed. Mangey 1, S. 176).

[5] Zum Versagen der Ärzte als einem typischen Zug der antiken Wunderheilungen vgl. O. Weinreich, Antike Heilungswunder, 1909, S. 195—197.

[6] Der Arzt Lukas (wohl verkürzt aus Lukanus), vermutlich der Verfasser des 3. Evangeliums und der Apostelgeschichte, wird im N.T. nur als Mitarbeiter des Heidenapostels Paulus erwähnt (Kol 4,14; 2 Tim 4,11; Phlm 24) und hatte den ärztlichen Beruf wohl schon vor seiner Bekehrung inne. Wahrscheinlich war er kein Jude, sondern Grieche aus Antiochia am Orontes. Vgl. P. Feine, J. Behm, Einleitung in das N.T., 9. Aufl. 1950, S. 65 ff., 73 ff.

[7] Bill, I, S. 520.

[8] Mischna Kidd. 4,14 (Übers. n. L. Goldschmidt, Der babylonische Talmud, 1929, VI, S. 797). Die Tradition stammt von Rabbi Schaul (gest. 247 n. Chr.).

nicht in einer Stadt, deren Vorsteher ein Arzt ist...' "[9] „Rabh sprach zu seinem Sohne Chija: ‚Trinke keine Medikamente. Springe nicht über Flüsse. Lasse dir keinen Zahn ziehen. Reize keine Schlange und keinen Aramäer'."[10]

Die schöne jüdische Sitte, für die verschiedenen Situationen des Lebens ein Gebet zu formulieren, illustriert in einem Falle auch das geringe Zutrauen zum Handeln des Arztes:

„Wer sich zur Ader lassen geht, spreche: Möge es dein Wille sein, o Herr, mein Gott, daß mir diese Handlung zur Genesung diene und heile mich, denn du, o Gott, bist der wahre Arzt, und deine Heilung ist eine wirkliche."

Fast entschuldigend wird noch hinzugefügt:

„Die Gewohnheit der Menschen, sich heilen zu lassen, erfolgt nur deshalb, weil es so Brauch ist."[11]

Diese starke Zurückhaltung des Judentums gegenüber dem ärztlichen Beruf in früherer Zeit steht dabei ganz im Gegensatz zur hervorragenden Bedeutung jüdischer Ärzte in der arabischen Welt und im Mittelalter. Der größte jüdische Gelehrte des Mittelalters, *Moses Maimonides* (1135 bis 1204 n.Chr.), war z.B. ein hochangesehener Arzt[12].

Die jüdische Skepsis gegenüber dem Beruf des Arztes während der hellenistisch-römischen Epoche mag zu einem großen Teil in der mangelnden Ausbildung des ärztlichen Standes begründet gewesen sein: die ärztliche Kunst war damals noch sehr stark mit Zauberwesen durchsetzt. Dies hängt damit zusammen, daß als Ursache bzw. Urheber der Krankheit häufig Dämonen angenommen wurden[13]. So begegnen uns mehrfach jüdische Magier im Neuen Testament, am bekanntesten ist wohl der Samaritaner Simon (Apg 8,9ff.; s.a. Apg 13,6; 19,13ff.). Auch der christliche Platoniker Celsus (ca. 178 n.Chr.) erhebt gegen die Juden den

[9] bab. Pes. 113a (Übers. n. L. Goldschmidt, a.a.O., II, S. 655ff.). Rabh war der erste große Lehrer der Judenschaft Babyloniens, s. H. Strack, Einleitung in Talmud und Midrasch, 5. Aufl., 1921, S. 136ff.

[10] bab. Pes. 113 a (Übers. n. L. Goldschmidt, a.a.O., S. 655ff.); s. auch A. Oepke, a.a.O., S. 202.

[11] bab. Berach. 60a (Übers. n. L. Goldschmidt, a.a.O., I, S. 270).

[12] F. Heman, Geschichte des jüdischen Volkes, 2. Aufl., 1908, S. 181.

[13] J. Hempel, a.a.O., Sp. 817ff.; W. Bousset, H. Greßmann, Die Religion des Judentums, 3. Aufl. 1926, S. 338ff.; W. Förster, ThW II, S. 12ff.

Vorwurf, sie hätten eine besondere Vorliebe für die Zauberei[14]. Erschwerend für die jüdische Medizin war auch die Unkenntnis der inneren Organe des Menschen. Eine wissenschaftliche Anatomie wurde durch die rituelle Unreinheit der Leichen nahezu unmöglich gemacht. Hiervon wurden zunächst die Priester betroffen (Lev 21, 1—3), bei denen ja in erster Linie die Pflege des Heilwesens lag (Lev 13)[15]. Nur über gewisse Spezialgebiete, etwa über die Geschlechtsorgane oder Hauterkrankungen (Aussatz!), wußte man aus kultischen Gründen wohl besser Bescheid. In neutestamentlicher Zeit wurde durch das Bestreben des Pharisäismus, die Forderung nach levitischer Reinheit auch auf die Laien und das Alltagsleben auszudehnen, die Scheu vor Verunreinigung durch Leichname noch vermehrt[16].

Die alttestamentliche Vorstellung, daß Krankheit und Tod Gottes Strafe seien[17], hat ebenfalls daran mitgewirkt, daß der profanen Medizin so wenig Bedeutung beigemessen wurde. Erst im Hiobbuch wird die Gleichsetzung von Krankheit mit Strafe überwunden. Trotzdem hielt das Judentum z. Z. Jesu ungebrochen an der alten Anschauung fest, ja, man hatte sie noch weiter ausgebildet. Die Rabbinen gingen teilweise so weit, daß sie für die einzelnen Krankheiten jeweils ganz bestimmte Sünden als Ursache angaben[18]. Daß Jesus dieses „Zentraldogma des Judentums"[19] ablehnte, zeigt seine Antwort auf die Frage seiner Jünger (Joh 9,2—5).

Nach alledem ist es ohne weiteres verständlich, daß beim Judentum der Antike die Heilung der Krankheit weniger auf profane Weise über die Kunst des Arztes als vor allem durch religiöse Mittel, durch Gebet oder durch Schuldopfer und Gelübde — das heißt durch die Versöhnung des Zornes Gottes — erfolgen mußte[20]. Im ganzen Alten Testament wird

---

[14] Origenes c. Celsum 1 26. — Eine ausführliche Darstellung gibt Bill. IV, S. 501 bis 535. Zu den Dämonen als Erregern von Krankheiten s. S. 524 ff.

[15] J. Hempel, a. a. O., Sp. 811.

[16] Mischna Kelim 1,1; Ahilut 1,1—4 „Mensch und Geräte werden durch einen Toten unrein" (L. Goldschmidt, a. a. O., XII, S. 655).

[17] Gen 3,16; 38,7 u. 10; Nu 11,33 ff.; 25,8 ff.; Dtn 28,21 f., 27 f., 59 f.; 2 Sam 24,15 ff.; 2 Kge 1,6 ff.; 5,27; 15,5; 2 Chr 26, 16 ff.; Psalm 32,3 ff.; 38,2 ff.; 51, 10 ff.; 88; 107,17—22 u. a.

[18] Bill. II, S. 193 ff., 527 ff.

[19] A. Oepke, a. a. O., S. 200, 37.

[20] So schon in den Psalmen, s. A. Oepke, a. a. O., S. 202, 16 ff.; vgl. Sir 38,11. Wesentlich ist in diesem Zusammenhang, daß zwischen der Gebetserhörung und

nur in einem einzigen Falle die Verwendung eines wirklichen „Heilmittels" berichtet: das „Feigenpflaster", das der Prophet Jesaia dem todkranken jüdischen König Hiskia auflegte[21]; doch auch hier gehen Gebet und Gebetserhörung voraus (2 Kg 20,1—11 und Jes 38). Jesus Sirach hat in seinem ›Lob des Arztes‹ (Sir 38,1—15) den Zwiespalt zwischen göttlichem und ärztlichem Wirken so zu lösen versucht, daß er den Arzt als Gottes Werkzeug darstellt:

„Schätze den Arzt, bevor er nötig ist; denn auch ihn hat Gott erschaffen. Von Gott hat der Arzt die Weisheit ... Gott bringt aus der Erde die Heilmittel hervor; und der einsichtige Mann wird sie nicht verschmähen ... Er gab den Menschen die Einsicht ... Durch sie beruhigte der Arzt den Schmerz, und ebenso bereitet der Apotheker die Mixtur, damit seine Schöpfungswerke nie brachliegen, noch helfendes Wissen von der Erde verschwinde."

„Mein Sohn, in Krankheit säume nicht; bete zu Gott, denn er macht gesund ...! Doch auch dem Arzt gewähre Zutritt, und er soll nicht wegbleiben, denn auch er ist nötig. Denn zu gegebener Zeit liegt in seiner Hand der Erfolg; auch er betet ja zu Gott, daß er ihm die Untersuchung gelingen lasse, und die Heilung zur Erhaltung des Lebens."[22]

Man hat den Eindruck, als stehe der Schreiber in einem gewissen Gegensatz zu fromm orthodoxen Kreisen, die die Tätigkeit des Arztes grundsätzlich ablehnten. So führt er religiöse und rationale Gründe ins Feld, vielleicht ist er in seiner Hochschätzung der ärztlichen Tätigkeit, die jedoch mit einem guten Stück Skepsis vermischt ist (s. S. 339), von der hellenistischen Aufklärung beeinflußt.

Von Sirach abgesehen, wird uns Hochschätzung und Studium der Heilmittel und entsprechend wohl auch der Heilkunde eigentlich nur von der in ihrer Frömmigkeit radikalsten jüdischen Sekte der Essener überliefert. Auch sie gehen von der verbreiteten Ansicht aus, daß die

der — wunderbaren — Heilung keine feste Grenze besteht. Von dem bedeutendsten Wundertäter des rabbinischen Judentums, Chanina ben Dosa, werden nur Heilungen durch das Gebet berichtet. Er lebte in der zweiten Hälfte des 1. Jh. n. Chr. Seine Heilungswunder s. bab. Berach. 34b, Bill. II, S. 441.

[21] Vgl. dazu J. Hempel, a. a. O., Sp. 813.

[22] Sir 38, 1—14; Übers. n. V. Hamp, Sirach, in: Die Heilige Schrift in deutscher Übersetzung, Echter Bibel, 1951. Das Buch Sirach ist in hebräischer Sprache am Anfang des 2. Jh. v. Chr. entstanden.

Krankheiten dämonischen Ursprungs seien, doch habe Gott dem Noah alle Heilmittel mitteilen lassen:

„Und alle Heilung ihrer Krankheiten sagten wir Noah samt ihren (der Dämonen) Verführungskünsten, damit er durch die Bäume der Erde heile. Und Noah schrieb alles, wie wir es ihn gelehrt hatten, und die bösen Geister wurden abgeschlossen von den Kindern Noahs."[23]

Man darf daraus schließen, daß diese Sekte im Besitz eines apokryphen „Noah-Buches" war, in dem speziell Angaben über Heilmittel enthalten waren. Hebräische Fragmente des apokryphen Jubiläenbuches, das bisher nur äthiopisch und (teilweise) lateinisch erhalten war, wurden in den Höhlen von Qumran entdeckt, so daß seine essenische Herkunft mit einiger Sicherheit feststeht[24]. Dies wird in gewisser Hinsicht durch die Beschreibung der Essener im Bellum Judaicum des Josephus bestätigt[25]:

„Sie zeigen ein außerordentliches Interesse für die Schriften der Alten, wobei sie besonders diejenigen auswählen, die zum Nutzen des Leibes und der Seele beitragen. Mit Hilfe von diesen stellen sie Untersuchungen über heilsame Wurzeln zur Heilung von Krankheiten und über die Eigenschaften von Steinen an."

Offenbar nahmen die Essener auch in ihren medizinischen Anschauungen eine ausgeprägte Sonderstellung innerhalb des palästinensischen Judentums ein.

Trotz der engen kulturellen Beziehungen zwischen Judäa und Alexandrien, das ja selbst über eine sehr ansehnliche jüdische Gemeinde verfügte, kam es zu keiner nachweisbaren Beeinflussung jüdischer Kreise durch die dortige Hochburg der antiken Medizin[26], zumindest was Palästina anbetrifft. Die jüdische Diaspora mag hier bereits eine andere Haltung

---

[23] Jubiläen 10,12f. (Übers. von E. Littmann in E. Kautzsch, Apokryphen und Pseudepigraphen des Alten Testaments, 1900, II, S. 58).

[24] Vgl. J. T. Milik, Dix ans de découvertes dans le désert de Juda, 1957, S. 30.

[25] Bell. Jud. 2, 136. An anderer Stelle: Ant. 8, 46ff., berichtet Josephus von einem Juden Eleazar, der vor Vespasian eine Dämonenbeschwörung vollzog: Er hielt dem Besessenen einen Ring vor, der eine Wurzel, die von Salomo angegeben worden sei, enthielt, und zog so den Dämon durch die Nase heraus.

[26] Zu Alexandrien als Mittelpunkt der medizinischen Wissenschaft vgl. C. S. Singer in: Oxford Classical Dictionary 2 (1949), S. 48ff., 548ff. und R. Herzog, RAC 1, 721.

gezeigt haben. So sind uns aus zwei Inschriften jüdische „Oberärzte" (ἀρχιατροί) bekannt, eine Inschrift stammt von Ephesus aus dem 2./3. Jh. n. Chr. Vermutlich standen diese jüdischen Ärzte in städtischen Diensten[27]. Die Ärzte, welche nach Josephus den todkranken Herodes d. Gr. (gest. 4 v. Chr.) behandelten, werden wahrscheinlich Griechen gewesen sein[28].

Herodes litt wohl an einem Genitalkrebs oder einem anderen ulzerierenden Krebsleiden des Unterleibes[29]. Die Ärzte verordneten ihm außer den warmen Quellen von Kallirhoe am Toten Meer ein Bad in heißem Öl — um die Körpertemperaur zu erhöhen —, eine Maßnahme, die Herodes fast den Tod einbrachte. Vielleicht starb sein Enkel, Herodes Agrippa I. (gest. 44 n. Chr.), an einem ähnlichen Leiden[30]. Die Krankheitsbezeichnung σκωληκόβρωτος „von Würmern gefressen" ist kein medizinischer Begriff, er wird sonst nur bei Pflanzen gebraucht[31]. Der Sache nach erscheint jedoch das Vorkommen von Würmern in Wunden mehrfach bei den alten Ärzten[32]. Es unterliegt kaum einem Zweifel, daß es sich bei diesem Krankheitsbild um die sog. Myiasis gehandelt hat. Auch heute noch findet man die Myiasis (Infektion von Wunden durch die Larven bzw. Maden verschiedener Fliegenarten) nicht selten bei Völkern mit einem relativ niedrigen hygienischen Standard. Nach einer jüdisch-christlichen Tradition befiel der sog. „Wurmfraß" ganz besonders die Feinde Gottes. So wird bei folgenden Männern über dieses Leiden berichtet: Antiochus Epiphanes (2 Makk 9,9); Herodes I. (s. Anm. 29); Herodes Agrippa I. (Apg 12,23) und — nach dem apokryphen Papiasfragment — Judas Ischarioth[33].

Schon diese knappe medizinhistorische Übersicht macht es deutlich, daß man die Krankenheilungen Jesu nicht in Analogie zu einer ärztlichen Tätigkeit — auch der damaligen Zeit — sehen kann. Seine jüdische Herkunft und seine fast ausschließliche Wirksamkeit unter der jüdischen Bevölkerung in Galiläa und Judäa, an die er sich auf Grund seiner mes-

---

[27] E. Schürer, Geschichte des jüdischen Volkes im Zeitalter Jesu Christi, 4. Aufl., III, S. 15 f.

[28] Vgl. Bell. Jud. 1, 656 ff. und Ant. 17, 169 ff.

[29] Siehe die Krankheitsbeschreibung Ant. 17, 168 f.

[30] Nach Apg 12, 23; vgl. jedoch Ant. 19, 345 ff., wo ein nur einige Tage dauernder Krankheitsverlauf geschildert wird, der am ehesten noch einem akuten abdominellen Syndrom gleicht.

[31] Siehe W. Bauer, Wörterbuch zum Neuen Testament, 4. Aufl. 1952, Sp. 1379.

[32] Siehe W. K. Hobart, The medical Language of St. Luke, 1882, S. 42 f.

[33] Die apostolischen Väter, ed. Funk-Bihlmeyer, 1924, S. 136.

sianischen Sendung vorerst allein wandte, lassen keine Möglichkeit für die Annahme zu, daß Jesus seine heilende Tätigkeit in Anlehnung an die Methoden der damaligen „Medizin", seien sie nun jüdischen oder hellenistischen Ursprungs, vollzogen hat.

Im folgenden soll der Versuch gemacht werden, dies auch an Hand der Analyse einiger ausgewählter Berichte über Heilungen Jesu darzulegen.

II. Beschreibung der Krankenheilungen Jesu und die Versuche einer medizinischen Diagnose

Im Gegensatz zur empirischen Medizin — auch der damaligen Zeit — wird in den Berichten über die Heilungen Jesu die Feststellung der Krankheit, die Diagnose, durch den Heilenden nicht besonders vermerkt, sie ist weder Voraussetzung noch wesentlicher Zug des Heilvorgangs. Wenn die Krankheit — zuweilen auch mit medizinischen Fachausdrücken — in der Regel kurz dargestellt wird, so geschieht dies lediglich, um die Schwere der Krankheit und damit die Bedeutung der wunderbaren Heilung hervorzuheben. Markus 5,25—34 (Parr.) wird von einer Frau berichtet, die schon 12 Jahre am Blutfluß litt und der die Ärzte nicht hatten helfen können. Was die Angaben über die Dauer des Leidens[34] und das Versagen der Ärzte anbetrifft (s. Anm. 5), so sind dies für wunderbare Heilungserzählungen typische Züge inner- und außerhalb des Neuen Testamentes. Die Krankheit selbst war in dem vorliegenden Falle[35] für eine Jüdin deshalb so schwerwiegend, weil sie in den Zustand

---

[34] Vgl. F. Fenner, Die Krankheit im Neuen Testament, 1930, S. 29; im N.T. siehe Mk 9,21; Lk 13,11; Apg 3,2; 4,22; 9,33; 14,8; Joh 9,1ff. Außerhalb des N.T.: Philostrat, vita Apollonii 3,38: Ein 2 Jahre besessener Knabe; 39: Eine Frau, die seit 7 Jahren kein Kind gebären konnte. S. auch R. Bultmann, Geschichte der synoptischen Tradition, 1931, S. 236, dort weitere Belege.

[35] Mk und Lk: ἐν ῥύσει αἵματος, vgl. W. Bauer, a.a.O., Sp. 1344. Es ist dies wohl die volkstümlichere Bezeichnung der Krankheit. Mt: αἱμορροοῦσα! Das Verb αἱμορρεῖν findet sich schon mehrfach bei Hippokrates, vgl. W. K. Hobart, a.a.O., S. 15: „it is quite medical." Beide Begriffe finden sich in der Septuaginta Lev 15,25; 33. Vgl. auch die Beschreibung eines Krankheitsfalles bei Galen, de praenot. ed. Kühn 8, S. 842; s. E. Klostermann, Das Markusevangelium. HNT, 4. Aufl., 1950, S. 51 z. St.

ständiger kultischer Unreinheit versetzte, das Betreten des Heiligtums, die Teilnahme an religiösen Festen, z. B. dem Passahfest, unmöglich machte, ja überhaupt, ähnlich dem Aussatz, aus der menschlichen Gesellschaft ausschloß[36]. Diese Reinheitsbestimmungen gehen zurück auf Lev 15,19 ff. und besonders 25 ff. Jede Person wurde durch die Berührung einer solchen Kranken ebenfalls wieder unrein. Für die Heilung ist wesentlich, daß bei Jesus ein Wissen um die Krankheit der Frau, ja selbst ein Erkennen ihres Wunsches, geheilt zu werden, nicht vorausgesetzt wird; er ist ja auf dem Wege zum Hause des Synagogenvorstehers Jairus, um dessen todkrankem Töchterchen zu helfen. Jene Frau hat nur den Wunsch, seine Gewänder zu berühren (nach Lk: die Quaste seines Gewandes, eine der vier Zizith, die jeder Jude nach Nu 15,38 tragen mußte). Sie tut es von hinten, damit er es ja nicht bemerken soll.

Dieser Wunsch nach bloßem Berühren findet sich im Neuen Testament auch an anderen Stellen, z. B. Mk 6,56: „Wohin Jesus kam, setzten sie die Kranken auf die Straße und baten ihn, daß sie auch nur eine Quaste seines Kleides anrühren dürften; und alle, die ihn anrührten, wurden gesund" (vgl. auch Mk 3,10 und Lk 6,19)[37].

Sobald die blutflüssige Frau ihn berührt hatte, „versiegte die Quelle ihres Blutes". Auch in diesem sofortigen Eintreten der Heilung liegt ein für die Wunderheilungen typischer Zug[38]. Jetzt erst wird sich Jesus des Vorganges bewußt (Mk 5,30): „und sofort erkannte Jesus bei sich die von

---

[36] Vgl. Josephus, Bell. Jud. 6, 426 f.; Bill. 1, S. 520.

[37] Auch Apg 19,12 — allerdings in einer vergröberten Form — steht in derselben Linie: „Man brachte auch zu den Kranken Schweißtücher und Binden von seiner Haut (des Paulus), damit die Kranken von ihnen wichen und die bösen Geister ausfuhren." Weitere Beispiele von der Heilung durch Berührung im hellenistischen Bereich gibt O. Weinreich, a. a. O., S. 63 ff., so vor allem (66) aus der vita Hadriani c. 25 (Script. hist. Aug. ed. Peter I, S. 26 f.): „venit de Pannonia quidam vetus caecus ad febrientem Hadrianum eumque contigit, quo facto et ipse oculos recepit et Hadrianum febris reliquit."
Gregor v. Tours gibt diesem auch von der Kirche rezipierten Tatbestand folgende Formulierung, gloria Mart. c. 6: „omne quod sacrosanctum corpus attingit esse sacratum" (O. Weinreich, a. a. O., S. 65).

[38] Vgl. Mk 10,52; Mt 21,19; Lk 4,39; 5,25; 8,47; 13,13; Apg 3,7; 5,10; 12,23; 16,26; Joh 5,9; vgl. auch O. Weinreich, a. a. O., S. 192 f. und S. 197 f.

ihm ausgegangene Kraft." Diese Kraft wurde damals wohl als eine Art
Fluidum angesehen, das von einem Menschen ausgeht und sich allem
mitteilt, das er anrührt[39]. Wir finden diese Vorstellung vor allem bei
Lukas (z.B. 5,17 und 6,19). Diese Kraft ist dem Geist Gottes
gleichzusetzen[40] und erscheint zunächst als die Ursache der Heilung.
Dennoch bildet sie nicht die letzte Stufe der Erzählung — wie es wohl in
hellenistischen Heilungsberichten der Fall gewesen wäre —, sondern
diese wird erst durch das Wort vollendet: „Tochter, dein *Glaube*[41] hat
dich erlöst, gehe hin in Frieden und sei gesund von deiner Plage"
(μάστιξ)[42]. Der Versuch einer medizinischen Diagnose nach modernen
Maßstäben wird über die schon Lev 15,25 erwähnte Anomalie der Periode
(menorrhagie oder metrorrhagie) nicht hinauskommen. Die Auseinandersetzung, ob die Krankheit der Frau ein hysterisches bzw. psychisch
beeinflußbares oder rein körperliches Leiden gewesen sei[43], ist müßig,
denn sie trägt fremde Voraussetzungen in die Erzählung hinein.

Markus 1,30f. (Parr.) wird von der Schwiegermutter des Petrus berich-
tet, die am Fieber (πυρέσσουσα) erkrankt war[44]. Lukas definiert die
Krankheit genauer: sie hatte das „große Fieber" (πυρετὸς μέγας)[45].
Auch in der Darstellung der Heilung unterscheidet er sich von Markus

[39] S. F. Preisigke, Die Gotteskraft der frühchristlichen Zeit, 1922 [in diesem
Band S. 210ff.], und J. Röhr, Der okkulte Kraftbegriff im Altertum, 1923,
S. 14ff.

[40] Vgl. Lk 4,14 u. Apg 10,38.

[41] s. Mk 10,52; Lk 18,42 (der Blinde von Jericho), auch Lk 17,19 (der aussätzige
Samariter).

[42] „die Geißel", im übertragenen Sinne das von Gott geschickte Leiden. So
schon in der Ilias 12,37 „des Zeus", aber auch in der Septuaginta Ps 38,11 „Deine
Plagen", s. W. Bauer, WB, Sp. 896f. Im N.T. mehrfach für Krankheit Mk 3,10;
Lk 7,21.

[43] So F. Fenner, a.a.O., S. 65, vgl. auch H. Seng, Die Heilungen Jesu in medizinischer Bedeutung, S. 17.

[44] πυρέσσω seit Hippokrates, s. W. Bauer, WB, Sp. 1330. Zu den rabbinischen Vorstellungen vom Fieber und seiner Behandlung vgl. Bill. I S. 479f.

[45] Galen, de diff. febr. 1,1; 7,275 ed. Kühn: „die Ärzte sind gewohnt, vom
großen und kleinen Fieber zu sprechen", s. W. Bauer, a.a.O., dort weitere antike
Belegstellen und neuere Literatur. Im N.T. erscheint πυρετός noch Joh 4,52 und
Apg 28,8 (Plural) zusammen mit δυσεντέριον. Paulus heilt auf Malta diesen
Kranken durch Gebet.

und Matthäus. Bei diesen erfolgt sie lediglich durch Ergreifen der Hand (κρατήσας)[46] und Aufrichten der Patientin: „darauf verließ sie das Fieber." Bei Lukas dagegen liegt ein wirklicher Exorzismus vor: „Er stellte sich zu ihren Häupten und bedrohte (ἐπετίμησεν)[47] das Fieber, und es verließ sie." Die Tatsache der vollendeten Heilung wird bei Markus durch das knappe „und sie diente ihnen" festgestellt. Lukas ist hier ausführlicher: „Sie aber stand sofort (s. Anm. 38) auf und diente …"[48] Bewunderungswürdig ist die äußerste Schlichtheit dieser Perikope bei Markus, die souveräne Selbstverständlichkeit, mit der die Heilung geschieht, ohne schmückendes Beiwerk und langschweifende Erläuterungen, wie man es etwa bei den hellenistischen Wunderheilungen eines Apollonius v. Tyana findet. Eigenartig ist auch, daß das heilende Wort fehlt. Lukas versuchte wohl, durch seine Erweiterung die Erzählung noch dramatischer zu gestalten. Die Erwähnung des „großen Fiebers" mag auch ein Hinweis auf seinen ärztlichen Beruf sein[49]. Die Ansicht, daß das Fieber durch eine dämonische Macht hervorgerufen wurde, mögen auch die anderen Evangelisten geteilt haben, nur wird es dort nicht so deutlich zum Ausdruck gebracht.

Die Erhöhung der Körpertemperatur legte beim Fieber besonders nahe, diese auf die Einwirkung einer außermenschlichen Macht zurückzuführen (s. Anm. 44); nach antiken Fluchtafeln wurde das Fieber von den „unterirdischen Göttern"

---

[46] Derselbe Vorgang wird bei Erweckung des Töchterleins des Jairus berichtet: Mk 5,41; Mt 9,25; Lk 8,54; s. auch Apg 3,7. Zur heilkräftigen Hand vgl. O. Weinreich, a.a.O., 1—37; 63ff. Nach Erasistratos wurden heilende Arzneimittel bei den Ärzten „Hände der Götter" genannt (θεῶν χεῖρες), vgl. Plutarch, quaest, symp. 4,1,3, p. 663 C; dasselbe bei Galen 12,966 ed. Kühn. Zum „Berühren" s. Anm. 37.

[47] „Bedrohen" findet sich auch sonst noch bei Dämonenaustreibung Mk 1,25 und 3,12; 9,25 und Lk 9,42. Das „Bedrohen" der dämonischen Macht erfordert eine außerordentliche Vollmacht, an sich ist es nur Gottes Sache, vgl. Judas 9; bab. Kidd. 81b, s. Bill., a.a.O. I, S. 140; vgl. auch E. Stauffer, ThW II, S. 620ff. und R. Bultmann, a.a.O., S. 238.

[48] Schon der Kirchenvater Hieronymus ed. Vallarsi VII, 1, 1769, bemerkt dazu: „natura hominum istiusmodi est, ut post febrim magis lassescant corpora … verum sanitas quae confertur a domino totum simul reddit" (s. E. Klostermann, a.a.O., S. 19).

[49] Vgl. W. K. Hobart, a.a.O., S. 4.

verursacht: So werden auf einer attischen Fluchtafel die „Unterirdischen" mehrfach aufgefordert: bringt „Fieberanfälle" hervor[50]. Auf knidischen Bleitafeln ist es die Demeter, die das Fieber dem Schuldigen als Strafe sendet[51]. Auf einem Amulett wird der „Engel des Schüttelfrostfiebers" erwähnt, der Vollmacht über die Kranken und Leidenden hat[52]. Auch im Judentum scheint das Fieber auf übernatürlich-dämonische Einwirkungen zurückgeführt worden zu sein. Instruktiv ist hierzu ein auf R. Alexandrai (2. Hälfte des 3. Jh.) zurückgehender Ausspruch: „Größer ist das Wunder, das einem (genesenden) Kranken geschieht als das Wunder, das dem Chananja, Mischael und Azarja (den 3 Männern im Feuerofen, Dan 3) geschah; denn das Feuer dieser war ein gewöhnliches Feuer, das alle löschen können, aber das eines Kranken (d. h. das Fieber) ist vom Himmel (Gott), und wer kann es löschen?"[53]

Vermutungen über die Art des Fiebers in unserer Perikope hängen von vornherein in der Luft, sei es, daß man als Folge des feuchten Klimas am See Genezareth Malaria vermutet[54] oder daß man auf Grund der sofortigen Heilbarkeit auf Hysterie beruhende „delirante Zustände" annimmt[55]. Form und Diagnose der Krankheit stehen durchaus nicht im Mittelpunkt dieses anekdotenhaft knappen Heilungsberichts, auch nicht bei dem etwas ausführlicheren Bericht des Lukas. Für die Evangelisten ist es eine selbstverständliche Voraussetzung, daß Jesus Herr über jede Krankheit ist. Unmittelbar an unsere Textstelle schließt sich ein Sammelbericht[56] über Massenheilungen an. Mt 8,16: „und er heilte alle Kranken", Lk 4,40: „und einem jeden von ihnen legte er die Hände auf und heilte sie". Markus macht hier gegenüber den anderen Evangelisten vielleicht eine gewisse Ausnahme, indem er zwischen „allen" und „vielen" unterscheidet: „man brachte alle Kranken" ... (Mk 1,32), „und er heilte

[50] Siehe E. Ziebarth, Neue Verfluchungstafeln aus Attika ..., SAB 33, 133, Nr. 26; vgl. auch 126, Nr. 23.

[51] F. X. Steinleitner, Die Beichte im Zusammenhang mit der sakralen Rechtspflege in der Antike, Diss. München 1913, S. 105 f.

[52] H. Reitzenstein, Poimandres, 1904, 18,8; s. R. Bultmann, a. a. O., S. 238.

[53] Bill I S. 479 f., bab. Nedarim 41a vgl. auch Bill. IV S. 525; „der Brandpfeil der Glut" betrifft den „Geist der Entzündung", bab. Sanhedrin 101a.

[54] K. H. Rengstorf, NTD Bd. 3: Das Evangelium nach Lukas, 5. Aufl., 1949, S. 70.

[55] So F. Fenner, a. a. O., S. 52.

[56] Vgl. auch die weiteren Sammelberichte Mk 6,53 ff., Mt 14,34 f.; auch Apg 8,6 ff.

viele" (Mk 1,34). Möglicherweise ist diese Formulierung jedoch nur „unbefangene Rede"[57].

Bei der anderen „Fieberheilung" Jesu in den Evangelien (Joh 4,46—53) wird zunächst die Krankheit gar nicht näher umschrieben, der königliche Beamte bittet Jesus nur, er möge doch mitkommen und seinen Sohn heilen, denn dieser „sei im Begriff zu sterben" (V.47). Auf seine wiederholte inständige Bitte hin antwortet Jesus nur: „Gehe, dein Sohn lebt"(siehe auch 1 Kge 17,23). Der Beamte glaubt dem Wort Jesu, und bei seiner Rückkehr bringen ihm seine Sklaven die Nachricht von der Genesung seines Sohnes entgegen. Das *Fieber* hatte diesen zur selben Stunde verlassen, da Jesus dem Vater die Zusage gegeben hatte. Wir haben es hier mit einer ausgesprochenen Fernheilung zu tun, die jede medizinisch-psychologische Erklärung ausschließt.

Eine weitere Fernheilung im N.T. ist die Befreiung der Tochter des kanaanäischen Weibes von einem bösen Geist (Mk 7,24—30 und Mt 15, 21—28). Eine Fernheilung wird uns auch von dem jüdischen Rabbi und Wundertäter Chanina ben Dosa (s. Anm. 69) erzählt: „Einmal erkrankte ein Sohn des Rabban Gamliel (der Enkel Gamliels d. Ä., der der Lehrer des Apostels Paulus war, Apg 22,3 und 5,34). Er sandte zwei Gelehrtenschüler zu R. Chanina ben Dosa, daß er für ihn um Erbarmen beten möchte. Als dieser sie sah, ging er hinauf auf den Söller und flehte für ihn um Erbarmen. Als er herunter kam, sagte er zu ihnen: ‚Geht, denn das Fieber hat ihn verlassen'. Sie sprachen zu ihm: ‚Bist du etwa ein Prophet?' Er antwortete ihnen: ‚Ich bin kein Prophet …; aber so habe ich es überkommen, wenn mein Gebet geläufig in meinem Munde ist, so weiß ich, daß der Betreffende angenommen ist; wenn aber nicht, so weiß ich, daß er dahingerafft wird.' Sie kehrten zurück und merkten sich schriftlich jene Stunde an. Als sie zu Rabban Gamliel zurückkamen, sprach er zu ihnen: ‚Beim Tempeldienst! Ihr habt weder zu wenig noch zu viel gesagt; gerade so war es, in jener Stunde verließ ihn das Fieber und er forderte sich Wasser zum Trinken'."[58]

Diese Anekdote stellt eine teilweise sehr nahe Parallele zu Joh 4,46 ff. dar; allerdings mit dem wesentlichen Unterschied: Jesus spricht die Heilung kraft eigener Vollmacht (Joh 17,2) aus, der Rabbi erfährt sie im Gebet[59].

[57] E. Klostermann, a. a. O., S. 19, vgl. aber dagegen Mk 6,5.

[58] bab. Berach. 34b und jer. 9d, 21; Baraitha.

[59] Nach Philostrat, vita Apollonii 3, 38, bewirkt der Brahmane Jarbes die Befreiung eines Kindes durch einen Drohbrief an dessen Dämon. Diese Legende hat

Die Erzählung vom Hauptmann von Kapernaum (Mt 8,5—13 und Lk 7,1—10) ist als Parallelüberlieferung zu unserer Perikope anzusehen, sie geht auf dasselbe Ereignis zurück. Der „Königliche" ist ohne weiteres mit dem „Hauptmann" gleichzusetzen. Es handelt sich um einen Offizier des Herodes Antipas. Der Patient wird bei Johannes als „Sohn" und bei Lukas als „Knecht" bezeichnet. Die Bezeichnung παῖς bei Matthäus, die ursprünglich Kind bzw. Sohn bedeutete, wurde später als δοῦλος, d.h. Sklave, mißverstanden. In der Beschreibung der Krankheit steht Lukas dem Johannesevangelium näher, in der Darstellung des Geschehens lehnt er sich mehr an Matthäus an (der Hauptmann geht direkt zu Jesus)[60]. Nach Matthäus ist der Patient „gelähmt und leidet große Qualen" (παραλυτικός, δεινῶς βασανιζόμενος, Mt 8,6). Bei Lukas findet sich eine ähnliche „Diagnose" wie bei Johannes: „es ging ihm sehr schlecht, und er war im Begriff zu sterben." Daß es sich hierbei um Fieber gehandelt hat, erfahren wir nur aus Joh 4,53. Gerade die teilweise Verschiedenheit der Überlieferung dieser Erzählung bei Matthäus, Lukas und Johannes zeigt, daß die „medizinische Seite" dieses Wunders nur Rahmen ist und darum wechseln kann, die wesentlichen Züge dagegen, die flehentliche Bitte des herodianischen Beamten, sein „Glaube" (s. Anm. 41) und die Fernheilung seines Sohnes bzw. Knechtes hat sich in allen drei Variationen erhalten. Da die Art der Krankheit selbst jeweils verschieden überliefert wird, ist es von vornherein aussichtslos, noch nachträglich eine Diagnose stellen zu wollen[61].

Nach Lk 14,1—6 (Sondergut) heilt Jesus einen Wassersüchtigen (ὑδρωπικός)[62] durch bloßes Anfassen, die Darstellung ist von ähnlicher

natürlich kaum mehr historische Bedeutung, während an der Heilgabe des Rabbi Chanina ben Dosa wohl kaum gezweifelt werden kann, zumal er noch mehrfach in der rabbinischen Überlieferung erwähnt wird. Vgl. H. L. Strack, Einleitung in den Talmud, S. 122.

[60] Vgl. R. Bultmann, Das Evangelium des Johannes, MeyerK 11. Aufl., 1950, S. 151.

[61] F. Fenner, a.a.O., S. 59, findet auch hier — selbstverständlich — eine hysterische Lähmung, „die mit heftigen Schmerzen verbunden sein kann".

[62] Seit Hippokrates bei Ärzten und Laien; vgl. W. Bauer, WB, Sp. 512, und W. K. Hobart, a.a.O., S. 24. In den Acta Pauli (E. Hennecke, Apokryphen, 2. Aufl. 1924, S. 204) heilt Paulus den wassersüchtigen Hermokrates in Myra. F. Fenner, a.a.O., S. 66, sucht auch diese Erkrankung (Wassersucht) auf Hysterie zurückzuführen.

Knappheit wie bei der Heilung der Schwiegermutter des Petrus und bildet den Anlaß zu einer Auseinandersetzung über die Sabbatheiligung mit den Pharisäern. Ähnlich ist es Lk 13,10—17 bei dem — allerdings etwas ausführlicheren — Bericht von der Heilung einer verkrümmten (συγκύπτουσα) Frau[63]. Um die Schwere der Krankheit noch deutlicher zu machen, wird näher erläutert: sie war 18 Jahre krank und konnte sich nicht völlig aufrichten. Schon vor der Schilderung der Krankheit nennt der Evangelist jedoch die eigentliche Ursache: die Kranke hatte „einen Geist der Krankheit" (πνεῦμα ἀσθενείας)[64]. Obwohl die Heilung durch keinen eigentlichen Exorzismus erfolgt, sondern nur durch die Anrede: „Weib, du bist erlöst von deiner Krankheit" und Handauflegung, bekennt sich Jesus doch selbst zu der metaphysischen Ursache der Krankheit: „Und diese Frau, eine Tochter Abrahams, die der Satan schon 18 Jahre gebunden hatte, sollte nicht von diesem Bande gelöst werden dürfen am Sabbattage?"

Auch die Heilung der „verdorrten Hand" Mk 3,1—6 (ἐξηραμμένην ἔχων τὴν χεῖρα), Mt 12,9—13 und Lk 6,6—10 (χεὶρ ξηρά)[65] steht

---

[63] Der Begriff erscheint bei den antiken Ärzten, s. W. K. Hobart, a. a. O., aber auch in der Septuaginta Sir 12,11 und 19,26.

[64] Zur Dauer der Krankheit s. Anm. 34. Über die dämonische Ursache von Krankheiten s. Anm. 47 und Anm. 53; vgl. auch Bill., a. a. O., IV, S. 524f. In den Evangelien werden organische Krankheiten mehrfach auf dämonische Einwirkung zurückgeführt, vgl. außer Lk 4,39ff. noch 11,14 u. a.

[65] ξηρός, vgl. W. Bauer, WB, Sp 905: wörtlich: dürr, vertrocknet, im übertragenen Sinn als Krankheit. Der Begriff erscheint vermutlich auf der 3. Stele von Epidauros; s. R. Herzog, Die Wunderheilungen von Epidauros, 1931, S. 32, 138. In den apokryphen Testamenten der 12 Patriarchen läßt Gott dem Simeon als Strafe 7 Tage lang seine Rechte halb verdorren (ἡμίξηρος). Joh 5,2 bedeutet der Begriff wohl: an Auszehrung Leidende. Apollonius von Tyana heilt einen Mann mit einer gelähmten Hand (ἀδρανής, Philostrat 3, 39). Vespasian heilte in Alexandrien unter anderem eine kranke Hand, s. Tacitus, hist. 4,81: alius manum aeger ... ut pede ac vestigio Caesaris calcaretur orabat ... igitur Vespasianus ... iussa exsequitur. statim conversa ad usum manus ... (vgl. Sueton, Vesp. 7; Dio Cassius 66,8). Eine klassische ausführliche Heilung eines „von Mutterleibe an" Gelähmten finden wir Apg 3, 1ff. durch Petrus und Johannes; Apg 9,33f. heilt Petrus den 8 Jahre lang gelähmten Äneas in Lydda; Apg 14,8ff. heilen Paulus und Barnabas einen ebenfalls „von Mutterleibe an" Gelähmten im kleinasiatischen Lystra.

innerhalb der Auseinandersetzung über die Sabbatfrage. Die Heilung erfolgt durch einen Befehl Jesu: „Strecke deine Hand aus." Der Kranke gehorcht ihm, und seine Hand ist „wiederhergestellt". Jene berühmte Heilung des „Paralytischen" (παραλυτικός), Mk 2,1—12; Mt 9,2—8 und Lk 5,17—26, der durch das aufgebrochene Dach heruntergelassen wurde, ist eng mit der Frage der Sündenvergebung verbunden. Über seine Krankheit wird weiter nichts Näheres ausgesagt. Die Tatsache, daß er auf solch ungewöhnliche Weise auf einem Bett herbeigeschleppt wurde, genügt. Entsprechend ist der Umstand, daß er selbst sein Bett hinaustragen kann, der Beweis für seine vollkommene Heilung[66]. Derselbe Zug begegnet uns auch bei dem Kranken am Teich Bethesda (Joh 5,1ff.), dessen Krankheit selbst nicht genannt wird, bei dem jedoch die 38jährige Dauer seines Leidens dafür in den Vordergrund rückt. An die Heilung schließt sich auch hier, wie schon in einigen anderen bereits berichteten Fällen, die Erörterung der Sabbatfrage an. In Mk 2,12 wird noch in besonderer Weise das Staunen der Umstehenden hervorgehoben, ein bei Heilungsberichten immer wieder auftretender Zug. In diesen wie auch in anderen ähnlichen Berichten[67] ist in aller Deutlichkeit die Begegnung mit dem Heiligen in der typischen Reaktion des Staunens, der „Furcht" (im Sinne des mysterium tremendum) und der lobpreisenden Bezeugung der Gottestat erkennbar[68].

All die bisher angeführten Beispiele zeigen dasselbe Bild: Sie sind in keinem Fall mit den Augen des Arztes gesehen, es läßt sich darum auch nach diesen Berichten keine Diagnose im Sinn der modernen Medizin stellen. Die Krankheit wird immer nur kurz genannt, um die Größe und Bedeutung der stets wunderbaren Heilung herauszustellen; entsprechend werden höchstens einzelne äußere Symptome aufgestellt, eine Anamnese oder eine kausale Betrachtungsweise — auch im Sinne der antiken Medi-

---

[66] Solche Demonstrationen finden wir noch Mk 1,31 (s. S. 348f. und Anm. 48); Mk 1,42; 5,15 und Mk 5,42; s. Bultmann, Gesch. syn. Trad., S. 240. Nach Lukian, Philiopseustes 11, trägt der geheilte Lahme seine Bahre fort, s. auch Inscriptiones Graecae IV, 951, S. 105 f. (Epidauros): hier trägt der Geheilte einen großen Stein. Weitere Beispiele F. Fenner, a. a. O., S. 80.

[67] Vgl. Mk 5,15ff.; Mt 9,33; Lk 5,26; Joh 11,45; Apg 3,10; 9,42; O. Weinreich, a. a. O., S. 173 und 178; vgl. R. Bultmann, a. a. O., S. 241.

[68] G. Mensching, Das Wunder im Glauben und Aberglauben der Völker, 1957, S. 44.

zin — liegt in keinem Fall vor[69]. Als Ursache werden, wenn überhaupt, nur metaphysische Gründe genannt (Lk 13,11). Auch der Arzt Lukas berichtet über Medizinisches nur ganz am Rande und nur bei einigen dieser Fälle. So ist es auch nicht möglich, aus Sprache und Gedankenwelt des Lukasevangeliums und der Apostelgeschichte den ärztlichen Beruf des Verfassers eindeutig nachzuweisen[70]. Die „medizinischen Fachausdrücke" des Lukas finden sich auch bei Josephus, Plutarch und anderen Schriftstellern, was sich u. a. daraus erklärt, daß es damals eine medizinische Fachsprache in unserem Sinne noch gar nicht gab. Die Ärzte nahmen ihre Bezeichnungen aus der gehobenen Umgangssprache.

Unter den relativ zahlreichen Heilungen von Erkrankungen im Bereich der Sinnesorgane, d.h. von Blinden[71], Tauben und Taubstummen[72], sind besonders diejenigen Fälle hervorzuheben, wo die Heilung nicht

---

[69] So schon F. Fenner, a.a.O., S. 29: „für die Stellung einer einwandfreien Diagnose reicht das vorliegende Material nicht aus." Leider hat sich der Verfasser an diese Erkenntnis in keiner Weise gehalten und versucht ständig, unhaltbare Diagnosen zu stellen, ja, er baut auf Grund dieser falschen Vermutungen die Hypothese einer „psychologischen Epidemie" unter den Juden jener Zeit auf (a.a.O., S. 74f.), die durch die soziale Not und die eschatologische Zukunfterwartung hervorgerufen worden sei. Dies spricht nur für eine bedauerliche Fehlbeurteilung der Verhältnisse des Judentums in der römischen Zeit.

[70] Dieser Versuch, dem sich W. K. Hobart als Lebensaufgabe gewidmet hatte, scheiterte daran, daß der von Hobart geforderte Unterschied zwischen medizinischem Sprachgut und dem Stil der zeitgenössischen Schriftsteller sich nach späteren Untersuchungen nicht halten ließ (vgl. vor allem J. H. Cadbury, JBL 45 [1926], S. 190ff.).

[71] Vgl. außer den unten in diesem Zusammenhang erwähnten Stellen Mt 9,27ff. (Sondergut); Mk 10,46—52; Mt 20,29—34 und Lk 18,35—42. Neben Blindenheilungen finden wir Apg 9,8 und 18 sowie Apg 13,8—12 zeitlich begrenzte Blendungen als Strafwunder. Augenkrankheiten und daraus resultierende Blindheit waren in der Antike sehr verbreitet, sie sind es im Orient bis heute noch (Trachom). Entsprechend werden uns auch mehrfach Blindenheilungen (und Blendungen) als Heil- (und Straf-)wunder berichtet; s. O. Weinreich, a.a.O., S. 198ff. Die Blindenheilung konnte auch im übertragenen Sinn als Heilung der geistigen Blindheit verstanden werden, vgl. Joh 9,39—41. Blindheit im Rabbinat vgl. Bill., a.a.O., I, S. 524f.

[72] Der griechische Begriff κωφός kann stumm, taub und taubstumm bedeuten. W. Bauer, WB, Sp. 838.

allein durch Handauflegung und Heilwort, sondern noch durch andere Heilmittel erfolgt. Mk 8,22—26 (Sondergut) bringt Jesus, bevor er dem Blinden die Hände auflegt, Speichel in seine Augen[73], die Heilung selbst geht stufenweise vor sich: Auf die Frage Jesu, was er sehe, antwortet er: „Ich sehe die Menschen wie Bäume umhergehen." Erst nach einer zweiten Handauflegung ist sein Augenlicht voll wiederhergestellt. Hier könnte man noch unter Umständen das Handeln Jesu mit dem eines antiken Arztes vergleichen[74].

Eine Erklärung der Handlungsweise Jesu, die in der Verwendung des Speichels lediglich einen Versuch sieht, sich dem Kranken verständlich zu machen, ist wohl als zu rational abzulehnen. Wesentlich ist für den Speichel unter anderem die dämonenvertreibende Bedeutung (vgl. Gal 4,14)[75]. In dieser Bedeutung spielt er selbst teilweise im Taufritual der alten Kirche eine Rolle[76]. Auch im hellenistisch-römischen Altertum finden sich mehrfach Beispiele über die Heilkraft des Speichels bei Blinden[77]. Sicherlich geht die Vorstellung von der Heilwirkung des Speichels in sehr alte Zeit zurück[78].

Es finden sich in den Evangelien noch weitere Berichte von Heilungen Jesu durch Speichel. Joh 9,6 legt Jesus einem seit seiner Geburt Blinden eine Mischung von Speichel und Erde auf die Augen. Auch hier erfolgt die Heilung nicht sofort, sondern er sendet ihn zum Teich Siloah; erst nachdem er sich dort gewaschen hat, kann er wieder sehen[79]. Mk 7,32 ff. (Sonder-

---

[73] Zur Heilung durch Speichel vgl. Bill., a. a. O., II, S. 15 f. und E. Klostermann, Das Markusevangelium, S. 73 (zu 7,33). Siehe auch Jacoby, ZNW 10 (1909), S. 185 ff.

[74] Siehe auch Plinius, hist. nat. 28,4 (37): Credamus ergo ... (salivae) ieiunae inlitu adsiduo arceri ... lippitudines. Der Speichel erscheint hier als Heilmittel gegen Augenentzündung.

[75] Siehe dazu H. Schlier, Der Brief an die Galater, MeyerK 11. Aufl., 1951, S. 149.

[76] H. Schlier, ThW 11, S. 446 f.

[77] Vespasian soll durch seinen Speichel einen Blinden geheilt haben (Tacitus hist. 4,81): ex plebe Alexandrina quidam oculorum tabe notus genua eius aduoluitur ... precabaturque principem ut genas et oculorum orbes dignaretur respergere oris excremento ... Vespasian kommt seinem Wunsche nach und jener wird geheilt. Weitere Literatur: R. Bultmann, Gesch. syn. Trad., S. 237 Anm. 1.

[78] F. Fenner, a. a. O., II, S. 91.

[79] Bill., a. a. O., S. 530 ff. Der Siloahteich war ein Wasserreservoir, das durch einen unterirdischen Kanal das Wasser der intermittierenden Gihonquelle aufnahm

gut)[80] wird die Heilung eines Taubstummen berichtet. Die Krankheit wird etwas genauer als sonst umschrieben: er war taub (κωφός) und stammelte (μογιλάλος). Jesus entfernt ihn von der Menge[81]. Gottes Wirken soll nicht durch die Neugier vieler profanisiert werden. Er legt die Finger in seine Ohren und netzt seine Zunge mit Speichel, dann blickt er zum Himmel auf, seufzt (wohl eine Kurzform des Gebets, vgl. Röm 8,26) und spricht das Heilwort, das in der aramäischen Urform überliefert ist. Dem Heilungswort in seiner Urform wird hier wohl von dem Evangelisten besondere Kraft zugemessen[82]. Die Heilung erfolgt sofort.

Vielleicht darf man annehmen, daß sich gerade in diesen Berichten Züge des ursprünglichen Vorgangs erhalten haben, die in anderen Heilungserzählungen wegen ihres Realismus ausgeschieden wurden. Dafür würde sprechen, daß zwei dieser Berichte Sondergut des Markus darstellen und wohl wegen ihrer eigenartigen Züge von Matthäus und Lukas nicht übernommen worden sind. Das Heilmittel Speichel mag auch von der antiken klassischen Medizin verwendet worden sein, sicher war es jedoch auch ein allgemein gebräuchliches Mittel der damaligen Volksmedizin, so daß eine Verwendung durch Jesus kaum in Parallele zu einer ärztlichen Handlungsweise gesetzt werden kann. Es ist das einzige „Heil-

(2 Chron 32,30). Er lag in der SO-Ecke Jerusalems. Das Wasser war von besonderer Güte und wurde gerne zu kultischen Reinigungsbädern verwendet.

[80] Vgl. noch Mt 9,32. Hier wird das Leiden auf Besessenheit zurückgeführt. Mt 12,22 wird ein stummer und blinder Besessener geheilt. In der Parallelstelle Lk 11,14 ist der Kranke nur stumm, s. hierzu S. 343 (betr. Verschiedenartigkeit der Überlieferung). Von Rabbi, dem Redaktor der Mischna wird die Heilung von zwei Stummen durch Gebet berichtet: bab. Chagiga 3a; vgl. Bill., a. a. O., I, S. 526.

[81] Zur Absonderung vgl. Mk 8,23; s. auch Mk 5,40; Apg 9,40; 1 Kge 17,19; 2 Kge 4,33. In den letzten 3 Fällen handelt es sich durchweg um Totenerweckungen. Vgl. dazu R. Bultmann, Gesch. syn. Trad., S. 239.

[82] Vgl. R. Bultmann, a. a. O.: „Das Wunder wird gerne in fremde, unverständliche Laute gekleidet bzw. in fremdsprachlicher Form überliefert"; s. noch Mk 5,41 „talitha kumi". Beispiele aus der hellenistischen Umwelt besonders bei Lukian, Philiopseudes 12,31; Philostrat, vita Apollonii 4,45: Apollonius von Tyana erweckt ein totes Mädchen, das ihm in einem Leichenzug begegnet, indem er ihre Hand ergreift und über ihr „unverständliche Worte murmelt" (s. hierzu auch G. Mensching, a. a. O., S. 26). Diese Parallelen betreffen allerdings nur die Überlieferung unserer Heilungsgeschichte im griechischen Bereich, denn Jesus sprach das Heilungswort in seiner aramäischen Muttersprache.

mittel" in medizinischem Sinn, das uns bei der Heiltätigkeit Jesu überliefert wird. Im übrigen wird der nach näheren verwertbaren medizinischen
Anhaltspunkten Suchende auch in diesen Fällen wenig Befriedigendes
finden, es sei denn, er konstruiert solche selbst.

Eine besondere Gruppe bilden die Aussätzigen. Der Aussatz, diese im
Alten Testament schon ausführlich beschriebene Volkskrankheit (Lev
13 f.), war natürlich auch z. Z. Jesu in Palästina weit verbreitet und wird
auch in der rabbinischen Überlieferung schon auf Grund der Reinheits-
gesetze eingehend behandelt.

Man unterschied eine große Zahl verschiedener Formen (insgesamt 24)[83], versuchte ihn auch teilweise durch physiologische Theorien zu erklären. Vor allem
aber deutete man ihn als eine besondere Strafe Gottes für schwere Sünden (vgl. o.
S. 342): „Der Mensch ist zu gleichen Teilen halb Wasser und halb Blut. Wenn er
tugendhaft ist, überwiegt nicht das Wasser das Blut, noch das Blut das Wasser.
Wenn er aber sündigt, überwiegt bald das Wasser das Blut, und dann wird er wassersüchtig (ὑδρωπικός), und bald das Blut das Wasser, und dann wird er aussät-
zig."[84] „Der Begriff ‚wassersüchtig' ist auch als Lehnwort ins Rabbinat eingegangen."[85] Die Juden selbst wurden in der antiken antisemitischen Polemik auf eine
Gruppe von Aussätzigen zurückgeführt, die aus Ägypten vertrieben worden
waren[86].

Im Gegensatz zur rabbinischen Unterscheidung verschiedener Aussatz-
formen erfolgen in den beiden überlieferten Berichten von Aussatz-
heilungen Jesu (Mk 1,40—45; Mt 8,1—4; Lk 5,12—16 und Lk 17,11—19;
vergleiche auch die Sammelberichte Mt 10,8 und 11,5; Lk 7,22) über die
Feststellung der Krankheit hinaus (vgl. o. S. 354 f.) keine näheren Angaben
mehr. Mk 1,41 f. tritt nach Berührung mit der Hand[87] und Heilungswort:
„Ich will, sei rein" sofort die Genesung ein; Lk 17,14 erfolgt die Heilung
erst auf dem Wege zu den Priestern, zu denen Jesus die zehn Aussätzigen
gesandt hatte; möglicherweise ist dies in Analogie zur Heilung des Syrers
Naeman zu verstehen, der von dem Propheten Elisa ebenfalls nicht sofort
geheilt, sondern zu einem Reinigungsbad im Jordan gesandt wurde

[83] Vgl. den ausführlichen Exkurs bei Bill., a. a. O., IV, S. 745—763.

[84] Lev. Rab. 15 (115c).

[85] Bill., a. a. O., II, S. 203 f.

[86] (Manetho, Tacitus u. a.); s. E. Schürer, a. a. O., III, S. 529 ff.

[87] Außer den schon erwähnten Stellen s. auch Heilung durch von Jesus aus-
gehendes Berühren bei Mt 20,34; Mk 8,25 und Lk 22,51.

(2 Kge 5,8ff.). Selbstverständlich wurden damals unter Umständen auch Kranke als Aussätzige bezeichnet, die keine wirkliche Lepra hatten (schon Lev 13 wurden schwerere und leichtere Formen unterschieden); dennoch geht es nicht an, wie es gewisse Autoren tun, die im Evangelium berichteten Erkrankungen an Aussatz als psychogene Hautveränderungen zu deklarieren. Lk 17,11ff. hat es sich um eine ganze Gruppe von solchen Kranken gehandelt; es ist unwahrscheinlich, daß alle zehn mit Hauteffloreszenzen behaftet waren, deren Ursache rein psychischer bzw. hysterischer Natur war. Man muß auf den Versuch einer medizinischen Erklärung verzichten.

Eigenartig ist, daß dort, wo man es am wenigsten vermutet hätte, nämlich bei der Heilung von „Besessenen", wenigstens in zwei Fällen Ansätze zu einer möglichen Diagnose vorliegen. Mk 5,2ff. und Lk 8, 26ff. wird ein besonders schwerer Fall von Besessenheit geschildert, zwar in volkstümlicher Weise, aber doch so, daß sich aus dem Verhalten des Kranken ein gewisses Krankheitsbild herauslesen läßt[88]: Der Kranke wohnt in höhlenartigen Felsengräbern, wo er einerseits ungestört ist und zugleich die seiner Besessenheit entsprechende Umgebung hat[89]. Er läßt sich nicht bändigen, auch nicht mit Fesseln und Ketten; alle Versuche, ihn zu binden, waren vergeblich gewesen, auch Kleider trägt er nicht (Lk 8,27). Bei Tag und Nacht ist er unterwegs, schreit laut und zerschlägt sich mit Steinen. Wenn diese Angaben auch nicht sehr detailliert sind, so reichen sie doch aus, das Vorhandensein eines akuten psychotischen Bildes zu erkennen; eine weitere diagnostische Differenzierung dürfte allerdings auch

---

[88] Gegen E. Klostermann, a.a.O., S. 48: „Die rein volkstümliche Darstellung läßt jedoch eine eigentliche Diagnose untunlich erscheinen." Die „volkstümliche Darstellung" schildert aber real Beobachtetes und läßt sich durchaus zu einer umrißhaften Feststellung eines Krankheitsbildes verwenden. F. Fenner hat mit seiner Feststellung, daß „der Reichtum der Erzählung an Einzelheiten … nicht ohne weiteres als Kennzeichen sekundärer Überlieferungsform angesprochen werden [darf]" a.a.O., S. 48 durchaus recht.

[89] Vgl. Bill., a.a.O., I, S. 491; jer. Terum. 40 b, 23: „die Kennzeichen eines Wahnsinnigen: wenn jemand des Nachts hinausläuft, wenn er an einer Begräbnisstätte übernachtet, wenn er sein Gewand zerreißt, und wenn er vernichtet, was man ihm gibt." Man kann wohl sagen, daß jeder einzelne Zug auf unseren Besessenen zutrifft. Begräbnisstätten galten zudem als bevorzugter Aufenthalt unreiner Geister. Vgl. bab. Nidda 17a.

hier schwierig sein. Seine Heilung wird daran jedermann offenbar[90], daß
er bekleidet und vernünftig (σωφρονοῦντα) bei Jesus sitzt. Daß sich im
Zusammenhang mit seiner Heilung eine in der Nähe befindliche Schwei-
neherde in den See Genezareth stürzt, ließe sich aus einem letzten Anfall
des Kranken erklären, der bei der Herde eine Panik hervorruft[91]. Der
wohl als weitere synoptische Parallelstelle zu unserer Perikope anzusehen-
de Bericht Mt 8,28—34 erzählt im Gegensatz zu den anderen beiden
Evangelisten von zwei Besessenen und weist besonders auf ihre Gemein-
gefährlichkeit hin („daß niemand auf der Straße dort vorbeigehen konnte"). Wenn man vom Motiv der Zweiheit — einem Lieblingszug des
Matthäusevangeliums[92] — absieht, sind die übrigen Züge so weit übereinstimmend und einander entsprechend, vor allem auch hinsichtlich der
Schilderung des akut-psychotischen Zustandes, daß die gemeinsame
Tradition klar auf der Hand liegt.

In Mk 9,14—28 (Parr.) geht es um die Heilung eines besessenen Knaben, bei dem zuvor die Jünger Jesu vergeblich ihre Kunst versucht hatten. Sein Vater gibt eine ausführliche Krankengeschichte: Der Sohn hat
einen sprachlosen Geist (πνεῦμα ἄλαλον)[93], der ihn zuweilen ergreift
und zu Boden wirft. Der Knabe „schäumt, knirscht mit den Zähnen und
wird starr" (ξηραίνεται)[94]. Als der Kranke zu Jesus gebracht wird, folgt
ein der Schilderung des Vaters entsprechender Anfall: Der Dämon läßt
ihn zusammenfahren (συνεσπάραξεν)[95], er fällt zu Boden und wälzt
sich schäumend. Jesus fragt — wie bei der Erhebung einer Anamnese:

[90] Auf die Demonstration und Gesundung als einen mehrfach auftauchenden
Zug in den Heilungsberichten wurde schon beim Wegtragen des Bettes hingewiesen (s. auch Anm. 66).

[91] F. Fenner, a. a. O., S. 50. Daß ein ausfahrender Dämon Zerstörungen anrich-
ten kann, wird von Josephus, Antiquitates 8,46ff. bei der Dämonenaustreibung
des Juden Eleazar vor Vespasian berichtet. Josephus will dies als Augenzeuge miterlebt haben. Vgl. auch Philostrat, vita Apollonii 4,20, wo der ausfahrende
Dämon eine Statue umwirft.

[92] Vgl. Mt 9,27ff.; 20,30ff.

[93] Dies deutet vermutlich auf eine mit Taubheit verknüpfte Aphasie hin; vgl.
(auch zum Folgenden) E. Klostermann, a. a. O., S. 91f.

[94] Vgl. 1 Kge 13,4; Septuaginta; s. W. Bauer, WB, Sp. 995.

[95] W. Bauer, WB, Sp. 1383f. σπαράσσω reißen, zerren; als dämonischer Anfall auch Mk 1,26.

„Seit welcher Zeit hat er dies?" Der Vater antwortet ausführlich: „Von Kindheit an, und oftmals hat er ihn ins Feuer und ins Wasser geworfen, um ihn umzubringen …" Jesus weist hier in ganz besonderer Weise auf die Notwendigkeit des Glaubens hin: „Alles ist möglich dem, der da glaubt." Erschütternd ist die Antwort des Vaters: „Ich glaube, Herr, hilf meinem Unglauben!"

Man wird aus diesem Hinweis Jesu auf die Bedeutung des Glaubens für die Heilung[96] nicht auf eine „psychotherapeutische Wirksamkeit"[97] schließen dürfen und den Glauben auch nicht grundsätzlich als Voraussetzung der Heilung postulieren können (trotz Mk 6,5). Der Glaube, den Jesus fordert, ist anderer Art, als ihn die „Wunderheiler" aller Zeiten und auch der modernen Zeit[98] verlangen. Er hat auch nichts mit der magischen Arzt-Patienten-Beziehung zu tun, die von gewisser Seite im Bereich der modernen Schulmedizin heute diskutiert wird[99]. Der Glaube, den Jesus fordert, ist unauflöslich mit seiner messianischen Sendung und der Botschaft von der nahenden Gottesherrschaft verbunden. Eine psychologische Deutung wird schon dadurch unmöglich, daß auch der Glaube der Angehörigen, besonders des Vaters (so in unserem Falle) oder der Mutter (beim kanaanäischen Weib, Mt 15,28) bedeutsam werden kann (s. hierzu noch S. 363).

Als die Menge herbeidrängt — dies setzt wohl ein Abseitsgehen Jesu mit dem Vater und seinem Kind voraus — bedroht Jesus (ἐπετίμησεν) (s. Anm. 47) mit einem ausführlichen Exorzismus den Dämon: „Du sprachloser und tauber Geist, ich gebiete dir, fahre aus ihm und kehre nicht mehr in ihn zurück."[100] Unter Schreien und Krämpfen fährt dieser aus, der Knabe liegt „wie ein Toter", viele glauben, er sei gestorben. In den Parallelberichten des Lukas und Matthäus wird der Bericht wesentlich verkürzt, die typischen Züge sind teilweise nicht mehr erkennbar. Am stärksten wird der Bericht von Matthäus gestrafft, dafür nennt er die

---

[96] Vgl. Mk 5,34; Mt 9,29; Lk 8,48 (s. S. 348); Mt 8,10; Lk 7,9; Mk 2,5; Mt 9,2; Lk 5,20; Mt 9,29; 15,28; Lk 17,19; 18,42; Mk 10,52 u. a.

[97] F. Fenner, a. a. O., S. 93; das Wort „psychotherapeutische Wirksamkeit" ist in diesem Zusammenhang unglücklich gewählt, denn Psychotherapie in heutigem Sinn ist etwas grundlegend anderes und hat mit dem hier zur Frage stehenden Problem nur gemein, daß sie ebenfalls im seelischen Grund des Menschen angreift (Jores, Dt. Med. Wschr. 1955, S. 918).

[98] Zeileis, Gröning, Zaiß usw.

[99] Jores, a. a. O., S. 916.

[100] Zur Rückkehr von Dämonen vgl. Mt 12,43 ff. und Lk 11,24 ff.

Krankheit des Knaben beim Namen: „Er ist mondsüchtig" (σεληνιάζεται), d. h. nach der Sprache der Zeit, er ist epileptisch[101].

Nach Ansicht der antiken Ärzte bestimmt der Mond das Intervall zwischen den Anfällen bei Epileptikern[102]. Die Epilepsie wurde schon von Hippokrates ausführlich behandelt („Über die heilige Krankheit") und auf natürliche Ursachen zurückgeführt[103]. Der antike Volksglaube vermutete, daß die Epilepsie durch einen Schlag von toten Geistern verursacht sei[104]. Der Talmud sieht in ihr teils eine Strafe Gottes, teils führt auch er sie auf dämonische Einwirkung zurück[105].

Jesus faßt den Knaben an der Hand, richtet ihn in die Höhe, und der Knabe steht auf[106]. Man kann bei diesem eindeutigen Krankheitsbild nachträglich aus der Tatsache heraus, daß Jesus den Knaben an der Hand ergreift und aufweckt, nun nicht plötzlich Hysterie diagnostizieren, weil ein solches Erwecken aus dem postparoxysmalen Schlaf bei Epilepsie ein Ding der Unmöglichkeit sei[107]. Selbstverständlich hat auch diese Heilungserzählung kein eigenständiges medizinisches Interesse, die eingehende Schilderung will nur die Furchtbarkeit des Leidens, durch das der Knabe heimgesucht wird, und dementsprechend die Größe der Heilung hervorheben. Auf der anderen Seite wird dabei noch deutlich, daß auch die „volkstümliche Überlieferung" sehr genau beobachten, tradieren und erzählen konnte[108].

[101] Vgl. E. Klostermann, Das Matthäusevangelium, HNT 3. Aufl., 1938, S. 144; zu Mt 17,5: „Verdeutlichung auf Grund antiker Vorstellungen vom Zusammenhang zwischen Epilepsie und Mondsüchtigkeit."

[102] Vgl. Galen 9,903, ed. Kühn, und Lukian, Toxaris 24: „Er soll bei zunehmendem Mond Anfälle bekommen." Siehe auch Liddell-Scott, A Greek-English Lexicon, 9th. ed. 1940, S. 1590.

[103] Vgl. W. Wilamowitz, SAB I, 1901f., 2—23.

[104] O. Weinreich, a. a. O., S. 59, und auch Hippokrates, a. a. O., 1, 542 ed. Kühn: „Die Magier, Reiniger, Gaukler und Schätzer führen sie auf Angriffe von Gespenstern (ἔφοδοι ἡρώων) zurück."

[105] bab. Gittin 70a (Baraitha); s. Bill., a. a. O. I, S. 758.

[106] Die Heilung der Epilepsie im Zusammenhang mit einem unserer Erzählung ähnlichen Krankheitsbild finden wir bei Lukian, Philiopseudes 16, angedeutet: „Alle kennen den Syrer aus Palästina, jenen Wanderlehrer, der sich damit befaßt. Er nimmt sich derer an, die dem Mond verfallen sind, das Auge verdrehen und den Mund mit Schaum füllen, damit sie aufstehen, und er entläßt sie gesund."

[107] F. Fenner, a. a. O., S. 44.

[108] Siehe auch Anm. 88.

III. Der Sinn der Heilungen Jesu

Aus den bisherigen Ausführungen ist wohl sichtbar geworden, daß die Wirksamkeit Jesu als Heilender nicht in Analogie zur Tätigkeit des Arztes gesehen werden darf. Seine Heilungen erhalten ihren Sinn aus seiner messianischen Sendung und seiner Botschaft vom anbrechenden Gottesreich. Im Bericht über sein erstes Auftreten in Nazareth Lk 4,17ff. und in seiner Antwort an Johannes den Täufer Mt 11,4ff. und Lk 7,21ff. wird deutlich, daß seine Heilungen vom Alten Testament begründet sind: „Heute geschehen durch mich die Zeichen, die von den Propheten für die kommende Heilszeit geweissagt worden waren."[109] Die Voraussetzung zum Anbruch des Gottesreiches war vor allem, daß die Macht Satans zerbrochen wurde (vgl. Lk 10,17—24)[110]. Die Krankenheilungen und Dämonenaustreibungen — beides läßt sich ja der Anschauung jener Zeit entsprechend nicht trennen[111] — waren als Einbruch in den Machtbereich des Bösen (vgl. Mt 12,27 und Lk 11,17ff.) und als Zeichen für den Anbruch des Heils zu verstehen. Sie waren „Zeichen" des nahenden Gottesreiches, Vorboten einer neuen Weltordnung[112].

Die „Zeichen" Jesu können nicht wie andere „Wundererzählungen", mit denen sie vielleicht formal manches gemeinsam haben — wir haben in dem Vorhergehenden auf solche Gemeinsamkeiten immer wieder hingewiesen —, aus sich selbst verstanden werden, sie sind eingeordnet in seinen göttlichen Auftrag, in sein „Heilswerk". Das „Wunder" als Selbstzweck hat er immer streng von sich gewiesen und alle „Zeichenforderungen" schroff abgelehnt. Schon in der Versuchungsgeschichte (Mt 4,1ff.) lehnt Jesus die Legitimation seiner Sendung durch Schauwunder ab[113].

[109] Vgl. Jes 61,1; 29,18; 32,2ff.; 35,5f.: „Dann öffnen sich die Augen der Blinden und die Ohren der Tauben tuen sich auf, dann springt der Lahme wie ein Hirsch und die Zunge des Stummen wird jubeln ..."

[110] Vgl. auch den Aufsatz von O. Betz, Jesu heiliger Krieg, Novum Testamentum 2 (1957), S. 129.

[111] Siehe Anm. 13; vgl. dazu die Interpretation des ersten Johannesbriefes 3,8; „dazu wurde der Sohn Gottes offenbar, daß er die Werke des Teufels zerstöre..."

[112] „... vorlaufendes Zeichen seines kommenden Reiches ..." K. Barth, Kirchliche Dogmatik, 4. Aufl., 1948, I/2, S. 198.

[113] Nach Justin, Dialogus cum Tryphone, c. 110, 1, waren die Rabbinen der Ansicht, daß der Messias zunächst unbekannt sei und sich durch Wunder ausweisen müsse. Zu den Wundern der messianischen Zeit vgl. auch 4 Esr 7,27f.; 13,50.

An anderer Stelle verweist er nach Ablehnen eines ähnlichen Ansinnens allein auf die Buße (Umkehr) (Mt 12,38ff.; Lk 11,16 und 29ff.; Mt 16,1ff.; Mk 8,11ff.; Lk 23,8ff; Joh 4,48ff.). Seine Krafttaten (s. Anm. 39) stehen immer in Beziehung zu seiner Verkündigung. Jesus war sich durchaus bewußt, daß diese Krafttaten die Gefahr einer nur oberflächlichen Form der Nachfolge und des Glaubens an ihn in sich bargen: „Als er zu Jerusalem war am Osterfeste, glaubten viele an seinen Namen (als Messias), da sie die Zeichen sahen, die er tat. Aber Jesus erwiderte ihren Glauben seinerseits nicht, weil er sie alle kannte …" (Joh 2,23f.). Das Johannesevangelium stimmt hier im Grunde mit den Synoptikern überein. Auch der oft strenge Befehl, seine Heilungswunder nicht weiterzuerzählen, mag als Hinweis darauf gelten, daß Jesus vermeiden wollte, als Wundertäter angestaunt zu werden[114]. Dieser Punkt steht allerdings im weiteren und schwierigen Zusammenhang mit dem Messiasgeheimnis. Doch kann die Heiltätigkeit Jesu eben von diesem „Messiasgeheimnis"nicht getrennt werden. Daß die wunderbaren Taten Jesu keinen Selbstwert haben, geht im übrigen noch daraus hervor, daß das Wunderereignis stets eine doppelte Möglichkeit der Interpretation beinhaltet: Entweder ist Gott der Urheber oder der Teufel (s. die Reaktion der Pharisäer Mt 12,24ff.). Daß auch solche wunderbaren Geschehnisse den wirklichen Glauben allein gar nicht hervorrufen können, sagt Jesus selbst in dem Schlußteil des Gleichnisses von dem „reichen Mann und dem armen Lazarus" (Lk 16,27—31). Daß es zum Glauben kommt, bedarf noch ganz anderer Voraussetzungen[115]. Das Heilen Jesu ist in seinem Sinngehalt eng mit dem Heil verknüpft, das Jesus in seiner Botschaft von der Gottesherrschaft verkündigt. Das Verb: σώζειν (retten, heilen, Mk 5,23 und 28; 6,56; Mt 9,21f.; Lk 8,36 und 50; Apg 4,9; Mt 14,36; Lk 7,3) entspricht dem Hauptwort σωτηρία, Heil, Heilung, Apg 4,12. Die Verwendung gerade dieser Begriffe zeigt, daß man die Heilung des Körpers als ein Teil jenes ganzen Heils betrachtet, das dem Menschen mit dem Anbruch der Gottesherrschaft gebracht oder übereignet wurde.

Mit dem Heilen wollte Jesus eben in keinem Fall allein nur eine rein körperliche Rehabilitation — wie es dagegen der Arzt erstrebt — erreichen, sondern er wollte den Kranken vor allem zu seinem Heil in der

---

[114] Mk 1,44; 3,12; 5,43; 7,36.
[115] H. Thielicke, Das Bilderbuch Gottes, 1957, S. 49ff.

kommenden Gottesherrschaft führen. Daß dabei auch Heilungen von Krankheiten Wesenszug der Heilsverkündigung waren, ist wohl mit auf die im Judentum gebräuchliche Gleichsetzung von Heiligkeit mit vollkommener Gesundheit zurückzuführen. Nach alttestamentlicher Anschauung konnte man sich das messianische Heil nur bei körperlich „Heilen" vorstellen[116]. Die Gegenwart im Heiligtum Gottes war für mit Leibesfehlern behaftete und entstellte Kranke nicht erlaubt. So schlossen leibliche Gebrechen bei den zum Priestertum bestimmten Nachkommen Aarons die damit Behafteten automatisch vom Priesterdienst aus. Solche an und für sich infolge ihrer Abstammung dem Priesterstand angehörige Kranke konnten nicht in das Heiligtum und vor den Altar treten. Zum Opferdienst waren sie nicht zugelassen (Lev 21,16ff.)[117]. Allerdings entsprachen nun die heilenden Krafttaten Jesu nicht der Verwirklichung einer weithin primitiven und rein immanenten irdischen messianischen Erwartung, wie sie die damaligen Juden erfüllte und für welche die Gleichung: geistliche gleich körperliche Reinheit typisch war, sondern sie waren Zeichen der barmherzigen Zuwendung Gottes zum ganzen Menschen, an „Heilige" und „Unheilige", Sünder und Gerechte, Gesunde und Kranke, an den einzelnen und alle. Ja, gerade den Ausgestoßenen und Verachteten galt sein Dienst in ganz besonderer Weise[118]. Wenn nach der jüdischen Anschauung Kranke oder mit einem Gebrechen Behaftete als von Gott gestraft und deswegen vor ihm als minderwertig galten, so dokumentiert gerade die Heiltätigkeit Jesu für diese Menschen das legitime Bürgerrecht im Reiche Gottes. Kranke und Gesunde sind so wieder religiös Gleichberechtigte.

Die enge unlösbare Verbindung von Heil und Heilung bei Jesu Wirken wird unterstrichen durch die Geschichte der Heilung des Gichtbrüchigen oder Paralytischen[119], der durch das aufgebrochene Dach zu Jesus heruntergelassen wird. Bevor Jesus die Heilung vollbringt, sagt er zu dem Kranken: „Mein Sohn, dir sind deine Sünden vergeben." Das heilende Wort: „Steh auf, nimm dein Bett und gehe heim" (Mk 2,11) ist im

---

[116] Man glaubte, daß Krankheit und Schmerzen schwinden: Syr. Bar. 73,1f.; Esra-Apokalypse 8,53; slaw. Henoch, Kap. 65,9; vgl. auch Bill., a.a.O., I, S. 539.

[117] Vgl. auch Lev 20,7.

[118] Vgl. Mk 2,16f. (Parr.); s. auch Lk 7,37ff.

[119] Mk 2,1—12; Mt 9,2—8 und Lk5, 17—26; vgl. S. 354.

Zusammenhang dieser Geschichte nur die Bekräftigung und Bestätigung der Sündenvergebung.

Zum anderen muß man den Verkündigungscharakter der Heilungen Jesu noch darin sehen, daß er die Herrschaft Satans auch in den Krankheiten bekämpfte. Wie wir schon angedeutet haben, war im Judentum jener Zeit Heilung und Dämonenaustreibung weitgehend dasselbe. Daß Jesus die Meinung seiner damaligen Volksgenossen über den dämonischen Ursprung auch organischer Krankheiten geteilt hat, geht am deutlichsten aus dem Bericht über die Heilung der verkrümmten Frau hervor (s. S. 342 und 363, vgl. auch Anm. 64.).

IV. Zur Frage der Geschichtlichkeit der „Wunder" Jesu

Mit unseren bisherigen Ausführungen haben wir hauptsächlich die Absicht verbunden, nachzuweisen, daß die Heilungen Jesu prinzipiell mit medizinischen und ärztlichen Kategorien nicht kommensurabel sind, weder ihrem Sinngehalt nach noch durch die Art und Weise, wie sie sich jeweils ereignet haben. Man hat bis heute immer wieder versucht, die wunderbaren Heilungen Jesu im Sinne der modernen Medizin zu erklären bzw. mit den uns heute bekannten naturwissenschaftlichen Tatsachen zu interpretieren[120]. Auf der anderen Seite hat man jedoch auch die unerklärlichen Fakten in den Evangelien dazu benützt, um absolute Wunder im metaphysischen Sinn zu postulieren[121]. In beiden Fällen werden aber moderne, seit der Aufklärung bei uns verbreitete Vorstellungen in eine ganz andere Denk- und Vorstellungswelt hineingetragen:

Uns erscheinen Wunder und ein nach unwandelbaren Gesetzen sich vollziehendes Naturgeschehen als Gegensätze. Die Alten dagegen konnten jedes göttliche Handeln als Wunder bezeichnen, auch wenn es in natürlichen Bahnen verlief. Alles was geschah, konnte als Wunder aufgefaßt werden. Die Grenzlinie zwischen Wunder und Nichtwunder ist in der Antike keine feste, die Entscheidung darüber liegt im Menschen[122].

[120] Siehe Anm. 69, aber auch weitere Stellen bei F. Fenner, a. a. O.

[121] K. Knur, Christus medicus, 1905.

[122] O. Weinreich, a. a. O., VII/VIII. Eine wirklich weiterführende Erörterung der Wunderfrage gibt K. Heim, Die Wandlung im naturwissenschaftlichen Weltbild (Bd. 5 in der Reihe: Der evangelische Glaube und das Denken der Gegenwart, 1951, S. 176—207).

Die „Wunder", die damals in Palästina geschehen sind, waren Krafttaten (δυνάμεις), bei denen Gott der eigentliche Täter war (s. Anm. 39). Es waren stets Begebenheiten, die Verwunderung, Staunen, ja Entsetzen hervorriefen (s. Anm. 67). Für das Volk in Galiläa und Judäa war das Unverstandene und Ungewohnte der Taten Jesu das Wunderbare, in dem der religiös Vernehmungsfähige der göttlichen Wirklichkeit begegnete.

Bei dieser Sachlage stellt sich nun die Frage nach der „Geschichtlichkeit" der Wunder Jesu. Eine ausgiebige Erörterung dieses Problems würde über den Rahmen unseres Aufsatzes hinausgehen. Diese Frage kann auch mit historischen Mitteln nur begrenzt beantwortet werden. Immerhin ist sehr bemerkenswert, daß die antichristliche Polemik in der Antike auf jüdischer und heidnischer Seite die Tatsächlichkeit der Wunder Jesu nie bestritten hat[123]. Darüber hinaus ist zu beachten, daß Paulus nach seinem eigenen Zeugnis mit einer gewissen Selbstverständlichkeit von den durch ihn gewirkten Zeichen und Wundern spricht (Röm 15,18f, vgl. auch 2 Kor 12,12 und Anm. 127). Der historische Quellenwert dieser beiden Paulusbriefe ist dabei über jeden Zweifel erhaben. Die Aussage Pauli entspricht im übrigen der in der Apostelgeschichte verbreiteten Auffassung, daß die Vollmacht Jesu unvermindert auf seine Jünger und Apostel übertragen worden sei[124]. Diese Anschauung wird durch eine aufschlußreiche talmudische Tradition bestätigt:

„Es geschah, daß Rabbi Elieser ben Dama von einer Schlange gebissen wurde; da kam Jakob aus dem Dorfe Sama, um ihn im Namen von Jesus ben Pandera (die talmudische Bezeichnung Jesu Christi) zu heilen; aber R. Jismael (sein Onkel) ließ es nicht zu und sprach zu ihm: ‚Das darf nicht sein, ben Dama!' Sprach er zu ihm: ‚Ich will dir einen Beweis aus der Schrift erbringen, daß er mich heilen darf.' Aber bevor er den Beweis erbracht hatte, starb er. Sprach R. Jismael: ‚Heil dir, ben Dama, daß du in Frieden geschieden bist und daß du den Zaun der Weisen nicht durchbrochen hast'."[125]

---

[123] E. Stauffer, Jesus, Gestalt und Geschichte (Dalp-Taschenbücher 332), 1957, S. 18 ff. Zur talmudischen Beurteilung vgl. die ausführliche Darstellung des israelischen Gelehrten J. Klausner, Jesus von Nazareth, 3. Aufl., 1952, S. 17—66.

[124] Petrus wird Apg 9,36 ff. selbst eine Totenerweckung zugeschrieben. Paulus spricht 2 Kor 12,12 von den „Zeichen des Apostels", die er in Korinth wirkte, er wiederholt nachdrücklich „durch Zeichen, Wunder und Krafttaten". Vermutlich sah er darin ein Zeichen seiner apostolischen Legitimität.

[125] Zitiert nach J. Klausner, a. a. O., S. 47: Tosephta Chullin 2,22—23; Parallelen bab. Aboda Zara 27b, jer. Schabbat 14b/15a und jer. Aboda Zara 40b/41a.

Diese Anekdote ist insofern interessant, als sie zeigt, daß noch um die Jahrhundertwende sich die urchristliche Heilungsgabe „im Namen Jesu"[126] in der Gemeinde erhalten hat und man selbst in dem Christentum feindlich gesonnenen orthodox-jüdischen Kreisen an der Heilgabe christlicher Charismatiker[127] nicht zweifelte. Die Ablehnung der Heilung erfolgte wohl aus Gründen, die schon Mk 3,22ff., Mt 12,24ff. und Lk 11,15ff. angedeutet sind. Die von F. Fenner u.a.[128] angeführte Parallele der Übertragung der Heilkraft des Asklepios auf seine Jünger wird man nur bedingt heranziehen können. Einmal ist Asklepios keine historische Gestalt, außerdem fehlt bei Asklepios völlig der eschatologische Hintergrund. Jene Übertragung der Vollmacht muß von Jesus in irgendeiner Weise selbst vorgenommen worden sein (vgl. Mt 10,8).

Der besonders von gewisser theologischer Seite gegen die Wundererzählungen vorgebrachte formgeschichtliche Einwand, daß sie durch ihre bestimmten, auch mit außerchristlichen Wundererzählungen übereinstimmenden, mehr oder weniger festgeprägten Stilelemente und Traditionsformen sich als weithin ungeschichtlich ausweisen würden[129], übersieht, daß diese festen Formen in der Regel durch die Sache und das Geschehen selbst bedingt sind. Wollte man diesen Einwand zu einem allgemeingültigen Gesetz erheben, so könnten z.B. konsequenterweise auch alle modernen medizinischen Krankengeschichten, die der Sache wegen ebenfalls stets eine bestimmte feste Form aufweisen müssen, für unverbindlich bzw. gar für ungeschichtlich erklärt werden. Im übrigen findet sich in den Heilungsberichten der Evangelien doch eine erstaunliche Viel-

---

R. Ismael wurde gegen 60 n.Chr. geboren; s. H. Strack, Einleitung, a.a.O., S. 124f. Die Anekdote mag sich um 100 n. Chr. ereignet haben; vgl. auch J. Klausner, a.a.O., S. 48f.

[126] Zu Heilungen „im Namen Jesu" vgl. Apg 4,30; Mk 9,38f.; Lk 9,49; 10,17; Apg 3,6; 4,10; 16,18. Zum Schlangenbiß vgl. Apg 28,3ff. Jahrhundertwende: 100 n.Chr.

[127] 1 Kor 12,9f. nennt Paulus unter den verschiedenen der Gemeinde geschenkten Charismata die Gabe der „Heilungen" und daneben der „Wunderwirkungen". Sie werden als selbstverständlich in der Gemeinde vorausgesetzt.

[128] F. Fenner, a.a.O., S. 84, s. auch O. Weinreich, a.a.O., S. 35.

[129] Diese These wurde vor allem von R. Bultmann, Gesch. syn. Trad., S. 223—260, vertreten. Dort findet sich auch eine gute Übersicht der Stilmotive (236—241).

fältigkeit der Stilmotive, so daß man von einer Einförmigkeit eigentlich nicht sprechen kann. In neuerer Zeit scheinen auch solche Zweifel an der Geschichtlichkeit der Heilungstaten wieder zu schwinden: „Man wird schwerlich bezweifeln können, daß solche physischen Heilkräfte von Jesus ausgegangen sind."[130] Eine letzthin absolute Verbindlichkeit wird die historisch-kritische Methode in dieser Fragestellung jedoch nicht bringen können. Der Grund hierfür liegt nicht zuletzt darin, daß sich der Wunderbegriff durch unser heutiges rein immanent-kausal bedingtes naturwissenschaftliches Weltbild unmerklich gewandelt hat. Als Wunder werden heute häufig nur Vorkommnisse angesehen, die aus dem Rahmen der von uns erkennbaren Naturgesetzlichkeit herausfallen. Was ursprünglich staunenerregendes und wunderbares Sichtbarwerden des Wirkens Gottes war (s. auch die ganze Schöpfung Gottes, Psalm 104), ist heute infolge einer falschen Betrachtungsweise auf einen ganz schmalen Bezirk reduziert, ja für viele hat es sich ganz verflüchtigt. Wenn das Wunder allein dadurch definiert wird, daß hierbei Naturgesetze durchbrochen werden, so wird es notwendigerweise zu einer reinen Funktion der sich immer wandelnden Naturwissenschaften oder der menschlichen Erkenntnis über die Naturzusammenhänge. Der Wunderbegriff ist dann selbst genauso einem ständigen Wandel unterworfen. Erst die Bezogenheit des Wunders auf Gott, als dessen gewaltige Bewunderung und Lobpreis erweckende Tat, bildet den festen Punkt bei diesem Begriffswandel im Laufe der Geschichte. Die vor 2000 Jahren herrschende Anschauung gegenüber der Natur und das ganze damalige Weltbild ist gegenüber unserem heutigen Denken so verschieden, daß im Rahmen rein wissenschaftlich-historischer Bemühung für den skeptischen bzw. rein dieser Welt verhafteten Geist nur die Feststellung einer einzigartig dastehenden Heilkraft und Heiltätigkeit Jesu übrigbleibt.

Letzten Endes ist für eine tiefere Durchdringung und Einsicht in das Problem des tatsächlichen[131] oder nur vermeintlichen[132] Widerspruchs des Wunders zu den Naturgesetzen eine andere Dimension maßgebend,

---

[130] G. Bornkamm, Jesus von Nazareth, Urban-Bücher Nr. 19 (Stuttgart 1956), S. 120.

[131] G. Mensching, a.a.O., S. 102.

[132] C. S. Lewis, Wunder, Eine vorbereitende Untersuchung, übers. von S. v. Radecki, 1952, S. 67ff.

die des religiösen Glaubens. Der Glaube liegt auf einer anderen Ebene als das Wissen. Er kann sich primär nicht auf ein wissenschaftlich objektivierbares religiöses „Wunder" stützen[133]. Im Grunde ist er Gnade und gründet sich auf das Hörenkönnen von Gottes Wort. Er unterscheidet sich jedoch von dem Wissen nicht durch den Grad der Sicherheit seines Inhaltes, er kennt im Gegenteil sogar ein Höchstmaß an Gewißheit (Hebr 11,1). Verschieden sind nicht nur die Quellen bzw. Ursachen, sondern ebensosehr das Objekt von Wissen und religiösem Glauben.

Der Glaube bewirkt jedoch noch mehr als nur die Überwindung scheinbar nicht zu vereinbarender Gegebenheiten. Er hilft dem modernen, die Nachfolge Jesu anstrebenden Arzt, den rein „technischen", in der Notwendigkeit der medizinisch-pathologischen Situation begründeten Kontakt zum Patienten ganz wesentlich zu erweitern und führt schließlich in den Bereich des völligen Aufgeschlossenseins für das gesamte Sein des Kranken. Erst der Glaube schafft eigentlich den „Ausgangsort, den man innehaben muß"[134], um im Sinne Jesu seinen „Nächsten" (Lk 10,25 ff.) anzunehmen und ihm zu begegnen. Mit diesem Glauben an Jesus Christus kann dann das berufliche Wirken des Arztes — auch heute — Verkündigung für das Reich Gottes werden.

Literatur

Barth, K., Kirchliche Dogmatik, 4. Aufl. (Zürich 1948), I, 2, Die Lehre vom Wort Gottes.
Bauer, W., Wörterbuch zum Neuen Testament, 4. Aufl. (Berlin 1952).
Betz, O., Jesu heiliger Krieg, Novum Testamentum 2 (1957), 129.
Bornkamm, G., Jesus von Nazareth, Urban-Bücher Nr. 19 (Stuttgart 1956).
Bousset, W., Greßmann, H., Die Religion des Judentums im späthellenistischen Zeitalter, Handbuch zum Neuen Testament 21, 3. Aufl. (Tübingen 1926).
Buber, M., „Zwiesprache" (Berlin 1932).
Bultmann, R., Das Evangelium des Johannes, Meyers krit.-exeget. Kommentar, 11. Aufl. (Göttingen 1950).
—, Geschichte der synoptischen Tradition[2] (Göttingen 1931).

[133] Die Umkehr des Wortes von Goethe „Das Wunder ist des Glaubens liebstes Kind" ist nicht möglich; s. G. Mensching, a. a. O., S. 1 ff.
[134] Siehe hierzu auch: M. Buber, „Zwiesprache", 1932, S. 41 und 53 ff.

Cadbury, J. H., Journal of Biblical Literature 45 (1926), 190.

Diognet-Brief, Die apostolischen Väter, ed. Bihlmeyer-Funk, 1. Teil (Tübingen 1924).

Echter-Bibel, Die, Das alte Testament, Buch Sirach, Übersetzung nach V. Hamp (Würzburg 1951).

Feine, P., Behm, J., Einleitung in das Neue Testament, 9. Aufl. (Leipzig 1950).

Fenner, F., Die Krankheit im Neuen Testament (Leipzig 1930).

Flavii Josephi opera, ed. B. Niese, 6 Bde., 2. Aufl. (Berlin 1955).

Förster, W., Art. δαίμων, s. Theol. Wörterbuch zum Neuen Testament, hrsg. von G. Kittel und G. Friedrich, Bd. 2 (Stuttgart 1933).

Galeni opera, ed. C. G. Kühn (Leipzig 1821—1833).

Harnack, A. v., Die Mission und Ausbreitung des Christentums, 4. Aufl., Bd. I (Leipzig 1924).

Heim, K., Die Wandlung im naturwissenschaftlichen Weltbild, Bd. 5 in der Reihe: Der evangelische Glaube und das Denken der Gegenwart (Hamburg 1951).

Heman, F., Geschichte des jüdischen Volkes, 2. Aufl. (Stuttgart 1908).

Hempel, J., Ich bin der Herr, dein Arzt, ThLZ 11 (1957), Sp. 809—826.

Hennecke, E., Neutestamentliche Apokryphen, 2. Aufl. (Tübingen 1924).

Herzog, R., Artikel „Arzt" in Reallexikon für Antike und Christentum, Bd. I. (Stuttgart 1950).

—, Die Wunderheilungen von Epidauros, Beiträge zur Geschichte der Medizin und der Religion (Leipzig 1931).

Hobart, W. K., The medical language of St. Luke (London 1882).

Ignatius, An die Epheser, Die apostolischen Väter, ed. Bihlmeyer-Funk, 1. Teil (Tübingen 1924).

Jores, A., Magie und Zauber in der modernen Medizin, Dtsch. med. Wschr. 80 (1955), Nr. 24, S. 915.

Justin, Dialogus cum Tryphone, Die ältesten Apologeten, ed. E. J. Goodspeed (Göttingen 1914).

Kautzsch, E., Apokryphen und Pseudepigraphen des Alten Testaments, Bd. 1 und 2 (Freiburg und Leipzig 1900).

Klausner, J., Jesus von Nazareth, 3. Aufl. (Jerusalem 1952).

Klostermann, E., Das Lukasevangelium, Handbuch zum Neuen Testament 5, 2. Aufl. (Tübingen 1927).

Knur, K., Christus medicus (Freiburg 1905).

Lewis, C. S., Wunder, eine vorbereitende Untersuchung, Übersetzung nach S. v. Radecki (Köln-Olten 1952).

Liddell, H. C., Scott, R., A Greek-English Lexicon, 9th ed. 1940 (Oxford 1950).

Lukian von Samosata, Philiopseudes, opera ed. G. Dindorf, Bd. 3 (Leipzig 1858).

Mensching, G., Das Wunder im Glauben und Aberglauben der Völker (Leiden 1957).

Milik, J. T., Dix Ans de Découvertes dans le désert de Juda (Paris 1957).

Oepke, A., Artikel ἰατρός, ThW, hrsg. von G. Kittel und G. Friedrich, Bd. 3 (Stuttgart 1933).

Origenes contra Celsum, liber I et II, Die griechischen christlichen Schriftsteller der ersten drei Jahrhunderte. Hrsg. von P. Koetschau (Leipzig 1899).

Ott, J., Die Bezeichnung Christi als ἰατρός in der urchristlichen Literatur, Der Katholik 90 (1910), 457.

Philonis Alexandrini, Opera quae supersunt, ed. L. Cohn und P. Wendland (Berlin 1896 ff.).

Philostrat, Vita Apollonii, ed. F. C. Conybeare, 2 vols (London 1948).

Plinius, Historia naturalis, ed. D. Detlefsen (Leipzig 1866).

Plutarch (quaestiones convivales), Moralia, ed. G. N. Bernadakis (Leipzig 1888).

Preisigke, F., Die Gotteskraft der frühchristlichen Zeit (Berlin 1922).

Reitzenstein, H., Poimandres, Studien zur griechisch-ägyptischen und frühchristlichen Literatur (Leipzig 1904).

Rengstorf, K. H., Das Neue Testament Deutsch, Bd. 3: Das Evangelium nach Lukas, 5. Aufl. (Göttingen 1949).

Röhr, J., Der okkulte Kraftbegriff im Altertum, S. 14 (Leipzig 1923).

Schlier, H., Der Brief an die Galater, Meyers krit.-exeget. Kommentar, 11. Aufl. (Göttingen 1951).

—, Artikel ἐκπτύω, ThW, hrsg. von G. Kittel und G. Friedrich, Bd. 2 (Stuttgart 1933).

Schürer, E., Geschichte des jüdischen Volkes im Zeitalter Jesu Christi, 3 Bde., 3. und 4. Aufl. (Leipzig 1901).

Seng, H., Die Heilungen Jesu in medizinischer Bedeutung, 2. Aufl. (Schwerin 1926).

Septuaginta, ed. A. Rahlfs, 2 Bde. (Stuttgart 1943).

Singer, C. J., Artikel Anatomy und Medicine. London, Oxford Class. Dict. 2, 1949, 48, 548.

Stauffer, E., Artikel δύναμις, ThW, hrsg. von G. Kittel und G. Friedrich, Bd. 2 (Stuttgart 1933).

—, Jesus, Gestalt und Geschichte, Dalp-Taschenbücher 332 (Bern 1957).

Steinleitner, F. X., Die Berichte im Zusammenhang mit der sakralen Rechtspflege in der Antike, Diss. (München 1913).

Strack, H., Billerbeck, P., Kommentar zum Neuen Testament aus Talmud und Midrasch, 4 Bde. (München 1922 ff.).

Strack, H., Einleitung in Talmud und Midrasch, 5. Aufl. (München 1921).

Tacitus, Historien, ed. Wolff-Andresen, 2. Aufl. (Berlin 1926).

Talmud und Talmudische Literatur:

   Das Sammelwerk von Strack-Billerbeck s. o.

   Talmud, neu übertragen durch L. Goldschmidt, Bd. 1—12 (Berlin 1929).

Talmud, Jeruschalmi, Nachdruck der Krotschinerausgaben (New York 1948).

Tosephta, Die, ed. Zuckermandel, 2. Aufl. (Jerusalem 1937).

Thielicke, H., Das Bilderbuch Gottes (Stuttgart 1957).

Vita Hadriani in „Scriptores Historiae Augustae", ed. E. Hohl, 2 Bde. (Leipzig 1927).

Weinreich, O., Die hippokratische Schrift: περὶ ἱερῆς νόσου. Sitzungsberichte der preuß. Akademie d. Wissenschaften, I (Berlin 1901), 2—23 (phil.-hist. Klasse).

Ziebarth, E., Neue Verfluchungstafeln aus Attika, Böotien und Euboia. Sitzungsberichte d. preuß. Akademie d. Wissenschaften (Berlin 33 1934), (phil.-hist. Klasse).

Karl Gatzweiler, La Conception Paulinienne du Miracle. Universitas Catholica Lovaniensis, Sylloge Excerptorum e dissertationibus ad gradum doctoris in Sacra Theologia. XXXV 6. Louvain 1961, pp. 813—846.
Übersetzt von Josef Kremeyer.

DER PAULINISCHE WUNDERBEGRIFF

Von KARL GATZWEILER

Eine Untersuchung des Wunders im Neuen Testament hat zwei Grundregeln zu beachten, die übrigens auch sonst gelten: Sie hat genetisch vorzugehen und mit einer Bestimmung des literarischen Genus zu beginnen.

Die Notwendigkeit, eine solche *Untersuchung genetisch durchzuführen,* braucht nicht mehr eigens begründet zu werden. In unserer Zeit, die sehr auf die historische Dimension aller Wirklichkeit zu achten gelernt hat, messen auch die Theologen der Erfassung positiver Sachverhalte entscheidende Bedeutung bei, und die Exegeten verfolgen das Wachsen der Offenbarung anhand der verschiedenen biblischen Bücher. So sind sie bemüht, die Geschichte der überlieferten Texte und damit die Traditionsgeschichte zu beschreiben, insbesondere die Geschichte des Glaubens und der Theologie in der Urgemeinde. Es bedeutet eine Entstellung, wenn man ein Faktum aus seinem geschichtlichen Zusammenhang herausnimmt. Bei Untersuchungen über das Wunder sind viele Exegeten und Theologen deshalb nicht weitergekommen, weil sie die geschichtliche Seite des Problems außer acht gelassen haben. Eine Untersuchung über das Wunder im Neuen Testament muß daher bei den ältesten Zeugnissen, den paulinischen Schriften, ansetzen.

Eigentlich müßte das genetische Verfahren sogar auf jeden Autor und jedes Buch einzeln angewendet werden. Streng genommen genügt es nicht, unsere Untersuchung mit Paulus zu beginnen, vielmehr müßten auch seine Aussagen in ihrem Nacheinander betrachtet werden. Allerdings erbringt eine genetische Untersuchung der paulinischen Schriften für das vorliegende Thema keine spezifischen Erkenntnisse. Wir sind deshalb anders vorgegangen: Nach Lage der Dinge konnten wir uns auf die Briefe an die Thessalonicher und die Hauptbriefe beschränken, da in den Gefangenschafts- und in den Pastoralbriefen praktisch nicht von Wundern gesprochen wird. Bei ihnen beschränken wir uns darauf, einige

Textstellen zu erwähnen und anzumerken, inwieweit ihre Aussagen von denen der anderen Briefe abweichen. Da diese zeitlich nicht weit auseinanderliegen, ist es durchaus begreiflich, daß die Aussagen ihres Verfassers zum Wunder keinerlei Entwicklung aufweisen.

Wie die neuere Forschung ferner herausgestellt hat, muß jede exegetische Untersuchung mit einer literarkritischen Analyse beginnen. Dies gilt insbesondere, wie A. Fridrichsen in seinem Werk ›Le problème du miracle dans le christianisme primitif‹ gezeigt hat[1], für exegetische Untersuchungen zum Wunder. Seit Jahrhunderten verwendet man zu ausschließlich alle Mühe darauf, die Historizität der biblischen Wunder zu widerlegen oder zu beweisen. Die liberale Schule versucht, die historische „Dichte" der Wunder abzuschwächen, und gibt sich alle Mühe, sie auf natürliche Weise zu erklären, indem sie ihnen eine mythologische oder allegorische Herkunft zuschreibt oder sie als Produkte des Glaubens oder der Phantasie betrachtet. Demgegenüber entwickelt die orthodoxe Schule eine philosophische Apologie des Wunders. Nun ist zwar die Frage der Historizität der Wunder Jesu von größter Wichtigkeit; sie drängt sich uns aber nicht als erste auf. Die Christuswunder erreichen uns ja nur in literarischer Form, und bevor wir uns fragen, inwieweit diese Wunder historische Geschehnisse darstellen, haben wir die Berichte zu untersuchen, die von ihnen Zeugnis ablegen. In methodischer Hinsicht ist die Frage nach der literarischen Gattung als allererste zu stellen. Viele Autoren haben das heute begriffen, aber zu viele Exegeten stellen sich dieser Grundforderung noch nicht[2].

Im vorliegenden Falle bringt die Frage der literarischen Einordnung keine allzu großen Schwierigkeiten mit sich. Von einer Erörterung der Echtheit der Briefe glauben wir absehen zu können, da unsere Untersuchung sich in erster Linie auf unumstrittene Briefe bezieht und einige

---

[1] A. Fridrichsen, Le problème du miracle dans le christianisme primitif (= Études d'Histoire et de Philosophie Religieuses publiées par la Faculté de Théologie Protestante de l'Université de Strasbourg 12), Strasbourg — Paris 1925.

[2] Vgl. z. B. A. Richardson, The Miracle-Stories of the Gospels, 5. Aufl. London 1956. Der Autor erklärt zu Recht, daß das Wunder nur theologisch recht verstanden werden kann. Er scheint jedoch aufgrund einer übersteigerten Reaktion gegen eine Richtung, die dazu neigt, in der literarkritischen Analyse das letzte Wort der Forschung zu suchen, diese Analyse überhaupt zu verwerfen.

andere nur ganz am Rande berührt. Im übrigen gehören alle Schriften, die wir zu untersuchen haben, zur Briefgattung und damit zu einer sehr persönlichen literarischen Form. Ihre Sprache besitzt eine gewisse Unmittelbarkeit und weist hinsichtlich der stilistischen Beschreibung keine größeren Schwierigkeiten auf. Schließlich wird unsere Aufgabe noch dadurch erleichtert, daß Paulus uns keine Wundererzählung hinterlassen hat. Allerdings haben neuere Untersuchungen auch in den Paulinischen Briefen Stilunterschiede festgestellt, die unterschiedliche Situationen voraussetzen, und diese Unterschiede führen manchmal zu der Annahme einer inneren Verschiedenartigkeit der Briefe. Auch diesem Tatbestand haben wir Rechnung zu tragen.

Nach diesen kurzen Bemerkungen zur Methode haben wir noch den *Gegenstand unserer Untersuchung genauer zu bestimmen*[3]. In des Wortes allgemeinster Bedeutung ist ein Wunder ein unmittelbarer und außergewöhnlicher Eingriff göttlicher Macht in die Welt des Menschen. Gewiß hat der religiöse Mensch des Altertums nicht völlig unrecht, wenn er meint, alles Geschehen als Wunder ansehen zu sollen. Denn Gott tritt uns in all seinen Werken gegenüber, in denen der Schöpfung wie in denen der Geschichte. Doch spricht der Glaubende erst dann eigentlich von Wundern, wenn er sich Vorgängen gegenübersieht, in denen göttliche Gegenwart oder göttliches Handeln unmittelbarer erfahren wird. Es handelt sich durchweg um außerordentliche Vorkommnisse wie Wunderheilungen, besondere historische Ereignisse oder ungewöhnliches Auftreten von Naturkräften. Dies gilt ganz allgemein für das Altertum. Unterschiede in der religiösen Anschauung führen zwar zu nicht unwichtigen Nuancen in der Beurteilung von Wundern, rühren aber kaum an der gemeinsamen Grundüberzeugung.

[3] Für eine Untersuchung des Wunderbegriffs als solchen wird man mit Nutzen in Wörterbuchartikeln und Arbeiten zur Dogmatik nachschlagen: M. Dibelius, Artikel „Wunder" in: RGG V, 1931, Sp. 2040—2043; A. Lefèvre; Artikel „Miracle", in: Dictionnaire de la Bible, Suppl. V, 1957, Sp. 1299—1308; H. Lesêtre, Artikel „Miracle", in: Dictionnaire de la Bible IV, 1908, Sp. 1110—1122; A. Michel, Artikel „Miracle" in: DThC X, 2. 1929, Sp. 1798—1859; K. L. Schmidt, Artikel „Jesus Christus", in: RGG III, 2. Aufl. 1929, Sp. 110—151; L. Monden, Theologie des Wunders, Freiburg 1961; H. Thielicke, Das Wunder. Eine Untersuchung über den theologischen Begriff des Wunders, Leipzig 1939.

Wenn wir uns hier mit dem Wunder beschäftigen, meinen wir eben diesen göttlichen Eingriff in die Welt des Menschen, die Art von Unterbrechung des gewöhnlichen Laufs der Dinge, die eben daran erkannt wird, daß sie außergewöhnlich ist. Dabei spielt es kaum eine Rolle, ob das Wundergeschehen eine Heilung oder die Verwendung einer Naturkraft ist, ob es sich um ein glückliches Ereignis oder eine Art Bestrafung handelt. Unsere Aufmerksamkeit gilt allein seinem ungewöhnlichen Charakter. Wenn es im folgenden so aussehen sollte, als würden wir Disparates aneinanderreihen, so ist dem in Wirklichkeit nicht so. Wir betrachten vielmehr alles nur unter einem einzigen Gesichtspunkt, um seines „gemeinsamen Nenners" willen. Es ist wohl nicht nötig, darauf hinzuweisen, daß das Wunder sich am eindeutigsten in der Wunderheilung realisiert. Jedenfalls ist es ganz normal, daß diese uns stets als erstes einfällt, wenn von Wundergeschichten die Rede ist.

In einem ersten Teil analysieren wir die Texte, in denen der Apostel ausdrücklich von Wundern spricht. In einem zweiten Teil ziehen wir aus dieser Analyse die Folgerungen, um den paulinischen Wunderbegriff genauer abzugrenzen[4].

---

[4] Allgemeine Arbeiten über das Wunder und biblische Untersuchungen gibt es reichlich. Wir kennen jedoch keine, die das hier gestellte Thema direkt behandelt hätte. Die wichtigste exegetische Arbeit über das Wunder im Neuen Testament scheint uns die oben zitierte von A. Fridrichsen zu sein. Wir nennen ferner: E. Käsemann, Die Legitimität des Apostels. Eine Untersuchung zu 2 Kor 10—13, ZNW 41 (1942), S. 33—71; Ph.-H. Menoud, La signification du miracle selon le Nouveau Testament. RHPhR 28/29 (1948/49), S. 173—192 [= in diesem Sammelband S. 279ff.]; ders., Wunder und Sakrament im Neuen Testament, ThZ 8 (1952), S. 161—183; G. Delling, Das Verständnis des Wunders im Neuen Testament, ZSTh 24 (1955), S. 265—280 [= in diesem Sammelband S. 300ff.]; A. Richardson, a. a. O. Es sind auch einige Untersuchungen über Paulus zu erwähnen: L. Cerfaux, Le Christ dans la théologie de saint Paul (= Lectio divina 6), 2. Aufl. Paris 1954; F. Prat, La théologie de Saint Paul I (= Bibliothèque de théologie historique publiée sous la direction du professeurs de théologie à l'Institut Catholique de Paris), 20. Aufl. Paris 1930.

Texte

1. 2 Thess 2,9—10[5].

Der Hauptteil des zweiten Thessalonicherbriefes handelt von der Parusie des Herrn. 2 Thess 2,9—10 beschreibt Paulus das endzeitliche Auftreten des Antichrist und sein Wirken bei dieser Ankunft. Nach dem Hinweis, daß das Offenbarwerden des Gesetzlosen das Zeichen zum Endkampf bedeutet, dessen Ausgang endgültig ist, und daß der Sieg des Christus schon feststeht, schildert der Apostel dann etwas genauer die Ankunft des Antichrist[6].

Ganz gleich wie man die VV. 9 und 10 konstruiert, Paulus erklärt dort, daß die Parusie des Gesetzlosen von in der Kraft Satans selbst gewirkten Wundern und Zeichen begleitet wird[7]. Diese nach dem Vorbild der

---

[5] Wichtigste benutzte Kommentare sind: E. v. Dobschütz (= MeyerK) 1909; G. Wohlenberg (= KNT) 1909; M. Dibelius (= HNT) 1911; J. E. Frame (= IGG) 1912; W. Neil (= Moffat, NTC) 1950; B. Rigaux (= Études Bibliques) 1956; C. Masson (= Commentaire du N. T., Delachaux et Niestlé) 1957; A. Oepke (= NTD) 1959.

[6] Vgl. den Exkurs über den Antichrist bei E. v. Dobschütz (im Anm. 5 zitierten Kommentar), S. 291f. und bei M. Dibelius (im Anm. 5 zitierten Kommentar), S. 32f. Die Diskussion über die Identifizierung des Antichrist interessiert uns nicht direkt.

[7] Möglich sind mehrere Konstruktionen. Subjekt des Satzes ist παρουσία. Das Verbum ist ἔστιν. Eine erste Gruppe von Kommentatoren sieht das Prädikat in der Serie der durch ἐν eingeleiteten Dative. τοῖς ἀπολλυμένοις schließt sich als dativus incommodi entweder an ἀπάτη ἀδικίας oder an ἔστιν mit der gesamten Dativreihe an. Κατ' ἐνέργειαν ist nur ein erklärender Zusatz, der sich an παρουσία anschließt. Eine andere Gruppe von Kommentatoren faßt den Dativ ἀπολλυμένοις als Prädikat auf. In diesem Fall sind sowohl κατ' ἐνέρειαν wie die Serie der durch ἐν eingeleiteten Dativformen als relativischer Nebensatz, dessen Relativum hinzugedacht werden muß, an παρουσία anzuschließen. Als Vertreter der erstgenannten Autorengruppe zitieren wir E. v. Dobschütz (im Anm. 5 zitierten Kommentar), S. 286f., als Vertreter der zweiten Gruppe J. E. Frame (im Anm. 5 zitierten Kommentar), S. 268f. Jede der beiden Auslegungen gibt natürlich dem Satz eine besondere Färbung. Nach den Autoren der ersten Gruppe findet die Parusie für alle Menschen statt, wird aber zum Verderben nur für die, welche verlorengehen. Nach der zweiten Auslegung findet sie ausschließlich für die statt, die verlorengehen.

Parusie des Christus vorgestellte Parusie ist eine Demonstration der Macht Satans.

Durch ἐν πάσῃ δυνάμει καὶ σημείοις καὶ τέρασιν ψεύδους wird die Parusie des Gesetzlosen ein erstes Mal beschrieben. Das ἐν bezeichnet die Sphäre und die Umstände dieser Ankunft. Es folgt ihm eine Reihe von drei Dativen, die sich nicht nahtlos aneinanderfügen lassen. Die δύναμις im Singular bezeichnet nicht die Wunder, sondern vielmehr die Kraft ganz allgemein[8]. Diese wird entfaltet in den beiden anschlie-

[8] Die ursprüngliche Bedeutung von δύναμις ist „Fähigkeit, Vermögen". Es bezeichnet sodann das Objekt dieser Fähigkeit, die Macht oder Kraft selbst. Zuerst drückt es eine materielle, physische Kraft aus, später eine moralische, geistige Kraft. Nachdem das Wort in den philosophischen Sprachgebrauch eingeführt worden ist, bezeichnet es die Kräfte der Natur und die Macht der Dinge. Besonders Poseidonios († 150 v. Chr.) gibt dem Wort seine philosophisch-technische Bedeutung und läßt es zum Lebensprinzip des κόσμος, zur Grundkraft allen Seins werden. Dieses Weltprinzip verschmilzt *im griechischen Denken* mit der Idee der Gottheit, und diese wird eine pantheistische Kraft. Während die Gottheit die universale Kraft, die δύναμις par excellence ist, werden zu ihren personifizierten Fähigkeiten die δυνάμεις, die in und über der Welt am Werke sind. So gibt sich die Gottheit kund in ihren δυνάμεις. Dies sind einmal die verschiedenen guten und bösen Gottheiten, die in der Welt am Werke sind, dann aber auch die unmittelbaren Eingriffe des Göttlichen in die Welt, die wir Wunder nennen. *In der jüdischen Welt* ist solch ein pantheistisches philosophisches Verständnis von der Macht Gottes unvollstellbar. Hier bedeutet der Begriff im Singular Macht, Kraft, Größe, Mut, Reichtum, Tapferkeit u. ä., und im Plural gibt er in der Regel die militärische Stärke an. *Im Neuen Testament* drückt δύναμις die Macht Gottes aus, die sich in besonderer Weise in der Person des Christus offenbart. Diese Kraft Gottes ist im Evangelium wirksam, und auch der Apostel selbst ist von ihr erfüllt. Im Plural dient er im allgemeinen zur Bezeichnung der Wunder als besonderer Manifestationen der göttlichen Kraft. Der Begriff betont, wenn er das Wunder bezeichnet, vor allem, daß dieses wesenhaft Tat Gottes, Auswirkung der δύναμις als eines göttlichen Attributs ist. — *Literatur:* E. Fascher, Artikel „Dynamis", in: RAC IV, 1959, Sp. 415—458; W. Grundmann, Artikel δύναμαι κτλ, in: ThW II, 1950, S. 286—318; ders., Der Begriff der Kraft in der neutestamentlichen Gedankenwelt, Stuttgart 1932; L. A. Rood, Le Christ comme Dynamis Theou, in: Littérature et théologie pauliniennes (= Recherches Bibliques 5), 1960, S. 93—108; O. Schmitz, Der Begriff Dynamis bei Paulus, in: Festschrift für A. Deissmann, Tübingen 1927, S. 139—167.

ßenden Substantiven, die offensichtlich die Wunder bezeichnen[9]. Die δύναμις kann also verstanden werden als die Kraft, die Wunder wirkt. Wenn man die drei Begriffe in dieser Weise aufeinander bezieht, ergibt sich eine Zuordnung von πάσῃ zu δυνάμει und von ψεύδους zu σημείοις καὶ τέρασιν. Ψεῦδος ist die Lüge; sie steht im Gegensatz zur ἀλήθεια (vgl. Röm 1,25; Eph 4,25). Die Lüge führt zum Bösen wie die Wahrheit zum Heil. Das Wort bezeichnet an dieser Stelle gleichzeitig Ursprung und Zweck der Wunder. Sie kommen von Satan und führen ins Verderben. Dagegen unterstellt der Begriff nicht, daß es sich um Pseudowunder handelt, d. h., daß Paulus die Wirklichkeit dieser Teufelswunder in Frage stellt.

[9] Gewöhnlich bedeutet der Begriff σημεῖον „Zeichen". Das Wort kann jedoch verschiedene Nuancen beinhalten: Es kann Unterscheidungsmerkmal, Zeichen des Beweises, Wunderzeichen oder Vorzeichen sein. Die *Septuaginta* nennt besonders die Wunder in Ägypten „Zeichen Gottes", schließt aber andere Bedeutungen des Begriffs nicht aus. Im *Neuen Testament* hat das Wort oft einfach die Bedeutung „Zeichen". Oft ist das Zeichen jedoch offensichtlich ein Wunder. Σημεῖον wird daher ganz allgemein ein terminus technicus zur Bezeichnung von Wundern. Das Neue Testament scheint den Begriff in dieser Bedeutung, die schon das Judentum gegenüber dem griechischen Raum betont hatte, in den Vordergrund zu rücken. — *Literatur:* Wir verweisen auf die Literaturangaben bei W. Bauer, WB, Sp. 1361—1362.

In der *griechischen Literatur* bedeutet τέρας zunächst ein von den Göttern gesandtes Zeichen und insbesondere ein außergewöhnliches Zeichen. Es verliert dann mehr oder weniger die Bedeutung „Zeichen" und behält nur die Bedeutung „ungeheuerliche Sache". In der *Septuaginta* verweist der Begriff im allgemeinen auf die Ereignisse, die den Auszug aus Ägypten begleiteten. Er unterstreicht deren Wundercharakter, erkennt ihnen aber dabei gleichzeitig auch Zeichencharakter zu. Das Paar σημεῖα καὶ τέρατα, das in der Septuaginta häufig wird, bestätigt die Bedeutungsverschiebung des Begriffs. Τέρατα stellt eine Erläuterung von σημεῖα dar und zeigt an, daß das Zeichen in einem Wundergeschehen besteht. Im *Neuen Testament* tritt er nur in der soeben genannten Wortverbindung auf. Der Begriff scheint seinen Wert als Zeichen verloren zu haben und nur noch die Bedeutung „Wunder, Wunderhaftes und wunderbares Geschehen" zu haben. — *Literatur:* Wir verweisen auf die bei W. Bauer, WB, Sp. 1476 angegebene Literatur.

Damit ist klar, daß das Begriffspaar, wie wir es hier bei Paulus antreffen, Wunder bezeichnet.

Der Satzteil καὶ ἐν πάσῃ ἀπάτῃ ἀδικίας τοῖς ἀπολλυμένοις steht zu dem eben untersuchten in Parallele. Während dieser eher die objektive Seite der Parusie des Gesetzlosen beschreibt, betont die Fortsetzung stärker den subjektiven Aspekt, nämlich die Wirkung, die der Böse durch seine Umtriebe zu erzielen sucht.

Nach dieser Beschreibung der Parusie des Gesetzlosen gibt Paulus im folgenden an, warum die Sünder gerichtet werden und von welcher Absicht Gott sich in seinem Handeln leiten läßt (2,11—12).

1. Es ist nicht zu bestreiten, daß *Paulus an dieser Stelle von Wundern spricht.* Seine Wortwahl macht das ebenso deutlich wie sein Verständnis von der Parusie des Antichrist. Diese wird in gewisser Weise in Analogie zur Wiederkunft des Christus verstanden, wobei das Weltende alles in allem eine Zeit der Wunderzeichen ist.

2. *Paulus nimmt eine „übernatürliche" Kraft als Ursprung des Wunders an,* nämlich die Kraft Satans (vgl. V. 9). Diese Kraft wird jedoch letzten Endes auf Gott als einzige Erstursache des Wundervorgangs zurückgeführt (vgl. V. 11). Dagegen bleibt der das Wunder vermittelnde Wundertäter selbst völlig unerwähnt. Paulus sagt nicht, der Antichrist werde Wunder wirken, sondern diese würden bei seiner Ankunft gewirkt (vgl. V. 9).

3. *Die Funktion des Wunders ist relativ deutlich zu erkennen.* Es begleitet die Ankunft des Antichristen und macht sie publik. Es steht im Dienste seiner Parusie. Diese Parusie aber ist eine Offenbarung, und als solche hat sie prophetischen Charakter. Nach dem Ende des Abschnitts, wo dieser Parusie ihr Ort im göttlichen Heilsplan zugewiesen wird, scheint ihr eher Offenbarungscharakter zuzukommen. Wir halten es daher für erlaubt, den Zusammenhang zwischen Wunder und Prophetie hervorzuheben. Man beachte jedoch den Kontext, der das Wunder mit der falschen Prophetengabe, mit der Predigt „auf Verderben hin" in Verbindung bringt. Damit wird aus dem Wunder Lüge, Hochstapelei und Verführungsmacht des Bösen.

2. Gal 3,5[10].

In Gal 3,1—5 beruft sich Paulus auf die Erfahrung seiner Leser, um vom Judenchristentum verursachte Schwierigkeiten auszuräumen. Er gibt

---

[10] Wichtigste benutzte Kommentare: Th. Zahn (= KNT) 1907; E. de Witt Burton (= ICC) 1921; H. Lietzmann (= HNT)1932; M.-J. Lagrange (= Études

zunächst seinem Erstaunen über die veränderte Haltung seiner Christen Ausdruck (vgl. 1,6): Die Galater haben das Kreuz, die wahre Quelle des Heils, preisgegeben und sich wieder dem Gesetz zugewandt, das sie nicht zu retten vermag (V. 1.3). Die Galater sind Christen geworden. Christ werden aber bedeutet den Geist empfangen[11]. Worauf führen sie ihre Geisterfahrung, die Erfahrung ihrer Bekehrung, zurück? Auf Glauben oder auf Werke? Zur Antwort auf diese Frage gedrängt, werden die Galater selbst zu sagen wissen, ob sie den Werken oder dem Glauben das Heil verdanken. Von V. 4 an greift Paulus die Bezugnahme auf die Erfahrung der Galater wieder auf. Er stellt erneut Glauben und Werke als Wege zum Heil gegenüber, betont jedoch dieses Mal weniger die Herkunft der Geistesgabe als das gegenwärtige Wirken dieses Geistes in charismatischem Tun.

Der Ausdruck ὁ οὖν ἐπιχορηγῶν ὑμῖν τὸ πνεῦμα καὶ ἐνεργῶν δυνάμεις ἐν ὑμῖν beschreibt das göttliche Heilshandeln, dessen Quelle der Apostel ausfindig zu machen sucht. Zu beachten ist die parallele Struktur des Satzes. Der Satzteil ἐπιχορηγεῖν τὸ πνεῦμα erinnert an λαμβάνειν τὸ πνεῦμα (V.2). Beide Ausdrücke beziehen sich auf die Erfahrung der Bekehrung, die charismatische Vorgänge einschließt. Das zweite Glied des Parallelismus verstärkt diese Auslegung noch. Das Verbum ἐνεργεῖν bezeichnet durchweg eine innerliche, meistens von Gott verursachte Handlung[12]. Mit δυνάμεις sind offensichtlich Wunder

Bibliques) 1942; G. S. Duncan (= Moffat, NTC) 1944; H. Schlier (= MeyerK) 1949; P. Bonnard (= Commentaire du N. T., Delachaux et Niestlé) 1957; A. Oepke (= ThHK) 1957; H. W. Beyer — P. Althaus (= NTD) 1959.

[11] Daß „den Geist empfangen" und „Christ werden" gleichbedeutend sind, scheint auch aus anderen paulinischen Texten wie Röm 8,23; 2 Kor 1,22 usw. hervorzugehen. Man darf diese religiöse Erfahrung der Bekehrung nicht auf eine charismatische Erfahrung beschränken, andrerseits aber auch nicht ausschließen, daß charismatische Vorgänge dazugehören. Vgl. Apg 8,14 f.; 10,44 f.; 1 Kor 12,4 f.

[12] Im *Hellenismus* bezeichnen das Verbum ἐνεργεῖν und seine Komposita normalerweise das Wirken der kosmischen und physischen Kräfte im Menschen und im menschlichen Bereich. Im Alten Testament hat die Wortgruppe keinen großen Erfolg gehabt. Ins Neue Testament hat sie relativ wenig Eingang gefunden. Das Verbum kommt fast nur bei Paulus vor. An allen Stellen handelt es sich um eine Aktivität innerhalb des Menschen, um irrationale Kraftwirkungen und Handlungen, seien sie göttlichen oder dämonischen Ursprungs. — *Literatur:* G. Bertram, Artikel ἐνεργέω κτλ, in: ThW II, 1950, S. 649—651; wir verweisen auch auf die Literaturangaben bei W. Bauer, WB, Sp. 1361—1362.

gemeint. Zu diesem Schluß führt sowohl die lexikalische Untersuchung wie der Textzusammenhang, in welchem von charismatischen Gaben die Rede ist[13]. Die Wendung ἐν ὑμῖν läßt sich verschieden deuten. Wir schließen die Auslegung „in euch, in euren Seelen" aus, wenngleich das Verbum ἐνεργεῖν nicht schlecht dazu paßt. Es kann sich durchaus auch um innerliche Wunder handeln, aber man kann nicht alle charismatische Begabung auf derartige Vorgänge einengen. Die Interpretation „unter euch" ist annehmbar, vorausgesetzt, man beschränkt damit nicht das Wirken von Wundern auf die Apostel allein. Die Apostel werden ja im Text nicht erwähnt, und der Geist wird allen ohne Unterschied geschenkt. Die beste Interpretation scheint uns „unter euch und durch euch" zu sein. In Galatien gab es in der Tat Charismatiker, die Wunder wirkten (vgl. 1 Kor 12,10.28.29). Das Subjekt der Partizipien wie des zu ergänzenden Hauptverbums ist Gott selbst. Dafür spricht erstens, daß die Weglassung des Subjekts an andere Textstellen desselben Briefes erinnert, wo das Subjekt ebenso fehlt und wo offensichtlich Gott gemeint ist (vgl. 1,15; 2,8); sodann, daß die Verben ἐπιχορηγεῖν und ἐνεργεῖν gewöhnlich ein göttliches Wirken bezeichnen; schließlich, daß die Gabe des Geistes in der Regel auf Gott selbst zurückgeführt wird (vgl. 1 Thess 4,8; Gal 4,6).

1. *Paulus spricht hier wirklich von Wundern.* Wortwahl und Textzusammenhang lassen keine andere Interpretation zu. Die meisten Kommentatoren sind sich in dieser Schlußfolgerung einig[14].

2. *Das Wunder taucht im Zusammenhang mit dem Charisma auf.* Die Ausdrücke λαμβάνειν τὸ πνεῦμα (V. 2) und ἐπιχορηγεῖν τὸ

---

[13] Für die lexikalische Untersuchung des Begriffs verweisen wir auf Anm. 8. Folgende Textteile, die unsere Auslegung stützen, heben wir besonders hervor: die Interpretation des τοσαῦτα ἐπάθετε im V. 4 (vgl. Lietzmann, Oepke, Burton, Schlier), die Interpretation von ἐπιχορηγεῖν — λαμβάνειν τὸ πνεῦμα, sowie die Interpretation von ἐν ὑμῖν in V. 5.

[14] Vgl. die in Anm. 10 zitierten Kommentare. Die meisten Kommentatoren sagen ausdrücklich, daß es sich um Wunder handelt: Zahn, S. 145; de Witt Burton, S. 152; Lietzmann, S. 18; Lagrange, S. 62; Duncan, S. 82; Schlier, S. 85; Bonnard, S. 64. Manche sagen nicht ausdrücklich, daß es sich um ein Wunder handelt: Oepke, S. 64; doch kennen wir niemanden, der sich einer solchen Auslegung ausdrücklich entgegenstellen und sie zu verwerfen suchen würde.

πνεῦμα (V. 5) beziehen sich auf die Bekehrung im engeren Sinne und schließen die Verleihung charismatischer Gaben ein.

3. *Wunder sind göttliche Handlungen. Gott ist ihre Erstursache.* Als menschliche Vermittler kommen alle Christen ohne Unterschied in Frage. Das Wunder wird mit der Verleihung des Geistes in Zusammenhang gebracht, die an allen geschieht. Es kann gewirkt werden aufgrund des Glaubens, den alle Christen besitzen müssen.

4. *Die Einstellung des Paulus zu diesen Wundern ist durchaus positiv.* Er sieht in ihnen etwas, das innerhalb der Kirche ganz normal ist. Dennoch scheint Paulus dem Vorkommen von Wundern keine allzu große Bedeutung beizumessen. In dem ganzen Brief, der sich ausschließlich mit den vom Judenchristentum verursachten Schwierigkeiten beschäftigt, widmet er nur fünf Verse der persönlichen Erfahrung seiner Leser und nur einen den charismatischen Gaben. Dagegen wendet er über dreißig Verse auf, um die Echtheit seines eigenen Apostolats zu erweisen (1,10—2,21), und etwa weitere dreißig, um die Rechtfertigung durch Glauben aus der Schrift zu belegen (3,6—4,7).

3. 1 Kor 1,22—24[15].

In der Auseinandersetzung mit den Parteiungen in der Kirche von Korinth legt Paulus das grundsätzliche Verhältnis von Evangelium und Philosophie dar (1,18—25). Er erinnert zunächst daran, welche Scheidung unter den Menschen das Kreuz bewirkt. Es ist Torheit in den Augen derer, die nicht glauben, rettet aber die, welche glauben (V. 18). Der Apostel führt dann für diesen Grundsatz den Beweis aus der Schrift (V. 19) und nimmt die von ihm dargestellte Antithese in sehr dramatischer Form wieder auf (V. 20). Schließlich erklärt er, wie Gott dazu gekommen ist, die Menschen durch Torheit zu retten (V. 21). In seinem ewigen Plan hat Gott beschlossen, daß der Mensch ihn nicht durch seine eigene Philosophie erkennen solle, sondern vielmehr durch die Torheit des Kreuzes.

[15] Wichtigste benutzte Kommentare: J. Weiss (= MeyerK) 1910; P. Bachmann (= KNT) 1910; A. Robertson — A. Plummer (= ICC) 1914; E. B. Allo (= Études Bibliques) 1935; J. Moffat (= Moffat, NTC) 1947; J. Héring (= Commentaire du N. T., Delachaux et Niestlé) 1949; H. Lietzmann — W. G. Kümmel (= HNT) 1949; H. D. Wendland (= NTD) 1954.

In den VV. 22—24 erläutert Paulus die Torheit der Predigt. Der im vorangehenden Vers erwähnte κόσμος kennt zwei Gruppen von Menschen, die die göttliche Offenbarung verwerfen, weil sie nicht zu ihren vorgefaßten Ideen über Gottes Art zu reden paßt. So beschreibt V. 22 den Hintergrund, auf welchem die Kreuzespredigt zu geschehen hat. Diesen Hintergrund stellt die Weisheit der Welt dar, die alles Menschliche, im paulinischen Verständnis Fleischliche, umfaßt, in der jüdischen wie in der griechischen Welt. Die Juden verlangen Zeichen. Dabei geht es um Zeichen, wie sie der Messias bei seinem Kommen wirken wird[16]. Die Griechen dagegen verlangen wohlgebaute Argumentation (vgl. Apg 18,18 f.). In V. 23 kommt Paulus auf die Torheit seiner Botschaft zurück und beschreibt die Wirkung seiner Predigt auf die beiden Welten, die er im vorangehenden Vers beschrieben hat. Er nimmt damit das Thema von V. 18 wieder auf: Gegenstand der Predigt ist der gekreuzigte Christus. Diese Predigt ist ein Ärgernis für die Juden und eine Torheit für die Heiden[17]. Die Juden erwarten ja einen Messias in Herrlichkeit, der ihr Königtum wiederherzustellen vermag. Ein Gekreuzigter kann aber nicht dieser Messias sein. In der Kreuzigung sehen sie vielmehr sogar ein Zeichen der göttlichen Verwerfung. Keine Frage auch, daß es in den Augen der Griechen eine Torheit ist, sich als Verbrecher auszugeben, um eine neue Religion zu begründen[18]. In V. 24 beschreibt der Autor die Wirkung seiner Predigt auf die Glaubenden[19]. Durch die Wiederaufnahme der

[16] Zur Bestätigung dieser Auslegung zitieren wir Mt 12,38; 16,1 f.; Mk 8,11; Jo 4,48. In manchen Manuskripten steht σημεῖον im Singular. Diese Form ist als lectio facilior abzulehnen: Das Evangelium verurteile zwar die Zeichenforderung, lasse aber das Verlangen nach Wundern überhaupt zu. Vgl. J. Weiss (im Anm. 15 zitierten Kommentar), S. 30 f.

[17] Das Wort σκάνδαλον hat hier seine spezifisch religiöse Bedeutung „Anstoß, Ärgernis nehmen". Vgl. Mt 11,6; 13,21; 2 Kor 11,29. Der Begriff μωρία kommt in diesem Abschnitt noch öfter vor. Er bezeichnet nicht lediglich einen Mangel an Weisheit, sondern eher deren Gegenteil: Dummheit, Naivität und Albernheit.

[18] Als Belege für die Einstellung der Juden zitieren wir: Gal 3,13; 2 Kor 13,4; Justin, Dialogus cum Tryphone 32, 89; für die der Griechen: Lucian, De Morte Peregrini, Kap. 13; Origenes, Contra Celsum 4,7.

[19] Man beachte den doppelten Gegensatz, der den ganzen Abschnitt durchzieht: einerseits zwischen Juden und Griechen, andrerseits zwischen Gläubigen und (jüdischen und griechischen) Ungläubigen.

beiden Völkernamen unterstreicht Paulus die Universalität der christlichen Botschaft. Christus ist die vollkommene Antwort auf die Sehnsucht aller. Er ist Kraft für die Juden und Weisheit für die Heiden. Die Hervorhebung ϑεοῦ unterstreicht den göttlichen Charakter der Offenbarung. Am Kreuz offenbart Gott seine Macht und seine Weisheit mehr als in der Schöpfung. Zum Schluß verweist Paulus dann noch ein letztes Mal auf die durchgehende Antithese dieses Textabschnitts (V. 25).

1. *V. 22 hält fest, welche Antwort Juden und Griechen auf die religiöse Frage geben* und skizziert damit ihre Haltung gegenüber einer Predigt, die sich als Heilsbotschaft versteht. *Die Juden suchen greifbare Zeichen, also Wunder. Die Griechen gefallen sich in argumentativem und spekulativem Denken.* Für die Griechen muß sich eine Heilsbotschaft mit ihrer Vernunft vereinbaren lassen. Für die Juden muß die Predigt mit Wundern einhergehen.

2. *Auf den ersten Blick verurteilt Paulus Weisheit und Zeichen.* Der Kontext läßt jedoch eine positivere Einstellung erkennen. Ebenso wie der Apostel zwar die Weisheit verurteilt, aber trotzdem eine höhere Weisheit predigt (vgl. 2,6f.), so weist er zwar die Zeichen zurück, akzeptiert aber andrerseits ein höheres Zeichen. Was in den Augen der Welt Torheit ist, wird wahre Weisheit; was in den Augen der Welt Ärgernis ist, wird zum Zeichen schlechthin. Wie es zur Auferstehung nur nach der Kreuzigung kommt, wie christliche Kraft nur in der Schwachheit offenbar wird, wie Weisheit Gottes sich nur in dem offenbart, was für den Menschen Torheit ist, so geschieht das Zeichen nur in dem, was für die Welt Ärgernis ist. So ist die paulinische Verurteilung der Forderungen von Juden und Griechen nicht so unbedingt, wie es auf den ersten Blick erscheint. Im übrigen kann Paulus ja nicht vergessen, daß er selbst Wunder wirkt (vgl. 2 Kor 12,12) und selbst Weisheit predigt (vgl. 1 Kor 6,2f.). Tatsächlich legt die einfache und kategorische Form von V. 22 die Vermutung nahe, daß es Paulus vor allem darum geht, Auswüchse zu verurteilen, also das ausschließliche Suchen des Wunders um seiner selbst willen und der Spekulation um ihrer selbst willen. Die Gefahr ist nicht von der Hand zu weisen: Dem Juden droht das Aufsehenerregende zum einzigen Maßstab für die Wahrheit des Christentums zu werden[20]; dem Griechen, der sich

---

[20] Man kann sich fragen, ob nicht für die Erzählung von der Versuchung Jesu (Mt 4,1—11; Mk 1,12—13; Lk 4,1—13) die gleiche Polemik, nämlich die Reak-

nach dem christlichen Gesetz fragt, wird die Harmonie der Wahrheiten und ihr Wert als Weisheit zur Hauptforderung. In diesem Sinne kann man sich die Reserviertheit des Paulus gegenüber dem Wundergeschehen erklären. Daß Paulus den gekreuzigten Christus predigt, unterstreicht diese Einstellung. So gesehen erscheinen die Wunder im Zusammenhang mit dem Apostelamt als zweitrangig.

4. 1 Kor 12.13.14[21].

Paulus widmet diese drei Kapitel den Problemen, die in der Kirche von Korinth durch die Geistesgaben entstanden sind. In dieser ganzen Diskussion scheint der Apostel mit einer jungen Gemeinde in Konflikt zu stehen, in der sich gewisse Phänomene ihrer heidnischen Vergangenheit wieder bemerkbar machen. Die Schwierigkeiten gewinnen noch dadurch an Bedeutung, daß die Gemeinde eine Minderheit ist, die fortwährend mit einer heidnischen Überzahl in Berührung steht. Die angesprochenen Fragen sind also Alltagsfragen. Das Problem der Charismen stellt sich ebenso in den Kultversammlungen wie außerhalb. In der heidnischen Welt, wo Wundertätigkeit und Aberglaube, Zauberei und Mantik eine höchst wichtige Rolle spielten, stellte sich das Problem der Charismen und der Geistesgaben mit besonderer Schärfe. Es ergeben sich unausweichlich zahllose Probleme. Wie sollte man diese Vorkommnisse von heidnischen Wundern unterscheiden? Wie neue Konvertiten, die ihre heidnische Erziehung noch mit sich trugen, vor einer Verwechslung beider Phänomene bewahren? Wie im Menschen der psychologisch verständlichen Neigung steuern, die ihn die Bedeutung von Wundergeschehen allzu leicht überschätzen läßt? Wie den Stellenwert bestimmen, der den Charismen im Gemeindeleben zukommt?

Es ist unnötig, auf den Zusammenhang zwischen charismatischen Phänomenen und Wundern hinzuweisen. Diese gehören als Wirkweisen des Geistes auf die gleiche Ebene wie die Charismen. Ebenso gehören andererseits alle Charismen wie die Wunder in den Bereich des Wunderbaren.

---

tion gegen das übertriebene Streben der Juden nach Wundern, als Sitz im Leben anzunehmen ist. Vgl. J. Dupont, L'arrière-fond biblique du récit des tentations de Jésus (Mc., I, 12 sv. par.), NTS 2 (1956/57), S. 287—304; A. Fridrichsen, a. a. O., S. 84—90.

[21] Wichtigste benutzte Kommentare: vgl. Anm. 15.

Die drei Kapitel, die als einzige paulinische Texte unser Thema ausdrücklich behandeln, stellen eine deutlich abgesetzte literarische Einheit dar, wie insbesondere am Anfang und am Ende zu sehen ist[22]. Diese Einheit ist nach dem üblichen paulinischen aba-Schema gebaut: In Kapitel 12 wird das Thema der Charismen grundsätzlich abgehandelt, in Kapitel 14 werden einige spezielle Anwendungen entwickelt, und zwischen beide schiebt sich als Kapitel 13 das Hohelied der Liebe.

Das aba-Schema kommt in *Kapitel 12* erneut zur Anwendung: V. 1—11: Das Grundprinzip von Verschiedenheit, Einheit und Zweck der Geistesgaben; V. 28—30: Anwendung dieses Prinzips auf die Spezialisierung der äußerlichen Funktionen der Kirche; V. 12—27 (zwischen beiden Teilen): Vergleich des Leibes der Kirche mit dem menschlichen Organismus.

Paulus gibt dem neuen Briefteil zunächst eine Überschrift (V. 1) und grenzt das von ihm zu beschreibende Phänomen ein, indem er es von seinen heidnischen Entsprechungen abhebt (V. 2—3). Zum Kern seiner Ausführungen kommt er sodann in den VV. 4—6, faßt dort die Gesamtheit der charismatischen Phänomene ins Auge und betont ihre einheitliche Herkunft. Der Satz enthält drei parallele Glieder, die jeweils den gleichen Gedanken ausdrücken. Der Verfasser formuliert in Anlehnung an ihm bereits bekannte trinitarische Formeln, um den göttlichen Ursprung jeglicher Geistesgabe zu betonen (vgl. 2 Kor 13,13; Mt 28,19). Die dreifache Wiederholung führt dazu, daß er drei Begriffe gebraucht, um ein und dieselbe charismatische Erscheinung zu bezeichnen. Die drei Wörter unterstreichen jedoch jeweils eine besondere Seite der gemeinten pneumatischen Phänomene. Das Wort διαίρεσις, das in jedem Satzglied wiederkehrt, bezeichnet nicht so sehr Unterschiede und Unterscheidungen, als vielmehr Aufteilung und Verteilung. Es betont weniger die verschiedenen Arten von Charismen als die Tatsache, daß diese nach dem Belieben des Verteilenden verschieden gewährt werden[23]. Die Geistesgaben sind in erster Linie Charismen, unentgeltliche Geschenke der gött-

---

[22] Die Formel περὶ δέ (12,1) erinnert an den Anfang der Kap. 7 und 8 und gibt an, daß der Autor ein neues Thema behandelt. 14,40 ist eine schöne Schlußmahnung, und der Anfang von 15 führt uns unmittelbar in eine andere Problematik ein.

[23] Das Substantiv kommt im Neuen Testament nur an dieser Stelle vor. Im Verbum ist dieselbe Nuance enthalten (1 Kor 12,11; Lk 15,12).

lichen Gnade, und werden als solche auf den Heiligen Geist zurück-geführt, der *das* Geschenk Gottes an seine Kirche ist[24]. Sodann sind sie Werkzeuge des Dienstes und werden als solche auf Christus zurück-geführt, der zum Diener schlechthin geworden ist (vgl. Mk 10,45; Mt 25,40)[25]. Schließlich sind sie das Werk Gottes selbst und demonstrieren als solche seine Macht und seine Kraft, und so führt Paulus sie nunmehr auf Gott selbst, die Quelle allen Lebens, zurück[26].

[24] Das Wort χάρισμα ist im hellenistischen Raum praktisch unbekannt, aber es gehört zu der Wortgruppe χάρις, die im griechischen Bereich großen Erfolg gehabt hat. Es ist durch Anfügung des Suffixes -μα, das normalerweise das Ergeb-nis einer Handlung bezeichnet, von χάρις gebildet worden (vgl. E. Fleury: Mor-phologie historique de la langue grecque, 4. Aufl. Paris 1947, S. 50). Das Wort χάρις, das ursprünglich eine profane Bedeutung besaß, hat schnell in die religiöse Terminologie Eingang gefunden. Die χάρις ist das Geschenk, das Gott dem Menschen macht. Im Laufe der Zeit hat sie sich zu einer Art Hypostase entwickelt, wobei die psychologische Nuance an Gewicht gewonnen hat. Unter orientalischem Einfluß wird die χάρις zu etwas Mystischem, zu einer Kraft, die den Menschen ergreift und ihn verwandelt; sie wird eine dem Menschen innewohnende Kraft und bezeichnet dann sogar eine magische Kraft, die den Menschen befähigt, Wunder zu wirken und andere bemerkenswerte Taten zu vollbringen. In der *Sep-tuaginta* ist das Wort χάρισμα sehr selten und dient niemals als terminus techni-cus für das Charisma. Dagegen kommt der Begriff χάρις dort öfter vor, hat aber niemals die religiöse Bedeutung „göttliche Gnade". — Im *Neuen Testament* findet sich diese Wortgruppe besonders bei Paulus. Der Begriff χάρισμα enthält dort eine Vielzahl von Bedeutungen, darunter auch die spezielle Bedeutung „Charisma" als unentgeltliche Gabe zu einem besonderen Zweck. — *Literatur:* G. Wetter, Charis. Ein Beitrag zur Geschichte des ältesten Christen-tums, Leipzig 1913; J. Wobbe, Der Charisgedanke bei Paulus. Ein Beitrag zur neutestamentlichen Theologie (= Neutestamentliche Abhandlungen 13,3), Münster 1932; wir verweisen auch auf die Literaturangaben bei W. Bauer, WB, Sp. 1595.

[25] Der Begriff διακονία kann sowohl einen besonderen Dienst in der Gemeinde (1 Kor 16,15; 2 Kor 8,4) als auch allgemein jeden christlichen Dienst bezeichnen (Röm 11,15; Eph 4,12). Die letztgenannte Bedeutung scheint an unserer Stelle am besten zu passen.

[26] Der Begriff ἐνέργημα ist vom Verbum ἐνεργεῖν durch Anfügung des Suffixes-μα gebildet worden, das normalerweise das Ergebnis einer Handlung bezeichnet (vgl. Fleury, a. a. O., S. 50). Zur Erklärung von ἐνεργεῖν und seinen Ableitungen verweisen wir auf Anm. 12.

Nachdem er in V. 7 ihren Dienstcharakter betont hat, kann Paulus dann endlich in den VV. 8—10 die verschiedenen Geistesgaben aufzählen. Zwei Probleme tauchen hier auf: die Reihenfolge der Aufzählung und die jeweilige Bedeutung der aufgezählten Gaben. Es sind also diese neun Geistesgaben zunächst zu klassifizieren. Die Aufteilung, die der Text selbst uns nahelegt, scheint folgende zu sein: drei Gruppen zu zwei Gaben und, im Anschluß an das zweite Paar, drei Gaben, die sich übrigens von den anderen dadurch unterscheiden, daß die Herkunft von dem einen Geist nicht mehr ausdrücklich betont wird[27]. Was die Bedeutung der aufgezählten Gaben betrifft, so sind zwei Ebenen zu unterscheiden, die literarische und die inhaltliche. Bei seinem Sprechen zwingt sich Paulus zu einem bestimmten Rhythmus und sucht einen möglichst spontanen, abwechslungsreichen, üppigen Stil. Die Gliederung nach dem Sinn deckt sich nur teilweise mit der literarischen Einteilung. Die erste Serie von Charismen bezieht sich auf die Lehre: Weisheitsrede und Erkenntnisrede. Die zweite Gruppe schließt ein: Glaube, Heilungsgabe und „Kraftwirkungen". Diese Gruppe von Gaben bezieht sich auf das Tun. πίστις als Charisma ist vertrauender Glaube, der uns hilft, Schwierigkeiten zu

---

[27] Das hervorstechendste literarkritische Indiz für diese Aufteilung besteht in der Tatsache, daß alle Gaben außer der ersten, dritten und achten durch ἄλλῳ δέ eingeleitet werden. Wir weisen darauf hin, daß diese Aufteilung von den Kommentatoren diskutiert worden ist und daß zahlreiche Vermutungen dazu geäußert wurden. Wir verweisen z. B. auf die (in Anm. 15 zitierten) Kommentare von Allo (S. 324f.) und Weiss (S. 299f.). Man sollte die Reihenfolge dieser Aufzählung als solche nicht überbewerten. Möglicherweise hat sich Paulus nach dem Beispiel anderer gleichartiger Aufzählungen gerichtet. Doch kann man andrerseits eine gewisse Spontaneität im Diktat des Paulus nicht ausschließen. Solche Aufzählungen kehren in den Paulinischen Briefen mehrfach wieder (1 Kor 12,8f. 28.29f; Röm 12,6f.; Eph 4,11). Dabei ist eine gewisse Entwicklung in der Aufzählung der geistlichen Gaben zu beachten: 1 Kor werden die Charismen im engeren Sinne ausdrücklich aufgezählt; Röm 12 bleiben sie bei der Aufzählung der Gaben unerwähnt, scheinen aber implizit im ganzen Kontext präsent zu sein; Eph 4 schließlich fehlen sie praktisch, und die Liste der Gaben wird ausschließlich zu einer Aufzählung von Ämtern. Das Verschwinden der eigentlichen charismatischen Elemente erklärt sich aus den Verhältnissen: Zu dieser Zeit scheinen die Charismatiker auszusterben. Das Institutionelle bekommt die Oberhand, ohne allerdings die Charismen ganz zu verdrängen. Die Manifestation des Geistes in der Kirche hört nicht auf, nimmt aber andere Formen an.

meistern, Glaube, der Wunder wirkt (vgl. 1 Kor 13,2; Mt 17,20). Die beiden folgenden Gaben werden genauer benannt als χαρίσματα und ἐνεργήματα, wobei diese Begriffe eben noch (vgl. V. 4 und 6) die Geistesgaben überhaupt bezeichneten. Wir müssen annehmen, daß in der Umgangssprache wohl eher bestimmte Gaben damit gemeint sind. Die erklärenden Genitive geben an, um welche Charismen es sich handelt: um Heilungen, vielfach mit Wundercharakter, und um Wunder schlechthin[28]. Die beiden Ausdrücke χαρίσματα ἰαμάτων und ἐνεργήματα δυνάμεων decken also alle Wundervorgänge im weiten Sinne ab. Der erste Ausdruck unterstreicht ihren Charakter als Gnadengeschenk: χάρισμα assoziiert den Gedanken der Gottesgabe, ἴαμα die Vorstellung von Hilfe und Erleichterung. Der zweite Ausdruck legt den Gedanken an eine Entfaltung von Kraft, δύναμις den an eine Wirkung von Kraft nahe. In die gleiche Reihe gehören schließlich auch die Gaben der Prophetie, der Unterscheidung der Geister, die Gaben des Zungenredens und der Deutung von Zungenreden. Paulus beschließt diesen Gedankengang, indem er nochmals die einheitliche Herkunft aller Gnadengaben betont (V. 11).

Seine grundsätzlichen Ausführungen zu den Charismen erläutert Paulus in den VV. 12—27 am Beispiel des menschlichen Körpers[29]. In die-

---

[28] Zum Begriff χάρισμα vgl. Anm. 24; zum Begriff ἐνέργημα vgl. Anm. 12 und 26; zum Begriff δύναμις vgl. Anm. 8. Der Begriff ἴαμα bezeichnet in der *griechischen Literatur* sowohl das Heilmittel im eigentlichen und übertragenen Sinne als auch die Heilung selbst. Wenngleich der Begriff an sich nichts über den Wundercharakter einer Heilung aussagt, gibt man ihm schließlich doch die Bedeutung „Wunder". Für den Primitiven gibt es ja in der Tat weder für die Krankheit noch für deren Heilung eine rein natürliche Erklärung. Diese religiöse und manchmal magische Vorstellung von der Krankheit trifft man zum Teil auch im *jüdischen Raum* an. Die Vorstellung von der Heilung muß sich auch hier nach der von der Krankheit richten. Im *Neuen Testament* kommt der Begriff nur dreimal vor, insbesondere in dem hier untersuchten Abschnitt. Es handelt sich dabei immer um das Charisma der Heilung. — *Literatur*: A. Oepke, Artikel ἰάομαι κτλ. in: ThW III, S. 194—215. Wir verweisen auch auf die Literaturangaben bei W. Bauer, WB, Sp. 667.

[29] In diesem Abschnitt entwickelt Paulus ausführlich diesen in der antiken Welt bereits klassischen Vergleich. An anderer Stelle (Röm 12,4f.; Eph 4,16; 5,30; Kol 2,19) zitiert er ihn nur ganz knapp. Der Vergleich wird unterschiedlich nuanciert vorgenommen. 1 Kor 12 und Röm 12 vergleicht der Apostel die Kirche als Leib

sem Vergleich sind zwei Stoßrichtungen auszumachen: Er greift zunächst solche an, die sich für das Ganze halten und die anderen als nicht vorhanden abtun (V. 14—20), dann solche, die sich den anderen überlegen glauben (V. 21—26).

In V. 28 kommt Paulus auf das Problem der Geistesgaben zurück. Er zählt die charismatischen Gaben zweimal auf. Die erste Serie ist sehr frei konstruiert, und zwar werden die verschiedenen Gaben nach ihrer Wichtigkeit in absteigender Reihenfolge zitiert. Subjekt und Prädikat geben an, daß die Quelle jeder übernatürlichen Gabe Gott ist. Der Ausdruck ἐν τῇ ἐκκλησίᾳ, der in seiner universalen Bedeutung zu verstehen ist, weist den Charismen ihren Platz zu: in und im Dienste der Kirche. Paulus nennt zunächst einige Charismen in der Weise, daß er ihre Träger bezeichnet: die Apostel, Propheten und Lehrer. Er fährt dann in der Aufzählung fort und nennt die Charismen selbst: Wunder und oft wunderbare Heilungen[30]. Paulus schiebt sodann zwei Charismen ein, die er am Anfang des Kapitels nicht zitiert hat und V. 29—30 nicht zitieren wird[31]. Schließlich nennt der Apostel die Zungenrede. — Zu dieser Aufzählung drängen sich zwei Bemerkungen auf: Wenn der Apostel die Gaben nach ihrer Wichtigkeit in absteigender Reihenfolge zitiert, so will er die Zungenrede, das in Korinth wahrscheinlich verbreitetste Charisma, herunterspielen; wenn er mit Absicht die ekstatischsten Vorgänge einerseits und die gewöhnlichsten Funktionen andrerseits vermischt, will er unterstreichen, daß alles Gabe Gottes ist, und einen übertriebenen Kult mit außergewöhnlichen Phänomenen in der Gemeinde verurteilen. — Paulus nimmt dann die Aufzählung in Form von rhetorischen Fragen wieder auf. Es ist festzuhalten, daß der Autor, wenn er δυνάμεις grammatisch

Christi mit dem Organismus des menschlichen Körpers und betont besonders die Verschiedenheit der Glieder, die alle zusammen einen Leib bilden. Eph 4 vergleicht er wiederum die Kirche mit dem menschlichen Organismus, betont aber stärker, daß Christus ihr Haupt ist und ihr damit Einheit und Wachstum sichert.

[30] Zur Wortwahl verweisen wir auf die Anm. 8,24 und 28. Es handelt sich offensichtlich um Wunder.

[31] Die ἀντιλήμψεις sind die konkreten körperlichen und geistigen Werke der Krankenhilfe. Der Begriff läßt an die zukünftigen Diakone denken. Die κυβερνήσεις sind Akte des Regierens und Verwaltens. Hier ist an die späteren Presbyter und Bischöfe zu denken. Beide Begriffe kommen im Neuen Testament nur einmal vor.

dem folgenden Verbum ἔχουσιν zuordnet, die Einheit von χαρίσματα und δυνάμεις deutlich werden läßt. Es handelt sich da offensichtlich um Wunder. — Paulus beschließt das Kapitel mit einem Vers (V. 31), der zu vielen Diskussionen Anlaß gegeben hat[32]. Er ist sicherlich, wie 14,1, eine Übergangsformel, die das Kapitel 13 als Ganzes einleitet.

Kapitel 13, das zu den schönsten Stellen der paulinischen Schriften gehört, sticht in Stil und Inhalt deutlich von seinem Kontext ab. Zur Erklärung seiner Herkunft sind daher alle möglichen Auffassungen vertreten worden: Die einen sagen, das Kapitel sei nachträglich in den Paulusbrief eingefügt worden, die anderen, der Apostel habe einen schon existierenden Hymnus aufgenommen, die dritten schließlich, das Kapitel sei ein völlig authentisches Werk des Paulus[33].

Wie dem auch sei, das Kapitel muß und kann im Zusammenhang der Kapitel 12 und 14 verstanden werden. Insgesamt zeigen diese Kapitel uns einen Mann, der den pneumatischen Enthusiasmus, der ihm von Jesus und der Urkirche her überkommen ist, mit einer sehr strengen Moralauffassung und Wertordnung verbindet. Wenn Paulus dieses Hohelied der Liebe zwischen seinen Ausführungen über die Geistesgaben einfügt und so an das oberste Gebot Jesu erinnert, hilft er den Korinthern, die charismatischen Vorgänge in ihrem richtigen Wert einzuschätzen. Kapitel 13 paßt also voll und ganz in den Zusammenhang 12—14[34].

Kapitel 14 führt uns zum Problem der Geistesgaben zurück. Paulus untersucht etwas eingehender Prophetie und Zungenrede, die beiden in Korinth besonders kultivierten Geistgaben. Zunächst vergleicht er die beiden Charismen (V. 1—25) und regelt sodann ihren Gebrauch (V. 26 bis 40). Der Apostel spricht nicht von Wundern im engeren Sinn. Nicht so sehr die Wunder selbst interessieren uns in diesem Kapitel, sondern die Geistesgaben, von denen die Wunder ein Teil sind. Hierzu mag die Feststellung genügen, daß Paulus gegen den übertriebenen Enthusias-

---

[32] Zur Detailinterpretation dieses Verses verweisen wir auf die einschlägigen Kommentare, z. B. Allo (im Anm. 15 zitierten Kommentar), S. 334.

[33] Die erstgenannte Auffassung wird z. B. von Loisy vertreten, die zweite von J. Weiss, die dritte u. a. von Fridrichsen und Allo. Vgl. Allo (in dem Anm. 15 zitierten Kommentar), S. 340f.

[34] Zu Einzelheiten dieser Auslegung von Kap. 13 verweisen wir auf A. Fridrichsen, a. a. O., S. 97f.

mus angeht, zu dem das Trachten nach Geistesgaben führt, daher in diesem Punkte sehr reserviert ist und sie ständig dem Nutzen für die Gemeinde unterordnet. Die häufige Erinnerung an diesen Nutzen (V. 3.4.5.6.12.17.18.26) ist sehr bezeichnend.

1. *In dem soeben untersuchten Abschnitt spricht Paulus von den Geistesgaben.* Das Geschenk schlechthin, welches das Christentum dem Menschen bringt, ist der Geist selbst. Er kann sich auf verschiedene Weise bemerkbar machen. Seine Erscheinungsweisen sind die Gnadengaben, die Gott den Menschen zur Auferbauung seiner Kirche zuteilt. Diese Gaben sind zum einen außergewöhnliche und außerordentliche Gaben, zum anderen die allergewöhnlichsten Ämter in der Kirche.

Das Vokabular zur Bezeichnung dieser Gnadengaben ist ein wenig unscharf: Zur Bezeichnung der Gnadengaben allgemein eignet sich am besten der Begriff πνευματικά, während χαρίσματα vorzugsweise solche Geistesgaben bezeichnet, die eher außergewöhnlich und außerordentlich sind[35].

Das Vorkommen von Charismen als historischer Realitäten läßt sich kaum in Zweifel ziehen. Die Sicherheit, mit der Paulus von ihnen spricht, zeigt zur Genüge, daß ihr tatsächliches Vorkommen sowohl für ihn wie für seine Leser feststand. Dies gilt um so mehr, da er von ihnen als von Realitäten spricht, die nicht ohne Probleme sind.

Die christlichen Charismen haben mehr oder weniger deutliche Parallelen in der heidnischen Welt. Ekstase und übernatürliche Schau hatten als Realitäten in der griechischen Religion Bürgerrecht erhalten. Zungenrede und Prophetie erinnern in mancher Hinsicht an Mantik und Orakel, die im Bereich des Obskuren und des Extravaganten zu Hause sind. Die Mysterienreligionen verstärken noch die Ähnlichkeit. Nach außen hin ist der vom Geist erfüllte Christ dem Eingeweihten, dem griechischen Mysten, ähnlich.

---

[35] Zur Bezeichnung der Geistesgaben verwendet Paulus in diesem Abschnitt folgende Wörter: τὰ πνευματικά (dreimal); τὰ χαρίσματα (zweimal); αἱ διακονίαι (einmal); τὰ ἐνεργήματα (einmal); ἡ φανέρωσις τοῦ πνεύματος (einmal). Die Wörter ἐνεργήματα und χαρίσματα, die in ἐνεργήματα δυνάμεως (einmal) und χαρίσματα ἰαμάτων (dreimal) vorkommen, scheinen eine besondere Gabe zu meinen.

2. *Die Geistesgaben, von denen Paulus spricht, schließen auch Wunder ein.* Er zitiert diese ausdrücklich bei den Aufzählungen von Charismen. Das Vokabular läßt da kaum einen Zweifel zu. In Kapitel 13 deutet die Parallelität zu den Logien der Evangelien darauf hin, daß es sich um Wunder handelt: Zu den Charismen gehört dort der Glaube, der Berge versetzt (vgl. Mt 17,20; Mk 11,22f.)[36]. Das Wunder als Geistesgabe ist in seinem Kern göttliches Tun: Gott ist seine Erstursache. Der vermittelnde menschliche Urheber ist der geisterfüllte Christ. Nach 13,2 erscheint die Gabe, Wunder zu wirken, als eine mögliche Auswirkung der Gabe vollkommenen Glaubens. Da alle Christen zum vollkommenen Glauben berufen sind, können alle berufen sein, Wunder zu wirken. Die Wunder in der Kirche haben keine andere Funktion als die Auferbauung der Gemeinde selbst.

3. *Welche Haltung nimmt Paulus zu den Geistesgaben und den Wundern im besonderen ein?* Geistesgaben und Wunder sind christliche Phänomene. Als solchen kann Paulus ihnen nur zustimmen. Diese Zustimmung geschieht aber nicht vorbehaltlos. Die Korinther scheinen auf außerordentliche Vorkommnisse zu sehr erpicht. Ihre frühere heidnische Einstellung, aber auch eine psychologisch verständliche allgemein menschliche Neigung drängt sie zum Wunderhaften und Außergewöhnlichen. Da sie die Ekstase als den Höhepunkt des Religiösen betrachten, fühlen sie sich veranlaßt, in der Geistesgabe das Wesentliche der christlichen Religion zu erblicken. Paulus muß eingreifen, um die Überreste von Heidentum und Materialismus zu bekämpfen, um in diese vom Wiederaufleben früherer satanischer und krankhafter Erscheinungen erschütterte Kirche Ordnung zu bringen. Seine Einstellung zur Sache scheint eindeutig: Er mißtraut den Geistesgaben, weist ihnen den angemessenen Platz zu und legt das „Wesen des Christentums" dar.

Einige Angaben beweisen uns, daß wir hiermit den Sitz im Leben für 1 Kor 12—14 tatsächlich richtig bestimmt haben. — Wenn Paulus den Korinthern ihre heidnische Vergangenheit in Erinnerung ruft (12,2f.), so bezeichnet er damit ganz deutlich den Sitz im Leben für diese Diskussion. Beim Aufzählen der Geistesgaben, die oft nach ihrer Wichtigkeit in

---

[36] Vgl. H. Riesenfeld, Le langage parabolique dans les épîtres de saint Paul, in: Littérature et Théologie pauliniens (= Recherches Bibliques 5), 1960, S. 47—59, bes. S. 48—49.

absteigender Reihenfolge angeordnet sind, setzt Paulus die bei den
Korinthern am höchsten geschätzten Gaben ans Ende. Bei den gleichen
Aufzählungen stellt er die Ämter, die auch Gaben des Geistes sind, vor die
Charismen (12,10b.27f.). Am Beispiel des menschlichen Körpers versucht der Apostel, allem den rechten Ort zuzuweisen, und betont sogar,
daß das, was wir für das Schwächste halten, manchmal am notwendigsten
ist, daß das, was wir für das Geringste halten, manchmal am meisten zu
Ehren kommt. Ebenso ist es in der Kirche mit den Charismen (12,12f.).
Paulus billigt das Trachten nach den Charismen, versäumt es aber nie,
diese Billigung mit einigen Korrekturen zu versehen: So warnt er vor jeglicher Übertreibung und mahnt zur Liebe (12,31b; 14,40).

Das ganze Kapitel 13 bestätigt diese Vermutung: Indem es die Liebe
verherrlicht, verweist es das Charisma an seinen Platz. Es betont die
Wertlosigkeit einer Geistesgabe ohne Liebe (V. 1—3) und stellt Dauer-
haftigkeit und Vollkommenheit der Liebe der Vergänglichkeit der Charismen gegenüber (V. 8f.). Dabei meint Paulus, wenn er von Charismen
spricht, immer ganz konkret Zungenrede und Prophetie, die ihm faktisch
die meisten Schwierigkeiten bereiten.

Im Kapitel 14 versucht Paulus wiederum, dem Charisma den ihm zu-
kommenden Platz anzuweisen. Er bemüht sich, die Überlegenheit der
Prophetie über die Zungenrede, die Überlegenheit des Vernünftigeren
über das weniger Vernünftige, des Normalen über das im engeren Sinne
Charismatische nachzuweisen (14,2—25). Anschließend regelt er den
Gebrauch der Charismen in der Gemeinde und unterwirft damit die
Charismatiker, die sich gern von aller Kontrolle durch die Kirche frei
glauben, bestimmten Normen (14,26—40). Wenn Paulus es für sinnvoll
hält, Regeln der Unterscheidung bekanntzugeben, so deshalb, weil in
Korinth, jedenfalls weitgehend, Durcheinander herrschte. Eine dieser
Normen, den Nutzen der Charismen für die Kirche, betont er sehr
(12,7.12—26; 14,3.4.5.9.12.17.19.26). Wenn Paulus dermaßen den
Stellenwert der Charismen in der Kirche betont, so deshalb, weil die Kritiker den Sinn für deren eigentliche Bedeutung verloren hatten und sie
zum Mittelpunkt ihrer Religion werden ließen[37].

---

[37] Die gleiche Problematik ist an anderen Stellen der Paulinischen Briefe anzutreffen, auch wenn sie Paulus nicht mehr zu so detaillierten Ausführungen veranlaßt wie 1 Kor 12—14. Röm 12, 3—8 billigt Paulus die charismatischen Phänomene,

5. 2 Kor 12,12[38].

In einem Abschnitt, der eine persönliche Rechtfertigung enthält, wirft Paulus u. a. seinen Gesprächspartnern vor, sie seien Anhänger irgendwelcher falscher Apostel, obwohl sie die Unterscheidungsmerkmale des richtigen Apostels sehr wohl kennten. So liefert Paulus denn 12, 12 eine Beschreibung des wahren Apostels. Diese verdient unsere Aufmerksamkeit. Er verfolgt die Absicht, die dem Apostel eigenen Merkmale anzugeben. Vor dem Ungläubigen so gut wie vor dem Gläubigen muß der Apostel seine Predigt legitimieren, seine Legitimität garantieren, den Beweis antreten für die Echtheit seines Auftrags (vgl. Mk 16,17; Mt 12,38). Das palästinensische Christentum hat das erste Bild vom Apostel geprägt (vgl. Mk 6,7f.; Apg 1,21f.), und Paulus hat nicht gezögert, dessen Echtheit anzuerkennen (vgl. 1 Kor 9,1; 15,5f.). Seine persönliche Definition des

wenngleich er sie in angemessenen Grenzen zu halten sucht. Röm 12,3—8 ist völlig parallel zu 1 Kor 12—14 konstruiert: Betonung der apostolischen Autorität, Darlegung von Grundsätzen, Vergleich mit dem menschlichen Körper, Aufzählung der Charismen, Ausführungen über die Liebe. An beiden Stellen findet der Apostel auf dasselbe Problem dieselbe Antwort. Die Unterschiede zwischen beiden Stellen erklären sich zum einen daraus, daß der Röm nach dem 1 Kor entstand und die Verhältnisse sich teilweise geändert haben, zum anderen daraus, daß die Beziehungen des Paulus zu den betreffenden Gemeinden verschieden sind. Wir untersuchen diese Stelle des Röm nicht, da Wunder dort in keiner Weise ausdrücklich erwähnt werden. Eph 4,11—16 schließlich erinnert wiederum an 1 Kor 12—14 und Röm 12,3—8. Paulus beruft sich auf die Verschiedenartigkeit der Geistesgaben in der Gemeinde und unterwirft sie einer Norm: der Auferbauung der Kirche. Es kehren die gleichen Gedanken wieder: Verschiedenartigkeit, Aufzählung und Anwendung der Geistesgaben, ihr Verhältnis zur Liebe, schließlich der Vergleich mit dem menschlichen Körper. In Anm. 29 haben wir festgestellt, inwiefern der Vergleich an dieser Stelle eine neue Nuance erhält. In Anm. 27 haben wir darauf hingewiesen, wie die Aufzählung der Geistesgaben sich entwickelt hat. Das Fehlen einer ausdrücklichen Erwähnung von Wundern gestattet uns wiederum den Verzicht auf eine eingehendere Analyse des Abschnitts, der nichtsdestoweniger unsere Interpretation von 1 Kor 12—14 bestätigt.

[38] Wichtigste benutzte Kommentare: P. Bachmann (= KNT) 1918; H. Windisch (= MeyerK) 1924; A. Plummer (= ICC) 1925; E. B Allo (= Études Bibliques), 1937; R. H. Strachan (= Moffat, NTC) 1948; H. Lietzmann — W. G. Kümmel (= HNT) 1949; H. D. Wendland (= NTD) 1954; J. Héring (= Commentaire du N. T., Delachaux et Niestlé) 1958.

Apostels paßt jedoch nicht vollständig zu der palästinensischen Formulierung (vgl. 2 Kor 5,16)[39].

Das Wort σημεῖα zu Beginn des Satzes hat die allgemeine Bedeutung „Zeichen, unterscheidendes Zeichen", und keineswegs die Sonderbedeutung „Wunder" wie in der Wendung σημείοις καὶ τέρασιν. Das Passiv der Verbform gibt an, daß Gott selbst die Wunder gewirkt hat und Paulus nur sein Werkzeug war. Die Zeichen sind offenbar geworden unter den Korinthern, und diese wissen nunmehr, daß Paulus wirklich ein Apostel ist. Der erste, durch ἐν eingeleitete Dativ muß grammatisch von den folgenden Dativformen getrennt werden, denn eine völlige Nebenordnung hätte eine Wiederholung der Präposition erfordert. Grammatisch drückt der erste Dativ die Art und Weise der Handlung aus, während die anderen die Instrumente der Handlung angeben. Die Zeichen werden gewirkt mit ὑπομονή, einer gewissen Beständigkeit und Geduld[40]. Der gesamte Ausdruck σημείοις τε καὶ τέρασιν καὶ δυνάμεσιν gestattet kaum einen Zweifel daran, daß es sich offenbar um Wunder handelt[41]. Die drei Begriffe bezeichnen die Wunder unter Betonung jeweils einer bestimmten Seite des Wundergeschehens: σημεῖον unterstreicht seinen Zeichencharakter, τέρας hebt das Wunderhafte an

[39] Im palästinensischen Christentum muß jeder, der Apostel zu sein beansprucht, mit Jesus während dessen irdischen Lebens zusammengewesen sein: Der Apostel hat von Jesus selbst Lehre und Auftrag erhalten. Paulus anerkennt diese Bedingung für das Apostelamt und versucht, seine Erfahrung auf dem Wege nach Damaskus zu nutzen, um sich als echten Apostel auszuweisen. Er wird sich jedoch der dabei auftretenden Schwierigkeit bewußt und entfernt sich infolgedessen von der palästinensischen Auffassung, die er für zu eng hält.

[40] Der Begriff ὑπομονή wird im Neuen Testament besonders bei Paulus verwendet (16mal). Er bezeichnet so etwas wie Beständigkeit und Geduld. Die Kommentatoren haben zu erklären versucht, warum das Wirken von Wundern eine solche Tugend erfordert. Vgl. H. Lietzmann (im Anm. 38 zitierten Kommentar), S. 157f. Könnte man nicht zwischen Geduld einerseits und Wundern andrerseits einen gewissen Gegensatz erblicken? Wir möchten hierin ganz einfach den Gegensatz „Schwachheit — Stärke" sehen, der für das paulinische Verständnis vom Apostelamt kennzeichnend ist.

[41] Zum Begriff δυνάμεις vgl. Anm. 8; zu den Begriffen σημεῖα und τέρατα vgl. Anm. 9. Das übliche Paar σημεῖα καὶ τέρατα wird hier durch δυνάμεις verstärkt. Die drei Wörter treten im Neuen Testament dreimal zusammen auf: Apg 2,22; 2 Kor 12,12; Hebr 2,4. Man könnte auch noch 2 Thess 2,9 anführen.

ihm hervor, und δύναμις zeigt, daß es sich um eine Machttat Gottes selbst handelt.

Neben anderen Beweisen, die 2 Kor 11,22 f. und 1 Kor 9,11 zitiert werden, stellen die Wunder einen Beweis für die Legitimität des Apostels dar (vgl. Röm 15,18). Paulus nimmt diesen Beweis jedoch nur hilfsweise in Anspruch. Er zieht es vor, sich direkt auf die Macht Gottes zu berufen statt auf die Wirkung seines Tuns im Wunder (1 Kor 2,4). Daß es Wunder gibt, scheint bei Paulus wie bei seinen Lesern vorausgesetzt zu sein. Die Schlichtheit der paulinischen Sprechweise veranlaßt uns, ihre „Historizität" nicht in Zweifel zu ziehen, sondern zu akzeptieren[42]. Dennoch bleiben einige Fragen offen. Hat es viele Wunder gegeben oder nicht? Hat Paulus sie gewirkt oder ein anderer Apostel? Um welche Art von Wundern handelt es sich? Viele Kommentatoren sind diesen Fragen nachgegangen, doch bietet uns der Text keinerlei Hinweis.

1. *In unserem Textabschnitt spricht Paulus tatsächlich von Wundern.* Die drei verwendeten Vokabeln lassen keinen Zweifel zu. Zu dieser Schlußfolgerung kommen mehr oder weniger alle Exegeten übereinstimmend[43].

2. *Die Eigenart der Wundervorgänge wird* sowohl *durch die Wahl der Vokabeln verdeutlicht,* von denen jede eine bestimmte Seite des Phänomens zum Ausdruck bringt, als auch *durch die Form des Verbums,* die ausdrückt, daß der menschliche Wundertäter nur Werkzeug ist, durch welches die Wunder geschehen.

3. *Das Wunder ist seinem Wesen nach ein Zeichen.* Die Verwendung des Wortes σημεῖον in beiden Bedeutungen unterstreicht diese Aussage.

---

[42] Einige Exegeten der holländischen Schule, so z. B. Rovers (ThT 1870, S. 606 f.), schließen die Möglichkeit echter Wunder aus. Sie müssen sich dann dazu entschließen, V. 12 als Interpolation zu betrachten. Der Vers stört zwar die durchgehende Parallelität zwischen 2 Kor 12,11.13 f. und 2 Kor 11,5 f., doch darf man ihn nicht schon aus diesem Grunde eliminieren.

[43] Vgl. die Anm. 38 zitierten Kommentare. Alle uns bekannten Autoren sagen, daß Paulus hier von Wundern spricht: Bachmann, S. 405; Windisch, S. 397; Allo, S. 325; Strachan, S. 34; Lietzmann, S. 158; Wendland, S. 226; Héring, S. 97 usw. Anm. 42 haben wir die Kommentatoren erwähnt, die dieser Auslegung widersprechen, und festgestellt, daß die von ihnen ins Feld geführten Gründe unzureichend sind.

Im vorliegenden Fall ist es Zeichen für den Apostel. Es steht so in enger Beziehung zum Apostelamt und im Dienste der Verkündigung.

4. *Das einfache und spontane Zeugnis des Paulus zwingt uns zur Annahme der Historizität dieser Wundertaten.* Man kann sie nur in Zweifel ziehen, wenn man das Zeugnis des Apostels selbst in Zweifel zieht.

6. Röm 15, 18—19[44].

Im ersten Teil des Epilogs zu seinem Brief an die Römer beruft sich Paulus auf seinen Titel als Apostel der Heiden, um verständlich zu machen, warum er sich das Recht genommen hat, der römischen Kirche einen Brief zu schreiben. Den Titel „Apostel der Heiden" wiederum rechtfertigt er durch den Hinweis auf seine Missionsreisen. Hierfür rühmt er sich selbst, aber mehr noch den Herrn (15,14—21). Die Beschreibung seiner Missionsreisen interessiert uns in besonderem Maße.

V. 17 leitet die Beschreibung ein. Der Titel, den Paulus sich zulegt und den er rechtfertigen will, ist für ihn Grund zum Rühmen, Grund zum Rühmen des Christus in ihm. Die doppelte Verneinung zu Beginn von V. 18 bringt den Sinn des Satzes etwas durcheinander. Positiv würde Paulus sagen: „Ich wage zu sagen, was Christus in mir gewirkt hat." Das Verbum τολμᾶν hat im vorliegenden Fall keineswegs ironische Bedeutung (vgl. 2 Kor 10,12). Der Apostel hat keinen Grund, sich zu rühmen: Sein Brief erinnert nur an schon bekannte Tatsachen (V. 15), und sein Werk ist das Werk des Christus selbst (V. 18). Christus wirkt es durch den Apostel: Die Präposition διά weist deutlich auf diesen instrumentalen Charakter hin. Das Ziel des missionarischen Wirkens wird angegeben durch εἰς ὑπακοὴν ἐθνῶν: Die Heiden sollen zum Glaubensgehorsam geführt werden[45]. Die Dative λόγῳ καὶ ἔργῳ hängen als instrumen-

---

[44] Wichtigste benutzte Kommentare: W. Sanday und A. C. Headlam (= ICC) 1898; Th. Zahn (= KNT) 1925; M.-J. Lagrange (= Études Bibliques) 1931; H. Lietzmann (= HNT) 1933; C. Dodd (= Moffat, N.T.C.) 1947; O. Michel (= MeyerK) 1955; F. J. Leenhardt (= Commentaire du N. T., Delachaux et Niestlé) 1957.

[45] Dem Begriff ὑπακοή folgt im allgemeinen ein genetivus objectivus, der angibt, wem gehorcht wird (vgl. 2 Kor 10,5; 1 Petr 1,22; Apg 6,27). Bei ὑπακοή πίστεως kann man sich fragen, ob nicht ein genetivus subjectivus vorliegt (Röm 1,5). An unserer Stelle ist diese Auslegung zwingend, da der Ausdruck völlig eindeutig ist.

tale Dative von κατειργάσατο ab[46]. Das Paar drückt die Zweiheit von Sagen und Tun aus. Mit dieser Formel will Paulus seine gesamte Tätigkeit bezeichnen: sein Wort, ob Verkündigung oder Mahnung, und seine Taten, ob gute Beispiele oder Wunder. Der ganze Mensch muß Christ sein, und ebenso zeigt sich Gottes Kraft in der Gesamterscheinung des Apostels: Das Wort des Menschen ist Werk Gottes, und das Tun des Menschen ist göttliches Reden[47]. Der Beginn von V. 19 steht in Parallele zu den beiden Dativen, die wir soeben untersucht haben. Das ἐν bezeichnet gleichfalls den instrumentalen Charakter und gibt die Mittel an, derer sich Gott bedient hat, um sein Heilswerk durchzuführen. Während der Plural δυνάμεις durchweg die Wunder bezeichnet, kann dagegen der Singular δύναμις ebenso die Kraft bedeuten, die Wunder schafft und die der Geist ist, wie die Kraft und den Geist, den die Wunder offenbaren[48]. Die Formen σημείων καὶ τεράτων sind gleichzeitig genetivus objectivus und subjectivus. Das Paar bezeichnet ohne Zweifel die Wunder[49]. Δύναμις wird diesem Paar manchmal zur Bezeichnung des Wunders als dritter terminus technicus hinzugefügt, wie wir 2 Kor 12,12 gesehen haben. Nach dem eben über δύναμις Gesagten liegen die Dinge hier aber anders. Zu beachten ist, daß Paulus hier wie 2 Kor 12,12 von Wundern in einer Weise spricht, die vermuten läßt, daß jedermann sie kennt, und er über die Art des Wundergeschehens keine nähere Auskunft gibt. Schließlich finden wir, parallel zu dem Ausdruck, den wir soeben untersucht haben, ἐν δυνάμει πνεύματος ἁγίου: Der Apo-

---

[46] Beide Begriffe kommen im Neuen Testament häufig vor. Mit λόγος wird entweder das (dem Vater wesensgleiche) göttliche Wort oder das Wort Gottes bzw. des Christus oder die Offenbarung des Evangeliums oder schließlich das Wort in der gewöhnlichen Bedeutung bezeichnet. Ἔργον steht einerseits für das Werk Gottes, des Christus, das Heilswerk oder auch die Wunder, andrerseits für das Werk von Menschen, die guten Werke, die Werke des Gesetzes usw. Das Paar kommt im Neuen Testament wiederholt vor.

[47] Das Paar bezeichnet also Wort und Tat des Menschen, was der Mensch sagt und was er tut. Durch das Zitieren der beiden äußeren Glieder eines Gegensatzes drückt man oft ein umfassendes Ganzes aus. Im vorliegenden Fall bedeutet das Paar demnach das Gesamtverhalten des Menschen. Vgl. Lk 24,19; Apg 7,22; Kol 3,17; 2 Thess 2,17.

[48] Vgl. Anm. 8.

[49] Vgl. Anm. 9.

stolat des Paulus, insofern er geistgewirkt war, war eine Manifestation des Geistes. Manche Kommentatoren haben die Parallelität zwischen dem Ende von V. 18 und dem Beginn von V. 19 betont. Der Beginn von V. 19 nimmt das am Ende von V. 18 Gesagte nur entfaltend und in chiastischer Form wieder auf: Die Wunder sind eine Erläuterung für das „Tun", der Geist für das „Wort"[50]. Wir geben zu, daß ein Wortparallelismus besteht, glauben jedoch, daß man die Präzisierungen nicht auch noch im kleinsten Detail suchen sollte. Paulus zeichnet einfach ein Bild seiner missionarischen Tätigkeit und versucht, diese Tätigkeit mit ein paar Begriffen umfassend zu beschreiben: Sie ist Wort und Tat, Wunder und Geistesgabe.

Nachdem Paulus sein apostolisches Wirken qualitativ beschrieben hat, beschreibt er es nunmehr quantitativ (V. 19b). Dies ist hier nicht im einzelnen zu untersuchen. Er schließt dann seine Ausführungen ab, indem er an einen Grundsatz seiner Tätigkeit erinnert: Er legt nur die Fundamente und überläßt anderen die Fortführung der Arbeit (V. 20—21).

1. *In unserem Textabschnitt spricht Paulus wiederum tatsächlich von Wundern.* Dieser Schluß, dem sich übrigens die Exegeten durchweg anschließen[51], drängt sich uns aufgrund der Wortwahl auf.

2. *Die verwendeten Begriffe geben uns Aufschluß über den Charakter des Wundergeschehens.* Gott ist seine Ersturssache und der Mensch nur vermittelnde Instanz.

3. *Das Wunder steht im Dienste des Apostolats.* Es ist nur eine von mehreren Tätigkeiten des christlichen Missionars. Es steht in Verbindung mit dem Apostelamt und der Verkündigung. Es ist Zeichen, wenngleich sein Zeichencharakter hier weniger betont wird als 2 Kor 12,12.

4. *Die Einfachheit des paulinischen Zeugnisses zwingt uns erneut zur Annahme der Historizität der Wundertaten.*

---

[50] Von den Autoren, die diese Auslegung verteidigen, seien genannt Lipsius und Cornely; vgl. die Anm. 44 zitierten Kommentare: Lagrange, S. 352; Michel, S. 329.

[51] Vgl. die Anm. 44 zitierten Autoren. Alle von uns herangezogenen Autoren bieten die gleiche Auslegung: Sanday-Headlam, S. 406; Zahn, S. 600; Lagrange, S. 352; Lietzmann, S. 120; Dodd, S. 227; Michel, S. 329; Leenhardt, S. 352; Althaus, S. 133.

Schlußfolgerungen

I

Welchen Wunderbegriff hat Paulus? Auf diese Frage gilt es eine Antwort zu finden. Unsere Untersuchung hat gezeigt, daß Paulus in zwei verschiedenartigen Zusammenhängen von Wundern spricht. Das Wunder scheint also eine zweifache Funktion und der Apostel einen doppelten Wunderbegriff zu haben.

1. *Zunächst begleitet das Wunder die apostolische Tätigkeit.* Es ist ein Unterscheidungsmerkmal für den Apostel. Die Kraft, die den Apostel beseelt und ihn veranlaßt, die göttliche Botschaft zu verkünden, macht ihn auch fähig, Wunder zu wirken. Gott offenbart sich durch das Wort seines Boten und beweist die Echtheit seiner Offenbarung dadurch, daß er durch ihn Wunder wirkt. Das Wunder steht im Dienste der Offenbarung durch das Wort Gottes.

Dieser Wunderbegriff erscheint in bestimmten paulinischen Texten in aller Deutlichkeit, so in 2 Kor 12,12; Röm 15,18—19. Sie läßt sich auch in anderen nachweisen, etwa 1 Kor 1,22—24 und 2 Thess 2,9—10. Ihr Zeugnis ist, wenngleich indirekt, so doch nicht weniger eindeutig. 1 Kor 1,22—24 betont stark die Verbindung zwischen Wunder und Heilsverkündigung: Für die Juden ist diese nur gültig, wenn sie von Wundern begleitet wird, und jenes ist in seinem Wesen dazu bestimmt, die Echtheit der Heilsbotschaft nachzuweisen. 2 Thess 2,9—10 wiederum wird das Wunder in Verbindung mit einer Art Prophetie gesehen: Das Offenbarwerden des Gesetzlosen wird von Wunderzeichen begleitet werden, an denen die Menschen ihn erkennen sollen. Der „prophetische" Charakter dieser Wunder liegt auf der Hand: Die Parusie Satans ist nach dem Bilde der Ankunft des Christus vorgestellt. Die Untersuchung anderer Stellen scheint dieses Wunderverständnis zu bestätigen[52]. Zwar wird das Wunder

---

[52] Als Belege für unsere These zitieren wir 1 Thess 1,5; 2,13; 1 Kor 2,4—5; 2 Kor 6,7; 13,3; Kol 1,29; 2 Tim 1,8. An all diesen Stellen spricht Paulus von der Verkündigung des Evangeliums, die von göttlicher Kraft, von der Macht des Geistes begleitet war. Das Evangelium ist Gottes Macht, die sich unter den Menschen entfaltet. Für den Leser, der schon weiß, daß der Apostel bei der Verkündigung des Evangeliums Wunder gewirkt hat (vgl. 2 Kor 12,12; Röm 15,18—19), liegt es nahe, wie selbstverständlich unter den Begriffen „Macht" und „Kraft", die die

dort nicht ausdrücklich erwähnt, aber man kann annehmen, daß sich die
göttliche Kraft, von der der Apostel spricht und die die apostolische
Wirksamkeit ermöglicht, manchmal in der auffälligen Form der Wunder
äußert. Alles in allem bleibt das Wunder in seinem Wesen ein göttliches
Tun, Ausfluß der göttlichen Macht. Der menschliche Wundertäter ist nur
Werkzeug in der Hand Gottes. In den eben genannten Texten bekommen die Wunder ihr unterschiedliches Gewicht nach ihrer Beziehung zur
Verkündigung. Das Wunder steht im Dienst der apostolischen Verkündigung, es ist Zeichen des Apostels. Nur dieser ist Wundertäter. In diesem
Sinne muß betont werden, daß das Wundergeschehen sekundären und
subsidiären Charakter besitzt: Es tritt völlig zurück hinter die Sache, um
die es geht. Es ist wohl nicht nötig, darauf hinzuweisen, daß die Haltung
des Paulus gegenüber dem so verstandenen Wunder ganz und gar positiv
ist. Solche Wunder wirkt er selbst; er hat auch keine Bedenken, darauf zu
verweisen, um seinen Aposteltitel zu rechtfertigen. So verstanden, führt
das Wunder zu keinerlei Schwierigkeiten: Es ist normaler Ausfluß der
Macht Gottes und hat im göttlichen Plan einen festumrissenen Platz
sowie eine genau festgelegte Funktion[53].

2. *Paulus spricht über das Wunder im Zusammenhang mit den Charis-*
men: Das Wirken von Wundern ist also eine Geistesgabe unter anderen.

Verkündigung des Evangeliums begleiten, auch Wunderereignisse zu verstehen.
Wir halten es für berechtigt, bestimmte weniger eindeutige Stellen mit Hilfe eindeutiger zu interpretieren: Dabei findet ja lediglich der Grundsatz Anwendung,
daß jede Auslegung den Kontext beachten muß. Dennoch möchten wir betonen,
daß an keiner der angeführten Stellen ausdrücklich von Wundern die Rede ist und
man daher nur von Anspielungen auf Wunder reden kann. Diese Stellen können
unsere These natürlich keineswegs belegen; sie können sie höchstens illustrieren.
Immerhin ließe sich folgendes fragen: Wenn das Wunder in so enger Beziehung
zum Apostelamt steht, warum spricht Paulus dann nicht ausdrücklich davon, da
er doch offensichtlich von der Verkündigung des Evangeliums handelt? Wir werden diese Frage später zu beantworten suchen.

[53] Dieses Wunderverständnis findet sich auch in anderen Schriften des Neuen
Testaments. Als Belege seien angeführt: Apg 2,22f.; 4,23—31; 8,6; 14,3. Die
Formel in Apg 2,22 ist judenchristlich und sehr alt. Wunder dienen hier dazu, die
göttliche Sendung eines von Gott Gesandten vor seinem Volke zu legitimieren.
Sie werden durch einen menschlichen Vermittler von Gott gewirkt. Auch in den
anderen angeführten Texten wird die Beziehung zwischen Wunder und Verkündigung klar ausgesprochen.

In diesem Fall nun wird das Wunder nicht zur Verkündigung in Beziehung gesetzt, sondern ist ein selbständiges Geschehen. 1 Kor 12. 13 und 14 macht Paulus ins einzelne gehende Ausführungen über die Geistesgaben und führt unter ihnen ausdrücklich die Wunder auf. Das Wunder ist auch weiterhin in seinem Wesen ein göttliches Tun. Als göttliche Gabe gewährt es Gott, wem er will und wann er will. Die Wundergabe kann jedem Christen gewährt werden und ist keineswegs auf die Apostel beschränkt. Sie erscheint als eine mögliche Auswirkung der Gabe vollkommenen Glaubens und kann daher bei allen Christen vorkommen, denn alle sind zum vollkommenen Glauben berufen. In diesem Falle weckt das Wunder Aufmerksamkeit um seiner selbst willen und verweist nicht auf anderes. Der Zweck des Wunders ähnelt dem jeder Geistesgabe: Es soll die Gemeinde erbauen. Dieses Erbauen scheint innergemeindlich zu sein und deckt sich nicht mit der apostolischen Arbeit auf Ausbreitung der Kirche hin[54].

Gal 3,5 gehört in den gleichen Zusammenhang. Paulus erinnert die Christen Galatiens an die charismatischen Erfahrungen, die ihnen bei ihrer Bekehrung zuteil geworden sind. Die Gabe des Geistes war begleitet von einer Reihe charismatischer Gaben, unter denen auch die Wunder zu nennen sind. Zwischen Wunder und Verkündigung besteht keine notwendige Verbindung. Die Wundergabe scheint bedingt durch den Glauben, den alle Christen besitzen müssen, und ist bestimmt zur Auferbauung der Gemeinde. Der Text kann mitmeinen, daß die Apostel in Galatien bei der Missionierung Wunder gewirkt haben, darf aber nicht auf diese Aussage beschränkt werden. Unter dem Einfluß des Geistes haben die Galater auch selbst Wunder gewirkt und andere Charismen praktiziert. Im Lichte dieser Texte können wir auch in anderen paulinischen

---

[54] Im Laufe der Untersuchung haben wir gesehen, daß Paulus gern unterstreicht, daß Charismen im allgemeinen und Wunder im besonderen auf die Bildung der Gemeinde abzielen. Durch die Betonung der Verschiedenartigkeit der Ämter in der Kirche wird diese Erbauung im umfassendsten Sinn verstanden. Die Anspielung auf die gottesdienstlichen Versammlungen läßt vermuten, daß der Begriff nicht im Sinne einer Ausweitung der Kirche nach außen, sondern als Auferbauung der Gemeinde selbst zu verstehen ist. Man darf hier natürlich nicht einwenden, daß das Wunder dennoch mit dem Apostelamt verbunden bleibe, da jeder Christ Apostel ist. Ein solcher Einwand trüge der Mentalität der Urkirche nicht Rechnung.

Texten, die von Gnadengaben handeln, Anspielungen auf Wunder finden[55].

Insofern die Charismen Gnadengaben sind, kann Paulus zu all diesen Erscheinungen nur eine positive Haltung einnehmen. Die Charismen sind zwar vielleicht außergewöhnlich, aber doch in gewisser Hinsicht innerhalb der Kirche normal. Paulus kann sich über die reichlichen Manifestationen des Geistes unter den Bekehrten nur freuen, und da die Wunder eine Art Charisma sind, kann der Apostel sie nur begrüßen. Dies scheint offensichtlich auch die Haltung zu sein, die Paulus Gal 3,5 einnimmt. Wir haben jedoch darauf hingewiesen, daß seine Position 1 Kor 12.13 und 14 differenzierter und zurückhaltender ist. Wenn Charismen allgemein und Wunder im besonderen die Aufmerksamkeit des Christen voll in Anspruch nehmen, muß der Apostel reagieren, um die Reinheit der Botschaft zu erhalten. Paulus kann dann zwar nicht verurteilen, nimmt jedoch eine reservierte Haltung ein. Er versucht dann, dem Wunder seinen rechten Platz in der christlichen Heilsordnung zuzuweisen. Anhaltspunkte für diese Einstellung haben wir bei der Untersuchung von 1 Kor 12.13 und 14 gewonnen[56].

[55] Wir haben schon hingewiesen auf die Parallelität zwischen 1 Kor 12.13 und 14 einerseits und Röm 12, 3—8; Eph 4,7—16 andrerseits (vgl. Anm. 37). In diesen verschiedenartigen Texten untersucht Paulus das Problem der Geistesgaben und findet jeweils die gleiche Lösung dafür. Wir verweisen auch auf 1 Kor 1,7 und Röm 1,11: Diese Texte sprechen wahrscheinlich, wenn auch nur implizit, von den eigentlichen Geistesgaben und damit indirekt auch von den Wundern. Wir gehen auf diese Abschnitte jedoch nicht mehr ein.

[56] In anderen Schriften des Neuen Testament steht das Wunder in einem ähnlichen Zusammenhang. Losgelöst von jeder Form des apostolischen Amtes und in gewissem Umfang autonom, läuft es Gefahr, die Aufmerksamkeit der Gläubigen zu sehr zu beanspruchen und so die christliche Ordnung der Werte auf den Kopf zu stellen. Bei Simon dem Zauberer führt das in Apg 8,4—25 dazu, daß er christliche Wunder und heidnische Zauberei nicht auseinanderhält: Lukas scheint die Gemeinde vor einer falschen Deutung des Wunders warnen zu wollen. Apg 14,8f. und 19,11f. begegnet uns dieselbe Problematik. Diese fehlt dagegen Mk 16,17f., wo das Wunder ebenfalls als Charisma dargestellt wird.

II

Dieser doppelte Wunderbegriff des Paulus spiegelt teilweise die zwei Auffassungen wider, die man davon in der Umwelt des Apostels hatte, nämlich die jüdische und die hellenistische[57].

1. *Für die Religion des jüdischen Volkes* sind zwei vorherrschende Züge charakteristisch: die Transzendenz Gottes und das Vorherrschen des Prophetenamtes. Die jüdische Vorstellung vom Wunder läßt sich ohne beständigen Bezug auf diese beiden Grundgegebenheiten nicht verstehen: Die Idee der absoluten Transzendenz Gottes ist Voraussetzung für das Wundergeschehen; das Verständnis für die zentrale Rolle des Propheten hilft, den Stellenwert des Wunders in der jüdischen Welt zu bestimmen[58]. Der Gott des Alten Testaments ist gleichzeitig der ganz Andere und Allmächtige wie der sich seinem Volk Kundgebende. Daher ist das Wunder für den Juden wesentlich eine Machttat und eine Offenbarungsgeste. Zwar ist die Macht Gottes schon in den Naturvorgängen und im Ablauf der Geschichte am Werk, und insofern ist alles Wunder, weil alles Machttat ist. Desgleichen „offenbart" sich Gott durch alle seine Werke. Wir kennen ihn schon durch seine Schöpfung und durch sein Eingreifen in die Geschichte; insofern ist alles Wunder, weil alles Zeichen

[57] Die Begriffe „jüdische Welt" und „griechische Welt" dürfen nicht zu eng verstanden werden. Die jüdische Welt umfaßt den gesamten jüdischen Raum, rabbinisches wie alttestamentliches Judentum. Die griechische Welt umfaßt andrerseits den gesamten nichtjüdischen, also heidnischen Raum. „Griechisch" ist also in dieser Wendung normalerweise gleichbedeutend mit „hellenistisch". Schließlich legen wir Wert auf die Feststellung, daß der Gegensatz zwischen den beiden Auffassungen nicht übertrieben werden darf: Es sind eher zwei Denkmodelle, zwei Erklärungsversuche für das Wunderereignis, nicht so sehr zwei gegensätzliche Definitionen des Wunders.

[58] *Literatur:* Wir verweisen auf die Gesamtdarstellungen der Theologie des Alten Testaments und die folgenden Arbeiten: W. Bousset, Die Religion des Judentums im späthellenistischen Zeitalter (= HNT 21), 3. Aufl. hrsg. von H. Gressmann. Tübingen 1926; M. Dibelius, Die Formgeschichte des Evangeliums, 3. Aufl. hrsg. von G. Bornkamm, Tübingen 1959; J. Hempel, Heilung als Symbol und Wirklichkeit im biblischen Schrifttum (= NGG), Göttingen 1958, S. 237—314; A. Schlatter, Das Wunder in der Synagoge (= BFChTh 16,5), Gütersloh 1912, S. 50—86; P. Volz, Der Geist Gottes und die verwandten Erscheinungen im Alten Testament und Judentum, Tübingen 1910.

ist. Doch haben sich gewisse Erscheinungen als geeigneter erwiesen, die
Macht Gottes zutage treten zu lassen und seine Pläne mitzuteilen: Diese
verdienen in ganz besonderer Weise den Namen Wunder. Es ist jedoch
festzuhalten, daß sie nicht dadurch zu Wundern werden, daß Gott in
außergewöhnlicher Weise eingreift. Ein Wunder bleibt vielmehr seinem
Wesen nach Machttat und Offenbarung.

Gott wirkt seine Wunder auf verschiedene Weise: Bald geschehen sie
direkt durch ihn selbst, bald bedient er sich eines menschlichen Vermittlers, dem er seinen Geist mitteilt. Der geisterfüllte Mensch par excellence
ist der Prophet. Der Offenbarungsgott des Alten Testaments gibt sich seinem Volk kund durch den Propheten, seinen Sprecher. Dieser nimmt in
der Religion des Judentums eine zentrale Stellung ein. Zwar offenbart
sich Gott durch alle seine Werke; er tut dies jedoch insbesondere durch
den Mund seines Propheten. Die Religion Israels ist die Religion des
Wortes Gottes. Erfüllt mit der Kraft und der Macht Gottes verkündet der
Prophet die göttliche Botschaft. Das Wunder erhält seine Funktion innerhalb dieser Ökonomie des Wortes. Als Machttat ist es nichts anderes als
ein Herausströmen derselben göttlichen Kraft, die bereits durch den Propheten das Wort Gottes durch die Jahrhunderte trägt. Als Offenbarungsgeste hat es allein die Aufgabe, die göttliche Botschaft, die der Prophet
seinem Volke verkündet, als echt zu erweisen, zu billigen und zu verdeutlichen. Es ist bezeichnend, daß in dem an Wundern relativ armen
Alten Testament die „hohen Zeiten" des Wunders sich decken mit Zeiten der Krise, die nach einer Verstärkung des Prophetentums rufen. Die
großen Propheten Mose, Elia, Elisa, Jesaja usw. sind die Kristallisations-
punkte, um die herum sich Wunderberichte gruppieren. Der Prophet ist
die Norm, der sich der Wundertäter unterordnen muß, und die Nicht-
unterwerfung unter diese Norm ist das deutlichste Zeichen für seine
Unechtheit[59].

[59] Zur Illustration für das Gesagte mögen einige Wunder von Elia und Elisa dienen. 1 Kön 17,17—24 wirkt Elia ein Auferstehungswunder. Nach V. 18 hat Elia
sich als Unheilspropheten vorgestellt: Er richtet sich gegen die Sünden und kündigt das göttliche Strafgericht an. In V. 24 erklärt die Frau, sie erkenne in Elia den
Sprecher Gottes wegen des Wunders, das er gewirkt hat. Der Zusammenhang zwischen Wunder und Prophetie ist offensichtlich. 2 Kön 4,18—37 weckt Elisa den
Sohn der Sunamitin von den Toten auf. Der Prophet schließt sich mit dem toten
Kind ein, ruft Gott an und legt sich über den Knaben: Der Prophet ist für die

Eine Untersuchung des Spätjudentums kann diesen Überblick nur bestätigen. Auf den ersten Blick scheinen die Propheten, die geisterfüllten Männer par excellence, völlig ausgestorben zu sein. Der Geist scheint für immer stumm zu sein. Die Festlegung des Kanons macht aus der Religion Israels eine Buchreligion, und die Auslegung der Texte tritt an die Stelle der eigentlichen Prophetie. Eine nähere Betrachtung zeigt jedoch, daß der Geist immer noch weiterwirkt: Geistliche Erfahrungen gibt es weiterhin, wenn sie auch vielleicht weniger im offiziellen Judentum bezeugt sind als in Dokumenten, die aus verschiedenen Randmilieus des Judentums stammen[60]. Rabbiner im Besitze der göttlichen רוח, die das Volk erneut als Propheten begrüßt, erweisen sich ihrerseits als Wundertäter[61]. Doch haben zu diesem Zeitpunkt heterogene Bestandteile in die jüdische Tradition Eingang gefunden, und das Wirken von Wundern

Predigt vom Geiste Gottes erfüllt, teilt dem Knaben die göttliche Gabe mit und bringt es so fertig, ihn wiederzubeleben. Die Verbindung zwischen Prophet und Wunder wird auch in anderen Erzählungen betont und tritt deutlich zutage, wenn man sie in ihrem Zusammenhang liest (2 Kön 2,16—22; 5,7—8). Auch die jüdische Reaktion auf alles, was den Wundertäter verherrlicht, verdeutlicht unsere Ausführungen. An Versuchen, den Wunder wirkenden Propheten mit den mit Sondervollmachten ausgestatteten Männern der Naturreligionen gleichzusetzen, hat es im Judentum natürlich nicht gefehlt. Man hat sich auf den Wundertäter als solchen konzentriert und versucht, ihn kultisch zu verehren. Aber die Propheten reagieren auf derartige Verirrungen. Sie bringen in Erinnerung, daß letzten Endes Gott der eigentliche Offenbarer, der eigentlich Mächtige, der eigentliche Wundertäter ist. Sie kämpfen erbittert gegen die Kultpropheten, gegen den Kult um die Person des Propheten (Jes 28,7 f.; Jer 23). Das Spektakuläre wird verurteilt, jedes Zaubermittel bekämpft, und es wird zum Gebet aufgefordert, daß Gott darum bittet zu tun, was der Mensch zu wirken nicht in der Lage ist (1 Kön 17,20; 2 Kön 2,14; 4,33). Auch Dtn 13,1—6 zeigt, daß der Wundertäter sich bestimmten Normen unterwerfen muß.

[60] W. Bousset, a. a. O., S. 394—399 nennt folgende Stellen, die ebenfalls von pneumatischen Erfahrungen im engeren Sinne sprechen: Dan 4,16; 4 Esra 5,22; MartJes 5,14; 6,10; TestHi 45—51; die Henochbücher usw. Im Spätjudentum werden den Essenern derartige Geisteserfahrungen geschenkt (vgl. JosAnt 13, 311—313; 15, 373—379).

[61] Wir kennen Rabbiner, die Wunder wirken. Nikodemus ben Gorion ist ein großer Beter (Taanith 19b); Chanina ben Dosa wirkt Heilungswunder (Taanith 34b); Jochanan ben Sakkai läßt es regnen (Taanith 67a).

steht nicht mehr ausschließlich im Dienste des Prophetenamtes[62]. Die griechische Vorstellung vom Wunder, die wir gleich beschreiben werden, macht bereits ihren Einfluß geltend.

Fassen wir zusammen: Nach der jüdischen Vorstellung ist das Wunder wesentlich ein Akt der Macht Gottes, der sich oft eines menschlichen Vermittlers bedient, um die durch das Wort geschehende göttliche Offenbarung zu billigen und zu verdeutlichen. Die jüdische Religion ist wesentlich eine Religion des Wortes, in der das Wunder nur eine untergeordnete Rolle spielt.

2. *Wunder haben in der hellenistischen Welt eine große Rolle gespielt*[63]. Die Griechen betrachten als Wunder Heilungen oder Erscheinungen, die direkt von der Tätigkeit einer Gottheit herzurühren scheinen. Ob diese Vorgänge offensichtlich den Gesetzen der Natur oder der Vernunft zuwiderlaufen (ἀδύνατον) oder nur unerwartet sind (παράδοξον), spielt für ihre Kennzeichnung als Wunder kaum eine Rolle. Die besonderen Vorstellungen über die Gottheit und der mythologische Glaube — besonders in dem sozialen Milieu, das am Wunderhaften Geschmack fand — begünstigten eine unentwirrbare Vermengung von Wunder und Magie bis hin zur Zauberei. Das ist von entscheidender Bedeutung für das

---

[62] Zur Erklärung dieses Phänomens verweisen wir auf M. Dibelius, a. a. O., Kap. 6: Analogien, S. 142—149. Der Autor unterscheidet bei den Rabbinern zwei Arten von Wundern, die „Theodizee-Legenden" und die „Personallegenden". Bei den ersteren gilt die Aufmerksamkeit viel stärker der Kundgabe Gottes als dem Wunderhaften als solchem. Die Erzählungen der zweiten Gattung dienen eher dazu, den Ruhm eines Rabbi zu verbreiten. Im erstgenannten Fall haben wir es mit dem jüdischen Verständnis des Wunders zu tun; im zweiten Fall ist ein Eindringen weniger traditioneller Elemente in die jüdische Welt festzustellen.

[63] *Literatur:* R. Bultmann, Die Geschichte der synoptischen Tradition, 7. Aufl. Göttingen 1957; M. Delcourt, Les grands sanctuaires de la Grèce (Mythes et Religions 21), Paris 1947; M. Dibelius, Die Formgeschichte des Evangeliums, 3. Aufl. hrsg. von G. Bornkamm, Tübingen 1959; P. Fiebig, Antike Wundergeschichten zum Studium des Wunders des Neuen Testaments (= Kleine Texte für Vorlesung und Übung, hrsg. von H. Lietzmann, 79). Bonn 1911; R. Herzog, Die Wunderheilungen von Epidauros. Ein Beitrag zur Geschichte der Medizin und der Religion, Philologus, Suppl. 22, Heft 3, Leipzig 1931; O. Weinreich, Antike Heilungswunder. Untersuchungen zum Wunderglauben der Griechen und Römer (Religionsgeschichtliche Versuche und Vorarbeiten 8,1), Berlin-Gießen 1909.

Verständnis des Wunders im heidnischen Bereich[64]. Für die griechische Mentalität „offenbart" das Wunder keine religiöse Heilsbotschaft. Wenn Gott in den normalen Lauf der Dinge eingreift, verfolgt er keine andere Absicht, als den Menschen in ihren Schwierigkeiten und in ihrer Not zu helfen. Das Vorherrschen von Heilungen unter den Wundern verdeutlicht deren menschenbezogene und menschenfreundliche Bedeutung[65].

[64] Daß in der hellenistischen Welt Wunder und Magie durcheinandergehen, muß betont werden. In vielen Wundererzählungen ist die Grenze zwischen diesen beiden Phänomenen nicht auszumachen. Man denke nur an die drei Arten Wunder, die O. Weinreich unterscheidet und die allesamt magische Elemente enthalten. Bei den Wundern, die durch Handauflegung gewirkt werden, scheinen die Hände eine wunderbare und magische Kraft zu besitzen, die durch Körperkontakt übertragen wird. Bei den Traum- und Visionswundern tritt der Kranke in direkten Kontakt mit der Gottheit. Die Heilungen schließlich, bei denen wunderbare Statuen und Bilder mitwirken, gehören offenkundig noch stärker in den Bereich der Magie. Auf den *telesmata* finden wir sogar Zauberinschriften, die über ihre Zweckbestimmung keinen Zweifel lassen.

[65] Als Beispiele für diese Heilungswunder verweisen wir auf die Phänomene, die sich im Heiligtum von Epidauros abspielen. Die Stelen, die man dort wiedergefunden hat, tragen Inschriften, die uns, Votivtafeln ähnlich, die von der Gottheit gewährten Heilungen erzählen: Der Name der Person, die Heilung begehrte, die Angabe ihrer Krankheit und die Beschreibung ihrer Heilung sind die wesentlichen Angaben in dem Bericht. Vom Tempelpersonal gedrängt und von den Priestern des Heiligtums beeinflußt, gaben die von der Krankheit Geheilten auf Tafeln ihrer Dankbarkeit gegenüber dem heilenden Gott Ausdruck. Diese Inschriften wurden noch durch die Priester erweitert, denen daran gelegen sein mußte, die erhaltenen Wohltaten im rechten Licht erscheinen und das göttliche Wirken in ihrem Tempel möglichst häufig stattfinden zu lassen. Um einen ursprünglichen Kern hat sich eine ganze Literatur von Wunderberichten entwickelt, in der Phantasie und Suche nach dem Legendären und Wunderhaften eine wichtige Rolle gespielt haben. So finden wir in Epidauros außer den Heilungswundern Straf- und Erziehungswunder. Epidauros hat im ganzen hellenistischen Raum einen außergewöhnlichen Einfluß ausgeübt: Das Heiligtum besaß Filialen und Zweigstellen in Athen (vgl. Hiller von Gaertingen, Proleg. XVII, 45), in Sikyon (vgl. Pausanias II, 10, 3), in Pergamon (vgl. Pausanias II, 26,8), in Naupakte (vgl. Pausanias X, 38, 13) usw. Der Heilgott Asklepios hat Jünger gehabt wie Men und Anaitis in Kleinasien, Sarapis in Ägypten und Griechenland, Hekate Salvatrix in Rhodos, Kybele usw. — Literatur: R. Herzog, a.a.O. (Anm. 63); M. Delcourt, a.a.O. (Anm. 63).

In den Wunderberichten nimmt das Wundergeschehen als solches die gesamte Aufmerksamkeit in Anspruch. Im konkreten Leben wird das Wunder um seiner selbst willen gesucht und geschätzt, es spielt eine Rolle für sich. In diesem Zusammenhang ist zu erwähnen, daß Wunder und Kult voneinander getrennt bleiben, was über diesen Wunderbegriff eine Menge aussagt[66]. Es braucht sicher nicht darauf hingewiesen zu werden, daß bei diesem Wunderverständnis der Wundertäter in den Vordergrund gerückt wird: Er weckt lebhaftes Interesse bei den wundersüchtigen Massen, und ihm wird schließlich von seinen Anhängern ein regelrechter Kult zuteil[67]. Die Rolle des Wundertäters steht in scharfem Gegensatz zu der des Propheten als Wundertäter in der jüdischen Welt. Dieser tritt in den Hintergrund zugunsten Gottes, dessen Sprecher er nur ist und der durch ihn seine Wunder wirkt.

Zusammenfassend ist zu sagen, daß nach dem griechischen Verständnis das Wunder ein Eingriff der Gottheiten in die Welt der Menschen ist. Der Wunderglaube hat sich vor allem in den Heiligtümern entwickelt, wohin die Kranken kamen und um göttliche Hilfe baten. Das Wunder spielt keinerlei Rolle im eigentlichen Gottesdienst. Da es um seiner selbst willen gesucht wird, verstärkt sich sein thaumaturgischer Charakter. Damit setzt es sich unausweichlich einer Verwechslung mit der Magie aus.

---

[66] Diese Trennung wird von M. Delcourt, a. a. O., S. 97, deutlich gemacht.

[67] Als Beispiel nennen wir den Fall des Apollonius von Tyana (1. Jh. n. Chr.). Sein Leben spielt sich völlig in einer Atmosphäre des Wunders ab. Außerordentliche Vorkommnisse begleiten sowohl seine Geburt als auch seinen Tod. Auf seinen Reisen wirkt er Wunder und läßt sich von zahlreichen Jüngern und Verehrern begleiten. Das Urteil, das seine Biographen über ihn fällen, macht deutlich, welche Rolle er in der hellenistischen Gesellschaft spielte: Sie versehen ihn mit einer ganzen Skala von Namen, die von „Freund der Götter" und „göttlicher Mann" bis zu „Zauberer" und „Magier" reicht. — Literatur: A. Chassang, Apollonius de Tyane, sa vie, ses voyages, ses prodiges par Philostate et ses Lettres, Paris 1962; K. Gross: Artikel „Apollonius von Tyana", in: RAC I, 1950, Sp. 529—533; M. Meunier, Apollonius de Tyane ou le séjour d'un Dieu parmi les Hommes, Paris 1936; G. Herzog-Hauser, Die Tendenzen der Apollonius-Biographie (= Jahrbuch der Oesterreicher Leo-Gesellschaft), Wien 1930, S. 177—200.

III

Zum Schluß wollen wir versuchen, den Paulinischen Wunderbegriff präzise zu umreißen. Das Milieu, in dem Paulus gelebt hat, konfrontiert uns mit einem doppelten Wunderbegriff, einem jüdischen und einem hellenistischen. Hinter einer vordergründig beiden gemeinsamen Definition des Wunders, wonach dieses ein göttliches Eingreifen in die Welt ist, verbirgt sich in Wirklichkeit wegen der sehr unterschiedlichen Vorstellung, die man sich auf beiden Seiten von der Gottheit selbst macht, ein grundlegender Unterschied. Während das Wunder im jüdischen Bereich wesentlich der Religion des Wortes untergeordnet ist und nur eine nebensächliche Rolle spielt, ist es in der hellenistischen Welt ein selbständiges, vom eigentlichen religiösen Leben unabhängiges Phänomen.

Angesichts dieses jüdischen Verständnisses stellte jede Überbewertung des Wunders eine große Gefahr dar. Deshalb hat das Judentum das Wunderhafte als solches niemals besonders betont und der entstehenden Wundersucht niemals Vorschub geleistet. Im hellenistischen Bereich hat man dagegen das Thaumaturgische viel stärker kultiviert, und die Wundersucht hat den Wunderglauben erheblich angeregt.

In der jüdischen Welt tritt der Wundertäter fast vollständig hinter Gott als der Erstursache des Wunders zurück. Die griechische Welt macht dagegen den Wundertäter zum Gegenstand eines Kults und interessiert sich sehr für seine Person.

Das Urchristentum übernimmt großenteils den jüdischen Wunderbegriff. Aber durch sein Eindringen in die griechische Welt sieht es sich auch der hellenistischen Auffassung gegenübergestellt, und hierbei hat die junge Kirche gewisse Gefahren zu bestehen.

Die paulinische Auffassung muß auf dem soeben gezeichneten Hintergrund gesehen werden. Paulus übernimmt voll und ganz das jüdische Denken in der Frage der Wunder. Das ist mit dem jüdischen Ursprung des Christentums und der jüdischen Erziehung des Apostels hinreichend erklärt. Infolgedessen ist das Wunder ein Phänomen, das die Verkündigung des Apostels begleitet, seine Botschaft glaubhaft macht und seiner Mission den Stempel der Echtheit aufdrückt. 2 Kor 12,12, Röm 15,18—19 und einige andere weniger eindeutige Stellen belegen diese Haltung des Paulus.

Da das Christentum schlechthin *die* Gabe des Geistes an die Menschen ist, folgen daraus für das religiöse Leben der Gemeinden Gaben, die man gemeinhin charismatisch nennt. Paulus kann diese zutiefst christlichen Phänomene nur billigen. Gal 3,5 scheint diese Zustimmung des Paulus zu belegen, und andere Texte wie 1 Kor 1,7 und Röm 1,11 deuten in dieselbe Richtung.

Diese charismatischen Phänomene im Christentum werden von den Neubekehrten mehr oder weniger mit dem Wundergeschehen im Heidentum in Zusammenhang gebracht. So besteht die Gefahr, daß die hellenistische Auffassung vom Wunder in die junge Kirche einsickert, deren eigenen Wunderbegriff in Mitleidenschaft zieht und das Christentum überhaupt in Gefahr bringt. Paulus muß unmittelbar reagieren. 1 Kor 12—14 ist ohne jeden Zweifel das Manifest dieser seiner Reaktion. Sein Mißtrauen gegenüber der griechischen Auffassung vom Wunder dehnt sich sogar in gewisser Weise auf Wunder überhaupt aus, wie man 1 Kor 1,22—24 ganz deutlich sieht. Obgleich Paulus die auf jüdische Weise verstandenen Wunder immer billigt, äußert er selbst diesen gegenüber einen leichten Vorbehalt. Verschiedene Textstellen (1 Thess 1,5; 2,13; 1 Kor 2,4—5; 2 Kor 6,7; 13,3) lassen diese Einstellung vermuten[68]. Dieser Vorbehalt des Paulus gegenüber Wundern wird durch zwei allgemeine

---

[68] Anm. 52 haben wir uns die Frage gestellt, warum Paulus in diesen Texten nicht ausdrücklich von Wundern spricht, obwohl er dort ganz offensichtlich das Apostelamt behandelt. Eine Antwort auf unsere Frage finden wir hier: Das Schweigen des Apostels drückt seine Vorbehalte gegenüber Wundern ganz allgemein aus. So richtig diese Antwort aber ist, sosehr muß sie nuanciert werden. Es ist zu beachten, daß Paulus in diesen Texten nicht, wie 2 Kor 12,12 und Röm 15,18—19, direkt die Echtheit seines Apostelamtes zu beweisen sucht. Auch das erklärt, wenigstens zum Teil, warum er sich an den letztgenannten Stellen auf Wunder beruft, an den ersteren aber nicht. Außerdem können andere Gründe dazu beitragen, das Schweigen des Apostels in den zitierten Texten zu erklären: 1 Kor 2,4—5 läßt sich das Schweigen so erklären, daß er die Schwachheit des menschlichen Vermittlers im Wirken Gottes betonen will; 2 Kor 6,7 hindert uns die literarische Gattung daran, dem Schweigen allzuviel Bedeutung beizumessen; 2 Kor 13,3 liegt es an der Gesamtanlage und an der Gedrängtheit der Ausführungen. Diese Überlegungen lassen uns das Schweigen des Paulus über die Wunder an den Stellen, die vom Apostelamt handeln, nur mit aller Vorsicht interpretieren. Aufgrund des Gesamteindrucks, der sich aus der Summe der Texte ergibt, können wir jedoch unsere Interpretation aufrechterhalten.

Überlegungen bestätigt: Alles in allem spricht Paulus nur sehr selten von Wundern, und er spricht niemals von den Christuswundern, die doch in der Evangelientradition größte Bedeutung erhalten sollten[69].

Diese vielschichtige Einstellung des Apostels zum Wunder kann als endgültig betrachtet werden. Wir finden sie auch Röm 12,3—8 und Eph 4,7—16 wieder. An diesen Stellen scheinen sich allerdings die Verhältnisse zumindest teilweise geändert zu haben: Wunder und Charismen im eigentlichen Sinne werden in der Kirche seltener[70]. Zur Zeit der Pastoralbriefe scheinen die Charismen endgültig verschwunden zu sein. Die Einstellung zu den Wundern hat sich gewiß nicht geändert; aber von ihnen wird nicht gesprochen, weil sie angesichts ihrer zunehmenden Seltenheit keine Schwierigkeiten mehr bereiten. Man braucht sich also nicht zu wundern, daß man auch Kol 1,29 und 2 Tim 1,8 keine Anspielungen auf Wunder mehr findet, obgleich man das aus anderen Gründen dort erwarten könnte.

[69] Man hat dieses Schweigen des Paulus verschieden gedeutet. Es ist geltend gemacht worden, die geringe Wertschätzung, die Paulus den Wundern zukommen läßt, erkläre sich aus der geringen Anzahl an Wundern in den paulinischen Kirchen. Es ist angemerkt worden, das paulinische Verständnis der Inkarnation des Christus (Röm 1,3—4; 9,5; 2 Kor 5,16) erkläre das Schweigen des Apostels über die Christuswunder selbst und auch zum Teil die geringe Bedeutung, die er Wundern ganz allgemein zukommen läßt. Schließlich kann man darauf hinweisen, daß Paulus von Wundern besonders spricht, wenn er vom Apostel spricht. Wie er gern dessen Schwächen betont, fühlt er sich auch veranlaßt, alles zu vermeiden, was ihn in den Mittelpunkt rücken könnte. Alle diese Überlegungen sind erwägenswert. Wir meinen aber, daß sie nur das Schweigen des Apostels über die Wunder erklären können. Um auch seine Reserviertheit zu erklären und um sein Schweigen als einen Ausdruck dieser Einstellung zu deuten, muß man auf die von uns gebotene Gesamtinterpretation der paulinischen Einstellung zurückgreifen.

[70] Wir verweisen auf unsere Untersuchung von 1 Kor 12. 13. 14 und vor allem auf Anm. 27,37 und 55.

Hans Dieter Betz, Jesus as Divine Man. Form: Jesus and the Historian, Written in Honor of Ernest Cadman Colwell, ed. by F. Thomas Trotter. The Westminster Press, Philadelphia © 1968, pp. 114—133. Used by permission. Übersetzt von Hermann-Josef Dirksen.

JESUS ALS GÖTTLICHER MENSCH*

Von Hans Dieter Betz

Die gegenwärtige Diskussion über den Gegenstand der neutestament-lichen Christologie konzentriert sich auf den historischen Jesus und — obwohl dies bisweilen nicht ganz so deutlich wird — auf die Göttlichkeit Christi. Seit den Tagen der frühen Christenheit kann man eine mehr oder weniger deutliche Spannung feststellen zwischen dem Jesus der Geschichte und dem göttlichen Christus der Christologie. Heute scheint der göttliche Christus, wie ihn die christlichen Kirchen verstehen und in ihren Bekenntnissen formulieren, unvereinbar zu sein mit den Ergebnissen der historisch-kritischen Forschung hinsichtlich der menschlichen Realität des Jesus von Nazareth. Deshalb bemühen sich zur Zeit viele Theologen um die Rechtfertigung des Anspruchs, den die Verkündigung der Kirchen erhebt, daß nämlich die Aussagen dieser Verkündigung sich tatsäch-lich auf eine historische Person, auf Jesus von Nazareth, beziehen[1]. Käse-mann unterstützt dieses Bemühen, wenn er schreibt: „Denn wenn die Urchristenheit den erniedrigten mit dem erhöhten Herrn identifiziert, so bekundet sie zwar damit, daß sie nicht fähig ist, bei der Darstellung seiner Geschichte von ihrem Glauben zu abstrahieren. Gleichzeitig bekundet sie jedoch damit, daß sie nicht willens ist, einen Mythos an die Stelle der Ge-schichte, ein Himmelswesen an die Stelle des Nazareners treten zu lassen."[2]

---

* Ich hoffe, daß dieser Aufsatz die Bewunderung und Dankbarkeit zum Ausdruck bringen kann, die ich für Ernest Cadman Colwell empfinde [...]. Der Aufsatz ist ein Parergon, das auf den Vorarbeiten für den Artikel „Gottmensch" im RAC basiert. Aus-führlichere Belege, als ich sie hier vorlegen kann, wird man in diesem Artikel finden.

[1] Zum gegenwärtigen Stand der Forschung vgl. J. M. Robinson, Kerygma und historischer Jesus, Zürich und Stuttgart ²1967; ebenso W. Pannenberg, Grund-züge der Christologie. Gütersloh ²1966; R. H. Fuller, The Foundations of New Testament Christology, New York, 1965.

[2] E. Käsemann, Das Problem des historischen Jesus. Exegetische Versuche und Besinnungen I, Göttingen 1960, S. 196; vgl. G. Ebeling, Die Frage nach dem

Obwohl es nach meiner Ansicht nicht möglich ist, einfach eine unge-
brochene Entwicklungslinie vom historischen Jesus zur späteren Christologie zu „rekonstruieren", stimmen heute doch die meisten Neutesta-
mentler darin überein, daß die neutestamentliche Christologie *de facto*
eine Basis in Jesus selber hat. Allerdings weichen die Ansichten weit voneinander ab, sobald diese „Basis" genauer umrissen werden soll. Die
Gründe für diese Abweichungen sind vor allem methodologischer Art. Es
ist schon immer einer der Irrtümer der historisch-kritischen Forschung
gewesen, daß sie unausgesprochene dogmatische Interessen und Forderungen enthält, welche die Sensibilität und Fähigkeit herabsetzen, die
Komplexität und Vielfalt historischer Phänomene in vollem Umfang
wahrzunehmen. Weil es keine Beschreibung historischer Phänomene
ohne gleichzeitige Interpretation unter einem bestimmten Aspekt gibt,
können wir uns selbst vor falschem Schematismus nur schützen, wenn wir
die historischen Phänomene, so gut wir können, in all ihrer Komplexität
und Differenziertheit zur Darstellung kommen lassen.

Vom Standpunkt der gegenwärtigen Diskussion bleibt die bloße
Beteuerung, *daß* die nachösterliche Christologie eine Basis in dem historischen Jesus hat, unbefriedigend. Denn einerseits verkünden die neutestamentlichen Autoren eine Vielzahl von Christologien, die sich in unter-
schiedlichem Ausmaß voneinander abheben und deshalb nicht harmoni-
siert noch nach dem gleichen Schema abgehandelt werden können. Einige
von ihnen widersprechen sich sogar in wesentlichen Punkten[3]. Außerdem
findet man andere Christologien, die von den neutestamentlichen Autoren zurückgewiesen werden, die aber zweifellos als ernst zu nehmende
christliche Theologie verstanden werden wollten. Alle diese Christologien, so unterschiedlich sie sein mögen, erheben den Anspruch, authentische Interpretationen des Jesus von Nazareth zu sein. Können denn alle
diese Christologien, selbst wenn sie einander widersprechen, sich mit
Recht auf Jesus von Nazareth berufen? Auf Grund welcher Kriterien
kann man diese Frage beantworten? Ja, was ist denn eigentlich genau

historischen Jesus und das Problem der Christologie, ZThK 56, Beiheft 1 (1959),
S. 14—30 (= Wort und Glaube I, Tübingen [3]1967, S. 300—318); ders., Theologie und Verkündigung, Tübingen [2]1963, S. 19ff.

[3] Vgl. H. Braun, Der Sinn der neutestamentlichen Christologie, in: Gesammelte
Studien zum Neuen Testament und seiner Umwelt, Tübingen [2]1967,
S. 243—282.

gemeint, wenn die verschiedenen Christologien auf Jesus von Nazareth verweisen?

Die Unterschiedlichkeit der neutestamentlichen Christologien kann uns nur zu dem Schluß führen, daß Jesus von Nazareth selbst keine eindeutige Gestalt war, selbst für seine Gläubigen nicht[4]. Die verschiedenen Christologien können sich daher vielleicht tatsächlich alle auf Jesus von Nazareth beziehen. Aber gerade dann ist die Frage präzis die, woran sie denken, wenn sie sich auf den historischen Jesus berufen. Beziehen sie sich auf Merkmale, die charakteristisch oder nebensächlich für die Gestalt Jesu sind? Wie können wir Kriterien gewinnen, um zu entscheiden, was charakteristisch und was nebensächlich für Jesus genannt werden darf, zumal all unser Wissen über ihn aus den neutestamentlichen Quellen stammt, die allesamt von irgendeiner Christologie beeinflußt sind?

Unser Dilemma ist freilich so alt wie das Christentum selbst. Wie anders könnten wir sonst die Tatsache erklären, daß Paulus, der doch Jesus nicht persönlich kannte, in vollem Ernst des Glaubens sein konnte, er verkündige eine richtigere Jesus-Interpretation als Jakobus, Jesu eigener Bruder? Es könnte durchaus sein, daß des Jakobus Christologie verglichen mit der des Paulus unangemessen war, obwohl jener doch engen Umgang mit Jesus gehabt hatte[5].

Auf dem Hintergrund dieser Sachlage ist es die Absicht dieses Aufsatzes, ein Konzept neutestamentlicher Christologie knapp zu skizzieren, das sich in der Tat durch Bezug auf die Gestalt Jesu von Nazareth rechtfertigen konnte. Es wurde trotzdem von einigen neutestamentlichen Autoren wegen seiner Mängel verworfen, von anderen nur nach drastischer Überarbeitung übernommen. Ich meine die Christologie vom „Göttlichen Menschen" *(theios anēr)*. Diese Christologie muß deutlich von drei anderen neutestamentlichen Christologien unterschieden werden: 1. von der „Menschensohn"-Christologie der Evangelientradition; 2. von der Annahme eines präexistenten Erlösers, die wir in den vorpaulinischen Überlieferungen, bei Paulus, in den deuteropaulinischen Briefen, in den Pastoralbriefen, im Hebräerbrief, in den Katholischen Briefen und in der

---

[4] Vgl. W. Bauer, Jesus der Galiläer. Festgabe für Adolph Jülicher zum 70. Geburtstag, Tübingen 1927, S. 33 f.; H. D. Betz, Orthodoxy and Heresy in Primitive Christianity, Interpretation 19 (1965), S. 304.

[5] Vgl. Gal, Kap. 1 und 2.

Offenbarung des Johannes finden; und 3. von der „Logos"-Christologie des Johannes.

Der Ausdruck „Christologie vom Göttlichen Menschen" bezeichnet eine Christologie, die den irdischen Jesus von Nazareth dadurch darstellt, daß sie Motive der hellenistischen Vorstellung vom Göttlichen Menschen *(theios anēr)* verwendet[6]. Diese Vorstellung muß im Rahmen der hellenistischen Anthropologie gesehen werden, für die der Mensch nicht einfach eine vorgegebene Art von Lebewesen ist. Nach dieser Auffassung ist der Mensch nicht schlicht das, was er ist; er schwankt vielmehr zwischen seinen zwei Möglichkeiten, dem Göttlichen *(theion)* und dem Animalischen *(thēriōdes)*[7]. Nur der Göttliche Mensch ist Mensch im vollen Sinn. In seiner Menschlichkeit wird das Göttliche offenbar. Er hat besondere Begabungen und ist außergewöhnlich in jeder Hinsicht. Er verfügt über höhere Offenbarungsweisheit und über göttliche Kraft *(dynamis)*, die ihn Wunder wirken läßt. Und doch ist er nicht einer Gottheit gleich; man kann ihn vielmehr „eine Mischung aus Menschlichem und Göttlichem" nennen[8], ein „höheres Wesen"[9], oder „übermenschlich"[10]. Je nach religionshistorischem Kontext ist diese Vorstellung vom Göttlichen Menschen natürlich beträchtlichen Abwandlungen unterworfen.

Im Rahmen des Neuen Testaments wird der Terminus *theios anēr* auf Jesus nicht angewandt. Da aber diese Vorstellung eine Vielzahl von Würdetiteln heranziehen kann, ist das Fehlen des Terminus selbst kein schlüssiges Argument gegen das Vorhandensein des Vorstellungskomplexes. Es war eine hellenistisch-jüdische Variante dieser Auffassung, die das frühe Christentum beeinflußt hat, so daß sich die Weise, in der die Gestalt Jesu dargestellt wurde, z. B. selbstverständlich von der Darstellung

---

[6] Material und Literatur zu diesem Thema findet man in H. D. Betz, Lukian von Samosata und das Neue Testament, Berlin 1961, S. 100—146; M. Hadas und M. Smith, Heroes and Gods, New York 1963; D. Georgi, Die Gegner des Paulus im 2. Korintherbrief, Neukirchen 1964, bes. S. 145 ff.

[7] Vgl. Plutarch, Quomodo quis suos in virt. sent. prof., 75 F; auch C. H. Ratschow, Mensch: I Religionsgeschichtlich, in: RGG IV, Sp. 860 f.

[8] Philo, De vita Mosis I, § 27.

[9] *Tis tōn kreittonōn*, vgl. Betz, Lukian, S. 102 f.

[10] *Hyperanthrōpos*, vgl. Betz, ebd., wo auch andere Termini aufgezählt sind.

des Apollonius von Tyana unterscheidet[11]. Außerdem müssen wir zur Kenntnis nehmen, daß innerhalb des Neuen Testaments selbst die Vorstellung vom Göttlichen Menschen Jesus weitreichende theologische Entwicklungen durchgemacht hat, so daß wir sogar dort einer Vielzahl entsprechender Ausdrucksweisen begegnen. Gemeinsam ist ihnen allen die Kennzeichnung Jesu von Nazareth als göttlichen Erlöser. Obwohl sie seine volle Menschlichkeit voraussetzen, wird seine Bedeutung doch darin gesehen, daß er fähig ist, die normalen menschlichen Lebensbedingungen zu überschreiten. Im Gegensatz zu vergleichbaren Gestalten hellenistischer Texte wird der Göttliche Mensch Jesus aber eindeutig nicht dualistisch dargestellt.

Wenn wir die verschiedenen Darstellungsweisen erkennen wollen, in denen die Christologie vom Göttlichen Menschen zum Ausdruck kommt, müssen wir mit großer Sorgfalt nicht nur auf die christologischen Hoheitstitel achten, sondern ebenso auf die formkritischen Erzähleinheiten und auf die Überlieferungsschichten, in denen sie begegnen.

Chronologisch am frühesten können wir diese Christologie im vorsynoptischen Erzählgut entdecken, vor allem in den verschiedenen Arten von Legenden und Wundergeschichten[12]. Ferner haben Motive der Vorstellung vom Göttlichen Menschen die frühchristlichen „Streitgespräche" und die Darstellungen der Leidensgeschichte beeinflußt. In den relativ ältesten Schichten der Tradition werden Hoheitstitel noch unsystematisch und mit Zurückhaltung auf Jesus angewandt. Im Laufe der Überlieferung nimmt die Verwendung solcher Titel erheblich zu. Gleichzeitig bestimmt der christologische Gesamtrahmen der verschiedenen Autoren die Bedeutung dieser Titel. Folgende vorsynoptischen Perikopen müssen untersucht werden[13].

1. Heilungswunder

Mk 1,29—31: Die Heilung der Schwiegermutter des Petrus

Mk 1,40—45: Die Reinigung des Aussätzigen *(proskynēsis)*

Mk 2,1—12: Die Heilung des Gelähmten (Der Titel „Menschensohn", V. 10, ist sekundär.)

---

[11] Dies wird gewöhnlich von denen übersehen, die das Vorhandensein der *theios-anēr*-Vorstellung im Neuen Testament verneinen, z. B. W. Manson, Jesus the Messiah, London 1943, S. 45.

[12] Vgl. R. Bultmann, Die Geschichte der synoptischen Tradition, Göttingen [4]1971, S. 223 ff.

[13] Natürlich sehen wir von Änderungen der Evangelisten ab, soweit sie erkennbar sind. Hoheitstitel und andere wichtige Kennzeichnungen stehen in Klammern.

Mk 5,25—34: Die Heilung der blutflüssigen Frau
Mk 7,31—37: Die Heilung eines Taubstummen und anderer
Mk 8,22—26: Die Heilung eines Blinden in Bethsaida
Mk 10,46—52: Die Heilung des blinden Bartimäus („Sohn Davids")
Zu diesen Wundergeschichten kommen noch einige Apophthegmata, die auch
von Heilungswundern berichten:
Mk 3,1—6: Die Heilung der verdorrten Hand
Lk 13,10—17: Die Heilung der verkrüppelten Frau am Sabbat („Herr")
Lk 14,1—6: Die Heilung des Wassersüchtigen
Lk 17,11—19: Die Reinigung der zehn Aussätzigen („Meister" *[epistatēs]*)
Mt 8,5—13 und Lk 7,1—10 [Q]: Die Heilung des Knechts eines Hauptmanns in
Kapharnaum („Herr")

2. Teufelsaustreibungen

Mk 1,23—28: Die Heilung des Besessenen in der Synagoge („der Heilige Gottes")
Mk 5,1—20: Der Besessene von Gerasa („Sohn des höchsten Gottes", „Herr")
Mk 9,14—29: Die Heilung eines Knaben, der von einem bösen Geist besessen ist
Mk 7,24—31: (Apophthegma): Die Tochter der Syrophönizierin („Herr")
Mt 12,22—36 mit Parallelen (Apophthegma): Exorzismus („Sohn Davids")

3. Totenauferweckungen

Mk 5,21—24. 35—43: Die Auferweckung der Tochter des Jairus *(proskynēsis)*
Lk 7,11—17: Die Auferweckung des Sohns der Witwe in Nain („Herr", „Großer
Prophet")

4. Naturwunder

Mk 4,35—41: Stillung des Seesturms („Lehrer")
Mk 6,45—52: Wandeln auf dem Wasser
Mk 11,12—14. 20—21: Die Verfluchung des Feigenbaums („Rabbi")
Lk 5,1—11: Der wunderbare Fischfang („Herr", „Meister" *[epistatēs]*)
Mt 17,24—27: Zahlung der Tempelsteuer („Lehrer")
Mk 6,34—44: Die Speisung der Fünftausend
Mk 8,1—10: Die Speisung der Viertausend

5. Erzählungen (soweit sie Wunderereignisse verschiedener Art enthalten)
Mk 1,9—11: Jesu Taufe („Sohn Gottes")
Mk 1,12—13: Jesu Versuchung (vgl. die Q-Version [Mt 4,1—11; Lk 4,1—13], die
eine Polemik gegen die Auffassung vom „Sohn Gottes" als *theios anēr* ist)
Mk 9,2—8: Jesu Verklärung („Rabbi", „Sohn Gottes")
Mk 11,1—10: Der triumphale Einzug in Jerusalem („Herr")
Mk 14 und 15: Überlieferung der Leidensgeschichte

Mk 16 (Mt 28; Lk 24): Die vorsynoptische Auferstehungsgeschichte
Mt 1 und 2; Lk 1 und 2: Die vorsynoptischen Kindheitserzählungen (Mt 1, 16;
2,4; Lk 2,11 [?]: *Christos;* Lk 1,32: „Sohn des Höchsten"; Lk 2,11 [?]: „Herr",
„Heiland")

6. Obwohl eine klare Abtrennung zwischen Johannes und dem vorjohanneischen Quellenmaterial schwierig ist, ist es doch offensichtlich, daß diese Quellen eine *theios-anēr*-Christologie enthalten[14].

Jo 1,35—51: Die Berufung der ersten Jünger („Rabbi"; [„Lehrer"], „Messias"
[Christos], „Sohn Gottes", „König Israels", „Menschensohn")

Jo 2,1—11: Die Hochzeit zu Kana

Jo 4,46b—53: Der Sohn des Beamten von Kapharnaum („Herr")

Jo 5,2—47: Die Heilung am Teich Bethsaida („Herr", „Sohn Gottes", „Menschensohn")

Jo 9,1—41: Die Heilung des Blindgeborenen („Rabbi", „Prophet", *Christos,*
„Menschensohn", „Herr")

Jo 11,1—44: Die Auferweckung des Lazarus („Herr", „Sohn Gottes", „Rabbi",
Christos, „Lehrer")

Die Christologie vom Göttlichen Menschen, wie sie in diesen Textstellen sich äußert[15], stellt den irdischen Jesus als göttlichen Heiland dar.
Jesus ist nicht nur ein menschliches Wesen, sondern ein höheres Wesen
in menschlicher Gestalt. Durch seine göttliche Kraft (*dynamis;* vgl. Mk
5,30; 6,56) besiegt er Krankheiten, Tod und die Mächte der Dämonen.
Jedoch finden wir auf dieser Entwicklungsstufe keinerlei Spekulationen
über den Zusammenhang der göttlichen und menschlichen Elemente in
Jesus. Erste Schritte in dieser Richtung sind die Legenden von der Jung-
frauengeburt und von der Verklärung Jesu (Mk 9,2—8), wobei die letztere ursprünglich eine Auferstehungserzählung war, die Jesu Vergöttlichung zum Zeitpunkt seiner Auferstehung schilderte[16]. Die Aussage,
der Heilige Geist wohne in Jesus, findet man nur in Zusammenhang mit
seiner Taufe und Versuchung (Mk 1,9—13) und in den Geburtserzählun-
gen (Mt 1,18.20; Lk 1,35).

[14] Zum Stand der Forschung vgl. jetzt R. Schnackenburg, Das Johannesevangelium, Teil I, Freiburg 1965, S. 15—60.

[15] Vgl. M. Dibelius, Die Formgeschichte des Evangeliums, Tübingen ³1959,
S. 101—129; Georgi, Die Gegner, S. 213 ff., 282 ff.; S. Schulz, Die Stunde der Botschaft. Einführung in die Theologie der vier Evangelisten, Hamburg 1967, S. 64 ff.

[16] Vgl. Bultmann, Geschichte der synoptischen Tradition, S. 278—281.

Jesu göttliches Wesen und Wirken verwandelt die Gegenwart in die Heilszeit und erfüllt damit die messianischen Erwartungen seiner Zeitgenossen. Dies findet seinen Ausdruck in den Hoheitstiteln wie *Christos*, „Sohn Davids", „Prophet", „Lehrer", „Rabbi", und „Herr". Der Gedanke an eine göttliche Epiphanie ist für diese Christologie grundlegend: Jesus wird zur Offenbarung Gottes. Er vermittelt und verteilt die göttliche Kraft und wendet sich darin gegen die „Welt", die vom Satan und seinen dämonischen Mächten ebenso wie durch die Sünden und Krankheiten der Menschen verdorben und zum Bösen verkehrt worden ist. Mit seiner göttlichen Kraft verwandelt Jesus diese Welt in eine „heile" Welt, „Welt" im Sinne der psychosomatischen menschlichen Wirklichkeit. Es ist wichtig zu erkennen, daß der Mensch im allgemeinen weder als dualistisch aufgespalten in Leib und Seele noch unter der Herrschaft der Dämonen gesehen wird. Nur bei bestimmten Personen ist das Leben durch die Dämonen entstellt, und sie werden dann der Kampfplatz für die Auseinandersetzung zwischen Jesus und Satan[17]. Die kosmischen Dimensionen dieses Kampfes werden eher implizit als ausdrücklich angesprochen (vgl. Mk 1,24). Die wesentliche kerygmatische Bedeutung besteht in der Tatsache, daß Jesus zugunsten des Menschen gegen den Satan kämpft; denn dämonische Besessenheit führt zur brutalen Zerstörung der psychosomatischen und sozialen Existenz des Menschen (Mk 5,3—5).

Die Erlösungstat Jesu kann kurz charakterisiert werden als „Befreiung" von den dämonischen Mächten, von Krankheiten, Tod und Naturkatastrophen, ja sogar von drohender Hungersnot. Folglich wird die „normale" menschliche Lebensweise, die Jesus den Erlösten zurückgibt, aufgefaßt als eine Existenz, die frei von den erwähnten Entstellungen ist. „Normalerweise" ist der Mensch in die Gesellschaft integriert (vgl. Mk 2,11; 5,19; 8,26). Ferner müssen wir feststellen, daß das Leben der Erlösten beschrieben wird als ein im idyllischen Lichte des „neuen Lebens" gesehenes wiederhergestelltes menschliches Leben. Es gibt aber keinen Hinweis darauf, daß die Erlösten in irgendeiner Weise vergöttlicht würden. Vielmehr gewährleistet Gott die Wiederherstellung der menschlichen Existenz. Die spezifisch christliche Botschaft dieser Texte sagt aus, daß es Jesus ist, der, im Namen Gottes und ausgestattet mit Gottes Kraft,

---

[17] Vgl. J. M. Robinson, Das Geschichtsverständnis des Markus-Evangeliums, Zürich 1956, S. 42 ff.

den Menschen zu einem „gesunden" menschlichen Leben zurückführt (vgl. Mk 5,15). Für den Erzähler ist es wahr, daß solches in den christlichen Gemeinden geschehen kann und auch tatsächlich geschieht. Zweifellos stellen diese Texte dar, wie Jesus seine göttliche Natur durch Wundertaten beweist. Die ihn begleitenden Zeugen stehen vor der Entscheidung, ob sie diesem Göttlichen Mann Jesus vertrauen (d. h. „Gott preisen") oder ihn verwerfen wollen (vgl. Mk 5,17). Es ist interessant zu sehen, daß „Glaube" *(pistis)* in diesen Texten eine wichtige Rolle spielt. Aber dieser Ausdruck bezeichnet, wie auch in den nichtchristlichen *theios-anēr*-Texten, die persönlich-emotionale Vertrauensbindung des Gläubigen an Jesus, eine Beziehung, die als Voraussetzung für eine erfolgreiche Heilung gilt[18]. „Glaube" (vgl. Mk 2,5; 4,40; 5,34; 6,5 f.; 9,14 ff. 23; 10,46 ff.; Lk 17,11 ff.; Mt 8,5 ff.; 9,29; 15,28) ist noch nicht an das Kerygma von Tod und Auferstehung Jesu gebunden, obwohl natürlich Jesu Erhöhung die unerläßliche Voraussetzung für die Christologie vom Göttlichen Menschen ist.

Diese (theologisch gesehen) eher primitive und naive Christologie unterlag einer totalen Umformung, als Markus sie übernahm[19]. Es ist aber bedeutsam für die Christologie des Markus, daß er das Erzählgut seiner Quellen einschließlich der Christologie übernehmen konnte, ohne durchgreifendere Veränderungen vornehmen zu müssen. Wie die markinischen „Summarien" zeigen (Mk 1, 32 ff.; 3,7 ff.; 6,53 ff.), hat er an den Wundern Jesu ein außergewöhnliches Interesse. Daher nimmt Jesus als Göttlicher Mensch einen bedeutsamen Platz in seinem Evangelium ein. Sicherlich ist die Christologie des Markus das Ergebnis weitaus höherer Reflexion und komplexer als die seiner Quellen. Er interpretiert und verändert dadurch die frühere Christologie, daß er sein Material in einen neuen christologischen Rahmen einordnet. Dieser umfassende Rahmen, um dessen genaue Erkenntnis die gegenwärtige neutestamentliche Forschung intensiv bemüht ist, bedingt das Verständnis sowohl der früheren Überlieferungen als auch die Verwendung der Hoheitstitel. Nach der markinischen Auffassung kennzeichnen alle christologischen Titel Jesu

---

[18] Vgl. Bultmann, Geschichte der synoptischen Tradition, S. 234.
[19] Vgl. T. A. Burkill, Mysterious Revelation, Ithaca/ N.Y., 1963, S. 9 ff.; P. Vielhauer, Erwägungen zur Christologie des Markusevangeliums, in: Aufsätze zum Neuen Testament, München 1965, S. 199—214; Schulz, Botschaft, S. 9 ff.

göttliche Natur. Der hervorstechendste Titel bei Markus ist „Gottessohn" (Mk 1,11; 3,11; 5,7; 9,7; 13,32; 14,61; 15,39), ein Titel für den Göttlichen Menschen, bei Markus nunmehr verbunden mit dem Titel für den eschatologischen Messias-König (Mk 14,61; 15,26. 32).

Gerade die Struktur des Markusevangeliums stützt diese Christologie. Johannes der Täufer, Gottes eschatologischer Bote, sagt den Göttlichen Mann Jesus als den *kyrios* an, der von der Schrift vorhergesagt wird (Mk 1,3), und als denjenigen, der mit Heiligem Geist tauft (Mk 1,7f.). Das fundamentale Geschehnis am Anfang von Jesu öffentlichem Wirken ist seine Taufe durch Johannes (Mk 1,9—11). In dieser Perikope wird Jesus von Gott als sein Sohn und Messias angenommen. Er empfängt, in Gestalt einer Taube, den Heiligen Geist, der ihn von nun an geleitet, auch durch den Tod und die Auferstehung. Die wunderhaften Zeichen machen deutlich, daß die Epoche endzeitlicher Erlösung angebrochen ist. In der Erzählung von Jesu Versuchung (Mk 1,12f.) beginnt der Geist sein Werk, indem er Jesus für vierzig Tage in die Wüste führt, damit er vom Satan versucht werde. Aber gegenüber dem Göttlichen Mann Jesus erweist sich der Satan als machtlos, während Jesus in Gemeinschaft mit den Tieren lebt und von den Engeln bedient wird wie im Paradies. Von diesem Zeitpunkt an weiß das dämonische Reich Satans, wer Jesus wirklich ist. Die Perikope von der Verklärung Jesu (Mk 9,2—8) offenbart seine göttliche Natur seinen Jüngern Petrus, Jakobus und Johannes ebenso wie den bedeutendsten „Göttlichen Männern" der jüdisch-hellenistischen Tradition, Mose und Elia. Was bei seiner Taufe noch nicht sichtbar war und durch seine Wundertaten nur geahnt werden konnte, ist jetzt offenbar: Jesus ist in Wirklichkeit ein göttliches Wesen (vgl. Mk 9,3)[20].

Aus freiem Willen nimmt Jesus sein Leiden und den Tod am Kreuz auf sich, durch den er endlich seine Göttlichkeit auch den Außenstehenden kundtut (Mk 15,39). Wie er selbst in seinen Leidensankündigungen vorhergesagt hatte (Mk 8,31; 9,31; 10,32ff.)[21], konnte der Tod keine Macht über ihn haben. Mit seiner Auferstehung wird Jesus als der erhöhte *kosmokratōr* eingesetzt.

---

[20] Vgl. Burkill, Revelation, S. 145ff.

[21] Vgl. jetzt G. Strecker, Die Leidens- und Auferstehungsvoraussagen im Markusevangelium, ZThK 64 (1967), S. 16—39.

Es gibt aber noch andere Hinweise auf Jesu göttliche Natur schon in seiner irdischen Existenz. Wie schon früher bemerkt, übernimmt Markus die Wundergeschichten, die in seinen Quellen enthalten waren (obwohl er sich der Mehrdeutigkeit jener Wunder bewußt ist, vgl. Mk 13,22 f.; 8,11 f.). Sodann steht Jesus übernatürliches Wissen um verborgene Ereignisse (Mk 2,17; 8,16 f. usw.) und um die Zukunft zur Verfügung. Er sagt nicht nur seine Passion, seinen Tod und seine Auferstehung voraus, sondern sogar Einzelheiten dieser Geschehnisse (Mk 2,19 f.; 10,38—40. 45; 11,1 ff.; 12,1 ff.; 14,6 ff. usw.). Ja, er kennt die apokalyptischen Ereignisse (Mk 13,1 ff.; 12,9), ausgenommen das genaue Datum ihres Eintritts (Mk 13,32). Schließlich offenbart sich Jesu göttliche Natur in seiner Lehrautorität, wenn er den Bund vom Sinai und die Thora des Mose aufhebt (vgl. Mk 2,28; 3,4; 10,5 ff. usw.). Sein Tod hat sühnende Kraft (Mk 10,45; 14,22 ff.); er fordert zur Jüngerschaft auf (Mk 1,16 ff.; 2,13 ff. usw.), nicht nur, um die Jünger an seinem Leiden teilnehmen zu lassen, sondern ebenso an seiner *exousia*[22].

Aber neben diesen Punkten, die eher eine Ausweitung der vormarkinischen Quellen als ein neuer Beitrag zur Christologie sind, müssen wir noch feststellen, was eigentlich neu an der Christologie des Markus ist. Denn es findet sich nun tatsächlich eine völlig neue Christologie als Ergebnis der im folgenden erwähnten weitreichenden Überarbeitungen der älteren.

Natürlich muß an erster Stelle die bekannte Theorie des Markus vom „Messiasgeheimnis" erwähnt werden[23]. Dieser Gedanke ist deutlich von Markus selbst in seine Quellen eingearbeitet worden, die zwar schon christlich-messianisch getönt waren[24], aber dieses Messiasgeheimnis noch nicht kannten. Nach Markus' Vorstellung bleibt die Gottessohnschaft und Messianität Jesu ein Geheimnis für die „Welt", obwohl die Wundertaten Jesu unaufhörlich das Geheimnis denen, die glauben, enthüllen. Jesu Gottessohnschaft ist den Dämonen seit seiner Versuchung (Mk 1,12 f. 34; 3,11) und seinen Jüngern seit dem Bekenntnis des Petrus in

---

[22] Vgl. H. D. Betz, Nachfolge und Nachahmung Jesu Christi im Neuen Testament, Tübingen 1967, S. 31 ff.

[23] Vgl. U. Luz, Das Geheimnismotiv und die markinische Christologie, ZNW 56 (1965), S. 9—30.

[24] Vgl. H. Conzelmann, Gegenwart und Zukunft in der synoptischen Tradition, ZThK 54 (1957), S. 295.

Cäsarea Philippi (Mk 8,27—33) bekannt[25]. Jedoch können die Jünger dies nur mißverstehen, weil Jesu Messianität und Gottessohnschaft nur im Zusammenhang mit Leiden, Tod und Auferstehung richtig verstanden werden können[26]. Dies deutlich zu machen, ist der Zweck der Leidensvorhersagen (Mk 8,31; 9,31; 10,32 ff.). Daher ist wirkliches Verstehen des Wesens Jesu nur nach seinem Tod und seiner Auferstehung möglich (Mk 15,39; vgl. 9,9). Es ist Satanswerk, Jesu Messianität ohne Beachtung seiner Passion und Kreuzigung verstehen zu wollen (Mk 8,33). Es liegt auf der Hand, daß Markus die Christologie seiner Quellen, die Jesus in recht „naiver" Weise als Göttlichen Menschen und Messias dargestellt hatten, einer radikalen Kritik und Korrektur unterzieht. Nach Markus bewirken die Wunder Jesu nur Furcht und Verwunderung bei seinen Zeitgenossen. Allenfalls provozieren sie die Frage, wer denn dieser Mann sei. Erst durch Tod und Auferstehung kann Jesu messianische und göttliche Natur in ihrer Fülle offenbar werden (Mk 14,61 f; 15,39).

Eine andere Veränderung der Christologie erreicht Markus durch die „Historisierung" seines Materials. Die Überlieferungen, die bisher als einzelne Erzähleinheiten ohne chronologische oder geographische Ordnung im Umlauf waren, werden von Markus in den „historischen" Rahmen des Lebens Jesu, so wie er es sah, eingeordnet. Dadurch werden die Überlieferungen chronologisch in der Vergangenheit fixiert und erhalten gleichzeitig lehrhafte Funktion. Besonders kennzeichnend für diesen Rahmen ist die Art, wie Markus die Passionsgeschichte aus seinen Quellen entnimmt und verarbeitet.

Schließlich gilt, daß die Betonung der Eschatologie entscheidend für die Intention des Markusevangeliums ist (Mk 1,14 f.; 8,38 f.; 12,9; 13,1 ff.; 14,61 f.). Zusammengefaßt: Markus lehnt nicht (wie Paulus und Q) die Christologie vom Göttlichen Menschen ab. Er übernimmt sie und deutet sie kritisch neu auf der Basis der Verkündigung von Kreuz und Auferstehung Jesu, so daß wir bei Markus eine neue Christologie des Göttlichen Menschen vor uns haben, die natürlich weitaus komplexer und theologisch tiefer durchgearbeitet ist als die seiner Quellen. Gleichzeitig erfolgt selbstverständlich eine Neuinterpretation der Soteriologie und des Glaubens als Teilhabe an Jesu Leiden (Leidensnachfolge).

[25] Vgl. Luz, Geheimnismotiv, S. 20 ff.
[26] Ebd., S. 26 ff.

Im Unterschied zu Markus und teilweise sogar im Widerspruch zu seinen Ideen entwickelt Matthäus[27] seine eigene Version einer Christologie
des Göttlichen Menschen. Matthäus beschreibt den irdischen Jesus als
den eschatologischen *kyrios* und *kosmokratōr*. Für ihn ist der wichtigste
Titel *kyrios*, obwohl auch andere Hoheitstitel zunehmend Verwendung
finden (*Christos*, „Sohn Gottes", „Prophet", „Lehrer", „Sohn Davids",
„Menschensohn"). Das wichtigste Anliegen für Matthäus ist, Jesus als
den Messias und Sohn Davids darzustellen, der vom Volk Israel erwartet
und durch die Schriften vorhergesagt wurde. Matthäus hat eine aus-
gedehnte „Schrifttheologie" entwickelt, um dies immer wieder nachzuweisen. Die ganze *Vita Jesu* wird in seiner Erzählung zur Erfüllung
des Alten Testaments. In den Wundererzählungen wird nicht einfach
die Göttlichkeit Jesu offenbar, wie es in den Quellen noch der Fall
war; vielmehr bezeugen sie die Erfüllung der alttestamentlichen Verheißungen durch Jesus und beweisen damit seine Messianität. Deshalb
kann Matthäus auf das „Messiasgeheimnis" des Markus verzichten.
Sicherlich ist für Matthäus Jesus nicht weniger göttlich als für Markus,
aber Matthäus hat eine andere Vorstellung von dem, was ein Göttlicher
Mensch ist. Zum Beispiel folgt Matthäus bei der Erzählung von Jesu Versuchung der Q-Version (Mt 4,1—11), die sich in ihrem Kern gegen
eine Auffassung vom „Gottessohn" wendet, wie wir sie auch in
der vorsynoptischen Erzähltradition finden (vgl. z. B. Mk 1,12 f.).
Ferner kann er auch, wegen seiner grundlegenden Idee der göttlichen
Messianität, die Göttlichkeit Jesu verstärkt betonen und die wunderhaften Elemente vermehren. Jesus ist Gottes Sohn seit seiner Geburt
(vgl. Mt 1 und 2), gezeugt vom göttlichen Geist (Mt 1,20). Deshalb
wird Jesus auch durch das ganze Evangelium hindurch als göttlich verehrt (Mt 2,2 und öfter). Entsprechend eliminiert Matthäus
Hinweise auf Jesu menschliche Gefühle und Schwächen, soweit sie
Teil der Überlieferung sind[28], während er Jesu Wissen um die Zukunft und seine Rolle als Mittler der Offenbarung hervorhebt (vgl.
Mt 11,25—30). Seit seiner Auferstehung ist Jesus als *kosmokratōr* eingesetzt, aber wie er während seines irdischen Lebens Niedrigkeit
und Demut auf sich genommen hat, so ist er „jetzt" in geheimnisvoller

---

[27] Zur ersten Orientierung vgl. Schulz, Botschaft, S. 197—209.
[28] Ebd., S. 200.

Weise in den Demütigen gegenwärtig (Mt 28,18—20; 25,31—46; 11,28—30)[29].

Wiederum anders überarbeitet Lukas[30] die Christologie des Göttlichen Menschen in seinen Quellen. Auch er kann die älteren Quellen einschließlich der Christologie vorbehaltlos übernehmen. Er verwendet alle Hoheitstitel, die er in seinen Vorlagen finden kann, vor allem *kyrios* und *christos*. Der entscheidende Beitrag des Lukas aber ist ein Ergebnis seiner Vorstellung von der Heilsgeschichte. Nach Lk 16,16 (vgl. 13,25) unterscheidet er zwischen der Periode „des Gesetzes und der Propheten", die bis zu Johannes dem Täufer reicht, und der darauffolgenden Periode, in der das „Reich Gottes" verkündet wird. Auf die Zeit der eigentlichen Erlösung, die Zeit Jesu, folgt die Zeit der Apostel und dann Lukas' eigene Zeit. Innerhalb der Zeit Jesu ist es der „Zeitraum ohne Satan", in den Jesu erfolgreiches Wirken als Göttlicher Mensch fällt. (Der Satan verläßt Jesus nach der Versuchung, Lk 4,13, und kehrt zurück unmittelbar vor dem Verrat des Judas, von dem er Besitz ergreift, Lk 22,3.) Offenbar will Lukas die Tätigkeit Jesu als Göttlichen Menschen auf einen deutlich abgegrenzten Zeitraum im Leben Jesu begrenzen. Nach Lukas' Ansicht ist der Göttliche Mann Jesus der Mann des Geistes (Lk 1,35; 3,21ff.; 4,1ff.; 14,16ff. usw.), was offenbar wird durch die Weisheit seiner Lehre (Lk 2,41ff.; 4,16ff. usw.) und durch seine Wundertaten (vgl. z.B. Apg 2,22). Lukas unterscheidet jedoch scharf zwischen Gott und Jesus. Er greift niemals Vorstellungen wie Präexistenz, Schöpfungsmittler oder Herrschaft über den Kosmos auf. Gleichwohl ist Jesus göttlicher Natur, was Lukas vor allem in der Erzählung von Jesu übernatürlicher Geburt aufweist. Seit seiner Auferstehung (Apg 1,9ff.) sitzt Jesus zur rechten Hand Gottes (Lk 22,69; Apg 2,25; 5,31; 7,55f.). Er wirkt auf Erden durch den Geist (Apg 2,1ff. 33; 5,32 usw.), durch Visionen und Erscheinungen, durch den „Namen Jesus Christus" (Apg 3,6; 4,12 usw.) und durch die Apostel, die nach der Apostelgeschichte ihrerseits als *theioi anthrōpoi* tätig sind.

---

[29] Vgl. H. D. Betz, The Logion of the Easy Yoke and of Rest (Matt. 11, 28—30), JBL 86 (1967), S. 10—24.
[30] Vgl. H. Conzelmann, Die Mitte der Zeit. Studien zur Theologie des Lukas, Tübingen ³1960, S. 158ff.

Auch Johannes[31] entwickelt seine Christologie auf der Basis der Lehre
vom Göttlichen Menschen, die seine Quellen enthielten. Deshalb ist
auch nach Johannes der irdische Jesus ein Göttlicher Mensch. Die große
Zahl der Hoheitstitel, von denen er die meisten in seinen Quellen fand,
kennzeichnen diese Göttlichkeit Jesu. Jedoch setzt Johannes den Logos-
Hymnus[32] gleichsam als Programm an den Anfang seines Evangeliums.
Dadurch verbindet er die Christologie vom Göttlichen Menschen sowohl
mit der Vorstellung vom präexistenten Schöpfungsmittler als auch mit
der des Logos-Offenbarers. Was sich sonst gegenseitig auszuschließen
scheint, wird in der johanneischen Christologie auf eigentümliche Weise
miteinander verknüpft. Einerseits vertritt sie die Idee des präexistenten
Gottessohnes und Logos, der seine Gottheit hinter sich läßt, Mensch
wird, ans Kreuz geschlagen und auferweckt wird, um der *kyrios* zu werden; andererseits wird Jesus von Nazareth in seiner irdischen Seinsweise
vergöttlicht. Im Bewußtsein dieser Verknüpfung preist der Hymnus des
Johannes (1,1ff.) den Logos, den göttlichen und präexistenten Erlöser
und Schöpfungsmittler. Dieser Logos wird „Fleisch", d.h. Mensch, in
Jesus (Jo 1,1f. 14; 11,27). Zweifellos sollte mit dieser Inkarnation gnosti-
scher Doketismus scharf zurückgewiesen werden[33], denn Johannes betont
nachdrücklich, daß der Logos in Jesus wirklich Mensch wurde und einen
wirklichen Tod erlitt (vgl. 1 Jo 4,2f.; 2 Jo 7). Gleichzeitig bot das Quellenmaterial Johannes die Möglichkeit, den irdischen Jesus als göttlichen
Offenbarer und Erlöser darzustellen[34]. Die Menschwerdung des Logos

[31] Vgl. R. Bultmann, Theologie des Neuen Testaments. Tübingen [2]1954, §§
45 ff.

[32] Vgl. R. Bultmann, Das Evangelium des Johannes, Göttingen [18]1964, z. St.

[33] Das schließt die Tatsache nicht aus, daß Johannes zur gleichen Zeit stark von
gnostischen Ideen beeinflußt wurde.

[34] Hierzu vgl. E. Käsemann, Jesu letzter Wille nach Johannes 17, Tübingen
1966, S. 22f.: „Das Problem der göttlichen Herrlichkeit des über die Erde schreitenden Christus im 4. Evangelium ist noch nicht gelöst, sondern aufs schärfste gestellt, wenn man die Aussage des Prologs hört: Das Wort ward Fleisch. ... In welchem Sinne ist derjenige Fleisch, der über die Wasser und durch verschlossene Türen geht, seinen Häschern ungreifbar ist? ... Wer Augen hat zu sehen und Ohren
zu hören, sieht und hört ... nicht bloß aus dem Prolog und dem Munde des Thomas, sondern aus dem ganzen Evangelium das Bekenntnis: Mein Herr und mein
Gott. Wie paßt das alles zu einer realistischen Auffassung der Fleischwerdung?"

entspricht dem Glauben der Gläubigen, die die *doxa* des göttlichen Logos im Menschen Jesus erkennen können (Jo 1,14). Auch in diesem Evangelium nehmen die Wundergeschichten einen bedeutsamen Platz ein[35]. Johannes übernimmt viele von ihnen aus seinen Quellen, sogar ohne auffällig wunderhafte Züge zu eliminieren. Für ihn gelten diese Geschichten als „Zeichen"; sie haben einen „tieferen", symbolischen Gehalt. Folglich richtet sich auch seine Kritik gegen diejenigen, die sich mit dem äußerlich sichtbaren Wunder allein begnügen (Jo 4,48; 6,26. 30; 20,29 usw.), denn nur wenn sie in ihrem tieferen Sinn begriffen werden, sind sie Teil der Offenbarung und damit ein Geheimnis, das nur den Glaubenden zugänglich ist. Was Markus durch seine Lehre vom „Messiasgeheimnis" erreicht, gelingt Johannes auf andere Weise: die Zerlegung der einfachen Offenbarung, die er in seinen Quellen vorfand, in zwei Ebenen. Die erste, augenfällig wahrnehmbare Ebene bezieht er auf den Unglauben, während die zweite, symbolische Ebene identisch ist mit dem Verständnis der Offenbarung selbst, welches der Gläubige hat[36]. Christologisch gesehen entspricht die erste·Verstehensebene dem historischen Jesus, den die Nichtgläubigen („die Juden") ablehnen, während die zweite Verstehensebene sich auf den göttlichen Offenbarer und Logos bezieht, der in Jesus verkörpert ist.

Es wäre nun eine interessante Aufgabe, die Entwicklung der Christologie vom Göttlichen Menschen in ihren verschiedenen Phasen mit dem historischen Jesus zu vergleichen, soweit man von ihm durch eine historisch-kritische Analyse der Jesus-Tradition der Evangelien Kenntnis erhalten kann. Diese Aufgabe würde aber weit über den Rahmen dieses Aufsatzes hinausgehen. Allgemein können wir mit Bestimmtheit sagen, daß der historische Jesus sich nicht als Göttlicher Mensch im hellenistischen Sinne verstanden hat. Gewisse Züge an seinem Erscheinungsbild haben jedoch große Ähnlichkeit mit dem hellenistischen Typus des Göttlichen Menschen.

Einer dieser Züge ist Jesu Selbstverständnis als eschatologischer Bote und Beauftragter Gottes. Seine Verkündigung war der letzte Aufruf zur Entscheidung für Gott angesichts des anbrechenden Gottesreiches. So

[35] Vgl. Schulz, Botschaft, S. 346 ff.
[36] Vgl. Bultmann, Geschichte der synoptischen Tradition, S. 386 ff.

stellt auch Bultmann fest: „Im Grunde ist also er selbst in seiner Person das ‚Zeichen der Zeit'. Indessen ruft der geschichtliche Jesus der Synoptiker nicht wie der johanneische Jesus zur Anerkennung, zum ‚Glauben' an seine Person auf. Er proklamiert sich nicht etwa als den ‚Messias', d. h. den König der Heilszeit, sondern er weist auf den ‚Menschensohn', der kommen wird, voraus als auf einen anderen. Er in seiner Person bedeutet die Forderung der Entscheidung, insofern sein Ruf Gottes letztes Wort vor dem Ende ist und als solches in die Entscheidung ruft."[37]

Ferner dürfen wir, auf der Basis vermutlich authentischer Worte wie Mk 3,27 (Mt 12,29), Lk 11,20 (Mt 12,28) und unter Berücksichtigung der Einstellung Jesu zur Thora des Mose, zu dem Schluß kommen, daß er sich selbst als ein vom Geiste Gottes Inspirierter verstanden hat[38]. Er nahm Exorzismen und Heilungen vor. Aus seinem Umgang mit sozial Deklassierten und aus seiner Teilnahme an Gastmählern von Zöllnern kann man folgern, daß eine asketische Lebenseinstellung nicht typisch für ihn war. Sein Anliegen war es nicht, sich aus den menschlichen Lebensbedingungen zurückzuziehen, sondern sie zu verändern. Schließlich: Mit vielen anderen Gelehrten bin auch ich der Ansicht, daß er keinen der Hoheitstitel, die ihm die Kirche später beilegte, für sich selbst in Anspruch genommen hat[39].

Zwei Dinge scheinen klar zu sein, wenn man das Phänomen des historischen Jesus allgemein betrachtet. Einmal ist es unschwer einzusehen, daß die gekennzeichneten Merkmale, wenn sie in die hellenistische Vorstellungswelt „übersetzt" werden, als Eigenarten erscheinen, die für den hellenistischen Göttlichen Menschen charakteristisch sind. Andererseits passen Jesu Leiden und Kreuzigung nicht in dieses Bild. In diesem Kontext können Leiden und Kreuzigung nur als Scheitern und Katastrophe verstanden werden. So können wir tatsächlich in der Überlieferung noch erkennen, daß Jesu Kreuzigung Ungewißheit und nachfolgend Meinungsverschiedenheiten unter seinen Anhängern und Gläubigen verursacht hat. Offensichtlich galt für die vorsynoptische Christologie vom Göttlichen Menschen, daß Jesu Leiden und Tod nicht wesentlich für die christliche Botschaft waren. Sie wurden als Mißerfolg betrachtet, den

---

[37] Ebd., S. 8.
[38] Vgl. Käsemann, Jesu letzter Wille, S. 37 ff.
[39] Vgl. H. Conzelmann, Jesus Christus, in: RGG III, Sp. 629—633.

Gott durch die Auferweckung Jesu wiedergutgemacht hat. Aber die Revision dieser Christologie durch Markus (und außerdem durch Matthäus und Johannes) macht deutlich, daß für sie Jesu Leiden und Tod am Kreuz die eigentlich wesentlichen Elemente des Evangeliums sind und daß seine Auferstehung für die Kirche die Möglichkeit eröffnet, an seiner Sendung und seinem Schicksal teilzuhaben. Andererseits betrachtet Lukas Jesu Tod nicht als Erlösungstat[40] und bewahrt in dieser Hinsicht die theologische Position seiner Quellen.

Wir haben mit der Grundfrage gegenwärtiger Christologie begonnen: Hat das Kerygma der Kirche irgendeinen Anhalt am historischen Jesus selbst, der radikaler historischer Kritik standhalten könnte? Vor diesem Hintergrund haben wir die Geschichte der Christologie vom Göttlichen Menschen anhand neutestamentlicher Quellen skizziert. Es ist deutlich geworden, daß die Form der Christologie der vorsynoptischen und vorjohanneischen Quellen für die Evangelisten als unangemessen galt. Deshalb haben sie sie kritisch uminterpretiert. Als Ergebnis finden sich in den Evangelien und ihren Quellen fünf verschiedene Versionen der Christologie vom Göttlichen Menschen. Gemeinsam ist ihnen allen der Anspruch, authentische Interpretation der Gestalt des Jesus von Nazareth zu sein. Verglichen mit dem, was wir heute als charakteristische Züge des Jesus von Nazareth kennen, können sie in der Tat alle von sich behaupten, in Jesus selbst eine Basis zu haben. Sie sind in sich jedoch widersprüchlich gerade hinsichtlich dessen, worin denn diese Basis besteht. Das heißt aber, daß diese Christologien sich an der Frage scheiden, ob Jesu Wirken als Göttlicher Mensch oder ob sein Leiden und Tod am Kreuz das eigentlich Bedeutsame an ihm sind. Die fünf dargestellten Versionen verhalten sich so zueinander, daß sie in dieser Debatte unterschiedliche Positionen beziehen. Markus, Matthäus und Johannes versuchen die eigentlich sich wechselseitig ausschließenden Standpunkte so zu interpretieren, daß sie sie im Rahmen einer neuen umfassenden Christologie doch miteinander verbinden können. Da sie die Botschaft von Tod und Auferstehung als Erlösungsereignis betonen, müssen die Wundergeschichten so umgedeutet werden, daß sie mit dieser Botschaft in Einklang stehen. Lukas seinerseits gleicht Tod und Auferstehung Jesu der Christologie der Wunder-

---

[40] Vgl. Conzelmann, Mitte der Zeit, S. 186—188.

berichte an. Sein heilsgeschichtliches Konzept gibt ihm die Möglichkeit, das grundlegende theologische Konzept der vorsynoptischen und vorjohanneischen Erzähltradition (Wunderberichte) auf die Entwicklung der frühen christlichen Kirche anzuwenden. Diese Skizze macht deutlich, daß die Basis, welche auch immer das Kerygma in Jesus finden mag, eben nicht nur die Weise bedingt, in der der historische Jesus dargestellt wird; vielmehr bestimmt sich von ihr aus auch der Inhalt der Verkündigung und, unabtrennbar davon, das Selbstverständnis der Gläubigen. Daher wiederholt sich auch die gleiche Problematik bei der Frage nach dem Verständnis christlicher Existenz. Lebt der Christ schon in irgendeiner Weise jenseits von Jesu Tod (eine Auffassung, die, wenn auch unterschiedlich, Lukas und die Gnostiker vertreten)? Oder muß christliche Existenz verstanden werden als Teilhabe an Jesu Leiden und Tod (so das Verständnis von Jüngerschaft bei Markus, Matthäus und Johannes sowie das paulinische Verständnis der Imitatio Christi)[41]?

[41] Vgl. zu diesen Gedanken Betz, Nachfolge, passim.

New Testament Studies 16 (1969/70), pp. 130—148.

WUNDER UND CHRISTOLOGIE[1]

Zum literarkritischen und christologischen Problem der Wunder
im Johannesevangelium

Von JÜRGEN BECKER

I

Es ist zur Zeit eine liebgewordene Gewohnheit, auf die drückende Last
des noch ungelösten johanneischen Rätsels hinzuweisen. Kein anderer als
Ernst Käsemann[2] hat dieses jüngst erneut zum Ausdruck gebracht; freilich nicht ohne zugleich seines Rätsels Lösung zu umreißen. Daß sein viel-
beachteter Diskussionsbeitrag vor allem Rudolf Bultmann mit seiner
Deutung des Johannesevangeliums[3] zum Gesprächspartner wählt[4], ist die
einzig angemessene Entscheidung. Dabei läßt sich die Antwort des gegen
seinen Lehrer rebellierenden Schülers in ihrer Gegensätzlichkeit zum
Wort des Meisters kaum extremer denken. Solche Antithetik ist für den
Exegeten allemal ein Stachel, der zu erneuter Textinterpretation reizt.
Dabei gilt es festzuhalten, daß dieser Gegensatz neben dem historisch-
exegetischen auch seinen theologiegeschichtlichen Aspekt besitzt: Bult-

---

[1] Erweiterte Probevorlesung anläßlich meiner Habilitation am 17. April 1968.

[2] Jesu letzter Wille nach Johannes 17 (1966; 2. Aufl. 1967).

[3] R. Bultmann, Das Evangelium des Johannes, Kritisch-exegetischer Kommentar über das Neue Testament (18. Aufl. 1964) (mit Ergänzungsheft); ders., Theologie des Neuen Testaments (5. Aufl. 1965), S. 349 ff.

[4] Zu dieser Kritik vgl. außerdem: E. Käsemann, Ketzer und Zeuge, ZThK 48
(1951), S. 292 ff. = Exegetische Versuche und Besinnungen, I (4. Aufl. 1965),
S. 168 ff.; Aufbau und Anliegen des johanneischen Prologs, Libertas Christiana,
Festschrift für F. Delekat (1957), S. 75 ff. = Exegetische Versuche und Besinnungen, 2 (2. Aufl. 1965), S. 155 ff. Außerdem liegt die wichtige Rezension Käsemanns zu Bultmanns Kommentar in › Verkündigung und Forschung‹ (1942/6),
S. 182 ff., vor.

mann interpretiert mit Hilfe der durch die Existentialanalyse bereitgestellten Begrifflichkeit und zu einem nicht unwesentlichen Teil auch unter Rückgriff auf die Paradoxchristologie Sören Kierkegaards. Käsemann hingegen greift auf die alte liberale Johannes-Interpretation zurück, wenn er den johanneischen Christus als über die Erde schreitenden Gott darstellt. Der Aufweis theologiegeschichtlicher Bedingtheit sollte dem Exegeten stets ein Achtungszeichen sein. Doch ist über die Angemessenheit der herangezogenen Interpretationshilfen damit noch nicht entschieden. Allerdings müssen die Denkmodelle im Blick auf den auszulegenden Text ihre Bewährungsprobe bestehen. Diese Kritik soll an einem entscheidenden Punkt johanneischer Theologie vorgeführt werden, nämlich an dem Verhältnis von Wunder und Christologie.

Für dieses Examen seien die Positionen Bultmanns und Käsemanns einander gegenübergestellt. Bultmanns[5] These lautet: Die johanneischen Wunder sind nicht als wunderbare Geschehnisse, sondern nur als Bilder, Symbole zu verstehen, die als verbum visibile derselben Unausweisbarkeit unterworfen sind wie die Worte des johanneischen Christus, der in seiner puren Menschlichkeit paradoxerweise den Anspruch erhebt, der Offenbarer zu sein. Die Sarx des Offenbarers ist kein Transparent, durch das hindurch die Herrlichkeit zu schauen ist. Denn nirgends als in der Sarx ist die Doxa zu sehen. So ist der Offenbarer kein präexistentes Gottwesen. Die Präexistenzvorstellung ist nur ein ihrer Eigentlichkeit beraubtes Mittel, Jesu Wort als von jenseits kommend zu charakterisieren. Dieser Christologie sind die Wunder zugeordnet. Sie sind keine Legitimation, sondern allenfalls noch geduldet, um Anrede und Ärgernis hervorzurufen. Mögen sie als Konzessionen an die Schwachheit der Menschen eine vorläufige Bedeutung haben, so sind sie für den Glaubenden in jedem Fall entbehrlich.

Dem setzt Käsemann[6] seine Interpretation entgegen: Das vierte Evangelium stellt Jesus nicht nur absichtsvoll als den Wundermann dar, der die massivsten Wunder des Neuen Testaments ausführt, sondern schil-

---

[5] Die folgenden Ausführungen schließen sich eng an Bultmanns eigene Ausführungen, Kommentar (vgl. Anm. 3), 40—6; 79; 301; 539, an; vgl. außerdem ›Theologie des Neuen Testaments‹ (s. Anm. 3), S. 389, 391.

[6] Käsemann, Jesu letzter Wille (vgl. Anm. 2), S. 19; 44; 51 (z.T. sind die Formulierungen wörtlich aufgegriffen).

dert ihn zugleich als den, in welchem ewiges Leben personhaft erschienen ist. Inkarnation wird als der Abstieg eines Gottes ausgelegt, der sich um der Kommunikation willen notwendigerweise in die menschliche Sphäre begeben muß, um dort als Gott epiphan werden zu können. Dieser Gott kann sich auf Erden gar nicht ohne Wunderglanz manifestieren. Diese Herrlichkeitschristologie entspricht einem am Rande der Häresie angesiedelten naiven Doketismus.

Die Ausführungen beider Exegeten sollen nun mit Hilfe dreier exegetischer Fragen geprüft werden: (1) Woher erhielt der Evangelist das Material seiner Wundererzählungen? (2) Wie sieht die Theologie dieses Materials aus? (3) Wie hat der Evangelist dieses Material theologisch verarbeitet?

II

Zur Beantwortung der ersten Frage nach der Herkunft des Materials hat Bultmann[7] eine These von Alexander Faure[8] aufgegriffen. Danach hat der Evangelist eine Quelle verarbeitet, die eine Sammlung von Wundern enthielt. Weil die Wunder in dieser Quelle „Semeia" heißen, wurde ihr die treffende Bezeichnung „Semeiaquelle" beigelegt. Diese literarkritische These hat eine erstaunlich breite internationale Zustimmung erfahren, gerade auch dort, wo man Bultmanns sonstigen tiefgreifenden literarkritischen Operationen am Johannesevangelium zu Recht mit reservierter Skepsis gegenübersteht. Auch Käsemann hat zu dieser These sein Ja zum Ausdruck gebracht[9]. Die Begründung für die Hypothese ist vor-

---

[7] Kommentar (vgl. Anm. 3), Register s. v. σημεῖον und „Semeiaquelle".

[8] Die alttestamentlichen Zitate im 4. Evangelium und die Quellenscheidungshypothese, ZNW 21 (1922), S. 99 ff. Vor Faure haben schon H. H. Wendt, Die Schichten im 4. Evangelium (1911), S. 35 ff., und J. H. Thompson, The Expositor 10 (1915), S. 512 ff., von einer Semeiaquelle gesprochen.

[9] Vgl. Käsemanns Äußerungen in › Verk. und Forsch. ‹ (1942/6), S. 186 ff.; Jesu letzter Wille (vgl. Anm. 2), S. 69. — Außerdem seien ausdrücklich genannt: E. Schweizer, Ego eimi, FRLANT 56 (1939, 2. Aufl. 1965), S. 107; H. Becker, Die Reden des Johannesevangeliums und der Stil der gnostischen Offenbarungsrede, FRLANT 68 (1956), S. 13 Anm. 2; E. C. Broome, JBL 63 (1944), S. 109, 117 f.; G. Bornkamm, RGG 3. Aufl. II (1958), Sp. 1001; E. Haenchen, ThR 23 (1955), S. 303; H. Conzelmann, RGG 3. Aufl. II (1958), Sp. 625; ders., Grundriß der Theo-

nehmlich von Bultmann geliefert worden. Nach ihm wurden weitere
Argumente nicht genannt. Vielmehr sind Bultmanns Begründungen auf
einige allein stichhaltige Beobachtungen eingeschränkt worden.

So fielen vor allem die zahlreichen stilistischen Erwägungen der Kritik
zum Opfer, nachdem zuletzt Eugen Ruckstuhl[10] die Einheitlichkeit des
johanneischen Stils aufgewiesen hatte. Wenn allerdings Ruckstuhl aus
diesem Befund weiter folgerte, einheitlicher Stil ließe zwingend auf nur
einen Verfasser schließen und demzufolge sei das Johannesevangelium als
der „ungenähte Rock Christ"[11] anzusprechen, so ist diese Konsequenz
abzulehnen: Abgesehen davon, daß diese Folgerung schon aus der Stil-
statistik selbst nicht zwingend erhoben werden kann, gilt es mit Entschiedenheit darauf hinzuweisen, daß gerade auch angesichts des relativ ein-
heitlichen Stils die sachlichen Unausgeglichenheiten im Johannesevangelium interpretiert werden müssen — und das wird ohne Literarkritik
nicht abgehen können. Darum ist Käsemann[12] voll zuzustimmen, wenn
er — zu Ruckstuhl gewandt — feststellt: „Keine einzige der zahllosen

logie des Neuen Testaments (1967), S. 354; G. Ziener, BZ NF 2 (1958), S. 271 f.
(vgl. auch Bibl. 38 [1957], S. 396 ff.); W. Grundmann, Zeugnis und Gestalt des
Johannesevangeliums (1960), S. 14 f.; P. Stuhlmacher, Verk. und Forsch.
(1960/2), S. 243; D. M. Smith, NTS 10 (1963/4), S. 345 und 349; R. Schnacken-
burg, BZ NF 8 (1964), S. 60 ff., 76 ff.; ders., Das Johannesevangelium, Herders
Theologischer Kommentar zum Neuen Testament, IV (1965), Teil I, S. 38 ff.,
51 ff.; W. Marxsen, Einleitung in das Neue Testament (3. Aufl. 1965), S. 212 f.;
G. Saß, Die Auferweckung des Lazarus, BSt 51 (1966), S. 21, 64; S. Schulz, Die
Stunde der Botschaft (1967), S. 313; F. Mussner, Die Wunder Jesu (1967), S. 56
Anm. 18; R. Fuller, Die Wunder Jesu in Exegese und Verkündigung (1967),
S. 98 ff.

[10] Die literarische Einheit des Johannesevangeliums, Studia Friburgensia, NF 3
(1951). Zur Kritik vgl. E. Haenchen, ThR NF 23 (1955), S. 306 ff.; E. Käsemann,
Verk. und Forsch. (1949/50), S. 205 ff. Wer die Einheit des vierten Evangeliums
voraussetzt, beruft sich vornehmlich auf Ruckstuhls Arbeit. Zu den stilstatistischen Untersuchungen am Johannesevangelium vgl. außerdem: E. Schweizer,
Ego eimi (vgl. Anm. 9); J. Jeremias, ThBl 20 (1941), S. 33 ff.; Ph.-H. Menoud,
L'Évangile de Jean (2. Aufl. 1947).

[11] Vgl. Joh 19,24 f. Diesen Vergleich brachte als erster D. Fr. Strauss (dazu vgl.
S. Schulz, Komposition und Herkunft der johanneischen Reden, BWANT 81
[1960], S. 7).

[12] Verk. und Forsch. (1951/2), S. 206.

Aporien, die zur Quellenkritik getrieben haben, hat (bei Ruckstuhl) eine Lösung gefunden. Man steht erneut am Ausgangspunkt und hat im Grunde ... nichts dazugelernt ... Das Rätsel der Historie lastet weiter auf allen Fragenden." Die stilstatistischen Erhebungen, die Ruckstuhl und seine Vorgänger aufstellten, sind zudem nicht problemlos. Emanuel Hirsch[13] und Ernst Haenchen[14] haben vor allem zwei Gesichtspunkte geltend gemacht, die die oft gepriesene Objektivität der Methode und ihre Konsequenz für die Annahme einheitlicher Verfasserschaft in Frage stellen: Einmal kann diese statistische Erhebung dem Einfluß des Stils einer Schrift auf ihre Bearbeiter nicht gerecht werden. Vor allem ist aber die Erhebung der stilistischen Eigentümlichkeiten des Johannesevangeliums aufgrund eines Vergleichs nur mit den übrigen Schriften des Neuen Testaments (so Ruckstuhl) höchst fragwürdig. Zeigt sich doch, daß der johanneische Stil zwar relative Selbständigkeit innerhalb des uns erhaltenen neutestamentlichen Schrifttums besitzt, jedoch häufig die literarische Sprache der Koine verwendet. Diese Beobachtung verbietet den Rückschluß auf nur einen Verfasser, dessen individuelle Sprache durch die Statistik erhoben werden soll, und fordert zwingend, den johanneischen Stil nicht individuell, sondern soziologisch zu deuten. Die johanneische Sprache hat ihre Prägung primär durch eine Gemeindetradition erhalten, nicht durch einen einzelnen „Schriftsteller".

Sind die stilistischen Beobachtungen Bultmanns als Kriterien der Quellenscheidung im Johannesevangelium demnach allenfalls bedingt verwertbar, aber ebenso Ruckstuhls Folgerungen aus seinen stilistischen Untersuchungen abgewiesen, so ist um so genauer auf Bultmanns sachliche Beobachtungen für die Herausschälung der Semeiaquelle zu achten. Mit diesen sachlichen Beobachtungen steht es nun entschieden besser als mit den eben besprochenen stilistischen Argumenten. Drei der Erwägungen Bultmanns sind ausschlaggebend[15]: Das eine Argument ist dem alten Schluß des Johannesevangeliums in 20, 30f. zu entnehmen. Hier heißt es: „Noch viele andere Zeichen tat Jesus vor seinen Jüngern, die in

[13] Stilkritik und Literaranalyse im vierten Evangelium, ZNW 43 (1950/1), S. 128 ff.

[14] Aus der Literatur zum Johannesevangelium 1929—1956, ThR 23 (1955), S. 295 ff., besonders S. 307 f.

[15] Sie werden im Interesse der eigenen Darstellung geringfügig modifiziert dargestellt.

diesem Buch nicht aufgezeichnet sind. Diese jedoch sind aufgeschrieben, damit ihr glaubt, daß Jesus der Christus, der Sohn Gottes ist[16] (...)." Ihrem Stil nach sind diese Worte Abschluß eines literarischen Werkes. Aber wie kann das Johannesevangelium unter dem Stichwort „Zeichen" zusammengefaßt werden? Durchweg bezeichnet das Wort sonst im Johannesevangelium nur konkret eine Wundertat Jesu, nie eine Rede, nie die Auferstehungsereignisse, und nie begegnet es im Passionsbericht[17]. Die theologisch gewichtigsten Partien des Johannesevangeliums bleiben demnach in 20, 30f. unerwähnt. Wenn ferner der Evangelist die Wunder in ihrer Bedeutung einschränken will (s. u.), bleibt es unverständlich, warum er sie abschließend zu dem entscheidenden Thema seines Evangeliums erhebt. Je deutlicher nun 20, 30f. nicht als angemessener Abschluß des Johannesevangeliums gelten können, desto besser eignen sich beide Verse als abschließende Ausführungen einer Quelle, deren Hauptziel es war, Jesus als Wundertäter zu beschreiben.

Das zweite Argument ergibt sich aus dem Umstand, daß sich die bis zum äußersten gesteigerten Wunder nicht in Einklang bringen lassen mit Aussagen, die das Wunder entschieden relativieren. Wenn z. B. in Joh 11 — auf die Lazarusperikope ist später noch zurückzukommen — beide, das massivste Wunder des Neuen Testament und das es entwertende Ego-eimi-Wort über die Auferstehung, ineinander verarbeitet sind, ergibt sich eine derart schrille Dissonanz, daß dieser Widerspruch einem Verfasser allein nicht zugetraut werden kann. Darum ist die Annahme, eine Vorlage sei bearbeitet worden, die nächstliegendste Vermutung.

Das letzte Argument: Die Hochzeit zu Kana und die Heilung des Königischen werden ausdrücklich als erstes und zweites Wunder aufgezählt[18]. Dieser Zählung widersprechen zwei Angaben in summarischen

---

[16] Das Ende des Verses gehört offenbar nicht mehr zur Semeiaquelle. Zur literarkritischen Schichtung vgl. Bultmann, Kommentar (vgl. Anm. 3), z.St.

[17] Bultmann, Kommentar zu 20, 30f., verschleiert sich nach anfänglich richtiger Beobachtung des Tatbestandes das Problem schließlich doch noch dadurch, daß er mit einem erweiterten Gebrauch des Begriffs σημεῖον an dieser Stelle rechnet. Doch hat der Evangelist nirgends kenntlich gemacht, daß er ganz ausnahmsweise den Begriff weiter gefaßt wissen will als sonst. Risse und Brüche hat das Johannesevangelium genug. Darum ist es besser, auch hier die Dissonanz zu konstatieren, als sie im Endeffekt durch eine unbeweisbare Überlegung doch noch aufzulösen.

[18] Vgl. 2,11; 4,54.

Sammelberichten des Evangelisten über weitere Wunder Jesu, die dieser in der Zwischenzeit getan haben soll[19]. Also muß die damit konkurrierende Zählung der beiden Wunder dem Evangelisten vorgelegen haben.

Aus dieser Beobachtung postuliert Bultmann nun eine durchgehende Zählung aller Wunder in der Semeiaquelle[20]. Doch ist dieses eine unbewiesene Behauptung, die zugleich auf eine bisher nicht geschlossene Lücke in Bultmanns Beweisgang aufmerksam macht. Bultmann greift offenbar gerne zu diesem Argument, um nicht nur hier und da verarbeiteten Traditionsstoff annehmen zu müssen, sondern mit einem fortlaufenden Erzählfaden rechnen zu können. Er versäumt es jedoch, Aufbau und Theologie der Quelle in Erwägung zu ziehen[21]. Diese Konsequenz ist die Schattenseite seines Zieles, die ihm allein bedeutsame Theologie des Evangelisten zu erheben. Aber weder ist dieser damit gedient, hintergrundlos erörtert zu werden, noch kann die Semeiaquelle aus ihrem schemenhaften Dasein ohne Bemühung um ihr Profil befreit werden.

An dieser Stelle muß allerdings der prinzipiell unerläßlichen literarkritischen Detailanalyse entraten werden. Es sei darum insbesondere auf Bultmanns Kommentar und Haenchens Aufsatz[22] zum Problem verwiesen. Im abgekürzten Verfahren sei das Ergebnis der eigenen Literarkritik nur mitgeteilt[23]: Die Semeiaquelle besaß einen zweiteiligen Aufbau, der sich aus den szenischen Angaben in 7, 1—13 (Grundstock) ergibt. Der

[19] Vgl. 2,23; 4,45. Zu Conzelmanns Zurückweisung dieses Arguments vgl. unten Anm. 34.

[20] Kommentar (vgl. Anm. 3), S. 78.

[21] Insofern besteht Bent Noacks Kritik (Zur johanneischen Tradition, 1954, S. 18 ff.) zu Recht, wenn er die Erhebung eines durchgängigen Erzählfadens bisher vermißt. (Zur sonstigen Kritik an Noack vgl. Bultmann, Zur johanneischen Tradition, ThLZ 80 [1955], S. 521 ff.) Diese Lücke in Bultmanns Argumentation erkennt auch J. Blank, Krisis. Untersuchungen zur johanneischen Christologie und Eschatologie (1964), S. 20, der darum ebenso wie Noack die These einer Semeiaquelle ablehnt.

[22] Johanneische Probleme, ZThK 56 (1959), S. 19 ff. = Gott und Mensch, Gesammelte Aufsätze (1965), S. 78 ff.

[23] Natürlich bleibt die Rekonstruktion im einzelnen ähnlich wie bei der Logienquelle oft hypothetisch. Doch läßt sich im allgemeinen und im Detail m. E. die Semeiaquelle noch präziser in ihrem Umfang bestimmen, als Bultmanns grundlegender Versuch es tut.

erste Hauptteil schilderte die galiläische Wirksamkeit Jesu, beginnend mit einem in 1, 19 ff. zugrundeliegenden Taufbericht[24] und fortgesetzt in der Jüngerberufung 1,35 ff. Die Hochzeit zu Kana[25], die Heilung des Königischen[26], die Speisung der 5000 und der Seewandel Jesu sind gleichfalls der galiläischen Periode zuzuordnen[27]. Dasselbe gilt für den Grundstock des Gesprächs Jesu mit der Samariterin. Der zweite Hauptteil, die judäische Periode, brachte drei Wunder: die Heilung des Lahmen am Teich Bethesda[28], die Heilung des Blindgeborenen und die Wiederbelebung des Lazarus. Der Abschluß der Quelle ist dann in den jetzt getrennten Stücken 12,37 f. und 20,30 f. zu erblicken. Die Quelle enthält

[24] Die Jüngerberufung in 1,35 ff., die auch nach Bultmann der Semeiaquelle zuzurechnen ist, setzt eingangs ein Täuferzeugnis voraus. Auch 10,41 erhärtet die Zugehörigkeit der Täuferperikope (Grundstock) zur Semeiaquelle. Die Aussage 10,41 f. gibt zugleich die theologische Relevanz des Täuferzeugnisses für die Semeiaquelle an. Im übrigen ist 1,19 ff. (Grundstock) durch die Antiklimax bestimmt: Ich bin nicht der Christus, nicht Elia, nicht der Prophet, und mündet in das abschließende Zeugnis des Täufers, Jesus sei der Sohn Gottes. Vornehmlich dieser letzte Titel wie auch überhaupt die Orientierung an christologischen Titeln paßt ausgezeichnet zur Semeiaquelle. Diese vorläufige Andeutung wird später noch zu entfalten sein.

[25] In 2,1 ff. wird auch 2,11 ganz der Semeiaquelle zuzuweisen sein (gegen Bultmann z. St.): Das Verhältnis von Jesus — Semeion — Jünger ist genau dasselbe wie in 20,30 f. Auf diesen Sachverhalt ist später zurückzukommen.

[26] Zu 4,46—54 vgl. außer den Kommentaren E. Schweizer, Die Heilung des Königischen Joh 4,46—54, EvTh 11 (1951/2), S. 64 ff., und E. Haenchen (vgl. Anm. 22). Haenchen hat am klarsten herausgestellt, daß im wesentlichen nur V. 48 f. auf den Evangelisten zurückzuführen sind. Der verbleibende Bestand kann im Prinzip der Semeiaquelle zugewiesen werden.

[27] Damit ist vorausgesetzt, daß Joh 6 vor Joh 5 zu stellen ist.

[28] Der hier gegebene Aufriß folgt also Bultmanns Vermutung (Kommentar z. St.), in 7,1—13 liege ein stark überarbeitetes Quellenstück, der Semeiaquelle zugehörig, zugrunde, das ehedem in der Semeiaquelle die Einleitung zu Joh 5,1 ff. abgab. — Ferner gilt es festzuhalten, daß die Semeiaquelle mit ihrer Aufteilung des Auftretens Jesu in eine galiläische und eine judäische Periode formal Mk folgt. H. Conzelmann, RGG 3. Aufl. III (1959), Sp. 625, hat richtig hervorgehoben, daß die Angaben über die drei Passafeste im Johannesevangelium, anläßlich deren Jesus nach Jerusalem zieht, der jüngsten Schicht zuzuweisen sind. Der dreijährige Zeitraum des öffentlichen Auftretens Jesu im Johannesevangelium ist also durch Komposition des Evangelisten entstanden.

also im ganzen sieben Wunder[29]. Man darf erwägen, ob damit nicht ein Indiz vollständiger Aufnahme der Quelle durch den Evangelisten gegeben ist. Zudem liegen Anfang und Schluß des Werkes ebenfalls vor[30]. Diese sichtbaren Konturen der Quelle erlauben es, nach ihrem theologischen Anliegen Ausschau zu halten.

III

Zur theologischen Ortsbestimmung der Semeiaquelle diene vorweg eine Abgrenzung gegenüber dem sonstigen Bestand des Johannesevangeliums. Dabei ergibt sich: 1. Der gesamte johanneische Dualismus hat in der Semeiaquelle keinen Niederschlag gefunden. Dazu paßt, daß der Jesus der Semeiaquelle nirgends im Stil der Offenbarungsrede spricht. 2. Man sucht in der Quelle vergeblich nach eschatologischen Aussagen. Weder ist das Auftreten des Gottessohnes als jetzige eschatologische Krisis verstanden, noch läßt sich der Semeiaquelle eine futurische Eschatologie zuerkennen. 3. Die Christologie der Semaiaquelle ist überhaupt nicht an dem typisch johanneischen Wegschema interessiert, wie es am klarsten Joh 16, 28 ausgesprochen ist. Über eine außergewöhnliche Herkunft Jesu wird nirgends reflektiert. Jesus kommt nur als irdischer Wundertäter in den Blick. Im übrigen sind Menschensohn-, Kyrios- und υἱός-πατήρ-Aussagen unauffindbar. 4. Auf einen expliziten Kirchenbegriff und auf Ausführungen zu den Sakramenten hat die Quelle auch verzichtet. Nun dürfen solche *argumenta e silentio* vor allem noch angesichts einer rekon-

---

[29] Nach S. Temple, JBL 81 (1962), S. 169 Anm. 4, hat B. F. Westcott als erster erkannt, daß im Johannesevangelium sieben Wunder vorliegen. Bultmann, Kommentar, S. 78 Anm. 2, hebt ganz richtig hervor, daß im jetzigen Aufbau des Johannesevangeliums die Wunder je verschiedenes Gewicht besitzen und darum der Siebenzahl keine Bedeutung beizumessen ist. Für den Evangelisten trifft diese Feststellung sicher zu. Für die Semeiaquelle hat aber die durch den Evangelisten verursachte unterschiedliche Bedeutung der Wunder keine Relevanz.

[30] Man kann fragen, ob noch weitere Reste der Semeiaquelle eventuell im Johannesevangelium erkennbar sind. Dieser Frage soll jedoch hier nicht weiter nachgegangen werden. In jedem Fall könnte sie nur Beantwortung finden mit Hilfe des Analogieschlusses von den der Semeiaquelle relativ sicher zuzuweisenden oben genannten Stücken.

struierten Quelle, deren genauer Umfang im Detail oft genug unbestimmbar ist, nicht überbewertet werden. Aber dennoch sind sie nicht ganz ohne Gewicht, weil sie alle innerlich zusammenhängen und damit das Augenmerk darauf lenken können, daß die Semeiaquelle vielleicht einem von Haus aus ganz anderen Traditionskreis zuzuweisen ist als z. B. die Reden des Johannesevangeliums.

Die positive Entfaltung der Theologie der Quelle nimmt am besten beim Begriff Semeion[31] ihren Ausgang. Er steht im Johannesevangelium in zwei zu unterscheidenden Zusammenhängen. An sieben Stellen[32] dient er im Zusammenhang des Kontextes dazu, den Offenbarungscharakter der Wunder in einem gleich näher zu entfaltenden positiven Sinn zu bestimmen. Zehn Belege[33] weisen dagegen vom Kontext her eine kritisch abwertende Stellungnahme zum erstgenannten Gebrauch oder zumindest einen negativen Akzent auf. Ein Blick auf die von dieser Feststellung unabhängig vollzogene Literarkritik zeigt, daß die erste Gruppe zur Semeiaquelle, die andere zum Evangelisten gehört[34].

[31] Der Begriff ist mehrfach untersucht worden. Außer den Kommentaren vgl. vor allem: E. Schweizer, Ego eimi (vgl. Anm. 9), S. 138 ff.; L. Cerfaux, in: L'attente du Messie (1954), S. 131 ff.; S. V. McCasland, JBL 76 (1957), S. 149 ff.; D. Mollat, Sacra Pagina, 2 (1959), S. 209 ff.; J. P. Charlier, RScPhTh 43 (1959), S. 434 ff.; W. Thüsing, Die Erhöhung und Verherrlichung Jesu im Johannesevangelium (1960), S. 92 ff., 230 f.; K. H. Rengstorf, ThWB VII, S. 199 ff.; R. H. Smith, JBL 81 (1962), S. 329 ff.; P. Riga, Interpretation 17 (1963), S. 402 ff., der jüngste Kommentar zum Johannesevangelium von R. Schnackenburg (vgl. Anm. 9) widmet dem Begriff einen ausführlichen Exkurs (S. 344 ff.).

[32] 2,11; 4,54; 6,2.14; 10,41; 12,37; 20,30 f.

[33] 2,18.23; 3,2; 4,48; 6,26.30; 7,31; 9,16; 11,47; 12,18.

[34] H. Conzelmann, Grundriß der Theologie des Neuen Testaments (1967), S. 377, möchte m. E. unverständlicherweise der Semeiaquelle das Wort σημεῖον absprechen. Doch bleibt diese ausdrücklich gegen Bultmann gerichtete These nahezu nur (angesichts des Grundrißcharakters des Werkes verstehbares) Postulat mit allenfalls angedeuteter Begründung. Gegen Conzelmann wäre anzumerken: Die Zählung in 2,11; 4,54 sperrt sich doch gegen 2,23; 4,45. Selbst wenn die letzten beiden Stellen nur summarisch von Wundern reden, bleiben es Wunder, und damit bleibt die jetzige Zählung in 2,11; 4,54 unmöglich. Daß 4,48 dem Evangelisten angehört, soll nicht bestritten werden. Doch berechtigt das nicht dazu, alle „übrigen σημεῖον-Stellen" als „eindeutig vom Evangelisten" stammend anzusehen. In 20,30 f. ist gerade der Begriff Anlaß zur Quellenscheidung (s. o.)!

In der Semeiaquelle begegnet man keinem Beleg in den gattungs-
geschichtlich ehedem selbständigen Wundererzählungen, sondern nur in
dem sie jetzt umgebenden redaktionellen Rahmen. Der Begriff ist demnach ein *theologumenon,* das die Anschauung des Verfassers der Semeiaquelle erhellt. Es dient dazu, die Relationen zwischen dem Wundertäter,
dem Wunder und den Zeugen des Wunders in ihrer theologischen Relevanz auszudrücken. Um dieses zu erreichen, hat der Verfasser der Semeiaquelle den Begriff seiner religionsgeschichtlich mannigfaltigen Verwen-
dungsmöglichkeiten enthoben[35] und auf einen einzigen Gebrauch ein-
geengt: Als Semeia werden ausschließlich die Wunder Jesu ausge-
wiesen[36]. Die Entfaltung des Begriffssinnes erfolgt, indem Überlegungen
zu den drei Größen: Wunder, Wundertäter und Zeugen des Wunders
angestellt werden[37].

Konstitutiv zum Semeioncharakter der Wunder gehört die bewußte
Steigerung des wunderbaren Vorgangs bis nahezu an die Grenzen des

[35] Für den zerstreuten Gebrauch des Begriffs in der religionsgeschichtlichen
Umwelt des Neuen Testaments ist man nach wie vor auf den (teilweise problema-
tischen) Artikel von K. H. Rengstorf, ThWB VII, S. 199 ff., angewiesen. In aller
Kürze sei zur religionsgeschichtlichen Lage folgendes angemerkt: Der Gebrauch
in der Semeiaquelle hebt sich charakteristisch aus der Umwelt und aus dem
Neuen Testament ab. Vielleicht hat die Quelle auf einen gewissen analogen
Sprachgebrauch im Urchristentum zurückgegriffen (vgl. Act 2,22). Der
Gebrauch in der LXX bietet darüber hinaus die nächsten Parallelen (so richtig
Rengstorf, ThWB VII, S. 255 f.). Allerdings ist damit der Begriff religionsgeschichtlich und theologisch noch nicht genügend aufgehellt. Das wichtigste
Problem ist dabei wohl dieses: Wenn anders der Verfasser der Semeiaquelle in bezug auf die Gattung der Wundererzählungen den Aretalogien
der hellenistischen Wundertäter folgt (s. u.), aber die dabei üblichen Wunder-
bezeichnungen (ἀρετή, θαῦμα, δύναμις u. a.) alle vermeidet und demgegenüber auf eine Bezeichnung zurückgreift, die gerade sonst in diesen Erzählungen keine Rolle spielt, erhebt sich das Problem, aus welchem theologischen
Grund er so verfuhr. Eine befriedigende Lösung für dieses Problem steht noch
aus.

[36] Dementsprechend heißt es 10,41: Johannes der Täufer hat keine Zeichen
vollbracht.

[37] Das Wort ἔργα scheint in der Quelle nicht gestanden zu haben. In jedem
Fall hat es solche untergeordnete Rolle gespielt, daß es an dieser Stelle ganz beiseite gelassen werden kann.

Erträglichen[38]. Das markanteste Beispiel: Jesus läßt Lazarus absichtlich bis
zum eingetretenen Verwesungsvorgang im Grab liegen. Ebenso wesentlich ist die Beobachtung, daß der Epiphaniecharakter bei den Wundern
vorherrschend ist. Neben den reinen Epiphanien der Hochzeit zu Kana
und dem Seewandel sind auch alle anderen Wunder im Stil den Epiphanien angeglichen. Exorzismen, Sündenvergebung, Hilfe aus Mitleid und
Erbarmen scheiden für die Darstellung ganz aus. Alle Personen und
Situationen werden vom Wundertäter nur wie Statisten und Requisiten
benutzt, damit er sich selbst in Szene setzen kann. Auf diese Weise will
er epiphan werden. Das Epiphaniewunder ist Demonstration seiner
selbst.

Der Wundertäter ist zunächst ein Mensch wie jeder andere auch. Er ist
„der Mensch, der Jesus genannt wird" (9,11). Philippus stellt Nathanael
„Jesus, den Sohn Josephs aus Nazareth" vor (1,45). Man kennt Jesu
Eltern (1,45; 2,1). Dasselbe gilt von Jesu Brüdern (2,12; 7,2—5). Durch
eine außergewöhnliche Herkunft ist Jesus also nicht charakterisiert. Dennoch ist er ein Ausnahmefall unter den Menschen. Seiner Mutter gilt die
unfamiliäre Anrede „Frau" (2,4). Mutter und Brüder dürfen ihm keine
Vorschriften machen (2,4; 7,6). Den Menschen ist er vor allem überlegen
durch sein übernatürliches Wissen. Nathanael wird zum Jünger, weil
Jesus ihm eine Kostprobe dieses Wissens gibt (1,47 ff.). Die Samariterin
erkennt aus demselben Grund in ihm einen Propheten (4,16—19). Diese

---

[38] In Kana überrascht die ungeheure Menge des Weines, die eine so verschwenderische Fülle darstellt, daß der Wein auf der Hochzeit nie aufgebraucht werden
konnte (zur genauen Berechnung vgl. [H. L. Strack-] P. Billerbeck, Kommentar
zum Neuen Testament aus Talmud und Midrasch II, 1956, S. 407). Bei der Heilung des Königischen ist das Motiv der Fernheilung gegenüber den Synoptikern
wesentlich gesteigert (4,46 f.). Bei der wunderbaren Speisung braucht man nun
mehr als 200 Denare (vgl. Mk 6,37). Das Volk darf nach dem Wunder unbegrenzt
nehmen (Joh. 6,11), dennoch bleibt überreichlich übrig (6,12): Es sind nun gegenüber Mk 8,8 fünf Körbe an Brotresten mehr, die nach der Mahlzeit eingesammelt werden. Zum eigentlichen Seewandel kommt nun noch die wunderbare
schnelle Ankunft am anderen Ufer hinzu (6,21). Vom Lahmen am Teich Bethesda
wird eine sehr lange Zeit der Krankheit mitgeteilt (5,5). Der Blinde muß von Geburt an blind sein (9,1). Lazarus liegt — durch den verspäteten Aufbruch bewußt
von Jesus vor dem Tod des Lazarus eingeplant — schon vier Tage in der Gruft
(11,17.39), bevor Jesus ihn wiederbelebt.

übernatürliche Ausstattung dient ihm vornehmlich dazu, den Menschen Größeres als sein Wissen schauen zu lassen, wie er Nathanael verheißt (1,50). Das Größere sind die Wunder. Weil er dieses Wissen hat, kann er z.B. bei Lazarus das Wunder ins Unvorstellbare steigern (11,4. 11—14). Für alle Wunder gilt dabei sinngemäß die Aussage aus 9,33: „Niemals hat man gehört, daß jemand die Augen eines von Geburt an Blinden öffnete." So stellen die Demonstrationswunder Jesus als den größten Wundertäter heraus. Er ist es unter dreifachem Aspekt: 1. weil er die unmöglichsten Wunder vollbringt, 2. weil die Zahl seiner Wunder gar nicht genannt werden kann (20,30) und endlich 3. weil er aufgrund seines Wissens Planung und Durchführung des Wunders in ungeheurer Machtvollkommenheit und Freiheit in Szene setzt[39]. Dabei ist sein Verhältnis zu Gott ein erstaunlich selbständiges. Der Hilfe des Geistes Gottes oder des Gebetes bedarf er nicht. Wundermacht steht ihm allemal zur Verfügung. Dementsprechend begegnen Bemerkungen über das Verhältnis des Wundertätes zu Gott allenfalls am Rande (z.B. 9,31). Umgekehrt ist die Trennung zwischen Wundertäter und Menschheit keinen Augenblick aus dem Gesichtsfeld geschoben, gilt es doch, den aus der Menschheit Kommenden kraft seiner übernatürlichen Ausstattung als besonderes Exemplar der Menschheit herauszustellen.

Dieser Wundertäter inszeniert im Wunder also seine Epiphanie vor den Menschen als den Zeugen des Wunders. Dabei wird von ihnen erwartet, daß sie aus den Semeia auf den Täter der Semeia Rückschlüsse ziehen. Das ist möglich, weil die Wunder Transparenzcharakter im Blick auf den Wundertäter besitzen. Weder ist dabei der Glaube Vorbedingung des Wunders, noch wird das Wunder als zweideutig angesehen. Jeder kann vielmehr diesen visuellen Offenbarungsvorgang aufgrund des

---

[39] Jesu überlegenes Handeln zeigt sich an folgenden Stellen: In Kana wird die Bitte seiner Mutter abgewiesen. Jesus bestimmt selbst die Stunde des Wunders (2,4.7). Den Lahmen am Teich Bethesda spricht Jesus selbst an (5, 6). Das Speisungswunder ist geplant, darum muß die Menge ihm auf den Berg folgen. Er hält nicht erst eine Rede, sondern demonstriert der Versammlung unmotiviert und unerwartet aus freien Stücken, wie er Speise beschaffen kann (6,1ff.). Auch beim Seewandel erfolgt von ihm her das Wunder (6,19f.). Jesus sieht den Blinden und — ohne daß dieser überhaupt zu Worte kommt — vollzieht die Heilung (9,1ff.). Marias und Marthas Bitte bleibt unerhört (vgl. 11,1ff.). Jesus bestimmt den Zeitpunkt seines Wunders an Lazarus selbst (11,6f. 11bff.).

eindeutigen Schauwunders verfolgen. Ereignet sich das Wunder, sind die
Menschen passive Zuschauer und Jesus der allein Handelnde. Nach dem
Wunder tritt in diesem Verhältnis eine Kehre ein: Das schauende Wahr-
nehmen führt die Menschen zur Akklamation an den Wundertäter. Nun
sind sie aktiv, der Wundertäter jedoch passives Objekt ihres Bekenntnis-
ses. In dieser Akklamation ist der Offenbarungsvorgang zu seinem Ziel
gekommen. Von einer Wortoffenbarung spricht die Semeiaquelle dagegen nur nebenbei (vgl. 4,42).

Der eben erwähnte Rückschluß auf den Wundertäter wird als „Glaube"
verstanden[40]. Auf die eben beschriebene Weise kommt jedoch nicht nur
der unmittelbare Augenzeuge zum Glauben, sondern es ist der dezidierte
Zweck der Semeiaquelle, jeden Leser dieses Buches aufgrund der Darstellung der Wunder zum Glauben zu führen. Die Semeiaquelle ist ein
christologisches Buch der Wunder, das um Glauben an diesen Wundertäter wirbt, wie ausdrücklich am Ende des Werkes in 20,30f. formuliert
ist. 20,30f. ist zugleich die abschließende Äußerung des Verfassers der
Semeiaquelle, in der sich nahezu alle eben gemachten Beobachtungen
zur Theologie der Quelle wiederfinden.

Damit sind die drei Größen: Wundertäter, Wunder und Zeugen des
Wunders in ihrer Bedeutung skizziert. Zugleich ist damit aber der Begriff
Semeion bestimmt. Denn Semeion ist das Wort, indem sich das beschrie-
bene Verhältnis der drei Größen zueinander verdichtet.

Neben Semeion als dem einen Brennpunkt der Theologie der Semeiaquelle steht in enger Beziehung dazu ein zweiter. Er liegt vor im Gebrauch der christologischen Aussagen, wie sie vornehmlich in den Akkla-
mationen und Bekenntnissen auftreten. Diese Abzielung auf das christologische Bekenntnis ist nicht nur 20,30f. klar ausgesprochen, wenn es
dort heißt: „... Diese [Wunder] sind aufgezeichnet, damit ihr glaubt,
daß Jesus der Christus sei, der Sohn Gottes [...]", sondern sind planvoll
dem ganzen Werk eingefügt[41]. Schon Johannes der Täufer weist es von

---

[40] In diesem Sinne ist vom Glauben verbal in 2,11; 4,53; 10,42; 11,27; 12,37;
20,31 gesprochen.

[41] Die Häufung und planvolle Verarbeitung christologischer Titulaturen ist für
bestimmte Abschnitte im Johannesevangelium im Prinzip schon mehrfach herausgestellt worden. Verwiesen sei z. B. auf: L. Schmid, ZNW 27 (1929), S. 152; H.
Windisch, ZNW 30 (1931), S. 218; R. Bultmann, Kommentar (vgl. Anm. 3),
S. 75f.; W. A. Meeks, The Prophet-King, Suppl. to NTS 14 (1967), S. 33f.;

sich, Christus, Elia oder der Prophet zu sein (1,20f.). Seine Aufgabe ist es vielmehr, Jesus als Sohn Gottes zu bezeugen (1,34). Die Perikope der Jüngerberufung beginnt mit dem Täuferzeugnis, Jesus sei das Lamm Gottes (1,36). Andreas führt Petrus zu Jesus mit dem Bekenntnis: „Wir haben den Messias gefunden" (1,41). Nathanael erfährt von Philippus: „Wir haben den gefunden, von dem Mose im Gesetz und in den Propheten geschrieben hat..." (1,45). Die Szene läuft auf das Bekenntnis des Nathanaels zu: „Rabbi, du bist der Sohn Gottes, du bist der König Israels" (1,49). In Samaria ist Jesus als Prophet, Messias und Retter der Welt erkannt (4,19.30.42). Das Brotwunder endet mit der Akklamation: „Dieser ist wahrhaftig der Prophet (‚der in die Welt gekommen ist')" (6,14)[42]. Auch Joh 9 enden zwei Gesprächsgänge mit einem Bekenntnis. Nach 9,17 ist Jesus Prophet. 9,39f. konstatiert der ehedem Blinde: „Noch niemals hat man gehört, daß jemand die Augen eines von Geburt an Blinden öffnete. Wenn dieser nicht von Gott wäre, könnte er nichts tun." Vielleicht darf auch das Bekenntnis der Martha in 11,27: „Du bist der Christus, der Sohn Gottes (‚der in die Welt gekommen ist')"[43] für die Semeiaquelle beansprucht werden. Doch angesichts der äußerst schwierigen Analyse von Joh 11 mag das offenbleiben.

Diese Bekenntnisse gehen auf planvolle Komposition des Verfassers der Semeiaquelle zurück. Dieses ist seine Art, Christologie zu treiben. Vorherrschend sind dabei die beiden Titel „der Prophet"[44] und vor allem

---

E. Käsemann, Jesu letzter Wille (vgl. Anm. 2), S. 45. — Mündlich hat K. G. Kuhn die These geäußert, die Semeiaquelle sei an christologischen Titeln ausgerichtet, ja zum Teil soll in ihren Perikopen sogar eine planvolle Steigerung der Titel vorliegen. Dieser letztgenannten Zuspitzung wird man wohl kaum zustimmen können, da die Semeiaquelle nirgends zum Ausdruck bringt, daß innerhalb der Mannigfaltigkeit der in ihr verwendeten Titel eine theologisch sachliche Rangfolge vorausgesetzt ist. Auch von der religionsgeschichtlichen Herkunft dieser Titel her wird man so urteilen müssen.

[42] Der Relativsatz ist vielleicht Zusatz des Evangelisten, doch vgl. 11,27 und die folgende Anm.

[43] Der Relativsatz ist vielleicht Zusatz des Evangelisten, doch vgl. 6,14 und die voranstehende Anm.

[44] Vgl. 1,21.25; 6,14; in 4,19 und 9,17 fehlt der Artikel, doch dürfte dessenungeachtet im Blick auf den Verfasser der Semeiaquelle derselbe Sinn vorliegen. Der Evangelist hat diesen Sprachgebrauch einmal aufgegriffen: 7,40.

„Sohn Gottes"[45]. Dieser wird dabei dreimal durch den Christustitel bzw. durch „König Israels" ergänzt[46]. Bei der Interpretation der christologischen Titulaturen gilt es festzuhalten: Wem solche Fülle recht verschiedener Titel zu Gebote steht, weist sich traditionsgeschichtlich als Spätling aus. Zudem sind zumindest ein Teil der Titel weitgehend formal gebraucht. Die wichtigste Ausnahme macht dabei der Titel „Sohn Gottes". Dieser wird zumindest schon in neutestamentlicher Zeit mit dem Vorstellungskreis der vielschichtigen Gestalt des θεῖος ἀνήρ verbunden gewesen sein. Das dürfte seit G. P. Wetter[47] als bewiesen gelten. Dazu paßt übrigens auch insbesondere der Titel „der Prophet", wie man an Wetters Material studieren kann. Mit dem θεῖος ἀνήρ ist zugleich das Stichwort gefallen, das die religionsgeschichtliche Voraussetzung der Semeiaquelle einzig und allein zutreffend erklären kann. Alle theologischen Wesenszüge der Wundergeschichten in der Quelle gehören in diese θεῖος-ἀνήρ-Vorstellung des Hellenismus. Vor allem das als Epiphanie geschilderte, absichtsvoll gesteigerte Wunder mit der abschließenden stilgerechten Akklamation hat in diesem Bereich seine besten Parallelen. Es ist in der Tat nicht mehr viel, was den Jesus der Semeiaquelle von diesen Wunder-

[45] Vgl. 1,34.49; 11,4.27; 20,31.

[46] Vgl. 11,27; 20,31, bzw. 1,49.

[47] Der Sohn Gottes. Eine Untersuchung über den Charakter und die Tendenz des Johannes-Evangeliums, FRLANT 26 (1916). Zur neuesten Diskussion vgl. W. von Martitz, ThWB VIII, 337ff. — An dieser Stelle muß auch ein kurzes Wort zu W. A. Meeks, The Prophet-King, Suppl. to NTS 14 (1967), gesagt werden. Prinzipiell ist Meeks' Ansatz, über das bisher von Wetter bis F. Hahn gebotene religionsgeschichtliche Material hinaus noch präziser die religionsgeschichtliche Frage zu stellen, nur begrüßenswert. Aber seine Arbeit leidet an der Sorglosigkeit, mit der auf Quellenscheidung und traditionsgeschichtliche Schichtung im Johannesevangelium ganz verzichtet wird. Im übrigen steht es auch exegetisch-sachlich um die Grundthese von Meeks' für das Johannesevangelium nicht gut. Nur 6,14f. stehen „der Prophet" und die Königswürde eng beieinander. Die Verse gehören zur Semeiaquelle. Für die Quelle ist es aber gerade typisch, christologische Aussagen zu häufen, und zwar auch ohne Rücksicht darauf, ob sie vorher zusammengehörten. 6,14f. ist also nur ein Fall unter formal ähnlichen, bei denen christologische Aussagen verschiedener Art im Kontext vereint sind. Für die Semeiaquelle ist im übrigen viel typischer, daß „der Prophet" und „Sohn Gottes" häufig verwendet werden. Es bleibt also unter diesen Gegebenheiten sehr vage, 6,14f. mit derart umfassenden religionsgeschichtlichen Gewichten zu belasten, wie Meeks es tut.

männern der Antike trennt: Sein Name Jesus, seine jüdische Herkunft[48], seine Ankündigung durch die Propheten des Alten Testaments[49] und daß er als Christus Sohn Gottes ist[50], wären zu nennen. Das ist wenig genug[51]! Damit darf das Verhältnis von Wunder und Christologie in der Semeiaquelle in seinen Hauptzügen als entfaltet gelten[52]. Die Geschlos-

[48] Vgl. 1,45c.

[49] Vgl. 1.45.

[50] Vgl. Anm. 46.

[51] Die Entleerung der christlichen Verkündigung wird nochmals schlaglichtartig dadurch beleuchtet, daß der Semeiaquelle der Heilsinn von Jesu Auftreten — vorsichtig gesprochen — zu entschwinden droht, besser gesagt: wohl abhanden gekommen ist. Befragt man den vorhandenen Bestand, kann man nur religionsgeschichtlich vermuten: Das Schauen des θεῖον weist Todesverfallenheit und Vergänglichkeit in die Schranken. Soll das der sein, von dem Mose und die Propheten geschrieben haben (1,45)?

[52] Einen ganz anderen Versuch zur Interpretation der johanneischen Wunder hat jüngst G. Ziener, Johannesevangelium und urchristliche Passafeier, BZ NF 2 (1958), S. 263ff., vorgelegt (vgl. auch Bibl 38 [1957], S. 396ff.). Er will der Semeiaquelle den Prolog zuerkennen und die ganze Schrift als urchristliche Passahaggada auslegen, „die nach dem Vorbild der aus dem Weisheitsbuch erschlossenen jüdischen Passa-Haggada das Wunderwirken Jesu darstellt" (S. 272). Wie die Exodusdarstellung Thema des Passa in Sap Sal 10,1—19,22 ist, greift die Semeiaquelle den genannten Teil der Sap Sal auf, um eine christliche Passahaggada zu schreiben. Die gesamte Konstruktion der Parallelisierung von Sap Sal und der Semeiaquelle ist über das Maß des Erträglichen hinaus hypothetisch, ein Teil der Parallelisierungen (Sap Sal 11 mit Joh 2,1ff.; Sap Sal 18,1 mit Joh 9 und Sap Sal 18,22 mit Joh 11) geradezu künstlich und uneinsichtig. Der Prolog gehört sicher nicht zur Semeiaquelle. Im übrigen scheint mir im Johannesevangelium überhaupt jeder Bezug zu einer Passahaggada zu fehlen. Angesichts dieser gegen Ziener vorzubringenden gravierenden Einwände, braucht hier auf die allgemeine Problematik einer urchristlichen Passahaggada kaum noch eingegangen zu werden.

Indirekt könnten auch die mehrfachen Versuche, eine Exodustypologie im Johannesevangelium herauszustellen, dazu verhelfen, die Eigenart der Semeiaquelle zu deuten, da in diesen Fällen stets die sieben Wunder des Johannesevangeliums grundlegende Bedeutung erhalten. Zuletzt hat R. H. Smith, JBL 81 (1962), S. 329ff., einen weiteren Versuch in dieser Richtung gestartet, nicht ohne vorher die Ausführungen seiner Vorgänger J. J. Enz, B. P. W. Stather Hunt und H. Sahlin mit guten Gründen als methodisch willkürliche Versuche abzulehnen. Smith selbst läßt sich sieben ägyptische Plagen und sieben johanneische Wunder gegen-

senheit der Konzeption sichert nicht nur nachträglich das literarkritische
Ergebnis, indem die bisher in der Forschung nur bruchstückhaft erhobene
Theologie der Quelle den letzten entscheidenden Beweisgang für die

überstehen, wobei die letzteren typologische Überhöhung der ersteren sein sollen.
Doch auch dieser Versuch fällt unter dasselbe Urteil, das Smith seinen Vorgängern
zuerkannte. Das Johannesevangelium gibt mit keiner Angabe Anlaß, solche Typo-
logie anzunehmen. Smith muß willkürlich die zehn Plagen auf sieben beschränken
und noch dazu die Reihenfolge der ausgewählten Plagen abändern. Schließlich
entsteht sachlich zum Teil einfach uneinsichtiger Nonsense: Wie will man im
Ernst die Tierplage Ex 9,1 ff. mit der Heilung des Königischen, die Beulenplage
mit der Heilung des Lahmen und den Schlag gegen die Erstgeburt mit der
Wiederbelebung des Lazarus zusammenbringen?
Endlich ist an dieser Stelle auch noch zu Rengstorfs Deutung der Semeia im
Johannesevangelium (ThWB VII, S. 241 ff.) Stellung zu beziehen. Dabei ist es
grundsätzlich zu bedauern, daß Rengstorf Johannesevangelium und Apokalypse
Johannes gemeinsam bespricht. Außerdem umgeht er es, zwischen Semeiaquelle
und Evangelisten zu differenzieren. Es ist methodisch fragwürdig, auf Quellenscheidung verzichten zu können, „wo es sich lediglich [sic!] um den Sinn des
Wortes σημεῖον bei Joh handelt" (ThWB VII, S. 245 Anm. 315). Wer diese beiden Vorentscheidungen Rengstorfs nicht nachvollziehen kann, ist darum gezwungen, die mehrfach guten Beobachtungen zur Begriffsbedeutung auf die verschiedenen Schriften bzw. Schichten nachträglich aufzuteilen.
Einspruch zu erheben ist allerdings gegen Rengstorfs typologisch-heilsge-
schichtliche Auslegung der Semeia: 1. Daß Joh 4,48 (Evangelist!) „wahrscheinlich
… das Motiv der Befreiung in der Mose-Zeit mit ihren Wundern" anklingt, läßt
sich allein mit Hilfe der Wendung „Zeichen und Wunder" nicht erhärten (vgl.
ThWB VII, S. 242). Diese Wendung ist zuerst von ihrem Kontext in Joh 4 auszulegen. Dieser gibt nicht den geringsten typologischen Hinweis in der genannten
Art. — 2. Weiter läßt sich aus Joh 12,37 f. — hier wird Jes 53,1 zitiert — nicht folgern, die Semeia seien der „Arm Gottes" (ThWB VII, S. 248). Das Zitat legt nicht
den Sinn der Semeia aus, sondern erklärt, warum die Juden im Unglauben verharren. — 3. Daß die Zeichen im Johannesevangelium generell als Anbruch der messianischen Zeit zu deuten seien (ThWB VII, S. 244), also typische Wunder der Messias-
zeit seien, wird man auch nicht behaupten können. Die vorchristliche Messiasvorstellung gibt an keiner Stelle zu erkennen, daß der Messias auch Wundertäter ist. Dieses
ist keine konstitutive Funktion seines Amtes. — 4. Endlich ist auch der typologische
Bezug zur Mosezeit als der Zeit der Erlösung aus der ägyptischen Knechtschaft
(ThWB VII, S. 256 f.) nicht verifizierbar. Es läßt sich damit also der Schluß nicht um-
gehen: Die Semeia im Johannesevangelium tragen keinerlei typologische Akzente.

Existenz einer Semeiaquelle im Johannesevangelium abgibt[53], sondern stellt nun um so dringlicher die Frage, wie der Evangelist mit dieser Theologie verfuhr. Daß es ein an Kühnheit grenzender Entschluß des Evangelisten war, diese Christologie unter seinem Dach wohnen zu lassen, darf von vornherein als zugestanden gelten. Daß er sie freilich mit dem Wasser seiner Theologie erst taufen mußte, bevor dieser Fremdling ihm zum Hausgenossen wurde, wird man gar nicht erst anders erwarten. Es müßte

[53] Anmerkungsweise seien noch einige Beobachtungen zur geschichtlichen Einordnung der Semeiaquelle gemacht. Eine zeitliche Fixierung ihres Entstehungsdatums ist nicht möglich, soweit es nicht die simple Feststellung betrifft, daß die Semeiaquelle vor dem Johannesevangelium entstanden sein muß. Zwar möchten neuerdings wieder (mit vorsichtiger Zurückhaltung) W. Wilkens, Die Entstehungsgeschichte des vierten Evangeliums (1958), S. 50, 172f., und (entschiedener) W. Gericke, ThLZ 90 (1965), S. 811, aus dem ἐστίν in Joh 5, 2 auf eine Abfassungszeit vor 70 n. Chr. schließen. Aber beide erwähnen zu Recht die Beobachtung W. Bauers, Das Johannesevangelium, HNT 6 (3. Aufl. 1933), z. St., daß man dann aus 11,18 das Gegenteil folgern müsse. J. Jeremias, Die Wiederentdeckung von Bethesda, FRLANT NF 41 (1949), S. 9, denkt vorsichtigerweise daran, die Hallen, die Joh 5,2 beschrieben werden (bzw. deren Ruinen), hätten möglicherweise 70 n. Chr. überdauert. Wahrscheinlich sind alle diese Überlegungen überflüssig, denn das Präsens in Joh 5,2 wird Erzählstil sein, darum wird man mit Bultmann, Kommentar (vgl. Anm. 3), S. 179 Anm. 4, festzuhalten haben, daß weder das Präsens in 5,2 noch das Imperfekt in 11,18 irgend etwas beweist.

Festzuhalten ist mit Bultmann, daß die Semeiaquelle in einem semitisierenden Griechisch geschrieben ist. Im Gegensatz zum Evangelisten erklärt sie auch jüdische Sitten noch nicht, setzt also bei den Lesern eine relative Vertrautheit mit dem Judentum voraus. Offenbar hat die Quelle auch noch nicht von „den Juden" gesprochen, wie es der Evangelist tut. Das Alte Testament benutzt der Verfasser der Quelle allerdings nach der LXX: Das geht vor allem aus 12,38 = Jes 53,1 LXX hervor. Auch Joh 2,5 (= Gen 41,55) ist am ehesten als freie Aufnahme der LXX zu verstehen. Ob die gute Ortskenntnis in Joh 5 (dazu vgl. J. Jeremias, a. a. O.) den Verfasser der Semeiaquelle als Palästiner ausweist, wird man bezweifeln. Die Angaben entstammen kaum seiner Redaktion, sondern seiner Tradition.

Auffällig ist, daß Jesus nach der Darstellung der Quelle bei den Pharisäern keinen Anklang findet (Joh 5; 9; 12,37f.), wohl aber in Samaria (4,40—2). Das unterstützt wohl doch die Annahme außerpalästinischer Entstehung.

Fragt man, wie dem Evangelisten die Quelle zugängig war, so wird man zumindest vermuten können, daß er damit das Evangelium seiner Ortsgemeinde benutzt hat (so die ansprechende Vermutung von E. Haenchen, ThR 23, 1955, S. 303).

schon ein anderer als gerade der vierte Evangelist sein, wenn er sich nicht
dieser Aufgabe bewußt gewesen wäre.

IV

Wenn nun die dritte und letzte eingangs gestellte Frage — die Frage
nach der theologischen Verarbeitung der Semeiaquelle durch den Evangelisten — zur Erörterung gelangt, müßte eigentlich die Theologie des
Evangelisten im ganzen entfaltet werden. Das kann natürlich an dieser
Stelle nicht geschehen. Vielmehr wird der Evangelist nur soweit zu Worte
kommen, wie er sich komponierend und kommentierend mit der
Semeiaquelle selbst beschäftigt hat.

Als erstes sei ausdrücklich festgehalten, daß der Evangelist die Semeiaquelle als Grundlage für den ersten Teil seines Werkes übernommen hat,
ohne den Wundern die massive und teilweise unerträgliche Steigerung
zu rauben. Er hat nicht nur an keiner Stelle seines Evangeliums zum Ausdruck gebracht, daß er sich solche Wunder nicht vorstellen könne oder
um eines gereinigten Offenbarungsverständnisses willen auf sie als Wunder ganz oder teilweise zu verzichten gedenke, sondern er hat sich umgekehrt nicht gescheut, das Weinwunder zu Kana unkorrigiert als erstes
Wunder des öffentlichen Auftretens Jesu zu übernehmen. Der johanneische Christus leitet sein Kommen in die Welt nicht durch die Gerichts-
rede Joh 5 ein, sondern durch ein Epiphaniewunder. Der sich darin do-
kumentierende Wille, dem gesteigerten Epiphaniewunder als einem ei-
genständigen Aspekt des Auftretens Jesu Raum zu geben, läßt sich durch
weitere Beobachtungen absichern: Gegen alle Tradition ist die Auferweckung des Lazarus Anlaß, zur Passion überzuleiten. Das jüdische Syn-
edrium fällt aufgrund dieser ihm anstößigen Tat den Tötungsbeschluß
(11, 45 ff.). Weiter hat der Evangelist die Zahl der Wunder durch entsprechende summarische Angaben entschieden vermehrt[54]. Dadurch
demonstriert er jedem Leser ad oculos, daß er den Abschluß der Semeiaquelle, der beteuert, Jesus habe noch viele andere Zeichen getan, nicht
nur zufälligerweise ohne Zensur übernahm. Diese Beobachtungen lassen
es vorerst nicht ratsam erscheinen, anzunehmen, der Evangelist habe den

[54] Vgl. 2,23; 4,45. 48; 6,26; 11,47.

Wundern nur noch einen rein symbolischen Sinn zuerkannt. Entgegen dieser Auffassung Bultmanns gilt es, den Geschehenscharakter der Wunder und den Wunderglanz johanneischer Offenbarung anzuerkennen. Der Evangelist setzt mit seiner gesamten Umwelt Wunder als Teil des Offenbarungsvorganges voraus[55]. Stünde es anders, hätte er die Semeiaquelle ignoriert oder ihre Wunder auf ein ihm erträgliches Maß reduziert[56]. Doch weder das Wunder als solches noch seine Maßlosigkeit störten ihn. Die Kritik an der Semeiaquelle zielt nicht primär auf das Wunder als solches, sondern auf die Christologie der Semeiaquelle.

Das christologische Thema des Evangelisten wird sofort durch den Prolog angeschlagen. Im Evangelium spricht nicht ein erhöhtes Exemplar der Gattung Mensch, sondern der inkarnierte Logos. Dieser begegnet auf dem Hintergrund eines dualistischen Weltbildes einer Menschheit, die sich in Finsternis und Feindschaft gegen das sich offenbarende Licht stellt. Dagegen verläuft in der Semeiaquelle die Begegnung Jesu mit seiner Umwelt vergleichsweise harmlos. Eine dem Epiphaniewunder aufgeschlossene Menschheit kann zwar auch — wie die Pharisäer — Jesus ablehnen um des Sabbatbruchs willen, aber diese unerwartete Ausnahme muß sich die Semeiaquelle ausdrücklich mit Hilfe eines alttestamentlichen Zitates erklären (12,37f.). Anders der Evangelist: Offenbarer und Welt sind von ihrem Ursprung her Feinde. Der Ursprung ist das den Dualismus setzende und den Menschen prädestinierende Handeln Gottes[57]. Darum erweitert

---

[55] Das stellt auch Haenchen, ThR 23 (1955), S. 325, fest.

[56] Immerhin sei nicht verschwiegen, daß der Evangelist umgekehrt den wunderbaren Vorgang eines Wunders auch nicht gesteigert hat. Er nimmt ihn als vorgegeben hin, ohne streichend oder erweiternd zu redigieren.

[57] Der prädestinatianische Determinismus hat im Johannesevangelium wesentlich mehr Bedeutung als ihm R. Bultmann, Theologie (vgl. Anm. 3), S. 368ff., zugestehen will. Wie Bultmann interpretieren neuerdings auch z. B. E. Gräßer, Die Juden als Teufelssöhne in Johannes 8,37—47, in: Antijudaismus im Neuen Testament?, Abhandlungen zum christlich-jüdischen Dialog, 2 (1967), S. 157ff., besonders S. 163—6, und H. Conzelmann, Grundriß der Theologie des Neuen Testaments (vgl. Anm. 9), S. 385f. Gegen diese Position haben H.-M. Schenke, Determination und Ethik im 1. Joh, ZThK 60 (1963), S. 203ff., und E. Käsemann, zuletzt in: Jesu letzter Wille (vgl. Anm. 2), S. 112ff., zu Recht Stellung genommen. Vgl. auch noch J. Becker, Das Heil Gottes, Heils- und Sündenbegriffe in den Qumrantexten und im Neuen Testament, StUNT 3 (1964), S. 221ff.

der Evangelist 12,37f. durch den Zusatz (12,39f.): „Aus diesem Grunde *konnten* sie nicht glauben, weil wiederum Jesaja spricht: Er hat ihre Augen verblendet und ihr Herz verhärtet..." Man beachte, daß dies das letzte Urteil des Evangelisten zu dem von ihm gezeichneten öffentlichen Auftritt Jesu ist!

In unübersehbarer Korrektur an der Semeiaquelle hat der Evangelist weiter *das* Thema urchristlicher Verkündigung schlechthin zu Gehör gebracht, nämlich die Verkündigung von Kreuz und Auferstehung. Das Kreuz als Erhöhung Christi ist nun das Geschehen, in dem sich die Krisis der Welt verdichtet (12,31). Damit ist der Schwerpunkt von Jesu Handeln von der Epiphanie auf die Kreuzigung verlagert. War die Epiphanienchristologie des ϑεῖος ἀνήρ schon nahezu austauschbar mit anderen Gestalten dieser Provenienz und war dadurch aus der Geschichte beinahe schon Mythos geworden, so lenkt der Evangelist energisch ins Zentrum christlicher Verkündigung und damit zugleich zur Geschichte zurück. Dieser Gang der Ereignisse ist kritisch gegen eine doketische Deutung johanneischer Christologie ins Treffen zu führen.

Dazu gesellt sich eine weitere Beobachtung: Es ist bekannt, daß die Wunder für den Evangelisten häufig nur noch den szenischen Rahmen für die Reden abgeben, die ihrerseits sich dann auch oft von der Situation der Wundererzählungen lösen. Vor allem Joh 5 und 6 machen deutlich, wie dadurch der Schwerpunkt der Aussage vom Wunder auf die Offenbarungsrede verlagert wird. Das Selbstzeugnis des Gesandten Gottes als Krisis der Welt kritisiert die „naive" Epiphanie. Wie der johanneische Christus sich in seinem Wort nicht legitimieren darf, sondern sich an seinem Wort im gehorsamen Hören oder im ablehnenden Unglauben das Woher des Menschen erweist bzw. die Wiedergeburt geschenkt wird (Joh 3), so wird nun zwangsläufig auch das Wunder zu einem Zeichen, das zum Schisma führt[58]. Es wird zwiespältig. Konsequenterweise wird darum vom Evangelisten nun auch der Semeionbegriff umgeprägt: Das Semeion als zwiespältiges wird im Sinne der Legitimation abgelehnt (Joh 4, 48)[59].

Christologie treiben, heißt für den Evangelisten ferner, den Gehorsam des Sohnes, der nur die Ehre des Vaters sucht und ohne den Vater nichts

[58] Vgl. 7,31f.; 9,16.39; 11,45f.; 12,9—11.18f.
[59] Vgl. Anm. 33.

tun kann[60], mit anderen Worten: die Offenbarungseinheit von Vater und Sohn energisch gegenüber der Selbständigkeit des Wundertäters der Quelle herauszustellen. Dieser gehorsame Sohn ist der, der jetzt als sein größtes Werk das eschatologische Gericht übt. Steigerte die Semeiaquelle das Vorherwissen Jesu, wie es Nathanael erfuhr, durch die Ankündigung, Nathanael werde größeres als dieses sehen, nämlich die jenseits aller Eschatologie interpretierten Epiphanien des Gottessohnes (1,50), so sagt der Evangelist, Jesu Hörer werden staunen, daß der Vater Jesus noch größere Werke als die Heilung des Lahmen zu Siloa zeigen wird (5,20). Größer ist: Tote lebendig machen und Gericht üben (5, 21f.). Und zwar Gericht üben im Sinne von 5,24: „Wahrlich, wahrlich ich sage euch, wer mein *Wort* hört und glaubt an den, der mich gesandt hat, *hat* das ewige Leben und wird nicht in das Gericht kommen, sondern *ist* aus dem Tode ins Leben *hinübergeschritten.*"[61] Jesu jetzt gesprochenes Wort ist Endgericht. Wer ihm glaubt, hat den Tod im Rücken und das Leben vor sich. Für die Semeiaquelle war das Gericht überhaupt kein erwägenswerter Verkündigungsinhalt. Jedenfalls hat der Evangelist dieses der Semeiaquelle offenbar zum Vorwurf gemacht: In Joh 3, 1ff. kommt Nikodemus zu Jesus und spricht ihn ganz im Sinne der Epiphanienchristologie an: „Rabbi, wir wissen, daß du von Gott als Lehrer gekommen bist, *denn* niemand kann solche *Zeichen* tun, wie du tust, es sei denn Gott mit ihm." Nikodemus vertritt also genau die Theologie von 20,30f.! Der Evangelist seinerseits erklärt diese Thematik für schlechterdings unbrauchbar. Solange sich der Mensch bei diesem Thema aufhält, hat er noch gar nicht verstanden, worum es eigentlich geht. So konstatiert Jesus demgegenüber mit apodiktischer Schärfe: „Es sei denn, jemand werde

---

[60] Vgl. vor allem 5,19ff. 30ff.

[61] Bultmann, Kommentar (vgl. Anm. 3), hat also recht, wenn er die apokalyptisch-kosmischen Zukunftsaussagen im Johannesevangelium der Redaktion zuweist, so vor allem Joh 5,28f.; 6,39b. 40b. 44b und 6,54c im sakramentalen Einschub 6,51c—58. Doch geht es nicht an, dem Johannesevangelium damit jede futurische Ausrichtung des Glaubens auf ein noch ausstehendes und dann eintreffendes Heil abzusprechen. Die futurischen Aussagen des Johannesevangeliums sind allerdings aller kosmisch-weltgeschichtlichen Aspekte entkleidet und streng im Blick auf die Glaubenden allein entfaltet. Vgl. dazu: 10,9; 11,25f.; 12,32; 14,1—3; 17,24. Wenig Beachtung erhielten in diesem Fall Bultmanns eigene Ausführungen zu diesem Futurum (Kommentar, S. 398f.).

von oben geboren, sonst kann er die Gottesherrschaft nicht sehen" (3,3, vgl. 3,5). Dieses Wort ist auf dem Hintergrund des johanneischen Dualismus und der johanneischen Eschatologie auszulegen. Das Heil des Menschen hängt dann davon ab, ob der Mensch seine Verfallenheit an Finsternis und Tod loswerden kann. Diese unverfügbare Möglichkeit ist ihm dort eröffnet, wo er jetzt durch das Wort des Sohnes vom Tode zum Leben hinüberschreiten kann. Dazu verhilft nicht das Schauen eines Semeion, sondern nur ein dem Menschen unverfügbares Wunder (3,6—8). Dieses ist die Gabe des Glaubens an Jesu Wort, durch das jetzt Gericht vollzogen wird, und an den, der Jesus sandte. Damit hat der Evangelist nichts anderes behauptet als dieses: Die Christologie der Semeiaquelle bleibt auf der Seite des Todes stecken. Wer ihr folgt, kommt nicht zum Leben.

Diese Beobachtung zu Joh 3, 1 ff. rechtfertigt es, zu erwägen, ob nicht auch die Tempelreinigung in Joh 2,13 ff. angesichts ihrer gegenüber den Synoptikern ungewöhnlichen Stellung u. a. darum diesen Platz erhielt, um das Epiphaniewunder Joh 2,1 ff. ins rechte Licht zu rücken. Kurz gesagt, ergäbe sich dann ein ähnlicher Gedankengang wie Joh 3,1 ff.: Die Epiphanie kann nur Sinn gewinnen, wenn sie als Krisis ausgelegt und verstanden wird.

Diese Abrechnung mit der Semeiaquelle läßt sich durch Joh 6 stützen. Hier verdichtet sich die Brotrede in dem Ego-eimi-Wort 6,35: „Ich bin das Brot des Lebens…" Sind im Wunder Joh 6,1 ff. Gabe und Geber getrennt und besteht darum die ernste Gefahr, über der Gabe den Geber zu vergessen, so sagt das Ego-eimi-Wort: Es gibt nur eine Gabe, den Geber selbst. Wer von dieser Einheit läßt, hat alles verloren. Wer an ihr festhält, mag das Wunder als Hinführung und kommentierende Handlung zum Ego-eimi-Wort ansehen — nötig hat er das Wunder nicht mehr. Das Ego-eimi-Wort ist ohne das Wunder verstehbar und birgt im Sinne des Evangelisten den vollen Heilssinn; umgekehrt hat das Wunder für den Evangelisten keine selbständige Bedeutung mehr: Für sich genommen — also im Sinne der Semeiaquelle —, führt es für den Evangelisten am Leben vorbei, doch kann sein möglicher Gebrauch theologisch durch 6, 35 festgelegt werden.

Ist nach Joh 6 für den Glaubenden das Wunder eigentlich überflüssig, so geht vielleicht Joh 11 noch einen Schritt weiter: Das Wunder ist nun für den Glaubenden auch sinnleer. Mitten in die Wundererzählung hinein stellt der Evangelist das Wort, nach dem Jesus selbst die Auferstehung und das Leben ist (Joh 11,25f.). Dieses Offenbarungswort steht im Unterschied zu Joh 6 *vor* der eigentlichen Wundertat. So wird dem Wunder auch noch die hinführende Funktion entrissen. Durch seine Stellung degradiert Joh 11,25f. das eigentliche Wunder zu einer nachhinkenden Sinnlosigkeit. In dem Wort sind Leben und Jesus identisch. Für den an Jesus Glaubenden ist darum der Tod wesenlos geworden. Damit ist eine Wundertat, die vom irdischen Tod befreit — und zwar auf Zeit —, jedes Sinns entleert. Man kann nicht den Tod, der seinen eigenen Tod schon gestorben ist, nochmals als ernst zu nehmenden Lebensfeind ansehen und ihm darum demonstrativ ein Beutestück auf Zeit entreißen, um dieses dann als großen Sieg über den Tod zu feiern! Wer das Ego-eimi-Wort ernst nimmt, dem sagt das Wunder nichts mehr. Wer das Wunder als theologisch bedeutsam bestaunt, dem hat das Ego-eimi-Wort noch nichts gesagt[62].

Wir stellen fest: Der Evangelist polemisiert durchweg gegen die Christologie (und damit verbunden: gegen den Offenbarungsbegriff) der Semeiaquelle. Diese Polemik geht so weit, daß der Evangelist in Joh 11 den Sinn des Wunders theologisch in Frage stellt. Das aber bringt m.E. auch der Symbolbegriff Bultmanns nicht adäquat zum Ausdruck. In Joh 11 ist das Wunder einerseits nicht einmal mehr Symbol, sondern für den Glauben ein sinnleeres Geschehen. Das Wunder hat also weniger Bedeutung als Bultmanns Symbolbegriff sagen will. Andererseits bleibt das Wunder dabei ein wirkliches Geschehen, was wiederum Bultmann in Frage stellen möchte. Der Unglaube stößt sich weiter an diesem Geschehen, weil er nur auf das Äußere sieht. Das nämlich ist die Ironie in Joh 11: Die

---

[62] Das ist in aller Schärfe mit Bultmann, Kommentar, z. St., der sich dabei auf Wellhausen beruft, herauszustellen. Alle Versuche, dem zu entgehen, sind trotz ihrer sich ständig weiter vermehrenden Zahl zum Scheitern verurteilt, weil sie immer in irgendeiner Form 11,25f. entschärfen. Statt dem Evangelisten zu folgen, gehen sie rückwärts zur Semeiaquelle. Was der Evangelist dazu sagt, wurde ausgeführt. — Auch Käsemanns Versuch (Exegetische Versuche und Besinnungen, II, 2. Aufl. 1965, S. 176), die Wunder als „Hinweise auf den Schöpfer, der seine Herrlichkeit offenbart", zu verstehen, ist m.E. unjohanneisch. Der Schöpfungsgedanke ist dabei eingetragen. Zum anderen sind für den Glaubenden nach dem Evangelisten Krisis und Kreuz, nicht aber die Wunder Zeichen der Herrlichkeit Jesu.

Ungläubigen, denen der Sinn von Joh 11,25 f. verborgen ist, sehen auf das Äußere und stoßen sich am Wundertäter, der diesem Wunder gerade zuvor seine theologische Relevanz genommen hatte. Aufgrund dieser Haltung des Unglaubens leitet Joh 11 die Passion ein. Für solche Behandlung des Wunders gibt es beim Evangelisten eine mögliche Analogie. Es gehört zum Äußeren Jesu, in Maria und Joseph Eltern zu haben (Joh 6,42, vgl. 7,27 f. 52 u. ö.)[63]. Zugleich ist er aber das Brot des Lebens (6,41). Dadurch wird die äußere Herkunft nicht zum Symbol, sondern bleibt als unbezweifelbares Faktum bestehen — zum Ärgernis der Juden! Den Glaubenden ärgert das nicht, sieht er doch statt auf die Sarx auf Jesu Wort. Die Sarx ist ihm zu nichts nütze (6,63).

Käsemann hat gerade die Wunder und das göttliche Vorherwissen Jesu als Hauptbelege eines „naiven Doketismus" im Johannesevangelium angesehen[64]. Diese Interpretation ist dem versperrt, der darin die θεῖος-ἀνήρ-Christologie der Semeiaquelle und ihr Weiterwirken erkennt. Die genannten notae sind nicht Zeichen eines Gottes, sondern eines Menschen mit göttlichen Kräften[65]. Zwar hat der Evangelist das

---

[63] Der Evangelist hat also die Aussagen über die irdisch-„normale" Herkunft Jesu, wie sie in der Semeiaquelle stehen, nicht korrigiert, sondern verstärkt und benutzt (s. u.), um das Ärgernis des Anstoßes an der Person Jesu zu radikalisieren. Das fügt sich aber wiederum nicht zu Käsemanns Versuch, dem Johannesevangelium eine doketische Christologie zu unterstellen.

[64] Käsemann, Jesu letzter Wille (vgl. Anm. 2), S. 22 f., vermengt verschiedene Motive, die es genau auseinanderzuhalten gilt. Die meisten der hier genannten Motive gehören zur θεῖος-ἀνήρ-Vorstellung, dazu s. o. Motive der Auferstehungsgeschichten (z. B. das Gehen durch verschlossene Türen) sollte man gar nicht zugunsten einer doketischen Christologie anführen, die doch den vorösterlichen Jesus betrifft. Im übrigen läßt sich Joh 20 gerade gegen Käsemann verwenden. Die „leibliche" Realistik ist gegenüber den Synoptikern gesteigert. Weiter: Thomas bekennt, *nachdem* er die Zeichen der Kreuzigung an Jesu Leib erkannte: „Mein Herr und mein Gott!" *Vorher* erklingt diese Akklamation gerade nicht. Jesus, der Auferstandene, wird als Gott erkannt, und zwar anhand der Zeichen der Kreuzigung. Als gekreuzigter Erhöhter ist er für Thomas Gott. Also dort wird von Jesu Erhöhung recht gesprochen, wo dabei seiner Kreuzigung gedacht wird. Das aber ist der denkbar strikteste Gegensatz zu einem Doketismus.

[65] Das verzeichnet m. E. auch G. Bornkamm, Zur Interpretation des Johannes-Evangeliums, EvTh 28 (1968), S. 8 ff., besonders S. 20 f., nochmals abgedruckt in: Geschichte und Glaube, Erster Teil, Gesammelte Aufsätze III, Beiträge zur evan-

Vorherwissen Jesu weiter ausgebaut, aber die Haltung zur Semeiaquelle zeigt, daß der Evangelist von der Epiphanienchristologie weglenkt zu einer Christologie, nach der der Sohn sich im anredenden Wort offenbart, in die Krisis ruft und Wunder entbehrlich macht. Die Sarx ist dabei nicht nur notwendiges Medium der Offenbarung, sondern wird reflektiert im Blick auf den Kontrast zu Jesu Heilsanspruch, damit dieser um so klarer als Ärgernis zu Gehör kommt[66].

So bleibt — bei aller im einzelnen zu übenden Kritik — Bultmanns Kommentar nach wie vor der beste Weg zur Interpretation des vierten Evangeliums.

Nachtrag [1979]

Die Diskussion über die Wunder im vierten Evangelium ist seit 1968 durch zahlreiche und wesentliche Beiträge gefördert worden. Wenn mein Vortrag von damals durch drei Fragestellungen strukturiert war (vgl. oben S. 437), so können diese auch heute als die grundlegenden angesprochen werden, so daß mit ihrer Hilfe die nachträgliche Diskussion gegliedert werden kann.

1. Die Frage, woher der Evangelist das Material seiner Wundererzählungen erhalten hat, wird weiterhin am besten mit der Hypothese einer Semeiaquelle (SQ) beantwortet: vgl. dazu die Referate bei W. G. Kümmel: Einleitung in das Neue Testament, [17]1973, S. 177—180; Ph. Vielhauer: Geschichte der urchristlichen Literatur, 1975, S. 424f; R. Kysar: The Fourth Evangelist and his Gospel, 1975, S. 13—37. Selbst wenn es nicht an Stimmen fehlt, die nach wie vor die Möglichkeiten der Literar-

gelischen Theologie, 48 (1968), S. 104ff., besonders S. 115f.; er will in den dem Evangelisten vorliegenden Wundergeschichten die Vorstellung eines über die Erde schreitenden Gottes wiederfinden, was dann der Evangelist korrigiert haben soll. So treffend seine Entgegnung an Käsemann auch sonst z.T. ist, so reicht es doch nicht aus, das, was Käsemann als Theologie des Evangelisten ausweist, einfach auf die vorliegende Tradition zu schieben. Auch die Semeiaquelle kennt den von Käsemann gezeichneten Gott nicht.

[66] Es fällt auf, daß Käsemann, Jesu letzter Wille (vgl. Anm. 2), die Aussagen des Evangelisten und der Semeiaquelle über Jesu irdische Herkunft nicht erwähnt. Vgl. zur Betonung des Menschseins Jesu im Johannesevangelium auch H. Conzelmann, RGG 3. Aufl. I, Sp. 1755.

kritik am Johannesevangelium sehr zurückhaltend beurteilen (wie z. B. Kümmel), so kann die Annahme einer SQ doch mit einem so breiten Konsens rechnen, wie er sonst bei johanneischen Fragen ganz selten begegnet. Schwierig ist allerdings die Umfangsbestimmung. Sie wird naturgemäß wie bei der Logienquelle im Detail nur umrißweise rekonstruierbar sein (mit W. Nicol: The Semeia in the Fourth Gospel, NT.S 32 [1972]; anders R. T. Fortna: The Gospel of Signs, MSSNTS 11 [1970]). Doch ist es von wesentlicher Bedeutung für die Theologie der Quelle wie der des Evangelisten, welche Grundstruktur sie besitzt. Hier besteht neuerdings wieder die Tendenz, die alte Hypothese eines Grundevangeliums in Anlehnung an J. Wellhausen zu vertreten und demzufolge (nahezu) alles erzählende Material aus dem Johannesevangelium einschließlich des Passionsberichtes (PB) der SQ, oder nun sinnvoller: dem Grundevangelium, zuzuweisen (vgl. etwa: R. T. Fortna; G. Richter, BiLe 9[1968], S. 21—36; MThZ 24 [1973], S. 95—114; H. Thyen: Aus der Literatur zum Johannesevangelium, ThR 39 [1974], passim; W. Langbrandtner: Weltferner Gott oder Gott der Liebe, BET 6 [1977]). Dieser Tendenz vermag ich mich nicht anzuschließen, sondern sehe in R. Bultmanns Trennung von SQ und PB den besseren Weg. Eine Bestätigung gewinnt diese Ansicht bei A. Dauer: Die Passionsgeschichte im Johannesevangelium, 1972, und bei R. Schnackenburg: Das Johannesevangelium, III. Teil, HThK IV, [2]1976. M. E. fällt schon auf den ersten Blick auf, daß der Schlüsselbegriff Semeion aus der SQ im PB ganz fehlt und auch die Titulatur Sohn Gottes nur in der SQ, nicht im PB begegnet. Dieser bezieht sich nirgends auf jesuanische Wundertradition (Joh 18,10ff.) und orientiert sich christologisch am „König der Juden", Joh 20f. dann am Titel Kyrios. Beide Bezeichnungen Jesu fehlen in der SQ. Auch gibt es keinen sicheren Hinweis, daß Stücke aus der SQ den PB vorbereiten sollen. Die SQ war also kein Evangelium im gattungsgeschichtlichen Sinn, sondern ein literarischer Zyklus von Wundererzählungen, der wie ein Werbeplakat Mission für Jesus betreiben wollte.

2. Die Frage nach dem theologischen Profil der SQ hat sich in der weiteren Diskussion hauptsächlich konzentriert auf den Entscheid über die religionsgeschichtliche Zuordnung der johanneischen Wunder zur Tradition der ϑεῖος-ἀνήρ-Vorstellung und auf die Erörterung des Begriffs Semeion. Dazu sei eine Literaturauswahl genannt: W. Wilkens: Zeichen und Werke, AThANT 55, 1969; R. T. Fortna, S. 228—234; L. Schot-

troff: Der Glaubende und die feindliche Welt, WMANT 37 (1970), 245—268; G. Petzke: Die Traditionen über Apollonius von Tyana und das Neue Testament, 1970; H. Köster — J. M. Robinson: Entwicklungslinien durch die Welt des frühen Christentums, 1971, S. 48—55; 219—241; W. Nicol, S. 41—94; O. Betz: The Concept of the So-called "Divine Man" in Mark's Christology, in: Studies in New Testament and Early Christian Literature, Essays in Honor of A. P. Wikgren, ed. D. E. Aune, 1972, S. 229—240; G. Theißen: Urchristliche Wundergeschichten, StNT 8 (1974), S. 224—227; 262—273 (und passim); D. Georgi: Socioeconomic Reasons for the "Divine Man" as a Propagandistic Pattern, in: E. Schüssler Fiorenza (ed.): Aspects of Religious Propaganda in Judaism and Early Christianity, 1976, S. 27—42. M. E. wäre es ergänzend möglich, das gesamte Milieu der SQ noch besser in den Blick zu bekommen, wenn z. B. das Itinerar und die Ortsnamen der SQ für den Standort des Verfassers und für das Milieu der Gemeinden ausgewertet werden. Das Zentrum der Theologie der SQ meine ich jedoch nach wie vor mit den Ausführungen im Vortrag erfaßt zu haben.

3. Die Frage nach der theologischen Verarbeitung der SQ durch den Evangelisten findet in meinem Vortrag (wie z. B. später auch mit anderem Ergebnis bei L. Schottroff) eine Lösung im Rahmen der forschungsgeschichtlichen Situation, die durch die Kontroverse R. Bultmann—E. Käsemann gegeben war. In dem Maße, wie überhaupt in der jüngeren Johannesforschung zur Theologie des vierten Evangelisten über diesen Diskussionsstand hinausführende Gesichtspunkte eingebracht wurden, wird man hier zu modifizieren haben. Dies bezieht sich insbesondere auf die Deutung der Passion im Johannesevangelium, die sich im Vortrag de facto eng an R. Bultmann anschloß. Um es auf eine grobe Formel zu bringen: Bultmann interpretiert mit Hilfe der paulinischen theologia crucis, der Evangelist hat aber eine eigene Deutung des Kreuzes. Diese habe ich versucht in der Festschrift G. Friedrich, Das Wort und die Wörter, 1973, S. 90f., anzudeuten.

Meine Weiterarbeit an dem Problem der SQ und des Joh kann jetzt eingesehen werden in: J. Becker: Das Evangelium nach Johannes, ÖTK 4/1 (GTB 505), 1979. In diesem Kommentar befindet sich ein längerer Exkurs zur SQ (S. 112ff.).

Alfred Suhl, Die Wunder Jesu. Ereignis und Überlieferung. Gütersloher Verlagshaus Gerd Mohn o.J. [1968], S. 7—54.

DIE WUNDER JESU

Ereignis und Überlieferung

Von ALFRED SUHL

Die Wunder Jesu sind dem Christen unserer Tage nicht mehr fraglos selbstverständlich. Wer meint, dieses Urteil treffe auf ihn nicht zu, macht sich etwas vor. Die Überlieferung der Wunder Jesu ist uns allen fragwürdig geworden. Das ist aber kein Schade. Im Gegenteil: Das kann geradezu eine Hilfe sein, überhaupt zu erfassen, worum es in der Überlieferung von den Wundern Jesu eigentlich geht. Freilich erfordert das einige Mühe. Manche lieb und vertraut gewordene Vorstellung wird man preisgeben müssen. Dafür hat man dann aber den Gewinn, daß man wirklich auf das hört, worum es in der Überlieferung geht, und nicht nur das Echo der eigenen Frage vernimmt.

Ein Beispiel: Die Heilung der Tochter des Synagogenvorstehers

Unangemessene Lösungsversuche. Die Überlieferung Mk 5,21—43/Mt 9,18—26 / Lk 8,40—56 erscheint besonders fragwürdig; denn hier wird berichtet, Jesus habe die zwölfjährige Tochter eines Synagogenvorstehers, die nach schwerer Krankheit gestorben war, wieder zum Leben erweckt. Das bedeutet einen schweren Anstoß für das moderne Bewußtsein. Zwei Möglichkeiten, diesen Anstoß zu beseitigen, gehen am eigentlichen Problem vorbei und müssen darum als unangemessen ausgeschieden werden.

1. Man darf nicht bestreiten, daß das Berichtete tatsächlich geschehen sei, nur weil man heute so etwas nicht für möglich hält. Daß derartiges heute nicht geschieht, macht uns diese Überlieferung zwar frag-würdig, darf aber nicht zu der vorschnellen Behauptung verleiten, daß Berichtete sei tatsächlich gar nicht geschehen. Unser Zweifel darf vielmehr nur der

Anlaß sein, genauer nachzufragen, um zu einem begründeten Urteil zu kommen. Denn was man für möglich hält, ändert sich im Laufe der Zeit. Was tatsächlich einmal geschehen ist, wird sich aber kaum danach richten, was spätere Zeiten jeweils gerade für möglich zu halten belieben! Könnte nicht früher möglich, ja sogar wirklich gewesen sein, was wir heute nur nicht mehr erkennen?

2. Man darf nun aber auch nicht vorschnell behaupten, daß das Überlieferte tatsächlich geschehen sei, weil bei Gott nichts unmöglich ist. Damit kann man zwar gegen den Hochmut des ungläubigen modernen Menschen protestieren, der nur als tatsächlich geschehen anerkennen will, was er für möglich hält, und selbst den Gottessohn Jesus von Nazareth diesem Beurteilungsmaßstab unterwirft. Man unterscheidet sich dabei jedoch nicht grundsätzlich von dem sogenannten ungläubigen Menschen. Vielmehr legt man seinem eigenen Urteil nur einen anderen Maßstab zugrunde: An die Stelle dessen, was man auf Grund seiner Welt-Erfahrung für möglich hält, tritt der Glaube, der Gott und seinem Christus unbegrenzte Macht zutraut. Dabei verkehrt sich aber der Charakter der neutestamentlichen Botschaft. Sie will zum Glauben rufen. Man macht jedoch bei dieser Betrachtungsweise aus ihr eine Bewährungsprobe für den Glauben. Man bewährt dann nämlich seinen Glauben an allem, was modernes Denken für unmöglich hält in den biblischen Überlieferungen, und zwar bewährt man seinen Glauben dann in dem Sinne, daß man nichts für so unmöglich hält, als daß es bei Gott nicht doch möglich wäre, weil Gott eben alles vermag. Dieses unkritische Für-wahr-Halten biblischer Überlieferungen ist aber lediglich eine Projektion der inneren Glaubenserfahrung nach außen, in die Geschichte hinein — in eine möglichst entfernte Geschichte allerdings, die nie Gegenwart werden darf. Denn das Ansinnen, derartige Wundertaten auch hier und heute von Gott zu erbitten, pflegt man abzuweisen mit dem Hinweis, daß man Gott nicht versuchen solle. Und wo das „Du sollst Gott nicht versuchen" anfängt, bestimmt sich mit erschreckender Deutlichkeit nach dem, was man heute für möglich hält.

Bei aller Gegensätzlichkeit im Endergebnis haben die beiden Argumentationsweisen, die ich bewußt schematisiert habe, dieselbe Grundstruktur. In beiden Fällen erhebt man sich vorschnell über die Texte, ohne sie wirklich verstanden zu haben, um über die berichteten Ereignisse zu urteilen. In beiden Fällen geht man davon aus, daß das Berichtete dem modernen Bewußtsein anstößig ist. Lediglich die Reaktion auf diesen Anstoß ist unterschiedlich. Dieser Anstoß wird als das eigentliche Ärgernis empfunden, das es mit der Erklärung zu beseitigen gilt.

Geht man dabei in der eben skizzierten Weise vor, ist man gar nicht offen dafür, etwas Neues aus dem Text zu erfahren. Vielmehr setzt man sich selbst gegen den Text durch, indem man ihn einordnet in das, was von vornherein selbstverständlich ist, sei es das Bild von der Welt, das man sich auf Grund seiner Welt-Erfahrung, sei es das Bild Gottes, das man sich auf Grund seiner Glaubens-Erfahrung gemacht hat. Richtiger dürfte es darum sein, den Stachel des Anstößigen etwas länger auszuhalten und zum Anlaß zu nehmen für die kritische Frage an sich selbst, ob man den Text wirklich schon richtig verstanden hat. Ein lebendiger Gesprächspartner wehrt sich, wenn er falsch verstanden wird. Die überlieferten Texte aber müssen es sich gefallen lassen, selbst den unsinnigsten Deutungen unterworfen zu werden, seien sie nun fromm oder unfromm. Wer wirklich auf einen Text hören will, wird es darum geradezu begrüßen, wenn eine Überlieferung durch ihre Fremdartigkeit von vornherein zu einer gründlicheren Auseinandersetzung nötigt. Um so geringer ist die Gefahr, daß man einen Text als selbstverständlich ansieht, ohne ihn verstanden zu haben.

Der Text. Versucht man, nicht vorschnell über den Inhalt des Berichteten zu urteilen, sondern zunächst einmal den Text zu verstehen, warum er ein Ereignis überhaupt berichtet und wozu er das tut, fallen die Unterschiede in den drei Überlieferungen der genannten Geschichte ins Gewicht.

Mt 9,18—26	Mk 5,21—43	Lk 8,40—56
	21 Und als Jesus im Schiffe wieder an das jenseitige Ufer hinübergefahren war, versammelte sich viel Volk bei ihm, und er war am See.	40 Als aber Jesus zurückkam, empfing ihn das Volk; denn sie warteten alle auf ihn.
18 Als er dies zu ihnen redete, da kam ein	22 Da kommt einer der Vorsteher der Syn-	41 Und siehe, es kam ein Mann namens Jairus,

Vorsteher (der Synagoge), warf sich vor ihm nieder und sagte:

Meine Tochter ist soeben gestorben; aber komm und lege deine Hand auf sie, so wird sie leben.

19 Und Jesus stand auf und folgte ihm samt seinen Jüngern.

20 Und siehe, eine Frau, die zwölf Jahre blutflüssig war,

trat von hinten hinzu und rührte die Quaste seines Kleides an.

21 Denn sie sagte bei sich selbst: Wenn ich nur sein Kleid anrühre, werde ich gesund werden.

agoge mit Namen Jairus; und wie er ihn erblickt, wirft er sich ihm zu Füßen 23 und bittet ihn inständig: Mein Töchterlein liegt in den letzten Zügen; komm und lege ihr die Hände auf, damit sie gerettet wird und am Leben bleibt.

24 Da ging er mit ihm; und es folgte ihm viel Volk nach, und sie umdrängten ihn.

25 Und es war eine Frau, die litt zwölf Jahre am Blutfluß, 26 und sie hatte viel durchgemacht mit vielen Ärzten und all ihr Gut aufgewendet, und es hatte ihr nichts geholfen, sondern es war vielmehr schlimmer mit ihr geworden. 27 Als sie von Jesus gehört hatte, kam sie unter dem Volke von hinten herzu und rührte sein Kleid an. 28 Denn sie sagte: Wenn ich auch nur seine Kleider anrühre, werde ich gesund werden. 29 Und alsbald versiegte der Quell ihres Blutes, und sie spürte es am Leibe, daß sie von ihrer Qual geheilt war. 30 Und alsbald spürte Jesus an sich selbst, daß eine Kraft von ihm ausgegangen war, wandte sich unter

und dieser war Vorsteher der Synagoge. Und er warf sich Jesus zu Füßen und bat ihn, in sein Haus zu kommen; 42 denn er hatte eine einzige Tochter von etwa zwölf Jahren, und diese lag im Sterben.

Während er aber hinging, umdrängte ihn die Volksmenge.

43 Und eine Frau, die seit zwölf Jahren am Blutfluß litt und all ihr Gut an die Ärzte gewendet hatte und von niemandem hatte geheilt werden können,

44 trat von hinten hinzu und rührte die Quaste seines Kleides an;

und sofort kam ihr Blutfluß zum Stillstand.

45 Und Jesus sprach: Wer hat mich angerührt? Als aber alle es

22 Jesus aber wandte sich um, sah sie und sprach: Sei getrost, meine Tochter; dein Glaube hat dich gerettet. Und die Frau war von jener Stunde an gesund.

dem Volke um und sagte: Wer hat meine Kleider angerührt? 31 Und seine Jünger sagten zu ihm: Du siehst, wie das Volk dich umdrängt, und sagst: Wer hat mich angerührt? 32 Und er blickte umher, um die zu sehen, welche dies getan hatte. 33 Die Frau aber kam mit Furcht und Zittern, weil sie wußte, was ihr geschehen war, warf sich vor ihm nieder und sagte ihm die ganze Wahrheit.

34 Er aber sprach zu ihr: Meine Tochter, dein Glaube hat dich gerettet. Geh hin in Frieden und sei von deiner Qual gesund!

35 Während er noch redet, kommen Leute des Vorstehers der Synagoge und sagen: Deine Tochter ist gestorben, was bemühst du den Meister noch? 36 Jesus aber achtete nicht auf das Wort, das gesprochen wurde, und sagte zu dem Vorsteher der Synagoge: Fürchte dich nicht, glaube nur! 37 Und er ließ niemand mit

verneinten, sagte Petrus: Meister, die Volksmenge drückt und drängt dich. 46 Doch Jesus sprach: Es hat mich jemand angerührt, denn ich habe gespürt, daß eine Kraft von mir ausgegangen ist.

47 Als aber die Frau sah, daß sie nicht verborgen bleiben konnte, kam sie zitternd, warf sich vor ihm nieder und erzählte ihm vor dem ganzen Volke, aus welchem Grunde sie ihn angerührt habe und wie sie sofort geheilt worden sei.

48 Er aber sprach zu ihr: Meine Tochter, dein Glaube hat dich gerettet; gehe hin in Frieden.

49 Während er noch redete, kam jemand von den Leuten des Vorstehers der Synagoge und sagte: Deine Tochter ist gestorben; bemühe den Meister nicht mehr! 50 Als Jesus das hörte, antwortete er ihm: Fürchte dich nicht! glaube nur! und sie wird gerettet werden. 51 Als er aber in das Haus kam, ließ er niemand mit sich hin-

23 Und als Jesus in das Haus des Vorstehers kam und die Flötenbläser und das Volk lärmen sah, sprach er:

sich gehen außer Petrus und Jakobus und Johannes, den Bruder des Jakobus. 38 Und sie kommen in das Haus des Vorstehers der Synagoge, und er nimmt den Lärm wahr und Leute; die weinen und laut klagen.

eingehen als Petrus und Johannes und Jakobus und den Vater des Kindes und die Mutter.

24 Gehet hinweg, denn das Mädchen ist nicht gestorben, sondern es schläft. Und sie verlachten ihn. 25 Als aber das Volk hinausgetrieben war, ging er hinein und

39 Und er geht hinein und sagt zu ihnen: Was lärmt und weint ihr? Das Kind ist nicht gestorben, sondern es schläft. 40 Und sie verlachten ihn. Er aber treibt alle hinaus, nimmt des Kindes Vater und Mutter und seine Begleiter mit sich und geht (in das Gemach) hinein, wo das Kind war.

52 Sie weinten aber alle und klagten um sie. Er jedoch sprach: Weinet nicht! sie ist nicht gestorben, sondern sie schläft. 53 Und sie verlachten ihn, weil sie wußten, daß sie gestorben war.

ergriff ihre Hand;

41 Und er ergreift des Kindes Hand und sagt zu ihm: Talitha kumi! was übersetzt heißt: Mädchen, ich sage dir, steh auf! 42 Da stand das Mädchen sogleich auf und ging umher; es war nämlich zwölf Jahre alt. Und sie gerieten alsbald in großes Staunen. 43 Und er gebot ihnen ernstlich, daß niemand dies erfahren solle, und befahl, ihr zu essen zu geben.

54 Er aber ergriff ihre Hand und rief: Kind steh auf!

und das Mädchen stand auf.

55 Da kehrte ihr Geist wieder, und sie stand sofort auf; und er befahl, ihr zu essen zu geben.

26 Und das Gerücht hiervon verbreitete sich in jener ganzen Gegend.

56 Und ihre Eltern erstaunten; er aber gebot ihnen, niemandem zu sagen, was geschehen war.

Schon ein erster Blick zeigt, daß die Abweichungen keineswegs unerheblich sind. Besonders auffallend sind die Eigenarten der Matthäus-
Fassung; aber auch zwischen Markus und Lukas bestehen einige Unterschiede. Das bedeutet jedoch, daß man jede Überlieferung für sich
betrachten muß. Ich beginne mit der Markus-Fassung, da das Markusevangelium zu Recht als das älteste Evangelium gilt[1].

Markus verbindet die Geschichte, um die es jetzt geht, mit der vorangehenden Heilung eines Besessenen im Gebiet der Gerasener Mk
5,1—20. Nach seiner Rückkehr vom jenseitigen Ufer des Sees Genezareth
ist Jesus wiederum von einer großen Volksmenge umgeben. Da naht sich
ihm Jairus, einer der Synagogenvorsteher, wirft sich ihm zu Füßen und
bittet flehentlich, Jesus möge seine schwerkranke Tochter durch Handauflegung heilen, damit sie am Leben bleibe (V. 22f.). An Stelle einer ausdrücklichen Antwort Jesu wird erzählt, daß Jesus mit ihm ging (V. 24a).
Das ist für den Leser bzw. Hörer deutlich genug. So ist mit wenigen
Strichen die Ausgangssituation gezeichnet, die für das Verständnis der
folgenden Geschichte bekannt sein muß.

Wie weit es bis zum Hause des Jairus ist, wird nicht gesagt. Ebenso
verlautet nichts darüber, wie Jairus erfahren hat, wo er Jesus finden
konnte, noch worauf sich sein Zutrauen zur Macht Jesu gründete. Mag
es uns angesichts der Feindschaft der jüdischen Führer gegen Jesus
auch verwunderlich erscheinen, daß hier sogar ein Synagogenvorsteher zu Jesus kommt, so liegt in der Geschichte der Ton darauf
gerade nicht.

Wie der Fortgang der Geschichte zeigt, war große Eile geboten, wenn
Jesus noch rechtzeitig kommen sollte. Davon ist in dieser Einleitung nicht
ausdrücklich die Rede. Die Aufforderung zur Eile ergibt sich allenfalls
indirekt aus der Schilderung des Vaters, wie ernst es um sein Kind steht,
sowie aus der Dringlichkeit seiner Bitte. Wenn dennoch von vornherein
feststeht, daß Eile dringend geboten ist, so liegt das vornehmlich an der
knappen Art der Darstellung.

---

[1] Vgl. zum folgenden W. Marxsen, Bibelarbeit über Mk 5,21—43 / Mt
9,18—26, in: Fragen der wissenschaftlichen Erforschung der Heiligen Schrift.
Sonderdruck aus dem Protokoll der Landessynode der Evangelischen Kirche im
Rheinland, Januar 1962, S. 10—23. [= abgedruckt in: W. Marxsen, Der Exeget
als Theologe. Vorträge zum Neuen Testament, Gütersloh 1968, S. 171—182.]

Diese knappe Darstellung steht in betontem Gegensatz zum folgenden Abschnitt V. 25—34. Heißt es zunächst V. 24b noch ganz kurz, daß viel Volk, von dem bereits im einleitenden Vers die Rede war, Jesus folgte und ihn bedrängte, setzt in V. 25 die Schilderung der Geschichte der blutflüssigen Frau sehr breit ein. Ihre Krankheit und die vielen vergeblichen Bemühungen, bei Ärzten Hilfe zu finden, werden V. 26 erwähnt. Daß sie sich jetzt an Jesus wendet, wird V. 27 ausdrücklich damit begründet, daß sie von ihm gehört hatte. Auch die näheren Umstände ihres Vorgehens, daß sie nämlich von hinten kommend unbemerkt nur Jesu Kleider berührt, werden V. 28 mit ihrer ausdrücklichen Erwägung begründet, daß das wohl schon genügen würde. Hinter dieser Darstellung steht die antike Vorstellung vom mit göttlicher Kraft erfüllten Wundermann, der durch bloße Berührung magisch Heilung vermittelt, die hier auch V. 29 sogleich eintritt. Wieder wird ausdrücklich festgestellt, daß die Frau das sogleich merkte. Ohne diesen Hinweis wäre der Fortgang der Erzählung nicht verständlich; denn auch Jesus merkt (V. 30) sogleich, daß eine Kraft von ihm ausgegangen ist, wendet sich in der Menge um und forscht nach: „Wer hat meine Kleider angerührt?"

Die Jünger, die in dieser Geschichte erst jetzt erwähnt werden und von der Begebenheit offensichtlich nichts bemerkt haben, wenden V. 31 verwundert ein: „Du siehst, wie die Menge dich umdrängt, und sagst: Wer hat mich angerührt?" Eine merkwürdige Frage, in der Tat, wenn es von Anfang an klar ist, daß Jesus von einer großen Menschenmenge umgeben ist, in deren Gewühl man sich andauernd gegenseitig hin und her stößt! Der kurze Hinweis in der Situationsschilderung V. 24b wird durch diesen Einwand der Jünger dem Hörer und Leser dieser Geschichte noch einmal nachdrücklich in Erinnerung gebracht! Jesus aber läßt sich von seinem Vorhaben nicht abbringen und mustert forschend die Menge, um herauszufinden, wer es war. (Der Erzähler formuliert V. 32 vom Standpunkt des Wissenden aus, wenn er sagt: wer *die* war, die das getan hatte.) Diese Szene darf man sich nicht gerade kurz vorstellen, wenn es schließlich V. 33 heißt, daß die Frau ängstlich und zitternd, wohl wissend, was ihr geschehen war, kommt, vor Jesus niederfällt und ihm die ganze Wahrheit gesteht. — Das wird nun nicht weiter ausgeführt, aber es ist jedem Leser ohnehin klar, daß sie jetzt ihre ganze Krankengeschichte wiederholt, die eingangs breit geschildert war, und berichtet, wie sie von Jesus gehört hat und welche Überlegungen sie leiteten, als sie die günstige Gelegenheit im Gedränge der Menge ausnutzte, sich heimlich die ersehnte Heilung zu verschaffen.

Die Worte Jesu V. 34 „Tochter, dein Glaube hat dich gerettet, gehe hin in Frieden und sei von deiner Qual gesund" stehen in einer eigentümlichen Spannung zur voraufgehenden Geschichte. Hier entsteht der Eindruck, als erfolge die Heilung erst auf Grund dieses Wortes Jesu, während dort betont war, daß die Heilung sofort durch die Berührung eintrat. Das wirkt wie eine nachträgliche Korrektur der Auffassung, die sich in der Geschichte dokumentiert. Zwar ist es auch dort der Glaube, der die Frau zu ihrem Vorhaben veranlaßt. Aber während dort durch die List der Frau über Jesus verfügt wird, stellt erst die Fortsetzung ihn als den Herrn dar, der mit seinem Wort die Heilung zuspricht.

Diese breit darstellende Erzählung von der blutflüssigen Frau hat inhaltlich gar nichts mit der Geschichte zu tun, die V. 22f. mit der Bitte des Jairus um Heilung seiner Tochter begann. Im Handlungsablauf dieser Geschichte bildet sie vielmehr nur ein retardierendes Moment. Hier bedeutet sie nicht mehr als etwa die Bemerkung, daß Jesus auf dem Wege aufgehalten wurde. Erzähltechnisch aber bringt sie das Motiv, daß Jesus aufgehalten wurde, insbesondere durch ihren stilistischen Gegensatz zur knappen Einleitung sehr viel nachhaltiger zur Geltung, als das durch einen einfachen Hinweis möglich gewesen wäre. Wer diese Geschichte einmal laut liest, wird merken, daß sich durch den Einschub bei einem aufmerksamen Hörer die Frage aufdrängen muß, ob Jesus jetzt wohl noch rechtzeitig kommen kann, um der Tochter des Jairus zu helfen.

Die gespannte Erwartung, die durch den langatmigen Einschub über die Heilung der blutflüssigen Frau beim Hörer entsteht, gerät durch den Fortgang der Erzählung in eine Krise. Denn während Jesus noch mit der Frau spricht, kommen Boten vom Hause des Synagogenvorstehers (V. 35) mit der Nachricht, das Kind sei bereits gestorben. Die Enttäuschung, die sich damit beim Hörer der Geschichte einstellt, wird von ihnen in die Worte gefaßt: „Was bemühst du den Meister noch?" — Mit dem Tod des Kindes ist nach ihrer Meinung eine Grenze erreicht, über die hinaus auch Jesus nichts vermag. Eine Heilung trauten sie Jesus zu. Innerhalb der Grenzen, in denen sie es für möglich hielten, waren sie bereit, mit der Hilfe Jesu zu rechnen. Jetzt aber, da diese Grenze überschritten war, bestimmten sie wiederum von sich aus, daß es keinen Zweck hatte, weiter auf die Hilfe Jesu zu hoffen.

Um diesen Gegensatz zwischen der Meinung der Menschen und Jesus geht es im weiteren Verlauf dieser Geschichte. Denn nun heißt es V. 36, daß Jesus „vorbeihörte" (so lautet die wörtliche Übersetzung) an dem, was die Boten sagten, und den Synagogenvorsteher aufforderte: „Fürchte dich nicht, glaube nur!" Diese Aufforderung zum Glauben erfolgt also gerade an der Stelle, wo nach menschlichem Ermessen nichts mehr zu hoffen ist. Dann heißt es V. 37, daß Jesus nur Petrus, Jakobus und Johannes mitzugehen erlaubte. Diese drei Jünger sind auch sonst öfter im Markusevangelium, bei der Verklärung Mk 9,2ff., bei der Rede über die Endereignisse Mk 13,3ff. (hier freilich zusammen mit Andreas) sowie in Gethsemane Mk 14,33ff., die einzigen Jünger, die Jesus bei besonderen Begebenheiten dabeisein läßt. Die Aussonderung dieser drei ist darum ein Hinweis darauf, daß auch jetzt etwas Besonderes bevorsteht. Die eingangs erwähnte große Menge dagegen ist mit dem Abschluß der Erzählung von der blutflüssigen Frau überflüssig geworden.

Im Hause des Synagogenvorstehers sind V. 38 bereits alle Vorbereitungen für die Beerdigung getroffen. Jesus wehrt V. 39 diesem Treiben: „Das Kind ist nicht gestorben, sondern es schläft." Ein Gelächter ist die Antwort V. 40a. Man kann es sich gar nicht höhnisch genug vorstellen. In dieser Reaktion der Menschen drückt sich die überlegene Gewißheit aus, daß dieses Kind wirklich gestorben ist. Jesu Behauptung bedeutet nichts weniger als die Unterstellung, daß die Klageweiber, also die Fachleute auf diesem Gebiet, ihr Geschäft nicht verstehen und ein noch lebendiges Kind zu beerdigen drohen. Deutlicher als mit diesem knappen Zug konnte der Erzähler nicht hervorheben, welch ein Gegensatz zwischen der Meinung der Menschen und Jesus besteht.

Darauf treibt Jesus die Menge hinaus und geht nur mit den Eltern und seinen drei Jüngern zum Kind hinein, faßt es bei der Hand und sagt: „Mädchen, ich sage dir, stehe auf" V. 40f. Diese ursprünglich aramäisch gesprochenen Worte haben nichts Zauberhaftes an sich, vielmehr sind das Worte, mit denen die Mutter das Kind geweckt haben könnte. Als diese Geschichte in griechischer Sprache weiterüberliefert wurde, blieben die aramäischen Worte aber neben der griechischen Übersetzung stehen. In der überliefernden Gemeinde bahnt sich damit die Tendenz an, Jesus als „Zauberer" darzustellen, indem man die Wunder wirkenden Worte in der fremdartigen Ursprache gleichsam als Zauberformel stehen ließ. Gerade diese Tendenz ist der ursprünglichen Erzählung jedoch fremd. Hier wird vielmehr ein geradezu „profaner" Vorgang geschildert, wie Jesus ein schlafendes Kind weckt, das nach Meinung der Menschen tot war. Und sogleich geschieht das „Wunder": Das Kind steht auf und geht umher, denn es war zwölf Jahre alt; die Zeugen aber reagieren mit großem Erstaunen V. 42. Jesus befiehlt ihnen nachdrücklich, daß niemand etwas von dieser Begebenheit erfahren sollte, und läßt dem Kind zu essen geben (V. 43).

Sind die letzten Worte auch verständlich als nachdrückliche Unterstreichung der Tatsache, daß das Kind wirklich wieder am Leben und gesund war, so ist doch der Befehl Jesu, diese Begebenheit geheimzuhalten, undurchführbar angesichts der vielen Menschen, die bereits alles zur Beerdigung vorbereitet hatten. Doch das kümmert den Erzähler nicht, denn darüber verliert er kein Wort. Da derartige Schweigegebote auch in anderen Geschichten im Markusevangelium begegnen, hat man vermutet, daß Markus sie erst bei der Abfassung seine Evangeliums in die von ihm verarbeitete Überlieferung eingefügt hat. Wahrscheinlich dürfte darum auch der letzte Vers dieser Geschichte auf Markus zurückzuführen sein, und wir hätten es bei diesem merkwürdigen Befehl mit seiner Theorie vom „Messiasgeheimnis" zu tun. Da diese sich aber nur erklären läßt, wenn man auch viele andere Stellen des Markusevangeliums heranzieht, soll es für unseren Zusammenhang genügen, daß die Geschichte ursprünglich vermutlich mit dem Erstaunen der Zeugen V. 42 endete.

Schon diese kurze Betrachtung zeigt, daß man der Markus-Erzählung offensichtlich nicht gerecht wird, wenn man vorschnell über die Inhalte des Berichteten urteilt. Ob die Heilung der blutflüssigen Frau tatsächlich auf dem Wege zum Krankenlager der Tochter des Synagogenvorstehers stattfand, ist gar nicht wichtig. Erzählt wurde sie in dieser Ausführlichkeit im Zusammenhang mit der Jairus-Geschichte offensichtlich nur, um beim Hörer dieser Geschichte die gespannte Erwartung zu erzeugen, ob Jesus wohl noch rechtzeitig genug kommt. In dem Augenblick, in dem diese Erwartung durch die Nachricht der Boten enttäuscht wird, fällt das Wort Jesu vom Glauben. Damit tritt Jesus in Gegensatz zur Meinung der Menschen. Seinen Höhepunkt erreicht dieser Gegensatz im Hause des Synagogenvorstehers, wo Jesus mit seiner Meinung, das Kind sei nicht tot, sondern es schlafe, auf den höhnischen und überlegenen Spott derer trifft, die es besser wissen. Gewiß meint der Erzähler, daß das Kind tatsächlich gestorben war. Das zeigt nicht zuletzt die Tatsache, daß er von der Aussonderung der drei Jünger erzählt, die auch sonst bei besonderen Ereignissen dabei sind. Auffallend aber ist, wie merkwürdig zurückhaltend das angedeutet wird. Die Tatsache der Totenauferweckung ist ganz in den Gegensatz zwischen der Meinung der Menschen und der Forderung Jesu, auch angesichts des scheinbar Unabänderlichen zu glauben, hineingenommen. Achtet man auf die Bewegung der Erzählung, so ist deutlich, daß hier nicht ein wunderbares Ereignis einer fernen Jesus-Vergangenheit berichtet werden soll. Vielmehr soll der Hörer der Geschichte, der sich ganz selbstverständlich mit dem bittenden Jairus identifiziert, mit hineingenommen werden in ein Geschehen, in dem ein begrenzter Glaube, der Jesus nur im Rahmen des für möglich Gehaltenen vertraut, entschränkt wird zu einem grenzenlosen Vertrauen auch da, wo nach menschlichem Ermessen nichts mehr zu hoffen ist.

Die Interpretation durch Matthäus und Lukas. Matthäus und Lukas haben beide unabhängig voneinander das Markusevangelium bei der Abfassung ihrer Werke benutzt. Beide haben diese Geschichte aus ihrer Vorlage übernommen, freilich nicht ohne sie zu verändern. Diese Änderungen gilt es nun zu verstehen.

Matthäus erzählt die Geschichte im Anschluß an das Zöllner-Sünder-Gastmahl Mt 9,9—13 und die Erörterung der Fasten-Frage mit den Johannes-Jüngern Mt 9,14—17. Während Jesus noch mit ihnen spricht, kommt ein hier namentlich nicht genannter Vater und bittet: „Meine Tochter ist soeben gestorben. Aber komm und lege deine Hand auf sie, so wird sie leben." Schon diese Bitte, die in der Markus-Fassung undenkbar wäre, zeigt, daß Matthäus auf gar keinen Fall vorhaben kann, nur seine Markus-Vorlage getreu wiederzugeben. Denn die Fassung der Geschichte, die Markus bietet, will ja erst zu einem solchen Glauben hinführen, den der Vater hier bereits von vornherein mitbringt. Nach Markus kommt der Vater nur mit einem begrenzten Glauben zu Jesus. Zwar erzählt Markus nicht, wie der Vater auf die Nachricht vom Tode seiner Tochter reagiert und wie er sich zur Aufforderung der Boten stellt, Jesus jetzt nicht weiter zu belästigen. Markus erzählt vielmehr nur, daß Jesus an diesen Worten vorbeihört und zum Glauben auffordert. Das zeigt deutlich, daß es in der Markus-Fassung der Geschichte gar nicht um den Vater geht, sondern um den Hörer, der in diese Spannung zwischen der Meinung der Menschen und der Aufforderung Jesu hineingenommen wird. Aber wenn man schon über den Glauben des Vaters in dieser Geschichte reflektiert, muß man wohl sagen, daß er die Bitte, mit der nach Matthäus die Geschichte beginnt, so erst formulieren könnte, nachdem er einmal die Geschichte in der Form erlebt hat, wie Markus sie erzählt. So zeigt schon dieser Anfang, daß Matthäus mit seiner Erzählung eine ganz andere Absicht verfolgt als Markus.

Da das Kind von Anfang an tot ist, entfällt für Matthäus die Nötigung, die Episode mit der blutflüssigen Frau als retardierendes Moment ebenso breit zu schildern wie seine Vorlage. Darum benötigt er auch nicht die Menge, in deren Gedränge die Frau sich an Jesus heranmacht und erst nach längerem Nachforschen Jesu bekennt, was sie getan hat. Vielmehr heißt es Mt 9,19 ganz kurz, daß Jesus dem Vater mit seinen Jüngern folgte. Die lange Krankengeschichte der Frau sowie das Nachforschen Jesu, wer ihn berührt habe, entfallen. Zwar naht sich (V. 20) die schon zwölf Jahre lang leidende Frau von hinten wie in der Markus-Vorlage, doch drückt das bei Matthäus nur aus, daß sie gewiß ist, auch schon durch bloße Berührung des Gewandes Jesu geheilt zu werden (V. 21). Das Motiv des Heimlichen bei dieser Berührung entfällt völlig, denn Jesus wendet sich (V. 22) sofort zu ihr um und spricht das Wort vom Glauben, der sie gerettet habe. Erst danach stellt der Erzähler die erfolgte Heilung fest.

Obwohl der Vater gekommen war, Jesus um die Auferweckung seiner Tochter zu bitten, ist auch nach der Darstellung des Matthäus (V. 23) im Hause bereits alles zur Beerdigung vorbereitet. Das zeigt, daß Matthäus trotz aller Abweichung doch von der Markus-Darstellung abhängig ist. Das entspricht jedoch auch der Auffassung, die sich im ganzen Matthäusevangelium findet. Hätte man die Vorbereitungen für die Beerdigung gar nicht erst getroffen, würde das bedeuten, daß nicht nur der Vater, sondern alle Angehörigen und auch die Nachbarn Jesus grenzenlos vertrauten. Matthäus schildert aber stets, daß nur jeweils einzelne aus der Menge Jesus als Glaubende gegenübertreten. — Wieder erntet Jesus für seine Meinung, das Kind sei nicht gestorben, es schlafe nur, höhnisches Gelächter (V. 24). Als aber die Menge hinausgetrieben war, ging Jesus hinein, faßte das Kind bei der Hand und weckte es auf (V. 25). Alle Einzelheiten der Markus-Darstellung werden fortgelassen, weder werden die Zeugen erwähnt noch die Worte Jesu genannt. Am Ende wird die Markus-Darstellung sogar korrigiert, wenn es an Stelle des Schweige gebotes V. 26 ausdrücklich heißt, daß die Kunde von dieser Begebenheit in jenes ganze Land drang.

Der Sinn dieser matthäischen Veränderung zeigt sich, wenn man darauf achtet, wie Matthäus auch sonst die Wundergeschichten seiner Markus-Vorlage verändert hat[2]. Er kürzt stets alle Nebenumstände und konzentriert die Darstellung auf die Begegnung zwischen dem hilfesuchenden Glaubenden und dem Hilfe gewährenden Herrn. Dabei zeigt er beispielhaft an diesen Begegnungen, worauf es im Glauben ankommt. So ist es auch hier. Sowohl am Beispiel des Vaters des Kindes als auch an dem der blutflüssigen Frau zeigt Matthäus, wie man an Jesus glauben soll und wie dieser Glaube erhört wird. Damit rücken die erzählten Ereignisse zwar in die ferne Jesus-Vergangenheit, behalten aber dennoch als beispielhafte Begebenheiten einen unmittelbaren Bezug zur Gegenwart.

Wieder ganz anders verändert *Lukas* diese Geschichte. Er erzählt sie 8,40—56 wie Markus im Anschluß an die Reise ins Land der Gerasener (Lk 8,26—39). Er erzählt aber nicht einfach wie Markus, daß nach der Rückkehr Jesu sich wieder eine große Menge um ihn versammelte, sondern er begründet das V. 40 ausdrücklich damit, daß die Menge Jesus erwartet hatte. Der Bitte des Synagogenvorstehers Jairus wird Nachdruck verliehen, indem V. 42a von dessen einziger Tochter die Rede ist. Auch erwähnt Lukas schon hier, daß das Kind zwölf Jahre alt war und im Sterben lag. Jedoch bittet Jairus nur, daß Jesus in sein Haus komme. Daß er dann helfen wird, ist selbstverständlich. Lukas vermeidet die Bitte um Handauflegung, weil die Erweckung V. 54 durch die Stimme erfolgt (s. u.).

Die Episode mit der blutflüssigen Frau führt Lukas V. 42 etwas eleganter ein: „Während Jesus hinging, umdrängte ihn die Menge." Die Angaben über die Vorgeschichte der Frau werden V. 43 verdeutlicht: Ihren ganzen Lebensunterhalt hatte sie an die Ärzte verschwendet, aber von niemandem konnte sie geheilt werden. Die Überlegung der Frau, daß es genügen würde, nur das Gewand Jesu zu berühren, läßt Lukas fort. Dafür schildert er V. 44 genauer, daß sie lediglich die Quaste des Gewandes Jesu berührte. Das besagt dasselbe wie jene Erwägung, stellt die Bege-

[2] Vgl. Heinz Joachim Held, Matthäus als Interpret der Wundergeschichten, in: Bornkamm, Barth und Held, Überlieferung und Auslegung im Matthäus-Evangelium, 2. durchgesehene Aufl., Neukirchen 1961, S. 155—287.

benheit aber von außen — aus der Sicht des Beobachters — dar. Daß die Frau zuvor von Jesus gehört hatte, erwähnt Lukas nicht, da es sich von selbst versteht.

Wichtiger als diese einzelnen Abweichungen im Inhaltlichen ist nun aber, daß es Lukas durch seine Veränderungen gelingt, die ganze leidvolle Vorgeschichte der Frau und den Bericht von der heimlich erschlichenen Heilung V. 43 f. in einen einzigen Satz zusammenzufassen. Das ist stilistisch sehr viel geschickter als in der Markus-Darstellung. Diese enthält V. 25—27 zwar auch eine etwas längere Satzperiode, die jedoch sehr langatmig ist und vor der Bemerkung über die sofortige Heilung V. 29 durch die Überlegung der Frau V. 28 unterbrochen wird, daß es genügen würde, nur das Gewand Jesu zu berühren. Während Markus mit seiner Formulierung auch schon rein stilistisch die Verzögerung herausstellt, die diese Episode für die Haupthandlung bedeutet, strafft Lukas den Ereignisablauf und arbeitet dadurch das Wunder der allein durch die Berührung bewirkten sofortigen Heilung heraus: Und sofort kam ihr Blutfluß zum Stillstand.

Im folgenden macht Lukas die Handlung durch ganz geringfügige Änderungen psychologisch verständlicher. Jetzt fragt Jesus (V. 45): „Wer hat mich berührt?" Lukas betont ausdrücklich, daß alle es verneinten — also auch die Frau! Petrus wagt hier im Unterschied zur Markus-Darstellung nicht, Jesus wegen einer unsinnigen Frage zu tadeln, sondern gibt darauf die Antwort: „Meister, die Volksmenge drückt und drängt dich." Doch Jesus bleibt bei seiner Frage und begründet sie jetzt auch V. 46: „Es hat mich jemand angerührt, denn ich habe gespürt, daß eine Kraft von mir ausgegangen ist." Damit löst Lukas die Schwierigkeit, woher seine Vorlage denn wissen konnte, daß eine Kraft von Jesus ausgegangen war und Jesus das gemerkt hatte! Damit begründet er aber zugleich auch, warum die Frau V. 47 ihre heimliche Tat nach anfänglichem Leugnen schließlich doch eingesteht: „Als aber die Frau sah, daß sie nicht verborgen bleiben konnte, kam sie zitternd, warf sich vor ihm nieder und erzählte ihm vor dem ganzen Volk, aus welchem Grunde sie ihn angerührt habe und wie sie sofort geheilt worden sei." Nach dieser zweimaligen Betontung der sofortigen Heilung erschien es Lukas offensichtlich unpassend, daß Jesus der Frau noch einmal die Heilung zugesprochen haben sollte. Darum läßt er Jesus V. 48 nur sagen: „Tochter, dein Glaube hat dich gerettet; gehe hin in Frieden!"

Während die Boten mit der Todesnachricht Mk 5,35 Jairus — gleichsam versucherisch — fragen, warum er jetzt noch den Meister belästigen wolle, formuliert Lukas V. 49 diese Frage als eine Aufforderung: „Bemühe den Meister nicht mehr!" Hörte Jesus nach der Markus-Darstellung an der Frage vorbei, heißt es bei Lukas V. 50: „Als Jesus das hörte, antwortete er ihm: Fürchte dich nicht, glaube nur, und sie wird gerettet!" Damit erfolgt eine tiefgreifende Veränderung der Markus-Vorlage. Jetzt entsteht nicht mehr eine Spannung zwischen der Meinung der Menschen und der Glaubensforderung Jesu, der vorbeihört an dem, was die Boten sagen. Vielmehr nimmt Jesus hier die Nachricht vom Tode des Mädchens voll zur Kenntnis und zeigt dem Vater einen Weg, wie dieses Mißgeschick wieder rückgängig gemacht werden kann.

Die Aussonderung der Jünger, die das Wunder miterleben dürfen, erfolgt V. 51 erst im Hause des Synagogenvorstehers. Hier sind nach der Darstellung des Lukas die üblichen Trauerzeremonien noch nicht begonnen worden. Die entsprechende Notiz Mk 5,38 läßt Lukas aus und übergeht damit das Problem, das bei Markus offenbleibt, wie diese Trauervorbereitungen in der offensichtlich kurzen Abwesenheit des Jairus schon so weit gediehen sein konnten. Dafür sind nach Lukas V. 52f. nun aber ausgerechnet drei Jünger und die Eltern diejenigen, die Jesus wegen seiner Meinung auslachen, das Kind sei nicht gestorben, sondern es schlafe nur! Ausdrücklich wird dieses Lachen damit begründet, daß sie wußten, daß das Kind gestorben war. Dieses Lachen ist jedoch nicht das höhnische Lachen des Fachmannes, sondern das ungläubige Lachen des von einem unwiederbringlichen Verlust Betroffenen. Jesus aber ergreift das Kind bei der Hand und ruft es mit den Worten: „Kind, steh auf" ins Leben zurück (V. 54). Auf die aramäischen Worte verzichtet Lukas dabei, weil er durch diese Beschreibung und durch die folgende Erklärung V. 55 ohnehin deutlich genug macht, daß es sich hier um einen Wunder wirkenden Ruf handelt: Auf diesen Ruf hin kam der Geist des Kindes wieder, und es stand sofort auf.

Alle Veränderungen, die Lukas an seiner Vorlage vorgenommen hat, dienen dazu, den Ablauf der Ereignisse psychologisch verständlich zu machen. Damit erfüllt Lukas das Programm, das er in seinem Vorwort Lk 1,1—4 ausdrücklich nennt: Er schildert ein Ereignis der Jesus-Vergangenheit, von der er selbst nur noch durch die Erzählungen jener Männer weiß, die vor ihm die Berichte, die von Augen- und Ohrenzeugen überliefert worden waren, aufgeschrieben haben. Er hat seine Markus-Vorlage

als historischen Bericht gelesen. Wo sie ihm seiner Absicht nicht zu genügen schien, hat er sie in seinem Sinne verändert. Seine Abweichungen von
der Markus-Darstellung dürfen darum nicht als selbständige Überlieferung
zur Rekonstruktion der Ereignisse der Jesus-Vergangenheit benutzt werden, sondern zeigen lediglich, welch ein Bild sich Lukas auf Grund seiner
Quellen von dieser Vergangenheit machte. Freilich ist unsere Perikope nur
ein sehr kleiner Baustein in diesem Bild, das Lukas sich von dieser Vergangenheit machte. Es muß als Bestandteil dieses größeren Ganzen verstanden
werden, das uns im Werk des Lukas, im Evangelium und in der Apostelgeschichte, vorliegt. Doch das näher auszuführen, ist hier nicht der Ort.

Ereignis und Überlieferung

Grundsätzliche Erwägungen

Was ist nun aber tatsächlich geschehen? Bisher wurde lediglich nach
dem Sinn der Überlieferungen gefragt; die Frage nach dem Ereignis, das
ihnen zugrunde liegt, wurde noch gar nicht gestellt. Das heißt nicht, daß
sie damit schon als selbstverständlich beantwortet ist.

Der Vergleich der Texte zeigte, daß es verhältnismäßig einfach ist, den
Sinn der Überlieferung festzustellen. Man bleibt dabei ganz unmittelbar
an der Sprachgestalt der Überlieferung orientiert und muß prüfen, welchen Sinn die einzelnen Sätze im Zusammenhang haben. Das Ergebnis
bleibt freilich immer eine Vermutung, eine Folgerung aus dem Text. Dabei gibt es verschiedene Grade der Wahrscheinlichkeit. Auch die so
selbstverständlich erscheinende Annahme, eine biblische Erzählung sei
verfaßt worden, um genau zu berichten, wie es war, ist eine Folgerung
aus dem Text. Es fragt sich nur, ob dieses Urteil in jedem Fall zutrifft.

Schwieriger ist es, die historische Frage zu beantworten. Die Taten, die
Jesus von Nazareth getan hat, gehören einer fernen Vergangenheit an, zu
der wir keinen unmittelbaren Zugang mehr haben. Zugänglich sind uns
nur die uns heute vorliegenden Texte des Neuen Testaments, in denen
der Glaube an Jesus von Nazareth sich ausspricht und in denen seinen
Taten eine ganz bestimmte Bedeutung beigemessen wird. Befrage ich
diese Texte nach den Begebenheiten, die sich damals tatsächlich zugetragen haben, sind einige Gesichtspunkte zu berücksichtigen:

Auch das historische Urteil über ein Ereignis, das ich nur auf Grund eines überlieferten Berichtes fälle, ist eine Folgerung aus diesem Text. Das gilt grundsätzlich selbst bei Texten, die ein Ereignis zu besiegeln scheinen, wie zum Beispiel der überlieferte Vertrag vom Verkauf eines Grundstückes, und insofern zum Ereignis selbst hinzugehören. Daß etwa ein Vertrag tatsächlich geschlossen wurde, ist eine Folgerung aus dem überlieferten Dokument; es könnte sich ja auch um den Täuschungsversuch eines Fälschers handeln. Ebenso verhält es sich mit Ereignissen, von denen ich nur durch einen Bericht erfahre, der als solcher nicht ursprünglich zum Ereignis hinzugehört. Normalerweise geht man zwar bis zum Erweis des Gegenteils davon aus, daß ein berichtetes Ereignis tatsächlich stattgefunden hat. Das ändert jedoch nichts daran, daß auch das positive Urteil über die Tatsächlichkeit dieses Ereignisses eine Folgerung aus dem Text ist.

Bei Texten, die nicht — wie zum Beispiel Vertragsdokumente — selbst zum Ereignis hinzugehören, sondern ein Ereignis nur berichten, ist nun aber nicht nur das Urteil über die Tatsächlichkeit des Geschilderten eine Folgerung aus dem Text, sondern ebenso das Bild, das man sich über den Ablauf des geschilderten Ereignisses macht. Die Schilderung ist in jedem Fall nicht identisch mit dem Ereignis selbst.

Wie ein Ereignis in einem Text gleichsam „zu Worte kommt", ist von vielen Faktoren abhängig. Dabei kann man zwei Gruppen unterscheiden: einmal handelt es sich um Faktoren, die daran beteiligt sind, wie dem Berichtenden ein Ereignis, das er nun schildern will, zur Kenntnis gelangt; das andere Mal handelt es sich um Faktoren, die daran beteiligt sind, wie dieses Ereignis weitergesagt wird, also die Absicht, in der berichtet wird.

1. Zu der erstgenannten Gruppe gehört die Nähe eines Zeugen zum Ereignis, und zwar sowohl die räumliche als auch die zeitliche Nähe.

a) Wesentlich für den Eindruck, den ein Geschehen auf den Beobachter macht, ist sein Standort. Diese Erkenntnis macht sich der Film in der Kameraführung zunutze, indem etwa Bedrohung und Verehrung von unten nach oben, Überlegenheit, Verachtung und kühl manipulierende Distanz von oben nach unten gefilmt wird. Ganz urtümlich aber kommt das in der Imponierhaltung zum Ausdruck, in der man hochaufgerichtet auf seinen Gegner zugeht, um „Eindruck auf ihn zu machen". — Zum Standort des Berichtenden gehört jedoch in viel umfassenderer Weise auch sein geistiger Standort, sein Weltbild, der Horizont von Denkmöglichkeiten, in dem er ein Ereignis wahrnimmt. Dieser Horizont von Denkmöglichkeiten des Betrachters ist konstitutiv für den Eindruck, den ein Ereignis auf ihn macht. (Wer zum Beispiel heute miterlebt, wie eine unheilbar kranke Frau durch Berührung eines „Wundermannes" gesund wird, wird das psychologisch mit der Hoffnung der Frau erklären, es jedoch kaum auf die göttliche Kraft zurückführen, die vom Wundermann ausgeht.) Mit diesem Horizont von Denkmöglichkeiten, in dem ein Ereignis wahrgenommen wird, hängt schließlich eng zusammen bzw. ist weitgehend identisch die Sprache, in der man lebt, also die Möglichkeit, Empfindungen zu artikulieren, Eindrücke in Worte zu fassen, Wahrnehmungen zu deuten und damit in den Horizont von Welterfahrung, in dem man lebt, einzuordnen.

b) Das zuletzt Gesagte gilt sowohl für das, was der Augenzeuge an Selbsterlebtem weitersagt, als auch für das, was einer nur vom Hörensagen weiß. Die Unmittelbarkeit zum Ereignis selbst ist beim Augenzeugen jedoch zweifellos größer als bei demjenigen, der lediglich berichtet, was er gehört hat. Das schließt nicht aus, daß ein Nicht-Augenzeuge aus größerem Abstand besser erkennen kann, welche Bedeutung einem Ereignis zukommt, als der unmittelbare Augenzeuge, der zunächst nur unter dem Eindruck des Geschehens steht. Aber die spätere Deutung bleibt doch immer auf den Augenzeugen angewiesen. Sie muß sich an seinem Zeugnis bewähren, wenn sie Deutung des von ihm berichteten konkreten Ereignisses bleiben will. Darum werden die Weichen für alle spätere Deutung bereits mit der ersten Deutung durch den Augenzeugen gestellt.

2. Für die Absicht, mit der ein Ereignis in Worte gefaßt wird, gibt es eine Fülle von Möglichkeiten sowohl im Hinblick auf das, was berichtet wird, als auch im Hinblick auf den, für den berichtet wird.

a) Die Absicht im Hinblick auf das, was berichtet wird, kann reichen von dem Bemühen, das Ereignis möglichst genau zu schildern, über beiläufige Erwähnung bis hin zu nachlässiger oder bewußter Verzerrung.

b) Die Absicht im Hinblick auf den, für den berichtet wird, kann sich erstrecken von dem Bemühen, den anderen zu trösten, zu ermahnen oder anzuklagen, über die Absicht, ihn sachlich zu unterrichten, bis hin zu dem Versuch, ihn durch den Hinweis auf das berichtete Ereignis für etwas zu gewinnen.

Sowohl das jeweilige Weltbild mit seinen Denkmöglichkeiten als auch die jeweilige Absicht sowohl im Hinblick auf das Ereignis als auch im Hinblick auf den Empfänger eines Berichtes verstellen den unmittelbaren Zugang zum berichteten Ereignis selbst. Darum ist es kurzschlüssig, über den Inhalt des Berichteten zu urteilen, als wäre es das Ereignis selbst.

Es wäre nun freilich verfehlt, wollte man aus der Not eine Tugend machen und vorschnell auf die Frage nach den Tatsachen verzichten. Sind dabei jedoch die genannten Gesichtspunkte zu berücksichtigen, darf man nicht übersehen, daß es neben der oben erörterten noch viele andere Wundergeschichten im Neuen Testament gibt; denn die Basis wäre willkürlich schmal, wollte man auf den Vergleich mit ihnen verzichten und allein aus der Überlieferung von der Tochter des Jairus Schlüsse über das Wesen der Wundererzählung ziehen, um zu einem begründeten Urteil über das zugrundeliegende Ereignis zu kommen. Ich komme darum erst am Ende auf diese Frage zurück. Zunächst gilt es, auch die übrige Überlieferung von den Wundern Jesu (die anderen Wundergeschichten des Neuen Testaments bleiben in diesem Zusammenhang unberücksichtigt) mit in die Untersuchung einzubeziehen.

Die Wunder-„Fabeln"

Betrachten wir die Texte, denen wir uns jetzt zuwenden müssen, so stehen wir vor einer verwirrenden Fülle. In den vier Evangelien werden insgesamt 63 Wundergeschichten von Jesus erzählt. Hinzu kommen zahlreiche allgemeine Sammelbemerkungen über seine Wundertaten — vornehmlich an Kranken — sowie einige Einzelworte, in denen vom Wunder die Rede ist.

Diese verwirrende Fülle läßt sich freilich leicht ordnen und eingrenzen, und das soll auch gleich geschehen. Es muß nur gesehen werden, was dabei geschieht: Schon an dem Beispiel von der Auferweckung der Tochter des Jairus wurde deutlich, daß das Markusevangelium als Vorlage sowohl für das Matthäus- als auch für das Lukasevangelium gedient hat. (Außerdem hat sich in mehr als hundertjähriger Forschung die Vermutung erhärtet, daß Matthäus und Lukas darüber hinaus noch aus einer anderen gemeinsamen Quelle, der sogenannten Logien- oder Reden-Quelle „Q" geschöpft haben.) Es läßt sich darum gar nicht bezweifeln, daß Matthäus und Lukas auch — zumindest einige — Wundergeschichten aus dem Markusevangelium übernommen haben. Aber sie haben keine Geschichte unverändert übernommen. Es läßt sich vielmehr in jedem einzelnen Fall nachweisen, daß sie ihre Markus-Vorlage in einer ganz bestimmten Absicht verändert haben. Das heißt jedoch, daß sie dem Inhalt des Berichteten eine neue Deutung abgewonnen bzw. beigelegt haben. Wer unterstellt, daß die Überlieferungen ohne jede Absicht umformuliert wurden, hört darum gar nicht wirklich auf das, was die Texte sagen wollen. Es muß also jeder Text gesondert daraufhin untersucht werden — nicht was er berichtet, sondern was er „besagt". Welche Ereignisse den Überlieferungen tatsächlich zugrunde liegen, ist dagegen eine ganz andere Frage, die gesonderter Prüfung bedarf. Es wäre darum vorschnell geurteilt, wollte man die Wundergeschichten nach den verschiedenen Überlieferungen bestimmter Ereignisse gliedern.

Ich möchte vorsichtig sein und nicht von bestimmten „Ereignissen" sprechen, sondern nur nach geschilderten „Handlungsabläufen" gliedern. Mit „Handlungsablauf" meine ich die kurze Zusammenfassung aller Ereignisse, die in einer sehr viel umfangreicheren Erzählung vorkommen, den Geschehnisablauf, der einer Erzählung zugrunde liegt. Diese knappe Inhaltsangabe erklärt noch nicht, was eine ausführlichere Erzählung aus dem Geschehnisverlauf macht, welche Bedeutung sie den geschilderten Ereignissen zuschreibt. In der Literaturwissenschaft verwendet man hierfür den Begriff „Fabel"[3]. Eine „Fabel" ist also nicht nur eine erdichtete lehrhafte Tiererzählung, die natürlich kein tatsächliches Geschehen wiedergibt. Als Fachausdruck ist „Fabel" vielmehr auch die Bezeichnung für die kurze Angabe des Geschehnisverlaufs etwa eines Gedichts, einer Erzählung, einer Novelle oder eines Romans. „Fabel" bedeutet hierbei nicht, daß das Berichtete nicht geschehen ist. Selbstverständlich kann ein Gedicht oder jede andere literarische Kunstform auch ein tatsächliches Geschehen zum Gegenstand haben. Die Bezeichnung „Fabel" läßt diese Frage nach dem tatsächlichen Geschehen aber offen. Ebenso läßt die Bezeichnung „Fabel" offen, was die ausführlichere Ausgestaltung einer „Fabel" bezweckt, welch ein Sinn dem Berichteten dabei abgewonnen oder beigelegt wird. Weil bei der „Fabel" diese beiden Fragen

---

[3] W. Kayser, Das sprachliche Kunstwerk. Eine Einführung in die Literaturwissenschaft, 9. Aufl., München 1963, S. 77 ff.

ausdrücklich offenbleiben, legt sich eine Gliederung der Überlieferung von den Wundern Jesu nach den „Fabeln" nahe, die den verschiedenen Wunderberichten zugrunde liegen. Dabei verringert sich die Zahl der Wundergeschichten durch die sogenannten Parallel-Überlieferungen, die in Wahrheit aber je eigene Deutungen des Überlieferten sind.

Die 11 *Dämonenaustreibungen* lassen sich auf 4 Fabeln zurückführen.

1. Heilung des Dämonischen in der Synagoge zu Kapernaum
   Mk 1,21—28 / Lk 4,31—37.

2. Heilung eines bzw. zweier Besessener in Gerasa bzw. Gadara
   Mk 5,1—20 / Mt 8,28—34 / Lk 8,26—39.

3. Heilung eines epileptischen Knaben
   Mk 9,14—29 / Mt 17,14—21 / Lk 9,37—43a.

4. Heilung eines stummen Dämonischen
   a) Mt 9,32—34.
   b) Mt 12,22—24.
   c) Lk 11,14—15.

Die 30 *Heilungen* reduzieren sich auf 16 (bzw. 15):

1. Heilung der Schwiegermutter des Petrus
   Mk 1,29—31 / Mt 8,14—15 / Lk 4,38—39.

2. Heilung eines Aussätzigen
   Mk 1,40—45 / Mt 8,1—4 / Lk 5,12—16.

3. Heilung eines Gichtbrüchigen
   Mk, 2,1—12 / Mt 9,1—8 / Lk 5,17—26.

4. Heilung einer verdorrten Hand
   Mk 3,1—6 / Mt 12,9—14 / Lk 6,6—11.

5. Heilung einer blutflüssigen Frau
   Mk 5,25—34 / Mt 9,20—22 / Lk 8,43—48.

6. Heilung des Bartimäus bzw. zweier Blinder in Jericho
   Mk 10,46—52 / Mt 20,29—34 / Lk 18,25—43.

7. Heilung der Tochter einer Kanaanitin
   Mk 7,24—30 / Mt 15,21—28.

8. Heilung eines Taubstummen
   Mk 7,31—37.

9. Heilung des Blinden von Bethsaida
   Mk 8,22—26.

10. Heilung eines Knechtes des Hauptmanns von Kapernaum
    Mt 8,5—13 / Lk 7,1—10 u. Joh 4,46b—54.

11. Heilung zweier Blinder in Kapernaum
    Mt 9,27—31.

12. Heilung einer verkrümmten Frau
    Lk 13,10—17.
13. Heilung eines Wassersüchtigen
    Lk 14,1—6.
14. Heilung von zehn Aussätzigen
    Lk 17,11—19.
15. Heilung eines Gelähmten am Teich Bethesda
    Joh 5,1—9 u. ff.
16. Heilung eines Blindgeborenen
    Joh 9,1—7 u. ff.

(Von diesen Geschichten ist zumindest Nr. 11 eine matthäische Variante von Nr. 6, so daß sich die Zahl der „Fabeln" dadurch noch einmal verringert.)

Die 5 *Totenauferweckungen* reduzieren sich auf 3:
1. Auferweckung der Tochter des Jairus / des Synagogenvorstehers
   Mk 5,21—24.35—43 / Mt 9,18—19,23—26 / Lk 8,40—42.49—56.
2. Auferweckung des Jünglings zu Nain
   Lk 7,11—17.
3. Auferweckung des Lazarus
   Joh 11,1—44.

Die 10 *Naturwunder* reduzieren sich auf 5:
1. Sturmstillung
   Mk 4,35—41 / Mt 8,18—27 / Lk 8,22—25.
2. Das Wandeln auf dem See
   Mk 6,45—52 / Mt 14,23—33 u. Joh 6,16—21.
3. Der wunderbare Fischzug des Petrus
   Lk 5,1—11.
4. Die Verfluchung des Feigenbaumes
   Mk 11,12—14.20—26 / Mt 21,18—22.
5. Der Stater im Fischmaul
   Mt 17,24—27.

Die 6 *Speisungswunder* lassen sich wahrscheinlich auf 2 zurückführen:
1. Speisung der 5000
   Mk 6,35—44 / Mt 14,15—21 / Lk 9,12—17 u. Joh 6,1—15.
2. Speisung der 4000
   Mk 8,1—9 / Mt. 15,32—39.

Vielleicht handelt es sich auch nur um verschiedene Ausgestaltungen einer einzigen Speisungsgeschichte.

Als letzte Wundergeschichte ist schließlich noch zu nennen: Das Weinwunder zu
Kana
    Joh 2,1—11.

Ordnet man in dieser Weise nach den den Berichten zugrundeliegenden
Handlungsabläufen, bleiben also etwa 30 selbständige „Fabeln" übrig.
Allein die Tatsache, daß fast alle zumindest in zwei verschiedenen Ausgestaltungen erzählt wurden, einige aber sogar in bis zu vier (bzw. sechs)
deutlich unterscheidbaren Rezensionen vorliegen, verbietet den unmittelbaren Rückschluß aus diesen „Fabeln" auf die zugrundeliegenden tatsächlichen Ereignisse. Es ist vielmehr zunächst sehr sorgfältig die Traditionsgeschichte dieser Überlieferungen mit ihren unterschiedlichen
Intentionen zu erheben. Erst wenn die Aussageabsicht der einzelnen Er-
zählungseinheiten erkannt ist, darf man historische Urteile über die tatsächlichen Begebenheiten folgern.

Wundertaten und Zeichenforderung

Der verhältnismäßig große Umfang der Wunderüberlieferung zeigt,
daß man Jesus — zumindest zur Zeit der Abfassung der Evangelien —
ganz selbstverständlich für einen Wundertäter gehalten hat, wie es dem
damaligen Weltbild entsprach, in dem auch vielen anderen Menschen
Wundertaten zugeschrieben wurden. Da aber zumindest einige dieser
Überlieferungen bereits vor ihrer schriftlichen Fixierung durch Markus
kurz vor 70 eine deutlich erkennbare Entwicklung durchlaufen haben
(s. u.), läßt sich das Bild von Jesus dem Wundertäter bis in die älteste Zeit
hinab verfolgen. Das verbietet die Annahme, daß die Wunderüberlieferung überhaupt erst ein Produkt der späteren Gemeinde ist, die ihrer
Glaubensüberzeugung in Geschichten Ausdruck verlieh, die schlechthin
keinen Anhalt haben an — nun freilich nicht sogleich: an dem historischen Jesus, sondern methodisch vorsichtiger: an dem Eindruck, den der
historische Jesus auf die Augenzeugen machte.

Dem entspricht, daß in einigen Jesus-Worten, die ebenfalls auf sehr
alter Überlieferung beruhen, auf Jesu Wundertaten hingewiesen wird.

1. In der Überlieferung von der Anfrage des Täufers, ob Jesus der sei, der
da kommen soll (Mt 11,2—6 / Lk 7,18—20.22—23), heißt es: „Gehet
hin und berichtet dem Johannes, was ihr hört und seht: ‚Blinde werden

sehend und Lahme gehen, Aussätzige werden rein und Taube hören,
Tote werden auferweckt und Armen wird die frohe Botschaft gebracht.' "
(Lukas leitet diese Aufzählung ein, indem er Vergangenheitsformen
gebraucht „Gehet hin und berichtet dem Johannes, was ihr gesehen und
gehört *habt:* ...".)

2. Ebenso wird auf die Taten Jesu verwiesen in dem Weheruf Jesu über
Chorazin, Bethsaida und Kapernaum Mt 11,20—24 / Lk 10,13—15:
„Wehe dir, Chorazin! Wehe dir, Bethsaida! Denn wenn in Tyrus und
Sidon die machtvollen Taten geschehen wären, die bei euch geschehen
sind, so hätten sie längst in Sack und Asche Buße getan! Ja, ich sage euch:
Tyrus und Sidon wird es am Tage des Gerichts erträglicher ergehen als
euch. Und du, Kapernaum, wirst du ,bis zum Himmel erhoben werden?
Bis zum Totenreich wirst du hinabfahren' (nur Mt: Denn wenn in Sodom
die machtvollen Taten geschehen wären, die bei dir geschehen sind, stände
es noch heute. Ja, ich sage euch: Dem Lande Sodom wird es am Tage des
Gerichtes erträglicher ergehen als dir)."

3. Zu diesen beiden Überlieferungen kommt schließlich noch das Wort
aus der Verteidigungsrede hinzu, in der Jesus sich gegen den Vorwurf des
Teufelsbündnisses wehrt Mt 12,28 / Lk 11,20: „Wenn ich ... durch den
Geist (Lk: Finger) Gottes die Dämonen austreibe, so ist ja das Reich Gottes zu euch gekommen."

Angesichts dieser positiven Wertung der Taten Jesu ist es nun sehr auffällig, daß es neben den zahlreichen Wundergeschichten und den genannten Jesus-Worten jene Überlieferung gibt, nach der Jesus die Forderung nach einem Zeichen, die man an ihn herangetragen hat, strikt ablehnt. Diese Ablehnung der Zeichenforderung findet sich im Markusevangelium und in der Logienquelle, aber in unterschiedlicher Form, so
daß zunächst die Geschichte dieses Wortes verfolgt werden muß.

In der Logienquelle heißt es in der Verteidigungsrede Jesu gegen den
Vorwurf, er sei mit dem Beelzebul im Bunde (vgl. Mk 3,22 / Mt
12,22—24 / Lk 11,14—16), Lk 11,29f.: „Dieses Geschlecht ist ein böses
Geschlecht; es begehrt ein Zeichen, und ein Zeichen wird ihm nicht gegeben werden als nur das Zeichen des Jona. Denn wie Jona den Niniviten
ein Zeichen war, so wird auch der Sohn des Menschen diesem Geschlechte sein", und Mt 12,39f.: „Ein böses und abtrünniges Geschlecht begehrt ein Zeichen; und ein Zeichen wird ihm nicht gegeben werden als
nur das Zeichen des Propheten Jona. Denn wie Jona drei Tage und drei

Nächte im Bauch des Meerungetüms war, so wird der Sohn des Menschen drei Tage und drei Nächte im Schoß der Erde sein."

Auch Mk 8,11f. ist die Zeichenforderung überliefert. Hier heißt es: „Und die Pharisäer gingen hinaus und fingen an, mit ihm zu verhandeln, indem sie von ihm ein Zeichen vom Himmel begehrten, um ihn zu versuchen. Da seufzte er in seinem Geiste auf und sprach: ‚Warum begehrt dieses Geschlecht ein Zeichen? Wahrlich, ich sage euch: Diesem Geschlecht wird kein Zeichen gegeben werden.' Und er verließ sie, stieg wieder ein und fuhr ans jenseitige Ufer."

Lukas läßt diesen Markus-Abschnitt aus, wie er es auch sonst zur Vermeidung von Dubletten tut, wenn ein Wort aus dem Markusevangelium auch im Zusammenhang der Logienquelle vorkommt. Matthäus aber bringt 16,1—4 auch diesen Abschnitt aus seiner Markus-Vorlage neben dem Abschnitt aus der Logienquelle, den wir oben betrachteten: „Und die Pharisäer und Sadduzäer kamen herbei und baten ihn, um ihn zu versuchen, er möge sie ein Zeichen vom Himmel sehen lassen. Er aber antwortete und sprach zu ihnen: Wenn es Abend geworden ist, sagt ihr: Es wird schön, denn der Himmel ist rot; und am Morgen: Heute kommt ein Ungewitter, denn der Himmel ist rot und trübe. Das Aussehen des Himmels versteht ihr zu unterscheiden, aber bei den Zeichen der Zeiten könnt ihr's nicht? Ein böses und abtrünniges Geschlecht begehrt ein Zeichen, und ein Zeichen wird ihm nicht gegeben werden — (soweit entspricht der Text, wenn auch nicht wörtlich, so doch sachlich der Markus-Vorlage; aber nun fügt Matthäus zum Ausgleich mit seiner Q-Überlieferung, in der vom Jona-Zeichen die Rede ist, hinzu:) — *als nur das Zeichen des Jona.* Und er verließ sie und ging hinweg."

Wir haben somit drei verschiedene Deutungen dieses Wortes: Mk 8,11f. wird ein Zeichen eindeutig abgelehnt: „Warum begehrt dieses Geschlecht ein Zeichen? Wahrlich, ich sage euch: Diesem Geschlecht wird kein Zeichen gegeben werden."

Mt 12,39f. verweist (wie 16,1—4) auf das Jona-Zeichen: „Ein böses und abtrünniges Geschlecht begehrt ein Zeichen; und ein Zeichen wird ihm nicht gegeben werden als nur *das Zeichen des Propheten Jona. Denn wie Jona drei Tage und drei Nächte im Bauch des Meerungetüms war, so wird auch der Sohn des Menschen drei Tage und drei Nächte im Schoß der Erde sein."* — Zum Verständnis dieser Fassung ist ein Blick auf die matthäische Osterüberlieferung hilfreich. Matthäus berichtet hier von der Grabeswache, um der These vom Leichenraub der Jünger entgegenzutreten. Die Wächter aber, so wird ausdrücklich berichtet, erzählen den Juden die tatsächlichen Begebenheiten, die sie also mitbekommen haben, obwohl sie nach Mt 28,4 aus Furcht vor dem Engel des Herrn, der wie ein Blitz vom Himmel herabkam, „erbebten und wie tot wurden"! Auf diesen Bericht der Wächter hin, so heißt es Mt 28,11—15, hielten die Juden einen Rat „und gaben den Soldaten reichlich Geld und sprachen: ,Saget: Seine Jünger sind des Nachts gekommen und haben ihn gestohlen, während wir schliefen. Und wenn dies beim Statthalter vernommen wird, wollen wir ihn überreden und machen, daß ihr außer Sorge sein könnt.' Sie aber nahmen das Geld und taten, wie sie angeleitet worden waren. Und diese Aussage verbreitete sich bei den Juden bis zum heutigen Tag." Dieser Bericht ist historisch unmöglich. Er beweist aber, daß nach Matthäus die Juden wissentlich das Heil ausgeschlagen haben, daß die Auferstehung Jesu für sie tatsächlich ein Zeichen war, so daß sie unentschuldbar sind. Mit der matthäischen Interpretation des Jona-Zeichens liegt somit deutlich eine recht junge Deutung vor, die auf den Redaktor selbst zurückzuführen ist.

Auffallend ist demgegenüber die lukanische Fassung Lk 11,29f.: „Dieses Geschlecht ist ein böses Geschlecht; es begehrt ein Zeichen, und ein Zeichen wird ihm nicht gegeben werden als nur *das Zeichen des Jona. Denn wie Jona den Niniviten ein Zeichen war, so wird auch der Sohn des Menschen diesem Geschlechte sein.*" — Damit wird auf die Ereignisse bei der Parusie des Menschensohnes hingewiesen. Nach Lk 17,22—27, V. 24, wird dieses Erscheinen plötzlich und unvorhergesehen kommen und so unübersehbar sein wie der Blitz am Himmel. Dann wird der Menschensohn so unübersehbar sein, wie einst Jona den Niniviten unübersehbar war, die auf Grund seiner Bußpredigt umkehrten — aber dann wird es eben zu spät sein. Damit läuft auch die lukanische Fassung ebenso wie die marcinische auf die eindeutige Verweigerung eines Zeichens hinaus. Ob die Ablehnung der Zeichenforderung mit dem Hinweis auf das Jona-Zeichen älter ist oder die marcinische Fassung, die diesen Hinweis nicht kennt, ist für das Problem darum belanglos. — In jedem Fall haben wir den Gegensatz zwischen Überlieferungen, die positiv auf Jesu Taten verweisen, und jener Überlieferung, nach der ein Zeichen schroff abgelehnt wird. Wie ist dieser Gegensatz zu erklären?

Wunder und Glaube

Die Antwort ergibt sich, wenn man auf die Beziehung zwischen Wunder und Glauben achtet. Die Forderung nach einem Zeichen (vom Himmel!) wird von Menschen gestellt, die Jesus ungläubig ablehnen und einen Beweis seiner Legitimität verlangen, bevor sie sich weiter auf ihn einlassen wollen. Wunder dagegen geschehen Menschen, die nicht in dieser Distanz verharren, sondern sich ganz auf Jesus einlassen. Daß dies auch nach der Auffassung der Wunderüberlieferung der Jesus-Tradition so ist, zeigt sich an vielen Hinweisen.

Hier müssen aber zunächst wieder einige Unterscheidungen vorgenommen werden. Erzählt werden die Wundergeschichten über Jesus selbstverständlich ohnehin nur von Gläubigen. In welcher Absicht das geschah, soll unten wenigstens kurz angedeutet werden. Von diesem Glauben der Erzähler ist zu unterscheiden der Glaube, von dem in den Geschichten die Rede ist. Dabei ist auffallend, daß der Glaube in den Geschichten von Dämonenaustreibungen und Naturwundern keine Rolle spielt. In den Naturwundern erscheint vielmehr die Herrlichkeit Jesu überraschend vor seinen Jüngern; zumindest ist es in den ursprünglichen Fassungen der Naturwunder so. Und bei den Dämonenaustreibungen erkennt der Dämon die Macht und Überlegenheit des Gottessohnes, versucht diese Macht zu bannen oder verlegt sich aufs Bitten, wird aber gegen seinen Willen kraft der Überlegenheit Jesu vertrieben.

Anders ist es dagegen in den Heilungsgeschichten[4]. Hier besteht zwischen dem Wunder und dem Glauben ein enger Sachzusammenhang: Hier sind diejenigen, denen das Wunder widerfährt, als selber tätig dargestellt, indem sie die helfende Tat Jesu erstreben, trotz äußerer Widerstände ihre Absicht verfolgen und schließlich ihre Bitte ausdrücklich äußern, sei es durch ein eindeutiges Verhalten, das als solches „beredt" ist, sei es durch ein Wort. Dem entspricht dann auf seiten Jesu die Erfüllung dieser Bitte.

In mehreren Heilungsgeschichten wird dieses zielstrebige Wollen auf seiten des hilfesuchenden Bittstellers von Jesus nachträglich als Glauben interpretiert: „Dein Glaube hat dir geholfen / dich gerettet"; vgl. die Geschichten vom Gichtbrüchigen (Mk 2,1—12 parr), von der Blutflüs-

---

[4] Vgl. hierzu Held, a. a. O., S. 264 ff.

sigen (Mk 5,25—34 parr), von der Tochter des Jairus (Mk 5,21—24.35—43 parr), von der Kanaanitin (nur Mt 15,21—28), von dem Epileptischen (Mk 9,14—29 parr), von dem Blinden Bartimäus (Mk 10,46—52 parr), vom Hauptmann von Kapernaum (Mt 8,5—13 par), von den zwei Blinden in Kapernaum (Mt 9,27—31), von den zehn Aussätzigen (Lk 17,11—19). In anderen Geschichten macht der Erzähler durch seine Darstellung deutlich, daß es Glaubende sind, die die Hilfe erbitten. Es entspricht also der helfenden Tat Jesu eine vorgegebene Offenheit bzw. Bereitschaft auf seiten der Menschen, die Hilfe suchen. Auf wen der Glaube, von dem hier die Rede ist, sich richtet oder auf was er sich bezieht, bleibt dabei oft recht unbestimmt. Wenn die Menschen in diesen Heilungsgeschichten auch zu Jesus kommen mit ihrer Offenheit, so ist doch keineswegs eindeutig vor einem Glauben an Jesus die Rede. Einige Überlieferungen weisen vielmehr in eine ganz andere Richtung[5].

Mt 17,20 heißt es: „Amen, ich sage euch, wenn ihr Glauben hättet wie ein Senfkorn und sagtet zu diesem Berge: Hebe dich auf von dort dorthin — er wird sich heben." Hier steht das winzige Senfkorn im Gegensatz zum gewaltigen Bergmassiv, und das heißt: Der Glaube ist nicht sichtbar, aber er vermag alles. Dasselbe sagt Mk 9,23: „Alles ist möglich dem, der glaubt." Vergleicht man dieses Wort mit Mk 10,27, wo es heißt: „Alles ist bei Gott möglich", so legt sich die Vermutung nahe, daß in den Heilungsgeschichten, in denen Jesus vom Glauben der Geheilten spricht, gemeint ist, daß der Glaube Anteil hat an der Allmacht Gottes! Das heißt dann aber, daß Jesus die Heilung nicht für sich in Anspruch nimmt, sondern auf ein Geschehen zwischen dem Glaubenden und Gott zurückführt. Und doch ist dieser Glaube nach diesen Geschichten nicht ohne Jesus möglich, denn die Offenheit richtet sich ja zunächst auf Jesus, so daß man hier von einem durch Jesus erweckten Glauben sprechen muß. Wo diese Offenheit nicht vorgegeben ist, kann es auch nicht zum Glauben, zum Anteil-Gewinnen an der Allmacht Gottes, kann es somit nicht zu Wundertaten „Jesu" kommen. Das sagt auch die Überlieferung von der Ablehnung Jesu in seiner Vaterstadt ganz ausdrücklich (Mk 6,1—6 / Mt 13,53—58). Hier nimmt man Anstoß an der Lehre Jesu und

---

[5] Vgl. W. Marxsen, Anfangsprobleme der Christologie, Gütersloh 1960, S. 38 ff., unter Bezugnahme auf G. Ebeling, Jesus und der Glaube, ZThK 1958, S. 64—110.

ärgert sich über ihn. Jesus kommentiert das mit dem Spruch: „Ein Prophet ist nirgends verachtet außer in seiner Vaterstadt und bei seinen Verwandten und in seinem Hause." Und dann heißt es V. 5 f.: „Und er konnte dort keine Machttat vollbringen, außer daß er wenigen Kranken die Hände auflegte und sie heilte; und er verwunderte sich wegen ihres Unglaubens." — Damit ist klargestellt: Wo kein Glaube ist, kann es auch kein Wunder geben; aber die Fähigkeit Jesu, Wundertaten zu vollbringen, ist nicht durch den Unglauben einiger aufgehoben.

Wunder und Unglaube

Was geschieht nun aber, wenn ein Mensch, der nicht mit dieser Offenheit zu Jesus kommt, Zeuge ist, wie einem anderen ein Wunder erfährt? Die Mehrzahl der Wundergeschichten, die in den Evangelien von Jesus erzählt werden, spielt in der Öffentlichkeit. Im allgemeinen ist dabei nur von dem Erstaunen der Menge die Rede, das die Größe des berichteten Wunders unterstreichen soll. Das ist der für viele Wundergeschichten der Antike typische Chorschluß. An einigen Stellen wird jedoch auch eine negative Reaktion laut, von der aus ein Licht auf die aufgeworfene Frage fällt.

Zunächst ist dabei auf den bereits zitierten Weheruf über die Städte Bethsaida, Chorazin und Kapernaum zu verweisen. Wenn in Tyrus und Sidon, also im Heidenland, die Wunder geschehen wären, die hier in den Städten am See Genezareth geschehen sind, so hätten sie schon längst in Sack und Asche Buße getan! Dieser Weheruf setzt voraus, daß man trotz geschehener Wundertaten Jesus abgelehnt hat. Die Wundertaten wurden hier offensichtlich nicht als eindeutige Beweise für seine Legitimität anerkannt.

Eben davon ist auch in der Überlieferung von der Heilung eines Dämonischen die Rede, die Matthäus und Lukas im Zusammenhang mit dem Beelzebul-Vorwurf berichten:

Mt 12,22—24	Mk 3,22	Lk 11,14—16
22 Da wurde ein Besessener zu ihm gebracht, der blind und stumm war, und er heilte		14 Und er trieb einen Dämon aus, der stumm war. Es begab sich aber, nachdem der Dämon

ihn, so daß der Stumme redete und sah.

23 Und die ganze Volksmenge erstaunte und sagte: Dieser ist doch nicht etwa der Sohn Davids? 24 Als das die Pharisäer hörten, sagten sie: Dieser treibt die Dämonen nicht anders aus als durch Beelzebul, den Herrscher der Dämonen.

Und die Schriftgelehrten, die von Jerusalem herabgekommen waren, sagten: Er hat den Beelzebul, und: durch den Herrscher der Dämonen treibt er die Dämonen aus.

ausgefahren war, da redete der Stumme. Und die Volksmenge verwunderte sich.

15 Etliche von ihnen sagten jedoch: Durch Beelzebul, den Herrscher der Dämonen, treibt er die Dämonen aus. 16 Andre aber versuchten ihn und forderten von ihm ein Zeichen vom Himmel.

Matthäus erzählt dieselbe Geschichte noch einmal in leichter Abwandlung Mt 9,32—34. Hier ist der Dämonische nur stumm, aber nicht auch blind, die Menge reagiert nicht mit einer zweifelnden Frage, sondern eindeutig positiv, und im Vorwurf der Pharisäer fehlt der Beelzebul-Name:

32 Als sie aber hinausgingen, siehe, da brachte man einen Stummen zu ihm, der besessen war. 33 Und nachdem der Dämon ausgetrieben war, redete der Stumme. Und die Volksmenge verwunderte sich und sagte: Noch nie ist solches in Israel gesehen worden. 34 Die Pharisäer aber sagten: Durch den Herrscher der Dämonen treibt er die Dämonen aus.

Hier ist nun ausdrücklich von Gegnern Jesu die Rede, die ein Heilungswunder miterleben. Aufschlußreich ist ihre Reaktion. Lk 11,14 sowie Mt

9,33 reagiert die Menge mit der üblichen Verwunderung, die die Größe des Wunders unterstreicht. Mt 12,23 dagegen führt die Heilung eines blinden und stummen Dämonischen zu der zweifelnden Frage der Menge, ob Jesus etwa der Davidsohn, der erwartete Messias sei. Die Frage bleibt unentschieden; deutlich ist jedoch, daß das keineswegs eine einhellige Zustimmung ist. Lk 11,15 endlich sagen einige aus der Menge, Jesu Fähigkeit sei darauf zurückzuführen, daß er einen besonders starken Dämon hat, vor dem die anderen Dämonen weichen müssen, ein Vorwurf, der Mt 12,24 den Pharisäern in den Mund gelegt ist (im Anschluß an die Vorlage Mk 3,22, wo von den Schriftgelehrten die Rede ist). Jesus selbst — und mit ihm die Gemeinde — führt dagegen in der anschließenden Verteidigungsrede Jesu Fähigkeiten auf Gott zurück Mt 12,38: „Wenn ich ... durch den Geist Gottes die Dämonen austreibe, so ist ja das Reich Gottes zu euch gekommen" und Lk 11,20: „Wenn ich ... durch den Finger Gottes die Dämonen austreibe, so ist ja das Reich Gottes zu euch gekommen."

Wichtig ist an diesen Überlieferungen, daß die Gegner die Tatsächlichkeit der Wunder nicht bestreiten. Diese wird vielmehr vorausgesetzt, aber sie wird deutend anders erfaßt.

Hier muß ich noch einen Gedanken von grundsätzlicher Bedeutung nachtragen. Es war von den Faktoren die Rede, die daran beteiligt sind, wie einem Berichtenden ein Ereignis zur Kenntnis gelangt, das er nun weitersagen will. Ich nannte die räumliche und zeitliche Nähe zum Ereignis sowie den geistigen Horizont von Welterfahrung überhaupt, in dem ein Ereignis wahrgenommen wird. Viel wichtiger noch als diese gleichsam äußerlichen Faktoren ist jedoch die innere Einstellung zum Ereignis. Das gilt einmal schon ganz banal von Sympathie und Antipathie. Wie sehr sie sowohl die Wahrnehmung eines Ereignisses als auch die Formulierung eines Berichtes beeinflussen, bedarf keiner weiteren Erläuterung. Entscheidend ist nun aber, ob das, was jemand beobachtet, sein „darf", ob ein Zeuge das, was er sieht, gelten lassen kann, oder ob er das, was er wahrnimmt, ablehnt, weil es sein ganzes Weltbild sowie sein Selbstverständnis in Frage stellen und damit die Ordnung, in der er lebt, vollkommen aufheben würde.

Jesus von Nazareth ist für die Christen der Christus Gottes, für die Juden ein Gotteslästerer, dessen Treiben man wehren, den man vernichten mußte. Wie ist diese Zwiespältigkeit in der Beurteilung Jesu möglich?

War er selbst mehrdeutig? Sollte erst der christliche Glaube in dieses mehrdeutige Phänomen, das dann der historische Jesus von Nazareth darstellen würde, Eindeutigkeit hineinbringen? Dann läge die Offenbarung aber nicht in der vorgegebenen Wirklichkeit Jesu von Nazareth, sondern im Glauben der Jünger, die erst mit ihrem Bekenntnis dieser Wirklichkeit Eindeutigkeit beilegten. Das ist jedoch ein unmöglicher Gedanke. Die andere Auskunft, Jesus sei in seinem Auftreten und Reden eindeutig gewesen, die Juden hätten ihn nur nicht *an*erkennen wollen, befriedigt auch nicht. Sie ist doch nur die christliche Deutung für die Ungeheuerlichkeit, daß der Christus von den Juden abgelehnt wurde. Sie macht zudem aus dem Erkenntnis-Problem ein ethisches. Damit aber wird das Problem in seiner eigentlichen Schärfe verkannt.

War der historische Jesus also für die Juden eine so bedrohende Wirklichkeit, die ihr ganzes Selbstverständnis, das ganze Ordnungsgefüge ihrer Religion und ihres Lebens in Frage stellte, so daß sie ihn einfach ablehnen mußten? Konnte es deswegen überhaupt nicht zu einem rationalen Erfassen dessen kommen, was er wirklich war, mußte vielmehr in ganz elementarer Selbstbehauptung diese Wirklichkeit von vornherein dämonisiert werden, so daß das Nicht-Anerkennen nicht ein Akt des Willens war, der dem klaren Erkannt-Haben folgte, sondern diese Ablehnung in einer sehr viel tieferen Schicht menschlichen Seins erfolgte und es daraufhin gar nicht mehr zu einem Zur-Kenntnis-Nehmen der Wirklichkeit, wie sie wirklich war, kommen konnte?

Daß die spätere Gemeinde die Dinge nicht so sah, läßt sich gar nicht leugnen. Wie wir sahen, war es für Matthäus ganz eindeutig, daß die Juden Jesus wider bessere Einsicht ablehnten. Das schließt aber nicht aus, daß die Ablehnung Jesu durch die Juden tatsächlich nicht ein Akt bewußten Nicht-Wollens war, sondern angemessener mit Unerlöstheit umschrieben werden muß. (Dann wird nämlich auch verständlich, warum die Gemeinde in den Geschichten von der Austreibung der Dämonen durch Jesus erzählt, daß die Dämonen Jesus stets sofort ganz genau erkannt haben! Die Menschen dagegen sahen zunächst immer nur einen Menschen, an dessen Auftreten viele Anstoß nahmen.)

Die Offenheit, die nach den Wundergeschichten die Voraussetzung ist, daß einem Menschen ein Wunder widerfahren kann, würde dann

bedeuten, daß die hilfesuchenden Menschen, von denen hier die Rede
ist, die Wirklichkeit Jesu von Nazareth nicht als Bedrohung empfanden,
deswegen bei ihm Hilfe suchten und in der Begegnung mit ihm durch
den Glauben Anteil gewannen an der Allmacht Gottes. Dabei darf
man nicht mehr unterscheiden zwischen den Taten Jesu und seiner
Verkündigung. Hier geht es vielmehr um den komplexen Eindruck,
den der historische Jesus in Wort und Tat, in seinem ganzen Auftreten
machte. Für die einen war er eine gotteslästerliche Bedrohung, die
vernichtet werden mußte, für die anderen verkörperte er die Nähe
Gottes.

Doch nun habe ich unversehens schon historische Urteile gefällt. Sie
haben wie alle Folgerungen aus den Texten hypothetischen Charakter
und müssen sich durch ihre Evidenz ausweisen. Ich meine aber, daß von
dieser Hypothese her verständlich wird, wie es zu dem Nebeneinander
von Wunderüberlieferung und positivem Hinweis auf Jesu Taten einerseits und der Verweigerung eines Zeichens andererseits kommen konnte.
Die Forderung nach einem Zeichen ist Ausdruck der Ablehnung Jesu.
Diese mangelnde Offenheit gegenüber seiner vorfindlichen Wirklichkeit
würde jeder zeichenhaften Demonstration gegenüber fortbestehen. Die
Verschlossenheit vor der Wirklichkeit Jesu und der durch ihn vermittelten
Nähe Gottes kann nicht aufgebrochen werden durch eine Veränderung
der äußeren Wirklichkeit, sondern nur im Menschen selbst, indem er
gleichsam „aus sich heraus kommt", die Abwehr durchbricht, hinter der
er sich verschanzt vor der Wirklichkeit Jesu, die seine Ordnung vermeintlich bedroht. Hier zeigt sich, welch abgrundtiefer Gegensatz zwischen
dem Glauben und der Selbstrechtfertigung des Menschen besteht, der
sich in der von ihm selbst geschaffenen Ordnung vor Gott verschließt.

Wunder und Legitimation

Schon dieser Überblick über die Wunderüberlieferung in den Evangelien zeigt, daß ohne jeden Zweifel von Jesus Ereignisse bewirkt wurden,
die er selbst und zumindest ein Teil seiner Zeitgenossen als Wunder verstanden. Wenn auch das, was im konkreten Einzelfall geschehen ist, sich
nur aus konkreten Einzelüberlieferungen erschließen läßt, so ergibt sich
diese allgemeine Feststellung doch bereits zwingend aus dem Befund der

Überlieferung. Es ist darum nicht möglich, in dem historischen Jesus nur einen Lehrer zu sehen, die gesamte Wundertradition aber für unhistorisch zu halten.

Ferner wird man nach dem bisher Festgestellten als historisches Urteil folgern dürfen, daß Jesu Taten als göttliche Wundertaten bzw. Machttaten in der Kraft Gottes nur von Menschen anerkannt wurden, die sich der komplexen Wirklichkeit des historischen Jesus und damit eben auch seinem Wort öffneten. Die durch Jesus bewirkten Ereignisse hatten also keineswegs eine besondere Bedeutung neben seinem Wort, so daß sie seine Verkündigung hätten legitimieren können. Eher war es umgekehrt. Diese Folgerung legt sich aus drei Gründen nahe:

a) Ein und dasselbe Ereignis, dessen Tatsächlichkeit auch die Gegner nicht bestreiten, wird von der Gemeinde auf Gott, von den Gegnern auf den Teufel als letzte Ursache zurückgeführt. Die Beelzebul-Perikope mit diesem Vorwurf und der anschließenden Verteidigung Jesu wäre nicht so überliefert worden, wenn es diese Vorwürfe nicht gegeben hätte.

b) Der Weheruf über Bethsaida, Chorazin und Kapernaum setzt voraus, daß dort viele Taten Jesu geschehen sind. Dennoch hatte Jesus dort offensichtlich keinen großen Erfolg mit seiner Verkündigung.

c) In der Antwort auf die Anfrage des Täufers, ob Jesus der sei, der da kommen soll, heißt es im Anschluß an den Hinweis auf die Taten Jesu: (Blinde werden sehend und Lahme gehen, Aussätzige werden rein und Taube hören, Tote werden auferweckt und Armen wird die frohe Botschaft gebracht) — „und selig ist, wer an mir keinen Anstoß nimmt." So gewiß diese Überlieferung alle genannten Ereignisse als tatsächlich geschehen voraussetzt, zeigt doch der Nachsatz wiederum, daß der Hinweis auf vermeintlich objektive Tatbestände offensichtlich nicht möglich war. Hierbei muß man freilich beachten, daß der Hinweis auf die Taten Jesu (mit einer Ausnahme, s. u.) aus Anspielungen auf alttestamentliche Erwartungen besteht. Hier ist kurz zusammengefaßt, was man von der messianischen Zeit erwartete. Es handelte sich bei dieser Überlieferung ursprünglich um eine für sich bestehende Einzeltradition. Mit den alttestamentlichen Zitaten verwies sie nicht auf einzelne bestimmte Taten Jesu, die vorher ausdrücklich genannt waren. Wie insbesondere der Nachsatz zeigt, forderte sie vielmehr dazu auf, den Gesamteindruck der Wirksamkeit Jesu, die zwar vorausgesetzt, aber nicht näher beschrieben wird, mit dieser deutlichen Bezugnahme auf das Alte Testament zu verstehen; und das bedeutete implizit, damit Jesus als den erwarteten Messias zu bezeichnen, in dessen Auftreten sich verwirklicht, was man von der messianischen Zeit erwartete.

Matthäus versteht dieses Wort in seinem Zusammenhang freilich als einen Beweis. Das ergibt sich eindeutig aus der Komposition seines Werkes; denn für jedes der hier genannten Heilsereignisse hat er vorher einen Beleg angeführt. Die Antwort an den Täufer zeigt, daß damit die Schrift erfüllt wurde. Das ist nicht mehr eine Zumutung, in Jesus den Messias anzuerkennen, sondern ein Beweis, daß er es ist. Denn man braucht nur richtig hinzusehen, um im Vergleich die Entsprechung zwischen Weissagung und Erfüllung festzustellen. Das entspricht dem Beweisverfahren in den häufigen Reflexionszitaten, in denen Matthäus nach einer Begebenheit ausdrücklich feststellt, daß sich hiermit eine alttestamentliche Weissagung erfüllt hat (1,22f.; 2,15; 2,17f.; 2,23; 3,3; 4,14ff.; 8,17; 12,17ff.; 13,14f.; 15,35; 21,4; 26,56; 27,9).

Wunder und Wunderüberlieferung

Was von der Offenheit für die ‚Wirklichkeit' Jesu gesagt wurde, die die Voraussetzung auf seiten des Menschen ist, daß er ein Wunder erfahren kann, gilt nun aber nur für das Wunder, das sich in der Begegnung mit Jesus ereignet. Diese Wunder in der unmittelbaren Begegnung mit Jesus sind vergangen; wir haben nur die Wunderüberlieferung, die es zu verstehen gilt. Die Problematik, die damit aufbricht, darf man sich nicht durch einen unpräzisen Glaubensbegriff verdecken.

Ein Wunder ist ein Ereignis, das Verwunderung erregt. Im religiösen Sprachgebrauch ist es ein Ereignis, in dem ein Mensch es mit Gott zu tun bekommt. Ein gegenwärtig geschehendes Wunder ist darum für den Menschen, dem es widerfährt oder der es miterlebt und sich diesem Ereignis öffnet, eine Bestätigung für sein Vertrauen und damit die Quelle für seinen Glauben. Der Bericht von einem geschehenen Wunder dagegen fordert Glauben. Er fordert einmal, daß man das Berichtete als tatsächlich geschehen anerkennt, zum anderen, daß man es als von Gott bewirktes Geschehen anerkennt und nicht auf andere Ursachen zurückführt. Bei dem gegenwärtig geschehenden Wunder geht es um Glauben als Vertrauen, also um fiducia, beim Bericht von einem geschehenen

Wunder um Glauben als „Für-wahr-Halten", also um agnitio. Es wäre
darum fehl am Platze, wollte man mit der vertrauenden Offenheit, mit
der man sich einst hilfesuchend an Jesus wandte, jetzt den Berichten
begegnen, die die einst von Jesus bewirkten Wunder überliefern. Man
würde dabei ja nicht Jesus vertrauen, sondern allenfalls den Berichtenden, daß sie zutreffend berichtet haben. Die Annahme aber, daß in den
Wundergeschichten zutreffend berichtet werden soll, was sich tatsächlich
ereignet hat, ist bereits eine Folgerung aus dem Text über seine ursprüngliche Absicht. Sie muß daraufhin überprüft werden, ob sie den Texten
überhaupt gerecht wird. Das leitet uns über zu der letzten Frage nach der
den Wunderberichten der Evangelien zugrundeliegenden Aussage-
Absicht.

Die Absicht der Wunderüberlieferung

Formuliert wird die Wunderüberlieferung von der Erfahrung her, daß
der Gemeinde in den Taten Jesu die Nähe Gottes widerfuhr. Das bringt
sie in vielfältiger Weise mit den Ausdrucksmöglichkeiten ihrer Zeit zur
Sprache. Der religionsgeschichtliche Vergleich zeigt, daß alles, was in der
Wunderüberlieferung berichtet wird, für damaliges Denken durchaus
möglich war. Jesu Wunder stehen nicht so einsam da, wie man meinen
könnte, wenn man nur die biblische Wunderüberlieferung kennt; von
vielen anderen wurde damals ähnliches berichtet.

Auffallend ist, daß in der Wunderüberlieferung der Evangelien kaum
ein Wunder Jesu um seiner selbst willen überliefert wird. Die Erwähnung
des Wunders steht vielmehr stets im Dienste einer deutlich erkennbaren
Absicht, die nicht auf das Wunder als solches zielt. So soll die Heilung
des Knechtes des Hauptmanns in Kapernaum Mt 8,5—13 zeigen, welch
einen vorbildlichen Glauben dieser Heide hat. Die Heilung des Gichtbrüchigen Mk 2,1—12 wird in einem Zusammenhang berichtet, in dem
es um die Vollmacht Jesu zur Sündenvergebung geht. Mehrere Heilungen finden am Sabbat statt, um das Sabbatgebot in Frage zu stellen. Die
Wunderberichte werden also in dieser sekundären Bearbeitung einer
lehrhaften Absicht dienstbar gemacht.

Eine Geschichte, die keinerlei Spuren einer derartigen sekundären
Bearbeitung aufweist, ist die von der Heilung der Schwiegermutter des
Petrus:

Mt 8,14f.	Mk 1,29—31	Lk 4,38f.
	29 Und sobald sie aus der Synagoge kamen, gingen sie in das Haus des Simon und des Andreas mit Jakobus und Johannes. 30 Die Schwiegermutter des Simon aber lag am Fieber darnieder, und alsbald sagten sie ihm von ihr. 31 Und er trat hinzu, ergriff ihre Hand und richtete sie auf; und das Fieber verließ sie, und sie diente ihnen.	38 Nachdem er sich aber aus der Synagoge aufgemacht hatte, ging er in das Haus des Simon. Die Schwiegermutter des Simon aber war mit einem starken Fieber behaftet, und sie baten ihn für sie. 39 Und er trat ihr zu Häupten und bedrohte das Fieber, und es verließ sie. Da stand sie sofort auf und diente ihnen.
14 Und als Jesus in das Haus des Petrus kam, sah er dessen Schwiegermutter darniederliegen und am Fieber leiden. 15 Und er berührte ihre Hand, und das Fieber verließ sie, und sie stand auf und diente ihm.		

Die Bearbeitung durch Matthäus und Lukas zeigt wiederum eine deutlich erkennbare Tendenz. Mt 8,14f. werden alle Nebenumstände fortgelassen. Jesus sieht beim Eintritt in das Haus selbst, daß die Schwiegermutter des Petrus krank darniederlag, berührt unaufgefordert ihre Hand und heilt sie. Der Eindruck, daß hier Jesus allein in das Haus eingetreten ist, wird verstärkt durch den Schlußsatz, daß die Geheilte *ihm* dient. Lukas macht den Ablauf der Handlung psychologisch verständlich, indem er die Bitte um Heilung einfügt, den Vorgang der Heilung beschreibt und erwähnt, daß die Heilung sofort eintrat und die Frau von ihrem Krankenlager aufstand und den Männern diente. Zeichnet Matthäus Jesus als den, der beim Anblick der Not sogleich zur Hilfe bereit ist, schildert Lukas anschaulich eine vergangene Begebenheit. — Welche Absicht aber liegt der Markus-Fassung zugrunde?

Diese Erzählung hat den Vorzug, daß man wegen des unanstößigen Inhalts die Tatsächlichkeit des Berichteten nicht bezweifelt. Das heißt ja aber nicht, daß die Erzählung einem historischen Interesse ihre Formung verdankt. Auffallend ist das völlige Fehlen jeglichen Details, die gleichsam plakathafte Stilisierung der Begebenheit. Daraus hat man geschlossen, daß sie ihre Formung der Absicht verdankt, andere auf Jesus aufmerksam zu machen.

In der Tat spricht manches dafür, daß die nur noch in sekundären Bearbeitungen erhaltene, ursprünglich reine Wundergeschichte ihre Entstehung der Propaganda verdankt[6]. Ihre Wurzeln dürften darum bis in die Zeit vor Ostern hinabreichen. Wurde aber zu Zwecken der Propaganda formuliert, verwehrt diese Absicht trotz des hohen Alters zumindest einiger der Wundergeschichten einen unmittelbaren Rückschluß auf die tatsächlichen Begebenheiten.

Stand die Wunderüberlieferung ursprünglich im Dienste der Propaganda für den historischen Jesus, so stand sie später zumindest zeitweilig im Dienste der nachösterlichen christlichen Mission. Fehlte damit der ohnehin auf werbewirksame Stilisierung angelegten Formulierung das Korrektiv am historischen Jesus, konnte sich je länger desto mehr die Neigung zur Überhöhung der tatsächlichen Gegebenheiten auswirken. Jesus wird beschrieben — nicht nur als einer, der einmal geholfen hat, sondern als einer, der helfen kann. Die Wundergeschichten wurden so Ausdruck für den Glauben der Gemeinde an den Auferstandenen, den Erhöhten — oder wie immer man das in der ältesten Christenheit in den verschiedenen Gemeinden ausdrückte.

Wer es im Glauben mit Gott zu tun bekommt, für den wird das Normale, das Alltägliche durchsichtig für etwas, was darüber hinaus weist. Und dieses „darüber hinaus" findet seinen sprachlichen Niederschlag in der Überhöhung vergangener Taten. Ein Blick auf das eingangs untersuchte Beispiel, die Überlieferung von der Auferweckung der Tochter des Synagogenvorstehers, kann das bestätigen. Die drei Fassungen dieser Geschichte zeigen, wie im Laufe der Zeit immer selbstverständlicher von einer Totenauferweckung gesprochen wird. In der Markus-Fassung kann es noch durchaus offenbleiben, ob die Menschen wirklich recht haben mit ihrer Meinung, das Kind sei tot, oder ob nicht vielmehr die Auffassung Jesu zutrifft, das Kind schlafe nur. In dieser Darstellung geht es um die Spannung zwischen der versucherischen Frage der Boten, warum Jesus noch belästigt werden soll, da seine Hilfe ja doch zu spät kommt, und der Glaubensforderung Jesu auch in dieser scheinbar hoffnungslosen Situation. Gewiß ist auch Markus davon überzeugt, daß Jesus eine Tote wieder zum Leben erweckt hat, denn es ist offenkundig, daß er im letzten Teil seiner Geschichte zeigen will, daß man mit gutem Grund auch dann an Jesus glaubt, wenn nach menschlicher Meinung dazu kein Grund mehr gegeben ist. Doch die von ihm verarbeitete Geschichte zeigt deutlich,

---

[6] Vgl. G. Schille, Die urchristliche Wundertradition, Stuttgart 1967, S. 26.

daß hier erste tastende Schritte in diese Richtung getan werden. (Darin erinnert diese Geschichte an die Ausführungen des Paulus 1 Thess 4,13 ff., wo auch erstmalig gleichsam über die Todesgrenze hinaus geglaubt werden muß.) Für Matthäus liegt hier schon gar kein Problem mehr. Er zeigt vielmehr beispielhaft, wie ein Vater mit diesem grenzenlosen Vertrauen zu Jesus kommt und wie dieser Glaube nicht enttäuscht wird. Aber auch Lukas bewegt sich in dieser Hinsicht keineswegs mehr auf Neuland. Die Worte Jesu „Fürchte dich nicht, glaube nur, und sie wird gerettet werden" Lk 8,50 scheinen vielmehr geradezu eine enge Beziehung zwischen dem Glauben des Vaters und der Auferweckung der Tochter herzustellen. (Das erinnert an die lukanische Fassung der Sadduzäerfrage Lk 20,35 f., wo Lukas im Unterschied zu seiner Vorlage Mk 12,25 nur eine Auferstehung der Gerechten, also der Glaubenden anzunehmen scheint.)

Die zunehmende Selbstverständlichkeit im Glauben an die auch den Tod überwindende Macht Jesu, die sich in diesen Veränderungen der Markus-Vorlage durch Matthäus und Lukas zeigt, spiegelt sich auch in den beiden anderen Auferweckungsgeschichten. Wird Mk 5,41 ein soeben gestorbenes Kind vom Krankenlager wieder ins Leben zurückgerufen, so wird Lk 7,11—17 der Jüngling zu Nain erst auf dem Wege zum Begräbnis auferweckt, und Lazarus hat nach Joh 11,39 schon vier Tage im Grab gelegen.

Man pflegt terminologisch zu unterscheiden zwischen Wundern und Mirakeln[7]. Hierbei handelt es sich um eine moderne Unterscheidung, indem man nämlich zu den Wundern zählt, was wir noch für möglich, zu den Mirakeln dagegen, was wir für unmöglich halten. Das ist eine willkürliche Setzung, da sie dem damaligen Denken nicht Rechnung trägt, am Inhalt des Berichteten, aber nicht an der Aussage-Absicht der Überlieferungen orientiert ist und schließlich auch noch das gegenwärtig für möglich Gehaltene verabsolutiert, obwohl es geschichtlichem Wandel unterliegt.

Wendet man diese Unterscheidung aber einmal auf die Darstellung in den Wundergeschichten an, so kann man sagen, daß die Wunder als „mehr-als-natürliche", als außergewöhnliche Ereignisse dargestellt

---

[7] Vgl. hierzu R. Bultmann, Zur Frage des Wunders, in: Glaube und Verstehen I, 2. Aufl. Tübingen 1954, S. 214 ff.

werden, wobei das „mehr-als-natürlich" keineswegs „un-natürlich" oder in dem Sinne „über-natürlich" ist, daß es mit „natürlich" gar nichts mehr zu tun hätte. Diese Überhöhung geht teilweise so weit, daß wir nach unseren Maßstäben von Mirakeln sprechen, die dann „wider-natürlich" sind — aber nicht nach damaligem Denken.

Hier kommt es vielmehr auf den damaligen geistigen Horizont an, in dem die berichteten Ereignisse vernommen wurden. Die Auferweckung der toten Tochter des Synagogenvorstehers wäre für uns ein Mirakel; für Matthäus aber gehört die Totenauferweckung zu den Ereignissen der Endzeit. Weil diese für ihn mit dem Auftreten Jesu bereits angebrochen ist, bereitet ihm die Annahme, daß durch Jesus diese Zeichen geschahen, keine Schwierigkeiten. Für Matthäus wäre Jesus auch dann der Messias, wenn von ihm keine Totenauferweckung berichtet wäre. Da er eine solche Überlieferung aber in einem Markusevangelium vorfindet, ist ihm diese nun ein zusätzlicher Beweis für die Erfüllung der alttestamentlichen Weissagungen durch Jesus. Darum erzählt er sie vor der Täuferanfrage Mt 11,2—6, die V. 5 ausdrücklich auch Totenauferweckungen nennt. — Lukas beschreibt die Jesus-Zeit als die satansfreie Zeit, in der der Gottessohn leibhaftig auf Erden wandelte. Zur Zeit des Lukas hat der Satan wieder Macht, herrschen also wieder andere Zustände als zur Zeit Jesu. Aber jene Jesus-Zeit ist nicht einfach vergangen. Sie ist vielmehr Vorbild für die erwartete Endzeit, in der Jesus wieder dasein wird. Auch hier stehen die berichteten Wunder nicht isoliert für sich, sondern sind im umfassenden Denkhorizont des Evangelisten Lukas auf ihre Aussagequalität hin zu überprüfen.

Überlieferung und Ereignis

Nach diesem kurzen Blick auf die gesamte Wunderüberlieferung in den Evangelien kann nun die Frage gestellt werden, was sich an tatsächlich Geschehenem hinter der Überlieferung von der Auferweckung der Tochter des Jairus verbirgt. Die matthäische und lukanische Fassung dieser Überlieferung scheiden dabei von vornherein aus, da sie nur dokumentieren, wie Matthäus und Lukas ihre Vorlage verstanden haben. Ebenso verbietet sich nach dem eingangs Gesagten der Analogie-Schluß von dem heute für möglich Gehaltenen. Wohl aber legt sich eine traditionsgeschichtliche Betrachtungsweise nahe.

Die Tatsache, daß Markus in seinem Evangelium vorgeformte Traditionen verarbeitet, an keiner Stelle aber zu verstehen gibt, daß er selbst Augenzeuge des Berichteten war, verbietet die Annahme, daß ausgerechnet diese Geschichte von Markus aus unmittelbarer Nähe zum geschilderten Ereignis erzählt wird. Das bedeutet, daß man auch in diesem Fall beim Rückschluß hinter die Markus-Darstellung zunächst auf die überliefernde Gemeinde stößt.

Dient die Episode von der blutflüssigen Frau im Ganzen der Erzählung einerseits einem deutlich erkennbaren Zweck, und ist andererseits keine notwendige inhaltliche Verknüpfung mit der Haupthandlung gegeben, ist die Vermutung berechtigt, daß beide Geschichten ursprünglich nichts miteinander zu tun hatten. Für sich betrachtet ist die Geschichte von der blutflüssigen Frau eine in sich geschlossene Erzählung, die, ursprünglich vermutlich mit V. 33 endend, Jesus nach dem in der Antike verbreiteten Bild vom mit göttlicher Kraft erfüllten Wundertäter darstellt als einen Gottesmann, der heilen kann, ja mehr noch, von dem heilende Kräfte ausgehen, allein schon wenn man ihn berührt. Dieses Bild vom magisch wirkenden Jesus dürfte nachträglich korrigiert worden sein durch die angefügten Worte Jesu, die aus anderen Heilungsgeschichten bekannt waren. Sie stellen die Bedeutung des Glaubens der Frau heraus und führen die Heilung auf den ausdrücklichen Zuspruch Jesu zurück.

Wurde diese Überlieferung aber erst nachträglich mit der Jairus-Geschichte verbunden, erweist sich diese als Komposition. Erst durch den Einschub wird aus einer Geschichte, die als Heilungsgeschichte begann, eine Totenauferweckungsgeschichte. Berücksichtigt man ferner den eigenartigen Charakter dieser Geschichte, der oben bereits ausführlich erörtert wurde, legt sich die Vermutung nahe, daß als tatsächlich geschehenes Ereignis eine Heilung zugrunde liegt, die in der Überlieferung zu einer Totenauferweckung ausgestaltet wurde. Dafür sprechen auch einige andere Überlieferungen, aus denen ersichtlich ist, daß der Tod einzelner Christen vor der Wiederkunft Jesu erst verhältnismäßig spät von der Gemeinde als Problem empfunden wurde.

Doch diese historischen Feststellungen werden dem Charakter gerade dieser Überlieferung nicht gerecht. Aus ihrer Formulierung bei Markus ergibt sich, daß sie nicht an einem vergangenen Ereignis interessiert ist, sondern in der Form einer Erzählung den begrenzten Glauben der Hörer zu einem grenzenlosen Vertrauen entschränken will.

Hier könnte man jedoch einwenden, auch diese traditionsgeschichtliche Untersuchung sei nur ein Versuch, den harten Anstoß, den der Inhalt des Berichteten für das moderne Bewußtsein bedeutet, zu beseitigen — wenn auch auf einem anderen Wege, als es sonst üblich ist. Mt 11,5 par ist eindeutig von Totenauferweckungen die Rede. Diese Überlieferung wurde oben noch als alt bezeichnet (vgl. Seite 487 f.). Darf man der Überlieferung Mt 11,2—6 par nun nur entnehmen, daß ein einfacher Hinweis auf vermeintlich objektive Tatbestände offensichtlich nicht möglich war, um den Streit über Jesus zu beenden (vgl. Seite 498 f.), das Unbequeme jedoch verschweigen, daß hier ausdrücklich auch von Totenauferweckungen die Rede ist?

Es besteht nun aber eine merkwürdige Spannung zwischen der Aufzählung der Heilsereignisse und der Einleitung zu dieser Antwort Jesu: Hier ist von den Werken Christi die Rede Mt 11,2 f.: „Als aber Johannes im Gefängnis von den Werken Christi hörte, ließ er ihm durch seine Jünger sagen: Bist du es, der da kommen soll, oder sollen wir auf einen anderen warten?" — Genannt werden jedoch nur Ereignisse, die geschehen bzw. geschehen sind, ohne daß ausdrücklich gesagt wird, daß Jesus sie getan hat V. 4 f.: „(Und Jesus antwortete und sprach zu ihnen: Gehet hin und berichtet dem Johannes, was ihr hört und seht:) Blinde werden sehend und Lahme gehen, Aussätzige werden rein und Taube hören, Tote werden auferweckt und Armen wird die frohe Botschaft gebracht (und selig ist, wer an mir keinen Anstoß nimmt)." — Es wird also nicht gesagt, daß Jesus Tote auferweckt, sondern daß Tote auferweckt werden. Aus dieser Spannung hat man gefolgert, daß die einleitende Szene für das Wort Mt 11,5 f. par nicht ursprünglich mit diesem Wort zusammenhing[8]. In der Tat würde man sonst ja auch erwarten, daß Jesus sagt: „Seht doch, was ich tue: ich ..." War die Aufzählung der Heilsereignisse ursprünglich aber nicht die Antwort auf die gezielte Frage des Täufers, sondern eine selbständige Überlieferung, so hatte sie einen ganz anderen Sinn[9]: Es werden dann von der Gemeinde die Ereignisse aufgezählt, die geschehen sind — und zwar nicht nur die durch Jesus bewirkten Ereignisse während seines Lebens, sondern auch die Ereignisse im Zusammenhang mit sei-

---

[8] R. Bultmann, Die Geschichte der synoptischen Tradition, Göttingen 1957, S. 22.

[9] Die folgende Auslegung geht auf eine Anregung von P. Hoffmann zurück.

nem Tode. Die nachösterliche Gemeinde treibt Mission. Sie weiß sich als die Gemeinde der Endzeit, die auf Jesu Tod und Auferstehung zurückblickt. In der Auferstehung Jesu sieht sie den Beginn der allgemeinen Totenauferstehung. Darum konnte sie unter den Ereignissen, die „im Umkreis" Jesu geschahen, die also nicht unbedingt alle von ihm selbst bewirkt wurden, sondern sich im Zusammenhang mit seinem Auftreten ereigneten, auch die Totenauferweckung nennen, die nach alttestamentlicher Erwartung noch nicht zu den Taten des Messias gerechnet wurde. Erst als die Aufzählung der Ereignisse, mit der die Gemeinde sich verdeutlichte, daß sie in der erwarteten, jetzt aber mit Jesu Auferstehung bereits endgültig angebrochenen Endzeit lebte, in der christologischen Auseinandersetzung mit anderen für den Beweis gebraucht wurde, daß Jesus tatsächlich der erwartete Messias war, gewann der Hinweis auf die Totenauferweckungen einen ganz anderen Sinn. Erst durch die sekundäre Rahmung dieser Überlieferung legt sich das Verständnis nahe, daß Jesus auch Tote auferweckt habe. Das aber ist keine historische Feststellung, sondern eine nachösterliche Glaubensaussage. Erst Matthäus und Lukas verstehen sie als historische Aussage.

Es sind also mehrere traditionsgeschichtliche Stufen dieser Überlieferung zu unterscheiden: a) die Aufzählung der von der Gemeinde erfahrenen Endereignisse, b) die Komposition der Täuferanfrage, die dazu auffordert, in Jesus den erwarteten Messias zu erkennen, c) die Verwendung dieser Komposition als Beweis im Zusammenhang des Matthäus-und Lukasevangeliums.

Dieses Zutrauen zu der auch den Tod überwindenden Macht Gottes bzw. Jesu hängt auch in anderen Texten mit dem Glauben an die Auferstehung Jesu zusammen. Besonders deutlich ist das 1 Thess 4,14: „Denn wenn wir glauben, daß Jesus gestorben und auferstanden ist, so wird Gott in dieser Weise auch die Entschlafenen durch Jesus mit ihm zusammenführen." Der Hinweis auf die Auferweckung der Toten Mt 11,5 par ist somit kein Einwand gegen das oben vorgeschlagene traditionsgeschichtliche Verständnis der Überlieferung von der Auferweckung der Tochter des Jairus. Vielmehr vermag die Traditionsgeschichte der Täuferanfrage Mt 11,2—6 par dieses Verständnis ihrerseits noch zu erhärten.

Fragt man also mit den oben (Seite 480 ff.) entwickelten Unterscheidungen, wie die Überlieferung von der Auferweckung der Tochter des Jairus zustande gekommen ist und mit welcher Absicht das geschah, bleibt festzuhalten: Dem marcinischen Bericht von diesem Ereignis liegt nicht die historische Kunde eines Augenzeugen zugrunde. Hier spricht sich vielmehr der Glaube der Gemeinde an die auch den Tod überwindende Macht ihres auferstandenen und erhöhten Herrn aus. Die Absicht der Geschichte zielt nicht auf das vergangene Ereignis, sondern auf den gegenwärtigen Hörer. Ihn will sie in Form ihrer Erzählung zu dem grenzenlosen Glauben ermuntern, zu dem Paulus die Thessalonicher mit einer ganz andersartigen Argumentation auffordert, die aber dasselbe meint.

Selbstverständlich zweifelte die Gemeinde nicht an der Tatsächlichkeit der von ihr überlieferten Ereignisse. Um so auffallender ist, daß die Wundergeschichten in der Überlieferung, wie sie in den Evangelien vorliegt, weitgehend nicht um der Tatsächlichkeit der geschehenen Ereignisse, sondern um deutlich erkennbarer lehrhafter oder ermahnender Absicht willen erzählt werden. Und selbst da, wo die Überlieferung sekundär historisiert wurde, wie etwa die Jairus-Geschichte in der matthäischen und lukanischen Bearbeitung, ist dieses historische Verständnis der Wunder in seiner Bedeutung zu erfassen, die es im umgreifenden Denk-Horizont des jeweiligen Evangelisten hat.

Zu Recht wird in den theologischen Auseinandersetzungen unserer Tage betont, daß man nicht auf die Tatsächlichkeit der Heilsereignisse verzichten, daß man sie nicht vorschnell nur auf ihre „Bedeutsamkeit" hin befragen darf, da dann der Glaube seinen Grund verliert, auf dem er ruht. Nur darf man dabei nicht vorschnell die Überlieferung überspringen! Es besteht sonst die Gefahr, daß man bei dem redlichen Bemühen, den Grund des Glaubens nicht zu verlieren, diesen Grund erst selber setzt. Dann aber ist man nicht wirklich offen für die Überlieferung, die uns in ihrem Wort den Grund auch für unseren Glauben heute allererst vermitteln kann.

Andererseits ist nicht zu übersehen, daß die Wunderüberlieferung nicht eine willkürliche Setzung der Gemeinde ist. Sie hat ihren Grund in der leibhaften Begegnung mit dem historischen Jesus und den Erfahrungen der Nähe Gottes, die man dabei machte. Das wurde weitergesagt, um auch anderen diese Nähe Gottes zu vermitteln. Die Erfahrung, die es dabei zu machen gilt, ist die Nähe Gottes in der Gegenwart. Es verstellt den Blick für das Wesentliche, wenn man den Glauben sich darin erschöpfen läßt, bestimmte Ereignisse für tatsächlich geschehen zu halten.

Es ist letztlich müßig, darüber zu streiten, was im einzelnen tatsächlich geschehen ist. Unser Meinen kann die Vergangenheit nicht mehr ändern; wohl aber kann es unsere Gegenwart beeinflussen, indem es uns hindert, auf die Botschaft der Überlieferung zu hören. Um das zu vermeiden, bedarf es der kritischen Besinnung.

Nachtrag 1979: Zu Recht hat die Kritik vermerkt, daß die Überschrift Seite 464, die nur von der „Heilung" der Tochter des Synagogenvorstehers spricht, der Intention der Evangelisten nicht gerecht wird. Wie sich auch aus meiner Interpretation eindeutig ergibt, geht es ihnen um eine Totenauferweckung.

Bei der Aufzählung der Heilungswunder Seite 485 f. fehlt die Heilung des Knechts des Hohenpriesters Lk 22,51, bei den Naturwundern Seite 486 Joh 21,1—14.

REGISTER

1. Schlagwörter

2. Einzelne Wunder Jesu
(ohne Summarien)

3. Übriges Neues Testament

Aus dem weiteren Programm

7263-4   Pesch, Rudolf (Hrsg.):
Das Markus-Evangelium. (WdF, Bd. 411)
1979. VI, 413 S., Gzl.

Nach den Perioden literarkritischer, formgeschichtlicher und redaktionsgeschichtlicher Beschäftigung mit dem ältesten Evangelium, die jeweils durch einen gewissen Methoden-monismus gekennzeichnet waren, ist jetzt eine Betrachtungsweise möglich, die sowohl die von Markus benutzten Traditionen zu sichten und zu orten als auch des Evangelisten redaktionelle, kompositorische und theologische Leistung umfassender zu würdigen erlaubt.

5755-4   Petzoldt, Leander (Hrsg.):
Magie und Religion. Beiträge zu einer Theorie der Magie. (WdF, Bd 337)
1978. XVI, 443 S., Gzl.

Die Verflechtung von Magischem und Religiösem führt zu einer „Kultgemination" (Bertholet). Die hier zusammengestellten Untersuchungen sollen dieses Zwischenreich zwischen Religion und Magie erhellen, wobei volkstümliche Magie sich nicht als histo-rische Vorstufe einer Hochreligion, sondern als eine den Menschen aller Kulturstufen mögliche Haltung erweist.

7958-2   Schaeffler, Richard:
Frömmigkeit des Denkens? — Martin Heidegger und die katholische Theologie.
1978. XIII, 160 S., kart.

Das Buch untersucht einerseits die Bedeutung von Denkanstößen, die Heidegger am Beginn seines Denkweges von der katholischen Theologie empfangen hat, sowie deren Fortwirken durch alle Stadien seiner philosophischen Entwicklung. Andererseits beschreibt es die Rezeption und Kritik seiner Philosophie durch katholische Theologen und theologisch interessierte Philosophen. Die vorhandenen Darstellungen beschäftigen sich fast aus-schließlich mit der Rezeption Heideggers durch evangelische Theologen; auch Darstellun-gen katholischer Interpreten gehen auf die spezifischen theologischen Gründe für katho-lische Heidegger-Rezeption nicht ein.

8191-9   Schaeffler, Richard:
Was dürfen wir hoffen? Die katholische Theologie der Hoffnung zwi-schen Blochs utopischem Denken und der reformatorischen Rechtferti-gungslehre.
1979. XVI, 333 S., Efalineinbd.

Der Verfasser zeigt, wie die katholische Theologie der Hoffnung im doppelten Dialog mit der reformatorischen Rechtfertigungslehre und mit der atheistisch-utopischen Hoffnungs-philosophie Blochs ihren eigenen Weg gesucht hat. Dabei ist die gegenwärtige Diskussion weitgehend durch das Fortwirken der Philosophie Kants bestimmt, nach dessen Über-zeugung das gesamte Interesse der Vernunft auf die Beantwortung der Frage gerichtet ist: Was darf ich hoffen?

7482-3   Scherer, Georg:
Das Problem des Todes in der Philosophie. (Gz, Bd. 35)
1978. VI, 225 S., kart.

Philosophiegeschichtlich besonders bedeutsame Versuche, auf die Herausforderung des Todes zu antworten, werden in ihren wesentlichen Strukturen dargestellt. Dabei kommt die Verflechtung der Todesproblematik mit dem Ganzen der jeweiligen philosophischen Entwürfe zur Geltung. Neu ist der ausgesprochene Gegenwartsbezug: Auseinandersetzung mit dem Begriff des natürlichen Todes, Auseinandersetzung zwischen metaphysischem und nachmetaphysischem Denken, stärkere Aktualisierung der dem Todesproblem zugehörigen erkenntnistheoretischen Fragen.

WISSENSCHAFTLICHE BUCHGESELLSCHAFT
Postfach 11 11 29   D-6100 Darmstadt 11